LE SÉMINAIRE

La liste des ouvrages publiés par l'auteur
se trouve en page 729.

Alain Badiou

Le Séminaire

S'ORIENTER DANS LA PENSÉE, S'ORIENTER DANS L'EXISTENCE

2004-2007

Texte établi par Isabelle Vodoz

Ouvertures
Fayard

Couverture : Le Petit Atelier

ISBN : 978-2-213-71325-0
Dépôt légal : novembre 2020

À propos du séminaire de 2004-2007 consacré à « s'orienter dans la pensée, s'orienter dans l'existence »

Le séminaire des années 2004 à 2007 s'articule à la fois à une conjoncture et à une œuvre en cours.

Tout d'abord, depuis la deuxième partie des années quatre-vingt-dix, ont commencé à se déployer les effets dissolvants et paradoxaux de la contre-révolution initiée, depuis les années quatre-vingt, dans le monde entier.

On peut ici partir d'une remarque simple : l'installation de ce qui est aujourd'hui nommé, très maladroitement, soit la « mondialisation capitaliste » (le capitalisme a toujours été mondial), soit le néo-libéralisme (le capitalisme a toujours été libéral) n'a rien de bien nouveau. Elle ressemble plutôt à un retour en arrière, en direction du XIXe siècle, après la peur suscitée chez nos maîtres, entre 1965 et 1975 – la décennie rouge – par de fortes inventions populaires et politiques, comme à très vaste échelle la Révolution Culturelle Prolétarienne en Chine, où, chez nous, Mai 68 et ses conséquences. Disons par exemple qu'en France, l'élection de Sarkozy, en 2007, concentre tous les traits majeurs de cette Restauration, le personnage ayant du reste « donné le la » en disant qu'il s'agissait « d'en finir avec Mai 68 ». Il convient donc de penser la désorientation qu'implique ce pas en arrière de l'Histoire.

Ensuite, après avoir publié mon ontologie du multiple pur, ou multiple sans-Un, et y avoir accroché une théorie des vérités – dans le livre *L'être et l'événement*, publié en 1988 –, je me suis mis à réfléchir à une théorie toute différente, à savoir la pensée de ce que c'est qu'un monde, de ce que c'est que la structure des lieux où les vérités surgissent et se déploient. En somme, après avoir déterminé, sous le motif des vérités, la forme générale de ce qui peut prétendre avoir une valeur universelle, je m'intéresse à la particularité, au monde singulier, dans lequel ces témoins de l'universalisme naissent et s'inscrivent. Ce livre s'appellera *Logiques des mondes,* il paraît en 2006, juste avant l'élection symptomale de Sarkozy. Il s'agit cette fois de disposer d'un outil formel pour l'analyse des conjonctures, même les pires.

Au vu de ce double parrainage temporel – une contre-révolution libérale victorieuse et une théorie de la singularité des mondes –, le titre du présent séminaire s'éclaire : pour autant que l'adversaire de toute vérité l'emporte provisoirement, la pensée supporte une dure désorientation. Pour autant qu'il s'agit de penser ce qu'est un monde, et notamment le nôtre – celui de la désorientation – la tâche est de repérer les appuis pour s'y orienter vers la naissance de vérités neuves. Le but est donc bien de « s'orienter dans la pensée, s'orienter dans l'existence ».

Finalement, tout est susceptible soit de comparaître devant le tribunal de la désorientation, soit d'obtenir un des prix d'excellence d'une possible réorientation dans un monde désorienté.

D'où que les matériaux examinés dans ce séminaire sont fortement marqués par leur contemporanéité, ou leur voisinage. Ils doivent en effet témoigner de la singularité du monde contemporain. On examine comment l'adversaire y est identifiable aussi bien à partir du menaçant succès majoritaire de l'énoncé « il y a trop d'immigrés », que de l'hégémonie suspecte de la danse dans les productions théâtrales ; aussi bien dans l'invisibilité de la poésie que dans la totale disparition, en politique, du mot « ouvrier ». Le recours aux écrivains, ces témoins irremplaçables, ces animateurs dans la langue des sursauts du monde, l'emporte bien souvent sur les citations proprement spéculatives. On lit et on commente Char et Stephen Crane, aussi bien qu'Aïgui et Wallace Stevens, et bien d'autres encore. Les allusions mathématiques se rapportent à la théorie des catégories, autrement dit au formalisme des relations dans un monde donné, bien plutôt qu'à la théorie abstraite des multiplicités. Je n'hésite même pas à commenter minutieusement des situations parlementaires, électorales ! C'est dire à quel point chercher à s'orienter dans un monde désorienté oblige le philosophe à patauger dans la boue du monde.

Il n'est pas étonnant qu'après ces trois ans de construction d'une boussole dans le désordre d'un monde soumis aux plus furieux assauts de l'inégalité du Capital, je me sois ensuite livré, pendant trois ans également, à un retour attentif vers l'origine de la philosophie elle-même, passant des matériaux de pensée les plus contemporains à l'activation vigilante des Idées les plus anciennes : comme on sait, le séminaire suivant, déjà paru, a pour titre, *Pour aujourd'hui : Platon !*

Ainsi, pendant six ans, je me suis moi-même « orienté dans ma pensée », depuis un monde, où les vérités souffrent, vers la restitution, à ce monde en partie stérile, du modèle à suivre : celui de leur glorification originelle.

Mais il reste essentiel, dans tous les cas, d'explorer ce que René Char nomme « la ligne hermétique de partage de l'ombre et de la lumière ».

Alain Badiou, Paris, mars 2020.

I

20 OCTOBRE 2004

Il est distribué une feuille reproduisant 5 textes de René Char qu'on trouvera en annexe à ce séminaire.

Je voudrais commencer par un point qui me frappe. Vous savez que 1980 a été l'année de la mort de Sartre, laquelle représente en un certain sens la clôture de quelque chose. Sartre, c'était au fond la philosophie française dans l'avant-après-guerre, entre les années 1930, la fin des années 1930, la guerre, la Résistance, et les années 1950 avec la question du communisme et des guerres anticoloniales. Ensuite, sont morts successivement, dans les années 1980, Lacan et Foucault, dans les années 1990, Althusser, Lyotard et Deleuze. Et puis voici que meurt Jacques Derrida. La période qui a identifié les années 1960 se concentre en un moment, peut-être singulièrement ce qui se passe entre 1964-1965 et 1968. C'était véritablement comme une fulgurance. Et la génération philosophique qui a identifié ce moment, qui l'a constitué, qui en a été le repérage et en même temps la production, a à peu près complètement disparu. Au fond, il n'y a plus maintenant que, tutélaire, retiré, un peu comme un très vieil homme impassible, Lévi-Strauss. Et alors voilà : ça vient d'arriver, l'achèvement d'un temps de mort, qui est un temps de mort non pas tant au sens empirique, que celui de la mort de ceux qui avaient signé quelque chose. La mort d'une signature historique, d'une signature temporelle.

En dehors naturellement du constat toujours impressionnant de ce qu'un moment historique ainsi signé disparaît, le sentiment qui me vient tout de suite après, et qui n'est pas un sentiment triomphal, c'est que nous sommes désormais les vieux. Qui, nous ? Eh bien, ça a un sens assez précis. Nous sommes les vieux, nous qui avons été des disciples immédiats de ceux qui ont disparu, nous qui avions, dans ces années-là, entre vingt et trente ans. Et maintenant nous advenons, nous sommes les anciens. Les anciens pour ceux dont la jeunesse a été de se constituer dans cette période. En outre, je peux le dire, même si c'est un peu narcissique, je suis le vieux ! Parce que j'ai quelques années de plus que les autres. Et je me dis que je suis à découvert devant vous. Du coup le vieux doit dans un premier temps rendre hommage à tous ceux, sans exception, qui ont malheureusement et prématurément disparu. Beaucoup de ces hommes ne sont pas morts très âgés. La vieillesse est essentiellement relative, mais presque aucun d'entre eux n'a dépassé soixante-quinze ans. Il faut donc rendre hommage à tous ceux qui ont disparu et qui nous constituent comme les vieux. Jusque-là nous étions dans leur abri, dans leur bénévolence, sous leur protection spirituelle. Ils ne nous la proposent plus et donc nous ne sommes plus séparés du réel par rien.

Je vais donc commencer singulièrement et très profondément par un hommage à Jacques Derrida. Et à travers lui, à tous, parce que précisément, quelles qu'aient été les immenses différences et les batailles d'une extraordinaire violence qu'il a pu y avoir à ce moment-là, dans l'étalement du temps, ils apparaissent comme ayant été les signataires collectifs d'un moment de la pensée. Dans le groupe que j'ai nommé il y a ceux dont j'ai été, moi, inauguralement très proche. Ça a été Sartre et puis Lacan. Et puis ceux dont j'ai été le plus continûment éloigné, à vrai dire Foucault et Derrida probablement. Ceux avec qui j'ai eu de grandes querelles très rapprochées, avec aussi de grandes séquences de pacification, c'est le cas certainement pour Althusser, Lyotard et Deleuze. L'hommage vaut pour tous. Il vaut au fond pour l'invention philosophique de ce moment-là. Et il est à sa place, pour une raison sur laquelle nous reviendrons, qui est que, en un certain sens, ce moment est, par certains de ses aspects, devant nous. Je ne dirais pas par sa répétition, mais par sa reviviscence, ou par ce que j'appelle, dans mon langage, sa résurrection. Sa résurrection est devant nous, ça, j'en suis profondément persuadé. De nombreux signes d'ailleurs le montrent. C'est à la fois un moment historique, qui dans un sens s'achève par la mort de ses signataires, de ceux qui en furent les héros, les emblèmes. Mais ce moment est aussi devant nous dans la figure de son inévitable résurrection, car, bien qu'il soit en arrière, il fait balise, ou lumière, dans la confusion des temps. : il est devant nous comme quelque chose qui est proposé à notre navigation.

C'est pourquoi, dans ce cycle que je vais vous proposer, où il est question d'orientation, de s'orienter dans la pensée, de s'orienter dans l'existence, ce qui est devant nous à ce titre est évidemment de la plus grande importance et de la plus grande actualité. Ce moment, que j'appelle, d'une désignation empirique, les années soixante, est un moment de la pensée, de l'histoire qui s'est achevé en moment de l'action car, tout compte fait, il s'est abîmé, constitué et relevé en 1968. Et c'est en ce sens aussi que je voudrais rendre hommage ici à Jacques Derrida qui vient brutalement de disparaître. Je vais naturellement lui rendre un hommage philosophique. Ce ne sera pas un hommage comme vous avez pu en lire universellement, qui salue la subtilité, la qualité, le déploiement de son entreprise. Je voudrais tenter de nommer le point qui m'importe absolument dans cette entreprise, qui m'importe dans notre écart aussi, parce qu'un hommage véritable c'est un hommage qui signale l'écart qui lui donne, qui implante sa propre force. Pour ça j'ai besoin de quelques préliminaires que je vais vous indiquer, et qui sont d'ailleurs tout à fait à leur place, parce que nous les retrouverons au titre du matériel conceptuel qui sera mobilisé plus tard dans notre long périple. Ici je vais le faire sous une forme extraordinairement simplifiée.

Mettons que nous appelions « un étant », comme dans Heidegger, une multiplicité quelconque et que nous nous intéressions à l'apparaître de cet étant, à ce qui fait que cet étant peut être dit étant d'un monde déterminé. Supposons que nous tentions de penser l'étant, non pas seulement selon son être, c'est-à-dire selon la multiplicité pure qui en constitue l'être sans détermination, mais que nous cherchions à penser cet étant en tant qu'il est là, donc en tant qu'il advient ou apparaît à l'horizon d'un monde. Appelons cette apparition dans ce monde l'« existence » de cet étant. Dans la mesure où un étant est une multiplicité indifférenciée, nous nous intéresserons à l'horizon mondain qui fait que cette multiplicité, outre le fait d'être la multiplicité qu'elle est, ce qui est mathématiquement pensable, est sur l'horizon d'un monde. Là où elle apparaît dans un monde, elle existe. Par conséquent, nous nous installons dans une distinction tout à fait classique entre être et existence, certes un peu transformée. En effet, « être », dans ce cas, c'est ce qui se laisse penser comme multiplicité pure, et « existence », ce qui se laisse penser comme être-là de la multiplicité, sur l'horizon d'un monde constitué ou d'un monde déterminé.

L'élaboration technique de cela peut prendre des voies très distinctes. Il n'est pas question ici d'entrer dans les détails, mais nous dirons simplement que le passage de l'être à l'existence, disons le rapport entre être et être-là, ou le rapport entre multiplicité et inscription mondaine de la multiplicité, est un rapport transcendantal. Celui-ci consiste précisément en ce que dans un monde toute multiplicité se voit assigner un degré d'existence, un degré d'apparition. Il faut bien comprendre que le fait d'exister, en tant qu'apparition dans un monde déterminé, s'associe inévitablement à un certain degré, à une certaine intensité d'apparition dans ce monde, qui peut aussi bien être dite intensité d'existence. Donc la multiplicité se verra assigner transcendantalement – c'est ça la relation transcendantale – une intensité d'existence qui l'assigne à un monde déterminé. Bien entendu – point très compliqué mais très important – une multiplicité peut apparaître dans plusieurs mondes différents. Nous admettons un principe d'ubiquité de l'être, je dirais même que c'est ce qui définit l'humanité. Pourquoi l'humanité peut-elle se représenter comme supérieure à tout le reste ? Exclusivement en raison de sa capacité à apparaître dans un grand nombre de mondes différents, à être assignée transcendantalement à des intensités d'existence extraordinairement diverses. Nous existons dans plusieurs mondes, heureusement ! Car si nous étions vissés à un monde, ce serait extraordinairement pénible, surtout si ce monde était mauvais, ce qui arrive généralement.

Une multiplicité peut donc apparaître dans plusieurs mondes et elle y apparaît en règle générale avec des degrés d'intensité différents : intensément dans tel monde, plus faiblement dans un autre, extrêmement faiblement dans un troisième, avec une intensité extraordinaire dans un quatrième. Existentiellement nous connaissons très bien cette circulation dans plusieurs mondes où nous nous inscrivons avec des intensités différentes. Chacun sait que des séquences d'existence sont souvent le passage d'un monde où nous existons avec un degré d'existence faible à un monde où nous existons avec un degré d'existence plus intense : c'est ça un moment de vie. Il existe de tout ça une logique sophistiquée, à laquelle nous toucherons peut-être de temps en temps. Le point fondamental est le suivant : étant donné une multiplicité qui apparaît dans un monde, étant donné les éléments de cette multiplicité qui apparaissent, si je puis dire, en même temps qu'elle, car la totalité de ce qui la constitue apparaît dans le monde, il existe toujours une composante de cette multiplicité dont l'apparition est mesurée par le degré le plus faible, c'est-à-dire qui existe minimalement. Vous comprenez bien qu'exister minimalement dans le transcendantal d'un monde, c'est comme ne pas exister du tout. Un œil divin, extérieur au monde, pourrait éventuellement comparer les minimums. Mais si c'est vous qui êtes dans le monde, exister le moins possible, ça veut dire, du point de vue du monde, ne pas exister du tout. C'est pourquoi nous appellerons cet élément : « l'inexistant ». À ce moment-là, la chose se dit très simplement : étant donné une multiplicité qui apparaît dans un monde, il y a toujours un élément de cette multiplicité qui est inexistant dans ce monde. Il est l'inexistant propre de cette multiplicité, relativement à ce monde. Attention, l'inexistant n'a pas de caractérisation ontologique, il n'a qu'une caractérisation existentielle, à savoir qu'il est un degré minimal d'existence. Ce qui est intéressant c'est que ça se démontre. Je ne vais pas vous donner la démonstration, vous resterez sur votre faim, ou vous pouvez la chercher vous-mêmes. Mais on peut démontrer qu'il y a toujours, dans ce qui apparaît, un point qui est l'inexistant. Si la multiplicité s'appelle A, le point d'inexistence, on le marquera ainsi : $\emptyset_{A,}$ soit ensemble vide, indice A. C'est un nom propre qui veut dire : l'inexistant de A. Et vous vous souviendrez que l'inexistant de A, c'est toujours l'inexistant propre de A dans un monde.

Je vous en donne un exemple massif et archiconnu. Dans l'analyse que Marx propose des sociétés bourgeoises et capitalistes, le prolétariat est l'inexistant propre des multiplicités politiques. Il est ce qui n'existe pas, ce qui ne veut pas dire, qu'il n'a pas d'être – cette confusion a toujours été faite. Marx ne veut évidemment pas dire que le prolétariat n'a pas d'être puisque, au contraire, il empile volume sur volume pour expliquer ce que c'est. L'être social du prolétariat n'est pas en question. Pour Marx le prolétariat est entièrement soustrait à l'affaire de la représentation politique dans la mesure où son être, la multiplicité qu'il est, est dans le monde, absolument, qu'elle peut être analysée, mais que, si on prend les règles d'apparition du monde politique, le prolétariat n'y apparaît pas. Il est dans ce monde, mais avec le degré d'apparition minimal, à savoir le degré d'apparition zéro. C'est ce que chante *l'Internationale* : « Nous ne sommes rien, soyons tout ! » Ceux qui disent « nous ne sommes rien », ne sont bien évidemment pas en train d'affirmer leur rien, ils affirment qu'ils ne sont rien dans le monde tel qu'il est, quand il s'agit d'apparaître politiquement. Du point de vue de leur apparaître politique, ils ne sont rien. Et le devenir-tout suppose le changement de monde, le changement de transcendantal : il faut que le transcendantal change pour que l'assignation à l'existence soit elle-même modifiée. L'inexistant est donc proprement le point de non-apparaître d'une multiplicité dans un monde, point qui est relatif au transcendantal de ce monde. Vous trouverez vous-mêmes beaucoup d'autres exemples. J'y insiste, c'est une loi générale de l'apparaître, de l'être-là, qu'il convoque toujours un point d'inexistence.

Voilà les préliminaires dont j'avais besoin avant de vous parler de Derrida. En effet, je crois que l'enjeu stratégique de la pensée de Derrida – son enjeu au sens où Bergson dit que les philosophes n'ont qu'une seule idée et que ce qui importe c'est d'approcher, de proposer une interprétation, une intuition de ce que c'est que cette idée – l'enjeu du travail infini de son écriture immense, ramifiée, de ses ouvrages et de leur approche variée, c'est précisément d'inscrire l'inexistant, tout en reconnaissant que cette inscription est à proprement parler impossible. On pourrait donc dire, en toute rigueur, que l'enjeu de la pensée de Derrida, non seulement de sa pensée, mais peut-être plus encore de son écriture – écriture étant pris ici comme un acte – c'est d'inscrire quelque chose comme l'impossibilité de l'inscription de l'inexistant comme forme de son inscription. À la fin de sa vie, Derrida a dit que s'il y avait une chose qu'il était urgent de déconstruire, c'était la déconstruction, car elle était devenue quelque chose du répertoire académique. Mais finalement, qu'entendait-il par déconstruction ?

Il faut bien voir que chez lui, le mot « déconstruction » n'est nullement académisé, il indique au contraire un désir spéculatif, un désir fondamental de la pensée, lequel part d'un constat ou d'une rencontre. Et ce constat c'est que l'expérience du monde c'est l'expérience d'impositions discursives, de discours qui vous sont imposés, ou qui sont marqués, y compris sur votre corps. Du coup la thèse de Derrida, son constat, c'est que, quelle que soit la forme d'imposition discursive, il existe un point qui lui échappe, qu'on peut appeler proprement un « point de fuite ». L'expression doit être prise au plus près de la lettre, comme un point de ce qui, précisément, fuit la règle du dispositif d'imposition. À partir de là, l'interminable travail de la pensée ou de l'écriture est de localiser le point de fuite, le localiser ne voulant pas dire le saisir, parce que le saisir serait le perdre : en tant qu'il est ce qui fuit, vous ne pouvez pas le saisir. C'est toujours le problème de saisir une fuite : si vous saisissez la fuite, elle vous échappe. Le point de fuite n'est pas saisissable comme tel, il faut simplement le localiser. De ce point de vue là, il y a chez Derrida quelque chose comme la proposition d'un geste de monstration, d'un geste d'écriture, comme une écriture avec le doigt, qui va montrer délicatement le point de fuite, tout en le laissant fuir, puisque vous ne pouvez que le montrer mort. Et ce qu'il redoute c'est manifestement de montrer le point de fuite sans sa vie. L'écriture qui va tenter cette monstration, j'appelle ça une localisation. Parce que, en fait, montrer, localiser, dire « attention c'est peut-être là, chut, ne le faites pas s'arrêter », c'est le contraire du chasseur, car le chasseur espère que la bête va s'arrêter. Or Derrida, lui, espère qu'elle ne va pas s'arrêter, car il faut la montrer dans son geste de fuite, dans sa disparition.

Évidemment le localiser est également impossible parce que le point de fuite est ce qui est à la fois dans le lieu et hors lieu. Il est le hors-lieu dans le lieu. Et comme il n'existe que dans son acte de fuite, on ne peut pas non plus arriver à le localiser. Montrer la localisation est déjà très risqué. La possibilité qui vous reste c'est de restreindre l'espace de fuite. Si vous ne voulez pas toucher à la fuite, vous devez faire en sorte que l'imposition discursive, la contrainte langagière, ne soit pas telle que l'espace de fuite recouvre tout, parce que dans ce cas vous ne localiserez rien de l'inexistant. Vous aurez simplement l'espace général, qu'il faut donc restreindre, pour être plus près de l'endroit où ça fuit, pour être dans le lieu le plus proche possible de ce qui s'excepte du lieu, ou se tient hors lieu. C'est ça la déconstruction. Ça consiste à restreindre les opérations discursives de telle sorte que l'espace de fuite soit localisable, comme dans une cartographie, en disant « le trésor est là », ou « la source est là », ou « ce qui s'en va est là » mais, tout doucement, tout doucement. Prenez par exemple les grandes oppositions métaphysiques : il va falloir les diagonaliser, parce que restreindre l'espace discursif c'est ne pas laisser subsister de massivités binaires, car il ne suffit pas de dire « c'est de ce côté » ou « c'est de cet autre », ça ne marchera pas, il n'y a pas de localisation possible, hors lieu ou dans le lieu, il va falloir passer à travers. La déconstruction c'est au fond l'ensemble des opérations qui peuvent obtenir une certaine restriction de l'espace de fuite ou de l'espace où se tient le monde. Encore une fois, c'est une opération qui s'apparente à une chasse inversée, une chasse où ce qu'il faut saisir c'est l'animal disparaissant, pas l'animal immobilisé de telle sorte que vous puissiez le fusiller. Il faut au contraire, saisir le bondissement hors lieu de l'animal et par conséquent s'en approcher au maximum, peut-être beaucoup plus que pour tirer. Cela nécessite une localisation patiente et ça suppose que la cartographie élémentaire des grandes distinctions – entre villes et campagnes, montagnes et vallées, être et étant – soit réduite. S'ensuit toute une série de discussions avec Heidegger sur la portée effective de la différence entre l'être et l'étant. Lorsque Derrida propose le concept de *différance*, cela consiste à donner un terme unique qui active la distinction être-étant en son point de fuite, c'est-à-dire qui active ce qui subsiste au fond d'opposition métaphysique dans la différence être-étant, de façon à ce qu'on saisisse la différence comme telle dans son acte. La *différance* c'est évidemment ce qui est en point de fuite de toute opposition de l'être et de l'étant, ce qui n'est pas réductible à la figure de cette opposition.

De la même manière, il faudra examiner l'opposition démocratie-totalitarisme en politique, ou la portée réelle de l'opposition juif-arabe dans le conflit palestinien. La méthode est toujours la même. Dans l'opposition juif-arabe issue du conflit palestinien par exemple, le point est précisément de déconstruire cette opposition, de trouver ce qui identifie ce lieu comme en instance de fuite au regard de l'opposition à quoi on tente de la réduire. C'est là un point qu'il faut saluer : Jacques Derrida a été à la fois courageux et homme de paix. Courageux parce que, en un certain sens, il faut toujours du courage pour ne pas entrer dans la division telle qu'elle est constituée. Et homme de paix parce que le repérage de ce qui s'excepte de cette opposition est en dernier ressort et de manière générale le chemin de la paix et de la pensée. Il y avait chez Derrida une douceur spéculative, ce qui ne veut pas dire qu'il n'y avait pas une grande douleur. Il y avait une douceur, un toucher derridien. Son grand livre sur Jean-Luc Nancy s'appelle *Le toucher*. Ce très beau livre, paru en 2000, c'est son traité de l'âme, son traité des sensations, son livre le plus délicatement aristotélicien. Et son toucher propre, c'est véritablement de donner une nouvelle proposition du rapport entre le sensible et la pensée, de trouver là encore ce qui est en point de fuite de l'opposition entre le sensible et la pensée. C'est aussi pour cela que Derrida affectionnait la forme du dialogue. Dialogue avec Hélène Cixous, avec Élisabeth Roudinesco, j'en passe, dialogue en particulier avec ce qu'on pourrait appeler la position féminine. C'est sans doute ça qui l'a intéressé dans la grande discussion qu'il a menée avec la psychanalyse, dont le point d'entrée était justement : qu'est-ce qui est assignable à un point de fuite dans l'opposition du féminin et du masculin ? C'est-à-dire, qu'est-ce qui, dans cette opposition discursive, est hors lieu ? Évidemment il trouvait dans la psychanalyse de quoi entrer dans cette question. Il y a chez lui une recherche sur ce que c'est que le toucher féminin de la pensée. Cela veut dire aussi qu'il aimait bien confronter quelque chose comme une délicatesse littéraire, une subtilité littéraire, avec quelque chose de philosophiquement un peu rugueux. L'un n'excluait pas l'autre. C'est pour ça que vous trouvez dans *Glas*, cette paire très étrange de Genet et de Hegel. Ce couple Genet-Hegel c'est le couple d'une prose sophistiquée à l'extrême et d'une rugosité conceptuelle caractéristique. Moyennant quoi Derrida va s'arranger pour montrer que ce montage, qui oppose la conceptualité rugueuse et impénétrable de Hegel à la sinuosité littéraire évidemment perverse de Genet, compose finalement la possibilité de localisation du point de fuite. Et je pense que vraiment tout cela gravite autour de ce qui se tient sous l'inexistant.

Je reviens ici à mes préliminaires, parce que, parlant un peu comme Lacan, je dirais que finalement l'inexistant, le vide indexé sur A, était l'objet du désir de Derrida, de son désir spéculatif. Ce qu'il désirait, c'était l'inexistant. Mais c'est toujours pareil, quand on désire quelque chose, c'est pour en faire quoi ? Ce qu'il y a d'admirable, c'est que ce désir de l'inexistant, il lui fallait quand même le coucher quelque part, le coucher sur la paille, bien qu'on sache qu'il est déjà relevé, qu'il est déjà ailleurs, qu'il est déjà parti. Il désirait trouver, localiser, coucher un instant l'inexistant. Aucune communication entre ça et « la femme n'existe pas » : « la femme n'existe pas » c'est une inexistence structurale, pas du tout l'inexistence dont on parle ici. Ça ne concerne pas l'apparition et ce n'est pas une analogie, ça ne communique pas vraiment. C'est l'inexistant vraiment, au sens du degré nul de l'existence, de l'apparition, de ce qui n'apparaît pas dans un monde. Mais attention, vous ne pouvez pas dire que c'est le néant ! C'est là toute la difficulté, l'erreur métaphysique c'est au fond d'avoir assimilé l'inexistant au néant, parce que l'inexistant est, absolument. Il est rien. Rappelez-vous : « Nous ne sommes rien soyons tout ! » Mais être rien, ce n'est pas du tout ne rien être. Être rien, c'est inexister de façon propre à un lieu ou à un monde déterminé. Ainsi s'éclairent les glissements alternés, caractéristiques de la prose de Derrida. Les glissements entre : si vous dites que l'inexistant est, vous manquez naturellement ceci qu'il n'existe pas ; mais si vous vous contentez de dire qu'il n'existe pas, vous manquez ceci qu'il est. Et donc aucune opposition constituée n'arrive réellement à qualifier en termes d'opposition binaire le statut exact de l'inexistant. Toujours vous glissez de l'être à l'inexistence et de l'inexistence à l'être, avec une logique qui ne s'autorise plus de distinction fondamentale entre l'affirmation et la négation. Et je crois que c'est le fond de l'affaire. La déconstruction est la menée à son terme d'un espace logique qui n'enveloppe plus l'opposition de l'affirmation et de la négation. Le toucher c'est ça : vous touchez quelque chose, vous êtes cette chose, mais vous ne l'êtes pas non plus. C'est emblématique du style de Derrida, parce que quand vous touchez, vous êtes et vous n'êtes pas ce que vous touchez. Quand vous touchez, qui est-ce qui touche ? On peut aussi bien dire : lequel touche l'autre ? Toucher c'est nécessairement aussi le toucher de l'autre. Et donc dans le toucher il y a cet élément tout à fait particulier que c'est la même chose et, en même temps, cependant, ça ne l'est pas. Il y a l'acte de toucher qui est et différencie les deux composantes du toucher. Et donc il y a ce glissement, essentiel, qui est le glissement entre être et exister et qui a pour signe, pour accroche, l'inexistant.

Je crois – ce sera ma dernière remarque – que Derrida a essayé d'installer ce glissement dans le langage. Il a donc tenté de dire que tout mot est un glissement, qu'un mot ce n'est pas une référence, c'est un glissement entre être et existence selon l'inexistant. On lui beaucoup reproché (il le méritait parfois) l'extraordinaire subtilité de ses acrobaties verbales, de ses dérivations. Mais on peut aussi rendre justice à cela en disant que c'est l'agencement, la monstration du glissement. Et que l'on n'a finalement pas d'autre moyen de montrer l'inexistant. C'est bien vrai, l'inexistant, le point de fuite, il faut que vous le montriez en faisant fuir la langue. Vous devez avoir une langue qui est une langue de fuite. Vous ne pouvez organiser une monstration de l'inexistant qu'en ayant une langue qui supporte d'inexister, donc une langue de fuite. D'où son style tout en glissements. C'est pourquoi, à la fin des fins, mon hommage aussi sera verbal. J'ai tenté d'écrire moi-même sur l'inexistant, dans le sens de mes préliminaires. Et, en hommage à Derrida je dirai : l'inexistance, avec un a, au fond très près de ce qu'il a voulu dire lorsqu'il a inventé, il y a bien longtemps, le mot *différance*. La *différance* c'est pourrait-on dire l'opération par laquelle il a tenté de coucher l'inexistance – de coucher comme on couche par écrit – de coucher l'inexistance dans la différance comme acte d'écriture, comme glissement. Et cette marque interne au langage sera de prendre le mot inexistance avec un a.

Voilà ce que je voulais vous dire ce soir – j'y tenais beaucoup – pour rendre hommage à Jacques Derrida.

Maintenant je voudrais introduire à notre grand cycle « S'orienter dans la pensée, s'orienter dans l'existence ». Je commencerai par indiquer quelle va être la stratégie générale et le but recherché. L'idée est de vous proposer un protocole philosophique, une stratégie d'interruption de la figure philosophique circulante, communicante, nomadique au mauvais sens du terme, où nous dispose le monde contemporain. Je tenterai de défaire la figure de ce que j'ai déjà eu l'occasion d'appeler « la stagnation agitée », cette figure de l'agitation stagnante, à laquelle nous sommes assignés. Ce n'est pas le vice personnel de tel ou tel, c'est une figure – prenez-la au sens de Hegel – à la fois de la conscience et du monde, c'est-à-dire de quelque chose qui est pris dans une immédiateté pressée, contrainte, d'une certaine manière extrêmement tourmentée, et en même temps dans le sentiment absolu d'une stagnation totale. C'est un emprisonnement frénétique, alors que le seul avantage habituel de la prison c'est en principe d'être tranquille. Il faut essayer de regarder ça et d'en proposer un protocole philosophique d'intelligence. Mon hypothèse c'est qu'on peut proposer un protocole d'interruption uniquement s'il existe et si nous arrivons à repérer quelque chose à quoi on puisse se confier absolument. Et la thèse c'est qu'aucune des formes proposées, internes à la figure de l'agitation stagnante, n'est en capacité de désigner autre chose que la figure elle-même. Or il faut quelque chose à quoi on puisse se confier absolument. C'est très précisément une question de confiance, je dirai pourquoi. Mais attention, quand je parle de quelque chose à quoi nous puissions nous confier absolument, « absolument » doit être pris tel quel, au sens de pouvoir se confier selon un absolu de la détermination de la confiance. Au préalable, deux précautions.

La première c'est que, « un absolu de la confiance », ne signifie aucunement l'unicité de l'absolu considéré. Je soutiendrai au contraire que ce qui est absolu est toujours possiblement distinct d'un autre type possible d'absolu. Il y aura donc une multiplicité de types d'absoluité, mais il faudra bien se confier absolument à quelque chose, autrement dit, avoir absolument confiance. Ce serait d'ailleurs une description acceptable du monde actuel que de dire qu'il fait propagande sur le fait qu'en rien nous ne pouvons avoir absolument confiance. Ce qui veut dire : « Méfiez-vous, méfiez-vous, toujours. » Mais cette absoluité de la confiance ne signifiera pas pour autant son unicité, encore moins une unicité supérieure. Deuxièmement, elle ne signifiera pas non plus le recours à une extériorité transcendante, à une garantie extérieure de la confiance. Car, après tout, Dieu est mort. Personne aujourd'hui ne prend plus cette affaire au sérieux. Dieu est mort, il est réellement mort. On reviendra sur ce point, parce qu'il est tellement question tous les jours de la religion qu'on pourrait croire que Dieu ne s'est jamais aussi bien porté. L'interprétation la plus courante de notre monde, c'est que nous sommes en plein dans une guerre de religions, et qu'il faut vraiment veiller au grain afin d'empêcher la religion de s'immiscer dans nos vies. Or Dieu est absolument mort, ainsi que tous les dieux, il n'y a pas d'exception. On ne va tout de même pas aller les chercher dans leur cimetière. Il ne s'agit donc pas d'avoir recours à une extériorité transcendante. Notre confiance est une confiance immanente, une confiance en quelque chose qui est effectivement donné dans l'expérience, une confiance absolue que l'on peut effectivement rencontrer, mais pas dans une forme transcendante hypothétique.

C'est le sens que je donne à la troisième des citations de René Char que vous avez sous les yeux, celle qui dit simplement : « L'éternité n'est guère plus longue que la vie. » Il faut entendre cela au sens où l'absoluité de ce en quoi nous pouvons avoir confiance reste une création ou une donnée immanente, c'est-à-dire qu'elle est supplémentaire à la vie mais de l'intérieur de la vie même. C'est pourquoi l'éternité qu'elle contient n'est pas beaucoup plus longue que la vie. Elle est la vie avec ce supplément immanent de la vie qu'est la confiance absolue. Cette phrase de Char il faut l'entendre comme : ce n'est pas parce qu'il y a de l'absolu dans la vie que vous sortez de la vie, ou, inversement, vous n'avez pas besoin d'attendre de sortir de la vie pour être enfin confrontés à l'absolu. L'absolu est immanent et en tant qu'il est immanent il est coextensif à la vie, avec le supplément immanent d'une confiance absolue.

Par conséquent la question c'est bien la question des vérités, des vérités éternelles comme disaient les classiques. « L'éternité n'est guère plus longue que la vie » ça veut dire : la vie avec des vérités éternelles, c'est à la mesure de la vie, ça n'est pas une autre durée que la vie elle-même. Nous sommes là dans la tradition cartésienne. Descartes a une théorie tout à fait intéressante, il déclare : « Dieu a créé les vérités éternelles » – on parle là du Dieu opérateur, du Dieu de la métaphysique – et il va soutenir mordicus que les vérités éternelles, y compris le principe de non-contradiction, sont des décisions divines. Tout le monde a beau objecter : Comment les vérités peuvent-elles être éternelles si elles ont été créées ? Descartes maintient absolument qu'elles sont éternelles et nécessaires et que cependant elles sont absolument suspendues au vouloir de Dieu. Je vous recommande de lire attentivement sur ce point la lettre au père Meslan du 2 mai 1644. Une très belle lettre, où Descartes interroge le rapport entre vérités éternelles et liberté. Cela nous intéresse parce que le rapport entre vérités éternelles et liberté est d'ordinaire conçu comme un rapport d'extériorité, c'est-à-dire que la liberté est une liberté pour les vérités éternelles ou au regard des vérités éternelles, ou encore ne peut être pleinement liberté qu'en accord avec les vérités éternelles. Ce que Descartes nous dit, c'est que les vérités éternelles, absolues, comme par exemple 2 + 2 = 4, en ça on peut avoir absolument confiance ; mais la confiance dans le monde tel qu'il est, c'est dur. Et pourtant il va dire un peu comme René Char que l'éternité ce n'est pas beaucoup plus long que la vie puisque ça a beau être une vérité éternelle, comme tout le reste elle n'en a pas moins été créée par Dieu. Comme tout le reste… C'est ça qui nous intéresse : comme tout le reste. On peut laisser Dieu de côté. On peut retenir simplement la conclusion que les vérités éternelles, si nécessaires soient-elles, et bien que nous puissions avoir absolument confiance en elles, sont internes au statut général de ce qui est, à savoir, dans le cas de Descartes, créé par Dieu. Tout ce qui est créé par Dieu, vérités éternelles comprises, et donc l'absolu lui-même, n'est pas autre chose que la vie, L'absolu n'est pas plus long que la vie, l'éternité n'est pas plus longue que la vie, tout cela, en fin de compte, c'est dans l'espace de ce qui est créé par Dieu.

Descartes va prendre deux exemples très radicaux : la somme des angles d'un triangle est égale à 360° d'une part, et d'autre part le principe de non-contradiction, sous la forme : les contradictoires ne peuvent être ensemble. C'est le principe de non-contradiction tel que formulé par Aristote. Donc les vérités mathématiques et les vérités logiques, dans lesquelles on est en quelque sorte absolument contraint d'avoir confiance ; impossible de penser autrement, en la matière notre confiance de pensée est absolue. Pourtant c'est absolument suspendu au vouloir divin, donc entièrement créé bien qu'éternel. L'argument principal de Descartes, sous sa formule la plus ramassée, qui est très intense, est le suivant : « Encore que Dieu ait voulu que quelques vérités fussent nécessaires, ce n'est pas à dire qu'il les ait nécessairement voulues. » C'est toujours dans la lettre au père Meslan. Autrement dit, la confiance absolue en une vérité – Descartes parle de vérités « nécessaires » – n'exige pas qu'elles soient dans un statut dérogatoire au reste des existences ; tout comme les autres existences, ces vérités nécessaires, Dieu a voulu qu'elles soient. De même qu'il a voulu aussi que soient des vérités non nécessaires, des choses superflues, des imbéciles, etc., tout ça c'est sur le même plan. À l'intérieur de ce plan unique d'existence, pas de statut dérogatoire. Les vérités nécessaires ne sont pas en exception immédiate de ce qui est. Simplement elles sont nécessaires, donc on peut avoir en elles une confiance absolue.

Cela pour vous dire que, dès Descartes, fait son chemin l'idée que le principe d'absoluité de la confiance en quelque chose n'impose pas que ce quelque chose soit en exception ontologique. C'est bien pourquoi il peut être immanent. Il n'a pas besoin d'être suspendu à un autre type d'être, à une région transcendantale. Vous remarquerez que Descartes étend cela à ce que l'on peut appeler les premiers principes : les contradictoires ne peuvent pas être ensemble, les axiomes mathématiques, les premiers principes de la raison, etc. Et vous savez combien il avait confiance dans les principes fondamentaux, puisque si vous n'avez pas confiance en eux, il n'y a pas de certitude. La confiance dans les principes est donc essentielle mais elle ne signifie pas que les principes existent autrement. Ils existent. Notre formule sera celle-ci : la confiance immanente dans un absolu se présente toujours comme incorporation au sujet d'une vérité. Et ça, c'est ce dont nous tenterons de montrer que c'est possible. C'est-à-dire que l'incorporation au sujet d'une vérité sera réellement le gage de la possibilité d'une confiance absolue. Et cette confiance absolue est à mon avis elle-même le seul repérage possible d'une interruption de l'agitation stagnante ou de la figure qui nous est imposée, laquelle est naturellement une figure intrinsèquement et totalement relativiste. C'est bien pour ça qu'il ne faut pas espérer détruire une figure relativiste sans introduire de l'absolu. On est bien obligé de dire qu'il n'y a pas d'autodestruction immanente du relativisme.

Notre stratégie la plus générale consistera donc à proposer un principe de confiance absolue, gagé sur l'immanence possible de l'incorporation subjective d'un corps de vérité. Et la chose va se faire en trois temps que je vous indique sans attendre :

1. Analytique de l'adversité.
2. Appareillage formel ou conceptuel médiateur.
3. Proposition de configuration subjective.

1. Analytique de l'adversité

Cela revient à poser la question : qu'est-ce qui aujourd'hui interdit d'avoir absolument confiance ? J'appelle interdiction ce qui est évidemment subjectif. C'est interdit mais ce n'est pas impossible. C'est même absolument possible, mais interdit veut dire qu'on ne se donne pas l'autorisation de. On reviendra sur les noms de cette interdiction, du genre, « il ne faut pas donner dans les idéologies », « il ne faut pas être utopique », « il faut être réaliste », voire, « il faut être moderne ». Ces épithètes désignent toutes le fait qu'il ne faut pas avoir confiance en quoi que ce soit et se contenter de se confier au train du monde. Dire cela n'éclaire pas les modalités précises de l'interdiction, à savoir comment elle fonctionne. Qu'est-ce qui a blessé à mort la confiance ? C'est la question la plus intéressante. Qu'est-ce qui, encore bien plus, a porté atteinte à l'idée que la confiance n'est confiance que si elle est confiance absolue – parce que c'est ça ce que je soutiendrai. Parler de confiance relative n'a aucun sens. La confiance véritable est une confiance « absolue » – à prendre au pied de la lettre, c'est-à-dire une confiance dans laquelle quelque chose d'absolu est en jeu. Sinon ce n'est pas une confiance. Éventuellement une préférence molle. Alors qu'est-ce qui interdit ça aujourd'hui, qu'est-ce qui crée la circonstance de l'interdiction ? Pour le dire en sens inverse, quel est le régime contemporain de la méfiance ? De quoi sommes-nous obligés de nous méfier ? Il est indubitable que la forme théorique de la méfiance, c'est le relativisme. Parce qu'il consiste toujours à dire : « Ne croyez pas vraiment en ça, c'est relatif à quelque chose. » Ça peut être votre business, ça peut être votre goût, les goûts et les couleurs des uns et des autres, vous pouvez circuler là-dedans, mais il n'y a pas de point d'absoluité tel que vous puissiez y ancrer, y accrocher une confiance réellement absolue. La forme théorique du relativisme universellement dominant aujourd'hui, en quelque sorte la subjectivité du relativisme, se présente comme bénévolence à l'égard de tout. La bénévolence à l'égard de tout, ou le relativisme, c'est en gros : « Tout le monde a raison d'aimer ceci ou cela étant donné qu'il n'y a pas de point d'absoluité, car si absoluité il y a, elle a une vie beaucoup plus longue que la vie, or il n'y a pas d'éternité coextensive à la vie. » Dans ce cas, en effet, il n'y a que le temps culturel des choses. Tout le monde a raison, au fond, d'aimer ce qu'il aime, au moins dans certaines limites supportables pour le relativisme car, si trublion il y a, on le lui fera savoir.

Dans cette situation de bénévolence universelle, où tout le monde « a le droit de », la subjectivité observable est une défiance universelle. Pourquoi ? Parce que je dois d'abord, pour pouvoir apprécier un goût extérieur au mien, savoir si celui auquel j'ai affaire est bien de mon espèce. Du coup il faut que je repère les différentes espèces culturelles, nationales, traditionnelles, du relativisme. Si tout est relatif, il faut que je sache à tout moment à quoi j'appartiens moi et à quoi le fameux autre appartient. Pas d'autre rapport à ce qui est sinon la négociation. Or, l'être véritable de la négociation étant le contrat tout devient contractuel. On sait bien que l'idéologie du contrat, c'est la défiance. Si vous êtes contraint de signer un contrat, c'est que vous n'avez pas confiance. Si vous êtes obligé de vous en remettre à des arbitrages, c'est que vous prévoyez déjà que vous allez plaider devant un tribunal quelconque. La contractualisation est l'essence positive du relativisme, c'est une idéologie juridique qui crée une subjectivité fondamentale de méfiance formalisée. Le juridisme c'est la méfiance formalisée. J'ai de la bénévolence pour l'autre mais quand même, si je fais quelque chose avec lui, mieux vaut qu'il ait signé, car tout compte fait, il n'est pas comme moi. Quand il aura signé alors je ferai confiance, mais vous voyez dans quelles limites ! La confiance consensuelle n'est certainement pas une confiance absolue, et ce par définition. Si vous avez une confiance absolue, pas besoin de contrat. C'est comme l'amour, à partir du moment où il faut qu'on signe, c'est qu'on prévoit déjà des difficultés considérables.

C'est une remarque que Platon a faite depuis longtemps. Comme on le sait, la grande différence entre le vieux Platon et le Platon de la maturité, c'est que le Platon de la maturité considère que la régulation politique peut et doit se faire sans lois. Ce ne sont pas des lois, c'est la subjectivité pensante qui règle l'universalité politique. C'est une question de détermination de la pensée, de justice au sens quasiment ontologique du terme, pas une question de réglementation. En revanche, pour le vieux Platon, celui des *Lois*, c'est devenu tout le contraire : il faut tout coder, tout écrire, légiférer sur tout. Que s'est-il passé ? Il est devenu vieux ! En vieillissant il est devenu méfiant – il lui est arrivé pas mal de bricoles entre-temps, on ne sait pas très bien. Il est allé voir le tyran de Syracuse et ça ne lui a pas réussi, il a même failli être vendu comme esclave, etc. Échaudé, il est devenu méfiant. Et ce qui est très intéressant c'est que la méfiance platonicienne ultime, très flagrante dans *Les Lois*, texte au demeurant assez sinistre, se manifeste par une obsession de la loi, de la réglementation contractualisée, signée, inscrite des choses. Tandis que le Platon de l'élan de la confiance, déjà un peu limitée, c'est le Platon qui pense que l'on peut faire confiance à la pensée, à la conviction. Cette conviction illuminée par la pensée deviendra créatrice par elle-même – on ne va quand même pas demander à tout le monde de signer !

C'est là un premier mouvement, très important. La subjectivité contemporaine, dans l'analytique de l'adversité, doit être pointée comme une subjectivité de méfiance systématique. J'y insiste parce qu'elle se présente sous des dehors très différents, comme subjectivité de la bénévolence universelle, de la démocratie sans rivages, etc. La multiplicité des mondes est sans bornes, et tout cela n'est rendu possible que par l'absence radicale de tout point d'absoluité quel qu'il soit. La bénévolence universelle se renverse dans sa pratique en méfiance universelle. Si bien que le monde d'aujourd'hui est universellement dominé par la méfiance et la peur, lesquelles ont pour corrélat constant la juridicisation de tout. Même quand on va chez le médecin, on se méfie ! Du temps du serment d'Hippocrate, on se confiait au médecin. Maintenant le médecin lui-même va vous faire signer que si vous êtes mort, ce ne sera pas de sa faute ! En l'absence d'absoluité en partage il faut se méfier de l'autre, car il a des droits, et toute relation devient une relation de suspicion. On ne peut plus faire confiance qu'au contrat. Et cette confiance faite au contrat, indique qu'on ne fait pas confiance à l'autre, ce qui fait que la peur et la méfiance sont aux fondements du monde démocratique universel. Cela joue un rôle fondamental dans l'analytique de l'adversité : il faut défaire une subjectivité qui est une composition très étrange d'affirmation, d'ouverture, de bénévolence générale, et d'une réalité de méfiance et de juridicisation.

Si on pense à l'évolution de Platon, on voit la cohérence de tout ça. Dans *La République*, Platon pense qu'on peut mettre en partage un point d'absolu. C'est bien pour ça qu'au cœur du livre vous avez la royauté absolue : le soleil, l'Idée du Bien. Et si vous remontez vers le point d'absoluité, qui est un point événementiel beaucoup plus que structurel, tout de suite vous redescendez et vous êtes dans un partage authentique parce que ce partage a traversé le point d'absoluité. Avec le vieux Platon la confiance se perd et l'absoluité est remplacée par la réglementation. Entre parenthèses, l'histoire des pays communistes pourrait en un certain sens s'inscrire entre *La République* et *Les Lois* : la révolution c'est la conviction qu'il y a un point d'absoluité qui peut être partagé par l'enthousiasme révolutionnaire général, mais ensuite c'est l'État qui s'installe et c'est la méfiance, donc la codification, la répression, l'interdiction de tout, c'est la mort du point d'absoluité. Si bien que c'est tout de même un peu fort d'entendre dire que ce qui a conduit à l'effondrement du communisme c'était son absoluité. Ce n'est pas l'absoluité qui a produit l'effondrement du communisme, mais bien plutôt l'effondrement de l'absoluité : on est passé du jeune au vieux Platon, où il n'y a plus que la terreur. Dans *Les Lois*, le conseil principal qui a le pouvoir est appelé « le Conseil nocturne » : c'est très frappant, les chefs se réunissent la nuit et on se doute qu'ils ne vont faire que des mauvais coups. C'est bien vrai et ce qui se passe, c'est la terreur. J'ai toujours été frappé par le fait que, en ce qui concerne les jeunes, Platon passe de l'idée qu'on peut les prendre à témoin de la nécessité de la critique des artistes, à la thèse qu'on trouve, dans *Les Lois*, selon laquelle il faut les condamner à mort, les exécuter. C'est terriblement symbolique de ce qui est arrivé au XXe siècle : on est passé de la conviction enthousiaste qu'il faut convaincre et rallier tout le monde au mouvement d'émancipation, à l'opinion suivant laquelle il n'y a que la terreur qui marche. Cette balance montre bien que la corrélation n'est pas du tout entre méfiance d'une part et terreur et absolu d'autre part ; la corrélation est entre confiance et absoluité d'un côté, et puis entre méfiance et terreur de l'autre. Quand le point d'absoluité n'est plus clair pour personne, effectivement, il est remplacé par une juridicisation terroriste et une loi des suspects. Ce n'est pas pour rien que Saint-Just dit pendant la Révolution française que « la Révolution est glacée ». Cette phrase sera l'amorce de ce premier temps, celui de la liquidation de l'adversité à travers le texte n° 2 de René Char, sur lequel je reviendrai ultérieurement et dont pour l'instant je ne cite que la phrase suivante : « Certaines époques de la condition de l'homme subissent l'assaut glacé... » Cette glaciation, son véritable nom pourrait être généralisation de la méfiance. C'est pourquoi je dirais que notre époque, si agitée et hédoniste qu'elle se donne, est en réalité une époque glacée.

Ce sera le premier temps de notre analytique de l'adversité, à savoir : comment fonctionne l'interdiction de la confiance absolue ?

2) Appareillage conceptuel ou formel

Le deuxième temps consistera à se donner un appareillage conceptuel ou formel autour de la question vérité-sujet-corps. Nous reprendrons l'idée suivante contenue dans texte n° 5 de Char : « La liberté n'est pas ce qu'on nous montre sous ce nom. » Voilà qui est fondamental ! Car le monde contemporain est absolument dominé par une imposture sur la question de la liberté, une imposture frénétique ! Char a particulièrement raison. S'il y a quelque chose qui n'est pas ce qu'on nous montre sous ce nom, c'est bien la liberté. On ne cesse aujourd'hui d'appeler « liberté » des systèmes de contrainte, donc d'appeler « liberté » son contraire absolu. En conséquence nous aurons besoin d'un appareillage formel et conceptuel qui réactive ou propose une idée entièrement autre de la liberté. Il s'agira de montrer la liberté pour ce qu'elle est, pas pour ce qu'elle n'est pas. Et cela se fera dans une articulation de la triplicité vérité-sujet-corps, avec une proposition assez fondamentale sur le statut des corps dans la question de la liberté.

3) Configuration subjective

Le troisième temps consistera à proposer positivement une configuration subjective nouvelle, que j'appellerai une axiomatique de l'absolu. On pourrait l'introduire par les textes n° 1 et n° 4 de Char, c'est-à-dire par des propositions qui sont évidemment des propositions subjectives, comme par exemple, ne pas confondre révolte et humeur.

C'est ça le rythme général. Dans une certaine mesure le rythme général c'est, comme chez Leibniz, à la fois le rythme global et le rythme de chaque moment : le rythme global parce que ça correspond en gros aux trois années. Cette année ce sera principalement l'analytique de l'adversité, donc l'analyse de la situation, et la construction de la question. Dans quel monde vivons-nous ? Comment s'orienter ? La deuxième année sera consacrée à l'appareillage formel, à une théorie formelle de la liberté. La troisième traitera de la destination subjective. Voilà le rythme global. Mais en réalité c'est aussi le rythme de détail : on ne va naturellement pas être exclusivement dans l'analytique de l'adversité pendant un an, puis la deuxième année dans l'appareillage formel. C'est aussi dans chaque moment qu'on retrouvera cette triplicité, ce mouvement qui enchaîne une analytique, une proposition conceptuelle et une description de configuration subjective.

Aujourd'hui je voudrais ainsi terminer par la fin, c'est-à-dire, en partant des textes n° 1 et n° 4 de Char, donner quelques visions, des visions intuitives, précaires et, si je puis dire, poétiques, de l'ultime point, c'est-à-dire de la configuration subjective.

Commençons par *Feuillets d'Hypnos* (texte n° 4) sans doute le plus beau texte écrit sur la Résistance. La Résistance c'est de l'histoire ancienne, c'est vraiment un autre monde, mais, jusqu'à aujourd'hui, c'est très important. Il y a eu là une fracture subjective capitale qui fait que ce qu'on appelle notre pays, la France, notre site, notre lieu, s'est trouvé confronté à une scission. Véritablement, entre la France officielle pétainiste et ce qu'ont été les petits noyaux de résistance, il est difficile de trouver un écart subjectif plus considérable. Et le pays a traversé l'épreuve de cet écart sans jamais en prendre la mesure, parce que cet écart a été recouvert par une mythologie victorieuse, la mythologie de la Libération, où brusquement tous les Français ont suivi De Gaulle. Quand on a essayé de défaire cette mythologie victorieuse, on est tombé dans l'excès contraire, c'est-à-dire qu'on a commencé à dire que la France était abjecte. Or, en réalité, ce n'était pas ça. La question c'est que quelque chose comme une vérité s'était exhibée là, dans une position entièrement renouvelée, c'est-à-dire que le pays avait existé dans une concentration presque infinitésimale de lui-même. Quand on a dit « c'était ça le pays », c'était vrai ! Mais c'était infinitésimal, c'était comme une métonymie. Notre lieu a traversé un mode d'existence tout à fait singulier, qui était de se donner dans une contraction de lui-même, infime et en même temps exigeante à l'extrême, qui a ensuite été recouverte par des mythologies de provenances différentes. Quand Char prend la parole ce n'est pas du tout au nom de la mythologie victorieuse finale. Ce qui fait de *Feuillets d'Hypnos* un texte d'exception sur la Résistance, c'est qu'il la prend dans le moment même. Char est un résistant du début, un résistant militaire, qui a rejoint le maquis, ce n'est donc pas du tout la résistance idéologique, c'est la résistance au sens le plus noble et le plus actif du terme. Et il va tenir une chronique de cela, faisant ainsi exister la subjectivité résistante dans son moment infinitésimal, dans son moment, si je puis dire, différentiel, au sens où on n'est pas dans la rétroaction de la victoire, mais dans ce moment de contraction extrême où cette subjectivité a existé fugitivement et où, en même temps, elle a assuré quelque chose de totalement extraordinaire. Il y a beaucoup de textes de Char sur la Résistance, notamment dans d'autres recueils, mais les *Feuillets d'Hypnos*, datés de 1943-1944, sont presque entièrement de ce moment.

Il écrit :

> Combien confondent révolte et humeur, filiation et inflorescence du sentiment. Mais aussitôt que la vérité trouve un ennemi à sa taille, elle dépose l'armure de l'ubiquité et se bat avec les ressources mêmes de sa condition. Elle est indicible la sensation de cette profondeur qui se volatilise en se concrétisant.

Trois ponctuations.

Premièrement, la subjectivité interruptrice. Vous voyez ici pourquoi la Résistance m'importe, c'est que véritablement c'était une figure absolue de l'interruption par rapport à la logique générale de la capitulation, celle de l'État pétainiste. C'était vraiment décider, à très peu et avec presque rien, qu'on allait faire autre chose, qu'on allait interrompre ça absolument, avec quand même en plus le risque de mort. Je ne veux pas pathétiser le risque de mort, ni dire que le risque de mort est toujours l'alpha et l'oméga d'une vérité. Mais c'était comme ça ! Et ce que Char nous dit là c'est que la révolte, qui peut être en effet un des noms possibles de cette interruption, n'est ni une subjectivité au sens psychologique du terme, ni une « humeur » ou une « inflorescence du sentiment », c'est une « révolte » ou une « filiation », filiation voulant dire que c'est un principe de conséquence. Ça résonne avec la fameuse expression de Rimbaud : « les révoltes logiques ». Les poètes se relaient les uns les autres, comme toujours. Mais Char reprend en quelque sorte révoltes « logiques », car la révolte est pour lui l'interruption radicale de ce qu'il y a de dominant, pas une figure de la spontanéité de la vie. La spontanéité de la vie nous délivre des humeurs, des affects, des sentiments, des inflorescences, mais pas de principe d'interruption. Par conséquent il n'y a pas à chercher du côté du spontané par rapport au contraint. Nous ne nous libérerons pas des contraintes par la spontanéité, mais par quelque chose qui est d'un autre ordre. Toute la question est alors de savoir ce que c'est que cet autre ordre. C'est précisément l'objet de notre enquête. Char ajoute aussitôt à « révoltes » la « filiation ». Impossible d'opposer à la forme dégénérée, contrainte ou soumise de la vie quelque chose comme une forme authentique. Au fond, le recours à l'authenticité de la vie a toujours été plutôt un recours fasciste. Les fascistes aussi prétendaient à l'interruption Mais ils y prétendaient par la venue au jour d'une authenticité vitale essentielle qu'on opposait à l'abstraction décadente. Ce que Char rappelle, et du côté de quoi je me tiens, c'est que l'interruption proprement dite n'est pas réactive ou réactionnaire, pas du côté de l'authenticité spontanée de la vie, elle est du côté d'une exigence de filiation ou de conséquence qui est d'un autre ordre.

Deuxième point. « La vérité se bat avec les ressources mêmes de sa condition. » Formule fondamentale. Car « déposer l'armure de l'ubiquité » veut dire que ce n'est pas vrai qu'on fait feu de tout bois, qu'on peut se servir de n'importe quoi, de n'importe quels ingrédients subjectifs pour mobiliser les gens, que la revendication va vous conduire directement à la révolution. Ce n'est pas comme ça que ça se passe. Vous ne pourrez pas puiser les ressources qui vous sont nécessaires dans la subjectivité. Quand une vérité engage son processus, elle puise dans ses propres ressources, car la subjectivité de la vérité est une subjectivité d'incorporation, pas une subjectivité d'emprunt. C'est pourquoi le rapport aux moyens n'est pas indifférencié, il n'y a pas des moyens tels que vous pourriez les rassembler ou les mobiliser de façon anarchique, pourvu que la fin soit désirée. Cela signifie que, d'une certaine façon, le processus d'une vérité, donc d'une interruption, d'une nouveauté quelconque, est un processus homogène, au sens où, dans son développement, il puise en lui-même, dans son propre système de conditions au moment où le combat est constitué. Dans le cas de la Résistance le combat c'est un vrai combat, mais d'une manière générale c'est le moment où l'interruption constitue quelque chose comme un corps. Quand quelque chose comme un corps apparaît, vous trouvez un ennemi à votre taille. Et vous trouvez un ennemi à votre taille quand vous êtes constitué dans l'élément de l'incorporation du monde. À ce moment-là vous voyez bien que vous ne pouvez puiser que dans votre propre condition.

Enfin le troisième point, que je crois aussi très important : « Elle est indicible la sensation de cette profondeur qui se volatilise en se concrétisant. » Cela signifie que, ce faisant, vous n'allez pas constituer un état stable. Ce qui va se concrétiser ne va pas vous donner un nouvel état de choses comparable à l'état précédent. Ça « se volatilise en se concrétisant », autrement dit, c'est quelque chose qui, quoique doté d'un corps, n'est pas un état. C'est un corps incorporel, un corps qui n'est pas l'état d'un corps, ou, si vous préférez c'est une création qui est coextensive uniquement au mouvement créateur et ne reste pas comme un état de choses. C'est la sensation de cela que le poète voudrait traduire, cette sensation dont Char lui-même déclare qu'elle est « indicible ». C'est d'une profondeur inouïe puisque c'est quasiment la venue d'un autre monde et l'interruption du monde ancien. C'est vrai que les résistants, en un certain sens, constituent un monde. En outre, dans le cas de la Résistance, en raison de la clandestinité et de ce que vous ne pouvez pas proclamer tout haut ce que vous faites, vous êtes vraiment dans un monde, vous constituez un monde soustrait au monde dominant. Et ce monde est coextensif à sa propre durée, il ne va pas se stabiliser. C'est un monde volatil, qui est à tout moment dans l'épreuve de sa propre précarité. Et ça c'est très important parce que c'est contraire à l'idée canonique ou classique de la révolution, selon laquelle la révolution est là pour engendrer ou produire une nouvelle stabilité, un nouvel état, et, au sens politique, un nouvel État. Ce qui est dit ici et qui va faire partie de notre nouvelle figure subjective, c'est que ce n'est pas comme ça que les choses se proposent, parce que la vérité n'est pas un moyen, un moyen pour la fin d'une stabilisation étatique. Elle est à elle-même sa propre ressource, sa pauvre propre ressource. Et, c'est très général, nous devons réapprendre que la loi de la vérité n'est pas son établissement. Ce n'est pas simplement parce que la loi de la révolution n'a pas créé un nouvel État, ou un nouveau gouvernement, c'est dans l'ontologie même des figures du vrai que nous devons affirmer que la loi de la vérité n'est pas son établissement. La loi de la vérité est, selon la formule de Char, de « créer les ressources de sa condition ».

Je récapitule ces trois points :

– L'interruption n'est pas une promesse de la vie ; l'interruption, en définitive, est une promesse de la forme, ou, si vous voulez, elle est une promesse de la pensée.

– Le devenir de l'interruption est immanent en un sens radical, c'est-à-dire que la ressource de l'interruption est dans l'interruption même ; et la ressource de la vérité est dans ce qu'elle déploie ou déplie, pas dans des instrumentations.

– Le devenir de tout cela doit, en quelque manière, se contenter de sa propre précarité.

La dernière chose que je voudrais dire, je l'extrais du premier texte de Char, texte qui nous accompagnera tout du long, parce qu'il est très complexe et juxtapose des vérités très différentes. Je m'appuierai sur deux passages du texte.

Le premier c'est : « Nous qui, sur l'heure, sommes intelligents jusqu'aux conséquences. » « Sur l'heure », rappelle que c'est nous qui sommes dans le présent, dans l'instant, et il y a par ailleurs une intelligence qui s'étend sur les conséquences. C'est fondamental parce que c'est la forme même de l'interruption dont nous parlons depuis le début : d'une part, elle est ici et maintenant, donc elle est absolument constitutive du présent, en un certain sens elle crée un nouveau présent, et d'autre part le principe de ce nouveau présent, son mode d'existence et son extension sont constitués par la discipline des conséquences. La formule est très ramassée, mais elle est très profonde, c'est quasiment une maxime : il faut être, sur l'heure, dans l'intelligence des conséquences.

Le second c'est : « Je vois un tigre. Il voit. Salut. » C'est un résumé : j'ai vu mon tigre et c'est toujours ça. Un tigre, c'est la chose même : c'est arrivé, c'est la puissance qui arrive. Je ne vais pas m'installer sur le dos du tigre, chevaucher le tigre, je vais voir un tigre. Il y aura eu un tigre dans ma vie. Mais avoir une fois un tigre dans sa vie, justement, ça n'est pas devenir le tigre. Il y a un élément chinois là-dedans, un élément comme dans le dessin chinois. Je vois un tigre, je lui dis salut, et puis… C'est aussi précaire qu'on le disait tout à l'heure, c'est-à-dire qu'il n'y a pas d'installation. On pourrait dire, finalement, que la vie est un croisement, et que ce qu'il peut y avoir d'intense dans une vie, c'est d'avoir réellement croisé quelque chose, un tigre. L'avoir croisé vraiment. Parce qu'il faut savoir qu'il y a une bénédiction du croisement, pas une bénédiction de l'installation. C'est croiser quelque chose qui est vital à l'existence, et le présent de ce croisement peut d'ailleurs être immense, voire éternel. Éternel, mais pas plus long que la vie. Un croisement éternel.

Mais ce dont je tenais à vous parler c'est de la dernière phrase de ce texte : « Qui, là, parmi les menthes, est parvenu à naître dont toute chose, demain, se prévaudra ? » Ça, c'est une leçon d'humilité. C'est vraiment de ça qu'il s'agit : parvenir à ce que naisse quelque chose dont réellement le monde entier pourra se prévaloir. Et ça, c'est le point d'universalité. Quelque chose doit parvenir à naître, à surgir, qui soit en interruption du train du monde. Quelque chose qui sera donné, ou qui sera comme un gain éternel pour le monde entier. C'est au fond le moment où vous créez le point d'absolu, le moment où, dans l'élément de l'incertitude et de la précarité, vous créez la possibilité de la confiance absolue. Et tout le monde demain s'en « prévaudra », tout le monde pourra avoir confiance en cette chose qui aura été comme une nouvelle naissance, qui sera née « parmi les menthes ». Les menthes c'est l'odeur de l'été. Dans l'odeur de l'été, il y aura eu cette chose qui est née et à partir de laquelle, pour le monde entier désormais, il est possible d'avoir confiance. C'est ça la création des vérités éternelles au sens de Descartes. Descartes, lui, ne manie pas trop l'odeur des menthes, il est plus rêche que ça. De toute façon l'odeur des menthes n'est pas un thème du XVIIe siècle. Il faudra attendre Rousseau. Mais ce Descartes passé par Rousseau, on le retrouve chez Char. Dans cette odeur des menthes, dans ce charme de l'été, il y a une question essentielle, une question décisive : est-ce que quelque chose peut naître à partir de quoi il y aura la possibilité universelle d'une confiance absolue ? Et ça, c'est peut-être un point. Encore faut-il qu'il naisse. Être un sujet, c'est être associé à une semblable naissance.

Voilà, merci.

Qu'est-ce qu'une vérité quand tout est confusion ?

Quelques dires de René Char

1.

Tout ce que nous accomplirons d'essentiel à partir d'aujourd'hui, nous l'accomplirons faute de mieux. Sans consentement ni désespoir. Pour seul soleil : le bœuf écorché de Rembrandt. Mais comment se résigner à la date et à l'odeur sur le gîte affichées, nous qui, sur l'heure, sommes intelligents jusqu'aux conséquences ?

Une simplicité s'ébauche : le feu monte, la terre emprunte, la neige vole, la rixe éclate. Les dieux-dits nous délèguent un court temps leur loisir, puis nous prennent en haine de l'avoir accepté. Je vois un tigre. Il voit. Salut. Qui, là, parmi les menthes, est parvenu à naître dont toute chose, demain, se prévaudra ?

« Contre une maison sèche », in *Le Nu perdu*
(Milieu des années 1960), Gallimard, 1978.

2.

Certaines époques de la condition de l'homme subissent l'assaut glacé d'un mal qui prend appui sur les points les plus déshonorés de la nature humaine. Au centre de cet ouragan, le poète complétera par le refus de soi le sens de son message, puis se joindra au parti de ceux qui, ayant ôté à la souffrance son masque de légitimité, assurent le retour éternel de l'entêté portefaix, passeur de justice.

« Seuls demeurent », 1943-1944,
in *Fureur et mystère*, Gallimard, 1948.

3.

L'éternité n'est guère plus longue que la vie.

« Feuillets d'Hypnos », 1943-1944,
in *Fureur et mystère*, Gallimard, 1948.

4.

Combien confondent révolte et humeur, filiation et inflorescence du sentiment. Mais aussitôt que la vérité trouve un ennemi à sa taille, elle dépose l'armure de l'ubiquité et se bat avec les ressources mêmes de sa condition. Elle est indicible la sensation de cette profondeur qui se volatilise en se concrétisant.

« Feuillets d'Hypnos », 1943-1944,
in *Fureur et mystère*, Gallimard, 1948.

5.

La liberté n'est pas ce qu'on nous montre sous ce nom. Quand l'imagination, ni sotte ni vile n'a, la nuit tombée, qu'une parodie de fête devant elle, la liberté n'est pas de lui jeter n'importe quoi pour tout infecter. La liberté protège le silence, la parole et l'amour. Assombris, elle les ravive ; elle ne les macule pas. Et la révolte la ressuscite à l'aurore, si longue soit celle-ci à s'accuser. La liberté, c'est de dire la vérité, avec des précautions terribles, sur la route où TOUT se trouve.

« Après », 1958, in *Recherche de la base et du sommet*,
Gallimard, 1965.

II

23 NOVEMBRE 2004

Je voudrais faire un point formel, qui va concerner l'ensemble des séminaires de cette année. En ouverture, à chaque fois, je ferai une sorte de prologue un peu détaché, et évidemment inscrit dans le mouvement général, qui concernera une question, disons, d'actualité. La dernière fois, hélas, c'était à propos de la mort de Jacques Derrida, un grand collègue. Aujourd'hui, ce sera à propos du résultat des élections présidentielles américaines. Je ne me situerai pas forcément très près de l'anecdote, mais enfin ce sera mon point de départ.

Je commence directement par là. Les élections américaines peuvent nous servir à propos de la situation électorale en France, et peut-être plus généralement à propos du sentiment d'impasse négative dans laquelle le monde est enfermé et de la difficulté de l'extraction des possibles, quelque chose comme ça. Alors que la situation est par beaucoup de côtés intolérable, ou violente, ou bloquée, ou stagnante, ou oppressive, c'est comme s'il y avait une difficulté intrinsèque à la formulation et à la projection de possibles qui seraient dans une figure de rupture effective. D'où le sentiment d'un enfermement à la fois très rempli d'épisodes et de terreurs, et en même temps de quelque chose comme une immobilité, ce que j'avais proposé précédemment d'appeler une stagnation agitée. Cette expression convient tout à fait pour décrire empiriquement le monde contemporain. D'un côté nul ne peut dire qu'il ne s'y passe pas énormément de choses, y compris des épisodes d'une extrême brutalité, avec des catastrophes, des guerres, des massacres, avec aussi des transformations économiques spectaculaires comme par exemple le déploiement de la Chine. Rien n'est immobile, tout est au contraire frénétiquement agité, et en même temps, par un paradoxe qu'il ne faut pas se hâter de considérer comme dialectique, cette agitation est aussi subjectivement vécue comme une immobilité, comme une stagnation, comme une réitération. C'est un peu comme si le mode propre contemporain de la répétition était l'agitation : au lieu d'avoir une contradiction, une tension entre les deux, le principe de mouvement ne suffit plus du tout pour caractériser ce qui est extérieur ou extrinsèque au principe d'immobilité. On a l'impression que l'immobilité est l'immobilité même d'un certain type de mouvement. On tente de rendre compte de tout cela par les concepts de globalisation, de mondialisation, qui désignent le fait qu'on assiste à des différenciations constantes dans la production de nouveaux objets (transformations de l'économie, abolition d'un certain nombre d'États, dépeçage d'un certain nombre d'autres), mais que, dans le même temps, tout cela est le véhicule d'un principe d'uniformité.

Cela montre que nous ne sommes plus dans la vieille contradiction originelle entre le devenir au sens d'Héraclite et l'être au sens de Parménide. Au fond il apparaît qu'un certain type d'altérité peut être le mouvement propre du même, qu'un certain type de destruction peut être le mouvement propre de la stagnation, et qu'un certain type de différenciation n'est jamais que le mode d'existence ou d'apparaître de l'identité. Pourquoi en est-il ainsi, en tout cas dans la représentation qu'on en a ? Car il n'est pas sûr que ce soit comme ça. C'est en tout cas une très puissante perception du monde tel qu'il est, si bien que nous assistons à un spectacle tout à fait curieux. Les commentateurs, les experts, les gens qui parlent, n'hésitent pas à dire que désormais tout est accompli, que c'est la fin de l'Histoire, pas seulement celle de Fukuyama. C'est la thèse très répandue selon laquelle nous n'avons plus rien à attendre d'autre que la perpétuation du monde tel qu'il est, avec son élargissement, sa conquête de la planète entière ; que certes il y a encore des poches de résistance, des barbaries locales, des fanatismes localisés, mais que, enfin, si l'on s'y prend bien, ça continuera dans le même sens. La promesse est celle de la perpétuation, en tout cas pour nous autres. Et simultanément ces mêmes commentateurs peuvent aussi nous expliquer que tout change à chaque seconde, qu'on est en retard, qu'on est archaïque, qu'on n'a pas pris la mesure de la modernité. On entend ça tous les jours et il faut prendre cette tension au pied de la lettre car c'est un phénomène tout à fait intéressant. Qu'est-ce qui fait qu'une forme de conscience peut tolérer des prédicats aussi contraires, sans qu'on puisse dire qu'il s'agit à proprement parler d'une dialectique, c'est-à-dire d'une contradiction qui engendrerait en elle-même des figures de nouveauté ? Nous avons affaire plutôt à une sorte de juxtaposition à l'intérieur de laquelle la perpétuation de l'identique est prophétisée ou annoncée.

Je vais maintenant faire communiquer deux choses tout à fait disparates, ces considérations générales d'un côté, et de l'autre la grande plainte qui est que Kerry a été battu et que l'affreux Bush l'a emporté. Voilà un exemple type de victoire du vilain, qui est évidemment celle d'un mauvais guignol, d'un guignol pervers. Or, si on regarde de près ce Kerry et le codage explicatif de son échec, on s'aperçoit que, d'un point de vue interne, il a été constamment accusé par Bush de n'avoir aucun des moyens des fins qu'il annonçait. L'argumentaire se résume à : « Bien sûr, s'il voulait faire tout ce qu'il dit, il faudrait qu'il augmente les impôts, or il dit qu'il n'augmentera pas les impôts, c'est donc un menteur qui, en réalité, n'a pas les moyens de ses fins. » C'est un argumentaire massif, très fréquent dans nos campagnes électorales sous la forme : « Vous n'avez pas les moyens, vous ne vous donnerez pas les moyens de ce que vous promettez. » Ou alors on vous explique que Kerry n'a pas su se démarquer vraiment au niveau des fins, qu'il n'a pas su assez tôt prendre une position ferme sur la guerre en Irak, qu'il a prôné obscurément les mêmes fins sur des questions capitales, avec seulement des propositions différenciées concernant les moyens. D'un point de vue interne, il se voit donc accusé simultanément – et c'est ça qui m'intéresse –, de n'avoir pas les moyens des fins novatrices qu'il proposait et, d'un point de vue externe, de n'avoir pas de fins novatrices, de ne proposer des différenciations qu'au niveau des moyens, c'est-à-dire au niveau de la pragmatique.

Et je demande : pourquoi tout ça ? À vrai dire je pense qu'il faut repartir d'une idée très simple, qui est qu'il y a une emprise quasi totale du codage de l'action ou de la situation par le rapport moyens-fins, et que, quel que soit le type d'attente concerné, l'action, le devenir, sont universellement codés par le rapport moyens-fins. Je voudrais donc opérer une déconstruction de ce codage. Que l'action soit codée par le rapport moyens-fins est à mon avis le signe d'un aristotélisme général. Par quoi j'entends que, philosophiquement, l'action est analysée dans des catégories qui sont les catégories pragmatiques d'Aristote, à savoir : une action est identifiée par sa fin, et dans son devenir elle est un réseau systématique de moyens. Il faut absolument prendre la mesure de l'importance de ce point dans la polémique contemporaine. En effet, depuis presque vingt ans, cette polémique est dominée par une sorte de règlement de comptes dont la forme générale est : utopie ou réalisme. En gros vous avez d'un côté l'utopie collectiviste, communiste. Quel que soit le nom qu'on lui donne, on est de toute façon dans le registre de l'utopie et de l'échec. À quoi l'on oppose le réalisme, c'est-à-dire en fin de compte le capitalisme libéral. Tel est le codage idéologique de la vaste opposition qui a finalement dominé le XXe siècle, à savoir l'hypothèse communiste d'un côté – je la prends en son sens générique, cela ne concerne pas seulement les États socialistes effectifs, c'est une longue histoire qui a commencé bien avant le XXe siècle – et l'hypothèse démocratique libérale de l'autre. Ce codage conclut que ces deux voies ne sont pas également possibles, qu'il y a une voie impossible. Celle de l'utopie, en dernier ressort criminelle, et une autre possible, qui constitue celle du réalisme appliqué.

Or vous remarquerez que cette opposition de l'utopie et du réalisme est elle-même entièrement codée implicitement par le rapport moyens-fins. Est déclaré utopique, et par conséquent dangereux, archaïque ou criminel selon les cas, ce qui propose des fins dont les moyens n'existent pas. Autrement dit, ce qui propose des fins telles que la mise en œuvre de quelque moyen que ce soit pour ces fins les dénature, les oblitère, les transforme en leur contraire. Ainsi l'hypothèse communiste est traitée comme une hypothèse dont on admettra du bout des lèvres qu'elle est éventuellement respectable du point de vue de son idéalité pure, car somme toute elle est inspirée par des représentations égalitaires, mais que, dans la mesure où toute mise en œuvre de moyens la change en son contraire, elle doit être absolument récusée. Le réalisme, en revanche, est celui qui ordonne la fin aux moyens et, compte tenu des moyens effectivement disponibles, la fin ne peut être qu'une fin dont on admettra volontiers qu'elle n'est pas idéale, qu'elle est sans doute prosaïque, peu enthousiasmante, avec des améliorations infinies, interminables, mais qu'elle a le mérite d'être la fin telle qu'il en existe effectivement les moyens. Tel est l'élément déterminant de la polémique contemporaine, ce codage sous-jacent du rapport de la fin et des moyens, selon un ordonnancement particulier qui est, pourrait-on presque dire, que dans un cas vous avez une fin sans moyens et de l'autre des moyens sans fin. Liée à cela nous trouvons la critique du totalitarisme, qui consiste au fond à dire qu'on ne peut pas admettre qu'au nom de la représentation d'une fin on utilise n'importe quel moyen, car le principe « la fin justifie les moyens » est un principe cynique et criminel qui aboutit au sacrifice de générations entières pour une fin qui, de surcroît, s'avère hypothétique, intenable, voire purement illusoire.

Dans ce cas également, il est absolument clair que l'argument présuppose l'approche de la question par le rapport moyens-fins. Et ce, sans examiner la question de savoir si c'est réellement au nom de cette fin que s'est déployé le système des moyens, ce qui requerrait une analyse extrêmement fine, au cas par cas. En outre il s'agirait de savoir si les subjectivités de cette entreprise ont réellement été constituées par la représentation de la fin. Or c'est une hypothèse qui n'a rien d'évident. Deleuze dit quelque part que l'intérêt de la révolution est dans la révolution elle-même, pas dans sa fin, car la révolution c'est intéressant et les gens sont pour ; ils sont même activement pour, prêts à se sacrifier, prêts même à enregistrer en son nom des phénomènes politiques relativement violents. Nous n'avons donc pas à nous demander ce que ça donnera cent ans après, parce que faire cela c'est déjà dénaturer le présent de la chose, alors qu'en fin de compte l'essence de la chose est dans son présent. Cela pour vous montrer que le codage par la question des rapports entre moyens et fins est aussi une présupposition sur le temps des choses. C'est une hypothèse véritablement métaphysique sur ce qu'est le temps politico-historique, lequel peut être un temps du développement, dans tous les sens du terme. Ce peut être un temps séquentiel, un temps qui affirme le primat du présent, un temps du développement ou un temps où la signification du développement vient de l'avenir, rien de tout ça n'est déterminé. Ce qui est sûr c'est qu'est utilisé dans la polémique le codage moyens/fin.

En définitive tout cela revient à proposer constamment une vision des choses référée non pas à une notion mais à deux. C'est ce que j'appellerais le couplage. Dans le paradigme des rapports moyens-fin, vous avez, de façon plus générale, la filtration de toute situation, de toute action, par un couple de notions. Ainsi vous avez toujours le couplage entre la considération de la chose à faire, du système des moyens de la chose à faire, et, en fin de compte, le système du rapport entre les moyens et cette fin comme essence de ce qu'il y a à faire. Or il n'est pas du tout certain que l'action politique ait quoi que ce soit à voir avec ça. On aura l'occasion d'y revenir amplement. À mon avis, le paradigme absolu de cette représentation des choses est budgétaire, au sens où l'action est conçue sur le modèle du budget. Vous savez que dans la vie des démocraties parlementaires le vote du budget est un grand épisode, la concentration et le sommet de la vie politique. Et comme tout sommet, on voit que c'est en partie une fiction. Par exemple le budget que nous venons de voter là… pas vous et moi… je veux dire, le budget qui a été voté, le budget de Sarkozy. Presque tout le monde pense qu'il est déjà fictif parce que les hypothèses de croissance sont probablement controuvées. Mais peu importe, il est la représentation absolue d'un registre stable de la dualité fondamentale qui est celle des dépenses et des recettes. Les dépenses c'est la finalité, c'est ce qu'on va faire, c'est ce qu'on va financer, et les recettes, c'est les moyens. Si l'on prend pour paradigme la décision budgétaire qui enregistre numériquement la question des fins et des moyens, on voit tout de suite que nous avons, de proche en proche, une matrice générale, quasi universelle, qui fait qu'aucune action n'est représentable dans un registre autre que celui de ce couplage. Il est clair que les estimations des résultats des élections présidentielles américaines sont de cet ordre : ou bien Kerry présentait des fins sans moyens, ou bien il n'introduisait la différenciation que dans les moyens, faute de déterminer sa différence dans les fins. En vérité, je pense qu'il faut proposer une rupture radicale avec ce type de codage. Je ne crois pas du tout que nous puissions d'aucune manière être dans une position de séparation, de disjonction, avec la figure dont je parlais au départ, c'est-à-dire la stagnation agitée, si nous restons dans ce type de codage de l'action. Car à ce moment-là nous sommes nécessairement et progressivement asservis à la vision budgétaire des choses, dans laquelle, d'une certaine manière, on est constamment sommé de prouver qu'on n'a pas engagé de dépenses sans recettes. Or une définition possible de la création, c'est une dépense sans recettes ; parce que si la dépense est équilibrée avec les recettes, elle n'est pas une création véritable. Il faut donc absolument rompre avec ce modèle.

Mais ce n'est pas facile de se soustraire à ce codage y compris en raison du retour, toujours sournois, mais très important de cette figure dans le champ de l'évaluation éthique de l'action. En effet l'évaluation éthique de l'action se fait, elle aussi, spontanément, par une évaluation, implicite ou explicite, du rapport entre les finalités poursuivies et leur coût. Vous remarquerez que l'expression « le coût humain » est une expression qui revient constamment. Une action qui a eu « un terrible coût humain » fait partie des expressions dont il faut se méfier, même si elles sont évidentes, parce qu'elles introduisent déjà dans la perception des choses la matrice budgétaire dont je parlais. La dépense, le coût, l'équivalence des colonnes, le fait que la dépense soit gagée par des recettes sont des choses implicitement présentes, y compris dans de nobles considérations éthiques. Alors vous me direz : certes, mais quelle est dans ce cas la relation constitutive de l'évaluation de l'action ? On admettra quand même, et sur ce point je serais d'accord avec Deleuze, que l'ontologie du devenir est une ontologie de la relation, et non pas une ontologie de l'identité. Quand Deleuze parle de la « Relation » avec un grand R, comme ce qui est l'être même du grand circuit de la détermination de la pensée, je l'approuve. Il n'existe pas de saisie du devenir qui n'ait à être poussée jusqu'à la relation qui le constitue de manière immanente, laquelle n'est pas du tout nécessairement la contradiction au sens de Hegel, ou la dialectique au sens de Marx. La relation, à savoir ce qui n'est pas résorbable dans l'identité, est le fond nécessaire de l'ontologie de l'action, et en particulier de ce qu'on pourrait appeler l'ontologie politique.

Ainsi je propose de dire que la relation fondamentale de l'action, c'est la relation entre principe et conséquences, laquelle est absolument hétérogène à la relation entre fins et moyens. Je dis bien : entre principes et conséquences. Cette relation doit, dans ce que nous avons à faire, se substituer radicalement au couplage de la fin et des moyens. Cela veut dire qu'on remplace une raison pragmatique par une raison logique. L'essence de la mutation est là. Si vous avez affaire à des principes et à des conséquences, vous avez affaire, matriciellement, à une raison de type logique. Cela ne veut pas dire qu'elle est conforme à une logique déterminée, mais son essence est d'être logique, c'est-à-dire que ce qui est la tenue de l'action est son homogénéité au principe. C'est une chose d'une grande complexité, mais qui peut être évaluée, et c'est ce que nous cherchons. Tandis que, évidemment, dans la relation des moyens aux fins, vous êtes dans une raison pragmatique. Je dirais par conséquent que ce que m'inspire le spectacle des évaluations contemporaines, y compris des élections américaines, c'est la nécessité absolue de substituer, au regard de l'action elle-même, une raison logique à une raison pragmatique. Et vous voyez bien que ça signifie qu'il faut en finir avec un certain type d'opposition du pragmatique et du théorique, puisque, ordinairement, on assigne la raison logique au théorique, et la raison pragmatique à l'action ou au champ de la praxis. Eh bien, la vieille thèse marxiste de l'unité du théorique et du pratique dans l'action politique doit être reformulée dans le sens où l'on refusera de considérer que la raison logique est du côté du théorique, et que lorsqu'on est dans l'action, on a affaire à la raison pragmatique. C'est donc là la mutation, très complexe et difficile, que je proposerais sur ce point, qui est que finalement le rapport du principe aux conséquences doit être le nouveau codage duel de la figure de l'action, et remplacer la formulation pragmatique absolument hégémonique aujourd'hui qui est proprement : « Rendez-nous compte du rapport entre la fin que vous poursuivez et les moyens que vous engagez. » En d'autres termes : « Rendez-nous compte, tenez-nous les comptes, budgétaires, de la figure de proposition programmatique qui est la vôtre. »

D'une certaine manière, c'est une vieille discussion. Quand, pendant la Révolution française est venue à l'ordre du jour la question de l'abolition de l'esclavage, les colons de l'époque (en 1793-1794) ont dit : « Mais les colonies, on ne peut pas les tenir si on n'a pas d'esclaves. » Ce qui revenait à dire que, l'essence même de la production coloniale étant l'esclavage, c'était incohérent du point de vue du couplage moyens-fin. En réponse Robespierre a eu cette formule fameuse : « Périssent les colonies plutôt que nos principes ! » Périssent les colonies plutôt qu'un principe, c'était l'expression même d'une rationalité logique : si on admet le principe, on doit en admettre les conséquences. Et si vous assumez comme principe qu'il est totalement et radicalement impossible de réduire un homme en esclavage sans être un criminel, vous devez en assumer les conséquences, même au prix de la ruine des colonies. Bien sûr les pragmaticiens ont fait savoir, en particulier le 9 Thermidor, où le lobby colonial a été très actif, qu'ils en tenaient fortement pour la raison pragmatique. La raison logique ce n'était pas leur passion.

Il faut quand même se représenter ce qu'a été cette séance de l'abolition de l'esclavage par la Convention. C'est un moment politique comme on n'en raconte jamais assez aux enfants. Pour la première fois il y avait dans cette assemblée un délégué noir des esclaves. Sa présence a suscité une espèce d'enthousiasme extraordinaire et plusieurs ont demandé que le président donne l'accolade, donne le baiser fraternel au délégué noir, ce qui a été fait. Les premières interventions ont porté sur le fait que l'abolition de l'esclavage devait absolument être votée sans débat, point capital. Parce que, a-t-il été argué, s'agissant d'un principe de cette nature, le soumettre à discussion c'est déjà en entamer la valeur. Il a par conséquent été décidé que le principe de l'abolition de l'esclavage serait entériné sans débat. On a là une conception assez éloignée de l'idée que la démocratie serait le débat, ou la discussion. Deleuze disait déjà que lorsqu'un philosophe entendait le mot débat il s'en allait en courant. Et là, avec les conventionnels, c'était la philosophie en acte. Cette séance, comme d'ailleurs tous les épisodes qui ont suivi de près cette affaire de l'abolition de l'esclavage, dans les années 1793-1794 et jusqu'à 1797 en Haïti, sont des moments extraordinaires, sur lesquels je vous recommande de porter toute votre attention.

Je crois qu'on a là la forme chimiquement pure de ce que c'est que le codage de l'action ou de la décision à travers la question du principe et de ses conséquences. Mais qu'est-ce au juste qu'un principe ? C'est pour nous une question décisive. Un principe c'est l'expression d'une possibilité inaperçue de la situation, qui la rend adéquate à une figure de l'universel. Ce n'est pas purement et simplement une formulation universelle. Par exemple, on parle bien du principe d'identité, mais il s'agit là de principe en un sens formel : *A* est *A*, d'accord. Mais, en situation on sait bien qu'il n'est pas toujours vrai que *A* soit *A*. Quelqu'un est quelqu'un, mais ce quelqu'un peut aussi être quelqu'un d'autre, ça se voit tous les jours. Un principe, au regard d'une situation effective, et non au sens purement formel, c'est l'extraction, dans la situation, d'une possibilité inaperçue, c'est-à-dire généralement tenue pour impraticable, telle qu'elle affirme un point d'universalité. Dans le cas qui nous occupe, le principe c'est d'abolir l'esclavage à Saint-Domingue, et plus généralement dans les colonies, de telle sorte que cette abolition, considérée comme absolument impossible, soit néanmoins affirmée, et du coup inscrive l'universalité de l'égalité de tous les hommes dans la situation. Un principe c'est donc le complexe réalisé d'un point d'universalité abstraitement formulable, dont la formulation en elle-même ne vaut pas principe. Ce qui vaut principe en fin de compte, principe politique, c'est le moment où le point d'universalité se saisit d'un point d'impossibilité dans la situation. Le moment où le possible est forcé à l'universalité, sur un point qui par ailleurs était inaperçu ou déclaré impraticable.

Comme vous le voyez, l'effectivité d'un principe requiert toujours qu'on défasse la raison pragmatique du rapport entre les fins et les moyens. Dans ce cas-là, c'est très net, ça s'est présenté sous la forme d'un conflit immédiat. L'argumentaire colonialiste pour lequel, du point de vue des moyens et des fins, on ne voyait pas comment abolir l'esclavage, était parfaitement exact. Le système général qui était en place rendait irreprésentable l'avenir des colonies sans l'esclavage. Donc il fallait premièrement se saisir de ce point d'impossibilité. Pour cela il fallait défaire la raison pragmatique, c'est-à-dire accepter d'envisager la situation autrement que dans le rapport des moyens et des fins. Parce que c'est ça le fond du problème. Et c'est la véritable signification de l'énoncé « Périssent les colonies plutôt qu'un principe. » Cela veut dire : je refuse d'examiner la situation du point de vue de ce que vous me dites, à savoir les rapports entre les moyens et les fins, car si je les examine de ce point de vue là, je finirai par me rallier à votre position, et établir, rétablir ou maintenir l'esclavage. Ce sera d'ailleurs la pente des thermidoriens et du Directoire, puis finalement de Bonaparte, qui engagera pour ce faire une terrible guerre, vaincue. On ne répétera jamais assez que parmi les défaites de Napoléon, Waterloo est sans doute très connu, mais que la défaite de Haïti mériterait de l'être tout autant. Une très grande défaite des armées napoléoniennes, dans une île, face à des esclaves noirs bien organisés. On compte que les armées napoléoniennes ont perdu entre 30 000 et 60 000 hommes dans cette affaire, ce qui n'est pas une plaisanterie. Il faut ajouter Haïti à Waterloo au bilan général du bonapartisme.

Cette pente pragmatique générale dans laquelle, à partir de Thermidor, glissent les régimes successifs, doit nécessairement être défaite pour que soit affirmé le principe dans son effectivité, c'est-à-dire dans son nouage à la situation. Ça veut dire que si vous substituez le rapport des principes aux conséquences au rapport moyens-fin, si vous substituez dans l'analyse des situations, des actions, et dans le régime de la décision, la raison logique à la raison pragmatique, ce qui va apparaître, c'est que vous avez comme impératif de créer les moyens. Vous n'avez pas comme impératif d'ordonner les moyens disponibles aux fins que vous vous proposez. Vous devez absolument créer ces moyens. Parce que si vous ne le faites pas vous retomberez dans la dialectique des moyens et des fins qui s'arrange avec les moyens déjà disponibles. Vous devez inventer des moyens parce que vous devez traiter de l'impossible. L'enchaînement général est que, en définitive, il y a des situations où, si vous voulez agir selon le rapport des principes aux conséquences, vous devez non pas ordonner les moyens mais les inventer. Car ces moyens n'existent pas, c'est ça qu'il faut bien comprendre. Et comme ils n'existent pas, il n'y a plus aucun sens à vous objecter que vous n'avez pas les moyens de la fin que vous poursuivez, puisque précisément, dans la logique du principe et des conséquences, vous n'avez jamais les moyens. C'est pour ça que le réaliste a toujours raison. En effet, si on commence à vous dire que vous n'avez pas les moyens, il est sûr et certain qu'en effet vous ne les avez pas, parce que la question de la substitution rationnelle de la rationalité idéologique à la réalité pragmatique exige qu'on soit dans le registre de l'invention des moyens.

Voilà qui me permet, pour clore ce prologue, de revenir à ce pauvre Kerry. Au fond, pourquoi a-t-il perdu ? Moi je dirais : il a perdu parce qu'il n'existait pas ! Pas parce qu'il était inconsistant. Franchement, l'autre est un crétin et, avec ce genre d'arguments, il n'existait pas plus que son adversaire. Donc c'aurait dû être la même chose. Or ce n'est pas le cas : Kerry n'existait pas mais Bush existait. Parce que si vous codez l'affaire par les moyens et les fins, il est absolument vrai que les fins de Kerry n'étaient pas suffisamment différentes des fins de Bush pour qu'il puisse ordonner les choses à une création de nouveaux moyens. La preuve c'est que, en dépit de toute une série de circonlocutions, ce qu'aurait réellement fait Kerry en Irak est finalement resté dans une obscurité totale, alors que tout le monde savait que c'était la grande question. Est-ce qu'il a dit qu'il s'en irait d'Irak ? Non ! Est-ce qu'il a dit qu'il y resterait ? Pas vraiment. Est-ce qu'il a dit qu'il allait diminuer les forces, augmenter les forces ? Non. Donc sur la question qui était tout de même comme le nez au milieu de la figure de la situation, il n'a rien dit. Pourquoi ? Parce qu'en termes de moyens et de fins, il n'avait rien à dire. Vous comprenez bien que s'il avait commencé à dire « je vais me retirer d'Irak », alors il s'engageait dans une finalité différente, à propos de laquelle il fallait un système de représentations différentes. Et vous voyez également qu'il aurait pu dire cela uniquement s'il était entré dans une logique des principes. Comme Kerry n'avait pas une logique de principes, il n'y avait entre lui et Bush qu'une divergence d'opinions, il n'y avait pas de différenciation, ni logique, ni pragmatique. En définitive son altérité était insuffisante.

On a beaucoup dit ici ou là que Bush ou Kerry représentaient deux Amériques différentes. C'est vrai de façon statique. Nous tous, nous savons bien que la totalité de nos amis américains étaient contre Bush, contre la guerre en Irak, et votaient Kerry, il faut le dire, sans enthousiasme débridé. Mais cette autre Amérique dont on a beaucoup parlé n'existait pas en politique et elle n'a pas existé dans l'élément effectif du vote. Elle existait comme une donnée objective, une donnée d'opinion, une donnée tendue, parce que ceux qui étaient pour Kerry étaient vraiment contre Bush. En définitive cela nous donne une leçon que nous aurons l'occasion de décliner sur bien des tons : il n'y a pas d'altérité véritable qui soit négative. C'est-à-dire que ce n'est pas parce que Kerry était contre Bush que ça l'identifiait ; être contre Bush, ce qui était finalement son unique programme, ne l'a pas constitué politiquement. Et les Américains ont choisi finalement celui qui existait. Parce que Bush, lui, il était pour

Bush ! C'est la grande différence ! Le fait d'être contre Kerry était dérivé et secondaire, alors que l'essence de Kerry était d'être contre Bush. Ce à quoi je suis très sensible dans cette histoire, c'est que cela montre bien que, dans le parlementarisme contemporain, la figure oppositionnelle est une figure qui finit toujours par provoquer dans l'opinion publique une forme de scepticisme. « D'accord, il est contre Bush mais, finalement, qu'est-ce qu'il veut ? Qu'est-ce qu'il affirme ? Qu'est-ce qu'il dit ? » Je pense, moi, que si l'on veut vraiment aller jusqu'à une représentation dynamique de l'altérité, la question c'est obligatoirement : quels sont vos principes et comment, ayant ces principes-là, traiterez-vous les conséquences ?

Dans des termes beaucoup plus simples, on pourrait dire que Bush proposait une politique. Vous pouvez penser ce que vous voulez de cette politique, vous vous doutez que je n'en pense pas grand bien, il n'en reste pas moins qu'il proposait une politique et que la grande faiblesse de l'autre, c'est qu'il n'en proposait pas. Être contre Bush n'est pas une politique, et en essayant de coder la chose selon moyens et fins vous ne constituez pas de différence. Compte tenu de la gravité de la situation, compte tenu de l'état de guerre, il aurait fallu que soient affirmés des principes. Et des principes Kerry n'en affirmait aucun, car s'il en avait eu les conséquences auraient été différenciées. De sorte qu'on est arrivé à cette situation invraisemblable que finalement celui qui affirmait des principes c'était Bush. Des principes effrayants, mais des principes quand même. C'est un homme de conséquences. Et donc, quel que soit le codage, je crois qu'il n'y avait pas de raison, de rationalité véritable à l'élection de Kerry. Pour tout vous dire, je pense même que les conséquences de son élection auraient été probablement calamiteuses, car elles auraient provoqué ce terrible ravage que produit la déception subjective, quand vous vous apercevez que celui que vous avez élu contre quelque chose lui est en substance fondamentalement identique. Dans ce cas-là vous avez non seulement la perpétuation d'une politique, mais vous avez la longue amertume de constater que l'inscription de la différence est toujours une affaire infiniment plus compliquée que le vote pour tel ou tel. C'était là ce que je voulais vous dire en prologue sur, ou à partir de l'élection de Kerry.

Nous reprenons maintenant notre trajectoire fondamentale. Je vous avais dit que nous engagions ici un cycle de trois années et que je réclamais de vous une certaine patience. Tout de même il y a bien un but là-dedans, une fin dont je ne suis que le moyen, qui est de déterminer s'il est possible d'identifier ce à quoi nous serions en état de nous confier absolument. Parce que se confier absolument, c'est en un certain sens le contraire de la norme contemporaine qui est la norme du contrat. La contractualisation universelle des relations signifie, nous l'avons vu, que l'on ne peut se confier absolument à rien, sauf conditions contractuelles précisément, ce qui veut dire que précisément la confiance n'est pas absolue. J'avais pris l'exemple plat, celui du contrat de mariage, qui est tout à fait typique de ce que c'est que l'impossibilité de la confiance absolue, même dans l'élément qui peut être par ailleurs celui de la passion, de l'entraînement.

Mais attention, je vous avais dit qu'il ne s'agissait pas pour autant d'inventer ou de revenir à une forme de l'Un. Si la confiance absolue est dévolue à l'Un comme tel, cela voudra dire que vous êtes dans la figure d'aliénation par l'Un, qui est constitutive du dispositif théologique. C'est donc multiple : il y a bien des choses et bien des registres de choses susceptibles d'être ce à quoi on se confie absolument. D'autre part ces multiples, c'est créé, parce qu'il n'y a pas non plus besoin ou nécessité de revenir à l'incréé. Bien au contraire, ce à quoi on peut se confier absolument et certainement est de l'ordre de ce qui surgit, de ce qui est comme une naissance, de ce qui est nouveau, de ce qui est inventé. Donc c'est multiple, c'est créé et, simultanément, cependant, ça propose une certaine forme d'éternité, si on entend par là ce qui est en exception de la dissolution temporelle. Mais admettre qu'une figure de l'être est éternelle revient en général à poser qu'elle comporte la solidité de l'Un contre la dispersion du multiple, et la connaissance assurée de ce qui est contre la fragilité de ce qui arrive, de ce qui n'est porté que par une création. La question devient alors : qu'en est-il de la possibilité de ce triplet, en apparence très paradoxal, du multiple, du créé et de l'éternel ? Ce qui est entièrement paradoxal, puisque chacune des choses est aujourd'hui nécessaire si l'on veut que ce soit dans le registre de ce à quoi on peut se confier absolument.

Je ne vais pas revenir sur la dialectique que j'ai proposée il y a déjà bien longtemps et que vous trouverez dans certains passages de *Théorie du sujet*, mais il est essentiel ici d'identifier « confiance » comme absolument différent de « croyance » ; ce à quoi on se confie n'a pas de raison d'être ce à quoi on croit. La confiance, ainsi que ce à quoi on se confie effectivement dans le mouvement propre, ne passe pas nécessairement par une représentation, ce n'est pas médié par la représentation de ce en quoi on aurait à croire. Pourtant, même sous la figure de la confiance il y a le triplet du multiple, du créé et de l'éternel ; ce qui signifie que ce n'est ni de l'Un, ni de l'intemporel ou du déjà-là, c'est dans le mouvement de sa naissance ou de son surgissement, tout en n'étant pas non plus à proprement parler, dans le temps, ou réductible à son temps. Je vous rappelle que j'avais au passage comparé cette exigence au thème très étrange de Descartes que vous trouvez dans les *Lettres à Mersenne*, dans les *Lettres au père Meslan* et dans les *Sixièmes réponses aux objections*. Je n'y reviens pas. Si nous parvenons à identifier ne serait-ce qu'un seul point de cette nature, alors, d'une certaine manière, nous serons en état, mentalement, subjectivement, activement, d'interrompre la stagnation agitée du monde contemporain. C'est pourquoi nous sommes ici en route pour notre salut, n'est-ce pas ! La philosophie est toujours sous une forme ou sous une autre une doctrine du salut, même si le salut consiste à dire qu'il n'y a pas de salut. À ce moment-là on sait très bien que le salut c'est de savoir qu'il n'y en a pas, ou qu'il est déjà là. On est bien dans une logique du salut, mais le salut est ici défini en situation, ce n'est pas un salut au sens de mon âme immortelle. On appellera donc « salut » ce qui n'oblige pas, ce qui rend possible qu'on ne soit pas obligé d'être dans la loi du monde, du monde d'aujourd'hui.

C'est-à-dire, pour reprendre ce que je disais tout à l'heure, ce qui n'obligera pas à évaluer les actions dans leur codage duel du rapport des moyens et des fins, ce qui rendra possible d'être réellement capable de sortir de ce codage. La philosophie, c'est tout ce qu'elle peut faire, travaille à la capacité, à ce dont on est capable, un peu capable. Elle ne fait pas la chose elle-même, mais elle aide à sa capacité. Telle est la conception que j'en ai et c'est déjà beaucoup, ce n'est nullement une vision humiliée de la philosophie. La philosophie n'est pas ce qui, par elle-même, va changer le monde, elle est ce qui s'adresse à la capacité de déplacer l'injonction du monde, donc de ne pas être à la même place par rapport à ce que le monde nous enjoint d'être.

Voilà pour l'objectif, et comme toujours il s'agit de la conversion et du salut. Je reviens maintenant sur les trois temps qui scanderont en gros nos trois années. Nous commencerons par ce que j'avais appelé l'analytique de l'adversité et qui consiste à nous demander à quoi nous avons affaire qui est de l'ordre et des contraintes de l'injonction. Qu'est-ce que la situation nous ordonne d'être ? C'est d'ailleurs un point sur lequel j'insiste souvent : l'analytique de l'adversité est une des tâches majeures de la philosophie, parce que, contrairement à ce qui est souvent prononcé, ce à quoi on a affaire n'est pas clair. Ou plutôt ce qui en est clair n'est que la première apparence des choses. Du coup l'identification de l'adversité occupe une large part du travail philosophique, et surtout du travail philosophique contemporain, car la contemporanéité c'est précisément, en un certain sens, l'obscurité de la dissidence, l'obscurité de l'écart. Et, pour créer l'écart, ne serait-ce que pour l'identifier, pour savoir à quoi on a affaire, c'est un long travail. Vous pouvez dire par exemple : « C'est le capitalisme libéral ! » Mais en disant cela vous ne serez pas très avancés. C'est à la fois absolument vrai, et absolument inopérant : tout continue comme si de rien n'était, ça absorbe, ça se nourrit, ça s'alimente du dire que « ce n'est pas bien ». D'ailleurs ça ne prétend pas vraiment être bien, ça prétend être réel, c'est autre chose. Ça prétend être la réalité. Le communisme, lui, prétendait être bien. Du coup tout le monde a conclu qu'il était irréel et on a à la place quelque chose qui n'a même pas besoin de prétendre être bien. Qui donc va prétendre que la marchandisation universelle est formidable ? Personne, même pas les marchands. En un sens l'anticapitalisme formel ne sert à rien, parce que, au fond, tout le monde est pour la justice, les droits de l'homme, l'égalité. Personne n'est vraiment pour que les margoulins du capital s'en mettent plein les poches. Je ne connais en tout cas personne qui fasse propagande sur ce point. Il suffit que ça se passe comme ça. Le monde d'aujourd'hui est dominé par des gens qui argumentent non pas de sa qualité mais de sa nécessité. Dire cela est une banalité peut-être, mais c'est très important.

En effet, il très important de voir que, dans l'analytique de l'adversité, on a affaire, en fin de compte, à quelque chose qui est un principe de réalité. Et si ce n'est pas toujours un principe de plaisir, tant pis ! Et si c'est encore moins le principe de l'émancipation et de la libération, tant pis également. C'est le principe de réalité, et tout le monde a vu, disent les propagandistes, que ce qui n'était pas le principe de réalité était de toute façon encore pire. « Pas la peine de sacrifier ce qu'on a pour un idéal meurtrier et inefficient ! » Voilà un argument massue ! Mais c'est un argument massue uniquement si vous considérez que le point de départ et la norme des choses c'est la réalité. Or pourquoi la norme devrait-elle être la réalité ? Autrement dit, quel est le principe de ralliement constatable de masses de gens ? Ce ralliement plus ou moins forcé, plus ou moins véritable, plus ou moins volontaire, à cette figure du monde unifié sous la loi réelle du marché, de la concurrence, de la marchandisation, comment ça marche ? Ce qui m'intéresse, c'est de comprendre comment ça marche subjectivement. Les lois objectives de la chose, les rapports de puissance, on peut analyser tout ça, et ça a été fait. Mais pour que ça marche, il faut que ça marche subjectivement. Si ce n'était pas le cas ça se saurait. Bien sûr il y a des gens qui grognent, des gens qui se révoltent, je ne dis pas qu'il n'y a rien. On peut en discuter longtemps. De grandes hypothèses ont été avancées, comme, ça marche à la souveraineté, ça marche au contrôle – c'est la thèse Foucault-Deleuze. C'est une tâche à mon avis inauguralement philosophique de déterminer l'adversité dans son ressort subjectif, pas simplement dans ses mécanismes de puissance.

Le point de départ que je propose, c'est de pointer l'universalité de la méfiance, car le rapport fondamental des gens à la situation, aux autres, à ce qui se passe, est principalement un rapport de conservation méfiante. La phénoménologie de la chose est indubitable, mais il faut savoir ce que c'est qu'une méfiance, d'où qu'une partie de l'analytique de l'adversité sera une analytique de la méfiance. Qu'est-ce que c'est que vivre en se méfiant finalement de tout ? Nous l'avons dit, quand vous allez voir le médecin, avant de lui demander de vous soigner, vous vous méfiez déjà de lui. Les chefs d'État se méfient de tout le monde, particulièrement de leurs services de renseignements. À tous les niveaux, dans la pragmatique la plus quotidienne, comme dans la pragmatique étatique la plus grande, la méfiance est de rigueur. C'est une méfiance diffuse et générale, pas une méfiance organisée comme l'est celle du despote qui, lui, se méfie de tout le monde parce qu'il pense qu'on va l'égorger dans un coin. C'est une méfiance universelle, à tous les niveaux, qui se constitue comme une subjectivité générale. À noter que les citoyens – comme on les appelle aujourd'hui je ne sais pas par quel retour du refoulé – n'ont à leurs gouvernants qu'un rapport de méfiance et les considèrent globalement comme des incapables ou des prévaricateurs. Tout est envahi par la suspicion généralisée, la méfiance à l'égard de toutes les autorités, le fait que tout doit être contractualisé. Si je tombe amoureux de quelqu'un, attention, je vais être terriblement aliéné, je risque de souffrir. Si j'aime quelque chose, méfions-nous, ce n'est pas si bien que ça en a l'air, ça va peut-être coûter cher. Ce qui m'intéresse dans l'analytique de l'adversité c'est son fonctionnement, son principe. Petit à petit il faudra édifier là-dessus des catégories. Pour l'instant je reste de façon délibérée à un niveau élémentaire, phénoménologique. Quelles sont les grandes catégories de la subjectivité de méfiance, telle qu'elle entretient, en vérité, la perpétuation de ce monde décevant ?

Philosophiquement, je crois qu'on peut diagnostiquer en tout cas une complicité organique du nihilisme et du relativisme. Que dit le nihilisme ? Qu'il n'y a au fond rien à espérer d'autre que ce qu'il y a, et que ce qu'il y a n'est pas grand-chose, voire peut-être rien. Et mieux vaut rien que rien, ou mieux vaut ce rien qu'un autre rien. C'est une subjectivité très répandue : « Je n'ai pas grand-chose, je n'ai même rien, mais il y a des riens pires que mon rien. » L'analytique du néant est fondamentale : il faut entrer dans les raffinements du nihilisme contemporain, lequel n'est pas simplement être et néant, mais porte sur les nuances du rien et comment on peut se cramponner à une nuance contre une autre. Vous avez ça d'un côté et puis, de l'autre, le relativisme affiché, à savoir que ce qu'il y a est toujours relatif, c'est-à-dire assignable à un point de vue sur ce qu'il y a, ce point de vue étant en général lui-même identifiable à l'appropriation de ce qu'il y a par des groupes. Le monde aujourd'hui – peut-être davantage tel qu'il est décrit que tel qu'il est, parce que, Dieu merci, dans ce qui est il y a toujours des réserves de sens ou de vérité – est, si je puis dire, en voie d'unification. Quelque chose l'unifie, il y a un espace général qui est en réalité de plus en plus peuplé par quelque chose comme un ensemble de tribus errantes dans un espace de plus en plus ensauvagé. Ce que j'entends par « tribus errantes » c'est n'importe quoi, n'importe quoi qui s'identifie soi-même comme une tribu. Ça va des pêcheurs à la truite de Romorantin jusqu'aux homosexuels de Pennsylvanie, en passant par les femmes, les Noirs, etc. Peu importe, ce sont simplement des systèmes de prédicats aux contours plus ou moins bien définis, portés ou assumés par ces tribus errantes dont la vie consiste à appartenir à la tribu. Je vous l'ai souvent dit, parler à propos du monde contemporain d'« individualisme » est une imposture. C'est au contraire un monde dans lequel la solitude est impraticable. Tout le monde doit appartenir à une tribu, sous peine de mort. Certes, dans nos pays, il y a encore quelques beaux restes d'un vieux monde, mais tout le monde sait que ce sont de beaux restes, des restes d'individus, justement. Ailleurs il n'y a que les ressources des puissances potentielles, celles des tribus nomadiques errantes à contours prédicatifs plus ou moins bien définis et assumés par des groupes. Dans ces groupes, il y a deux types d'activité : appartenir au groupe, avec les différents rituels variés de cette appartenance. Je suis très sensible à une espèce de fétichisation, de ritualisation accélérée de l'existence, dont à mon sens le succès des religions n'est qu'une des données. Il faut inclure ce succès dans un phénomène beaucoup plus général qui est qu'on a besoin de communautés rituelles, simplement pour ne pas être démembré, dépecé par l'univers marchand. C'est la première activité, et la seconde c'est de négocier avec les autres tribus. C'est bien ce qu'ont toujours fait les tribus, n'est-ce pas ? Négocier, être en conflit, définir des territoires, découper son quartier, être la tribu de tel lieu, savoir ce que ça veut dire qu'être la tribu de ce lieu et pas la tribu d'ailleurs ! Voilà qui nous profile un darwinisme généralisé : l'espèce humaine est découpée en sous-espèces, avec une évolution entre sous-espèces et un régime de négociation-puissance entre ces espèces, étant entendu que l'espace général est le même. Ce n'est peut-être pas encore tout à fait comme ça, mais tendanciellement, si on ne fait rien, ça sera tout à fait comme ça. Avec en prime éventuellement des rapports meurtriers entre les tribus différentes. Vous voyez bien que l'existence d'un point de confiance est la seule rupture possible avec cette configuration. Parce qu'un point de confiance, puisqu'il inscrit quelque chose d'éternel, n'est par définition ni nihiliste ni relativiste.

Pour conclure sur ce premier point de l'analytique de l'adversité je dirais que la méfiance, comme subjectivité immédiate, a comme arrière-plan, ou comme transcendantal historique, cette complicité organique du nihilisme et du relativisme. Le nihilisme c'est la pensée de l'espace général dans lequel, à proprement parler, il n'y a rien, rien que les capitaux qui sont la forme moderne du rien, du rien puissant. Et le relativisme c'est la philosophie moyenne des tribus darwiniennes, la pensée des populations disparates qui occupent cet espace général. En ce sens, même s'il y a des conflits doctrinaux entre les deux, il n'y a pas, entre nihilisme et relativisme, de véritable contradiction.

J'ai appelé « construction de l'appareillage formel » le second mouvement, qui concerne à la fois la deuxième année mais aussi notre tâche immédiate. La construction de l'appareillage formel consiste se donner les moyens, de façon conceptuellement organisée, de passer de l'analytique de l'adversité au troisième temps, c'est-à-dire aux configurations subjectives.

Cette construction de l'appareillage formel tourne autour d'un nouveau concept de la liberté. Nous avons besoin – comme toujours dans une doctrine du salut – d'une nouvelle idée de la liberté parce que, comme le dit Char dans le cinquième des textes que je vous ai donnés, on est sûr en tout cas que « la liberté n'est pas ce qu'on nous montre sous ce nom ». C'est là le point de départ, car l'idéologie contemporaine est une idéologie de la liberté, qui nous est constamment montrée sous divers noms : démocratie, individualisme, liberté de ceci ou de cela. Il n'est question que de liberté. Mais précisément, le point c'est qu'elle n'est pas ce qu'on nous montre, elle est donc autre chose, qu'il s'agit de trouver ou d'organiser. C'est ça que j'appelle l'appareillage formel. Je situerai ça dans la triangulation que j'ai entamée mais que je réarticulerai, à savoir la triangulation « vérité-sujet-corps », laquelle est elle-même dépendante du doublet monde-événement. Le complexe général de la construction de l'appareillage formel, en vue de la création d'une nouvelle idée de la liberté, articule cinq concepts : un triplet (vérité-sujet-corps) et un doublet (monde-événement). Ce qu'il s'agira de montrer, c'est que le triplet est l'apparaître de la liberté dans un monde, son apparaître effectif, c'est-à-dire une liberté qui est vraiment la liberté telle qu'elle se montre, car il s'agit de la montrer, pas simplement de la définir. Autre question : comment la vraie liberté apparaît-elle, pas simplement par rapport à une fausse liberté ? Et que veut dire qu'elle apparaît dans le triplet (vérité-sujet-corps) sous condition du doublet (monde-événement) ?

De façon très numérique, mais c'est assez suggestif, vous voyez bien que dans cette affaire quelque chose qui était 2 devient 3. Monde-événement, nous verrons en effet que c'est un écart, un écart entre la répétition et son interruption, c'est une dualité fondatrice. S'il n'y avait pas cette schize ou cette cassure de la loi du monde, il ne pourrait pas y avoir la liberté en un sens nouveau. Donc nous avons un doublet. Mais le grand problème c'est que la liberté comme apparaître effectif, c'est-à-dire la liberté comme corps ou, si vous préférez, comme « en corps », est dans le triplet, elle n'est pas directement l'expression ou la réconciliation, ou la division elle-même du doublet. Donc monde-événement ne constitue pas la liberté par soi-même, contrairement à beaucoup de doctrines répandues selon lesquelles dès que quelque chose casse la loi du monde on est libre. C'est le cas si on s'en tient à la dualité monde-événement. Mais il faut bien voir qu'en réalité la constitution véritable de la liberté est dans le triplet qui inclut la corporéité de la liberté, que « vérité » c'est la dimension d'infinité de la chose, « sujet » sa dimension immédiate, plus présente, et « corps » sa dimension matérielle. Si l'on s'en tient à la dualité monde-événement on n'a pas cela : l'infini, le présent et la matière. On n'a pas la liberté dans son apparaître. On n'en a que la condition, qui est en effet monde-événement.

C'est donc vraiment comment 2 devient 3. À une époque les communistes chinois disaient : l'action révolutionnaire c'est 1 se divise en 2. Et ils opposaient ça à la conception traditionnelle selon laquelle la dialectique c'est l'unité des contraires. Vous trouvez ça chez Marx : la contradiction, la pensée dialectique des situations, c'est saisir l'unité des contraires. Mais les communistes chinois ont dit : non, ce n'est pas le temps qui est créateur, ce n'est pas l'unité des contraires. Le temps créateur c'est l'éclatement de la division. C'est comment 1 donne 2, comment 1 se divise. Par conséquent, l'élément clé de la contradiction c'est la division, pas la synthèse dialectique, et pas non plus, à proprement parler, la négativité. Il y a une différence assez profonde entre division et négativité. Dans l'idée de négativité on admet qu'il y a un terme qui va se nier lui-même, à l'intérieur de lui-même, et puis engendrer une vérité nouvelle. En réalité il y avait, dans la pensée formelle de la dialectique chinoise, d'ailleurs appuyée sur une longue histoire bien antérieure à Hegel, bien antérieure à l'existence de l'Occident, cette idée que l'essence de la pensée dialectique n'était pas la négativité, ni la réconciliation ou l'unité des contraires, mais le procès de division. Le fond de l'affaire c'était comment advient du 2 là où il y avait de l'1. C'est ce que moi je vous propose de transposer à l'étage au-dessus, c'est-à-dire de voir comment 2 donne 3. Cela dit, il ne suffira pas, pour que 2 donne 3, que l'un des deux donne 2. Ce serait une solution de facilité qui définirait le procès dialectique comme une dialectique unilatérale : si un côté se divise, 2 donne 3. Non, c'est un engendrement beaucoup plus complexe. Mais je prenais cette analogie pour que vous voyiez que l'on reste dans un certain espace de la pensée dialectique généralisée. Ainsi, 2 advient ou fait advenir 3. Et ce dans une précision particulière, c'est-à-dire que le doublet du monde et de l'événement, dans sa capacité créatrice effective, fait advenir un corps subjectivé qui est le présent d'une procédure de vérité. Donc vérité-sujet-corps, c'est le 3, et il est ce qui advient à partir du 2. Vous voyez que dans ce deuxième temps il s'agit d'un appareillage formel en un sens profond, parce qu'il est également la proposition d'une logique. Pas d'une logique formelle et mathématisée mais d'une logique dialectique qui constate que pour avoir une dialectique complètement déployée il faut finalement avoir cinq termes. Cela s'oppose à la matrice élémentaire de la dialectique qui en retenait trois. Notez cependant que, à la fin de la *Logique*, Hegel lui-même dit que ce n'est pas vraiment 3 mais plutôt 4. Parce que le temps ultime de la récollection des trois termes, l'absolutisation du mouvement des trois termes, constitue par lui-même un quatrième terme. Alors avec un petit effort supplémentaire on en a cinq ! On est dans un appareillage formel dialectique un peu plus complexe mais dont vous voyez le mouvement général : là où on disait 1 donne 2 (ce qui en tout fait effectivement 3), on va dire 2 donne 3, ce qui fera 5, mais dans une constitution finalisée qui est la constitution d'un nouvel appareillage de compréhension de la liberté.

Le troisième temps portera sur l'axiomatique de l'absolu, ce sera la possibilité, dans une configuration subjective réelle, de se confier absolument. C'est donc là que nous parviendrons véritablement à ce que nous nous sommes proposés comme but, c'est-à-dire à la possibilité de quelque chose qui ne soit ni dans le nihilisme ni dans le relativisme, qui ne restaure pas une métaphysique traditionnelle, qui ne soit pas dans le dispositif théologique, et qui cependant soit d'une certaine façon dans le statut immanent de la création des vérités éternelles. À travers cette axiomatique de l'absolu on montrera qu'avec l'appareillage formel on peut retraiter l'analytique de l'adversité de telle sorte qu'on parviendra à saisir, à identifier le point d'exception. Et ce point d'exception sera évidemment ce à quoi on peut se confier absolument.

C'était là le rappel général, que je voudrais maintenant retraiter directement, comme je l'avais esquissé, à partir des textes de Char que vous avez. Je voudrais vous montrer simplement, à titre d'exercice d'appui, comment dans ces extraits des recueils de René Char on peut trouver des maximes d'inspiration pour les trois étapes, les trois tâches que je viens de définir, à savoir : analytique de l'adversité, appareillage formel et configuration subjective. Montrer donc, à titre d'exercice introductif, comment on peut se saisir de la prose poétique pour rebondir sur les signifiants de la logique générale qu'on s'est fixée.

En ce qui concerne l'analytique de l'adversité, je vous propose de prendre le texte n° 2. Je vous le lis :

> Certaines époques de la condition de l'homme subissent l'assaut glacé d'un mal qui prend appui sur les points les plus déshonorés de la nature humaine. Au centre de cet ouragan, le poète complétera par le refus de soi le sens de son message, puis se joindra au parti de ceux qui, ayant ôté à la souffrance son masque de légitimité, assurent le retour éternel de l'entêté portefaix, passeur de justice.

Nous pouvons immédiatement associer « assaut glacé » avec la fameuse déclaration de Marx dans le *Manifeste,* selon laquelle le monde moderne c'est « la dissolution de tous les vieux liens dans les eaux glacées du calcul égoïste ». De cette dissolution on peut simplement dire qu'elle est en voie d'accomplissement aujourd'hui. À tous ceux qui nous disent que Marx s'est trompé on peut répondre qu'il s'est certainement trompé sur des tas de choses, mais pas là-dessus. Je ne sais pas comment il a pu voir ça en 1848, quand subsistaient encore un énorme monde rural, des traditions religieuses, quantité de mariages arrangés, etc. La dissolution de *tout* dans les eaux glacées du calcul égoïste c'est plutôt aujourd'hui qu'on commence à voir à quoi ça ressemble. C'est donc aujourd'hui qu'il faut commencer à être marxiste ! Nous sommes au tout début de ce que Marx n'avait fait qu'intuitionner vaguement, de très loin. Les grandes catégories de Marx : marché mondial, eaux glacées du calcul égoïste, homogénéisation de la planète sous le régime du capital, gouvernants fondés de pouvoir du capital, tout ça on a vu maintenant ce que ça veut dire. Bien sûr on peut adopter la position qu'on veut et déclarer par exemple : « C'est très bien, allons-y, les vieux liens on s'en fout, les eaux glacées c'est la réalité, l'homme est mauvais de toute façon, il ne marche qu'au calcul égoïste ! » Mais le poète nous dit : « l'assaut glacé d'un mal ». Lui, il juge poétiquement. Cet assaut glacé, il ne l'entérine pas.

Ensuite qu'est-ce que « les points les plus déshonorés de la nature humaine », sinon ce qui rend possible « l'assaut glacé », ce qui réduit la subjectivité à son adaptation au calcul égoïste ? Pour Char, en tant que poète, le plus déshonoré de la nature humaine, c'est évidemment tout ce qui réduit l'humanité au calcul de ses intérêts. Vous remarquerez toutefois qu'il ne nie pas que ce point existe, qu'il fasse partie de la nature humaine. Il le déclare simplement « le plus déshonoré ». Il entérine bien que le régime général d'un monde qui fait régner la marchandise comme l'alpha et l'oméga de l'innovation humaine, c'est la réduction de l'humanité à sa part inéluctable et réelle d'animalité. Pour autant qu'on entend par animalité, non pas une composition biologique particulière, mais la stricte réduction de la pragmatique à la réalisation et aux conflits des systèmes d'intérêts. On sait d'ailleurs qu'un certain marxisme économiste, qui a longuement dominé, ne s'est pas soustrait à la représentation de l'homme du point de vue du paramètre de ses intérêts. Ce que dit Char et qui me paraît exemplairement vrai aujourd'hui, bien plus que du temps de Marx, bien plus que du temps de Char lui-même, c'est qu'il y a une réversibilité, une sorte de réciprocité entre la possibilité que règnent les eaux glacées du calcul égoïste et la réduction supposée de la nature humaine à une nature entièrement interprétable en termes d'intérêts.

Maintenant, pourquoi « au centre de cet ouragan » ? Eh bien, parce que Char est en train de parler de la Seconde Guerre mondiale, de la Résistance, du nazisme et que c'est un texte probablement écrit en 1942. Évidemment on peut dire cela, mais comme toujours la poésie va au-delà de son matériau immédiat. J'interprète cette expression dans son sens fort et je crois d'ailleurs que c'en est le sens véritable : ce règne de la dissolution de tout dans les eaux glacées du calcul égoïste, approprié à la réduction de l'animal humain à sa stricte figure d'intérêt, installe nécessairement la guerre. Et c'est très important parce que, pendant longtemps, un argumentaire du capitalisme démocratique libéral a été que, à la différence du fascisme, il travaillait à la paix. Bush n'hésite pas à déclarer qu'il travaille à la paix. Et ce, classiquement, par les moyens de la guerre, car la guerre prépare la paix, l'élément de connexion étant que si on laisse se déployer librement le jeu des intérêts, on installe la paix. L'argument, vous le voyez bien, c'est que, contrairement au volontarisme ou au décisionnisme communiste ou fasciste, le libre déploiement des intérêts est un élément naturel, qui, comme tel, ne va enregistrer que des conflits naturels, alors que la guerre est programmée par les théoriciens volontaristes qui veulent imposer de force et par la violence leurs représentations. Ce que Char dit ici, et avec quoi je suis d'accord, c'est que ce n'est pas tout à fait comme ça. En réalité, la souveraineté du capitalisme démocratique libéral installe la guerre, progressivement. Et pourquoi ? Parce qu'en fin de compte le règne des intérêts n'est pas un règne pacifique, c'est au contraire celui de la loi de la jungle et de la puissance, du principe hobbesien de la guerre de tous contre tous. Le capitalisme installe la guerre de tous contre tous, sous des formes rampantes, mesurées, différenciées selon les sociétés, les situations, mais en fin de compte c'est sa matrice fondamentale. Nous nous retrouvons petit à petit, non pas dans un monde pacifié, exclusivement ordonné à des activités paisibles et à des jouissances privées, mais dans un monde où les tribus errantes dont nous parlions sont aussi des tribus en armes. Et où par conséquent une espèce de guerre civile rampante s'installe pour la possession des biens dont dépend la puissance. On va donc être au centre d'un ouragan, et d'ailleurs, en 1942, on y était de toute façon. La parole de René Char, figure quasiment unique en France de très grand poète résistant, chef résistant de la Résistance maquisarde est au centre de l'ouragan. Mais la leçon à tirer de « ouragan » est bien plus générale.

« Le poète complétera par le refus de soi le sens de son message. » Pourquoi selon Char, le sens doit-il être à compléter par le refus de soi ? Nous pourrions dire que « refus de soi » signifie déjà rejeter les points les plus déshonorés de la nature humaine : avoir pour norme le système de ses intérêts, accepter cette figure du soi qui est identifiable aux intérêts. « Refus de soi » signifierait ainsi simplement un point minimal d'universalité qui est qu'on ne plie pas le sens, qu'on ne le subordonne pas à la dynamique des intérêts. C'est une première interprétation, mais plus profondément je crois que « sens » venant s'ajouter au « refus de soi », c'est un sens qui n'est pas interprétatif, qui n'est pas sous la loi relativisée de l'interprétation que le moi donne au sens. Je souligne cela parce que la doctrine selon laquelle il n'y a que des interprétations est l'adaptation relativiste de Nietzsche. C'est Nietzsche qui, d'une certaine manière, a dit : il n'y a pas de faits, il n'y a que des interprétations. Nietzsche a dit beaucoup de choses et, pour toute une série d'entre elles, il aurait dû se taire s'il avait su ce que ça allait donner. Ce « il n'y a pas de faits, il n'y a que des interprétations » a donné, dans une forme abâtardie qui n'est pas du tout la véritable signification nietzschéenne, le relativisme dont nous parlions tout à l'heure. Du coup chacun est maître du sens, chaque tribu donne son interprétation au sens. Pour moi ce que Char veut dire ici c'est que nous devons être dans une discipline du sens qui n'est pas une discipline herméneutique. Car lorsque le sens du sens n'est pas herméneutique, il peut aussi bien prendre le nom de « vérité », ce qui revient à dire que si le sens est indépendant de l'interprétation, c'est qu'il est le sens vrai. Je crois donc que ce que Char veut dire ici, c'est que le poète – donc n'importe qui se trouvant au centre de l'ouragan où se cristallise le monde moderne – doit produire quelque chose comme un sens non interprétatif, un sens qui n'est pas dans la variabilité herméneutique du sens.

Ensuite il « se joindra au parti ». Ah, le mot « parti », c'est toute l'histoire du XXe siècle ! Je crois qu'ici « parti » réfère essentiellement à une figure de la séparation, car le parti n'est pas une figure de totalisation ou d'unité. Ainsi le poète va se joindre à une séparation, c'est-à-dire au « parti de ceux qui » se sont séparés, au nom précisément du refus de soi, du sens. Je vous ai dit tout à l'heure qu'on ne pouvait pas déployer une figure de la liberté nouvelle sans une nouvelle théorie du corps, parce que je soutiendrais, en fait, que toute liberté nouvelle est aussi une incorporation, dans la mesure où elle consiste à s'incorporer aux conséquences d'un principe. Je vous le dis un peu brièvement mais vous pouvez le faire résonner : être libre c'est s'incorporer aux conséquences d'un principe. Naturellement c'est principe et conséquences et non pas fins et moyens. Car la liberté – une liberté qui est expressément antikantienne – n'a rien à voir avec la question des fins et des moyens. Être libre c'est s'incorporer à un corps nouveau, à ce qu'on appellera un corps post-événementiel. Et donc toute liberté est incorporation, et toute incorporation se paie d'une séparation. Vous avez à vous séparer de quelque chose, qui en un certain sens est vous-même. « Parti » est là le nom de l'incorporation comme séparation. C'est le sens que je retiens. Il existe certes une conception du parti qui y voit conscience, de soi et d'une politique, unité et cohésion, mais je crois vraiment qu'ici « parti » doit être pris au sens de ce que toute incorporation requiert une séparation. Par exemple, vous pouvez rejoindre le parti de votre amour, ce qui désignera simplement ce que toute incorporation amoureuse inclut de séparation d'avec le monde. « Les amoureux sont seuls au monde », ce n'est pas nouveau, et c'est vrai : ils sont seuls et cela veut dire que, en tant qu'ils sont dans leur amour, il y a quelque chose qui les sépare du reste du monde. Parce qu'il s'agit bien d'une incorporation à quelque chose qui est autre que chacun des amants pris séparément. L'amour existe comme vérité du Deux. Et en tant que ça existe comme vérité du Deux, l'incorporation amoureuse est nécessairement une séparation. C'est pourquoi il y a un parti de l'amour. Et en fin de compte, être amoureux c'est adhérer au parti de l'amour c'est-à-dire s'y incorporer au péril d'une séparation.

Mais ce parti, c'est le parti de qui ? Pour Char c'est le parti « de ceux qui » ont « ôté à la souffrance son masque de légitimité ». Là, c'est très important, nous retournons à notre début, parce que le « masque de légitimité » de la souffrance, c'est évidemment la position réaliste, c'est-à-dire la légitimation de la souffrance, quelle qu'elle soit, par la figure des moyens disponibles. C'est toujours : « On ne peut pas ! » Comme disait Rocard : « On ne peut pas accueillir toute la misère du monde. » C'est bien vrai. Simplement personne ne lui demandait ce qu'il pouvait ou ne pouvait pas. Effectivement on ne peut pas non plus distribuer nos richesses au reste du monde. C'est vrai, fondamentalement, on ne peut rien. Et c'est ce « on ne peut pas » qui est aujourd'hui le « masque de légitimité » de la souffrance. Ou alors on peut envoyer des colonnes humanitaires qui calmeront la chose, c'est-à-dire son spectacle. Mais en profondeur on ne peut pas. Et ça Char le dit très bien : il faut ôter « à la souffrance son masque de légitimité », c'est beaucoup plus important que de montrer cette souffrance, parce qu'en général, quand la souffrance est montrée, elle l'est dans le maintien de son masque de légitimité, sous la forme : « Voyez combien c'est horrible, mais on n'y peut pas grand-chose. » Ou pire : « Soyez contents d'être là où vous êtes, parce que ce n'est pas à vous que ces horreurs arrivent. » Et ça, c'est un élément qui est toujours l'inévitable corrélat du codage des situations par le rapport moyens-fins. S'il y a des situations intolérables, elles ne peuvent pas être perçues dans le rapport moyens-fins, elles doivent être dénudées, extirpées de ce rapport. Elles doivent être déshabillées du point de vue des conséquences d'un principe. Et dans ce cas peut-être, vous êtes tenus à l'impossible. Être tenu à l'impossible, c'est finalement la source de toute création véritable. Et en la matière, le réquisit est aussi celui de la création.

Tout ça se termine par une formule magnifique : « le retour éternel de l'entêté portefaix, passeur de justice ». Comme vous le voyez, le mot « éternité » vient à sa place, en même temps évidemment que l'expression est celle de Nietzsche. Et de quoi est-ce que ce sera le « retour éternel » ? Eh bien, si vous avez fait tout cela, c'est-à-dire si vous avez pris acte de « l'assaut glacé », donc de la dissolution de tout dans les rapports marchands ; si vous avez vu que cette dissolution supposait une théorie de la nature humaine, donc une métaphysique de l'intérêt, qu'on pourrait appeler une métaphysique darwinienne des intérêts de la sous-espèce humaine ; si vous avez compris que cela représentait une promotion de la guerre et non pas du tout une instauration universelle de la paix, comme le pensait ou le rêvait Kant ; si vous avez su proposer, dans cette circonstance, et en vous tenant au centre de cette expérience, quelque chose comme un sens qui n'est pas une interprétation ; si, ce faisant, vous avez assumé la part de séparation que cela vous inflige, à savoir l'incorporation dont le prix payé est la séparation, et que par là même vous avez arraché à la souffrance le masque de légitimité qui la couvre, eh bien, vous aurez été en quelque sorte « l'entêté portefaix », le « passeur », et quelque chose reviendra qui est éternel. Avec une indistinction entre revenir et apparaître, car revenir et apparaître seront la même chose, puisque c'est éternel. Et là, qu'est-ce qui reviendra ? Dans ce contexte-là, c'est évidemment « la justice ». Oui, ce qui reviendra, comme idée éternelle, c'est la figure de la justice.

Vous avez pu voir comment, à partir de ce texte de Char, nous avons parcouru toutes les figures depuis l'analyse de l'adversité. Les premières lignes lui sont entièrement consacrées et ensuite nous avons été conduits, en quelque sorte de l'intérieur, à une figure de l'éternité comme retour, c'est-à-dire comme apparaître.

On pourrait faire la même chose sur la question de la liberté et de l'appareillage formel. Faites-le pour votre propre compte. C'est l'exercice que je vous lègue, en examinant selon les mêmes méthodes le texte n° 5, le dernier. Vous verrez qu'il y est entièrement question de liberté, de vérité, de sujet et de corps. Et puis vous pourrez faire la même chose sur la configuration subjective, sur l'axiomatique de l'absolu, en regardant le texte n° 1, puis le texte n° 4. Ce quatrième texte est le plus intriqué, le plus difficile, c'est normal, l'axiomatique de l'absolu n'est pas simple. Ainsi donc vous pourrez poursuivre ce que j'ai à peine commencé aujourd'hui.

Merci.

III

15 DÉCEMBRE 2004

Je commencerai par vous parler de livres, mais de livres qui proposent une situation ou qui intéressent ce qui est ici notre propos.

Le premier c'est, narcissiquement, le mien, un livre qui a pour titre *Le Siècle*. Certains d'entre vous savent d'où il sort, puisqu'il correspond aux trois années de 1998 à 2001, du séminaire consacré, autour de la charnière des deux siècles, au bilan du XXe siècle. C'est récapitulé en treize chapitres. Le plus simple est que je vous lise la quatrième de couverture afin de vous en donner, en écho et en anticipation, la tonalité.

> Le XXe siècle a été jugé et condamné : siècle de la terreur totalitaire, des idéologies utopiques et criminelles, des illusions vides, des génocides, des fausses avant-gardes, de l'abstraction partout substituée au réalisme démocratique.

Je ne souhaite pas plaider pour un accusé qui sait se défendre seul. Je ne veux pas non plus comme Frantz, le héros de la pièce de Sartre *Les Séquestrés d'Altona,* proclamer « J'ai pris le siècle sur mes épaules, et j'ai dit : "J'en répondrai !" ». Je veux seulement examiner ce que ce siècle maudit, de l'intérieur de son propre devenir, a dit qu'il était. Je veux ouvrir le dossier du siècle, tel qu'il se constitue dans le siècle, et non pas du côté des sages juges repus que nous prétendons être.

Pour ce faire, j'utilise des poèmes, des fragments philosophiques, des pensées politiques, des pièces de théâtre… Tout un matériel que d'aucuns prétendent désuet, où le siècle déclare en pensée sa vie, son drame, ses créations, sa passion. Et je vois alors qu'au rebours de tout le jugement prononcé, cette passion, la passion du XXe siècle, n'a nullement été celle de l'imaginaire ou des idéologies. Encore moins une passion messianique. La terrible passion du XXe siècle a été, contre le prophétisme du XIXe, *la passion du réel.* Il s'agissait d'*activer* le Vrai, ici et maintenant. »

Vous trouverez le livre, mais pas pour Noël, il est soustrait aux festivités. Il ne fonctionnera pas comme fin mais comme début d'année !

Le deuxième livre c'est le livre de Mehdi Belhaj Kacem qui s'appelle *Événement et répétition*, aux éditions Tristram. Je ne sors pas complètement du narcissisme puisque j'ai écrit la préface. C'est donc un peu aussi comme une interlocution entre moi-même et moi-même. Mehdi Belhaj Kacem a fait paraître ce livre en même temps qu'un autre qui s'appelle *L'affect*, et qui en est comme un relais complémentaire. En réalité c'est le même livre, articulé ou divisé en deux. L'épilogue du livre, titré « L'événement et la relation », se présente sous la forme d'une lettre qui m'est adressée. Comme la préface est de moi, ce livre se situe finalement entre deux adresses : l'adresse qui est la mienne à Mehdi Belhaj Kacem et l'adresse de Mehdi Belhaj Kacem à moi, qui est la réponse. Car il s'agit d'une réponse… À quoi ? À de sévères réprimandes.

Je parle de ces deux livres en même temps car je les noue dans quelque chose qui possède, je crois, une signification d'actualité. En effet le livre de Mehdi Belhaj Kacem est à certains égards une sorte de commentaire amplifié de *L'être et l'événement.* Il est donc directement articulé sur ce que j'ai pu dire à un moment donné. Et il en est en même temps une transmutation, une transformation, avec des mots qui sont à la fois des mots d'aujourd'hui mais aussi des mots de Deleuze. C'est quelque chose comme la méditation d'un jeune homme, parce qu'il est vraiment jeune, sur quelque chose qui a eu lieu et dont il a été brusquement et intégralement saisi. Le livre témoigne à la fois de l'originalité de ce saisissement et d'une construction propre qui fait que moi, évidemment, j'ai le sentiment curieux d'avoir été trempé dans un bain que je ne connais pas complètement. C'est quelque chose d'aujourd'hui, dans lequel je figure à un titre qui est aussi une altération, mais une altération au bon sens du terme. La manière dont je déchiffre ces symptômes, à savoir la parution quasi simultanée de ces deux livres, c'est qu'il est en train de se produire souterrainement quelque chose comme le croisement, en un point, de générations séparées. Ce n'est pas exactement un phénomène de filiation, parce que si c'était la filiation ce serait moins séparé. Ça serait plutôt cet enchaînement normal qui, à vingt ans d'écart, fait que le relais est pris par la génération qui suit. Or, ce n'est pas exactement cela. C'est un phénomène beaucoup plus complexe, qui est la conjonction de deux bords d'un intervalle finalement en partie vacant. C'est un peu comme s'il y avait eu, en gros la génération des années 1960 – appelons-là comme ça, c'est très vague mais ça suffira pour l'instant –, et puis autre chose, ces deux choses séparées par un temps intermédiaire que je ne qualifierai pas. Cette autre chose demande au fond, à ce qu'il y avait, pas immédiatement avant elle, mais encore avant, non pas des comptes, mais comme un abri et comme une transfiguration. Et ça, je suis convaincu qu'on peut l'observer dans de nombreux domaines. Je le signale parce que dans ce cas c'est en quelque manière flagrant. C'est flagrant parce que c'est courageusement explicite. La revendication de Mehdi Belhaj Kacem est explicitement celle de se reconstituer sur un horizon philosophique dont il a expérimenté que, en trajectoire, ça n'était pas le sien. Cela a aussi une signification politique naturellement, puisque c'est le renouement ou la réinterrogation d'un épisode qui avait, en quelque manière, sombré, qui était devenu obscur et qui est repris, réinterrogé, ou réaménagé dans une dimension nouvelle. Il me semble que nous sommes dans un moment qui, comme tout ce qui se passe d'important, est au début presque invisible. Car tout ce qui arrive en fanfare est insignifiant. Nietzsche lui-même dit que les véritables événements arrivent sur des pattes de colombes, on ne les voit pas venir et c'est ça qui leur permet de s'emparer de la scène, sans avoir été anticipés ou prévus. Et dans cette discrétion essentielle je vois se configurer une transmission. Ici, entre transmission et création, il n'y a pas de différence. Je prends « transmission » non pas simplement au sens d'un legs, mais au sens où quelque chose est repris, reformulé, reconstitué. Ce n'est pas une transmission de type traditionnel de la paternité et de la filiation, c'est une transmission à travers un écart. C'est davantage grand-paternel que paternel, du coup quelque chose des adultes intermédiaires est court-circuité. C'est d'ailleurs une dimension très profonde de la jeunesse que le rapport à ce qui se situe deux générations plus tôt. Là je sens quelque chose de ce genre. Mais je ne le sens pas seulement comme une matrice affective mais comme quelque chose qui arrive et qui va *nous* arriver, à savoir le renouement historique de quelque chose avec quoi ceux qui actuellement tiennent le haut du pavé avaient cru en avoir fini une fois pour toutes et qui justement, c'est sa loi propre, va réapparaître là où on ne l'attend pas, dans une figure de jeunesse improvisée. Observez finement les situations et vous verrez que ce n'est qu'un exemple dans le champ de la philosophie fondamentale, mais que cet exemple peut être pris comme emblème ou comme symptôme. Comme c'est aussi dans notre méthode de prêter attention aux points presque invisibles de la nouveauté, je veux dire à ce qui apparaît sans, d'une certaine façon, la puissance de son apparaître.

Après tout, peut-être est-ce là que commence le nouveau siècle. Le nouveau siècle ne peut pas continuer comme cela pendant longtemps. Il faut bien qu'il commence un jour. À mon sens, pour l'instant, on est encore dans le chaos de ce commencement, ou dans la nuit préliminaire. Rien ne s'est encore levé. Imaginez que ce siècle continue comme cela pendant un siècle, ça serait une image du temps assez décevante. Alors mieux vaut penser qu'il se cuisine quelque chose dans l'obscur du nouveau siècle, et qu'il va y avoir une levée. Et, pour parler comme Deleuze, cette levée sera une synthèse disjonctive. Ce dont je vous parlais, est dans cette forme-là : c'est une synthèse, une conjonction, un arc électrique entre deux choses qui sont écartées et qui ne sont pas dans un régime de transmission. Encore une fois, peut-être cet écart ouvre-t-il à quelque chose pour un siècle digne de ce nom.

Nous reprenons maintenant notre grande trajectoire, dans son moment inaugural qui va nous occuper cette année et que j'ai appelé l'analytique de l'adversité. L'analytique de l'adversité consiste au fond à trouver et à constituer le nom de ce à quoi nous avons l'intention de nous soustraire, donc à trouver et à nommer l'adversaire. Sinon qu'il ne suffit pas de nommer l'adversaire, il s'agit, à travers cette nomination, d'identifier le champ auquel nous voulons nous soustraire de telle manière que quelque chose de nouveau advienne à la pensée, puisque tel est notre propos. Cette question, nous allons le voir, est d'une grande complexité, et quand on la traite comme une question simple on est immédiatement fourvoyé. C'est-à-dire que si l'on croit trop tôt avoir saisi et nommé le réel adversaire de ce qui doit venir comme figure de notre émancipation, de notre création nouvelle, de notre liberté, on ne saisira pas même ce que c'est qui doit venir. Il n'y a pas de pire errance, dans la découverte de ce qui nous est imparti comme tâche, comme création, que d'identifier l'adversaire de façon convenue, de l'identifier dans le registre de la banalité de son évidence. C'est pourquoi je dis que la question de l'analytique de l'adversité est une question qui doit être prise dans sa complexité.

Nous partirons d'un des énoncés de René Char, dans le texte n° 4, sur lequel nous nous étions déjà penchés dans le premier séminaire. C'est une phrase qui nous servira quasiment d'exergue :

> Aussitôt que la vérité trouve un ennemi à sa taille, elle dépose l'armure de l'ubiquité et se bat avec les ressources mêmes de sa condition.

Nous avions insisté sur le centre de cette phrase, à savoir, « déposer l'armure de l'ubiquité », pour rappeler que l'on ne peut pas se servir de n'importe quel moyen. Ici ce seront les deux extrémités de la phrase qui vont retenir notre attention. Quand « la vérité trouve un ennemi à sa taille », « elle se bat avec les ressources mêmes de sa condition. » Ce que nous dit Char c'est que c'est au fond le même mouvement qui fait qu'on identifie l'ennemi et qu'on se bat avec les vraies ressources de sa condition. Nous avons affaire à une espèce de corrélation entre identification de l'ennemi et immanence vraie, qui est une corrélation assez singulière. Nous avons à comprendre que trouver l'ennemi à la taille de notre tâche, l'ennemi véritable, c'est la même chose, ou c'est ce qui rend possible de travailler de l'intérieur des seules conditions du vrai. Autrement dit, l'immanence de la proposition créatrice ou libératrice est liée, et c'est ce lien qui est énigmatique, à l'identification d'un ennemi, comme ennemi à la taille de ce qui est en jeu. Philosophiquement, cette étrange corrélation concerne une dialectique très particulière de l'intérieur et de l'extérieur. En effet, si vous avez découvert votre extérieur authentique, l'ennemi qui est à votre taille, ce qui véritablement n'est pas vous, ce qui est hostile à ce que vous entreprenez, alors, et dans un même mouvement, vous vous retrouvez proprement à l'intérieur de vos propres ressources. Et inversement, si vous êtes à l'intérieur de vos propres ressources, peut-être avez-vous une chance d'identifier l'ennemi. Ce n'est donc que dans la justesse de l'extériorité (l'ennemi véritable, l'ennemi à votre taille) que vous avez chance d'être dans l'intériorité effective de ce que vous avez entrepris. C'est cette corrélation que nous allons essayer d'éclaircir philosophiquement.

La question est d'autant plus compliquée qu'on ne peut pas partir de l'idée que la question de l'ennemi est invariante ; c'est un point sur lequel nous reviendrons parce qu'il est essentiel. Prenons une procédure de vérité élémentaire : la création ou l'invention scientifique, et demandons-nous quel est l'ennemi de la science. Évidemment on pourra dire que, dans des temps déterminés, l'ennemi de la science a été l'obscurantisme religieux. La science elle-même, à l'époque des Lumières, s'est représentée dans ces termes ce qu'était son ennemi véritable. Est-ce qu'on en dira autant aujourd'hui ? Non, de toute évidence. Ce n'est pas que l'obscurantisme religieux ait cessé d'être, par beaucoup de côtés, l'adversaire de la science, mais il a passé avec elle beaucoup d'accommodements. Et on pourra soutenir que le véritable ennemi de la création scientifique c'est plutôt ce que j'appellerais l'empressement technique, c'est-à-dire la soumission implicite et grandissante de la création scientifique à des impératifs immédiats d'effectivité, d'applicabilité, de rentabilité. Il est clair qu'aujourd'hui l'ennemi sournois qui est à la taille de la création scientifique, c'est beaucoup moins cet ennemi archaïque et identifié de longue date qu'est l'obscurantisme religieux, ou tous les obscurantismes, mais plutôt le scientisme dérivé, capitalisé si je puis dire, que j'appelle l'empressement technique et qui asservit la temporalité scientifique. Le temps n'est plus laissé, n'est plus consenti, à ce que Platon appelait le « long détour ». C'est là un exemple tout à fait élémentaire de changement de l'ennemi à la taille de la question posée. De même si on se demande quel est l'ennemi de l'amour, grande question… Quel est au juste l'ennemi de l'amour ? Pendant longtemps ça a été, là encore, quelque chose comme le familialisme archaïque. Tous les récits étaient des récits de contradiction entre l'amour et la décision parentale, le mariage obligé, des choses de cet ordre. La liberté amoureuse devait être conquise contre l'ordre de la circulation des femmes, l'ordre familial dans sa forme archaïsante. L'ennemi de l'amour a toujours été repéré de ce côté-là, dans les législations rétrogrades, dans les enfermements, et cela naturellement n'a pas encore disparu. Mais est-ce cela qui est l'ennemi à la taille de la question aujourd'hui ? Je ne le crois pas. Dans les pays où cette question ne se présente plus dans des termes archaïques, l'ennemi de l'amour est ce qu'on pourrait facilement désigner comme un certain sexualisme indifférent, comme le passage de l'échange restreint à l'échange généralisé, passage de la dimension familiale de l'échange à sa dimension commerciale. Tout le monde est sur le marché et ça ne fait pas l'affaire de l'amour, ça fait l'affaire d'autre chose mais pas l'affaire de l'amour. Ainsi, de même que l'empressement technique asservit la nécessaire lenteur de la science, de même la généralisation du sexualisme indifférent rend l'amour comme obsolète et en fait une figure détachée du sol de circulation sur lequel il se trouve.

Je dis tout ça pour vous montrer qu'il n'y a pas d'invariance de l'ennemi. L'analytique de l'adversité est une analytique des situations qui n'est pas aisément une analytique structurale. C'est un point qui doit nous rendre très attentifs à la façon dont nous menons cette analytique de l'adversité, et aux types de situations référentielles. D'autant que, comme vous le savez, nous sommes dans un monde où l'on argue souvent de situations différentes pour légitimer une situation effective. Par exemple on arguera des ennemis archaïques pour rendre invisible les ennemis modernes, c'est une technique propagandiste absolument éprouvée, ou on proclamera : « C'est tellement pire ailleurs ! » Seulement, pour nous, notre ennemi c'est notre ennemi. La question de savoir si c'est pire ailleurs n'est pas notre question. C'est un argument qui a énormément servi et qui est effectivement inusable : « Tenez-vous tranquilles car c'est pire ailleurs. » Je ne vois pas pourquoi nous nous tiendrions tranquilles parce que c'est pire ailleurs. Nous sommes au contraire tout prêts à être avec ceux pour qui c'est pire, bien entendu. Mais ça ne résout pas le problème que nous nous posons ici, à savoir, quelle est l'analytique effective et contemporaine de l'ennemi ?

Je voudrais entamer la technique du cheminement de l'analytique de l'adversité à partir d'un exemple archiconnu, en un certain sens philosophiquement canonique, qui est l'exemple de la détermination par Platon du sophiste comme ennemi propre de la philosophie, comme l'« ennemi à la taille » de Char. Au fond, Platon dirait très volontiers : « Une fois que j'ai eu identifié Socrate, une fois que j'ai eu identifié le sophiste comme ennemi à ma taille, alors j'ai pu travailler dans les ressources propres de la philosophie. » Et cette question est si importante pour lui, qu'elle structure de très nombreux dialogues, que les personnages des sophistes sont omniprésents, et qu'un dialogue entier est même consacré à la définition du sophiste. Platon nous fournit un exemple véritablement canonique de ce que c'est qu'une analytique de l'adversité : ça veut dire détermination, identification du personnage du sophiste comme ennemi propre, à partir duquel on peut exhiber les ressources immanentes de cette nouvelle discipline qu'il va appeler « philosophie ».

Dans un premier temps, j'énumérerai rapidement les opérations platoniciennes de cette identification à partir de laquelle on a l'ennemi qui rend possible l'immanence. Nous avons d'abord une identification discursive à proprement parler, « sophiste » ou « sophistique », ça va d'abord désigner un certain type de discours, un régime de l'énoncé. On va donc identifier, à la surface extérieure, des techniques rhétoriques ou argumentatives, mais argumentatives au sens rhétorique du terme. On va identifier des figures du relativisme indifférent qui se manifeste dans la possibilité de démontrer indifféremment toute thèse et son contraire. On va également identifier les appareils matériels, à savoir l'extrême importance du fait que les sophistes se font payer. La sophistique est véritablement un appareil dont on peut identifier les techniques, les figures-types et les institutions matérielles. C'est ce que j'appelle l'identification par régime discursif. En vérité lorsqu'on dit aujourd'hui – ce « on », c'est un peu tout le monde, vous et moi compris – « l'ennemi c'est le libéralisme, c'est le néo-libéralisme », il s'agit bien d'une couche discursive, car cela revient à identifier de façon un peu systémique, à la fois des techniques de circulation du capital, des appareils matériels, des discursivités particulières, du type « hostilité aux services publics », « privatisations généralisées », « modernisations financières », tout ce que vous voulez. Simplement pour indiquer que nous nous situons à cette strate-là, qui est l'identification de l'adversaire comme régime discursif, comme système d'appareillage.

Mais Platon ne s'en tient pas là : il procède à une identification des figures. Car à ses yeux il n'est pas du tout suffisant de polémiquer contre le régime discursif, il faut mettre en scène des figures. C'est quasiment la méthode du « personnage conceptuel » chère à Deleuze. Ainsi nous allons rencontrer des noms propres, des personnages, des types différenciés : Protagoras est très différent de Gorgias et Gorgias est très différent de Calliclès, tandis que

Calliclès, Prodicos et Thrasymaque présentent entre eux des nuances importantes. Tout ça bien sûr ce sont des « sophistes », mais l'analyse typique en fait des personnages différents, qui ne se réduisent pas à l'espace discursif dans lequel ils apparaissent. Un sophiste, si je puis dire, n'est pas réductible à quelque chose qui serait la sophistique. Et Platon est profondément convaincu que pour avancer plus loin dans l'identification du sophiste comme ennemi, ennemi pour l'immanence de la philosophie, il faut faire entrer en scène des différences typiques. Qui pourrait-on prendre aujourd'hui pour suivre la même piste ? Bush ou Chirac, personnages politiques de la mondialisation libérale ? Finalement c'est comme Gorgias et Calliclès. Il y en a un qui est méchant, l'autre moins. Il y en a un qui est très puissant et l'autre un peu moins. Il y en a un qui est une grande gueule mondiale et l'autre une grande gueule nationale.

Ce qui est important, c'est qu'aux yeux de Platon, dans la construction générale de ce qu'est un sophiste, ces différenciations sont pertinentes. Ce ne sont pas simplement des amusements extérieurs. Car vous avez besoin d'une analytique des figures pour introduire, dans la strate discursive, sa multiplicité. C'est ce niveau qui va indiquer qu'il n'existe pas de régime discursif intégralement homogène et que vous devez donc le saisir, y compris dans l'analytique de l'adversité, dans sa multiplicité singulière. Car si vous ne vous saisissez pas de sa singularité dans le multiple, vous allez la manquer. On ne peut s'en tenir à la strate discursive, il importe d'intégrer sa diversité immanente. Et nous verrons pourquoi : un ennemi est utile aussi par sa diversité. Et ce qui nous intéresse, c'est l'utilité de l'ennemi, puisque dès que l'on a « un ennemi à sa taille », alors on peut travailler selon ses ressources propres. Sans ennemi, apparemment, il n'y a pas d'immanence.

La troisième strate, extrêmement importante, va également passer par la question des personnages, c'est la question de la subjectivation. En effet, il y a les strates discursives et une multiplicité des types, mais quelle est finalement la production subjective de cet ensemble ? Répondre à cette question exige de passer par l'analyse du public, des effets publics. Il s'agit de se demander quel type de subjectivation induit la sophistique chez les gens auxquels elle s'adresse et pourquoi ça marche. Vous ne pourrez pas le comprendre si vous n'avez pas de doctrine de la subjectivation, car l'ennemi c'est aussi une figure de subjectivation. Savoir comment elle s'articule à celle dont vous êtes vous-même promoteur ou porteur est un autre problème, mais en tout cas il faut savoir de quel type de subjectivation il s'agit. Car il ne faut jamais perdre de vue que ce que vous disputez à l'ennemi, ce sont des sujets. Et là, bien sûr, Platon est merveilleux parce qu'il met cela en scène : il y a des jeunes gens qu'on va se disputer avec Gorgias, avec Prodicos, avec Calliclès, avec Thrasymaque, avec toute la bande. Mais si on se dispute ces jeunes gens c'est qu'il y a, évidemment, la possibilité d'une subjectivation antagonique, que les sujets peuvent être divisés, partagés, en compétition avec la figure discursive portée par ces personnages typiques.

Le dernier point, tout à fait révélateur et finalement décisif, c'est le régime d'incommensurabilité. Il y a, entre le sophiste et Socrate, un moment où il faut faire apparaître un point d'incommensurabilité. C'est le point, où entre les deux, il n'y a plus d'espace discursif, plus aucun espace de pensée dans lequel existerait une mesure commune. Et il faut parvenir à ce point. Dire qu'il n'y a pas de mesure commune, c'est beaucoup plus que dire qu'il y a une contradiction. Car dans la tradition dialectique la contradiction c'est en réalité une mesure commune, la meilleure preuve étant que sa maxime est l'unité des contraires. Si vous avez une unité des contraires, c'est forcément que, à l'intérieur même de la figure antagonique de la contradiction, vous relevez d'une mesure commune. Tandis que dans le cas de la construction platonicienne de l'ennemi, il s'agit de parvenir au point où il n'y a même plus de mesure commune, où par conséquent il n'y a même plus de contradiction à proprement parler. Je ne dis pas que ce soit simple à comprendre, car qu'est-ce qu'un rapport qui n'est pas même un rapport, fût-ce dans la forme de la contradiction ? Ce point d'incommensurabilité, c'est lui qui est construit à travers les strates antérieures : à travers l'élément discursif (la confrontation des discours), à travers l'élément des figures (Platon n'hésite pas à confronter explicitement la figure concrète de tel ou tel sophiste avec la figure de Socrate ou la figure du philosophe), à travers la confrontation des subjectivations (là c'est le public qui va se prononcer et dire cette différence des subjectivations). À travers tout cela vous devez construire quelque chose qui est un point d'incommensurabilité, car ce n'est qu'à ce moment-là que vous êtes renvoyés à l'immanence. Ce point d'incommensurabilité vous ne pouvez le faire valoir qu'à l'extérieur, complètement à l'extérieur de ce qui vous a été donné comme ennemi, et dans une intériorité stricte à vos propres procédures. Il faut bien comprendre que nous ne sommes plus dans le schéma dialectique sous sa figure traditionnelle mais que nous sommes dans cette idée de l'ennemi, de l'ennemi essentiel, corrélé à l'immanence. C'est l'idée que la contradiction n'est que le point de départ. Il y a contradiction puisqu'il y a des sujets que se disputent les sophistes et Socrate, il y a des discursivités contradictoires, il y a des arguments pour et contre. Donc on part bien de la contradiction, mais pas du tout pour qu'elle soit relevée, surmontée ou synthétisée, mais pour qu'elle soit abandonnée. Le point d'incommensurable c'est quand on s'aperçoit qu'il n'y a pas même la contradiction qui puisse vous lier à l'ennemi véritable, à l'ennemi authentique.

Dans les dialogues de Platon ça prend souvent la forme du moment où l'adversaire sophistique, par exemple Calliclès dans le *Gorgias* ou Thrasymaque dans la Livre I de *La République*, est obligé de se taire. Il arrive un moment où il se réfugie dans son coin en bougonnant, et il ne va plus dire grand-chose, voire plus rien dire du tout. C'est d'ailleurs très curieux parce que vous remarquerez que, dans les mises en scène de Platon, les sophistes ne reconnaissent jamais leur défaite. Vous n'avez pas de déclaration de Thrasymaque ou de Calliclès du genre « tu m'as convaincu, tout compte fait c'est vrai ». Ça devrait être le cas si c'était réellement une contradiction résolue. Comme ça se passe dans Hegel, ils devraient avoir été illuminés par l'universalité ascendante de l'esprit, et, après une bataille sévère, passer eux aussi dans l'élément nouveau, ce qui voudrait dire reconnaître simplement leur défaite. Or il n'y a rien de tel : le sophiste repart dans son coin et on sent bien qu'il est exactement comme au début. En ce qui le concerne, tout cela n'a servi à rien, il n'a pas changé. Vous assistez à la constitution d'un nouvel espace en fait non contradictoire, qui est l'espace de l'immanence philosophique, à l'extérieur duquel a été progressivement déjetée, ou déplacée, la figure antagonique, la figure de l'ennemi. C'est ça que j'appelle la construction du point d'incommensurabilité.

La grande question c'est maintenant : y a-t-il un équivalent politique de cette construction du point d'incommensurabilité ? Et qu'est-ce que ça peut être ? Vous voyez tout de suite que les notions de rapport de force, de rivalité pour le pouvoir, de triomphe électoral, ne sont pas pertinentes. Ce serait un peu comme si à la fin d'un dialogue Socrate disait : « Eh bien, maintenant, jeunes gens, votez pour moi ou pour Calliclès ! » On sent bien que ça ne serait pas adéquat à la procédure. Même si Socrate était plébiscité par 82 % des voix, ou par acclamations, on n'aurait pas le sentiment qu'il l'a vraiment emporté, en tout cas du point de vue qui est le sien. Parce que le but n'est pas d'obtenir l'assentiment plus ou moins large des jeunes gens qui sont là, c'est de les installer ailleurs et c'est bien autre chose que simplement avoir leur reconnaissance ou leur approbation. Les installer ailleurs consiste à ce qu'ils soient eux-mêmes constitués à partir du point d'incommensurabilité. Ce qui va se manifester matériellement par le fait que, finalement, ils vont laisser le sophiste tout seul dans son coin, ayant perdu la capacité de continuer la discussion.

Donc : discours, figure, subjectivation et incommensurabilité. C'est la disposition fondamentale que l'on peut descriptivement tirer de Platon. Mais il reste un point surnuméraire très intrigant, qui est le point de ressemblance. Car il faut bien reconnaître que lorsqu'on lit naïvement, si je puis dire, les dialogues de Platon où Socrate discute avec les sophistes, on trouve qu'il y a des moments où ils sont indiscernables. En effet, pour ce qui est d'utiliser des arguments tordus, des sophisticailleries, des étymologies douteuses, des causalités inopérantes et des rhétoriques invraisemblables, Socrate est imbattable. Il y a vraiment des moments où on se dit : « Enfin, Socrate ne serait-il pas en train de jouer avec l'autre au plus malin ? À sophiste, sophiste et demi ! » Au fond il y a des passages entiers où il est manifestement en train de rouler l'autre dans la farine par des méthodes dont il faut bien dire qu'elles sont extraordinairement douteuses. C'est le lieu de poser la question de la ressemblance avec l'ennemi désigné. Parce que l'ennemi, ce n'est pas n'importe qui. L'ennemi nous est intimement nécessaire. En outre, il varie et n'est même pas structurellement désigné. Or une partie de la possibilité de l'immanence pratique est suspendue, semble-t-il, à la désignation et à la constitution essentielle de cet ennemi. En fait « sophiste », on n'est même pas sûr que ça existait réellement avant Platon, j'entends, comme catégorie, comme désignation, comme nom véritable, donc comme entité unifiée. Il y avait des gens de toutes sortes, qui effectivement se baladaient et se faisaient payer pour apprendre aux jeunes gens à tenir de beaux discours dans les assemblées politiques. La constitution de l'ensemble de ces gens sous le nom de « sophistes », comme catégorie pertinente au regard de laquelle l'immanence philosophique va pouvoir se déployer, c'est une opération platonicienne. On pourrait soutenir que les sophistes ne se sont mis à exister, à proprement parler, que dans la rétroaction de l'opération par laquelle on les a constitués comme ennemis propres. C'est ça leur singularité historique. Et c'est encore aujourd'hui comme ça. Quand on s'exclame dans une discussion : « Tout ce que tu me racontes là… finalement tu n'es qu'un sophiste ! », on est en fait l'héritier d'un marquage absolument inaugural, par lequel on fait savoir que l'autre n'est pas dans la vérité, qu'il raisonne de façon fallacieuse. Et cette constitution se fait sur un horizon de ressemblance ou de proximité, pas dans la figure de l'éloignement le plus grand. On aurait pu penser que la philosophie se serait constituée contre, par exemple, les magiciens, ou contre le discours religieux officiel, or ce n'est pas du tout ce qui se passe. Elle se constitue contre cette figure tout à fait particulière du sophiste dont, comme on le voit dans les textes, elle est particulièrement proche. C'est au point qu'aujourd'hui quantité de gens intègrent la sophistique dans l'histoire de la philosophie, comme une des possibilités, une des virtualités que les Grecs ont ouvertes quant à la philosophie en général. Il y a là-dessus des thèses absolument brillantes de Barbara Cassin, et ça remonte à Nietzsche !

Comme vous le voyez, nous devons ajouter à nos quatre caractérisations (discursives, figurales, subjectivantes et d'incommensurabilité) une détermination supplémentaire et tout à fait paradoxale qui est que tout se fait dans l'élément de la proximité, avec quelque chose qui, par certains traits, est comme nous. Vous constituez votre ennemi dans l'extériorité la plus radicale, mais sur un fond originaire de ressemblance. Autrement dit, les ennemis fondamentaux sont des proches. Tout le monde le sait. Qu'a-t-on à faire des gens qui sont loin de vous ? Même si ce sont des ennemis. Du moment qu'on n'est pas en contact… C'est bien pour ça qu'évidemment, à un moment donné, l'ennemi absolu de Robespierre ce n'est pas du tout le monarque prussien ou russe contre lequel on est en guerre, c'est un ennemi certes, mais l'ennemi véritable, l'ennemi intime, c'est Danton, celui qui est tout près. Et ça, ça se répète constamment. Dans le cas de Robespierre et Danton, c'est une tragédie, mais ça se répète en farce. Quel est par exemple l'ennemi intime et quotidien de Chirac ? Celui auquel il ne cesse de penser ? Ce n'est quand même pas ce brave Hollande, c'est évidemment le ténébreux Sarkozy. Si la guillotine était encore là, il y passerait… Répétition en farce de ce qui s'est passé en tragédie dans toutes les révolutions. Mais cela n'en est pas moins significatif pour ce que nous recherchons : l'ennemi dans la situation, soit celui qui constitue notre immanence détaillée, notre immanence véritable, est dans un régime de proximité, c'est-à-dire que, vu du dehors, il est notre semblable. Évidemment vous imaginez que, pour un émigré qui était parti à Londres vers 1790, les différences entre Robespierre, Hébert et Danton, c'était de la dentelle, c'était de toute façon un ensemble de gougnafiers épouvantables. Et s'ils s'entretuaient, tant mieux. En réalité cette proximité dramatique relève exactement de notre problème : en situation, il y a toujours un moment où la construction du point d'incommensurabilité se fait dans l'élément de la proximité. Et il y a de ça bien des exemples terribles. René Char en témoigne lui-même : parmi les épisodes les plus dramatiques de son être de résistant, on voit bien que les pires étaient la confrontation avec les traîtres locaux. Il y avait les Allemands bien sûr, mais la grande affaire c'étaient les traîtres et les miliciens. Toutes les résistances tuent plus de collaborateurs que d'envahisseurs, c'est une loi générale. Pour la simple raison que sans le collaborateur l'envahisseur n'est rien. S'il n'y avait pas de collaborateurs l'envahisseur ne tiendrait pas le coup, quelle que soit la situation. Le collaborateur, c'est le proche, celui qui est d'ici, et c'est avec lui que le procès de construction de l'immanence résistante va se faire. Une résistance doit d'ailleurs toujours faire savoir, par les moyens qui sont les siens, qu'il ne fait pas bon être collaborateur. Et si elle n'est pas en état de rendre quasiment impossible ou en tout cas terriblement coûteux d'être collaborateur, elle ne se constituera pas comme résistance subjectivée, comme résistance effectivement reçue et identifiée comme telle dans l'espace du pays.

Tout ça ce sont des points très importants qui concernent la question de la constitution de l'ennemi. Je dirais finalement qu'il y a 4 traits + 1 :

– des discursivités incompatibles ou contradictoires ;

– des figures hétérogènes ;

– des subjectivations contradictoires, ou partagées, opposées ;

– la construction d'un point d'incommensurabilité qui va, d'une certaine façon, trancher le rapport entre immanence et adversité ;

– et il y a en plus ce point de proximité, à la fois énigmatique et rationnel, qui fait que la construction de l'ennemi, de l'adversité, au sens où on la prend ici, c'est au fond la combinaison entre proximité et incommensurabilité. Cela se comprend parce que l'existence d'un point d'incommensurabilité n'est lisible que si en réalité il sépare une proximité. C'est en fin de compte par coupure dans la proximité que se déploie l'incommensurable, c'est la condition *sine qua non* pour qu'il y ait des espaces hétérogènes, et donc une immanence réellement séparée, n'ayant plus affaire qu'à ses propres ressources, à elle-même, par rapport à une extériorité adverse. Plutôt que la différence on pourrait appeler ça la différentielle, par analogie avec les mathématiques. C'est quelque chose qui est à la fois de l'ordre de l'infinitésimal et de l'ordre de la différence ou de la coupure, quelque chose qui allie un élément de continuité et un élément de discontinuité, quelque chose qui opère au plus près et qui, opérant au plus près, constitue le plus loin.

On peut récapituler tout ça ou au moins le lire autrement en regardant de près la définition que Platon donne du sophiste. Car après tout, dans la logique qui est la sienne, tout cela aboutit à une définition explicite de l'ennemi, du sophiste. Cette définition vous la trouvez à la fin du dialogue *Le Sophiste*, c'est l'avant-dernière phrase. Parce que la dernière phrase, c'est celle du béni-oui-oui de service à qui on demande si ce n'est pas ça la bonne définition et qui répond : « Parfaitement ! » Ce qui est une péroraison dont l'intensité dramatique est un peu faible. Mais c'est calculé par Platon pour nous dire : « Cette fois, cette histoire du sophiste, je l'ai réglée ! » On termine donc par une définition explicite et puis une approbation sans réserve. Et alors là c'est bouclé !

Il faut dire que jusque-là la question du sophiste est errante, elle est à la fois omniprésente et errante. On a les discursivités, on a les figures, on a les ressemblances, on a le point d'incommensurabilité. Mais tout ça est dans le multiple : on a Thrasymaque, Calliclès, Gorgias, Protagoras, traités, comme je l'ai dit, très différemment. Protagoras est traité avec un grand respect, Gorgias aussi finalement, Thrasymaque ou Calliclès pas du tout. Et dans *Le Sophiste*, qui est un dialogue tardif, le processus se poursuit et il est très long. Pour régler les choses Platon nous donne donc une définition. Cette définition je vous la donne à mon tour, je l'ai un peu retraduite parce que dans les traductions habituelles on n'y comprend rien :

> Voici les ingrédients de ce dont on peut dire que c'est, dans la plus certaine acception de la formule, « la race et le sang » du

sophiste authentique : une technique de la contradiction qui, assumant la part ironique de ce qui ne se fonde que sur l'opinion, relève de la mimétique ; et qui, assumant la dimension du simulacre, relève de la production des images. En somme, cette section de la production anthropologique qui, dépourvue de tout caractère divin, situe dans les seuls discours sa magie propre.

Et quand l'interlocuteur de Socrate répond : « Parfaitement ! », on se dit que c'est un veinard ! Pourtant je vous assure que j'ai vraiment clarifié la chose ! Reprenons.

Dans un premier temps, le sophiste est défini par un certain régime discursif, c'est une « technique de la contradiction ». C'est en même temps une technique de l'ironie – entre parenthèses, c'est un propos de proximité avec la fameuse « ironie socratique » – qui est portée au crédit du sophiste. Or c'est une ironie singulière puisque c'est une ironie qui est du côté de l'opinion. Voilà pour l'aspect régime discursif. Ensuite c'est quelque chose qui, du point de vue de sa typologie et de ses figures subjectives, renvoie à la zone de l'imaginaire, à savoir une certaine disposition à l'usage des images assumant la dimension des simulacres, c'est aussi un certain régime de la production des images. Donc c'est à la fois une instrumentation et une production des images. On pourrait dire que le type subjectif sous-jacent, c'est celui de la captation subjective sous-jacente, de la captation par l'image. Enfin, le point d'incommensurabilité est ici donné dans la formule très curieuse selon laquelle c'est « anthropologique » et pas théologique, puisque c'est « dépourvu de tout caractère divin ». Et c'est avec ça que ce qui va être proposé pour être la philosophie est vraiment incommensurable. En effet, ce caractère anthropologique de la sophistique, avec ses effets magiques, thaumaturgiques, se manifeste exclusivement à travers les discours, d'où son absence de caractère divin.

Dans cette définition du sophiste on reconnaît le système général des traits, on reconnaît aussi les points de ressemblance. La technique de la contradiction existe également dans la philosophie de Platon. La part ironique aussi. La production des images, à vrai dire on en trouve tant qu'on veut chez Platon : mythes, images, allégories. Du coup, dans le texte tel qu'il est, le point d'incommensurable est réduit : vous remarquerez qu'il n'est fait aucune allusion au fait que le sophiste se situe du côté de l'image et pas du côté de l'idée, ou du côté de l'image et pas du côté du réel. Il est simplement dit que c'est « du côté des images » et on n'y oppose rien de singulier. Tout compte fait, le point d'incommensurabilité porte uniquement sur « anthropologique » et « dépourvu de tout caractère divin ». Et cela, ça restera, jusqu'aux *Lois*, la conclusion de Platon sur les sophistes. Dans *Les Lois* ce sera plutôt que les sophistes relèvent de la loi, voire de la peine de mort, c'est moins drôle, mais dans *Le Sophiste* on est encore dans la coexistence définitionnelle. C'est en vérité une évolution très ténébreuse.

Dans *Le Sophiste* la question est réglée (ce qui est déjà mauvais signe) par une définition où l'on reconnaît les traits constitutifs de la production platonicienne de l'adversaire. À vrai dire il ne reste de tout ça que la combinaison entre incommensurabilité et proximité, curieusement concentrée dans la coexistence, qui est en partage, de l'ironie – cet aspect du traitement de la langue consistant à se mettre à distance de son usage courant – et du point d'incommensurabilité qui passe entre discours anthropologique (humain) et élément divin. Et il faut faire avec ça ; c'est ça la construction. La conclusion qu'on peut en tirer de prime abord, c'est que la définition platonicienne du sophiste, si on la rapporte à notre travail, qui est de savoir quel est le rapport entre constitution de l'ennemi et constitution de l'immanence, se resserre finalement autour de l'identification du point de ressemblance principal et du point d'incommensurabilité décisif. Grosso modo cela revient à « où est-ce la même chose ? » et « où n'est-ce absolument pas la même chose ? » Et dans la définition – elle est franchement très obscure – le point d'identification c'est l'ironie et le point d'incommensurabilité, le divin. On n'est pas vraiment aidé ! D'autant que le divin arrive là comme un cheveu sur la soupe, il n'en a même pas été question avant. C'est qu'il doit signifier autre chose. Je pense en vérité que « divin » désigne la totalité du lieu nouveau à édifier, que c'est le nom de l'immanence philosophique. Et donc que, en fin de compte dans le *logos*, dans les langages, rien de divin n'est établi. Or quelque chose qui ne serait pas réduit au langage, c'est précisément ce qu'il s'agit de constituer, dans l'extériorisation du sophiste.

On pourrait dire que le dernier mot de Platon sur le sujet c'est que si l'on veut autre chose que la sophistique, et donc identifier la sophistique comme votre adversaire, il faut s'établir dans un registre qui est à proprement parler inhumain. Parce que c'est bien l'inhumanité constitutive qui est désignée, négativement, comme ce qui n'est pas « anthropologique » et, positivement, comme un élément divin. Il est clair que c'est métaphorique, dans la mesure où ça ne se rattache nullement à la question d'un dieu. Alors au fond le sophiste c'est quoi ? C'est la pensée réduite à l'anthropologie. La pensée réduite à l'humanité. Soyons un peu anachroniques : c'est la pensée entièrement rassemblée dans l'élément de l'humanisme. Les discours, les opinions, l'anthropologie c'est ça la sophistique. Et pour juger la sophistique, l'élément important n'est pas que ça soit faux. Ici la question du faux n'est pas vraiment abordée, il est question du simulacre, de l'image, du faux-semblant, mais pas du faux. On n'est pas dans l'opposition du vrai et du faux, mais dans l'opposition de l'anthropologique et du divin, qui désigne autre chose, à savoir ce mouvement par lequel, pour qu'il y ait philosophie, il faut que la pensée ait affaire à autre chose qu'à l'anthropologie. Pour qu'il y ait philosophie, il faut désigner comme ennemi de la philosophie quiconque considère que l'immanence aux discours humains est suffisante.

Si j'insiste sur ce point c'est qu'il s'agit d'un problème contemporain. Que pouvons nous envisager, tolérer, accepter ou ne pas accepter comme figure immanente à la pensée de l'inhumain ? Nous verrons que tout le problème de la constitution de l'adversité, de l'immanence, c'est, à la fin des fins, de déterminer quelle est exactement la figure d'inhumanité appropriée à la situation contemporaine de la pensée, laquelle constitue en réalité l'opinion dominante contemporaine (humaniste, démocratique) comme une sophistique contemporaine ? Le paradigme platonicien n'est pas répétable mais il nous indique métaphoriquement des pistes. En définitive, la séparation à opérer, qui se donne dans la constitution de l'adversaire, est toujours liée aux figures transhumaines de l'humanité. Je rappelle que c'est une question entièrement ouverte par Nietzsche, à travers l'idée que l'homme doit être surmonté et que la figure de l'homme sans Dieu est le surhomme. C'est d'ailleurs également un motif récurrent au XXe siècle, qu'on retrouve dans la thématique communiste de l'homme nouveau. Sauf que l'homme nouveau c'est celui qui surmonte l'homme, qui traite l'homme comme un matériau. Aujourd'hui cela est obsolète, périmé, mais ressort sous la forme d'une question. Est-il vrai que philosophie désigne en un certain sens la capacité transhumaine de l'humanité, la capacité de la pensée à intégrer à elle-même, dans les créations qui sont les siennes, quelque chose qui n'est pas déjà là dans l'humain ? Est-ce, si vous voulez, le passage de l'humain comme donnée, à l'humain comme programme ou comme possible ? Cette conception est déjà à l'œuvre dans la définition très singulière de la sophistique ramenée à une anthropologie et délimitée à l'extérieur de la philosophie à partir du seul critère qui fait que l'anthropologie est insuffisante.

À partir de là nous allons prendre un virage qui nous ramènera dans des parages plus contemporains. Comment se présente, dans le monde contemporain, la difficulté de constitution de l'adversité ? Les noms pour désigner l'ennemi il y en a tant qu'on veut, et ce dans les deux camps. Pour autant qu'il y ait deux camps ! Les uns diront : capitalisme, mondialisation, libéralisme, ce qui se rassemble philosophiquement dans l'idée que l'ennemi a pour forme générale le système économique. Pour les autres l'ennemi c'est l'étatisme, l'archaïsme, les contrôles, les impôts, les services publics rouillés, les fonctionnaires en surnombre, les travailleurs qui ne font rien et les chômeurs trop payés, tout ce à quoi il faut que la modernisation mette fin. Dans ce second cas ce qui est identifié comme ennemi, ce sont au fond tous les cas dans lesquels la tâche centrale de l'État est de remédier tant bien que mal aux inégalités. Ce caractère fonctionnel de l'État dans le champ de l'inégalité sociale est considéré comme l'ennemi absolu : la tâche de l'État n'étant aucunement de se faire le rebouteux des inégalités, il doit au contraire laisser le champ libre à la dynamique générale, certes inégalitaire mais productive. Si vous êtes du côté de l'homogénéité républicaine, vous allez avoir comme noms de l'ennemi : lobby, communauté, privilèges, classes, et vous allez vous en prendre à ce qu'on pourrait appeler les modules de la représentation, les particularismes et leur représentation. En revanche si vous êtes de l'autre côté vous allez dénoncer l'homogénéité abstraite, l'égalitarisme, le mélange inconsistant.

Pour résumer, l'ennemi est désigné dans les figures de la présentation immédiate de la multiplicité. On peut donc trouver des noms en pagaille qui, à chaque fois, se présentent comme constitution de l'adversaire, et on pourrait même proposer des schèmes synthétiques – système économique, représentation, présentation, centralisation – schèmes qui subsument des mots empiriquement utilisés pour désigner l'adversaire. On ne peut donc pas dire que le champ général de l'analytique de l'adversité soit dépeuplé, au contraire il est surabondant, et c'est même une caractéristique de la situation présente. Du coup la difficulté n'est donc pas qu'on aurait affaire à un univers fermé et totalisé, à l'intérieur duquel les désignations conflictuelles et les constitutions d'ennemis seraient absentes. En apparence ce n'est pas du tout le cas. La difficulté considérable, c'est que l'opposition est un concept interne à l'ordre existant, et même un concept majeur. S'opposer à, constituer un adversaire, c'est expressément une thématique immanente à l'ordre existant. En politique, nous le savons, le jeu est le jeu de la majorité et de l'opposition qui, par définition, s'opposent et s'opposer est une vertu. Les catégories subsidiaires sont bien connues : droite et gauche, qu'on peut extrémiser et pousser, la gauche jusqu'à l'extrême gauche, la droite jusqu'à l'extrême droite. Mais la règle du jeu demeure la même. La droite va faire propagande sur le fait que la gauche fait le lit de l'extrême gauche, et la gauche, parallèlement, sur le fait que la droite fait le lit de l'extrême droite. Et les deux extrêmes, jouant leur jeu propre, vont chercher à montrer que, comme le dit l'adversaire, ils représentent respectivement l'identité véritable de la droite ou de la gauche. Ils vont par conséquent tenter de s'allier avec leur proche voisin pour avoir une chance de participer au mouvement général. Ce jeu à quatre est un sport dont on pourrait aisément décrire les règles formelles. Vous avez des dualités constituantes avec leurs extrémismes propres. Et toute figure extrémiste est constamment déchirée – c'est ce qui fait son instabilité – entre la nécessité de s'identifier elle-même comme étant l'essence du voisin opportuniste, et celle de s'allier avec lui pour conquérir des positions de pouvoir. C'est pourquoi les extrêmes sont instables, car il est de leur essence de jouer le même jeu, mais de le jouer dans une dimension qui fait qu'ils sont nécessairement tiraillés vers l'essentialisme, à savoir la tendance à se présenter comme l'essence de l'opposition, la seule vraie opposition. L'extrême gauche n'est jamais que la vraie gauche. Cependant, si on ne s'allie pas avec la gauche, on est un peu seul. Même chose pour l'extrême droite, la ligne fondamentaliste c'est qu'on est l'essence éternelle de la vraie droite et que la droite est à gauche. Certes, mais si on ambitionne de devenir président du conseil général il faut bien se rallier à la droite.

Sous des formes différenciées, ce jeu-là est propre à notre univers politique depuis un siècle : l'opposition, soit l'identification de l'adversaire, est interne au système politique. Et ce n'est pas seulement une question politique. S'opposer à l'esthétique dominante est interne à l'esthétique contemporaine. Il n'y a pas de possibilité d'un propos esthétique autre que le propos de subversion de l'esthétique existante. Là aussi, l'opposition est immanente au procès lui-même comme définissant son essence. C'était tout différent chez les classiques car ils étaient sous l'idéal d'imiter des Anciens, paradigmatiques, dont ils avaient admis une fois pour toutes qu'ils étaient bien meilleurs qu'eux et qu'on pouvait tout au plus essayer de les imiter. En revanche, aujourd'hui, quiconque veut se lancer doit faire la preuve qu'il subvertit radicalement tous les modules antérieurs de la représentation. La subversion est l'essence du propos, elle est constitutive de son essence. Pareil en économie : s'opposer au capitalisme est absolument anodin. Qui ne s'oppose pas au capitalisme ? Personnellement, je n'ai jamais rencontré un pro-capitaliste réellement convaincu, mais des gens qui disent que le capitalisme a fait la preuve qu'il était beaucoup mieux que le reste, ça oui. Toujours l'argument que c'est pire ailleurs. Je ne connais pas non plus beaucoup de gens qui, au nom du fait que l'économie est capitaliste, auraient renoncé à s'acheter des choses. Il paraît qu'il y a dans l'Oregon quelques Américains qui vont tout nus, car leur doctrine est : « N'achetons plus rien. » On ne voit pas qu'ils aient fait s'écrouler la citadelle. Mais ça doit être des gens sympathiques et j'aimerais en connaître un. C'est peut-être la première fois dans l'histoire de l'humanité que, à ce degré-là, l'opposition à l'ensemble des figures de l'ordre, stéréotypées ou établies, est en un certain sens interne à cet ordre. C'est ce qui a fait dire à certains qu'on était à la fin de l'Histoire. Pour certains hégéliens naïfs, à partir du moment où la contradiction est entièrement intériorisée et où elle devient la loi de l'exposition même de la chose, c'est qu'on est arrivé à l'absolu. Si donc finalement l'essence du pouvoir politique c'est qu'il y ait une opposition à ce pouvoir politique, c'est qu'il est le pouvoir politique définitif. Et c'est bien ce qu'on nous dit. Personne pour l'instant n'ose proposer une autre formule. Personne ne dit même que ce système politique est à détruire. À la rigueur on est prêt à l'arranger, à mettre un peu de social, à être moins méchant, mais le détruire, non. L'époque où l'on trouvait des gens qui défendaient la dictature du prolétariat, c'est de l'histoire ancienne, c'est quasiment renvoyé à des temps préhistoriques. On peut faire l'hypothèse qu'un système qui a intériorisé les figures négatives qui sont les siennes et qui peut exposer ses figures négatives dans la liberté de sa propre essence, a réalisé dans l'histoire une formule qui est une formule définitive. Difficile dans ce cas de constituer l'adversaire à partir d'un point d'incommensurabilité. Aujourd'hui, s'opposer à l'ordre, qui est aussi un désordre, mais peu importe, ne le constitue pas comme adversaire, et ce, quel que soit le degré de cette opposition. Il est par exemple absolument frappant que les figures contemporaines du terrorisme, celles qui, semble-t-il, poussent l'opposition à cet ordre à sa forme maximale, ne génèrent aucune représentation affirmative. On a toutes les raisons de penser qu'en dépit de l'extraordinaire violence contingente de ce type d'action, elle n'est en dernier ressort que la forme extrémiste d'une opposition à laquelle elle est même immanente, dans la mesure où elle ne fait que légitimer qu'elle puisse être aussi de l'ordre de la guerre. Cela dit on ne voit pas que cela propose – aucun des acteurs ne le prétend – une systématique ou une construction politique qui soit réellement d'un ordre distinct. Encore bien moins un système de production et de répartition d'essence réellement différente. On est donc dans une situation tout à fait extraordinaire, où les intensités de l'opposition sont finalement indifférentes à une réelle constitution de l'ordre existant, comme polarité capable de produire un nouveau régime de l'immanence. La voie oppositionnelle, fût-ce sous des formes radicales, semble être fermée. La déclaration d'opposition et les pratiques d'opposition à l'ordre existant, même dans leur radicalité la plus saisissante, peuvent tout au plus constituer des aléas, des péripéties, y compris sanglantes, des poches de désordre extraordinaire, mais en aucun cas un régime d'immanence dans une contre-proposition affirmative, qu'on pourrait déplier à partir de cette constitution de l'ennemi.

Cela nous amène à un point que j'anticipe un peu et qui est l'examen de la catégorie qui aujourd'hui se présente comme alternative à celle d'opposition, à savoir la catégorie de résistance. C'est une idée aujourd'hui largement répandue que si l'opposition est reconnue comme manifestement trop interne à l'ordre auquel elle s'oppose ou déclare s'opposer, on pourrait changer de nom, et, pour mieux constituer l'ennemi, parler non plus d'opposition mais de résistance, ce qui déplacerait le régime du conflit et éviterait de tomber dans le piège de la figure oppositionnelle. J'examinerai cette question à partir de ceux qui se réclament de cette catégorie. Mon sentiment, pour l'instant, c'est que résistance est dans la forme d'une radicalisation romantique de l'opposition. C'est tout à fait honorable, mais je ne crois pas que ce soit la voie de résolution de la question. Cela dit, ce qui est intéressant pour nous c'est que résistance est le nom de l'élément générique dans lequel s'est constituée la position de René

Char, la Résistance en France, sous le régime de Vichy et l'occupation nazie. Résistance chez Char signifie évidemment tout autre chose, puisque ça réfère à cet épisode historique où le pays a été occupé, et où le mot a signifié le rassemblement des énergies. C'est une autre situation sans doute, mais certains des traits que je crois être ceux de la catégorie de résistance dans son usage contemporain sont déjà présents chez Char. C'est pourquoi je vous propose pour l'instant de nous y intéresser.

Prenons par exemple l'énoncé 50 de *Feuillets d'Hypnos* – texte saisissant sur la Résistance, texte essentiel : « Face à tout, à tout cela, un colt, promesse de soleil levant. » Comme on le sait, Char était dans la branche armée de la Résistance, il s'agit donc de questions concrètes. La totalisation de l'ennemi et, face à cela, l'irruption du symbole de la violence dans la figure du revolver, connote bien cette notion de résistance. Il y a une systémique générale, et contre cette systémique générale s'est élevé un mouvement pur de surrection ou d'insurrection, symbolisé par le revolver, promesse de lumière, promesse de soleil levant.

Plus intéressant encore est l'énoncé 102 : « Nous devons surmonter notre rage et notre dégoût, nous devons les faire partager, afin d'élever et d'élargir notre action comme notre morale. » C'est une phrase qui a une résonance contemporaine significative car nous sommes aussi devant le spectacle du monde actuel, qui ne peut nous inspirer que rage et dégoût. C'est l'opposition en son sens le plus immédiatement subjectif, pas l'opposition consensuelle raisonnable. On part d'une subjectivité forte, négative. Mais ce que va dire Char c'est qu'on ne peut pas s'en tenir là : les conséquences de cette subjectivité négative sont insuffisantes. La colère, le dégoût, l'infamie de ce qui se passe, ce n'est qu'un point de départ, qu'il faut dépasser. Il faut surmonter le négatif pour la raison que le point d'incommensurabilité est autre chose que le négatif. Ce n'est pas parce que vous vous dites antisophiste que vous allez trouver le point d'incommensurabilité entre la philosophie et la sophistique. Bien sûr, c'est très bien d'être contre les sophistes, de ne pas les aimer, de ne pas les payer, mais ça ne délivre pas l'immanence. Pour délivrer l'immanence, il faut plus que la négativité, même forte, plus que la colère, la rage ou l'indignation. Et qu'est-ce que Char propose pour surmonter rage et dégoût ? Il propose exclusivement de les faire partager. C'est une sorte de militantisme de l'indignation, un militantisme du négatif. Il faut passer de la négativité à la transmission de la négativité. C'est ça qui va élever et élargir notre action qui sinon restera resserrée dans le négatif. La subjectivité violente, négativement violente, doit s'ordonner à un partage de cette négativité. Nous pouvons dire que la maxime de la constitution de l'ennemi est ici violence et partage. Or, violence et partage, ça a un nom, c'est la fraternité de combat dont la maxime est : notre indignation, notre violence, notre rage et notre dégoût, nous devons en organiser le partage et ce partage est nécessairement un partage fraternel. La fraternité de combat, c'est le moment où les subjectivités communiquent dans le négatif. Je crois que ce paradigme, selon lequel l'immanence corrélée à la figure de l'ennemi se constitue dans quelque chose comme une fraternité combattante, reste très puissant. La fraternité combattante, c'est l'élément générique de l'immanence, ou de l'immanence active, créatrice. Je mets ici l'accent sur le paradigme historique et politique, parce que c'est le cas chez Char, mais on pourrait prendre d'autres exemples et rappeler la grande proximité de Char, dans le registre du poème, avec Malraux, dans le registre du roman. La maxime essentielle de *L'Espoir* est celle de la fraternité comme telle, d'ailleurs en partie séparée des objectifs, séparée de la victoire. Ce qui importe ce n'est pas la victoire, c'est la question de l'immanence. L'immanence subjective est dans la fraternité. Et la fraternité, en fin de compte c'est le partage de la subjectivité négative.

À partir de cette hypothèse magnifique, qui a été dans le siècle passé si forte, si ardente, y compris dans le poème et dans l'écriture je voudrais à mon tour ouvrir une hypothèse. Ce module de la fraternité combattante, vous le retrouvez au cœur du surréalisme, chez Debord, c'est la figure que je dirais pour part aristocratique de la constitution de l'ennemi. Or cette figure dans laquelle une aristocratie de combat nourrit en son sein une fraternité magnifique n'est pas reproductible aujourd'hui.

C'est une mauvaise nouvelle, mais il y a des moments où il faut savoir partir des mauvaises nouvelles. Je ne dis pas qu'elle n'existe pas, beaucoup d'entre nous l'ont rencontrée, cette fraternité dans la lutte, beaucoup ont su ce que c'est qu'un mouvement réussi, ce que c'est que décembre 1995 par exemple. Je ne dis donc pas qu'elle n'existe pas, mais je dis qu'elle n'est probablement plus suffisante comme paradigme pour constituer la relation entre l'immanence créatrice et la question de l'ennemi, entre le processus d'une vérité – collective ou non – et ce qui est constitué ou construit à l'extérieur de ce processus. Mon hypothèse est que nous sommes dans un temps où il faut sans doute renverser l'ordre de la proposition de Char ; celle que nous avions examinée et que je vous rappelle : « Aussitôt que la vérité trouve un ennemi à sa taille, elle se bat avec les ressources même de sa condition. » Peut-être sommes-nous dans un temps où il faut renverser l'ordre, et dire que c'est lorsque la vérité se bat avec les ressources de sa condition qu'elle trouve un ennemi à sa taille. Tel sera notre fil conducteur. C'est une proposition très compliquée, qui signifie que nous devons suspendre la question de l'ennemi à la question de la constitution de l'immanence et non pas la question de la constitution de l'immanence à la question de l'ennemi. Et cela a pour résultat, si je puis dire, de déterritorialiser la négativité. Cela signifie que l'affirmation est première et qu'on ne peut donc plus vivre sur l'énoncé de Mao que tout le monde répétait il y a bien longtemps : « On a raison de se révolter. » En réalité Mao ne disait pas tout à fait ça. Il disait qu'on a raison de se révolter contre les réactionnaires. J'avais commenté ça en disant que la révolte constituait une raison, qu'elle était constitutive de la possibilité d'une raison nouvelle. Ce n'est pas simplement se révolter, c'est trouver une raison dans l'élément générique de la révolte, une nouvelle raison. C'était bien l'idée qu'une certaine rationalité se déplie à partir de la négativité. Mais il faut revenir là-dessus. On n'a peut-être pas raison de se révolter en ce sens-là. Ça ne veut pas dire qu'on a tort, mais ce n'est pas forcément la délivrance d'une raison qui est ouverte par la négativité de la révolte. Peut-être est-ce au contraire de la possibilité d'une raison que s'infèrent les nouvelles révoltes. On pourrait parler, avec Rimbaud, des révoltes logiques. C'est à partir d'une nouvelle logique que se déplie la révolte.

Et pour ne pas laisser Char comme représentant unilatéral d'une dimension qui serait passée, vous allez voir qu'à sa manière il le dit négativement et positivement. Ainsi, négativement, dans « La bibliothèque est en feu ». Quel beau titre, ce n'est pas arrivé souvent depuis Alexandrie ! « Leur crime : un enragé vouloir de nous apprendre à mépriser les dieux que nous avons en nous. » Leur crime : c'est le crime des vichystes, des Allemands, des réactionnaires, des oppresseurs. La phrase est retorse, elle suppose que nous partions de l'idée que nous avons des dieux en nous. L'infini est là, en nous, il n'a pas pour condition la négativité. À l'inverse, c'est parce que nous avons des dieux en nous que le crime des autres c'est de vouloir nous apprendre à les mépriser. L'autre n'est donc pas celui qui nous opprime ou le créateur de notre finitude et de notre souffrance. L'autre c'est en réalité celui qui nous contraindrait à mépriser ce dont nous sommes capables, à savoir cette infinité potentielle dont nous sommes porteurs. C'est là son crime. Et face à cela, pas de colt ni de promesse de soleil violent. Il faut trouver comment nous défaire du mépris de l'infini ou des dieux qui sont en nous, du renoncement, que l'ordre existant cherche quotidiennement à nous inculquer, à ce dont l'humanité est capable.

Et, positivement, c'est l'aphorisme 11 du « Poème pulvérisé » : « Tu feras de l'âme qui n'existe pas un homme meilleur qu'elle. » Magnifique corrélat de ce mépris enragé pour les dieux que nous avons en nous que cet impératif qui est de faire de l'âme, qui n'existe pas, un homme meilleur qu'elle. Nous tombons sur un problème capital, la place dans toute cette affaire de l'inexistant. La place de ce qui n'existe pas et la possibilité de partir de ce qui n'existe pas pour pouvoir proposer une affirmation nouvelle, une affirmation qui, précisément, n'est pas constituée dans la négation, puisque son seul et précaire appui est constitué de ce qui n'existe pas.

Ce sera notre séquence suivante !

IV

16 FÉVRIER 2005

Il est distribué un extrait d'un poème de Pasolini qui est reproduit en annexe de ce séminaire.

Entrons en matière tout de suite. Nous étions restés la dernière fois sur l'aphorisme 11 du « Poème pulvérisé » de Char, qui était « Tu feras de l'âme qui n'existe pas un homme meilleur qu'elle ». Je vous avais dit que cet impératif était en somme le nôtre, un peu modifié ou rectifié. Si on avait à dire quelque chose dans la forme de cet impératif aujourd'hui, on dirait : « Tu feras advenir ou tu feras en sorte qu'advienne à partir de l'inexistence de l'individu un sujet meilleur que lui. » Ce qui signifie, tu feras de l'individu, dont il est expérimenté qu'il inexiste essentiellement, un sujet meilleur que lui. On peut dire que surpasser les injonctions contemporaines du monde, c'est à bien des égards surpasser une certaine représentation de l'individu. On ne parlera pas forcément d'individualisme, car c'est probablement plus vaste que les doctrines individualistes, mais c'est quand même quelque chose comme le mouvement par lequel on surpasse ou on surmonte la figure aujourd'hui centrale de l'individu comme consommation ou nœud de la marchandise, comme point nodal du réseau de la circulation marchande, comme porteur, à l'exclusion de tout autre paramètre, du principe de sa jouissance. Si on est gentil, on dira : du principe de son bonheur.

Quand on parle de faire advenir sur fond d'individu inexistant, d'individu porteur d'une nullité et qu'on se donne comme tâche une valorisation, à savoir faire advenir un sujet meilleur que lui, on peut se demander ce que suppose cette advenue. Elle suppose pour commencer un accord sur la nullité de l'individualisme contemporain, ou sur sa vacuité. Aucun sujet qui vaille ne saurait s'édifier sur le seul fond de cet individualisme. J'entends par là que si nous pouvons espérer un mouvement un peu ample, intellectuel et finalement matériel ou pratique, pour instituer les figures nouvelles du sujet, ce ne peut être que sur le fond d'un accord comme quoi un tel sujet n'est pas trouvable dans la figure de l'individualité contemporaine. Il faut donc se demander au préalable ce qui détermine cette nullité, cette vacuité de l'individu contemporain dans sa persistance ordinaire. Du coup nous voilà ramenés à l'analytique de l'adversité, laquelle va prendre la forme suivante : quel est l'élément déterminant ou constituant de cette vacuité comme principe, au sens où l'injonction est précisément celle de faire perdurer la vacuité ? La construction de l'adversité c'est la construction d'une représentation claire et partagée, pour laquelle il nous est proposé comme norme la persistance de cette vacuité de l'individu. Remarquons au passage que, comme le disait Auguste Comte, individu est en réalité une catégorie biologique. Si bien que la réduction de l'espace du sujet à la figure de l'individu est en réalité la réduction à sa substructure animale. Et le procès d'humanisation est aujourd'hui un procès d'animalisation. C'est ça la vraie figure des droits de l'homme : sa véritable essence c'est en réalité les droits de l'animal. À noter que les animaux finiront par avoir plus de droits que nous, puisqu'ils sont paradigmatiques de ce dont il s'agit. Dès aujourd'hui il y a probablement plus d'efforts résolus pour protéger les orangs-outangs ou les baleines que bon nombre d'hommes. Dieu sait que je n'ai rien contre les orangs-outangs ou les baleines, bien au contraire !

Nous étions donc dans ces paradigmes de construction de l'adversité et nous avions choisi comme modèle la démarche de Platon dans sa construction du sophiste comme l'adversaire singulier et déterminé de la philosophie. Pour Platon, si l'on veut accéder réellement à ce dont l'homme est capable, il faut le faire à partir d'un accord minimal concernant l'adversaire de cette capacité. Cela ne signifie nullement que la conscience de l'adversité va suffire, car ce n'est pas une dialectique de la résistance. Mais cet horizon d'adversité est nécessaire pour qu'advienne une figure du sujet pensant différente. Toute la première partie de son œuvre est ainsi consacrée à la construction laborieuse, sinueuse, de la figure du sophiste comme analytique de l'adversité dans l'élément de laquelle la philosophie va se constituer. Or nous avions dit que ce qui apparaît très vite, c'est que, dans l'élément de la cité grecque, le sophiste est sans doute ce qui est le plus proche du philosophe, il en est même presque indiscernable. Donc la construction de l'adversaire se fait, nous l'avions remarqué, au plus près. Il y a dans le véritable adversaire quelque chose qui est au plus près de ce qu'il s'agit de proposer ou de construire, autrement dit l'adversaire subjectif, ce n'est pas l'ennemi éloigné, typé, évident, car dans ce cas il n'y aurait pas de subjectivation de l'adversité. Pour qu'il y ait subjectivation de l'adversité, il faut la construction d'une identification de l'adversaire. Cela impose de travailler en partie contre l'évidence, car il faut bien voir que les ennemis évidents, éloignés, typés ne manquent pas, tandis que l'adversaire subjectif n'est rien de tout cela. Par exemple, aujourd'hui l'adversaire subjectif véritable cela ne peut pas être Le Pen, qui est pourtant un ennemi typé et identifié. Il est d'ailleurs toujours possible – Chirac comme Mitterrand s'y sont montrés très habiles – de sortir Le Pen au moment opportun, comme on sort un chiffon rouge devant le taureau fatigué : tout le monde va foncer là-dessus et le tour sera joué. C'est un exemple schématique mais intéressant du fait qu'il faut tout particulièrement prendre garde à cette mise en scène de l'ennemi évident, et ce, quelle que soit la scène. On peut toujours espérer que l'analytique de l'adversité va échouer parce qu'elle va se confondre avec l'ennemi éloigné et typé, alors qu'en réalité c'est au plus près qu'elle devrait fonctionner. Et on peut sortir Le Pen pour que tout le monde file doux, et vote Chirac…

Cependant la vraie construction de l'adversité relève d'une logique absolument distincte, c'est donc une question ouverte, en partage. Nous avions dit qu'elle propose toujours une distance courte, l'adversaire véritable ressemblant, ou prétendant ressembler à la virtualité du sujet, alors qu'il lui est en même temps incommensurable. C'est cette combinaison de proximité et d'incommensurabilité qui détermine la subjectivité analytique au regard de l'adversité. La requalification de l'adversaire doit se faire dans une nouvelle figure de proximité confrontée à l'incommensurabilité, à telle fin que l'adversaire se subjective et devienne celui à partir duquel une détermination créatrice peut se constituer. Quant aux ennemis évidents, installés et typés, c'est une autre affaire. Il faut tout de même reconnaître que c'était une belle imposture de faire défiler, le 1er mai 2002, 500 000 personnes en faveur de Chirac. Même si les gens défilaient aussi pour autre chose ça a été versé à la fin des fins à son compte. J'ai écrit là-dessus un texte que vous trouvez dans *Circonstances 1*. Dès ce moment, cela m'a alerté, car nous étions en face de l'expérience immédiate d'une situation tactique qui relevait de l'analytique de l'adversité. On avait ce qu'on pourrait appeler une proximité disjonctive, expérience toujours très importante. Dans un cas de ce genre il faut faire attention au fait qu'on est probablement en train d'expérimenter quelque chose de significatif, alors même qu'on ne le voit pas. C'est presque une règle : faire attention aux proximités subjectives, donc à ce qui, à un moment donné, vient près de vous en étant vraiment autre, vraiment différent. La proximité disjonctive a des figures connues, la plus connue étant celle de la proximité amoureuse, mais c'est une expérience beaucoup plus générale, qui peut être d'ordre artistique, intellectuel, politique ou personnel. La situation se présente à chaque fois que vient près de vous, dans une proximité expérimentée et indéniable, quelque chose dont la provenance vous est largement étrangère. En 2002 l'analytique de l'adversité fonctionnait un peu à contre-courant ou à contre-pente de la situation générale, laquelle était, il faut quand même le dire, dominée par l'épouvante de voir Le Pen où il était. Reste dans un cas de ce genre à savoir ce qu'il en est du commensurable et de l'incommensurable, car si l'on est dans l'incommensurable, il se peut que cette expérience soit en réalité celle de l'ennemi véritable, de l'adversité authentique. Il faut donc être doublement vigilant car ça peut être aussi le point où vous allez découvrir petit à petit ce dont il s'agit dans l'adversité subjective véritable. C'est-à-dire que vous allez découvrir votre ennemi, votre ennemi vrai, votre « ennemi préféré » comme disait Genet. L'ennemi préféré, c'est le véritable, celui à qui vous allez être accroché dans le combat existentiel dans la longue durée. Mais au fond l'ennemi installé, préformé, repérable, n'est pas l'ennemi qui nous importe. Celui qui nous importe c'est celui qui est au plus près de nous, et peut-être même en nous-mêmes et qui demeure incommensurable à ce que nous désirons, à ce que nous voulons ou à ce dont nous voulons nous porter garants.

Je voudrais reprendre la formulation négative de tout ça. On pourrait dire que cet adversaire que nous cherchons à identifier en termes nouveaux est un adversaire qui est hors dialectique. Je dis bien hors dialectique, car j'entends par là qu'on ne se constitue pas dans la contradiction avec lui. Dans la tradition dialectique en effet l'adversité est le résultat d'une différenciation du devenir. Vous avez une unité historique du devenir et cette unité est contradictoire dans son essence. Elle met aux prises des adversaires selon un schème dialectique de la contradiction, laquelle est créatrice d'identité. Nous sommes dans l'élément hégélien du rapport dialectique entre différence et identité, où il y a identité de l'identité et de la différence. Cette identité se donne sur fond d'une unité qui n'est pas l'unité statique de l'être mais qui est l'unité du devenir. Dans la mesure où vous pensez l'unité du devenir comme contradiction la question de l'adversité est immanente à ce devenir en tant qu'il est réglé par la contradiction. Vous avez l'Un du devenir comme présupposition dialectique de l'adversaire. Et en même temps, ce qui atteste votre appartenance à l'Un c'est justement la contradiction elle-même, puisque l'Un du devenir c'est la contradiction. Il en résulte que votre identité est liée à celle de votre adversaire : en dernier ressort, votre identité est faite de la négation de l'adversaire. C'est un schème plus vaste qu'un schème historico-politique : tout ce qui fait adversité en quelque domaine que ce soit, tout ce qui fait devenir conflictuel ou contradictoire, est sous la loi de constitution d'une identité dans l'élément d'une contradiction. Et dans cette disposition, vous pouvez espérer construire votre identité dans la contradiction elle-même, ce qui revient à dire que vous pouvez considérer que la conscience de l'adversaire et le combat contre lui constituent pour part, ou même entièrement, votre identité. Ce régime assigne à la négation la constitution identitaire de la relève dialectique de ce qu'il y a. En définitive, la négation du terme dominant dans la situation suffit pour prévoir que ce qui domine va céder la place à autre chose. Et donc l'identité de l'identité c'est la contradiction elle-même, c'est la différence comme contradiction. Pour cette tradition, très puissante à partir du XIXe siècle, se révolter contre quelque chose, résister à quelque chose, est à soi-même une identité pratique, une identité en devenir. Dans ce cadre, l'exercice de la critique au sens le plus radical est constitutif d'une identité possible dans l'ordre de la création. Dans l'élément ou la dynamique qui fait que vous critiquez, que vous niez, que vous vous engagez dans la lutte, que vous entrez dans le combat contre le terme auquel vous êtes corrélé dialectiquement, vous pouvez créer quelque chose. En ce sens-là votre identité vient de l'autre : c'est parce qu'il y a l'oppression qu'il y a l'émancipation. L'émancipation est le mouvement par lequel on défait ou on détruit l'oppression. Je rappelle ces choses très simples car il ne faudrait pas sous-estimer l'importance de ce schéma dans nos propres conceptions spontanées. En effet, ce qui a été à un moment une conquête de la dialectique, est lié à un schéma préformé qui génère une tendance spontanée à concevoir que la révolte et la résistance sont créatrices d'identité. Ainsi un camp, ayant identifié l'adversaire, s'auto-constitue par lui-même dans cette identification. C'est ça que j'appelle la conception dialectique de l'adversité. Le point fondamental à retenir est la présupposition de l'unité du devenir, comme unité scindée mais comme unité quand même.

Il existe aussi une conception non dialectique de l'adversaire qui est ce qu'on pourrait appeler la constitution contractuelle et qu'on nous propose de faire succéder à la conception dialectique. On pourrait dire que notre histoire récente est une tentative acharnée de substituer à l'adversité dialectique une adversité contractuelle, une adversité consensuelle. Le paradigme de cela c'est l'opposition et la majorité. On espère que va succéder à une histoire de la lutte des classes ou, comme disait Marx, de la dialectique antagonique des classes, une histoire de table ronde, une histoire indéfinie du remplacement des uns par les autres à la même place. Il y a bien un adversaire, mais il a ceci de particulier qu'il reconnaît et accepte les mêmes règles que vous, les mêmes règles constitutionnelles par exemple. C'est une adversité codée par l'homogénéité de la règle. Cette fois l'Un ce n'est plus l'un du devenir, mais c'est l'un de l'institution, en prenant institution dans le sens quasi conceptuel de distribution d'une règle commune aux deux termes considérés comme adversaires l'un de l'autre. Ce qui atteste cela c'est que ces termes sont substituables : on peut imaginer que, la place ne changeant pas, ils s'y succèdent, ce qui est la définition de la majorité et de l'opposition, mais qui est aussi la définition progressivement admise du caractère contractuel de toute relation possible, à savoir que l'adversaire doit être tel qu'il reconnaît que vous êtes dans le même champ que lui quant à l'adversité. Rappelons-nous que dans la dialectique antérieure, la dialectique du devenir, les termes contradictoires n'acceptent pas forcément les mêmes règles. Quand Marx dit qu'il ne faut pas prendre l'État mais le détruire – rectification qu'il introduit après la Commune – il ne s'agit pas dans sa pensée qu'une nouvelle classe occupe l'État, c'est l'État comme tel qui doit être détruit, par quoi il veut dire que les termes en contradiction n'obéissent pas aux mêmes règles et que donc on ne peut pas investir une totalité institutionnelle donnée par un terme qui était son terme adverse. Dans cette seconde voie l'idéal c'est donc que l'adversité se constitue dans un champ qui, du point de vue des règles de l'adversité elle-même, soit un champ homogène. C'est bien un modèle de constitution de l'adversité non dialectique. On pourrait dire que la relation d'adversité est toujours une relation de rivalité, de rivalité pour un troisième terme. On est des rivaux pour être celui qui occupe la place de la règle elle-même, la place que la règle prescrit comme place suprême de la règle. Le contrat est un contrat portant sur le fait qu'on n'excédera pas les règles de la rivalité. Et ne pas excéder les règles de la rivalité veut dire qu'on se succède. On peut se succéder dans les places de l'État ou auprès de quelqu'un. Ce n'est pas la même chose que si vous assassinez votre rival. Assassiner son rival peut encore relever de l'intelligibilité dialectique. Tandis que se succéder paisiblement relève de l'alternance. On peut garder l'espoir de revenir un jour, l'opposition a toujours sa chance, elle n'a pas encore trouvé complètement sa philosophie. Il y a des quantités de propositions pour parvenir à une juridicisation de toute constitution de l'adversité, pour faire que toute conception de l'adversité se situe dans un cadre juridique quelconque. C'est pour ça que j'appellerai cette construction contractuelle, si on admet que le contrat est finalement la forme relationnelle du juridique. Philosophiquement c'est un changement majeur par rapport à la figure dialectique de l'antagonisme ou de la contradiction, c'est une constitution de l'adversaire qui suppose qu'il n'y a d'adversité légitime, c'est-à-dire humainement acceptable, que si elle est conforme à ce que lui prescrit un champ constitutionnel. Le maximum de tension acceptée c'est au fond la rivalité pour l'occupation d'une institution, pour l'occupation d'une place. C'est une doctrine du placement, et la règle est une règle de l'opposition des places. Dans la mesure où l'adversaire est celui qui a l'intention d'occuper la même place que vous, il faut que ce soit réglé. Même si c'est une place dans l'autobus il faut faire la queue. Il s'agit d'être dans la file d'attente, d'une manière ou d'une autre, et l'ordre de la file est prescrit par le dispositif qui est un dispositif de rivalité.

En somme on pourrait dire que ce à la recherche de quoi nous sommes, notre conviction étant qu'il n'y a pas de relève créatrice de l'adversité dialectique par l'adversité contractuelle, c'est une identification de l'adversaire qui soit hors dialectique, mais aussi hors rivalité, c'est-à-dire qui ne retienne ni le schème dialectique ni le schème contractuel. Autrement dit, pour prendre les figures dialectiques connues, ce ne serait pas la lutte à mort du maître et de l'esclave telle qu'on la trouve chez Hegel, donc pas une dialectique du désir et du travail telle qu'elle est exposée dans la figure de la contradiction entre le maître et l'esclave, contradiction qui convoque la mort comme troisième terme, car elle convoque la négativité absolue. Mais ce ne serait pas non plus la figure normée de la rivalité qui, elle, est entièrement réglée par le principe de l'occupation d'une place. Donc on ne convoquerait ni la mort ni une place. Une place est toujours un remède à la mort ! En effet, si on réfléchit à ce paradigme, on voit bien que ce n'est pas un hasard si le troisième terme convoqué par Hegel est la mort, parce que la mort est la figure du réel absolu, tandis que, dans la version tempérée, on convoque une place, qui n'est pas nécessairement celle du cercueil. La figure recherchée ne peut donc être ni une institution dialectique de l'adversité, ni une institution contractuelle. Avec pour conséquence qu'on ne disposera pas non plus des ressources d'unité qui s'offrent dans les deux cas : pas de devenir unique – l'Un du devenir comme lieu de la création conflictuelle – et pas non plus de place partageable, d'alternance, d'institution ou de règle commune, qui est également le point de l'Un. Parce que lorsqu'on a une structure de rivalité, le terme à propos de quoi il y a rivalité fait fonction d'un pour la rivalité elle-même. On n'a donc pas non plus la figure latente de la triplicité. Car ce qu'il y a de commun aux deux dispositifs c'est finalement le dispositif de triplicité : il y a bien deux termes, mais il y en a aussi un troisième, qui est l'unité des deux autres. Dans le premier cas vous avez la contradiction à mort, mais en réalité vous avez une figure du devenir unique dans lequel cette contradiction mortelle va engendrer ou délivrer sa capacité créatrice. Donc vous avez, si vous voulez, l'unité de l'Histoire en tant que lieu de l'Un pour les contradictions qui la tissent, la trament, la créent. Dans le second cas vous avez une institution, une place ou une règle associée à une place qui est le tiers terme de la rivalité dans la mesure où le terme à propos de quoi il y a rivalité fait fonction d'Un dans la rivalité elle-même. Jusqu'à présent les schèmes proposés pour l'identification de l'adversaire ont donc toujours été soutenus par une triplicité, et le nombre de la constitution de l'adversaire n'est pas le deux comme pourrait le croire, c'est toujours trois le nombre réel.

Il faut bien voir le champ des analytiques de l'adversité que tout ça implique. Si vous dites par exemple qu'on ne va pas se situer dans l'idée du devenir unique, donc de l'Histoire comme devenir unique, travaillée du dedans par des contradictions éventuellement mortelles, nous allons devoir en passer par une critique de l'histoire. L'Histoire est le nom de l'unité supposée du devenir pour le jeu des contradictions. Mais s'il n'y a pas de place, alors c'est une critique de la règle, une critique de l'institution. Donc critique de l'histoire ou critique de la règle ou, pour mettre des noms propres : critique de Hegel ou critique de Wittgenstein. Si le XXe siècle a pour destin de voir une sortie de la dialectique, ou une nouvelle invention de la dialectique peu importe, la question sera de savoir si la chose se fait ou non dans le champ de la règle. Cela renvoie à des débats contemporains, par exemple sur la place de la guerre, avec la tentative tout à fait extraordinaire de définir une guerre réglée, une guerre au nom de la règle, ou une guerre de la règle contre le déréglé et, en définitive, une guerre qui serait de part en part une guerre civilisée. Dans les faits ce n'est pas facile ! Mais c'est à l'ordre du jour avec une série de vocables et une sémantique qui enveloppent tout ça : la communauté internationale, les interventions juridiques légitimes, les guerres correctes et incorrectes, la guerre contre le terrorisme. Cette question de la guerre prend place dans un espace de pensée qui tente de l'arracher à la dialectique, donc à la capacité créatrice de la violence, et qui considère que c'est le dernier moyen de restaurer l'univers sans dialectique de la règle. C'est pour ça que ces guerres refusent de reconnaître qu'il y a de vraies contradictions : ce ne sont pas des guerres internes à la dialectique. On va reconnaître qu'il y a des mauvais, des méchants, des choses déréglées, et on se propose de revenir à la norme. Cette question de la constitution de l'adversité dans une figure dialectique ou réglée structure beaucoup de débats contemporains. Le problème est de savoir si on va en rester là, à savoir dans un espace d'évaluation d'une durée historique quelconque qui serait pris entre la dialectique, considérée comme finalement la vieillerie dépassée, et puis la figure de la rivalité comme la bonne figure. Or il ne faut pas se cacher que la rivalité c'est l'essence même du nihilisme, la structure subjective de la concurrence – personne n'a jamais dit que la concurrence soit dialectique – l'élément normé de la rivalité. C'est en gros : ôte-toi de là que je m'y mette, j'occuperai la place où tu étais. C'est normal dès qu'on admet que des termes différents peuvent venir à la même place. Dans le conflit entre le contractuel et la dialectique, qui est l'ambiance d'aujourd'hui, il s'agit de savoir si on en sort par une autre vision des choses, pour laquelle la constitution de l'adversaire ne se situerait ni sur le terrain de la dialectique ou de l'antagonisme, ni sur le thème de l'alternance ou de la réoccupation de la même place dans des modalités différentes. On pourrait dire, ni antagonique, ni modal (modal voulant dire occuper la même place sur un autre mode). Voilà ce qu'on pouvait dire sur l'importance de la question et son actualité absolue.

On avait dit qu'il fallait entrer comme toujours par le subjectif, et si on s'inspire pour cela de l'exemple de Platon, ce qui ressort c'est que le sophiste ressemble énormément au philosophe, qu'il est quasiment pareil, et que le problème est de savoir à quel moment s'introduit un point incommensurable. Il en résulte que l'adversaire véritable est toujours à rechercher dans la proximité, car il est dans une proximité subjectivable, il est ce qui est subjectivement très près, mais dans le même temps fait coupure dans cette proximité un point qui n'est pas commensurable à ce que l'on veut, à ce que l'on est, à ce que l'on fait. On pourrait dire que l'adversaire c'est celui qui s'adresse à nous de si près qu'il est toujours susceptible de devenir ce que j'appellerais l'enchanteur de notre vouloir, de notre propre vouloir. Le risque d'être exposés à ce danger n'existe que lorsque nous sommes en quelque façon séparés de la plus profonde intimité avec nous-mêmes, lorsque nous cessons d'être intimement en coïncidence avec nous-mêmes, d'être intimement reposés en nous-mêmes. Pour mieux me faire comprendre je m'appuierai sur une vision assez étrange que propose Saint-John Perse.

Dans une strophe d'« Exil », poème écrit dans son exil à la fin de la Première Guerre mondiale, nous trouvons cette phrase : « Et qui donc avant l'aube erre aux confins du monde avec ce cri pour moi ? » Le poète est donc en exil, et l'exil est une séparation d'avec lui-même, il l'arrache à l'intimité de l'accueil de soi-même, à la fréquentation intime et quotidienne de soi-même. Dans cet état d'esprit le poète entend un cri qui, à la fois, lui est adressé, destiné, et qui est extérieur aux confins du monde. C'est le cri d'une errance qui est en même temps une adresse. Je pense qu'on peut décrire ainsi l'exposition à l'adversaire : savoir qui il est suppose ce mélange d'errance et d'adresse. S'il n'y a pas d'errance vous êtes dans la stabilité de l'identité. Mais quelque chose est en errance qui cependant s'adresse ici au poète de façon indubitable. Celui qui est ignoré le convoque dans une sorte d'errance qui est le nom de la non-identité à lui-même, le convoque à se demander précisément de qui il s'agit. Ce que je voudrais faire entendre par là c'est que cette exposition à l'adversaire suppose que vous soyez un peu descellé de votre intimité la plus reposée, la plus stable. Elle suppose qu'il y ait une figure d'exil minimale, un exil quelconque d'avec soi-même, une distance d'avec soi. Cette exposition à l'adversité est un moment nécessaire de son identification. Autrement dit on est au plus loin de l'idée que l'adversaire vous constitue dialectiquement. Il faut au contraire être déjà décalé ou séparé de soi-même par quelque chose pour pouvoir entendre ce qui vous est destiné comme adversaire, donc entendre votre adversaire singulier, l'adversaire qui est réellement le vôtre, celui qui s'adresse à vous. Car un adversaire véritable s'adresse à vous. Il se peut que vous n'entendiez pas cette adresse, car vous ne savez pas qu'il s'adresse à vous. Il faut pour cela un minimum d'errance, et alors on pourra peut-être entendre le cri pour vous qui va vous exposer à répondre à cette question, et y répondre c'est entrer précisément dans le processus de l'identification.

Récapitulons tout cela.

Nous sommes dans le propos d'une adversité exposée, qui est une exposition, qui n'est ni pré-donnée, ni structurelle, ni dialectique, ni contractuelle, et qui est en même temps la combinaison d'une errance et d'une adresse. Il y a quelque chose de descellé, d'errant, d'insaisissable mais qui cependant nous est adressé de façon indubitable. Ce sont des conditions complexes, mais très concrètes : ce sont des questions du temps présent, qui se posent à partir du moment où nous voulons nous soustraire à l'alternative écrasante de la dialectique morte et du contrat imposé, échapper à ce qui est, je crois, le système de contraintes le plus prégnant dans le monde aujourd'hui, celui de la dialecticité et de la contractualisation. En effet vous voyez bien que toute tentative de jouer la dialecticité contre la contractualisation est en réalité terroriste, car la dialecticité n'est plus une figure qui puisse relever comme telle l'identification de l'adversaire. Il faut donc trouver un autre chemin. Le cœur de la question est sans doute : que peut être une combinaison praticable d'errance et d'adresse ? Il me semble que cette question, cette trouvaille d'une adversité exposée, non dialectique et non contractuelle, est l'un des grands sujets, l'un des grands problèmes de la poésie de Pasolini, c'est pourquoi vous avez un de ses poèmes entre les mains. Le fragment qui va nous servir de guide est une méditation sur le point que nous venons de parcourir rapidement, à savoir : où en sommes-nous de l'identification de l'adversité dès lors que la grande figure de l'Histoire ne porte plus cette identification ?

Quelques mots sur cette référence. Pasolini, un certain nombre d'entre vous le connaissent sans doute comme cinéaste, c'est son identification la plus connue. Il a tourné des films tout à fait étonnants qui se répartissent dans plusieurs genres. Il y a ce qu'on pourrait appeler les films antiques : *Œdipe* et *Médée* exemplairement. Il y a les films chrétiens : *La Passion selon saint Mathieu*, et un projet absolument extraordinaire, que j'ai d'ailleurs commenté dans mon livre sur saint Paul, le projet d'un film sur la vie de Paul transposée aujourd'hui. Il y a les films par lesquels il a tenté de séduire le grand public, qui sont les films de fiction érotico-historiques : *Le Décaméron, Les Mille et une nuits.* Et puis il y a les films que j'appellerais les films-paraboles, qui sont comme des fables intenses et extrêmes comme *Théorème, Porcherie* ou *Salo ou les cent vingt journées de Sodome* pour ne citer que les plus frappants.

Par ailleurs Pasolini est connu par sa vie, car elle a quelque chose d'un peu allégorique, elle est inscrite dans notre temps, un peu comme la vie de Rimbaud. Il y a ainsi dans la création artistique des personnages dont la vie fait partie de l'œuvre ou est convoquée dans l'œuvre. La vie de Pasolini se déploie entre une enfance catholique provinciale, dans le Frioul, marquée de façon décisive et comme brûlée par la Résistance, la résistance contre les nazis, où son jeune frère, figure qui est en résonance avec la totalité de la sensibilité de Pasolini, est mort. On retrouve cette mort un peu partout dans son œuvre. À l'autre extrémité, il y a sa mort à lui, le 2 novembre 1975, mort atroce et encore partiellement inéclaircie, dans des conditions horribles, qui est là aussi comme quelque chose arraché à sa propre création ou à son œuvre propre. On a l'impression qu'il a été jusque dans sa mort un personnage de ses propres fictions. C'est ce qui fait chez Pasolini cette suture de l'existence et de l'œuvre qui n'est pas seulement une ressemblance, c'est plus profond, il y a quelque chose de collé, de soudé entre l'œuvre et l'existence. Entre cette jeunesse marquée par la Résistance, le provincialisme, le christianisme et cette mort légendaire par tragédie, nous avons le Pasolini créateur, celui des engagements successifs, politiques – il a été révolutionnaire, proche des communistes puis s'en est éloigné –, ou existentiels, gravitant autour d'une homosexualité qui est elle-même comme un paradigme souterrain qui n'est ni exhibitionniste, ni revendicatif, mais qui est véritablement une espèce de rapport total au monde, une figure d'investigation expérimentale de la vie tout entière. Tout cela fait de Pasolini une figure de la modernité tout à fait remarquable. Grand cinéaste, à la vie légendaire, il est peut-être moins connu en France pour ce qui est à mon sens sa plus considérable grandeur. Il est l'un des plus grands poètes de l'Italie d'après-guerre et l'un des grands poètes du siècle. C'est ce Pasolini-là que nous allons aborder.

Les principaux massifs de la poésie de Pasolini sont au nombre de quatre. Vous pouvez vous reporter au volume de Gallimard, qui reprend l'essentiel entre 1953 et 1964. La traduction a beaucoup d'aisance et elle donne une entrée très positive à la poésie de Pasolini et fournit également les explications nécessaires. Vous avez d'abord les poèmes en dialecte frioulan. Pasolini a commencé par un enracinement de la langue poétique, non pas dans l'italien académique ou constitué, mais dans le dialecte parlé de sa région d'origine, le Frioul. Et il a beaucoup réfléchi sur ce que c'était que d'écrire en frioulan, dans l'élément de la disparité des langues italiennes. Ce sont des méditations très proches de choses que dira Deleuze sur les langues minoritaires, sur la minorisation d'une langue à l'intérieur d'une autre langue, sur comment la poésie travaille le langage à partir d'une position minoritaire dans la langue et contraint la langue à autre chose qu'elle-même.

Ensuite vous avez trois grands recueils principaux, et un quatrième plus proche de sa mort et à mon avis moins constitué. Vous en avez un qui s'appelle *Les Cendres de Gramsci*, grand communiste italien emprisonné sous le fascisme. Le recueil tire son nom du poème qui s'appelle « Les Cendres de Gramsci », poème écrit entre 1953 et 1956 qui est une méditation sur la tombe de Gramsci. Suit un grand poème synthétique, « La Religion de mon temps », qui date de la fin des années cinquante. Enfin vient le recueil sans doute le plus étonnant techniquement, par la diversité des expériences de langage qu'il contient et qui s'appelle *Poésie en forme de rose*, 1962-1964.

Petite parenthèse. Nous sommes au voisinage du moment où Paul Celan écrit *La Rose de personne*. La fonction de la rose dans la poésie est une chose étonnante et, si on remonte dans le temps, la polysémie de cette convocation symbolique de la rose est extraordinaire, au point même que je me dis parfois que la rose est une création poétique, une fleur surdéterminée poétiquement. Il y a une histoire poétique de la rose qui est plus grande que la rose elle-même. Les roses sont des fleurs magnifiques, mais la poésie de la rose est une histoire si immense, ramifiée, et singulière que, jusqu'en plein XXe siècle, des poètes aussi stratégiques que Pasolini et Celan titrent un recueil à partir de la rose. Du côté de Celan, nous avons une figure immédiate de l'absence, puisque sa poésie prend place dans le grand deuil de l'après-Auschwitz et dans la méditation portant sur comment la langue peut encore dire quelque chose. Du côté de Pasolini, la rose est une forme. En bout de course la rose se retrouve ainsi dans l'alternance entre une absence et une forme, entre « personne » et la « forme ». Il est étonnant que la rose ait été chargée de ce couplage essentiel pour la pensée récente qu'est le couplage de l'absence et de la forme.

Ces poèmes des années 1960 nous sont extraordinairement contemporains. La poésie de Pasolini anticipe d'une cinquantaine d'années la conviction profonde d'un changement de lieu politique et mental, cette conscience évidente que nous avons tous, et que nous partageons diversement, que la fin du XXe siècle nous propose une confusion intermédiaire qui est comme la nécessité d'un changement de lieu mental. Cette conscience Pasolini l'a non seulement dès le début des années 1960, mais il l'a dans des termes très voisins de ce que nous pourrions dire aujourd'hui. C'est ce qui fait que nous pouvons nous appuyer sur lui. Pasolini s'interrogeait sur ce qui précédait, à savoir les années vingt, trente et quarante. Il avait pour cela des figures de médiation : médiation de la politique à partir de la figure de la Résistance comme figure paradigmatique et médiation dans la langue à travers la question des capacités de la langue italienne à se confronter à la fois à sa diversité intérieure et à son académisation. Il y a un croisement chez Pasolini entre ce dont nous sommes capables dans l'action et ce dont nous sommes capables dans la langue. C'est pour ça qu'il est poète, et la poésie va dire ce croisement des deux questions. Pour nous aujourd'hui, la question de savoir de quoi nous sommes capables est vraiment la question fondamentale, puisque c'est à vrai dire la même question que de savoir si on constitue l'adversaire dans le champ de la dialectique, dans le champ du contractuel ou encore autrement. Ensuite, la question de la langue dont nous avons besoin pour ce dont nous sommes capables est également une question entièrement ouverte. C'est pour ça que je crois que Pasolini, qui s'est constitué dans le croisement de la question des ressources singulières de la langue et de l'histoire italienne, nous est très proche par sa puissance d'anticipation.

Dans le recueil *Poésie en forme de rose* nous trouvons trois grands sous-titres :

« Une vitalité désespérée ». On dirait que ce titre est inventé d'aujourd'hui. C'est l'idée que nous sommes en proie à une vitalité subversive qui finalement, en tant que vitalité, n'est pas contradictoire avec le désespoir, mais en est la vitalité même. Le refrain singulier de ce poème, celui qui le scande, c'est « comme dans un film de Godard ». Le poème commence d'ailleurs par « Comme dans un film de Godard, seul dans une voiture qui file sur les autoroutes du néocapitalisme italien. »

« L'aube méridionale ». Là aussi on n'est pas très loin d'aujourd'hui. Le poème raconte la rencontre avec de jeunes Palestiniens à la frontière de la Jordanie, des jeunes à la fois sympathiques et défaits, pouilleux et attendrissants. Le diagnostic poétique de Pasolini tranche car c'est un diagnostic selon lequel, toute configuration politique véritable ayant disparu, ce qui reste est une espèce de sentiment sans nom qu'il va appeler « l'amour ». « Sans rien éprouver, aux frontières, dans le désert jordanien, dans le monde, qu'un misérable sentiment d'amour. » Je trouve ça extraordinairement profond et perspicace. Quelque chose est éprouvé là qui est non seulement dans le monde, mais « dans le désert jordanien », car la question du désert est aussi bien celle du monde. Ce à quoi on est réduit, hors de toute perspective historique, créatrice, grandiose, épique, c'est à un misérable sentiment d'amour. C'est ça que le poème va désigner et qu'il va valoriser. L'aube méridionale devient ainsi l'aube d'un misérable sentiment d'amour, comme reste d'un désastre politique et historique.

« Victoire ». C'est de là que notre extrait est tiré. Le titre est ironique. Victoire c'est justement ce qui va être travaillé poétiquement comme l'impossibilité probable de maintenir même la notion de victoire, de la comprendre encore. Je voudrais vous restituer la scène majestueuse de ce grand poème dont nous n'avons ici qu'un morceau, et que, dans un pragmatisme répugnant, j'ai en outre désarticulé, car ce sont des tercets (c'est la même construction que la *Divine Comédie*), pour que ça tienne sur la page qui vous a été distribuée.

Cette scène du poème, c'est que les jeunes morts de la Résistance reviennent. Ils reviennent voir le monde des années soixante commençantes. Figures allégoriques du jeune frère de Pasolini, ces jeunes morts qui reviennent comme des fantômes visibles, figurent la conscience politique. Ils représentent la forme la plus concentrée et la plus pure de la conscience révolutionnaire et politique et c'est comme s'ils revenaient pour juger ce qui se passe. En réalité est redevenue très importante la question de ce dont témoigne la Résistance, celle de savoir s'il existe des résistants et de ce que veut dire résister. Pasolini met en scène cette figure et se demande s'il y a dans le monde présent des figures fidèles, de dirigeants, d'organisateurs, qui pourraient donner une orientation à ce que les jeunes morts ont été, radicalement, puisqu'ils l'ont été jusque dans la mort. Donc ils viennent interroger et comme ils sont jeunes, ça se présente sous la forme : est-ce qu'il y a des figures de pères dont nous pourrions être à nouveau les fils, dans la fidélité à ce que nous avons été et pour quoi nous sommes morts ? Pourrions-nous être les fils légitimes, dignes, de ces pères vivants chargés aujourd'hui du destin de la politique, de l'histoire, de la création, de l'art ? C'est, comme vous le voyez, une métaphore extrêmement puissante, car on interroge comme si c'étaient des pères ceux qui, par rapport à ces morts, sont plus jeunes et donc en position d'être des fils. Il y a donc une torsion temporelle : ce qui est venu après, et non pas avant, peut-il être légitimement considéré comme une paternité symbolique ? Tel est le schéma général sur lequel va se développer l'invention du poème.

Et les jeunes vont constater que ce n'est pas le cas, qu'ils vont être laissés sans père, qu'ils vont conquérir le statut d'orphelins de l'histoire. Ils sont morts sans qu'après eux il y ait quoi que ce soit qui puisse être comme le père de leur propre mort. Ils vont donc constater que leur espérance – espérance qui est le nom de leur conscience politique et qu'ils ont gardée jusque dans leur mort, cette espérance d'un monde nouveau, d'une création politique – n'est plus active, et que donc il n'y a pas de paternité recevable pour cette espérance elle-même. Et cela, ils le conçoivent à travers le constat que ce qui domine subjectivement c'est l'acceptation. C'est un point essentiel. Quelque chose a été accepté qui rend impossible une fidélité à ce qu'ils ont été. Cette acceptation va être le point clé du poème, et la thèse que le poème porte, dont je vais essayer d'être le relais, c'est qu'aujourd'hui l'adversité prend nécessairement la forme d'une acceptation. C'est cette équation entre adversité et acceptation que je voudrais peu à peu mettre en scène, dans son intensité subjective.

Alors, deux ponctuations :

La situation d'abord. Le poète parle en son nom et remonte à l'époque de la Résistance :

> C'est bien pour la première fois de ma vie que je m'éveille avec le désir d'empoigner une arme. Mon ridicule c'est de le dire en poésie, et de le dire à quatre amis de Rome, à deux de Parme qui me comprendront en cette nostalgie idéalement transcrite de l'allemand, cette paix archéologique qui contemple une Italie solaire et dépeuplée, foyer de partisans barbares qui dévalent des Alpes ou des Apennins par la voie antique.

Ensuite la scène d'une Italie solaire dépeuplée, avec les jeunes morts venant des Alpes. Ça va être le relais de l'accusation que portent les morts après l'absence de la paternité politique.

> Et j'accuse non pas, du calme, le gouvernement, ni la grande propriété, ni les monopoles, mais simplement leurs souteneurs : des intellectuels italiens, tous, même ceux qui se jugent, à juste titre, mes bons amis. Ils auront vécu là les pires années de leur vie pour avoir accepté une réalité qui n'existait pas.

Avoir accepté une réalité qui n'existait pas : c'est une formule d'une intensité remarquable. Et je suis au bord de dire que c'est aussi notre problème, que sous une forme ou sous une autre nous l'avons tous fait, nous avons accepté la réalité, et nous avons accepté une réalité qui non seulement n'existait pas, mais n'était pas susceptible d'existence. Une réalité qui été décollée, dessoudée ou séparée de l'existence. L'acceptation, quelles qu'aient été ses formes, c'est sans doute la grande interrogation que porte le poème : comment se fait-il que, sous le regard terrible et invisible de ces jeunes résistants, morts pour une espérance essentielle, nous ayons accepté finalement une réalité qui n'existait pas ?

À partir de ces deux ponctuations nous pouvons maintenant regarder de plus près ce poème. Je vous le lis avant de commenter certains passages de ce texte dense et intriqué mais aussi assez limpide.

« Pas de politique sans réalisme » : l'attaque est d'aujourd'hui ! C'est la maxime que tous les témoins du temps entendent, et qui est adressée à tout le monde. Ce que Pasolini va commenter, c'est comment on en est venu là, comment on en est venu à faire de cet énoncé l'énoncé général unanimement partagé.

« Âme guerrière [...] ne reconnais-tu pas une autre âme » : l'âme guerrière est le témoin supposé, le jeune mort de la Résistance, mort à la guerre. Et il vient pour s'entendre dire qu'il n'y a pas de politique sans réalisme ! Est-ce que tu reconnais ce langage, lui demande Pasolini, ne reconnais-tu pas plutôt celui d'une autre âme ? Nous sommes dans le principe d'un cheminement de construction de l'adversité, puisqu'il s'agit de deux âmes, distinctes, différentes. D'un côté, chez les jeunes morts, l'âme guerrière avec leur « délicate rage » et de l'autre, celle de « la prose de l'homme habile », « du révolutionnaire qui s'attache à l'homme moyen ». Même « les assassinats des Années amères », ceux de l'époque du grand conflit politique, de la violence, ont été convertis en complicité sous la bannière d'une politique réaliste. Donc la situation est très claire : les jeunes morts de la Résistance, convoqués comme témoins de la scène historique, constatent qu'on a abdiqué toute espérance, que ce qui règne c'est la maxime de la politique réaliste, maxime qui au fond fait passer de la dialectique au consensuel, de la dialectique à la pure rivalité, que donc on est dans l'élément d'une autre âme. On n'est plus dans la même âme, plus dans la fidélité, et cette âme il faut la reconnaître et l'identifier.

Ce qui nous intéresse c'est la partie centrale du poème : à partir de « ne reconnais-tu pas le cœur qui se fait l'esclave de son ennemi ». Si nous transposons ça aujourd'hui, ce cœur qui se fait l'esclave de son ennemi, c'est l'imposition générale d'une sorte de teneur sensible et morale, d'une sorte de sensibilité unanimement partagée, ou dont on suppose le partage unanime, qui gravite autour de la figure mortifère de la victime. Si nous devenons aujourd'hui les esclaves de l'ennemi c'est parce que nous prétendons partager avec lui non pas les mêmes idées mais la même sensibilité. Ce n'est pas dans la communauté conceptuelle, idéelle, abstraite que se réalise l'esclave, c'est le cœur qui se fait l'esclave de l'ennemi, parce qu'il prétend qu'on peut partager la même sensibilité, sensibilité aux souffrances, donc aux victimes. Face à l'ennemi, quel qu'il soit, cette identique sensibilité face à ce qui se donne comme souffrance ou comme victime, c'est comme si nous étions devenus son esclave. Le premier enseignement à en tirer serait que l'identification de l'adversaire doit se faire aussi là où la sensibilité n'est pas identique. J'entends par là que le point d'incommensurable ne doit pas être seulement dans l'idée, l'idéologie ou la conviction, mais constituer, et c'est une sommation très difficile, un point d'incommensurabilité dans la sensibilité. En d'autres termes : c'est par le cœur, par l'évidence sensible, que nous nous rendons incapables d'identifier l'adversaire, y compris en nous-mêmes. Ce n'est pas par défaut de critique, c'est par excès de sensibilité.

Après la question de la sensibilité vient la question du lieu : qui se fait l'esclave de son ennemi « va là où l'ennemi va, sous la conduite de l'histoire ». Cela veut dire effectivement que, dans le modèle de la rivalité on accepte la distribution des lieux, à savoir que les lieux soient les mêmes et qu'on en arrive à les disputer à l'ennemi. On peut donner de cela des exemples extrêmement simples. Pour commencer on va aux élections, c'est comme si on partageait de façon évidente ce lieu. Ou bien – c'est le cas du G8 – on convoque des manifestations là où se réunit l'élite des puissants. Ou encore on considère comme parfaitement légitime de participer à un débat avec l'ennemi. C'est aussi aller là où il va. De manière générale on peut définir la consensualité démocratique comme l'acceptation du partage des lieux. Et c'est ce que Pasolini désigne politiquement comme aller « là où l'ennemi va ». Quant à « la conduite de l'histoire », c'est cette fois la question du partage du temps, l'idée qu'il y a un partage possible de l'Histoire, qu'il y a en réalité une histoire identique. Ça peut vouloir dire deux choses, et c'est très important car je pense que la lutte contre l'histoire est la mamelle des temps présents. D'abord, et c'est le sens dialectique, que nous et l'ennemi sommes deux termes contradictoires de la même histoire et que nous partageons avec lui l'espace et le temps. Et ensuite, sans même entrer pour cela dans la dialectique du devenir, que le passé est commun. C'est la version consensuelle ou contractuelle, car le contrat passé avec l'autre c'est que notre passé est le même. Le fameux « devoir de mémoire », dont on nous rebat les oreilles, c'est ça son contenu réel : il y a un point fixe qui doit être partagé, comme si le passé pouvait être indépendant des dispositions du présent. En tout cas, vous partagez avec l'ennemi quel qu'il soit une vision identique du passé. Or ça ne va pas de soi ! Cela suppose, entre le passé et le présent, un type de rapport qui laisse le passé intouché par le présent, qui permet de fixer le passé dans une factualité qui le rend incorruptible et inaccessible par le présent, en particulier par la différence des présents. Or, de même qu'il n'est pas sûr que nous ayons le même présent que l'ennemi, de même il n'est pas sûr que nous ayons ou puissions avoir le même passé, que ça ait un sens d'avoir le même passé.

Enfin, passage très profond : « les craintes d'une conscience qui, luttant contre le monde ; enregistre les règles de cette lutte au cours des siècles, comme sous l'effet d'un pessimisme où sombre l'espérance ». Nous retrouvons la question très importante de la règle, du passage de la lutte aux règles de la lutte. Cela vise celui qui se croit une conscience rebelle en lutte contre le monde, mais qui tout compte fait est enchaîné entièrement à la vision qu'il a, non pas de cette lutte contre le monde mais des règles de cette lutte. C'est le moment où la conscience des règles du conflit se substitue au conflit lui-même. C'est en particulier l'idée que le conflit, la lutte contre le monde, est réglée, qu'on connaît ou qu'on maîtrise les règles du combat, alors que l'idée implicite de Pasolini serait plutôt qu'il n'y a pas de lutte véritable contre le monde sinon celle qui prend le risque d'en ignorer les règles. Autrement dit, dans une lutte véritable se produit une bascule dans l'inconnu. Vous ne pouvez pas vouloir à la fois mener une lutte effective contre le monde et maîtriser entièrement les règles de cette lutte. Il doit y avoir une zone intermédiaire dans laquelle y compris la règle de la lutte est obscure, et où, par conséquent, ce n'est pas à partir du savoir de la règle que vous pourrez conduire la lutte mais à partir de la lutte que vous découvririez éventuellement de nouvelles règles. C'est là un débat politique très connu qui est pointé comme étant en quelque manière une quatrième donnée de la conscience d'acceptation. Car il faut bien voir que ce que nous sommes en train de détailler c'est ce que c'est qu'une acceptation. Et cela nous importe grandement, car nous avons trop accepté, nous avons accepté à outrance, nous avons tellement accepté que nous ne savons plus bien ce qui nous reste à refuser. Les quatre acceptations seraient ainsi : le partage de la sensibilité, le partage du lieu, le partage du temps, le partage des règles (au sens où nous acceptons qu'il faille aller des règles à la lutte et non pas de la lutte aux règles).

Tout cela finalement Pasolini va le récapituler en l'appelant « mystérieux débat avec le Pouvoir ». Le père, le père supposé, celui que les morts cherchent, ils ne le trouveront pas, car il est absorbé dans cet obscur débat. Au lieu d'exercer directement sa fidélité et sa paternité il s'est abîmé dans une machination avec le pouvoir, « enchaîné à sa dialectique, que l'histoire l'oblige à réformer sans trêve », cette transformation incessante de la dialectique étant uniquement liée au fait qu'elle est tombée sous la juridiction du pouvoir. Donc il y a là une thèse tout à fait intéressante à examiner, qui est qu'en réalité l'acceptation provoque une sorte de paralysie historique, politique, qui rend impossible la fidélité aux événements les plus importants du passé, car elle prend la forme du consensuel, de la rivalité, de l'occupation du pouvoir, et l'acceptation devient finalement l'acceptation du pouvoir lui-même. En définitive, il n'y a pas d'acceptation profonde qui ne soit acceptation du pouvoir. Et pour cela, on va accepter le partage de la sensibilité, des lieux, du temps, des règles. Tout cela en fin de compte c'est la dialectique réenchaînée à l'immobilité du pouvoir. On a retenu la forme de la dialectique mais on a renoncé au devenir, l'essence cachée du contractuel étant une dialectique paralysée, enchaînée au pouvoir, une dialectique de l'immobilité. Ce « mystérieux débat avec le pouvoir » nous le connaissons, c'est la forme de la promesse qui est toujours faite à son propos, promesse par essence non tenue et non tenable dans un devenir asservi : on vous promet qu'il va y avoir autre chose, mais justement il n'y a pas, car il est de l'essence de cet asservissement d'être une acceptation. Nous sommes donc surplombés et dominés dans tous les domaines par une acceptation dont le noyau intime est que le négatif lui-même a été incorporé à cette acceptation, qu'il est devenu lui-même une forme exténuée de l'acceptation.

Devant cela, que va dire l'armée des morts ? Supposons que nous soyons nous-mêmes sous l'œil de ces jeunes morts, qui examinent notre destin, notre acceptation, et qui voient que cette acceptation a ruiné leur espérance ou ne leur a pas été fidèle. Pasolini a une formule étonnante. Comme les pères les ont abandonnés « dans le cœur barbare des fils la haine va faire place à l'amour de la haine », et telle est la définition qu'il donne du terrorisme. Le terrorisme ce n'est pas la haine, c'est bien plus profond, c'est l'amour de la haine, et cet amour de la haine vient là où il n'y a plus de fidélité. Et Pasolini va la décrire dans ses termes à lui cette issue des fils déchaînés, la figure du fils tel qu'il n'est plus en état de se réclamer de la fidélité d'un père. Parce que le problème n'est pas que les fils soient fidèles au père, mais que les fils constatent qu'il y a une fidélité des pères. Et si on regarde dans l'histoire de France, on sera amené à se demander dans quelle mesure les pères ont manifesté, eux, leur fidélité résistante. C'est ça entre autres qui travaille la conscience française. C'est très bien vu : la question pertinente n'est pas la question plate et banale de savoir si les fils vont continuer ce que les pères ont commencé, non, la question est rétroactive, c'est l'interrogation par les fils de ce qu'a été la fidélité des pères. Et comme les pères sont dans l'acceptation, cette paternité est rompue, et ce qui vient en son lieu et place, la seule issue laissée aux fils, c'est l'amour de la haine. Cette haine avec laquelle ils sont laissés seuls, avec laquelle on les a abandonnés, ils pourraient la haïr, cette haine de l'acceptation. Mais qu'est-ce qu'ils vont en faire ? Il n'y en a pas de conduite, il n'y en a pas de symbolisation, il n'y a pas de paternité. Du coup ils vont aimer cette haine.

Cela donne lieu à trois vers qui sont une anticipation foudroyante de Pasolini :

Ah, Désespoir, qui ignore les codes !
Ah, Anarchie, libre amour
De Sainteté, avec tes chants altiers !

Il est extraordinaire que, dès 1960, à travers le triangle, la triplicité, du désespoir, de l'anarchie et de la sainteté, Pasolini prévoie que là où l'acceptation l'a emporté, quelque chose va venir du côté des fils qui sera sous la triple emprise du désespoir sans loi, de l'anarchie mentale et de la religion, dans sa figure sacrificielle. Les cheminements de l'acceptation sont détaillés : acceptation du partage de la sensibilité, des lieux, du passé, d'un certain rapport entre la lutte et les règles de la lutte. En gros, corruption de la dialectique par son asservissement sous la figure du pouvoir et les fils morts qui regardent tout cela sont livrés finalement à l'amour de la haine. Peut-être sommes nous situés là entre l'acceptation et le désespoir, version noire du moment actuel, désespoir voulant dire absence de règles, sainteté qui se consume elle-même dans la mort, anarchie sans bornes, anarchie violente. Ou bien vous êtes dans l'acceptation (des règles, des lieux, du temps), ou bien vous aurez ce désespoir-là (pas de règles, pas de lieu propre, dévastation du temps).

Pasolini s'est situé subjectivement dans une sorte d'impossibilité de choisir dans cette tension. Et ce qui fait la grandeur pathétique de sa poésie de ces années-là, c'est qu'il est quasiment dans cette subjectivité, entre acceptation et désespoir, laquelle résonne avec la nôtre. Il en demeure en quelque sorte démembré, désolé, et je ne peux m'empêcher de raccorder sa mort, quel que soit son côté anecdotique, à la folie de Nietzsche. Ainsi, Nietzsche formulait l'impraticable projet de casser en deux l'histoire du monde, c'est-à-dire de séparer clairement le grand Midi de Dionysos et l'enchaînement au Crucifié : il voulait en effet que le rêve du grand Midi advienne là où régnait l'emprise du christianisme, et finalement il a dû se faire venir lui-même dans la folie à la place de la coupure. C'est pour ça qu'à la fin il signait « Dionysos le crucifié » : il était des deux bords à la fois, et en tant que tel il était leur séparation. De même Pasolini s'est situé dans la double figure de l'acceptation inacceptable et du désespoir mortifère. Il a dû renoncer à l'histoire et c'est là ce qu'il n'arrivait pas à accepter. Ainsi dans le poème « Les Cendres de Gramsci », Gramsci, figure paternelle exemplaire, figure tutélaire de tout le communisme italien, dont il a été le dirigeant, le penseur et le créateur, Pasolini s'adresse à lui :

> Pourtant sans ta rigueur je subsiste car je ne choisis point. Je vis sans rien vouloir en cette après-guerre évanouie, aimant ce monde que je hais, en sa misère méprisant et perdu, par un scandale obscur de ma conscience.

Ça aussi c'est une description subjective d'une grande finesse : « je ne choisis point... », il se situe donc au croisement impraticable de l'acceptation et du désespoir. Et il nous indique que cette position est elle-même mortelle. Pas seulement pour lui, mais pour l'humanité tout entière.

Vous voyez donc que si nous devons accéder à une nouvelle figure de la pensée et de la vie, si nous devons inventer notre

XXIe siècle, le point essentiel c'est de ne pas se tenir là, de ne pas se laisser acculer à la thématique de l'acceptation et du désespoir ou de leur combinaison impraticable. Et c'est une fois de plus la question de l'identification de l'adversité en nous-mêmes, car, si l'adversité c'est l'acceptation, que veut dire ne pas accepter dans une figure qui crée une distance avec l'acceptation autre que celle qui bascule immédiatement dans le pathos infini du désespoir ? Le poème dit bien que ce qui est achevé, c'est une figure d'espérance. Les jeunes morts c'est ça, c'est ce que les pères n'ont pas tenu, il y a la dés-espérance et le dés-espoir. Il faut absolument inventer une espérance, mais il est vrai que nous avons à l'inventer dans des conditions que Pasolini appelle « un scandale obscur de la conscience ». Je crois vraiment que nous devons accepter le fait que notre conscience est corrompue à tout moment par l'acceptation sous cette forme-là, bien plus que nous ne le croyons. Cela revient à dire que notre conscience, y compris notre conscience pensante, est dans un scandale obscur, et avec la clarification de ce point commence la reconnaissance du fait qu'il y a scandale obscur des consciences, car en définitive ce sont des consciences qui sont sur le fond ou l'horizon d'une acceptation. Le chemin que nous essayerons de continuer sera de savoir comment créer une distance par rapport à l'acceptation qui soit une distance autre que celle de la désespérance.

Voilà pour aujourd'hui.

L'Histoire est devenue approbation corruptrice du monde de l'adversaire

« Pas de politique sans réalisme », âme
Guerrière, avec ta délicate rage !
Ne reconnais-tu pas une autre âme, allons donc ! Celle
où il y a toute la prose de l'homme habile,
Du révolutionnaire qui s'attache à l'honnête
homme moyen (même la complicité
avec les assassinats des Années Amères se greffe
sur le classicisme protecteur, qui caractérise
le communiste comme il faut) : ne reconnais-tu pas le cœur
qui se fait l'esclave de son ennemi, qui va
là où l'ennemi va, sous la conduite de l'histoire
qui est leur histoire à tous deux, et qui les rend, au fond,
étrangement pareils ; ne reconnais-tu pas les craintes
d'une conscience qui, luttant contre le monde
enregistre les règles de cette lutte au cours des siècles,
comme sous l'effet d'un pessimisme où sombre,
pour y tremper sa virilité, l'espérance. Joyeuse
d'une joie qui renie toute arrière-pensée
est cette armée – aveugle dans l'aveugle
soleil – de jeunes morts, qui viennent
et qui attendent. Si leur père, leur chef,
les laisse seuls dans la blancheur des monts, dans les paisibles
plaines – absorbé en un mystérieux débat
avec le Pouvoir, enchaîné à sa dialectique
que l'histoire l'oblige à réformer sans trêve –
tout doucement, dans les cœurs barbares
des fils, la haine fait place à l'amour de la haine,
ne brûlant plus qu'en eux, peu nombreux, les élus.
Ah, Désespoir, qui ignore les codes !
Ah, Anarchie, libre amour
de Sainteté, avec tes chants altiers !

Pier Paolo Pasolini, « Victoire », fragment,
1964, Trad. José Guidi.

V

6 AVRIL 2005

Je vais aujourd'hui tenter de reconstituer le lien, en subjectivité, de notre démarche de cette année, dont je rappelle qu'elle est centrée pour l'instant sur les rapports entre identité et adversité. Autrement dit, qu'est-ce qu'un adversaire et quelle relation y a-t-il entre une identification et une adversité dans le monde d'aujourd'hui ? Cela naturellement dans un espace plus vaste que la simple adversité politique. C'est de la catégorie d'« adversaire » qu'il s'agit, au sens même où, originellement, Platon avait constitué le sophiste comme l'adversaire du philosophe. Évidemment l'identité du philosophe était absolument en cause dans cette construction de l'adversaire. Mais précisément aujourd'hui qu'est-ce que c'est que l'adversité ? Pourquoi y a-t-il ce problème ? Je proposais de soutenir que deux paradigmes, ou deux schémas de l'adversité doivent être surmontés, ou tenus pour obsolètes.

D'abord le schéma dialectique, qu'on peut après tout appeler le schéma révolutionnaire, qui est que l'identité se constitue dans la contradiction, donc dans le protocole effectif de négation de l'adversaire. Ainsi la relation entre identité et adversité est une relation dialectique, au sens où l'autoconstitution identitaire se déploie dans l'élément de la lutte. En général de la lutte antagonique, donc en un certain sens de la lutte à mort. Et c'est là que se lie, ou que se cimente la relation entre identité et adversité. Nous avions remarqué que, dans ce cas, il faut soutenir qu'identité et adversité appartiennent au même devenir, qui est précisément le devenir de la contradiction, ou, si vous voulez, l'Un où se découpe la corrélation entre identité et adversité. Cet Un est l'un du devenir. On peut donc appeler ça la constitution historique de l'adversité, en prenant « historique » au sens de récapitulation des devenirs. J'ai proposé de dire que nous n'avions plus l'usage complètement déployé ou praticable de ce premier schéma.

Le deuxième schéma est celui que j'appelle le schéma oppositionnel. On peut également l'appeler le schéma parlementaire ou démocratique. Dans ce cas l'identité est substituable à l'adversité, c'est-à-dire qu'identité et adversité appartiennent à la même loi et que, ce qui est fondamental, l'opposition peut remplacer la majorité. Cela suppose évidemment que cette substituabilité est praticable, alors qu'elle est absolument exclue dans le schéma dialectique où ce n'est que dans la négation, dans la destruction, voire la mort de la polarité adverse, que peut advenir la nouvelle figure identitaire. Là, au contraire, on a un schéma de substituabilité possible. C'est l'institution qui régule précisément et prescrit à sa manière la substituabilité, ce qui permet de dire que l'Un, cette fois, est non pas celui du devenir mais celui de l'institution. On peut élargir cela bien au-delà de la simple question de la forme du régime politique et on dira que, dans ce genre de situation, on a une constitution juridique de l'adversité, ou encore, une constitution contractuelle.

Dans ces conditions notre tâche, ou en tout cas notre tentative, va consister à penser la relation de l'identité et de l'adversité, autrement que dans le schéma dialectique ou que dans le schéma oppositionnel, autrement que dans l'espace de l'histoire, ou que dans l'espace du droit. Entre parenthèses, cela est lié aux grandes spéculations, entre autres la thèse de Fukuyama, dont vous avez eu des échos et selon lesquelles nous entrerions dans la fin de l'Histoire. Mais si on y regarde de près, on constate que « fin de l'Histoire » signifie en fait « avènement du droit ». En effet, la fin de l'histoire, c'est toujours l'idée qu'on va parvenir à une figure du droit suffisamment universalisée pour que l'historique n'ait plus de fécondité dialectique véritable, qui permette l'avènement du contractuel et du droit. Le substitut contemporain immédiatement proposé à la prégnance de l'histoire, c'est évidemment la prégnance du droit. Hegel parlait déjà du « tribunal de l'Histoire ». En un certain sens nous avons affaire à un changement de tribunal : au tribunal de l'histoire succède le tribunal tout court, c'est-à-dire l'instance qui est susceptible de juger les litiges et les conflits selon, précisément, le principe de la substituabilité légale.

Alors, me direz-vous, quel rapport tout cela peut-il bien avoir avec notre thème général de l'orientation dans la pensée ? Quel rapport la relation nouvelle que nous cherchons entre adversité et identité entretient-elle avec cette question de l'orientation ? Eh bien, ce que nous cherchons, c'est une orientation de la pensée qui ne se ferait pas selon l'hypothèse d'un sens de l'histoire, parce qu'évidemment, si c'est le cas, ce sens va être la prescription générale d'une orientation : « s'orienter dans la pensée » et « s'orienter dans l'histoire », ou « comparaître devant le tribunal de l'histoire », c'est la même chose. Donc nous refusons de nous installer dans la référence à l'histoire, dans l'assomption d'un sens de l'histoire, mais nous refusons tout autant d'adopter la métaphorique juridique du contrat, métaphore de ce qui donne sens à la substituabilité, qui est également une métaphorique des limites, parce que, dans l'univers du droit, la prescription de ce qui a sens est toujours, comme l'a parfaitement vu Kant, la prescription d'une limite. Les droits de la raison, les droits de l'entendement renvoient immédiatement à une métaphorique de la limite, c'est-à-dire que vous n'avez pas le droit de penser au-delà des limites de la raison pure, qu'il faut respecter les limites de l'espace rationnel. Donc, ni la raison comme devenir tendanciel de l'orientation dialectique de l'histoire, ni la raison comme assomption toujours semi-juridique, ou métaphoriquement juridique de ses limites. En résumé, ni Hegel ni Kant. Telle est notre cible, laquelle est, je crois, imposée par les circonstances du moment où l'espace demeure, pour l'essentiel, celui d'une tension Hegel-Kant. C'est d'ailleurs une chose qu'Adorno avait déjà remarquée mais, curieusement, comme le montre l'histoire de l'École de Francfort, il a involontairement ouvert la voie à l'assomption du droit, c'est-à-dire à la figure contractuelle et juridique de la démocratie. En conséquence, si l'on veut être dans le temps présent du point de vue de la question « Comment s'orienter dans la pensée ? », il est certain que cette question doit traverser l'antinomie apparente entre héritage dialectique ou révolutionnaire et héritage parlementaire et démocratique, juridique et contractuel.

À titre de premier matériau dans cette recherche, au-delà évidemment de ce que j'avais dit sur la constitution platonicienne du sophiste comme adversaire identifiant, j'avais convoqué la dernière fois un poème de Pasolini, le poème « Victoire », parce que ce poème me paraissait, des décennies avant notre moment actuel, être le poème d'une identité de l'adversaire complètement exposée, qui ne soit justement ni dans l'élément dialectique ni dans l'élément du contrat, qui ne soit, si vous voulez, ni révolutionnaire ni parlementaire. Je vous rappelle que le cheminement de Pasolini c'est de faire comparaître l'histoire présente sous le regard aveugle des jeunes morts de la Résistance, ces jeunes morts venant voir si quelque chose comme une paternité politique leur est proposé dans le futur. Je ne vais pas revenir sur l'extraordinaire importance à mes yeux, y compris dans le monde contemporain, de cette question de la filiation, en tant que filiation renversée, c'est-à-dire quand les fils posent la question du père comme question de l'avenir. Ils viennent en effet demander si quelque temps après, voire longtemps après, on peut voir quelle filiation retournée serait à la même hauteur, dans la même dignité que ce qu'a été leur sacrifice. Et ils vont découvrir que leur espérance était vaine : c'est dans son absence que se construit l'adversité. L'adversité ou l'adversaire, c'est précisément ce qui a organisé le manque de cette filiation retournée, autrement dit, ce qui s'est avéré radicalement et politiquement infidèle à la Résistance. Et ce qu'on lit dans le poème c'est que la vision de Pasolini est en réalité dans un champ polarisé entre ce que je proposais de nommer l'acceptation, et le désespoir ; ce qui veut dire que nous-mêmes, en tant qu'adversaires intimes de nous-mêmes, sommes situés dans une polarité ou une tension entre acceptation et désespoir.

J'y reviens brièvement. En tant qu'opérateur de l'absence de toute fidélité, l'acceptation c'est trois choses, très intéressantes, y compris pour analyser le temps présent. C'est d'abord l'acceptation d'une vision partagée du passé, l'idée que le passé est commun. Or c'est déjà une infidélité à la Résistance, puisque, évidemment, l'objectif de la Résistance était de rendre impossible que le passé puisse être un passé commun. La deuxième figure subjective de l'acceptation c'est qu'il peut exister un lieu absolument commun de la pensée, du vouloir, c'est-à-dire qu'il n'y a pas d'incommensurable. Et le troisième trait c'est que la règle du devenir des choses a été substituée au devenir lui-même, à savoir que ce sur quoi on s'accorde c'est qu'il y a des règles du devenir, au lieu de s'accorder, de manière immanente, sur le devenir lui-même. Pasolini insiste beaucoup sur ce point : le « communiste comme il faut » c'est pour lui quelqu'un qui est d'accord sur les règles de la lutte plutôt que sur la lutte, quelqu'un qui a substitué progressivement la norme de la lutte à la lutte proprement dite, c'est-à-dire qui n'est plus ouvert à la nouveauté du conflit. Car tout vrai conflit est censé d'abord prouver qu'il est conforme aux règles du groupe. Ça nous l'avons expérimenté : c'est la tendance incoercible de toute gauche à considérer que le conflit n'est jamais conforme à ses règles, qu'il vient toujours ou trop tôt ou trop tard, ou à côté. Ces trois points (vision partagée du passé, espace commun et substitution au devenir des règles du devenir) composent la figure de l'acceptation du train du monde comme infidélité majeure. Je rappelle sur ce point deux formules frappantes de Pasolini. Vous avez d'abord le « cœur qui se fait l'esclave de son ennemi », l'acceptation c'est un affect, plus profond qu'une pensée : on se fait l'esclave de son ennemi, précisément en partageant le passé et l'espace et en substituant les règles aux choses. Et celui qui se fait l'esclave de son ennemi est alors « enchaîné à la dialectique du pouvoir », les deux formules sont équivalentes. De façon antinomique vous avez de l'autre côté, la figure du désespoir qui, dans la formulation de Pasolini, a, elle aussi, trois traits, apparentés les uns aux autres. D'abord, refus des codes, des règles. Ensuite, consomption dans l'amour ; l'amour étant conçu comme une donnée incendiaire, porteuse de mort, de la mort la plus haute, la plus sacrée. Enfin,

« anarchie », que je crois qu'il faut entendre ici en son sens étymologique, c'est-à-dire, pas de principe central, rien que de la dissémination. Tout cela compose une figure qui, en réalité, n'est pas une figure susceptible de répondre à la question des jeunes morts. Ce n'est pas la figure paternelle à la recherche de laquelle ils sont et qu'ils ne trouvent pas dans l'espace du temps, ce n'est en fait rien d'autre que la continuation, la fidélité désespérée à leur mort, mais pas dans le sens affirmatif, créateur, ou instituant, qu'ils recherchent, mais dans un sens qui, au fond, est simplement l'itération mortelle de ce qu'a été leur sacrifice. Comme on le voit, le bilan de Pasolini est sombre. Avec une ténébreuse ironie, il intitule son poème *Victoire* et pose que nous sommes dans un temps où ce qui menace est de n'avoir pas d'autre alternative que celle de l'acceptation et du désespoir, et je crois que, bien que nous soyons des décennies plus tard, nous pouvons partager cette vision avec lui.

Je voudrais maintenant rendre tout ça un peu plus contemporain et la première question que je me pose c'est : comment nommer d'une façon plus virulente, plus poétique, la figure de l'acceptation ? On peut se guider sur une des définitions que Pasolini donne de ce personnage de l'acceptation, quand il parle dans le texte du « classicisme protecteur qui caractérise le communiste comme il faut ». C'est lui qui, quelle que soit sa bonne volonté, constitue la figure de l'acceptation. Comprenez bien que la figure de l'acceptation n'est pas la figure de l'ennemi, c'est la figure de ce qui, en nous, se constitue selon l'ennemi. C'est une figure subjective d'acceptation du train du monde, tout en déclarant sa distance. Autrement dit, c'est quelque chose qui n'est pas le pouvoir mais qui est l'organisation subjective de son acceptation en profondeur, l'enchaînement à la dialectique du pouvoir. Du coup, je pense que le nom pertinent, post-pasolinien, de cela, c'est « la gauche ». Je vous propose une définition quasiment métaphysique de la gauche, à savoir que la gauche c'est ce qui est en position d'être l'organisation subjective de l'acceptation. C'est une figure assez invariante en vérité, que l'on trouve dès le

XIXe siècle, on la repère dès la Commune de Paris. Au vrai, ce qui est très étonnant, c'est que ça marche toujours. Génération après génération, ces figures successives de l'acceptation, organisées subjectivement, sont opératoires. Et il faudra s'interroger un jour, y compris philosophiquement, sur ce qui, dans l'organisation subjective de la figure de l'acceptation, a puissance sur l'identité ?

Reprenons les critères de Pasolini et demandons-nous ce qu'ils valent pour aujourd'hui. La vision partagée du passé : en gros, tout le monde est d'accord que le passé ça a été le conflit entre démocratie et totalitarisme. Les lieux communs ce sont les règles constitutionnelles et aussi, d'une certaine manière et de façon générale, la civilisation occidentale, j'aurais envie de dire : un régime de civilisation immanente. Les règles de la lutte sont substituées à la lutte : tout doit aboutir à des élections et, à la fin des fins, il n'est pas possible de légiférer sur la figure des mouvements autrement qu'en les soldant par la substituabilité, laquelle est devenue la norme immanente du devenir. Évidemment, puisque ce n'est plus ni l'insurrection armée, ni la révolution, ni l'antagonisme, et qu'on est dans le cadre de l'opposition des deux paradigmes. Si ce n'est pas dans la négation effective de la figure de l'adversaire que s'institue l'identité, il faut bien avoir recours quelque part à la substituabilité. Et donc tout mouvement est destiné à la substitution ; d'où qu'il est toujours intrinsèquement décevant. En fait, la subjectivité de l'acceptation sous le nom de « gauche » c'est aussi l'organisation de la déception, car être déçu est congénital à ce système. Personnellement, je n'accuserais pas les différents acteurs, quels qu'ils soient, d'être les organisateurs de la déception, la déception est intrinsèque, parce que liée à la substituabilité. Du coup vous êtes l'esclave de votre ennemi, quoi qu'il arrive.

On a d'ailleurs parfaitement le droit de considérer que ce monde est le moins mauvais des mondes possibles. Mais c'est une autre discussion. On peut considérer que, tout compte fait, la substituabilité est ce qui entraîne le moins de dégâts. Mais à ce moment-là, il ne faut absolument pas prétendre qu'on va tout changer : il faut quand même avoir un minimum de cohérence et annoncer que, pour l'essentiel, ça sera une substituabilité et qu'on bricolera à la marge. On ne peut pas vouloir à la fois la substituabilité et le changement : c'est pourquoi on en est venu à appeler « réforme » la restauration. La gauche est ainsi définie par une formule descriptive. Attention, je ne suis pas en train de dire qu'il n'y a aucune raison de soutenir la gauche. Ça aussi c'est une autre discussion. En outre, comme je soutiens que le paradigme dialectique n'est pas non plus opératoire, je ne veux pas être acculé au choix entre les deux, lequel engendre d'ordinaire la vision partagée du passéisme. Par conséquent, tant que la gauche est l'organisation subjective de l'acceptation, je soutiendrai qu'elle est une désorientation. Et c'est ça qui m'intéresse : la gauche est désorientation de la pensée. Elle n'est pas simplement organisation de la déception, elle est d'abord, plus profondément, désorientation. Et je crois que c'est parce qu'elle est désorientation qu'elle rend tolérable la déception. Car il faut aller un peu plus profond dans la dialectique. La déception se produit dans un élément primordial de désorientation qui fait que, pour qui n'a pas d'orientation vraiment stabilisée, la déception est toujours relative. Avant d'être déçu, on est désorienté. Ce n'est que dans des paramètres stabilisés et lisibles de l'orientation que la déception est radicale. Quand on se lance dans une entreprise et que cette entreprise échoue, on prévoit une déception possible. Or ce n'est pas comme ça que ça se présente : vous n'avez pas la lisibilité d'une orientation au regard de laquelle, finalement, l'échec aurait une signification univoque. Au fond, suite à la désorientation, la conviction latente c'est qu'en réalité il n'y a pas d'orientation. Vous avez ainsi une orientation originaire qui est que l'opposition, qui se présente comme une figure de relation de l'identité à l'adversité, ayant en réalité comme norme la substituabilité, a pour essence fondamentale l'acceptation. En gros, vous devez d'abord accepter à peu près tout, et ensuite vous serez l'opposition. Car vous voyez bien que l'essence stable et fondamentale de l'opposition, c'est l'acceptation d'abord, c'est-à-dire que ce qui est accepté, ou déclaré acceptable, est infiniment plus important que ce qui est déclaré dans le registre oppositionnel. L'effet principal de cette identité latente de l'acceptation comme essence véritable de l'adversité constitue une désorientation comme identité ; et dans la mesure où la question du rapport à l'adversaire est aussi ce qui norme l'espace général de l'orientation vous avez affaire à une identité désorientée.

Voilà qui devrait me permettre d'élargir le concept de gauche, d'en faire une catégorie philosophique. Ce qui est d'ailleurs lui conférer une dignité éminente par rapport à sa réalité empirique. Je dirais donc qu'est « de gauche », ou qu'« est gauche » toute désorientation qui est l'effet non pas d'un vouloir mais d'une acceptation. Car il existe une désorientation qui peut être l'effet d'un vouloir désorientant. C'est par exemple expressément la méthodologie de Rimbaud. Rimbaud a pour programme explicite de produire une désorientation radicale par les moyens d'une volonté systématique. Il faut absolument désorienter et désunifier la conscience, non pas du tout par l'effet d'une acceptation, c'est absolument tout le contraire, mais par l'effet d'un vouloir systématique, qui est aussi le vouloir poétique lui-même. Rimbaud, il n'est pas de gauche, en dépit des récupérations diverses ! En revanche, quand la désorientation n'est pas l'effet d'un vouloir mais l'effet d'une acceptation, on dira que c'est ça qui est « gauche ». C'est un peu la figure du collaborateur passif. Si le collaborateur actif est celui qui désoriente tout en acceptant le partage de la volonté de l'ennemi, il y a aussi le collaborateur passif qui est simplement celui qui est dans la figure d'une désorientation par acceptation, l'acceptation étant grevée par une passivité essentielle. Notre première figure de la question de l'adversaire sera ainsi l'acceptation comme désorientation passive – figure subjective de la gauche – pour autant que l'on peut dépolitiser le concept et le généraliser, en nommant ainsi toute désorientation qui n'est pas l'effet d'un vouloir mais celui d'une acceptation, et qui par conséquent enseigne que, à proprement parler, on ne peut rien vouloir. Encore une fois, c'est peut-être une sage prudence : si vous ne voulez rien, vous ne risquerez pas d'échouer !

À cela Pasolini oppose la figure subjective du désespoir. Je crois que le premier nom qu'on pourrait lui donner, son nom apparemment le plus pasolinien, serait la sainteté nihiliste, ce « libre amour de Sainteté » que nous trouvons à la fin de notre texte. Et ça, c'est évidemment la répudiation de l'acceptation, sans pour autant, j'y insiste, que soit résolu le problème initial qui serait une fidélité affirmative, à savoir la recherche des pères à venir du sacrifice résistant. Il s'agit, pour employer le mot de Derrida, d'une déconstruction de l'acceptation mais sans qu'il y ait surgissement de la figure affirmative correspondante. On peut parler de nihilisme parce que c'est une appropriation de ce qu'il y a, comme s'il n'y avait rien. C'est dans ce « comme s'il n'y avait rien » que toute acceptation se dérobe puisqu'il n'y a précisément rien à accepter, sinon que ce qui se présente comme devant être accepté n'est rien. Et il faut incessamment expérimenter cette inacceptation de ce qu'il y a, laquelle est ontologique, c'est-à-dire déqualifie ce qu'il y a dans sa prétention à être quelque chose qu'on peut accepter. C'est là une figure plus profonde que l'inacceptation dialectique. Ce n'est pas simplement « Je n'en veux pas. » Non ! C'est une opération par laquelle est disqualifiée la prétention à être de ce qu'on nous donne à accepter. De même c'est l'expérimentation réglée de la non-règle, de l'absence délibérée de règles. « Désespoir, qui ignore les codes » signifie que l'ignorance des codes doit être expérimentée ; c'est pour ça que c'est une ascèse, une sainteté.

À mon sens cette figure a connu d'abord une mise au point poétique, une figure qui, en France, est apparue quelque part entre Baudelaire et Rimbaud. On peut lui trouver dès sa constitution deux dimensions majeures, dont la première est ce que j'appellerais la sacralisation innocente du désordre. Au lieu de l'acceptation de l'ordre, on a non seulement le désordre, mais le désordre comme désordre sacré, et en même temps comme innocence. Je rappelle que Rimbaud dit dans *Une saison en enfer* : « Je finis par trouver sacré le désordre de mon esprit. » On a là la maxime de la sacralisation du désordre, sacralisation complètement innocente précisément, parce qu'elle n'accepte rien de ce qui est. Et ce désordre est un désordre capital, un désordre de l'être lui-même. J'entends par là que l'être, ou ce qui se présente comme être, doit être destitué de sa prétention à être. La deuxième dimension est ce que j'appellerais la discipline du dérèglement. Car le dérèglement, l'expérimentation de l'absence de codes, de règles, résulte de l'effet d'un vouloir. Ce n'est pas du tout l'organisation d'une non-acceptation ou d'une révolte par passivité, c'est véritablement un dérèglement délibéré, systématique, volontaire. Et je cite Rimbaud, là aussi, dans la fameuse *Lettre à Izambart* : « Arrivé à l'inconnu par le dérèglement de tous les sens. » C'est une proposition de méthode, absolument disciplinée et méthodique, qui ne consiste absolument pas à dire : je vais suivre toutes mes impulsions. Tout compte fait, suivre toutes ses impulsions, c'est une modalité d'acceptation. D'ailleurs Rimbaud ajoute tout de suite après « qu'il faut être fort », parce que les souffrances sont énormes et que cela en vaut la peine. Car le dérèglement de tous les sens est une méthode coûteuse, c'est même ce qui fait qu'on a cette figure de l'ascèse ou de la sainteté nihiliste. Il faut bien voir que, y compris dans le devenir existentiel de Pasolini, cette figure de la sainteté nihiliste est par-delà le bien et le mal, qu'elle ne se distingue pas de certaines formes du banditisme moderne. Rappelons qu'un grand mot d'ordre de Rimbaud c'est aussi : « Je m'encrapule le plus possible. » Je dis ça pour qu'on ne la voie pas comme une figure d'innocence au sens ecclésiastique du terme, en ces temps de mort du pape. Ce n'est pas une figure de sainteté au sens de la bénédiction. Comme il est précisément déclaré que l'être doit être destitué de sa prétention à être, il n'y a bénédiction de rien. Quelque chose pourtant indistingue cette figure de sainteté nihiliste d'une figure violente, c'est le fait qu'elles soient l'une et l'autre désœuvrées. Le thème du désœuvrement est essentiel dans les deux cas. La discipline proposée ne devant en aucun cas être celle de l'acceptation, il s'ensuit qu'elle ne doit pas non plus être celle du travail. Dérèglement systématique de tous les sens et encrapulement ne sauraient donner naissance à une figure de l'acceptation laborieuse de ce qui est proposé. En fait on pourrait dire que Rimbaud est quelqu'un qui, finalement, se convertira au travail. Et quand il se sera converti au travail, il deviendra commerçant, il travaillera dur et rapportera de l'argent à sa maman… Je sais bien qu'on dit qu'il est resté le même. Sauf que lui, il dit quand même que ce qu'il a fait avant ce n'étaient que des sottises, et après tout on peut le prendre au pied de la lettre. Pour moi il a réellement changé sur un point précis qui est de se convertir au travail, ce qui revient, parce que c'est désœuvré, à mettre fin à cette indistinction entre sainteté et crapulerie qui est le lieu même où s'établit la figure du désespoir. Quand on est désœuvré, on se considère comme excédentaire par rapport à ce qu'il y a, tandis que si vous travaillez, vous êtes dedans, d'une manière ou d'une autre ; vous contribuez à ce que ça existe. Si vous voulez absolument être sans compromission avec l'acceptation, vous devez être en dehors. Or être en dehors veut dire ne pas être dans l'œuvre de ce qu'il y a, donc être désœuvré mais en un sens radical, donc assumer qu'on est un parasite. Encore une fois ce ne sont pas des catégories normatives. Il y a de nombreux textes de Rimbaud qui sont une exaltation du parasite. Car le parasite c'est celui qui vit aux dépens de ce qu'il abomine. Il vit dessus. Il lui suce le sang. Du point de vue de l'organisme qu'il parasite, il est dans le désœuvrement de son existence. Il ne contribue pas aux organes, à la fonction et au devenir de ce qui est parasité.

On peut dire que Pasolini témoigne existentiellement de la figure du désespoir nihiliste telle qu'elle est ici établie, parce que chez lui aussi, entre la figure poétique du désespoir et la figure de l'encrapulement, il y a de complexes passages. C'est une figure qui d'une certaine manière constitue l'extériorité dans un schème désœuvré. Autrement dit, dans un schème parasitaire on se donne les moyens de persévérer dans l'être, sans contribuer si peu que ce soit à ce à partir de quoi on persévère dans l'être. Or ce qui m'intéresse c'est que cette figure propose aussi une désorientation. Un autre type de désorientation, tout à fait différente de la gauche. L'inacceptation s'opère au prix de toute direction, de toute orientation. L'orientation c'est le prix à payer. Je crois que c'est là un thème qu'il faut garder présent à l'esprit : vous pouvez être dépourvu de toute orientation, aussi bien par inacceptation que par acceptation, ce n'est pas ça qui tranche. En un certain sens, il n'y a plus que l'adversaire ! Et ce que vous êtes, vous, en tant que parasite de l'adversaire, doit simplement être le témoignage du néant de l'adversaire. Donc il n'y a que lui, et puis, dans une extériorité parasitaire, vous, qui témoignez de ce qu'en réalité il est possible de soutenir ce « il-n'y-a-que-l'adversaire », mais pour rien... C'est ça le schéma véritable et c'était une position très répandue dans le contemporain de Baudelaire et Rimbaud. Puisque ce qui nous intéresse c'est l'identité et l'adversité, l'identité, ici, consiste à être en symbiose mortelle avec l'adversité, avec l'ennemi. Dans l'acceptation je deviens son esclave, tandis que là je deviens son parasite, ce qui signifie je suis en symbiose mortelle avec lui, je vis avec lui, je mourrai avec lui.

J'avance le mot avec toutes sortes de précautions que je vous indique tout de suite : je le prends tel qu'on le trouve, dans un certain répertoire nihiliste contemporain, dans certains secteurs du rap par exemple, mais aussi dans certains secteurs de la chanson protestataire en général et j'affirme donc que cette figure se nomme aujourd'hui la figure du rebelle. Le rebelle est une figure nihiliste et on ne voit guère ce qu'elle pourrait être d'autre. Pour être autre chose, il faudrait qu'elle soit absolument immanente au schème dialectique. En effet, que décrivez-vous quand vous dites « je suis un rebelle » ? Principalement le fait que vous êtes dans le désœuvrement nihiliste. Encore une fois, c'est une figure réelle, qui a une force d'invention, qui crée des choses, des ressorts, des syntagmes, mais qui en fin de compte crée également comme au revers, en torsion de l'inacceptation, des formes sournoises de l'acceptation. Cette figure du rebelle peut par exemple créer des modes, ou des circuits commerciaux, ce qui en fait une figure du monde contemporain, la figure externe-interne. C'est pour ça que je crois qu'il est juste de parler à son propos de figure désœuvrée ou parasitaire. Dans le monde contemporain, cette question des figures fondamentales de relation de l'identité à l'adversité, est finalement organisée par l'appariement des deux figures de la gauche et du rebelle. Ce qu'elles ont de commun c'est que, dans un cas comme dans l'autre, leur rapport à l'adversité, à l'adversaire, désoriente toute affirmation, donc joue le rôle d'une désorientation. Il y a au fond deux manières d'être désorienté : l'une qui procède de l'acceptation et se réalise dans la figure de la gauche, et l'autre qui s'enracine dans l'inacceptation et se réalise dans la figure contemporaine du rebelle. Et bien que ce diagnostic procède de sources antinomiques il existe un couplage de la gauche et du rebelle qui se manifeste dans le diagnostic final de désorientation. Si tant est que le projet proposé ici a une consistance, ce serait : ni gauche ni rebelle. Ni non plus, il faut bien le dire, le rêve sempiternel de leur addition. Ça, c'est un rêve assez typiquement intellectuel du genre : « est-ce qu'on ne pourrait pas avoir une gauche un peu rebelle ? » ou alors : « est-ce qu'on ne pourrait pas faire une piqûre de rébellion à la gauche ? » Ou encore : « est-ce qu'on ne pourrait pas imposer au rebelle, finalement, un peu de raison de gauche ? » Pendant qu'on y est on pourrait définir l'extrême gauche comme la gauche avec piqûre de rébellion. Parce que ça existe l'extrême gauche, et si ça existe c'est bien parce que, en définitive, il y a un point commun entre gauche et rebelle. Sinon ce serait évidemment absurde. Or, loin d'être absurde, c'est une rêverie chronique, et ce, bien au-delà du champ politique pur. Énormément d'entreprises dans le contemporain s'enracinent en effet dans la conviction qu'on va pouvoir synthétiser finalement les figures de la gauche et du rebelle. On peut le dire dans les deux sens. On peut choisir de parler d'un nihilisme soft, tempéré, qui reconnaît qu'effectivement ce qu'il y a n'est pas très réel, mais qu'il ne faut quand même pas exagérer, qu'il doit bien y avoir un peu quelque chose dedans. Ça, dans un sens, et puis dans l'autre sens, ce serait une gauche qui n'accepte pas tout, une gauche qui, vraiment, quand même, va réellement faire quelque chose, de différent…

On a de cela des projections analytiques très considérables mais on pourrait le retrouver dans bien des domaines, imaginer par exemple un programme d'avant-garde artistique qui se formulerait ainsi : un peu d'héritage de la discipline des formes, avec un peu de rébellion sous la forme d'une thèse sur la fin de l'art. Ce serait la thèse d'un art qui serait à la fois une œuvre et désœuvré : le désœuvrement comme œuvre, c'est un programme qu'on trouve partout. Et le désœuvrement comme œuvre c'est, dans l'élément générique de l'art, strictement la gauche rebelle, la rébellion de gauche. Par conséquent je crois que le programme, difficile si vous voulez, c'est non seulement de tenter de penser quelque chose qui catégoriquement soit au-delà de ces deux figures, mais aussi de ne pas se laisser aller à ce colmatage précaire qu'est toujours la figure de leur jointure, rendue possible par le fait que ce qu'elles ont en commun, c'est la désorientation. C'est *in fine* la désorientation, c'est-à-dire le fait qu'aujourd'hui il n'y a authentiquement pas d'orientation dans la pensée. Du coup on peut être soit dans le régime de l'acceptation, soit dans le régime de l'inacceptation, mais en fin de compte tout ça va converger dans une désorientation majeure dont finalement les symptômes sont innombrables, comme le montre ce type de synthèse programmatique entre les deux figures.

Voilà qui nous permet de conclure que le cheminement théorique à trouver, c'est un cheminement qui n'est ni dans la corrélation dialectique ni dans la substituabilité juridique, qui n'est finalement ni dans l'acceptation comme figure générique de participation au pouvoir, ni dans le nihilisme esthétisant comme figure du désœuvrement essentiel. Mais une fois qu'il est posé il faut trouver une entrée dans le problème.

Je voudrais aujourd'hui amorcer une autre entrée que de façon très abstraite et très simple au départ, je présenterai ainsi : la gauche, c'est ce qui propose de s'orienter selon la ou les lois. Ce n'est pas simplement son caractère légaliste, c'est de manière générale la figure d'acceptation médiée par la conviction que, en tout cas, il y a une loi partagée. Ce partage va beaucoup plus loin que la loi : ça peut être le passé, mais fondamentalement il y a une loi partagée, et ça, ça donne de la gauche une définition très vaste qui est l'idée que toute orientation se fait, doit en tout cas se faire selon la loi. Il s'ensuit que cela produit inéluctablement une désorientation puisque la loi est justement ce qui est en partage avec l'adversité. L'orientation devrait être selon la loi, mais la loi c'est l'organisation du partage avec l'adversité, donc la désorientation est inévitable, et on retrouve la déception telle que nous l'expérimentons tous les dix ans. Quant à la figure du rebelle : pour autant qu'elle s'oriente, c'est selon le désir, ou les devenirs. Elle propose de dire que précisément la loi n'est rien, qu'on peut en disposer comme figure du néant de l'être, et qu'à ce moment-là ce qui surgit, au cœur du désœuvrement lui-même, est une figure désirante et créatrice. De sorte que l'entrée que je vous propose c'est de nommer cette affaire du rebelle et de la gauche : désir et loi, soit les chicanes du désir et de la loi. Petite parenthèse : la psychanalyse en général, et Lacan en particulier, ont soutenu que la loi et le désir c'était la même chose, ou en tout cas qu'ils étaient absolument réciprocables. Avec une légère variante, ce que nous sommes en train de dire de ces deux figures distinctes, c'est que leur commun est la désorientation. En consonance avec Lacan sur le terrain de l'expérience psychanalytique (réciprocité de la loi et du désir) nous affirmerons, en effet, qu'il y a un couplage possible de la loi et du désir, au point de la désorientation. Même si cette désorientation est dans un cas l'emblème de l'acceptation, et dans l'autre l'emblème de l'inacceptation.

« Loi » et « désir » c'était une grande affaire de Pasolini ; on peut même dire que ça a été le drame, la croix de Pasolini. Il a été travaillé par la question : que se passe-t-il s'il n'y a plus la discipline qui nous est imposée par les lois de l'histoire ? Ça, c'était son rapport très compliqué au marxisme. En gros, que faire si l'histoire vient à manquer ? C'est bien ce que raconte le poème : l'histoire vient à manquer puisqu'il n'y a pas de fidélité historique saisissable aux morts de la Résistance. On n'a plus que des calculs de boutiquiers, des acceptations misérables. Mais si l'histoire fait défaut, pour un marxiste comme Pasolini cela veut dire qu'on ne peut plus adosser l'action à des lois de l'histoire, que l'action n'est plus dans la discipline des lois de l'histoire. Et cela a des effets beaucoup plus dévastateurs que simplement scientifiques, épistémologiques ou même politiques. Si l'histoire vient à manquer, alors c'est la loi qui vient à manquer, en tant que son effectivité temporelle c'est l'histoire. Du coup la grande question de Pasolini va être : mais qu'advient-il du désir à ce moment-là, s'il est en quelque manière dé-chaîné, s'il est dés-enchaîné ? Si, précisément, cette grande loi, au nom de laquelle le sacrifice est possible, vient à faire défaut : qu'en est-il de ce désir désenchaîné ?

C'est en ce point que je voudrais saisir les choses, dans la dialectique de la loi et du désir, abordées à l'opposé de la langue poétique de Pasolini. Car je vais vous proposer, pour entrer, une histoire logique, une pure histoire logique.

Supposons que vous ayez une coupe de fruits qui, d'ordinaire, est pleine de fruits délicieux : pommes, poires, fraises, framboises, prunes, tout ce que vous voulez : on est dans le commencement d'un désir. Or un jour, vous ne savez pas exactement pourquoi, la coupe est complètement changée. Vous y trouvez toujours les délicieuses poires, pommes, etc., mais vous y trouvez, mélangées à tout ça, des choses horribles : cailloux, morceaux de boue séchée, poils de bouc, épingles… Comme vous le voyez on a bien là le début d'une demande de loi. Le problème se donne en apparence comme un problème de classification : on commence par là. Il s'agit de savoir quelles sont exactement les composantes correctes, acceptables, normales, de cette coupe de fruits, après cet événement calamiteux qui est l'irruption en son sein d'ingrédients absolument disparates et affreux. Si vous considérez le contenu de la coupe comme un ensemble, vous pouvez dire que, après la catastrophe, les éléments de cet ensemble sont l'ensemble des éléments que nous avons énumérés, bons ou mauvais. Ils sont dans la coupe de fruits et on peut en faire la liste. Mais si vous demandez un ordre, en particulier si vous avez la nostalgie de l'ordre ancien, quand c'était vraiment une coupe de fruits délicieux, vous allez demander quelles sont les parties de cet ensemble, les parties pertinentes. La liste anarchique ne suffit pas. Autrement dit, vous voulez des sous-ensembles, vous voulez classer ce qu'il y a là-dedans, dans le but sans doute d'éliminer les cochonneries. Ce qui est en vérité le but souvent inavoué d'à peu près toute classification. Quand on commence à classer les gens, il faut se méfier.

Je dis cela avec une certaine gravité. En effet, s'il y a une chose que montre bien le livre extraordinaire de Raoul Hilberg sur *La Destruction des juifs d'Europe*, c'est que le geste primordial, a été la classification ; à savoir la constitution comme sous-ensemble défini, et à isoler, de ce qui était rassemblé sous le nom de « juif ». Quand on marque les gens avec une étoile jaune on opère une classification. Rappelons que les spécialistes de la question étaient des juristes – on en a trouvé plein en France – qui se réunissaient consciencieusement pour déclarer quels étaient les critères permettant de séparer les juifs des autres.

La classification est donc une opération indispensable et sa dynamique est généralement une dynamique de séparation, de distinction. Il est certain que devant cette coupe de fruits remplie de cochonneries, si vous voulez un peu classer les choses, c'est bien dans le but, à un moment donné, de rassembler toutes les cochonneries et de les mettre dehors. Mais alors si vous vous demandez quelles sont les parties de cela vous voyez bien que vous avez deux types d'exemples tout à fait différents. Vous pouvez dire par exemple que les poires, c'est une partie de ce qu'il y a dans la coupe. Mais vous pouvez dire la même chose des poils de bouc. C'est une question que Platon discute dans le *Parménide*. D'accord, il y a l'Idée du Bien, il y a l'Idée du Beau, mais n'y aurait-il pas également l'idée du poil de bouc, ou de la boue ? Si on veut classer les choses en fonction de leur Idée, il faudra bien en venir à classer la boue et les épingles. Platon a raison. Alors vous pouvez dire : dans la coupe, nous avons comme parties composantes : les poires, les fruits, les prunes, et aussi les épingles, les poils de bouc, les cailloux, c'est-à-dire tout ce qui a un nom, un nom clair. Vous pouvez d'ailleurs, dans ce registre-là, prendre des ensembles plus grands, dire par exemple : tous les fruits, c'est aussi un nom. Et vous pouvez avoir aussi tout ce qui n'est pas les fruits, à charge pour vous de produire un critère de la clarté de ces désignations nominales, ou de ces ségrégations de parties. Mais, d'un autre côté, et c'est ça qui importe, vous avez là-dedans des multiplicités anarchiques. Que dire d'une partie composée de deux pommes, trois épingles, un poil de bouc et sept morceaux de boue ? Vous pouvez faire la liste de ce qu'il y a dedans, mais qu'est-ce qui va l'identifier comme partie ? C'est une partie qui n'a pas de nom. Autrement dit, vous ne la contrôlez qu'en faisant la liste de ses éléments mais vous ne la contrôlez pas par un concept séparateur qui l'identifierait immédiatement comme telle. Et donc, à proprement parler, vous n'avez pas d'opérateur d'identification de la partie : vous avez une liste, et la liste vous l'avez parce que c'est fini. Si par hasard ce n'était pas fini, vous seriez complètement perdus. Parce que sans nom synthétique il n'y aurait plus aucun moyen d'avoir la liste.

Aussi je propose, de façon tout à fait générale, d'appeler « loi » ce qui est, au regard de ce genre de situation de désordre (« le désordre de mon esprit », comme dirait Rimbaud), la prescription d'un ordre raisonnable, c'est-à-dire d'un principe de classification raisonnable. Autrement dit, et je crois que c'est une définition inéluctable, toute loi est la décision de n'accepter qu'un certain nombre des parties comme existant réellement. Mais des parties de quoi ? Eh bien, disons de la coupe de la vie collective. Seules certaines parties de la coupe de la vie collective, en l'occurrence de la coupe de fruits, seront considérées comme existant réellement. Évidemment, la décision la plus raisonnable de toutes, c'est de n'accepter que les parties qui ont un nom clair, et d'exclure celles qui n'en ont pas, comme justement le mélange de pommes-épingles-et-poils de bouc. Une loi c'est ça, d'une manière ou d'une autre. De sorte qu'on peut appeler « loi », non pas seulement ni même principalement ce qui est permis ou interdit – c'est une définition déjà beaucoup trop en aval du concept de loi, c'est important, mais ça vient après – on va appeler loi la distinction entre ce qui existe sous un nom clarifié (dont on dira que c'est « normal ») et ce qui n'est pas nommable, qui n'a pas de nom clarifié, qui ne peut pas exhiber son nom, et qui, à ce titre, n'existe pas vraiment comme partie séparable. Qui est au fond une partie « anormale » de la totalité pratique. En définitive, une loi, c'est toujours une distinction entre le normal et l'anormal. C'est une question classificatoire qui distingue, selon des critères qui sont en vérité toujours empruntés à la langue, à la sémantique, des sous-ensembles normaux et des sous-ensembles anormaux. Ou des sous-ensembles qui existent et des sous-ensembles qui en réalité ne devraient pas exister. Par exemple, dans la coupe de fruits, c'est clair qu'une partie composée de poils de bouc et de fraises ne devrait pas exister. Et d'ailleurs c'est bien ce que nous pensons, parce que les poils de bouc avec les fraises, ce n'est vraiment pas désirable. Donc, comme Foucault l'a vu dans *Les Mots et les choses*, une loi c'est à l'interface des mots et des choses : c'est ce qui indique, à travers des protocoles de description clarifiables, quels sont les sous-ensembles normaux, et quels sont les sous-ensembles non normaux. Mais le problème qui surgit, c'est qu'on peut poser que le désir est toujours désir de l'anormal. Je crois que c'est là une des découvertes, une des clarifications apportées par la psychanalyse. C'est-à-dire que le désir est toujours entraîné, attiré, constitué par une partie anormale de la situation. Le désir est au-delà de la normalité légale et c'est bien pour ça qu'il est lié à la loi. En vérité, un objet absolument « ordinaire » du désir serait une pomme qui est aussi et en même temps une épingle. C'est ça qui est le réel objet d'un désir vrai. En d'autres termes, un vrai désir est toujours le désir d'un monstre, si on appelle « monstre », classiquement, des totalités anormales prélevées sur quelque chose qu'organise une loi. Par voie de conséquence, s'il n'y avait pas de lois, il n'y aurait pas de monstres. Donc si vous voulez désirer un monstre, il faut aussi qu'il y ait une loi.

Je voudrais sur ce point, aller un peu plus loin en utilisant un exemple mathématique, sans aucune technicité particulière, qui va nous mener assez loin du point de vue de cette affaire de loi et de désir, et finalement de l'orientation dans la pensée. Si nous reprenons notre exemple de base sous sa forme abstraite, il pose la question de ce que sont les parties acceptables d'un ensemble. Supposons cette fois qu'on a une multiplicité quelconque (laissons de côté nos fruits et nos poils de bouc), et formalisons l'idée d'un sous-ensemble, d'une partie de cet ensemble qui en effet a, d'une manière définissable, un nom clair. C'est tout à fait faisable et c'est d'ailleurs très intéressant que ça puisse être fait, parce qu'en réalité ce n'est pas si simple. Quoi qu'il en soit, vous pouvez donner sens, dans le champ de la théorie mathématique des multiplicités, à l'idée de ce que c'est qu'une sous-multiplicité, un sous-ensemble, qui a un nom clair. Ça, rappelons-le, c'est quelque chose, qui a été inventé par probablement le plus grand mathématicien du XXe siècle, Kurt Gödel. Kurt Gödel a inventé une technique qui donne sens, de façon très vaste à ce que c'est qu'un sous-ensemble qui, d'une certaine manière, est associé de manière univoque à un nom – la notion de « nom » étant bien sûr élargie puisqu'il s'agit d'une formule. Il a appelé ça un sous-ensemble « constructible », et la définition de ces sous-ensembles constructibles, associe de façon absolument claire, un sous-ensemble d'un ensemble supposé donné, à une formule nominale au sens large, de sorte qu'on retrouve bien notre idée que la classification légale, c'est une corrélation clarifiée entre les parties d'une multiplicité et les noms. De sorte qu'on pourrait très bien avoir un triomphe de la loi sous la forme de l'axiome, somme toute simple à formuler : tout ensemble est constructible et nous n'admettrons comme existants que les ensembles constructibles. Au sens de la loi telle qu'on l'a définie, ça veut dire qu'en fin de compte nous n'admettons que les sous-ensembles qui ont une corrélation établie avec une formule nominale.

Finalement – ici c'est techniquement mathématique, mais peu importe – n'existe que ce qui a un nom clarifié. Ce qui n'a pas de nom clarifié, donc nos fameux mélanges bourbeux, indistincts, de choses disparates, ça n'existe pas. L'univers mathématique serait ainsi absolument purifié. On peut démontrer que cet axiome est tout à fait possible. La démonstration est savante. Mais l'idée est même un peu plus retorse : c'est-à-dire que ce qu'on peut démontrer, c'est que, si on accepte « l'axiome de constructibilité », selon lequel tout ensemble est constructible, on ne perd rien. C'est-à-dire que tout théorème valable pour les ensembles en général, est également valable pour les ensembles constructibles. Donc vous n'allez pas changer votre mathématique en déclarant que tous les ensembles sont constructibles. Pour l'essentiel, c'est la même chose et ça se dit : les ensembles constructibles sont un modèle de la théorie des ensembles. Ce qui revient à dire que la théorie générale des ensembles peut se réaliser sous la forme d'un modèle où tout ce qui est vrai au niveau formel est vrai dans le modèle. Vous pouvez désormais associer toute multiplicité à un nom et décider que vous n'accepterez comme existant que ce qui a un nom. Tout marche comme avant. Et la loi règne, puisqu'on n'a plus justement ces multiplicités fuyantes.

Certes, la loi règne, mais force est de constater – constatation historique, subjective, dont je trouve qu'on ne s'étonne jamais assez – que presque aucun mathématicien n'a jamais eu l'idée d'accepter cet axiome. Y compris Gödel lui-même. Personne, en vérité, sauf probablement quelques obsessionnels enragés, n'a jamais considéré, dans le monde des mathématiciens, comme réellement valide l'axiome de constructibilité. Ainsi cette idée qu'on peut associer systématiquement, sans rien perdre, les sous-ensembles des multiplicités à des noms et qu'alors tout est clarifié, n'a pas été acceptée. C'est d'autant plus surprenant que, si on admet que tout ensemble est constructible, on peut démontrer des propriétés formidables qui d'habitude restent indémontrables. Donc, non seulement on ne perd rien, mais on gagne ! En apparence. Par exemple : on peut démontrer l'axiome du choix. Je ne vais pas entrer dans la technique mais il faut savoir que c'est un axiome qui a donné beaucoup de tourment aux mathématiciens : dans l'univers constructible, pas de problème, cet axiome est certainement vrai, c'est un théorème, on peut le démontrer. De même pour l'hypothèse du continu, qui elle aussi causait beaucoup de soucis. Pas de problème, dans l'univers constructible, elle est vraie et on peut la démontrer. Cet univers semblait donc d'une séduction irrésistible puisque tout était, en quelque manière, normalisé : on ne perdait rien, et on avait quelques démonstrations supplémentaires particulièrement intéressantes. Il est donc d'autant plus stupéfiant qu'aucun mathématicien n'en ait eu envie. Pour moi, c'est bien le triomphe du désir. Car le désir du mathématicien, comme celui de tout le monde, est le désir du monstre. Et ça, on peut le montrer dans l'histoire des mathématiques : les mathématiciens sont de formidables amateurs de monstres. Quand ils ont réalisé la mise en ordre, ou la mise à plat, d'un univers ou d'un secteur entier de leur discipline, ils n'ont de cesse de trouver ce qui fait exception, ce qui est bizarre. Ils sont tiraillés entre un désir de loi, parce qu'il faut bien qu'il y ait une loi en mathématiques, et un désir de monstre. En définitive le désir mathématique, comme tout désir, c'est de trouver une belle monstruosité qui se situe au-delà de la loi, c'est-à-dire en fin de compte au-delà du bien et du mal.

Bien sûr cet univers constructible, dans cet épisode historique, on l'a beaucoup étudié, on l'a étudié comme un objet parmi d'autres. Mais il n'a intéressé personne, personne n'a vraiment pensé que c'était l'univers réel, alors qu'il était parfait. Mais justement à cause de ça, il a dégoûté un peu tout le monde. On s'aperçoit là que la mathématique contemporaine et la théologie classique disent la même chose, et cette convergence est significative. Comme vous le savez parfaitement – j'en ai parlé il y a un certain nombre d'années – la thèse selon laquelle le désir est ce qui pointe ce qui est au-delà de la loi, est la thèse fondamentale de saint Paul, celle de la théologie classique originaire. Vous trouvez ça dans l'*Épître aux Romains* où est faite la liaison entre loi et désir, sous le nom de péché. Le péché ça nomme simplement ceci que le désir ne désire que le monstre de la loi. Et que donc, si loi il y a, il y a péché. Je vous rappelle la phrase célèbre : « Si je n'avais pas été pour la loi, je n'aurais pas non plus connu le péché » ou encore « Je n'aurais pas connu ce que c'est que le péché si la loi ne m'avait pas dit : vous ne devez pas le faire. » Cette dialectique originaire formulée dans l'univers théologique, il est fascinant de voir que vous en trouvez un analogue et une exemplification immédiate dans le champ de ce qu'on pourrait appeler le désir théorique.

Nous dirons finalement ceci : on admettra comme définition de la loi, effectivement l'ordination partitive des choses aux mots, ou, pour reprendre la métaphore de Gödel, la constructibilité universelle. Et on dira que le désir est ce qui trouve son objet au-delà de cette prescription, ou en diagonale de cette classification, c'est-à-dire ce qui cherche et qui trouve un objet qui est sans nom. Entendez d'ailleurs ici la résonance, dans la langue française, de « innommable ». Il est très frappant qu'« innommable » veuille aussi dire « dégoûtant ». C'est la face répulsive de l'objet du désir. « Innommable » c'est en effet toujours l'objet du désir, y compris dans sa réversion effrayante, à savoir que le matin où vous découvrez que les fraises sont mélangées à de la boue, aux cailloux ou aux poils de bouc, vous savez que vous êtes devant une situation nouvelle.

Pour en terminer avec cette histoire des mathématiques il faut savoir que non seulement les mathématiciens n'ont pas accepté de dire que l'univers était constructible, mais qu'ils se sont mis aussitôt à la recherche d'une partie non constructible. Voilà bien une métaphore limpide du désir ! Ce qui les intéressait vraiment, à partir du moment où on voyait qu'on pouvait admettre que tout était constructible, c'était de savoir ce qui ne l'était pas. La solution tout à fait élégante et profonde de ce problème a été trouvée par Paul Cohen en 1963 (Gödel c'est 1939) : il a montré comment on pouvait donner sens, dans des considérations très complexes, il faut le dire, au concept d'ensemble non constructible. Plus admirable encore est le nom qu'il a donné à ces ensembles non constructibles, puisqu'il les a appelés des ensembles « génériques ». C'était une trouvaille formidable, parce que « générique » ça rappelle beaucoup de choses, mais en particulier ça rappelle directement Marx.

Cette diagonale entre les sophistications de la mathématique partitive et puis Marx, c'est assez singulier. Vous savez que lorsque, dans les *Manuscrits de 1844*, il établit la fonction historique du prolétariat, Marx désigne précisément le prolétariat comme représentant de l'humanité générique. C'est-à-dire que l'élément constitutif du destin historique de la classe ouvrière, c'est d'être la représentation générique de l'humanité. Ce qui veut dire que, dans la conception que Marx s'en fait dans les *Manuscrits de 44*, conception encore largement ontologique ou métaphysique, la classe ouvrière c'est la classe non constructible, c'est-à-dire la partie non constructible de l'univers social dans son ensemble, celle qui est fuyante et qui, par là même, représente l'humanité tout entière. Alors on va lui donner un nom, on va l'appeler « prolétariat ». Mais vous comprenez bien que c'est le nom des sans-nom, ou du sans-nom. C'est le nom du générique, à savoir le nom de ce qui, en réalité, n'a pas de nom dans l'espace politique, puisqu'on lui refuse précisément d'être nominalement représenté dans cet univers. Et la fonction du prolétariat c'est précisément de délivrer l'élément générique de l'humanité, dans la mesure où c'est une partie qui en quelque sorte n'est pas une partie puisqu'elle n'a pas de nom clair qui la séparerait du reste. Mais justement c'est une partie non constructible, une partie générique. Et, en tant que partie générique, en tant que partie qui n'est pas pliée sous la singularité d'un nom, elle est représentative, potentiellement, de l'humanité dans son essence générique.

Il faut reconnaître qu'il est tout à fait extraordinaire que Cohen tisse cette diagonale abstraite en désignant comme générique ce qui n'est pas constructible, c'est-à-dire ce qui est soustrait à la corrélation effective à un nom qu'on peut construire, à un nom clarifié. On sait que la conclusion que Marx tirait c'était que la vérité politique, la norme politique, était du côté du générique. Au fond, il appelait « révolution » le fait que le générique l'emporte sur le constructible. J'en donne une définition particulièrement ramassée, mais c'est bien ça : « révolution », au niveau où nous sommes, c'est que le générique, dans la représentation que nous nous faisons des multiplicités, l'emporte sur le constructible. Cela revient à dire que ce qui est corrélé au désir l'emporte sur ce qui est corrélé à la loi, ou que ce qui est universellement considéré comme monstrueux, devient principe de l'existence. J'utilise « monstrueux » au sens où, comme on disait souvent au XIXe siècle, les prolétaires étaient des « déclassés », ce qui veut dire au sens strict : non classés, non classables, anonymes, une tourbe anonyme. Et justement, ce que Marx dit c'est : nous allons travailler à la victoire de l'anonymat. Parce que « générique » désigne cette part de l'humanité qui est toujours anonyme, et dont la révolution va promouvoir l'universalité, l'universalité de ce qui n'a pas de nom. Sous une autre forme, Cohen nous dit, lui aussi, que les parties les plus significatives, les plus intéressantes, ne sont pas les parties constructibles mais les parties génériques. Que si on s'enfonce dans le générique, on est dans l'intimité du multiple. Parce que l'intimité du multiple, ce ne sont pas les parties séparables et constructibles. L'intimité du multiple c'est vraiment la généricité, au plus loin de la multiplicité disciplinée par la classification. La généricité est beaucoup plus proche de la multiplicité pure, c'est-à-dire de son inconsistance, de sa dissémination. Elle est donc beaucoup plus près de la multiplicité désirable. Ainsi les mathématiciens, en refusant l'univers constructible, et en s'engageant, à partir de Cohen, dans ce qu'étaient les possibilités ou les virtualités du générique, ont simplement, comme Marx dans son œuvre propre, affirmé la supériorité du désir sur la loi, à savoir la supériorité de ce qui est délié ou anonyme, ou monstrueux, sur ce qui est codé ou classifié, étant entendu en même temps que la corrélation entre les deux ne peut pas être défaite.

Par conséquent, et je terminerai là-dessus aujourd'hui, si nous admettons que l'espace d'investigation, pour la question de l'orientation dans la pensée, est celui qui est proposé ici, on dira qu'on peut s'orienter selon la loi ou selon le désir, dans un contexte qui est toujours un certain type de corrélation des deux, et que le vrai problème est de savoir ce que signifie une orientation selon le générique, car c'est en un certain sens une proposition paradoxale. Paradoxale puisque le générique c'est ce qui, précisément, ne se laisse pas appréhender sous l'ordre formulaire, sous l'ordre classificatoire. Il semble donc que vous ne puissiez pas hiérarchiser quoi que ce soit à partir du générique. Comment donc ordonner, ou orienter la pensée, l'existence ou le vouloir à partir d'une présupposition d'être qui exclut toute hiérarchie ?

Ce sera là notre point de départ la prochaine fois. C'est un problème avec lequel, à mon avis, s'est débattu Nietzsche. Vous connaissez l'importance pour Nietzsche de la question de la hiérarchie : la hiérarchie des puissances. Et en même temps, son aspiration véritable, ce n'est pas la hiérarchie elle-même, c'est l'éternel retour, l'intégrale affirmation de tout. Le grand Midi dionysiaque est la totale capacité d'être dans l'intégrale affirmation de tout.

Et on peut dire que l'intégrale affirmation de tout, c'est entièrement générique, puisqu'il n'y a d'intégrale affirmation de tout que sous la condition de ne pas être dans des classifications disparates et dans des nominations enchevêtrées, ce qui va du côté du générique. Cependant d'un autre côté, pour que cette affirmation soit possible, pour que ce comble de puissance se réalise, il va falloir surmonter ou éliminer les figures réactives, négatives. Ce qui permet de dire que le problème de Nietzsche c'est celui de la constructibilité du générique. Autrement dit, comment pouvons-nous construire, faire advenir dans l'histoire effective, l'affirmation générique ? Je crois que c'est exactement notre problème. Si nous admettons qu'une orientation de pensée, qui fondamentalement ne serait ni dialectique, ni contractuelle (légale), doit être finalement affirmation de la supériorité du générique sur le constructible, c'est-à-dire affirmation absolument égalitaire, ou affirmation de l'égalité comme principe absolu, affirmation de la souveraineté de l'anonymat ou, si l'on préfère, de la souveraineté du désir, comment est-ce que cela peut composer une orientation ? Il semble en effet que l'idée même d'orientation, c'est-à-dire d'échelonnement, de direction, de choix, soit organiquement liée à quelque chose de constructible, qui crée des différenciations nominalement clarifiables, de sorte que l'on puisse dire que ceci est préférable à cela. Le nouage compliqué dans lequel nous nous enfoncerons à partir de la prochaine fois est théologiquement constitué depuis longtemps, et mathématiquement édifié depuis moins longtemps, mais il rôde partout. Il se dit : en quoi ce qu'on peut reconnaître comme le désir du générique – car tout désir authentique, tout désir vrai, est un désir du générique – peut-il advenir aussi comme orientation dans la pensée ?

Merci.

VI

18 MAI 2005

Comme je vous l'ai annoncé au début de cette année, l'ensemble du séminaire durera trois ans. Je vous rappelle que cette année est consacrée à la question de l'identité de l'adversaire, par conséquent à la question de l'identification de notre situation, du point de vue de notre sujet qui est « s'orienter dans la pensée, s'orienter dans l'existence ». Ainsi nous posons, de façon renouvelée, la question d'une conception de l'adversité qui ne soit pas immédiatement inscrite dans le paradigme logique de la contradiction, de la dialectique. Une fois que nous aurons fixé les tâches dans lesquelles nous nous orientons le programme de l'année prochaine sera de donner le matériel conceptuel proprement dit, un matériel conceptuel rénové, exemplifié et actif permettant de résoudre ce problème.

J'avais dit que je commencerais chacun de ces séminaires par quelque glose sur des circonstances récentes. Je n'ai pas toujours tenu cette promesse mais en tout cas, aujourd'hui je voudrais parler de la Constitution européenne. Certes, de biais. Je voudrais commencer par quatre remarques sur sa singularité conjoncturelle, laquelle, comme toujours, ne se résume pas primordialement à la question « oui » ou « non », du reste comme on sait incertaine. Mais il y a une singularité dont je voudrais relever quelques traits.

Ma première remarque sera la suivante. Le régime politique qui est le nôtre est celui, formellement, d'un grand nombre d'autres pays, pratiquement de l'ensemble des pays qu'on appelle avancés ou développés, ou encore, occidentaux – je me suis toujours demandé si on mettait le Japon dans l'Occident ou si c'était une puissance d'Extrême-Orient… Ce régime revendique axiologiquement son identité comme « démocratie » et j'ai pour ma part proposé de l'appeler le « capitalo-parlementarisme », pour souligner que sa nature exacte c'est la domination absolue de la forme capitaliste de l'économie et de la production, et du système politique électoral représentatif. On économisera un peu le mot « démocratie », du moins provisoirement. Ce qui importe dans ce système, c'est d'identifier la fonction exacte des partis politiques et des coalitions électorales, quelles qu'elles soient. Parce que c'est un attribut structurel évident de la configuration générale du capitalo-parlementarisme qu'il y ait des partis, et que ces partis soient des acteurs tout à fait importants dans les grandes occasions électorales. Dans l'état actuel des choses, je définirais la fonction propre des partis et des coalitions comme consistant à subjectiver les contraintes, soit, à faire en sorte que ce qui se situe en fait dans l'espace de contraintes extrêmement sévères, dans un espace de nécessité, de détermination – pour autant qu'on accepte les axiomes de ce système – puisse être néanmoins présenté comme un choix. Vous voyez immédiatement que ça a à voir avec ce dont nous parlions, à savoir avec la question de l'acceptation, enfin de l'opposition comme figure subjective de l'acceptation. Les partis et les coalitions, qui sont dans le système et qui ont à entrer dans les fonctions gouvernementales, ont pour fonction majeure d'organiser périodiquement, dans la figure d'un choix, une subjectivation collective, voire individuelle. En effet, tandis que le système des macro-décisions, des grandes décisions, est pratiquement déterminé, ce qui se marque en particulier par le fait que ce sont à peu près les mêmes, quelle que soit la coalition, il se voit subjectivé, mis en scène peut-on dire, dans le registre du choix, du choix entre la droite et la gauche. Si l'on veut décrire complètement le système du capitalo-parlementarisme on dira que c'est un système dans lequel les contraintes générales du capitalisme et de son environnement international sont représentées ou représentables comme des nécessités. Pour l'essentiel les décisions qui s'ensuivent ne sont libres qu'à la marge. Mais le système majorité-opposition, avec ses nuances diverses, lesquelles peuvent parfois être assez complexes, crée en sus, et c'est ça la donnée du parlementarisme proprement dit, un espace qui se présente comme un espace de choix, de sélection entre candidats, entre coalitions, entre partis, entretenant ainsi une très particulière juxtaposition de nécessité et de volonté, de nécessité et de choix. Cette juxtaposition est absolument propre à ce système et en a véritablement fait la fortune, sous le thème général, au fond subjectivement partagé, que mieux vaut même l'illusion du choix que son absence radicale. Ce sont là des choses dont on pourrait tirer des philosophèmes, mais je ne le fais pas tout de suite. Ce serait assez proche de choses qu'on a essayé d'introduire cette année puisque, évidemment, tout ça se joue dans cette figure subjective très particulière qui est le cheminement de l'acceptation dans la figure de l'opposition. Ce cheminement est déjà quelque chose qui n'est pas à proprement parler dialectique, parce que ce n'est pas le travail du négatif créant la nouveauté affirmative. C'est de cette acceptation dans la figure de l'opposition que les partis sont chargés. D'où le phénomène absolument capital qu'est le caractère organiquement décevant de leur fonctionnement. Avec ce mystère qui est que cette déception est elle-même inefficace, au sens où elle n'entraîne pas les gens à renoncer, sauf sur des séquences très longues. Il est ainsi de l'essence des partis de décevoir, en tant que la subjectivation qu'ils opèrent étant la subjectivation d'une contrainte, il y a toujours un moment donné où le choix apparent est dissous dans la contrainte ; c'est leur statut en quelque sorte métaphysique que ce moment de la dissolution de la liberté dans la nécessité.

Après ces préliminaires, que dire de ce qui se passe à propos de la Constitution européenne ? Eh bien, il se produit un dysfonctionnement de cette subjectivation par les partis. Quelque chose est hors de leur contrôle. Vous en connaissez tous les symptômes. On constate d'abord que la dimension militante du « non » qui se réclame de la gauche, le thème du « non » de gauche, du vrai « non » en quelque sorte, entre immédiatement en contradiction avec le fait que le principal parti de gouvernement de la gauche, le Parti socialiste, s'est majoritairement prononcé pour le « oui », donc dans l'espace du capitalo-parlementarisme proprement dit. Il n'en reste pas moins que l'activité subjective majeure semble être sous l'étendard du « non » de gauche. On voit apparaître des mots d'ordre tout à fait frappants, par exemple le fait que le « non » est ce qui incarne « l'espoir ». Le « non de l'espoir », c'est très particulier : vous dites « non » pour être sûrs de garder l'espérance ! Par ailleurs la droite vote « oui », mais à sa marge l'extrême droite vote « non ». C'est dire qu'une partie de la clientèle essentielle de la droite n'est pas dans l'espace de l'approbation. Ainsi les grands partis de gouvernement ne remplissent plus la fonction fondamentale de mise en scène subjectivante du système de contraintes, ce qui aurait été le cas si la gauche unanime votait « non », tandis que la droite unanime votait « oui ». C'est là un point de conjoncture qui s'est produit auparavant dans l'histoire du parlementarisme français dans au moins deux occasions. D'abord dans les années cinquante à propos de la question du réarmement de l'Allemagne et de l'armée européenne et ensuite à propos du rapport à De Gaulle et de sa venue au pouvoir, liée aux guerres coloniales. Cette situation indique que quelque chose du système capitalo-parlementariste est déréglé, en tout cas provisoirement.

La conséquence c'est que lorsque les gens ne sont pas dans un protocole fixe de subjectivation des contraintes, ils subjectivent de façon un peu sauvage. Le côté de domestication par le système n'est pas au mieux de sa forme, parce qu'une des pièces ne fonctionne pas comme elle devrait. Elle est mal graissée et le système grince. Entre parenthèses, il n'aurait pas grincé du tout si on n'avait pas fait de référendum, car les partis se seraient arrangés. Ils n'auraient pas eu à jouer leur rôle d'organisateurs de la subjectivation, ils auraient eu à décider directement. Vous savez que le référendum n'était pas obligatoire, on pouvait parfaitement passer par les assemblées parlementaires. Or dans les assemblées parlementaires la majorité pour le « oui » est écrasante. Le dysfonctionnement est aussi lié à une décision particulière de

Chirac, qui a considéré qu'il était plus important de diviser le Parti socialiste que de faire fonctionner le système. On décrit souvent Chirac comme l'homme qui est toujours le mieux à même de réparer les catastrophes qu'il a produites lui-même, donc il a peut-être raison. Peut-être sera-t-il finalement le sauveur dans cette circonstance aussi. Enfin c'est lui qui l'a créée, sur un point qui est analytiquement intéressant, à savoir en ouvrant un espace propice à une dérégulation de l'organisation de la subjectivité par les partis, puisque justement le but était que le Parti socialiste se divise. Diviser ou ébranler le Parti socialiste ça peut l'intéresser lui, mais ça crée dans l'espace général, comme on le voit, une situation subjective un tout petit peu nouvelle. Du coup la discussion est une discussion qui n'est pas disciplinée par la médiation des partis. C'est devenu une discussion dans la société, une discussion partout, les repas de famille eux-mêmes sont devenus terribles… Personnellement j'ai été à un anniversaire récemment, c'était extrêmement violent sur cette affaire : des couples se défont, des enfants et des parents se brouillent, en un sens d'ailleurs pathologique, parce que les enfants votent « oui » et les parents « non ». Je dirais qu'on a un tout petit élément de ce que j'appellerais une subjectivation hors cadre, qui se fait non pas dans la figure d'un mouvement, bien qu'il y ait aussi organisation de tout cela en mouvement, mais à propos d'un vote, donc à propos précisément d'une décision prise par le système capitalo-parlementaire lui-même. Donc malgré tout dans un rapport immédiat à l'État. Car c'est l'État qui a fait cette proposition de référendum, personne d'autre. Ainsi, pour des raisons intéressantes analytiquement, on a un élément de subjectivation hors cadre, et comme toujours dans ce genre de cas, personne ne sait très bien jusqu'où la subjectivation va aller, parce qu'elle est hors cadre justement. Quelles sont finalement les subjectivités charriées par cette subjectivation hors cadre ? Quelles en sont les conséquences ? Quels sont les tenants et aboutissants de cette affaire ? Parce que ça va évidemment déborder beaucoup la question de savoir si on vote « oui » ou « non ». On ne sait donc pas très bien où ça va. C'est d'ailleurs ça qui est intéressant. On a une situation dans laquelle on a introduit un certain coefficient d'incertitude.

Le deuxième point que je remarque, et qui n'a pas manqué d'être souligné, car il n'y a rien de très original là-dedans, c'est que, un peu acculés malgré tout, les partisans du « oui » font grand usage d'un argument d'autorité, c'est-à-dire d'une nouvelle mouture de la corrélation chère à Foucault entre savoir et pouvoir. En effet, un argument qu'on entend partout c'est que les gens qui sont pour le « non » sont des « ignorants », cependant que les gens éclairés, ceux qui ont lu la Constitution, qui connaissent les réalités, qui sont des professionnels de la politique, eux sont pour le « oui ». Les gens qui sont pour le « non » se voient traités d'« arriérés », d'« ignorants », d'« archaïques ». C'est véritablement un argument d'autorité. Et on voit évidemment pointer des critiques adressées à Chirac. Il n'aurait pas dû confier cette affaire au référendum parce que c'était la confier pour part aux « ignorants », il aurait mieux fait de la laisser dans l'enceinte professionnelle et savante des parlementaires, ou même des journalistes qui, soit dit en passant, sont à peu près à 85 % pour le « oui ». On aurait aussi pu les associer à la décision, ce sont des savants après tout, pas des ignorants. Et si l'on avait pu les mettre tous ensemble, les journalistes et les professionnels de la politique, ils auraient voté « oui » comme un seul homme. Par ailleurs, à travers cela chemine à mon avis quelque chose de beaucoup plus important et de beaucoup plus général, qui est l'idée qu'au fond on pourrait, on devrait accepter, voire encourager la mise en dehors du système capitalo-parlementaire de la fraction ignorante de la population. Je vous signale qu'il existe depuis longtemps des études sur ce point aux États-Unis. On sait qu'aux États-Unis, dans la plupart des scrutins, la participation tourne autour des 50 %. D'où de grandes discussions. Est-ce un bien, est-ce un mal ? Il y a toute une école qui soutient que la fraction qui ne vote pas c'est la fraction inéclairée de l'opinion, qui ne voterait pas de façon rationnelle, pas selon une représentation significative de ses intérêts et que donc c'est très bien qu'elle ne vote pas. Je pense qu'en suivant les arguments selon lesquels les

« ignorants » vont finir par entraîner cette catastrophe épouvantable que serait le « non » à la Constitution européenne, on a fait un pas vers une réflexion approfondie des savants de tous ordres sur : comment empêcher que les « ignorants » se mêlent de ces affaires qui ne les regardent pas ? Ce genre de problème surgit évidemment à chaque fois que le contrôle partidaire de la subjectivation est ébranlé. Dans ce cas, il faudrait peut-être prendre des mesures plus structurales. Alors fait retour, certes sous une forme masquée, la vieille doctrine du suffrage censitaire. On ne voit pas quelqu'un proposer que votent uniquement ceux qui ont un revenu de 50 000 euros par mois, mais c'est quand même une forme sournoise et absolument réelle de retour à l'idée censitaire, selon laquelle, pour être un véritable citoyen, il faut certaines qualifications, qualifications qui, en l'occurrence, portent en réalité, sous le nom de « savoir », sur le consensus, qui a toujours servi aussi à ça. On veut un « citoyen éclairé », c'est ce qu'on disait déjà au moment de la Révolution française. Et l'homme qui a de l'argent, il est quand même par nature « éclairé »… sur ses intérêts !

Je pense toutefois qu'il faut relier cela à d'autres phénomènes, par exemple à cette idée que les affaires de la démocratie sont devenues tellement complexes qu'il vaudrait mieux les mettre exclusivement dans les mains de ceux qui sont qualifiés et instruits. Il existe d'ailleurs deux versions de ce thème, qui n'est plus uniquement un thème de droite, mais qu'on voit également apparaître dans les rangs de la gauche. La version de droite est classiquement élitiste et social-hiérarchisante. Finalement ce sont ceux qui sont éduqués, civilisés, qui appartiennent aux classes dominantes – on n'emploie plus ce langage mais il ne manque pas d'équivalents – qui doivent prendre en main les affaires gouvernementales, voire électorales, quand la médiation des partis dysfonctionne. La version de gauche, républicaine et intégrative, est que celui qu'un « citoyen » doit quand même avoir un certain nombre d'attributs de la citoyenneté, et pour cela se conformer à toute une série de prédicats, prédicats empruntés à la tradition républicaine, nationale. Au fond – soyons cruels – le citoyen devrait être sous le paradigme du petit bourgeois éclairé d'aujourd'hui. Je voudrais rappeler que, dans une société qui est une société de domination, de ségrégation, de classes, une société au pouvoir des riches comme est la nôtre, on ne pourra pas éviter que ceux qui sont au cœur de l'organisation affirmative d'une rupture avec cette société, soient pour part représentés comme des barbares. Il faut par conséquent se méfier beaucoup de la corrélation entre « citoyenneté » et « civilisation ». Parce que, de tout temps, elle a signifié qu'on exigeait comme critère de la citoyenneté une forme d'intégration à l'ordre établi. C'était ça la norme de la civilisation, telle qu'elle s'articulait à la citoyenneté. Et donc on a toujours considéré que ceux qui étaient à même de constituer des forces de rupture et en étaient le noyau le plus irréductible, présentaient des attributs possibles de la barbarie. Je pense donc que, en ce moment, cela est remis à l'ordre du jour à propos de ceux qui s'apprêtent à voter « non » et qui, sous une forme ou sous une autre, sont tenus pour des barbares. « Barbares » parce qu'« ignorants », « barbares », « votant comme Le Pen », « barbares » parce qu'« archaïques », parce que « ne connaissant pas la législation », parce que « ne voyant pas le devenir général de la civilisation qui est la nôtre ». C'est là un exemple canonique du maniement de cette corrélation entre la citoyenneté dans son acte somme toute élémentaire qu'est le vote et quelque chose ayant trait à des critères de connaissance et de civilisation pouvant autoriser cet acte.

Ma troisième remarque porte sur un élément propre à la Constitution elle-même. Je suis frappé par le fait qu'elle est marquée dans son texte par toutes sortes de précautions « antibarbares ». Je ne les énumère pas parce que mon but n'est pas de vous imposer ici une réunion électorale supplémentaire. Je laisse de côté les dispositifs libéraux dont on a beaucoup parlé. Mais prenez par exemple ce que la Constitution dit au passage sur des points comme : à quelles conditions peut-on priver quelqu'un de liberté ? Ou la législation sur les flux migratoires, sur les gens qui sont irréguliers. Vous avez là un fil absolument réactionnaire, au sens traditionnel du terme, mais également au sens où, manifestement, l'état de choses européen est considéré comme ayant à être défendu. Le rapport entre l'inspiration globale du projet et toute une série de mesures d'apparence absolument localisées et singulières est quand même un rapport défensif et stagnant quant aux questions du type : où est la délimitation entre civilisation et barbarie dont nos sociétés peuvent se prévaloir ? Cette délimitation est assumée dans la Constitution comme allant de soi, alors que précisément tout le problème de la construction éventuelle de l'Europe est que ce partage ne va nullement de soi. L'idée qu'il y aurait là quelque chose à défendre n'est pas claire et, sur toute une série de points essentiels, c'est pourtant ce qui anime ce texte.

Je terminerai sur une quatrième remarque, qui adopte sur la question de l'Europe un point de vue plus vaste, plus personnel sans doute. Finalement, si l'Europe pouvait être quelque chose, il faudrait d'abord que ce soit une grande idée, une idée nouvelle, pas un bricolage économique et libéral, assorti de considérations valorisantes absolument réactives et défensives, et d'une démarcation entre barbarie et civilisation vraiment problématique. Je crois pour ma part que dans sa possibilité, dans sa virtualité de grande idée, l'Europe est liquidée. Elle est déjà morte et on nous appelle à voter pour un cadavre. Telle est ma conviction absolue et c'est pourquoi je ne voterai pas. Même voter non à un cadavre c'est déjà trop. C'est un processus liquidé parce que – et là la question de l'adversaire est très importante – l'Europe comme singularité, dans l'espace planétaire, qu'est-ce qu'elle représente ? Quelle figure est-ce ? On aurait deux figures possibles : soit une figure qui serait une figure classiquement de rivalité inter-impérialiste qu'il s'agirait de reconstituer, car la rivalité inter-impérialiste comme telle est un schéma du passé, même si elle a dominé la structuration de l'histoire moderne, en disant que, par rapport à l'hégémonie américaine, il faut que nous ayons notre propre autonomie. L'autre perspective serait de réellement proposer une hétérogénéité en mouvement. Une hétérogénéité qui serait à l'épreuve de sa puissance dans une identification immanente, qui serait dès le début, si je puis dire, principiellement différente.

Différente de quoi ? Eh bien, différente des États-Unis – il faut dire les choses comme elles sont – différente de l'espace général tel qu'il est, et qui ne soit pas une pièce indécise ou incertaine de cet espace.

À mon avis, deux épreuves géopolitiques ont montré cette impéritie européenne. La première a été l'incapacité de ce qui s'appelait l'Europe, à traiter pour son propre compte la situation en Yougoslavie. Je pense que c'est déterminant, même si c'est déjà quasiment oublié. Le fait qu'il ait fallu faire appel aux bombardiers américains pour régler une question qui était à nos portes était un signe d'inexistence radicale. Cela n'a pas été assez dit, assez souligné. Au-delà même des différentes appréciations qu'on pouvait avoir sur la façon dont il fallait traiter la question – fallait-il réellement bombarder Belgrade ? – il y a une autre interrogation. Comment se fait-il que des puissances comme l'Angleterre, l'Allemagne, la France, se soient avérées incapables de traiter avec leurs propres ressources et par leurs propres moyens un problème de ce genre ? Ça a été pour moi une sorte de verdict sur ce qu'était l'Europe. La deuxième épreuve c'est maintenant, elle porte sur le système des guerres américaines : guerre en Afghanistan, guerre en Irak, avec l'absolue incapacité de l'Europe à tenir comme telle sa propre vision. Non seulement parce qu'elle est divisée, mais parce que même ceux qui ont tenté une voie originale sur ce point ont en réalité mis les pouces pour l'essentiel dès que la guerre a réellement eu lieu. Ils ont attendu un peu, mais à partir du moment où vous reconnaissez le gouvernement mis en place par les Américains, où vous demandez à en faire partie, tout le monde sent que finalement vous n'attendez que l'occasion de pouvoir vous réinsérer dans le giron impérial. Comme toujours, les guerres sont des moments de vérité pour les constructions étatiques. On fait comme si ce n'était plus vrai. Or nous avons là des preuves que ça reste absolument vrai. Dans les deux cas, l'épreuve de vérité a été absolument négative. Ma thèse, là-dessus, c'est qu'il faut probablement qu'il y ait comme un pas en arrière. On peut, on doit faire un pas en arrière, et reconsidérer toute cette question d'un point de vue différent du bricolage actuel. C'est pour ça que, si même le « non » devait entraîner un pas en arrière, je serais sur la position que cela ne me gêne absolument pas.

Que quelque chose comme un au-delà de la sphère nationale soit à l'ordre du jour, je le crois, mais je crois aussi que cela doit être subjectivé à partir de ce qui existe dans la sphère nationale. Cette question de la subjectivation est fondamentale et vous n'aurez pas de subjectivation de ce qui peut être fait au-delà de la sphère nationale si vous n'avez pas de clarification de la question de l'adversaire, car si cet élément ne constitue pas toute la subjectivation, il lui est toutefois nécessaire. C'est pour cette raison que pour moi ce qui dans cette affaire est appelé le « social » – l'Europe sociale contre l'Europe libérale – n'a pas grande force car cela ne désigne au fond qu'une manière de faire passer la pilule. La vérité c'est la question de l'adversaire et, pour autant que « social » désigne quelque chose, pour autant qu'« Europe sociale » ait un sens, ça veut dire que ce qui peut et doit être fait, en terme de puissance, au-delà de la sphère nationale aujourd'hui, doit être fait de façon telle que ce soit lisiblement subjectivé comme opposé à l'hégémonie américaine. Ce n'est pas possible autrement. Peut-être en effet que ça passe par des considérations internes, des agencements différents, des remodelages de l'économie. Je ne sais pas. Mais l'élément de subjectivation véritable est forcément global et ne peut pas être simplement défensif, du genre : « Nous voulons garder nos services publics, nos fonctionnaires. » Je suis pour tout cela, vous l'imaginez bien. Mais ce n'est pas ça le problème. Le point décisif est de savoir si, après le supposé pas en arrière que l'on ferait et qui serait une conséquence de cette subjectivation sauvage qui s'est produite un peu, ce qui doit être fait au-delà de l'espace national, y compris en termes de puissance, doit être clairement subjectivable comme puissance d'un autre type. Ce qui ne veut pas dire qu'il ne faudra pas avoir une puissance militaire, mais même la puissance militaire devra être d'un autre type : elle ne sera pas calquée, symétrique, identique, à la puissance américaine.

Je suis de l'école de ceux qui pensent que, après le pas en arrière, si on veut vraiment faire quelque chose au-delà de l'identité nationale, il faut commencer par un noyau dur. Certainement pas par ce chaos à 25 ! Ma thèse est connue et publique : je pense qu'il faut commencer par une union franco-allemande, d'ailleurs tout l'indique. Elle a déjà eu lieu, simplement il faut la refaire autrement, dans un régime de puissance différencié. Il faut mettre les Anglais dehors, le temps qu'ils réfléchissent ! Je ne suis absolument pas antianglais, au contraire. Franchement, s'il s'était avéré historiquement que le pas en arrière devait nous ramener à commencer par une affaire franco-anglaise, j'aurais trouvé cela probablement plus facile et plus enthousiasmant qu'une affaire franco-allemande. Vous comprenez bien qu'il ne s'agit ni d'être antianglais, pas plus qu'antiaméricain ou quoi que ce soit de ce genre. Ce sont des questions politiques. Il faut laisser les Anglais réfléchir à part, parce qu'ils sont encore dans une option fondamentale qui est absolument à l'opposé de l'idée de quelque chose qui serait une puissance d'un autre type.

Donc, et ce sera ma dernière image, je pense vraiment et j'espère que la dimension affirmative progressivement libérée à travers cette discussion un peu sauvage qui s'est ouverte, comme toujours dans une brèche du système capitalo-parlementaire du fait que la médiation organisatrice des partis n'a pas fonctionné et s'est ébréchée, pourrait, dans les hypothèses les meilleures, donner lieu à un vaste débat, à des propositions nouvelles. Non pas en agitant le thème abstrait de l'Europe, mais plutôt en disant : la construction actuelle, nous devons avoir le courage de la considérer comme morte. Parce que le débat actuel est encore encombré par des précautions rhétoriques du type « je suis pour l'Europe mais… » Oui, mais l'Europe, c'est quoi ce qu'il y a sous ce nom-là ? Est-ce que c'est bien ? Moi je dis que ce n'est ni bien ni pas bien, c'est mort. Par conséquent j'espère que ce pas en arrière servira à recommencer à proximité et dans l'éducation de l'adversité, c'est-à-dire dans une réflexion sur ce que c'est qu'un autre type de puissance. Cette réflexion nous manque absolument depuis qu'on ne peut plus dire : un autre type de puissance c'est l'État socialiste, la dictature du prolétariat. La question est ouverte. Et je dirais pour conclure que ce qui est ouvert, là, c'est en réalité la discussion, non pas sur l'Europe, qui devrait être autrement qu'elle n'est – dans l'état actuel des choses à mon avis c'est parfaitement abstrait –, mais sur ce que pourrait être un autre type de puissance, et dans ce cas, par quoi il faudrait commencer ? Voilà ! Ça, c'était ma contribution électorale !

Revenons maintenant à notre problème, dont vous voyez bien que, tout compte fait, nous ne l'avons pas vraiment quitté. Qu'est-ce donc qu'une identification de l'adversaire dans une logique non dialectique ? La dernière fois nous avions discerné deux figures contraires de cette identification, figures que nous devions tenter d'éviter car elles étaient telles qu'aucune des deux ne nous permettait d'affirmer quelque chose qui soit réellement disjoint du lieu de l'adversaire. Ce n'était le cas ni dans la figure de l'opposition, que j'avais appelée « la gauche » – en tant que concept spéculatif, ce n'est pas simplement la gauche politique, c'est une attitude subjective –, ni dans la figure de la disjonction complète du nihilisme désespéré que j'avais appelé « le rebelle ». Je vous rappelle les définitions : la gauche c'est l'organisation de l'acceptation du pouvoir au nom du fait qu'on ne lui est pas identique, le paradoxe étant qu'au nom de ce qu'on n'est pas identique au pouvoir, on organise finalement l'acceptation. C'est donc une figure oppositionnelle qui s'oriente selon les lois du lieu. De la figure du rebelle on peut dire qu'elle est une figure d'inacceptation qui en réalité énonce qu'il y a le pouvoir et sinon le néant. En exception du pouvoir, il y a donc le rien, puisque ne pas être le pouvoir revient à ne pas être. Et il s'agit d'un choix : en revendiquant de ne pas être le pouvoir, on revendique le ne-pas-être. Ce qui est la définition nietzschéenne du nihilisme. Vous voyez la finesse des choses. La gauche c'est : on va accepter le pouvoir au nom de ce qu'on n'est pas lui, le ne-pas-être-le-pouvoir est la médiation de son acceptation. C'est pour ça que c'est une figure oppositionnelle. Et la figure du rebelle, c'est : au nom de ce que ne-pas-être-le-pouvoir c'est ne pas être, on va revendiquer effectivement la position nihiliste comme telle. Et là on ne va pas s'orienter selon les lois du lieu mais selon les désirs ou les devenirs, en tant qu'ils sont dissolution de ce qu'il y a. Je ne reprends pas cette analyse dans le détail. Je vous ai montré comment ces deux figures étaient présentes et actives et structuraient le grand poème de Pasolini. Ce qui nous intéresse ici c'est que ce sont deux formes de la désorientation. Et comme notre problème aujourd'hui c'est de savoir comment nous orienter dans la pensée et dans l'existence, il est très important d'identifier ces deux formes de désorientation, de bien capter en quoi consiste la désorientation en tant que subjectivité.

Dans le cas de la gauche, la désorientation résulte de ce que l'essence de la négation est acceptation : le ne-pas-être-le-pouvoir est précisément le point qui autorise qu'on l'accepte. C'est évidemment une désorientation majeure pour la subjectivité, dont on prend conscience politiquement à chaque fois qu'on est déçu par la gauche, c'est-à-dire toujours. De ce point de vue il est intéressant de comparer avec les énoncés dialectiques au sens strict, les énoncés hégéliens ou marxistes. Qu'est-ce qui se passe quand on est la proie de ceci que l'essence de la négation est l'acceptation et de quoi s'aperçoit-on ? On s'aperçoit que ce qui était négation, et au nom de quoi on a accepté, était en réalité la subjectivation de l'acceptation. Ainsi le négatif est tiré vers l'apparence, et l'essence c'est l'acceptation. L'acceptation apparaît en général dans la figure subjective comme négation. Livrez-vous à quelques exercices, et cherchez à identifier la subjectivité de gauche ailleurs qu'en politique, à partir du moment où on a la catégorie générale selon laquelle l'acceptation a comme apparence la négation. Existentiellement il y a de nombreuses modalités de ce genre. C'est par exemple une fonction fondamentale du mode de la plainte. La plainte qui est négation ou récrimination, dénonciation subjective de ce qu'il y a, est très souvent la modalité subjective de l'acceptation. C'est pour ça qu'elle a toujours été considérée comme un sentiment ambigu, parce qu'au bout du compte on ne sait pas si elle n'est pas installation dans l'acceptation, telle que cette acceptation a pour apparence la négation. Comme se plaindre de son conjoint par exemple ? On peut s'en plaindre indéfiniment, mais au fond c'est une modalité bien connue de son acceptation essentielle. C'est si on ne se plaignait pas que la rupture menacerait vraiment. Si l'on a encore la ressource de se plaindre, c'est que précisément on est encore dans la modalité de l'acceptation. De ce point de vue, c'est ce qu'on pourrait appeler la conjugalité de gauche. La conjugalité de droite consiste non pas à se plaindre mais à récriminer, à récriminer violemment. Voilà, c'était une tonalité. Mais enfin, ce sont d'excellents exercices…

Si l'on revient maintenant sur la matrice logique dialectique, on voit que le négatif y est tiré vers l'apparence, or l'essence active de la figure subjective de gauche c'est précisément d'être une apparence. Je vous rappelle la définition de l'apparence dans la *Phénoménologie de l'esprit* de Hegel, dans le passage sur « Force et Entendement » : « Nous nommons apparence l'être qui est en lui-même immédiatement un non-être. » Voilà une parfaite définition de la gauche ! Mais dans le cas de la figure de gauche, cet être, qui est immédiatement un non-être, se présente comme un être du non-être, puisqu'il se présente comme opposition, comme négation. La subjectivité de gauche est donc une négation qui est immédiatement négation de la négation qu'elle est. Évidemment puisqu'elle est, en son fond, une acceptation. C'est donc une négation qui, en tant qu'elle apparaît, est négation de la négation. C'est une répétition de la négation, une re-négation, et donc une renégation. Étymologiquement, ça marche parfaitement. Ainsi toute gauche est renégate parce qu'elle est re-négation de la négation qu'elle prétend être, c'est-à-dire, à la fin des fins, acceptation de ce qu'il y a.

Si donc on veut étayer en profondeur cette figure particulière de la désorientation par un schéma issu de la philosophie dialectique proprement dite, on dira que c'est *la désorientation en tant qu'apparence, ou même la désorientation par l'apparence.* Se faire avoir, être trompé par l'apparence, c'est une vieille idée philosophique, mais qui reste absolument valide. Cela vient du fait qu'on pense toujours qu'il n'est quand même pas possible qu'il n'y ait rien dans cet apparaître. Hegel, avec sa lucidité coutumière, explique que l'on est bel et bien trompé par l'apparence, qu'il s'agit bien de l'être qui est immédiatement un non-être, mais ici dans une figure tout à fait particulière, qui est d'apparaître *comme non-être*, comme négation.

Telle est la logique politique de l'opposition parlementaire, l'opposition de gauche, dont le fonctionnement a quelque chose de miraculeux, puisqu'il fait passer une acceptation sous la forme d'une négation. C'est d'une grande profondeur parce qu'en réalité, ce dont il s'agit, se situe dans un espace construit, artificiel, de la politique, où se reconstruit la puissance de l'apparence. Et c'est pour ça que c'est par soi-même une théâtralité : l'opposition parlementaire joue à s'opposer pour mieux consentir. Ce n'est pas parce que les gens qui en sont porteurs, députés ou ministres, seraient des histrions, des acteurs, des rhéteurs, non, c'est parce que l'opposition « démocratique » est une théâtralité en soi.

C'est d'ailleurs la grande différence entre la gauche et la droite. La droite ce n'est pas un théâtre. À peine sont-ils au pouvoir qu'ils disent « Ce qu'il faut d'abord et avant tout c'est en finir avec l'impôt sur la fortune. » Ils sont très identiques à eux-mêmes. Au point que leurs chefs sont obligés de les tenir un peu en bride, car si on les laissait aller à leur être pur, c'est fini, ils iraient jusqu'au bout, et diraient tout cru : « Y en a, et il doit y en avoir, que pour les riches ! » Ce ne sont pas des gens qui jouent, qui simulent. C'est pour ça qu'on a toujours remarqué que ce sont d'assez mauvais acteurs. Raffarin, par exemple, tout le monde dit qu'il est mauvais. Mais pourquoi est-il mauvais ? Si on prend les choses qu'il fait, eh bien, il fait comme tout le monde. Non, il est mauvais parce que sa part de non-être est insuffisante : il ne décolle pas assez de lui-même. Du coup, il ressemble beaucoup à un acteur qui s'exténue, à un mauvais acteur. Il joue et cela lui coûte, il sue à grosses gouttes, il se dit « Il faut que j'y aille ! Cette fois je vais leur donner une bonne représentation ! » et puis c'est un fiasco total, tout le monde siffle et il rentre en coulisses l'air défait. Beaucoup de politiciens de droite sont ainsi de mauvais acteurs. Prenez Sarkozy : lui, il pense qu'il est un très bon acteur, mais ce n'est pas sûr. C'est peut-être l'autre type de mauvais acteur, car il y a deux grands types de mauvais acteurs. Il y a ceux qui sont vraiment poussifs : déjà se souvenir du rôle c'est difficile pour eux. Et puis il y a ceux qui en font trop : ils sont toujours le pied en avant, le cheveu en bataille, ils débitent les tirades à toute vitesse, ils connaissent la pièce par cœur dans tous les rôles, ils courent partout. Mais ils ne sont pas bons non plus ! Évidemment, rétrospectivement vous pouvez dire que Mitterrand, lui, c'était un acteur : ni trop ni trop peu, toujours dans l'élégance du retrait. Il donnait l'impression d'avoir une pensée qu'il ne disait pas, ce qui est l'art fondamental de l'acteur. Mon ami, Antoine Vitez, disait toujours que la question fondamentale de l'acteur c'est la réserve, que ce n'est pas ce qu'il fait qui compte, c'est ce qu'il ne fait pas, c'est quand il indique qu'il fait quelque chose mais qu'après tout il pourrait faire autre chose. C'est ça le jeu. Mitterrand disait toujours « Oui, je pourrais vous dire autre chose. » D'ailleurs de temps en temps il disait autre chose, de bien consolidé. Mais ça c'est la gauche, la subjectivité de gauche. Un être qui est en lui-même immédiatement un non-être. Tandis que si vous prenez Raffarin, c'est un être qui en lui-même est immédiatement un être. Dès qu'il apparaît, c'est ce qu'on se dit : Raffarin il est, Raffarin il restera. Il ne sait que dire « Y en a que pour les riches ».

J'insiste sur le fait qu'identifier l'opposition de gauche comme étant le jeu de l'apparence permet d'élucider une question très difficile à saisir, qui est la suivante : d'où lui vient sa puissance, alors que c'est la déception chronique, que ce sont des menteurs absolus, des mystificateurs épouvantables, des gens qui font toujours le contraire de ce qu'ils ont annoncé ? On les amène au pouvoir pour faire passer toutes les saloperies que la droite, par excès d'être et insuffisance d'apparence, ne serait pas capable de faire passer. Et à chaque fois ça recommence, et à chaque fois on se dit « Quand même on va les réessayer ! » Et on réessaye cette apparence. De ce point de vue là, la gauche c'est le théâtre de Pirandello.

Au delà de la gauche, nous avons le rebelle. Le rebelle qui est une grande tentation, au regard précisément de cette souveraineté de l'apparence qu'est la gauche. Là aussi, je vous l'ai dit, c'est l'inacceptation. Mais c'est l'inacceptation dans le vide du négatif comme tel. Cela vient de ce qu'on ne peut se soustraire à l'être autrement que dans le non-être. Évidemment, comme on est dans le vide du négatif comme tel, il n'y a pas la possibilité d'une direction, d'où une désorientation essentielle. On pourrait même dire que l'absence d'orientation est revendiquée par cette figure comme le seul moyen de se tenir dans le vide du négatif, de soutenir le vide du négatif.

Entre parenthèses j'ai proposé il y a un certain nombre d'années de dire que la désorientation était une opération effective de la poésie contemporaine. Originairement de Rimbaud, que nous avons cité la dernière fois à propos de la figure du rebelle. Il y a chez Rimbaud la conscience aiguë de ce qu'une des tâches de la poésie est de produire subjectivement une désorientation. Dans mon texte de 1992, « La méthode de Rimbaud », paru dans *Conditions*, je développe sous différentes formes le fait que le poème chez Rimbaud n'est pas du tout l'organe d'une orientation mais celui d'une désorientation essentielle. Parce que seule la désorientation crée le négatif de la liberté, toute orientation étant en fin de compte déjà captive de ce vers quoi elle s'oriente. Dans la figure du rebelle vous avez en quelque sorte une sacralisation du négatif. Puisque sa thèse fondamentale c'est que ce qu'il y a est comme tel abject. Autrement dit, le ce-qu'il-y-a, en tant qu'« il y a » est abject. Et l'abjection du pouvoir est intrinsèque, et en quelque manière ontologique. Elle est un attribut du « il y a » en tant que pesanteur, en tant que forme insistante de l'être, et c'est pourquoi cette figure est sous l'emblème de la bénédiction du négatif. « Bénie soit mon infortune » dit Rimbaud, c'est réellement le négatif comme tel, l'absence de fortune, l'absence de toute collusion même hasardeuse avec l'être, qui peut être l'objet d'une bénédiction. C'est très intéressant parce que, pour reprendre les figures hégéliennes, nous avons vu que la gauche c'est l'apparence. Quant à lui, le rebelle, ainsi défini, se voue au suprasensible, à la figure dialectique du suprasensible comme ce qui précisément est en exception de ce qu'il y a immédiatement. On sait depuis longtemps que le désespoir nihiliste c'est la transfiguration de l'abjection en sainteté, à savoir le moment où le contact avec l'abjection de l'être crée un écart irréductible, quelque chose qui est absolument au-delà du sensible et qui est une sacralisation ou une sainteté. Mais si vous avez une sacralisation du négatif, qu'est-ce que vous avez ? Vous avez exactement l'inverse de la gauche, et on pourrait en dire ceci – c'est d'ailleurs la définition que Hegel donne du suprasensible : c'est le non-être qui est immédiatement un être.

Pour résumer, la figure de gauche désoriente parce qu'elle est l'être qui est immédiatement non-être et la figure du rebelle désoriente parce qu'elle est ce non-être sacralisé qui, comme tel, en tant que non-être, est immédiatement un être. « Il est vide », dit Hegel à propos du suprasensible, « il est vide, étant seulement le néant du phénomène », le néant de l'apparence. En ce sens, on pourrait définir le rebelle comme le néant de la gauche. La gauche c'est la désorientation diurne, c'est-à-dire ce qui apparaît, ce qui est captif de l'apparaître, ce qui se donne comme être et qui n'est que le non-être de l'apparence. Et la figure du rebelle c'est la figure de la désorientation nocturne, c'est-à-dire la désorientation parce qu'on ne voit pas, parce qu'il n'y a rien à voir, parce qu'on est dans le vide du sacré. Cette métaphorique est intéressante parce qu'elle signifie que la voie véritable, qui ne serait ni la subjectivité de gauche ni la subjectivité rebelle, n'entrerait pas dans le partage du jour et de la nuit, elle ne serait ni diurne ni nocturne.

Remarquez que c'est quelque chose de ce genre que disent à la fois saint Paul et Nietzsche. À savoir que l'événement – c'est du réel qu'il s'agit – vient à la tombée de la nuit, ou bien furtivement, comme un voleur, entre chien et loup. Pourquoi cela ? Eh bien, parce que précisément les subjectivités diurnes et nocturnes sont typées ou installées dialectiquement dans l'être qui est immédiatement non-être et qui se dissout comme apparence, et le non-être, affirmé comme être, et donc sacralisé comme tel. Vous avez ainsi l'apparence qui captive mais qui trompe, d'une part, et le sacré qui mobilise mais qui est vide, d'autre part. Aux yeux de Hegel, le cheminement de la conscience va passer en dehors de l'opposition du jour et de la nuit, en dehors de l'opposition de l'apparence et du suprasensible et il donne un nom à cette opposition, il l'appelle « le présent », pour lui « le présent de l'esprit ». Le chemin du présent, c'est ce chemin qui n'est subjectivement captif ni de la figure de gauche ni de celle du rebelle, qui n'est ni apparence ni suprasensible, qui est la densité du présent lui-même. Hegel indique en conclusion de tout ce grand développement que là, quand on a épuisé la figure de la gauche et celle du rebelle, « la conscience atteint son tournant ». Nous aussi, après tout, c'est ce que nous nous efforçons de faire, d'atteindre notre tournant. Je vous donne en entier cette très belle phrase : « De là, elle chemine hors de l'apparence colorée de l'en-deçà sensible et hors de la nuit vide de l'au-delà suprasensible, pour entrer dans le jour spirituel de la présence. »

« Le jour spirituel de la présence » désigne ici un processus affirmatif couplé à une identification de l'adversaire, ou encore une affirmation qui ne serait ni la déception de l'apparence ni le sacrifice du suprasensible, qui ne serait ni l'abdication ni la sainteté. En termes plus proches, ni la capitulation, le renoncement, l'abdication, ni la sainteté. Et Hegel propose dans un schéma, qui évidemment ne nous servira pas immédiatement parce qu'il reste dialectique, le mouvement des contradictions qui dépasse ces figures et qui permet d'entrer dans le jour spirituel de la présence. Mais ce qu'il nomme « présent » nous est précieux car c'est ce qui, dans le face-à-face avec l'adversaire, ne serait ni abdication ni disjonction pure, ni le jour ni la nuit, ni le jour du compromis inévitable ni la nuit de la disjonction terroriste. Ce serait donc ça la possibilité d'une orientation, puisque nous avons convenu et montré que les deux autres voies sont désorientantes, pour la raison très simple que dans l'une comme dans l'autre il n'y a plus de discernement véritable de l'être et du non-être. C'est pourquoi la désorientation est subjectivement expérimentée comme une ontologie du sujet. Quand vous êtes complètement désorienté, ce qu'il y a ou ce qu'il n'y a pas, ce qui est ou ce qui n'est pas, est indiscernable. Et ça peut l'être de deux façons : soit que l'être soit immédiatement non-être ; soit que le non-être soit immédiatement être. Dans le premier cas vous avez le jeu de l'apparence, et dans le second vous avez le jeu de la sacralisation suprasensible. Et donc s'orienter dans la pensée serait trouver le cheminement de l'existence et de la pensée qui, finalement, se désétablirait de ces deux régimes de désorientation. Mais bien sûr nous n'allons pas pouvoir dire que nous les surmontons dialectiquement, que nous les dépassons : la description hégélienne est certes magnifique mais la machinerie hégélienne ne peut pas nous servir, pour ce qui est de passer outre les deux figures de la gauche et du rebelle.

Il nous faut donc nous désétablir de ces régimes dont la forme vulgaire, celle dans laquelle nous sommes constamment plongés, est le débat, en définitive absurde, entre réalisme et utopie. Quand on est pris dans ce débat on est tellement désorienté qu'on est mort. Il représente la forme vulgaire, journalistique, du débat hégélien entre l'apparence et le suprasensible. Du coup on déclarera : ceux qui votent « oui » sont réalistes, ceux qui votent « non » sont des utopistes, or on sent bien que c'est un montage absurde. Ce en quoi Hegel nous sert c'est qu'il dit : oui, c'est un montage absurde parce que, en réalité, vous avez bien un face-à-face possible de l'apparence et du suprasensible, mais dans les deux cas vous avez un point commun qui est l'indiscernabilité de l'être et du non-être. Effectivement, parce que, dans le réalisme, le non-être n'est pas, si je puis dire, donc être et non-être c'est absolument la même chose. Et dans l'utopie le non-être est. Les figures ontologiques qui soutiennent la figure de la gauche et du rebelle doivent donc être désétablies, y compris dans le jeu de leur corrélation ou de leur ajointement.

Lorsque nous étions parvenus à ce point, je vous avais dit que, finalement, on pouvait essayer un déplacement ontologique.

Essayons donc de le faire, en nous accrochant au fait que le lambeau d'orientation qui subsiste à gauche c'est la loi, tandis que celui qui subsiste chez le rebelle c'est le désir, et voyons un peu comment, si on entre comme cela par la dialectique de la loi et du désir, on peut engager ce désétablissement des deux figures dont nous sommes captifs. Je rappelle le résultat ontologique. J'avais proposé d'entrer dans toute cette affaire par une opposition de caractère apparemment logique, voire grammatical, à savoir l'opposition entre multiplicités constructibles et multiplicités génériques. Sans revenir sur l'argumentation, je vous redonne les définitions. Une multiplicité est constructible quand on peut déterminer sa composition de façon prédicative, c'est-à-dire quand il existe un système de prédicats, d'énoncés, d'attributs qui permettent de configurer ce que veut dire appartenir à cette multiplicité. Cela revient à dire qu'on peut construire cette multiplicité à partir de prédicats antérieurs et que donc il y a un procès de construction du multiple dans sa définition et que la multiplicité constructible entretient un lien singulier au langage, à la prédication, à la désignation. Quant à la multiplicité générique, sa définition première est négative : c'est une multiplicité qui n'est pas constructible. Une multiplicité qui ne se laisse pas édifier, représenter ou configurer de façon prédicative à partir de multiplicités préalablement données sera dite générique. Générique voulant dire qu'elle n'est pas représentative d'un prédicat déterminé. Elle est donc représentative de l'être même de la situation multiple dans laquelle elle se trouve.

Pourquoi cette affaire est-elle si importante ? Parce que des exemples montrent que l'histoire de l'orientation dans la pensée comme orientation non soumise, donc susceptible d'échapper à l'opposition de la gauche et du rebelle, s'est appuyée sur le concept de multiplicité générique. L'exemple canonique étant évidemment la définition du prolétariat par Marx : l'essence absolue de la capacité émancipatrice du prolétariat c'est sa dimension de multiplicité générique. Et c'est bien pour ça que ce n'était pas l'émancipation d'une particularité. Ainsi l'énoncé bien connu « L'émancipation du prolétariat est aussi l'émancipation de l'humanité tout entière » exige que le prolétariat puisse être représenté comme une multiplicité générique, et cela veut dire que l'orientation est donnée par une multiplicité générique supposée existante. Et comment la supposer existante sinon en donnant quand même en gros le protocole de sa construction. C'est là que se situe à mon sens la véritable difficulté du marxisme, la difficulté politique consistant à traiter les conséquences, qui est que si vous admettez qu'il existe un support objectif de la généricité dans un système social donné, vous entrez dans des chicanes tout à fait considérables quant à l'orientation dans la pensée, car vous allez vous rallier à la multiplicité générique au nom de son protocole de construction. Ce qui revient à dire des choses comme : « La révolution va arriver parce qu'elle est inscrite dans l'être même de la société », ou encore : « La contradiction fondamentale organise le caractère inéluctable de la révolution. » Mais alors, si la révolution est nécessaire pourquoi la faire, il suffit de l'attendre. Et c'est ce point qui a constitué la figure intime des militants communistes pendant trois ou quatre générations, et qui, du coup, a travaillé petit à petit comme un élément de désorientation. Certes il s'agissait d'une désorientation de type nouveau, parce que l'émancipation universelle, dont le schéma était la multiplicité générique, se donnait dans des figures constructibles absolument particulières. Il en est résulté le fait que la puissance émancipatrice, qui devait être normalement le dépérissement de l'État, s'est réalisée dans la monstruosité d'un État terroriste. Mais ce n'est là que la fine pointe de quelque chose dont la pensée est complexe et qu'on peut formuler ainsi. Si l'espoir d'une orientation dans la pensée qui ne soit pas acceptation pure et simple de ce qu'il y a repose sur l'opposition entre multiplicité générique et multiplicité constructible, donc sur le fait que la généricité, à savoir quelque chose qui est une émancipation à valeur universelle, est possible, alors, dans le même temps, va se poser le problème de l'identification du support de cette multiplicité générique, parce que l'identification est généralement liée à des protocoles de constructibilité. D'où les difficultés, les discussions considérables qui ont constamment entouré ces histoires de « classe ouvrière ». On s'en est tiré par des artifices hégéliens, il faut bien le dire, en parlant de classe en-soi et de classe pour-soi. La classe en-soi était assez objective : les travailleurs productifs, etc. Mais la classe pour-soi était, elle, plus générique, parce qu'elle ne coïncidait pas exactement avec la classe en-soi ; elle était l'organisation politique de la classe en-soi. Du coup la généricité devenait forcément le Parti, l'organisation, et on avait ainsi un support de la généricité interne à la classe, qui n'était pas la classe elle-même. Nous avons travaillé sur ces difficultés pendant longtemps, nous les avons pratiquées, nous les avons connues. C'était d'ailleurs bien ce qu'il fallait faire, parce que c'était une hypothèse d'orientation politique absolument novatrice, dont le bilan est tout à fait intéressant et passionnant mais, telle quelle, en tant que l'hypothèse d'un support ou d'une représentation constructible de la généricité, c'est certainement une hypothèse close. C'est d'ailleurs la définition abstraite que je donnerais de ce qu'ont été les partis révolutionnaires : les partis révolutionnaires ont été des incarnations constructibles de la généricité. Ils ont donc été les organes à intérêts particuliers de l'émancipation universelle. Mais la tension entre les deux était telle qu'elle n'a pas franchi victorieusement les étapes du pouvoir. L'épreuve du pouvoir a été fatale parce que dans cette épreuve la constructibilité a incontestablement pris le dessus sur la généricité. Cela a donné naissance à ce qu'on connaît, l'autorité absolument constructible, voire héréditaire des apparatchiks du Parti, ce n'est pas plus compliqué que ça. Était-ce une classe, une bureaucratie ? En tout cas c'était constructible, y compris par les méthodes de constructibilité particulières que représentait l'épuration terroriste périodique de ce genre d'organisme. Si on regarde de près, l'épuration terroriste ce n'était pas simplement la terreur aveugle, c'était en réalité un protocole de vérification de la constructibilité, il s'agissait de vérifier que les membres du Parti étaient adéquats à la séquence particulière dont ils étaient chargés. Du coup, évidemment, l'élément non constructible, l'élément générique disparaissait.

Il faut bien voir ce qui est en jeu sur ce point. La grande tentation c'est de dire : « Eh bien, oui, il faut en revenir au constructible ! », parce que le constructible c'est le moins coûteux. La grande thèse qui a essaimé partout et qui a donné naissance au totalitarisme, c'est cette figure-là, la généricité se présentant comme constructibilité, la figure de l'émancipation se présentant en réalité comme constructibilité terroriste. Et alors, quel bilan en tirer ? Est-ce que ça veut dire qu'il faut renoncer à l'émancipation ? Ou qu'il faut renoncer à l'opposition, au couplage du constructible et du générique ? Ou encore qu'il n'y a que du constructible ? En termes abstraits, les orientations sont multiformes. Mon diagnostic sur le moment actuel serait qu'une étape de l'orientation de la pensée sous l'emblème du générique s'achève. Cette étape serait celle où le générique s'est lui-même présenté dans une figure constructible. Et ce n'est pas valable uniquement pour la politique. On peut montrer également que toute une série de séquences artistiques ont entendu présenter la généricité sous la forme de la constructibilité. L'exemple peut-être le plus parlant c'est sans doute le sérialisme en musique. Parce que le sérialisme en musique c'était à la fois l'idée qu'il fallait délivrer la musique des potentialités restreintes de la tonalité, mais qu'en même temps il fallait présenter ça dans un protocole constructible. Or celui-ci s'est avéré finalement lui aussi, dans sa dialectique avec l'émancipation sonore, quelque chose qui à un moment donné enferme dans une impasse.

Je pourrais réécrire mon livre sur le siècle sous cet angle, dans une variante où je dirais que le XXe siècle a été l'expérimentation – qui commence bien avant, puisque ça commence avec Marx, et même encore avant, des possibilités que la multiplicité générique, c'est-à-dire l'universel, l'universalité, la libération de l'universalité dont la pensée et la création sont capables – pouvait se donner dans le resserrement d'un support constructible. Et la grande espérance a été qu'ensuite la puissance de la généricité en quelque manière, dissoudrait son support constructible. Marx appelait ça le « dépérissement de l'État ». Le dépérissement c'était bien l'idée d'un processus par lequel le support transitoire, en l'occurrence dictatorial, de la mise en scène de la multiplicité générique, serait absorbé par la généricité elle-même. Et je pense que telle était l'ambition inaugurale des différentes formes de la musique atonale, de la peinture non figurative, de la politique communiste. C'était la conviction partagée qu'on pouvait traverser de très fortes contraintes de constructibilité et que, si elles portaient la généricité, elles se réduiraient. Or cette dissolution ne s'est pas produite. On pourra certes toujours dénicher des exemples locaux, je ne dis pas qu'il ne s'est rien fait, qu'il ne s'est rien passé, mais on sait aujourd'hui qu'on ne peut pas procéder ainsi. Par conséquent cette étape-là de l'émancipation du générique est close.

Désormais, s'orienter dans la pensée c'est réouvrir quelque chose qui sera une nouvelle étape de la présentation du générique – si on nomme le projet dans sa forme la plus ouverte. Étant entendu que la grande tentation aujourd'hui, c'est un retour réactif aux prédicats, c'est-à-dire à l'idée qu'il n'y a que du constructible, et que le constructible qui se réclame du générique est pire que les autres et que, tout compte fait, comme il n'y a que du constructible il faut pratiquer un constructible modéré. Évidemment quand il y a une césure il y a toujours deux bilans possibles. Le retour réactif aux prédicats, je signale que ça se présente assez innocemment au début, mais que ça ne l'est pas. Car la politique prédicative par excellence, est quand même communautariste, racialiste, ségrégative, fascisante. Le fascisme, ça a été, dans le siècle, la constructibilité fondamentale. Le générique, c'était le cosmopolitisme des Juifs ! Voilà ce qu'il fallait exterminer ! Et les communistes par-dessus le marché ! Il faut bien voir que le siècle a été l'assomption absolue de la clôture constructive et prédicative de la politique et de toutes sortes d'autres choses. Et les prédicats reviennent. Mais alors pourquoi est-il impossible de pratiquer un constructivisme modéré ? Tout simplement parce qu'il y a aussi un bilan du constructible, que tout le monde oublie. On a fait comme si Hitler et Staline c'était la même chose, et ça, c'était une opération destinée à sacrifier le générique. Dire cela n'est pas du tout défendre Staline. Staline représente, si l'on veut, l'échec et l'absorption de la généricité inaugurale par un constructible resserré et terroriste. Hitler au contraire représente l'exacerbation du constructible comme tel, c'est-à-dire la montée au pinacle de signifiants maîtres (« aryens », etc.) et une volonté acharnée de détruire tout ce qui ressemble au générique de près ou de loin.

Pour ma part je ne crois pas au constructible modéré et je mets tout le monde en garde contre ses pièges. Parce que le constructible suit sa propre logique, celle précisément des multiplicités constructibles. Ce n'est pas vrai que la seule universalité du capital va tenir contre ça : c'est une universalité négative, abstraite. Ce n'est pas vrai que la mondialisation financière va accepter la constructibilité comme norme. Vous ne pouvez combattre son caractère destructeur, lequel est malgré tout immanent à la logique générale du profit, autrement que sur la base des multiplicités génériques. Sur la base des multiplicités constructibles, vous aurez ce qu'on voit maintenant : des communautés absolument hyperboliques et meurtrières, un chaos grandissant. La voie du constructible a été tout autant jugée, sinon plus, que la séquence de constructibilité du générique. Et par conséquent je crois que pour arriver à maintenir ouvertes les possibilités que l'humanité se donne à elle-même, dans tous les ordres de la création, se pose le problème suivant, que je donne aujourd'hui pour conclure, sous sa forme la plus abstraite et qui est : que serait un processus de venue et d'édification des multiplicités génériques qui ne serait pas supporté, de façon essentielle, par un constructible resserré ? Parce que n'oublions pas que ce à quoi nous avons eu affaire n'était pas simplement du constructible, c'était un constructible serré qui portait le générique : le parti léniniste, la discipline de fer, etc. La discipline sérielle en musique c'était aussi du constructible serré, une mathématisation des choses. Le message était dialectique : si vous voulez du générique ouvert, vous devez passer par du constructible serré. C'était ça l'idée. Donc si vous vouliez l'émancipation de l'humanité tout entière, vous deviez commencer par construire un Parti fermé, à la discipline militaire.

Alors notre problème serait : est-ce qu'on peut avoir un processus d'édification de multiplicités génériques, artistiques, amoureuses ou politiques, donc un nouvel universalisme, une nouvelle proposition universelle, non prédicative, non destinée à des communautés singulières – destinée en fait à personne, c'est-à-dire à tout le monde – qui fasse l'économie de leur production, ou de leur support par un constructible serré ? La question est d'autant plus difficile que, paradoxalement, l'avènement des multiplicités génériques est nécessairement un certain type de construction. On est donc amené à se demander ce que pourrait être une construction du générique qui ne passe pas par la particularité serrée de certaines multiplicités constructibles ?

La prochaine fois nous essayerons de voir un peu plus précisément la nature du problème et surtout quels opérateurs de pensée il exige. Ce, afin de nous orienter dans la pensée de nouveau, afin de ne plus être, comme il est clair que nous le sommes et comme il est clair que la jeunesse l'est, désorientés de manière essentielle. Ce n'est pas parce que ce qui se passe est plus fort que nous que nous sommes désorientés, c'est parce que nous sommes désorientés que nous pouvons être la proie de ce qui se passe. Donc la question de l'orientation est pour nous une question de survie, d'affirmation, de vie. Et nous verrons que si nous voulons réellement proposer une nouvelle forme d'orientation, nous devons résoudre ce problème qui est, je le redis : qu'est-ce que c'est qu'une construction non constructible ?

Merci.

VII

15 JUIN 2005

Bonsoir. Nous voici réunis pour la dernière séance de cette année. Nous allons donc tout de suite prendre rendez-vous pour l'année prochaine et je vous rappelle simplement l'articulation de cette année sur l'année prochaine. Celle-ci sera plus conceptuelle, davantage consacrée au rassemblement, à l'articulation, à la collection d'un certain nombre d'opérateurs conceptuels destinés précisément à ressaisir l'identification non dialectique de l'adversité dans le monde contemporain, cette localisation, ces circonstances (au sens radical du mot), dans un élément qui permette de la redisposer. Cette redisposition sera l'enjeu de la troisième et dernière année de ce séminaire, où nous tenterons de nommer, de dire ce que peut signifier une orientation véritable du sujet dans la circonstance contemporaine.

Deux indications concernant des événements qu'on peut considérer après tout comme des notes marginales à ce séminaire. D'abord ce sont deux représentations de ma pièce de théâtre *Ahmed le subtil*. Je vous indique cela par narcissisme évident, mais aussi parce qu'*Ahmed le subtil* est une pièce écrite en 1984, donc il y a un peu plus de vingt ans. Je trouve intéressant de la voir aujourd'hui pour tenter de repérer, car c'est aussi un élément d'identification, le système des différences entre le monde d'il y a vingt ans et le monde d'aujourd'hui. Et aussi, peut-être plus important, pour repérer les invariants. Ces invariants portent sur tout ce qu'il y a déjà dans la pièce de prédictif quant à la constitution d'une certaine extériorité du peuple à toute nomination véritable, ce qui est, comme vous le savez, le sens massif qu'il faut donner au « non » des Français au référendum du 29 mai dernier sur la Constitution. C'est un « non » dont on peut beaucoup discuter mais qui en tout cas atteste quelque chose comme une prononciation d'extériorité par rapport au jeu proposé quant à l'adversité. Ce « non » est d'ailleurs un « non » qui se faufile, qui transcende l'opposition entre majorité et opposition, donc il s'agit de quelque chose qui n'est pas inscriptible dans la figure admise ou reçue de la contradiction ou de l'adversité. Ce n'est pas un « non » oppositionnel, c'est un « non » diagonal, c'est-à-dire pas clairement inscriptible dans le jeu tel qu'il est codé et tel que les journalistes en sont les gardiens. C'est d'ailleurs pour ça qu'ils ne sont pas contents en général et c'est tant pis pour eux. Quand j'ai parlé de la pièce j'ai toujours appelé le personnage central, un Algérien de banlieue, « un personnage diagonal » précisément. Or cet élément de diagonalité, de traverse, qui rôde et se manifeste, qui se cristallise de temps en temps, est un élément invariant très important de la situation contemporaine. Tout le problème est de savoir comment le transformer en orientation. Le problème n'est pas seulement politique, il est beaucoup plus vaste. Normalement les orientations sont vectorisées, c'est-à-dire que vous avez un plan normé et que les orientations sont inscriptibles comme telles. En revanche, si vous avez une vraie diagonale, elle transperce le plan ou elle est hors coordonnées, et elle se présente d'abord comme une désorientation. Tout le monde a reçu le « non » au référendum comme essentiellement désorientant. D'où des commentaires comme : « Qu'est-ce qu'on va faire ? », « Il n'y a plus d'orientation définie ! », etc. Et en effet c'est bien le cas. Le problème est donc de savoir comment ce qui est désorientant peut être restitué comme orientation.

Une deuxième annonce, c'est que je proposerai le 28 juin, dans le cadre des Conférences du Rouge-gorge, une conférence qui se prendra place au lieu qui s'appelle le Point Éphémère. C'est un beau nom diagonal aussi. Les conférences du Rouge-gorge se sont assigné pour tâche de traiter le rapport entre politique et histoire. Il s'agit donc des sites historiques de la politique, en tant que méditation sur ce que nous pouvons en retenir ou penser aujourd'hui, ainsi que, à propos d'un certain nombre d'épisodes fondamentaux de l'histoire de l'émancipation, de leur contexte. Dans ce cas cela portera sur la constitution de la catégorie de « guerre populaire » chez Mao, en Chine, dans les années 1920. C'est une séquence très définie. Ce que je me propose d'argumenter, c'est que, au-delà naturellement de la singularité de la situation nous avons là un exemple extraordinairement fort de ce que j'appelle dans mon propre jargon : la constitution d'un corps subjectif, d'un corps subjectivable, d'un nouveau corps, d'une nouvelle figure de la corporéité subjective dans l'espace de la politique. C'est ça qui est intéressant, au-delà de l'anecdote et de la singularité de la séquence historique. Ma thèse est que dès cette époque, et cela durera en un certain sens jusqu'à la Révolution Culturelle, la proposition de Mao est que, contrairement au léninisme strict, le Parti qui, dans la tradition léniniste incarne, désigne, nomme précisément le corps subjectivable de la politique, n'est pas suffisant pour la constitution d'un tel corps. Mao propose donc une disposition beaucoup plus complexe du corps politique, du corps subjectivable, de ce qu'il appelle par ailleurs « le pouvoir populaire », dont la composition interne n'est pas réductible au Parti. C'est tout particulièrement intéressant dans une époque où, en effet, il faut de toute façon sortir de, ou en tout cas critiquer d'une manière ou d'une autre, l'héritage que représente, dans l'espace de la politique, la question du Parti.

Nous reprenons maintenant notre affaire d'identification non dialectique de l'adversité. Je crois pouvoir dire que nous sommes parvenus à trois conclusions schématiques dans cette recherche, laquelle a traversé des matériaux assez singuliers et continuera à s'appuyer davantage sur les poètes que sur les doctrinaires de la politique ou sur les philosophes.

Premièrement, il existe deux voies de la procédure d'identification de l'adversaire, auxquelles j'ai proposé de dire qu'il fallait se soustraire. Deux voies, parmi les voies non dialectiques, les voies qui ne se résument pas à la contradiction. Parce que notre question de départ, c'était : que veut dire, dans l'espace général de l'existence, qu'il existe une adversité, si on le pense sans le secours de la logique de la contradiction, c'est-à-dire si on le pense dans un espace qui n'est pas immédiatement celui qui identifie l'adversaire comme le pôle négatif dans la dialectique du devenir ? Les deux voies dominantes dans leur articulation, auxquelles il faut se soustraire sont d'une part la voie que j'ai appelée, un peu par provocation, « la gauche ». L'essence de cette voie, qu'on peut également appeler la voie oppositionnelle, si on lui donne son nom technique, est de forcer l'acquiescement dans la figure de l'adversité, donc d'organiser une figure de l'adversité qui est une forme particulière d'acquiescement à ce qu'il y a. C'est pour cette raison que la gauche désoriente la pensée. La forme particulière de désorientation qu'elle instruit, c'est d'installer la déception comme figure obligée de la politique. La déception tient naturellement au fait que ce qui se présentait comme figure de l'adversité est finalement ramené à une subjectivité d'acquiescement. Et cette désorientation particulière de la pensée nous plonge dans une situation qui accueille finalement l'idée que la déception est obligatoire. En gros, ce qu'on peut espérer de mieux, c'est d'être déçu. D'où le système de perpétuelle reconstruction de la gauche, car vous remarquerez que la gauche est toujours à reconstruire, aujourd'hui plus que jamais. Il s'agit en l'occurrence non pas d'un attribut accidentel mais d'un attribut intrinsèque : elle doit être reconstruite parce qu'elle est toujours défaite, ce qui est bien normal vu que sa figure d'activité consiste à préparer l'opposition à la figure de l'acquiescement. Elle organise donc la déception et, au terme de cette déception, elle doit être reconstruite. C'est vraiment une figure du rocher de Sisyphe, vous le montez péniblement au sommet de la colline et après il vous roule dessus. Et, j'y insiste, ça marche. C'est quasiment une condamnation : on est « condamné à gauche », comme on est « condamné à mort ». C'est le destin commun. Cette figure fonctionne comme une condamnation subjective. D'où la tentation de la figure alternative que j'ai appelée la figure du rebelle et que techniquement on peut appeler la voie nihiliste. Cette seconde voie consiste cette fois à forcer l'affirmation du rien comme figure obligée de la discordance, de l'adversité en un sens radicalisé. L'affirmation du rien soutient que le quelque chose, en tant quel tel, est toujours corrompu. On ne force pas l'acquiescement mais l'affirmation est en quelque sorte évidée. Le contenu affirmatif de l'inacceptation est évidé et vient s'insérer comme adversité de manière hétérogène et discordante. C'est en ce sens que c'est une orientation nihiliste, car c'est la condamnation au rien comme seule figure absolument disjointe.

On a longuement parlé de tout ça et je n'y reviens pas mais c'est un élément très important de la situation qui fait que nous avons à proposer une voie non dialectique – ce qui est le schéma général –, c'est-à-dire une identification de l'adversaire qui ne soit pas simplement négative. En effet, ce n'est pas parce que je dis « non » que j'identifie l'adversité, pas même s'agissant du référendum, où en vérité le « non » est diagonal et l'adversaire qu'il constitue insaisissable : ce sont les mêmes qui sont là, et les autres ne valent pas mieux. On a dit « non » comme diagonale générale de la situation mais la conséquence est par définition obscure. Du coup le « non » non dialectique, le « non » diagonal est déjà quelque chose qui n'est pas exactement réductible à la logique de la contradiction mais qui n'en sort pas non plus, au sens où je m'identifie selon la négation de l'adversaire, sans que la primauté de l'affirmation soit saisissable. Il s'ensuit que nous devons sortir non seulement de l'orientation dialectique, mais aussi des figures appariées et en vérité dominantes de la gauche et du rebelle, c'est-à-dire de la voie oppositionnelle et de la voie nihiliste qui, au demeurant, sont des voies toujours ouvertes, dans la mesure où elles n'ont pas de protocole de fermeture à proprement parler. Elles sont toujours disponibles mais en même temps leur essence est leur recommencement. Elles ont une grande capacité à capturer, y compris ce qui se présenterait comme hétérogène à elles. C'est là un point sur lequel je reviendrai sans doute l'année prochaine : j'accorde beaucoup d'importance à la question de ce que c'est qu'une capture. Il s'agit d'expliquer pourquoi si souvent une décision, un mouvement, une situation, une nouveauté se trouvent capturés par une disposition qui les désoriente, qui les désaimante, qui leur fait perdre le nord. C'est ça que j'appelle la procédure de capture. Il y a là-dessus tout un discours de l'« aliénation ». La banalité sur ce point consiste à dire que le capitalisme est une puissance d'aliénation ou d'appropriation de tout ce qui se produit de nouveau. Je pense que c'est un peu schématique et que les procédures de capture sont infiniment plus subtiles. L'élément clé d'une capture, c'est le moment où ce qui était en promesse d'orientation est désorienté, d'où que la capture par la gauche c'est le type même de la désorientation. Mais il faut entrer dans le détail des mécanismes de capture car c'est une expérience existentielle fondamentale. Les exemples politiques sont sans doute les plus évidents mais il y a aussi une capture de la projection amoureuse qui est tout à fait intéressante à étudier de près. C'est-à-dire que là où quelque chose devrait être orienté, un élément de désorientation s'en empare, qui le détériore de l'intérieur et qu'il faut analyser en lui-même parce que ce n'est pas du tout comme une fatalité. Ma thèse n'est nullement que l'amour c'est très beau au début et puis que de toute façon ça va vers sa décadence. La capture est toujours une capture logique, c'est-à-dire qu'elle impose une logique qui se surimpose à la première et qui crée ainsi une obliquité ou une désorientation. Il faut être armé conceptuellement pour étudier ces mécanismes-là. Ils sont fondamentaux aujourd'hui parce que la situation générale est une situation de désorientation. Ce n'est pas simplement notre expérience politico-étatique, c'est notre expérience existentielle qui est désorientée. Elle est désorientée comme si la désorientation était un régime d'être, au point qu'elle est souvent validée, revendiquée. Un grand nombre des droits qu'on propose sont des droits à la désorientation. Le droit absolu d'être complètement paumé est en fait une grande affirmation de la liberté démocratique du genre : « J'ai quand même le droit de ne rien comprendre, d'être perdu, d'être égaré, d'être rien du tout, d'être dans le malheur de la désorientation. » Et c'est vrai que la liberté dans son sens immédiat inclut la liberté de la désorientation. Comme on le voit la désorientation est fondamentalement une capture.

C'était là l'ensemble des premières pistes, des premiers acquis du travail de cette année. Je souhaiterais maintenant revenir sur la question de la forme, sur ce que c'est que l'adversité dans sa forme. Nous étions remontés jusqu'à Platon en soulignant chez lui ce geste fondamental qui est l'identification du sophiste comme adversaire de la philosophie. Nous avions dit que l'adversité était une synthèse disjonctive de proximité et d'incommensurabilité. La véritable adversité c'est quelque chose qui, premièrement, est absolument proxime, presque indiscernable. Ce n'est pas du tout ce qui est loin, extérieur, ça, c'est un faux adversaire. Au contraire, c'est ce qui est intimement proche mais, en même temps, tout à fait incommensurable. Et donc le formalisme de l'adversité, dans son essence non dialectique, doit être conçu comme cet appariement de l'extrême proximité avec un élément cependant différentiel, dans la figure de l'incommensurabilité. Je voudrais ici simplement approfondir ou élaborer un peu cette question de la synthèse disjonctive de proximité et d'incommensurabilité qui fait que l'adversité est ce qui nous traverse, qu'elle nous est intimement proche, et éviter de la définir par l'extériorité. Il s'agit d'examiner la question logiquement et ontologiquement.

La question est au fond de savoir ce qui me sépare de l'adversaire. Qu'est-ce qui me sépare, en moi-même, de l'adversité, si l'adversité m'est aussi immanente ? Et si l'on dit que l'adversité est une synthèse de proximité et d'incommensurabilité, impossible de dire que ce qui me sépare de l'adversaire est une relation. Même une relation négative. Ce qui me sépare de l'adversaire n'est pas la relation que j'entretiens avec lui sous la forme dialectique, où l'adversaire est simplement ce dont je suis la négation, ou ce qui est ma négation. C'est l'essence dialectique de l'adversité de penser l'adversité comme relation. En revanche, si vous dites que c'est incommensurable, vous dites qu'il n'y a pas de relation : c'est tout proche, mais c'est, à proprement parler, non relié. Par conséquent ce n'est pas une relation susceptible de définir l'adversité. On a rencontré l'écho de cela dans le poème de

Pasolini. Une des raisons pour lesquelles la figure oppositionnelle ne peut absolument pas être une figure de l'adversité, c'est qu'elle est entièrement relationnelle : le lien majorité-opposition par exemple, est un lien normé, une relation saisissable. D'ailleurs les règles de cette relation sont acceptées par les deux parties. C'est une adversité fallacieuse qui n'est pas dialectique au sens strict mais relationnelle. Et dans le cas de la relation dialectique, même si vous dites que votre relation est une relation de négation de classe, qu'elle concerne un ordre qu'il s'agit de détruire et que telle est l'identité de votre adversaire, vous êtes encore dans la relation. En revanche ce qui me dé-lie de mon adversaire et qui constitue l'adversité n'est pas relationnel. Et alors c'est quoi ? Si ce n'est pas relationnel, comment définir la proximité ? Vous voyez bien que la proximité semble être une relation : mon adversaire est mon intime adversaire, au sens où il est très proche, et la proximité semble bien être une relation. Il va donc falloir, et c'est un point majeur, définir la proximité autrement que par la relation. Le seul moyen est alors de considérer qu'un terme est commun, qu'il y a bien quelque chose de commun. Ce qui va définir l'extrême proximité c'est qu'il y a un point commun, c'est donc ontologique et non pas relationnel. Il faut soutenir que l'adversaire n'est pas le terme extérieur auquel je suis relié par une négation, mais qu'il a un point commun avec moi. Or dans le même temps, l'incommensurabilité indique que ce point commun est évanoui, disparu. Parce que s'il était là, il y aurait commensurabilité, précisément par le point commun. Je signale que beaucoup de pensées contemporaines s'articulent autour de cette question. Ainsi, la proximité incommensurable repose sur un point commun qui en même temps est un point disparu ou évanouissant, qui est là en tant que disparaissant. Et, en tant que disparaissant, ce point commun va constituer une incommensurabilité parce que, sur un versant, il est saisissable comme inexistant, comme disparu et que sur un autre versant, il est saisissable, au contraire, comme ce qui constitue l'adversité, donc comme un point essentiel, je dirais même « surexistant ». L'incommensurabilité, c'est le fait que le point commun disparaissant qui constitue la proximité est un point commun qui, sur le bord de l'adversaire est pensé comme anéanti, c'est-à-dire pensé comme rien, comme inexistant, et qui sur l'autre bord, le bord de l'identité qui constitue l'adversité, est au contraire conçu comme surexistant ou essentiel, bien que non existant. Ce qu'il importe de retenir c'est la logique générale de la chose. Quelques exemples, le premier politique, le second artistique et le troisième mathématique.

Qu'est-ce qui disjoint en proximité incommensurable deux positions politiques réellement hétérogènes ? Il faut chercher le terme commun. À mon sens, dans la société contemporaine le terme commun c'est l'ouvrier de provenance étrangère. Son importance n'est ni numérique, ni classiste. Elle vient de ce qu'il est le discriminant radical, en tant que terme commun, de ce qui peut constituer une synthèse disjonctive de proximité et d'incommensurabilité. En effet, il est commun à l'orientation politique émancipatrice ou progressiste comme aux orientations réactionnaires, en raison de l'importance qui lui est accordée. Si vous écoutez Sarkozy ou Villepin vous avez l'impression que c'est le monstre qui nous menace : rien n'est plus urgent que de faire des plans, des lois pour le persécuter, le traquer. Tandis que de l'autre côté c'est un exemple particulier du sans-droits qui devrait avoir des droits. N'entrons pas dans les détails. Mais vous voyez bien que, d'un côté, ce qui est énoncé c'est qu'il ne devrait pas exister, c'est son inexistence qui est son essence. Il est ici mais il ne devrait pas y être et donc il faut absolument afficher ou affirmer son inexistence comme principielle. De l'autre côté, on dira au contraire qu'il est l'exemple même de la positivité du droit possible, tel qu'une société autre pourrait le pratiquer ou l'admettre. Bien sûr cela va être également une querelle des noms. Si vous le nommez comme inexistant, vous l'appellerez « clandestin ». Ce qui veut dire : il est là mais il ne devrait pas y être. Et si vous le nommez sur l'autre bord vous parlerez d'« ouvrier » ou de tout autre nom positif. Or vous comprenez bien que cette articulation-là n'est pas une articulation relationnelle. C'est une articulation par un terme propre qui finalement est commun aux deux espaces et dont le statut d'inexistence est reconnu en un certain sens par les deux côtés. Parce que ce qui est reconnu d'un côté c'est ce qui ne devrait pas exister, et de l'autre c'est ce qui est exclu de la sphère du droit, donc qui est en ce sens affecté d'inexistence. Simplement, d'un côté l'inexistence va être assumée comme le statut effectif du terme et, de l'autre, au contraire, toute l'orientation va consister à changer cette inexistence en existence, c'est-à-dire à partir du fait que cette existence surexiste puisqu'elle devient l'existence à partir de laquelle toute une politique peut se faire. Je ne fais que donner le schéma général. En effet, dans toutes les sphères de la proximité incommensurable telle qu'elle constitue l'adversité véritable, le point fondamental est d'identifier le terme et d'aller jusqu'à la racine de son inexistence affirmée.

Maintenant un exemple esthétique, tout à fait général. Si l'on y regarde de près, une mutation artistique se joue à propos d'une disposition formelle qui est considérée comme le devenir forme de l'informe, comme informe du point de vue de l'immédiat de la situation artistique. Dans ce cas l'informe joue le même rôle que l'inexistant ou l'exclu de tout droit. Sur un bord vous direz que l'informe en tant qu'informe est extérieur au champ de l'art ; et sur l'autre vous soutiendrez au contraire que c'est le devenir-forme de cet informe qui est précisément l'ouverture créatrice du moment. Ainsi le même terme, la même constellation formelle, va être appréhendé d'un côté quant à son inexistence formelle, laquelle est bien reconnue par tout le monde, tandis que pour l'autre côté cette inexistence formelle doit précisément advenir à la surexistence de la création. On peut montrer que n'importe quel conflit artistique majeur se joue en effet aussi autour, non pas d'une négation dialectique, mais autour de l'identification d'un terme singulier saisi sur son bord d'inexistence ou sur son bord de surexistence.

Un dernier exemple plus métaphorique, exemple arithmétique emprunté à la théorie des nombres. Dans les nombres réels, on appelle « nombre transcendant » un nombre qui n'est pas la solution d'une équation à coefficient entier. Si vous avez « quelque chose = 0 », avec des coefficients entiers ; et si « x », l'inconnue est solution de ça, on dit que c'est un nombre « algébrique ». Si en revanche n'existe aucune équation dont le nombre soit la solution, on dira qu'il est « transcendant ». Vous imaginez bien que trouver un nombre transcendant c'est assez difficile, puisque trouver un nombre algébrique, c'est trouver une équation qui lui correspond. Trouver un nombre transcendant c'est une définition négative. Et donc pendant longtemps on a pensé que les nombres transcendants étaient des oiseaux rares, des bêtes vraiment très particulières, très inaccessibles du point de vue des protocoles du calcul. Et puis Cantor a démontré qu'en réalité presque tous les nombres sont transcendants et qu'il n'y a pas beaucoup de nombres algébriques. Il a absolument inversé la situation. Je vous donne cela parce que c'est un exemple typique du même point, sur la définition duquel tout le monde est d'accord, à savoir qu'un nombre transcendant c'est un nombre qui n'est racine d'aucune équation algébrique – définition très simple et très claire, mais négative –, qui bascule de la quasi-inexistence à la surexistence, ce qui signifie que les nombres sont en fait presque tous transcendants, et que les nombres rares sont non pas les transcendants, mais les algébriques. Cette bascule c'est une métaphore très forte de ce qu'il faut entendre par passage de la quasi-inexistence à la surexistence. Les métaphores mathématiques sont comme toujours les plus parlantes ! Vous voyez bien que c'est la version mathématique de « Nous ne sommes rien, soyons tout ! » C'est l'Internationale du nombre : le transcendant n'était rien mais en réalité, via Cantor, il est devenu tout. Et l'on peut pousser plus loin la métaphore. Cantor démontre que presque tous les nombres sont transcendants, mais ça reste très difficile d'en montrer un. On a cru qu'ils étaient quasi inexistants tant qu'on avait comme protocole d'en montrer un. Par exemple – c'est une démonstration extrêmement compliquée – on a montré que le nombre π, le fameux nombre π était transcendant. Rien que pour montrer ça, il faut sérieusement tremper sa chemise mathématique. Par contre, en paquets, vous pouvez dire qu'il y a beaucoup de nombres transcendants. Cela signifie qu'en réalité la transcendance, c'est le générique du nombre. En effet, si l'on prend les nombres dans leur indiscernabilité générale, c'est même leur attribut essentiel : presque tout nombre est transcendant. Ce n'est pas un prédicat facile à attribuer à un nombre particulier, mais c'est un prédicat qui, par contre, peut être attribué à presque tous les nombres pris ensemble.

Vous voyez que nous touchons là à un protocole de distinction entre constructible et générique. Ce qu'on dira, c'est qu'il est très difficile de construire un nombre transcendant, c'est-à-dire de démontrer précisément que tel nombre est transcendant, et que par contre ce à quoi on a accès, c'est à la généricité de la transcendance comme caractérisation massive de la numéricité des nombres réels. Mais sur le point qui nous occupe c'est vraiment un exemple typique de bascule de l'inexistence à la surexistence, avec en prime le fait que la quasi-inexistence relève de la construction démonstrative, tandis que la surexistence relève de la généricité, c'est-à-dire de la non-prédication générale. Or ça, c'est peut-être aussi une loi. On pourrait faire l'hypothèse qu'à chaque fois qu'on passe, dans la construction de l'adversité, d'un point d'inexistence à un point de surexistence sur le même terme, on passe aussi d'un protocole constructible à un protocole générique. Autrement dit, on passe de quelque chose qui est de l'ordre du prédicat, de la propriété, à quelque chose qui n'est pas de l'ordre du prédicat ou de la propriété. Sur mon premier exemple, les ouvriers d'origine étrangère, c'est absolument manifeste : si vous continuez à considérer que leur identité est prédicative, que c'est leur nationalité, leurs papiers, leur État, qui les définit, vous n'entrerez jamais dans la commutation qui déclare qu'il faut leur accorder des droits tout simplement en tant qu'ils sont ici, qu'ils travaillent ici, qu'ils vivent ici. Vous ne pouvez le faire que si vous changez la logique prédicative en une logique qui est en réalité une logique générique, à savoir, « ce sont des gens comme nous » et c'est tout ce qu'on en dira. On va d'abord partir du fait, de la logique égalitaire : en tant qu'ils sont là, ils sont comme nous, et il n'y a pas de raison de les discriminer. Vous voyez que si vous abandonnez la discrimination, vous abandonnez les protocoles de construction prédicative, au profit évidemment d'une affirmation qui est une affirmation d'égalité générique. Et peut-être que c'est toujours comme ça. Peut-être que chaque fois que l'adversité se construit sur la commutation du même terme de l'inexistence à la surexistence, ce qu'il y a par en dessous, c'est le passage d'une logique de la constructibilité à une logique générique. Sur l'exemple artistique c'est très clair : si vous abandonnez le fait que la discrimination entre la forme et l'informe est structurée par des codifications constructibles, vous allez incorporer de l'informe à la forme, c'est-à-dire que vous allez incorporer ce qui était informe à la forme, en déclarant une nouvelle vertu générique de l'informe lui-même. Ensuite évidemment vous allez être obligés d'élargir ce que vous reconnaissez comme une forme, de façon à inclure égalitairement l'informe antérieurement discriminé. Si bien que toute mutation artistique est toujours une orientation qui bascule certains éléments informes du côté d'une généricité formelle. Cela suscite évidemment des réactions académiques du type « vous faites n'importe quoi ». Les gardiens de la forme, c'est-à-dire les gardiens de la constructibilité, vont traiter les nouvelles formes comme ils traitent les ouvriers étrangers, c'est-à-dire par exclusions, réglementations nouvelles, etc.

Et tout cela circule. On pourrait se demander aussi ce que c'est que le passage d'un terme commun, en amour, du champ de la constructibilité au champ de la généricité. C'est une enquête extraordinairement intéressante qui revient à dire que l'incorporation à la dualité amoureuse, quelle qu'en soit la position, a pour adversaire le point inexistant commun. Et ce point inexistant commun, il est tout simplement la différence elle-même, c'est-à-dire le Deux comme tel. Et la question de savoir si le Deux comme tel, donc la différence comme telle, est traité dans le cheminement amoureux comme le point qui doit inexister ou comme le point qui doit surexister est le débat véritable de la trajectoire amoureuse.

C'était sur le deuxième acquis. Nous pouvons vraiment soutenir que, quant à la forme, l'adversité est une synthèse de proximité et d'incommensurabilité, c'est-à-dire en définitive le système de devenir du terme commun. Du terme commun en tant que terme évanouissant, disparaissant, suspendu entre inexistence et surexistence. Et, j'y insiste, il y a toujours là des analyses de situations. En définitive, l'analyse d'une situation d'adversité c'est toujours l'identification de ce terme : où est l'adversaire ? Cela ne relève donc pas d'un relationnel général. C'est évidemment un point de grand conflit idéologique. Entre ceux qui pensent que l'adversité relève du relationnel général et ceux qui comme moi pensent qu'elle ne relève pas du relationnel général mais qu'elle relève d'une procédure toujours singulière d'identification du terme évanouissant commun qui, en fait, constitue l'intimité de l'adversité.

Notre troisième acquis porte sur le contenu. On y est déjà largement entré en disant que tout ça se situe dans l'opposition des multiplicités constructibles et des multiplicités génériques et que, dans une situation déterminée, l'adversité se présente toujours comme le propos d'une réduction du générique au constructible ; il s'agit de tenter de ramener un certain type d'universalité à la particularité du constructible. C'est pour cette raison que l'adversaire se manifeste obligatoirement comme un appel à la réalité. Tout adversaire est réaliste, et ce dans tous les domaines. Il y a le réalisme politique, mais le terrible réalisme matrimonial n'est pas moins périlleux quant à la valeur générique du Deux, du Deux amoureux. C'est donc toujours l'idée que la généricité prétendue ou affirmée, que cet élément générique qu'on a touché, ne peut pas être stabilisé, normé, et qu'il faut le réduire, le requalifier, lui redonner les prédicats de sa constructibilité. Comme nous l'avions vu, tout le problème c'est que la procédure d'identification de l'adversité, qui porte à la fin des fins sur constructible et générique, doit bien avoir son propre protocole de constructibilité. Sinon nous resterions absolument et exclusivement liés à l'expérience en quelque sorte mystique du générique. En effet, si le générique était entièrement délié de toute construction, vous n'auriez pas de procédure de l'orientation dans l'existence, dans la pensée, dans la politique, où que ce soit. Vous auriez simplement, de temps à autre, comme miraculeusement, l'épiphanie du générique. C'est d'ailleurs une thèse qui peut exister. Il est possible de dire qu'il n'y a en la matière que du miracle : l'épiphanie de la généricité. Il peut parfois arriver qu'on touche comme ça l'être multiple en tant qu'être multiple absolument non réductible à quelque prédicat que ce soit, dans une intuition d'exception qui ne donne lieu à aucune procédure à proprement parler : l'éventuelle épiphanie de la généricité peut vous combler mais il n'en résulte aucune orientation. C'est ce qu'on pourrait appeler la procédure mystique. C'est encore une voie dont on peut montrer – ça a été fait depuis longtemps et je n'y reviens pas – qu'elle a des apparentements profonds avec la voie nihiliste. Sauf qu'elle prétend que ce qui apparaît c'est l'être et non pas le rien. Mais comme c'est de l'épiphanie pure, c'est très difficile, voire impossible de distinguer l'une de l'autre. Hegel l'a dit il y a longtemps. En effet, l'être, en tant qu'il est pure apparition, comment pouvez-vous le distinguer du néant ? Il n'y a aucun prédicat, ce n'est pas constructible, il n'y a aucun élément d'intervention. Donc on sait très bien que la question de savoir si la mystique est une disparition dans l'abîme de l'être ou dans l'abîme du néant est insoluble. Et la voie de l'épiphanie de la généricité, c'est en politique celle qui consisterait à dire que tout ce qu'on peut espérer ce sont des mouvements, des séquences de mouvements purs, parce que le mouvement fait advenir quelque chose qui ne tombe sous aucun prédicat. Car si cela tombe sous des prédicats, ce n'est plus un mouvement, c'est autre chose, une revendication, une corporation. Un vrai mouvement est générique dans son essence. Décembre 1995, par exemple, était indubitablement un mouvement générique. Des masses de gens de toutes sortes sont descendues dans la rue, ils ne savaient pas eux-mêmes pourquoi. C'est ça qui est bien. C'est épiphanique ! D'une certaine manière ça s'est reproduit avec le « non ». Il y a une parenté flagrante entre le mouvement de décembre 1995 et le « non » au référendum. Ce sont les mêmes gens, la même disposition. Ce qui a été fait une fois dans la rue a été fait une seconde fois dans les urnes. C'est épiphanique dans le champ politique. Dans les autres champs, on voit très bien les illustrations amoureuses ou artistiques de ce point, les cas où il n'y a que l'intuition du générique dans son apparition imprévisible. Cela procure une satisfaction, une joie, mais cela ne donne pas une orientation.

En conséquence, si nous voulons qu'il y ait orientation, nous devons proposer qu'il y ait un type de constructibilité qui fasse apparaître le générique. Il faudrait une procédure – donc quand même quelque chose de constructible – dont l'unique destination soit de faire apparaître quelque chose de générique, comme à l'envers, ou au défaut, à la faille du constructible établi, du constructible dominant, du constructible qui fait marcher tout ce qu'il y a. C'est précisément ça que je propose d'appeler une constructibilité diagonale. Il faut se l'imaginer. Vous auriez une procédure de constructibilité établie, dans un champ déterminé, qui n'accepte comme multiplicités que les multiplicités prédicatives. Ce serait donc une procédure constructible effective puisque serait admis uniquement ce qui se présente, de façon disciplinée, sous des prédicats hiérarchisables. Ensuite vous auriez une procédure, une construction qui serait en césure de la première et qui, si je puis dire, au point d'intersection ferait apparaître que, à l'envers de la procédure constructible établie, ou dans son défaut propre, quelque chose de générique peut se montrer. Ce serait ça la constructibilité diagonale.

« Diagonale », je le signale, est un mot utilisé aussi en mathématiques dans un certain type de démonstration. Il existe un type d'argument, qu'on appelle un « argument diagonal », fondamental dans l'œuvre de Cantor, donc dans la théorie des multiplicités. C'est un argument par l'absurde qui consiste à dire que si tel type de prédicat s'applique à toute une multiplicité – je fais par exemple l'hypothèse que tous les nombres sont algébriques – on peut montrer que, parce qu'il y a ce prédicat pour tous, il y en a justement un qui ne l'a pas. L'intérêt de l'argument diagonal c'est qu'on part de l'hypothèse qu'il y a une construction prédicative applicable à toute une multiplicité, et qu'on montre que cette construction prédicative est telle, que si on suppose qu'elle s'applique à tout le monde, on va justement montrer qu'il y a au moins un cas où elle ne s'applique pas, ce qui naturellement va ruiner l'hypothèse initiale. C'est en ce sens que c'est un raisonnement par l'absurde. Pour reprendre ce que je vous disais tout à l'heure : montrer que la grande majorité des nombres réels sont transcendants se montre de cette manière-là. On montre que si on suppose que tous les nombres réels sont algébriques, alors on va toujours en exhiber un qui ne l'est pas, donc un qui est transcendant.

Ce qui est intéressant dans cet argument diagonal, en particulier pour notre propos, c'est que c'est un argument, une construction, une procédure qui n'a pas d'autre finalité que d'exhiber une exception à un supposé prédicat général. Cela introduit à des considérations fondamentales sur le lien entre généricité et exception, qui apparaissent comme des contraires, puisque le générique c'est précisément l'essence générique, donc non prédicative de la multiplicité. Quel lien peut avoir cette essence générique avec la singularité d'une exception ? Eh bien, justement, on montre le défaut d'un prédicat en exhibant une exception, et après on montre que c'est l'exception qui est générique et pas le prédicat.

Vous avez là, à mon sens, une démarche fondamentale de la pensée contemporaine, à savoir que le générique n'est désignable que par la construction d'une procédure d'exception. Autrement dit, il est absolument rebelle à toute approche statistique ou majoritaire. Ce que l'argument diagonal démontre absolument c'est que le générique n'entre en scène, ne s'annonce dans une procédure, que dans une exception. On peut en tirer une leçon majeure. La dialectique ordinaire restait liée à la conviction qu'on accède aux choses par des traitements de masse, des traitements majoritaires. La loi de la démocratie elle-même est la loi majoritaire puisqu'elle affirme, en un sens numérique, que la majorité exprime la généricité de la multiplicité considérée. C'est même un point fondamental de l'argumentaire démocratique, car vous comprenez bien que la vertu de la majorité c'est d'être expressive de la généricité de la multiplicité. C'est pour ça qu'on lit dans les journaux, quand il y a un vote à 50,5 % contre 49,5 % : « Les Français ont dit que… », « Les Français ont décidé que… » Et vous lisez ça comme une littérature naturelle, ça ne vous indigne pas. Pourtant ça devrait. Ça ne vous indigne pas qu'une majorité de 50,5 % soit représentée comme ce que les Français ont dit ou fait ? Mais pourquoi 50,5 % des gens exprimeraient-ils plus les Français que 49,5 % ? Franchement il n'y a aucune raison ! Sinon l'hypothèse quasi ontologique que vous trouvez telle quelle chez le Rousseau du *Contrat social* comme fondatrice de la désignation de la majorité comme expression de la généricité de la multiplicité. C'est finalement la procédure constructible de quelque chose qui va exprimer, on ne sait trop pourquoi, la généricité de la multiplicité.

L'argument diagonal, comme d'ailleurs toute expérience singulière, le montre : la généricité entre en scène dans la modalité de l'exception, et pas du tout dans la modalité de la massivité majoritaire. Si bien que de fait elle entre toujours en scène comme minorité. Même les plus grands, les plus gigantesques mouvements sont absolument minoritaires. D'ailleurs si on fait une élection ils sont battus à tout coup. C'est pour ça que les gens de Mai 1968 disaient « Élections, piège à cons ! » Ils savaient très bien que le résultat serait un démenti du mouvement. D'ailleurs ça n'a pas manqué : lors des élections de juin 1968, on a eu la plus écrasante majorité réactionnaire qu'on ait jamais vue. C'est quand même un paradoxe étourdissant pour ceux qui étaient dans le mouvement.

Comme vous le voyez il s'agit d'un conflit, d'un conflit ontologique fondamental sur le rapport entre constructibilité et généricité, lequel porte en fin de compte sur la question de l'adversité. Parce que finalement la première conception de la généricité déclare qu'elle se projette dans le phénomène massif majoritaire. Et la deuxième conception dit qu'elle entre en scène dans la figure de l'exception ; je ne dis pas qu'elle y reste mais elle ne peut entrer en scène que dans la figure de l'exception. Forcément, puisque la construction de la généricité la fait apparaître au défaut du constructible établi. Et le défaut du constructible établi, il va toujours se présenter comme une exception à ce constructible. La loi de la majorité est toujours celle du constructible établi et il n'y a rien à en attendre de générique. Tout ce qu'on peut en attendre c'est le fonctionnement des choses. Quant au générique on ne peut en attendre qu'une chose, à savoir une constructibilité diagonale qui va couper la première et faire apparaître un point d'exception, donc non constructible selon le constructible établi. Ensuite le déploiement de tout montrera peut-être qu'en réalité ce point est en effet majoritaire. Que même, en tant que point générique, il est presque tout. Mais il n'entre pas en scène comme presque tout. Jamais. On ne connaît aucune exception dans les procédures de vérité, quelles qu'elles soient, d'une entrée en scène du point de généricité par la massivité proprement dite. Il entre en scène comme exception, et c'est ainsi qu'il peut être construit. Autrement dit, et c'était le point fondamental de ce troisième rappel, la constructibilité du générique existe. Elle est constructibilité de son entrée en scène, et pas de lui-même comme tel, et son entrée en scène se fait sous la forme de la construction d'une exception au constructible établi.

Dans une orientation créatrice véritable, vous avez toujours deux phases : une première phase qui est la construction de l'exception, c'est-à-dire l'épiphanie du générique ; et ensuite vous avez les conséquences, qui en général consistent à montrer que cette exception est en effet générique, c'est-à-dire que c'est elle qui représente véritablement la multiplicité. Il faut en conclure que l'élément de construction du générique, c'est-à-dire l'orientation novatrice, ou l'orientation vers l'émancipation, ou vers la création dans l'ordre de l'art, ou encore vers l'invention amoureuse, à savoir tout ce qui fait que la vie est une vie tout de même, fait apparaître le générique dans une modalité d'exception. En métaphorisant « exception » comme « aristocratique », et « démocratique » comme « générique » on pourra dire que l'exception fait apparaître le démocratique dans une figure aristocratique. Le générique c'est le démocratique dans son ontologie propre mais l'entrée en scène du démocratique n'est pas démocratique puisqu'elle est au régime de l'exception, elle est aristocratique. Vous voyez bien en quel sens je prends « aristocratique » : c'est évidemment une aristocratie non héréditaire, donc absolument contingente ; une aristocratie qui est la constructibilité de l'épiphanie de son contraire. Et ça, c'est une tension dont la reconnaissance est cruciale aujourd'hui. Je suis pour ma part convaincu que c'est le mode par lequel nous pouvons défaire la constructibilité démocratique dominante qui consiste à dire que le démocratique entre en scène par le démocratique, donc par le nombre. Et le nombre, en substance, c'est le nombre majoritaire. Quand c'est le nombre du mouvement, il n'arrive pas à s'assumer comme nombre minoritaire parce qu'il est toujours dans l'espace du nombre. Le point clé c'est qu'une orientation dans la pensée ou dans l'existence doit assumer le rapport entre exception et généricité, c'est ça qui fait qu'il y a une constructibilité possible du générique, une constructibilité diagonale.

Ce que je voudrais déployer pour conclure c'est que tout ça nous donne ce qu'on pourrait appeler un nouveau concept de l'expérience, que nous devons nous habituer à une autre figure de l'expérience. Et c'est à ce propos que j'ai convoqué le texte de Char qui porte sur l'expérience en tant que possibilité d'orientation véritable. Même si le mot n'est pas prononcé c'est évidemment de ça qu'il s'agit. Ce que j'appelle ici « expérience », Char va l'appeler « évidence », l'évidence qui est au cœur de l'expérience véritable. Comme beaucoup d'autres, ce texte est une méditation sur sa période résistante. Il fait partie d'une série de textes qui portent sur l'expérience du maquis. Comme vous le savez René Char a été un chef de maquis et a eu comme tel une expérience de la Résistance absolument directe. Évidemment la figure du poète chef de maquis est véritablement une figure d'exception. Et sa méditation sur le maquis est d'autant plus fondamentale que la période de la Libération et ce qui s'en est suivi a été pour lui une expérience de la déception. De la déception en un sens quasi métaphysique, de la déception absolue, radicale, comme si tout ce que contenait la Résistance comme promesse était détourné, dévalué, comme si le vieux monde revenait. En particulier l'accaparement de la Résistance par les orientations de l'époque du Parti communiste a été pour lui une épreuve très dure. Le texte en question est aussi une méditation là-dessus, à savoir, à quelles conditions peut-on finalement transformer l'épiphanie en procédure ? Autrement dit, quelles sont les règles de méthode par lesquelles nous pouvons devenir les gardiens de ce qui a eu lieu d'essentiel ? Le texte est très proche du poème de Pasolini, lequel est également une méditation sur la Résistance. Et ce que propose Char est sous le signe de la généricité, comme le montre la phrase suivante : « Certains jours il ne faut pas craindre de nommer les choses impossibles à décrire. » Vous voyez bien que la nomination de la chose impossible à décrire, c'est évidemment le rapport à la chose qui n'est pas constructible. Si elle était constructible, précisément, elle se laisserait décrire. Et si quelque chose ne se laisse pas décrire, donc n'est pas constructible, que faire ? Eh bien, il faut immédiatement le nommer. Et le nommer veut dire précisément le désigner comme ce avec quoi on va déployer une orientation nouvelle. C'est là un point très profond. À l'origine d'une orientation véritable dans la pensée ou dans l'existence, vous ne trouvez pas une construction mais une nomination : il y a un nom premier, une nomination première. Précisément parce que vous avez affaire à quelque chose qui, dans son ordre propre, n'est pas descriptible, qui est littéralement indescriptible. La généricité ne se laisse pas décrire puisqu'elle n'est pas prédicative. Est-ce que pour autant elle ne se laisse pas inscrire dans le langage ? Non pas. Elle se laisse inscrire, mais sous la forme d'un nom, vous pouvez la nommer, pas la décrire. C'est la première règle de méthode : il y a toujours un ou plusieurs noms à inventer. L'invention du nom est primordiale certains jours, les jours qui comptent dans la vie. Le nom approprié à une rencontre par exemple. Une rencontre, ça ne se laisse pas décrire, il va falloir la nommer, il va falloir inventer le nom qui en autorise les conséquences. C'est une maxime essentielle.

Je vous lis maintenant ce texte, dont je vous invite à écouter l'étrange contemporanéité :

> Pour élargir, jusqu'à la lumière – qui sera toujours fugitive –, la lueur sous laquelle nous nous agitons, entreprenons, souffrons et subsistons, il faut l'aborder sans préjugés, allégée d'archétypes qui

subitement sans qu'on en soit averti, cessent d'avoir cours. Pour obtenir un résultat valable de quelque action que ce soit, il est nécessaire de la dépouiller de ses inquiètes apparences, des sortilèges et des légendes que l'imagination lui accorde déjà avant de l'avoir menée, de concert avec l'esprit et les circonstances, à bonne fin ; de distinguer la vraie et la fausse ouverture par laquelle on va filer vers le futur. L'observer nue et la proue face au temps. L'évidence, qui n'est pas sensation mais regard que nous croisons au passage, s'offre souvent à nous, à demi dissimulée. Nous désignerons la beauté partout où elle aura une chance de survivre à l'espèce d'intérim qu'elle paraît assurer au milieu de nos soucis. Faire longuement rêver ceux qui ordinairement n'ont pas de songes, et plonger dans l'actualité ceux dans l'esprit desquels prévalent les jeux perdus du sommeil.

« Note sur le maquis », 1944,
in *Pauvreté et privilège, I*, Gallimard, 1955.

Par rapport à ce que nous avons dit cette année nous avons là un certain nombre de thèses majeures et conclusives, que je vais retraduire en partie dans ma propre langue.

Le texte commence à la fois par une situation et un problème. Cette situation c'est notre expérience vitale ordinaire : « [...] nous nous agitons, entreprenons, souffrons et subsistons... » Et cette expérience vitale ordinaire n'est jamais sans une certaine lueur. C'est là une thèse première : il n'y a jamais absolument rien, il n'est jamais vrai qu'on puisse dire que le sens a entièrement disparu. Dans notre vie ordinaire, il y a toujours une lueur. Ça, c'est un point que je partage aussi, absolument, car ce qui fait que le nihilisme n'est pas la bonne orientation, c'est que le nihilisme conclut au rien. J'appelle « lueur » l'identification du point dont je parlais tout à l'heure, le point propre qui fait jonction avec l'adversité et enclenche finalement la procédure constructive nouvelle, celle qui va toucher le générique de façon diagonale. Elle est toujours quelque part, cette lueur, peut-être infime, difficile à trouver souvent, quelquefois plus évidente, ça dépend, mais il faut toujours partir du point qu'il y a une lueur et que nous ne nous agitons pas dans l'élément du rien. En conséquence, le problème est un problème que Char va nommer un problème d'élargissement : passer de la lueur à la lumière, « élargir, jusqu'à la lumière ». On pourrait dire, enraciner dans le point ou le nom – le point une fois nommé, qui fait lueur – une procédure permettant d'enclore cette lueur dans une vraie lumière, c'est-à-dire porter le point à sa signification générique, car la lumière c'est le générique de la lueur. Ou, pour reprendre mon lexique de tout à l'heure, montrer que l'exception est réellement générique, qu'il y a toujours un point d'exception, point qu'il faut « élargir » pour en établir la signification générique. À retenir premièrement : il y a toujours un point, il y a toujours une lueur ; et deuxièmement : le programme, la pensée, l'orientation, une orientation véritable, c'est de découvrir, de dévoiler la signification générique de cette exception.

Ensuite, Char va proposer des règles de cela. Il faut d'abord extirper cette exception des constructibilités établies, qu'il nomme très bien des « archétypes qui subitement [...] cessent d'avoir cours », et ensuite « la dépouiller [...] des légendes que l'imagination lui accorde déjà ». On voit que l'imaginaire fait partie du constructible établi. Il faut donc extraire l'exception de l'ensemble des concrétions constructibles dans lesquelles la lueur se trouve prise, et se tenir devant la lueur de telle sorte qu'elle soit précisément en exception de la construction établie. Selon Char c'est ça qui va permettre de « distinguer la vraie et la fausse ouverture par laquelle on va filer vers le futur ». C'est, proprement, distinguer la constructibilité établie et la constructibilité diagonale. La lueur étant le point d'exception immanent à un monde où règne la constructibilité établie, cette constructibilité établie il faut, même quand elle comporte une lueur, savoir la distinguer de la constructibilité diagonale, qui seule va nous permettre d'aller jusqu'à la lumière, de toucher le générique, l'élargissement lumineux de la lueur. C'est là qu'intervient la clause de rupture. Car ce n'est pas parce qu'il y a une lueur que vous avez déjà la discipline de la rupture. Ce n'est pas parce qu'il y a l'exception – la lueur, la chose qui s'est passée, qui n'est pas comme le reste, que cela va vous donner par soi-même la discipline de la rupture. Cette discipline de la rupture il faut, nous dit Char, l'obtenir par des moyens compliqués afin d'obtenir un résultat valable pour quelque action que ce soit, il faut donc « l'aborder sans préjugés », « la dépouiller de ses inquiètes apparences », supprimer les « archétypes », tout un travail qui est un travail de rupture tel que le but est de tenir face à l'exception comme exception et pas comme ce qui serait simplement une petite négation interne de l'ordre. Il faut se tenir face à la lueur dans sa singularité d'exception, et ce, selon l'expression très forte, « l'observer nue et la proue face au temps », donc l'observer non pas dans sa relation à la constructibilité établie ou dans sa relation à l'ordre mais l'extraire de cette relation. Vous n'aurez de constructibilité diagonale que si vous vous tenez devant l'exception nue, celle qui n'est pas comme captive ou capturée par l'ordre dont elle est l'exception. Il faut par conséquent défaire la relation de la lueur à son ambiance d'apparition. Il nous faut la lueur, celle qui selon Char existe toujours. Mais ce n'est que le commencement. Il faut lui donner un nom parce qu'elle n'est pas descriptible, et après il faut se tenir face à elle. Se tenir face à la nudité non relationnelle de l'exception, c'est ça la discipline de la rupture. Le point difficile c'est de ne pas penser la lueur dans la figure de la relation négative, mais de la penser au contraire dans son isolement d'exception. C'est ça qui va nous donner une vraie ouverture.

Cette ouverture, c'est ce que j'appelle « la nouvelle expérience » et que Char appelle « l'évidence ». Il a cette phrase, tout à fait admirable : « L'évidence [...] s'offre [...] à demi dissimulée. » Effectivement c'est une lueur, ce n'est pas un phénomène massif, c'est un phénomène d'exception, c'est aristocratique, tout ce que vous voulez, nous l'avons dit de bien des façons. Elle est « à demi dissimulée » mais, plus profondément, elle « n'est pas sensation mais regard que nous croisons au passage ». Ça, c'est d'une extrême beauté parce que cette expérience nouvelle de l'exception qui est en capacité d'orientation est toujours quelque chose qui est dans la fugacité d'un passage. Ce n'est pas une chose établie, donnée, quelque chose qui serait une réception permanente de la sensation. La métaphore du « regard » croisé « au passage », c'est exactement ça. Elle existe, elle existe toujours, mais il faut savoir lui donner son nom au moment où on la croise. Comme quelque chose qui nous regarde. Évidemment, pour Char, c'est comme le regard d'une femme croisée en passant, c'est une métaphorique amoureuse. Mais, plus généralement, en effet, je crois que la nouvelle expérience est toujours expérience de quelque chose de mobile qui nous regarde et dont il faut immédiatement saisir la figure d'exception. Autrement dit, l'exception n'est pas structurale. Elle existe toujours, mais justement elle est une existence donc elle n'est pas un point fixe, une exception établie. Il y a des exceptions mobiles, nous les croisons, nous les expérimentons et par conséquent, et c'est aussi un élément de la discipline de rupture, nous devons porter attention à ce qui nous croise et qui, tout d'un coup, est en effet la possibilité d'une lueur, ou la possibilité d'une exception. Et Char poursuit : « Nous désignerons la beauté partout où elle aura une chance de survivre à l'espèce d'intérim qu'elle paraît assurer au milieu de nos soucis. » Désigner la beauté, c'est désigner ce regard qui nous croise, comme point de départ de la nouvelle discipline de rupture. Sans craindre de nommer cet indescriptible, ce passage fugitif qui ne se laisse pas décrire : « beauté » ici est absolument synonyme de « vérité », c'est le nom que le poète donne à la vérité.

La conclusion pratique c'est que cette exception rencontrée, croisée, nommée, que nous encadrons ensuite par la discipline de la rupture, que nous dépouillons de sa relation, que nous considérons comme une exception nue, va rendre possible la synthèse effective du rêve et du réel. Ce n'est pas l'utopie surajoutée au réel : le programme de Char c'est que l'on en arrive au point où le rêve et le réel sont indistinguables. Quand on est réellement dans l'élément du vrai, il n'y a plus cette pseudo-délimitation entre la puissance projective du rêve et l'actualité. On croise ainsi le rêve et le réel, dans une distribution entièrement nouvelle. Celui qui n'était plus hanté par les songes les rencontre dans le réel, et celui qui était perdu dans les songes va les abandonner dans le réel. Le réel, dans la figure qu'en propose Char, est à la fois fournisseur et guérisseur des songes. Et c'est bien vrai que lorsqu'il y a une expérience réellement novatrice, elle installe un enchantement singulier, mais en même temps rationnel, dans lequel il y a échange ou réciprocité des pouvoirs entre le rêve et le réel qui ne sont alors plus comme des registres séparés. Mais dans la mesure où on est dans le devenir nouveau de la chose, la projection rêvée (espérée) et la pragmatique du réel ne sont pas vraiment discernables. Rien n'est donc plus pernicieux que la propagande acharnée menée de nos jours sur ou contre l'utopie. Cette opposition de l'utopie et du réalisme c'est la perdition absolue de tout point réel. Char a absolument raison de dire que si on est au point réel, si on est réellement dans quelque chose qui est l'ouverture au générique par son entrée d'exception, alors ces oppositions ne sont plus pertinentes. En fin de compte, entre l'emballement rêveur de la création et l'attention pragmatique et prudente à la construction réelle, il n'y a pas de conflit véritable. C'est ça le propre d'une constructibilité diagonale.

Ainsi une constructibilité diagonale est en quelque sorte hantée par le générique. En elle la dimension projective et la dimension attentive ne sont pas opposables. Et c'est la même chose de faire attention aux étapes de la procédure que d'être dans la projection de son résultat ou de sa monstration générique. C'est d'ailleurs quasiment un critère subjectif : lorsqu'on souffre du peu de réel au regard du rêve ou de l'utopie, c'est qu'on n'a pas trouvé le point du réel. Et si réellement on l'a trouvé, cette opposition tombe. La constructibilité diagonale c'est aussi la disparition de tout motif de plainte. On se plaint toujours un peu à la marge mais, dans l'essence de la chose, la plainte disparaît. Parce que, la plainte, au fond, c'est toujours la discordance entre la part du songe et l'épreuve du réel : « Ce n'était pas comme on voulait, comme on souhaitait. » « C'aurait dû être bien plus grand et c'est tout petit. » « Ça devait être la passion et c'est la routine. » On se plaint toujours de ce que les choses ne soient pas comme on les imaginait. Mais dans l'expérience de la constructibilité diagonale telle qu'elle s'ouvre au générique à partir du point d'exception, il n'y a plus la discordance entre ce qui est attendu ou espéré et ce qu'il y a. Parce que ce qu'il y a n'est rien d'autre que l'effectif de ce qui est attendu. Et quand on est réellement dans une procédure de vérité, à titre de corps subjectivable, c'est ça qu'on rencontre véritablement. D'où la disparition de tout motif de plainte et l'effectivité de la non-plainte, de la non-discordance.

Je suis très frappé de voir comment Char concluait ce développement très synthétique et très beau. Comme nous l'avons vu, le poème s'achève sur cette idée que ça va faire rêver ceux qui sont en déficit de rêve, et faire agir ceux qui sont en excès de songes. Mais ça c'est possible uniquement parce qu'on est dans une procédure effective d'élargissement, un passage de la lueur à la lumière. Et donc on a tout ce qu'on peut avoir. Ça sera fugitif certes, mais ce n'est pas grave puisqu'on va toucher le générique. Sans oublier que Char ne méconnaît pas l'élément de discipline, de discipline de rupture, comme élément qui ne nous est pas gracieusement accordé par la lueur elle-même.

Pour résumer nous dirons qu'une orientation dans la pensée, une orientation dans l'existence, c'est d'abord, nommer à temps quelque chose comme un regard qu'on croise ; et ensuite, avoir comme adversaire ce qui intimement nous persuade que cette exception serait liée, reliée, serait une exception en tant que relation. L'adversaire c'est ça, c'est quand le point d'exception est partagé et que nous sommes tentés de dire que son essence est d'être sa relation d'exception au monde, alors qu'en réalité il faut se tenir affirmativement en face de l'exception, c'est-à-dire en tant que nudité propre. Après il s'agit d'être dans la discipline de rupture qui dépouille précisément cette exception de toute relation, qu'elle soit imaginaire, reliée ou réelle ; et enfin il s'agit de savoir et de pratiquer que, dans cet élément qui va tirer les conséquences de l'exception, qui va porter l'exception à la lumière, il n'y a plus de distinction entre projection et attention, entre songe et réel.

Il est tout à fait étrange que nous retrouvions, comme maxime d'orientation, qu'« il y a ce qu'il y a ». L'absence de plainte c'est ça, mais non pas au sens de l'acquiescement réaliste, qui est la variante mélancolique du « il n'y a que ce qu'il y a », mais dans la conviction qu'il y a réellement la possibilité que la lueur devienne lumière. L'orientation c'est ça : la lueur devient lumière. Et je suis dans le devenir-lumière de la lueur. Et en tant que je coïncide avec le devenir-lumière de la lueur, il y a ce qu'il y a, en un sens opposé à celui de la conversion réaliste. C'est alors seulement qu'on peut désigner la beauté dans sa chance de survivre.

Tout ça il va falloir le soutenir, mais vous voyez bien que la maxime générale c'est que l'entrée dans le générique par l'exception c'est l'entrée dans le devenir du vrai (dans le poème, la « beauté »), l'entrée dans le vrai comme devenir de lui-même. Et quand je dis qu'« il y a ce qu'il y a », ça veut dire que lorsqu'on est là-dedans, on peut dire : il y a la vérité. Exactement comme Char dit : « Nous désignerons la beauté. » La lueur n'est pas encore la beauté, c'est le devenir-lumière de la lueur qui est la beauté. Et il est possible de désigner la beauté, avec toute une série d'impératifs et de règles astreignantes. L'année prochaine, nous essaierons de voir l'appareillage complet de cela, c'est-à-dire le système des notions, des agencements conceptuels, de ce dont on a besoin pour clarifier complètement cette désignation, en échappant à la constructibilité établie, qui consiste aujourd'hui à tenter de nous convaincre qu'il n'y a rien à désigner du tout, qu'il n'y a que ce qu'il y a, au sens de la mélancolie, au sens de la résignation.

Oui, on peut réellement désigner la beauté, rencontrer le vrai, et nous ne nous laisserons pas convaincre que c'est impossible.

Merci de votre attention.

VIII

19 OCTOBRE 2005

Il est distribué un texte intitulé « Qu'est-ce que vivre ? » qu'on trouvera en annexe à la fin de cette séance.

Eh bien, bonjour à tous. Nous allons fonctionner cette année comme d'habitude, c'est-à-dire avec une séance par mois à peu près d'ici juin. Pour les curieux, je commence par quelques indications d'échéances. Vendredi, samedi et dimanche, je participe à trois colloques en trois jours. Ce qui est tout à fait absurde. Je l'interprète, puisqu'il faut s'interpréter soi-même de temps à autre, comme une absurdité compensatoire à un certain nombre d'assauts que l'existence empirique a mené contre moi depuis le mois de juin, et à laquelle il faut résister de temps à autre, y compris par l'excès. C'est pour ça qu'il y a cette surcharge, circonstancielle.

J'inaugurerai vendredi à Beaubourg une soirée consacrée à Pierre Guyotat par une conférence que j'intitulerai « Pierre Guyotat, prince de la prose ». J'ai déjà parlé de Guyotat ici même, à ce séminaire, il y a trois ans, en mars 2002. Je vais en redire quelques mots. Guyotat m'est surtout présent, et c'est un choix particulier, par ses œuvres des années 1960, même si l'on peut considérer qu'ensuite elles ont été plus radicales encore et difficiles d'accès. Son œuvre est tout à fait exceptionnelle dans l'écriture française, aux limites de l'insoutenable, parce qu'elle est peut-être l'œuvre littéraire qui déplie, dans une prose inventée mais somptueuse en même temps, quelque chose comme le fond absolu, sourdement et exemplairement criminel de nos sociétés.

Ce n'est pas une écriture de la dénonciation, elle est beaucoup plus radicale, c'est une sorte de présentation quasi cosmologique d'un fond invraisemblablement violent et saisissant de nos sociétés, tout simplement parce que sa thématique fondamentale est le prostitutionnel, c'est-à-dire la relation prostitutionnelle des corps comme échange et contrainte généralisés, sans médiation aucune. De sorte que des noms comme « les putains » prennent chez lui une résonance toute particulière : les noms de la prostitution et, derrière et avec eux, les noms qui ne sont pas même ceux de la relation ou du rapport sexuel, mais ceux que l'on pourrait dire de la collision sexuelle, ceux du heurt sexuel, sont drainés et organisés dans une espèce de symphonie tragique qui dessine une vision en quelque sorte excédentaire. C'est une vision qui est prise dans la lyrique sauvage de quelque chose qui est en effet dans le fond de notre monde, à savoir que si les relations essentielles de l'univers sont toutes, sans exception, marchandes ou commerciales, alors, dans l'humanité, le paradigme des relations entre hommes et femmes est la prostitution. C'en est le paradigme radical, puisque toute chose n'est accessible que selon son prix dans une collision d'échanges et de violences, qui est finalement symbolisée par une sexualité de ce type-là – la sexualité absolument dépourvue de toute aura, la sexualité comme corporéité sauvage. J'y reviendrai. Auparavant je voudrais vous faire réentendre ce soir trois passages qui en éclairent la langue – je n'ai pas pris les plus affreux, je vous ai ménagés –, ceux qui disent l'atrocité de notre monde. Ces trois passages sont extraits de *Tombeau pour cinq cent mille soldats* (Gallimard, 1967), que j'estime être le chef-d'œuvre de Guyotat sur l'essence de la guerre coloniale.

> Cette nuit, le faisceau éclaire le ciel, ô étoiles, jugement des nations, astres libertaires, ô mère... entends les pas de leur faune étonnée ; les pancartes de l'utopie bruissent au vent stellaire ; des nations d'hommes blessés arrivés dans la nuit, y reposent, ignorant le décor de fleurs et de sources où le flamboiement de l'aurore les réveille ; la terre se couvre alors d'instruments neufs ; dans chaque terrain de couleur et de niveau différent, une charrue, dressée,

> attend d'être prise et mes mains empoignent le bois couvert de rosée... (p. 80)
>
> Regarde... Bâli désert... les coqs ni les enfants ne crient... les eaux retenues le long des rives, dans les joncs sont alourdies et obscurcies par le sang... Vautours et rebelles s'enfuient le dos percé par le soleil... Retourne-toi, retourne-toi et tandis que tes yeux vainement remués tentent de reconstituer le massacre, découvert par l'aurore, laisse un doux poignard déchirer tes reins, et le poison combattre tes pleurs. (p. 178)

Et la fin, le dernier paragraphe, qui est en réalité celui de la naissance possible, autour d'un seul couple, d'un nouveau monde, comme Adam et Eve après le désastre :

> Kment et Guiauhare, réveillés, marchent, les genoux et les poings dans les épines, écartent la haie ; un homme courbé sur la pierre, saille la déesse ; une crinière sort de sa nuque et de son dos ; sur sa tête une colombe et une couronne d'épines. ; ses jambes nues vives, incandescentes ; au loin, sur la mer, la voile cingle vers l'île et les poissons jaillissent, étincellent sur la forge, heurtent les flancs de la barque, jouent dans la profondeur sous l'ombre de la coque ; la barque est vide mais un rayon, le premier de l'aurore, regarde et veille, sur la voile. Kment s'agenouille en face de Guiauhare et Guiauhare en face de Kment. Poings à terre, ils se baisent aux genoux, au sexe, au front. (p. 492)

Puis je participerai samedi, à l'ENS, à un colloque sur Jacques Derrida et le lendemain dimanche, à la dernière journée d'un forum organisé par *Le Monde* sur « La musique comme pensée ». Il aura lieu dans la salle des congrès du Mans : j'y interviendrai sous forme d'un entretien avec Charles Ramond sur un point qui m'intéresse depuis longtemps, lequel est de savoir pourquoi il est si difficile de parler de la musique. D'en parler du point de vue de la philosophie évidemment, mais aussi de s'interroger sur le rapport exact entre musique comme procédure, comme pensée, et quelque chose qui dirait cela. Bien que l'intellectualité de la musique soit pourtant très vive, il n'en reste pas moins qu'il y a une difficulté. Une difficulté que je résume en deux secondes : le propos sur la musique est toujours tiraillé entre une tendance qui le ramène ou le fixe du côté de l'affect – la musique comme suscitation affective, comme alternance de la joie et de la tristesse, comme emprise sur les corps – ou d'un discours technique – la musique comme construction, écriture, figure quasiment abstraite et presque mathématique de la pensée. C'est un point très particulier qui ne concerne, à mon avis, que la seule musique. Comme si la musique était la conjonction, presque improbable, entre le comble de la puissance affective potentielle ou virtuelle, y compris sous la forme de l'emprise rythmique sur les corps par exemple, mais sur beaucoup d'autres figures de l'affect, et le comble aussi de la construction artistique abstraite de l'écriture. La musique, c'est ça.

Venons-en maintenant au sujet de cette année. Je rappelle, en particulier pour ceux qui n'étaient pas là, ce que nous avons fait l'année dernière. L'essentiel, le centre de notre propos a été de proposer un nouveau protocole d'identification de l'adversaire. L'adversaire, c'est celui qui s'oppose à la création, à la nouveauté, à la liberté. Ce n'est pas nécessairement l'adversaire politique, par exemple dans la forme de l'État, c'est une catégorie beaucoup plus générale. L'hypothèse c'est que toute pensée est aux prises avec un adversaire qui d'ordinaire est un adversaire intime, un adversaire intérieur. Alors comment identifier cet adversaire ? Quel est le protocole contemporain de son identification ? La raison pour laquelle nous avons eu recours, de façon assez suivie, à des poètes qu'on peut appeler les poètes de la Résistance, en l'occurrence René Char ou Pasolini, c'est parce que la Résistance, et donc la mémoire, est précisément un paradigme de la constitution non classique de l'adversité, du rapport à l'adversité. En fait, la Résistance a toujours été une réquisition, une sollicitation subjective qui n'est pas pré-codée puisqu'elle est imposée uniquement par la situation. En effet, si vous entrez en résistance parce que les nazis sont là, contre Mussolini, ou contre n'importe quoi d'autre, cette entrée en résistance est un réquisit de la situation, et on a souvent expérimenté que les gens qui entrent ainsi en résistance sont imprévisibles. Ce ne sont pas obligatoirement les gens pré-codés par les partis, les organisations, au départ ce sont le plus souvent des singularités absolues qui entrent en résistance pour des raisons qui sont des raisons précisément de rapport nouveau à l'adversité, de choix nouveau au regard de l'adversité.

Ces poètes de la Résistance nous ont guidés dans la voie d'un nouveau protocole de constitution de l'adversité. Pourquoi fallait-il proposer une pensée nouvelle sur la question de l'adversaire ? Parce que nous sommes au-delà de sa classique identification dialectique. Nous ne pouvons plus être dans le champ qui a longuement prévalu de la définition de l'adversaire par la logique de la contradiction. Dans ce cas l'adversaire est simplement celui qui me nie ou celui qui exerce sur moi une figure de la négation, de sorte que mon rapport à l'adversité est dialectique au sens où il est d'abord et avant tout négation de cette négation. Comme Hegel l'a toujours énoncé, il est négation de la négation puisqu'il est rébellion, révolte, protestation, affirmation négative contre, précisément, une négation qui est exercée originairement sur lui dans la figure des oppressions, des répressions ou des exploitations. La thèse que j'ai défendue c'est que nous ne pouvions plus entièrement assumer cette vue des choses. C'est aujourd'hui un dispositif saturé, ou usé. C'est peut-être même le plus fondamentalement usé de ce qu'on appelle, « la fin du marxisme » ou « la fin de la révolution », bref la fin de tout. Or cette fin de tout me paraît relever essentiellement des difficultés qu'a la pensée à se représenter l'adversité dans la figure de la négation de la négation. C'est-à-dire dans la figure en quelque sorte classique de la dialecticité ; du rapport de l'action et de la pensée à ce qui est constitué comme son adversité immanente. Pendant une longue période cette construction dialectique de l'adversité a fixé le régime de la pensée comme « révolutionnaire » et/ou « d'avant-garde ». C'est là une figure qui privilégie en effet la négation (la table rase, le recommencement, etc.), mais dans l'élément de la révolte ou de la rébellion, c'est-à-dire dans l'élément de la négation de la négation. Telle était mon hypothèse de départ. Je réexaminerai ce point qui est tout de même décisif car je tiens que les difficultés manifestes de la pensée contemporaine, dans ses cheminements politiques, artistiques, sont absolument liées à cette crise de la figure dialectique de l'adversaire. C'en est véritablement le noyau. Nous ne savons pas, ou nous savons mal, ce que c'est que l'adversaire. De là évidemment, une pente secrète au nihilisme. Car le nihilisme, c'est quelque chose comme la rébellion dans la figure d'une obscurité de l'adversaire.

Passons maintenant au deuxième point. L'année dernière j'avais proposé de dire que dans le champ de ruines de cette dialectique-là, dans la difficulté de la figure classique de la constitution de l'adversaire, avaient surgi deux nouvelles figures, apparemment tout à fait contraires, mais qui étaient à mon sens des figures de l'acceptation camouflée, masquée, que j'avais appelées la figure de la gauche et la figure du rebelle, couplage un peu provocateur. On pourrait, si vous préférez, parler de la gauche et de son extrême avant-garde, en tant que deux figures qui se nourrissent de la déréliction de la figure dialectique mais terminent en figure de l'acceptation de ce qui avait été entamé comme figure de l'adversaire. Je ne reviens pas sur les analyses et les élucidations détaillées de ces points. Je rappelle simplement que la gauche c'est la figure oppositionnelle, la figure de la constitution de l'adversaire comme ce à quoi on s'oppose. L'opposition est à distinguer de la négation ou de la destruction : on s'oppose mais on n'a pas comme but de détruire. L'essence de l'opposition est en réalité la substitution, c'est-à-dire que l'essence de ce qui se présente comme opposition est en réalité la figure substitutive : il importe de remplacer, de se tenir à la place de ce à quoi on s'oppose, donc il faut le pouvoir, il faut la place. La substitution dans le placement est l'essence de cette figure, de sorte qu'elle est une figure d'acceptation de la figure du pouvoir. Quant à la figure du rebelle, j'avais dit que c'était le revers nihiliste de cela. Ce n'est pas du tout une figure d'opposition qui dirait « il faut le pouvoir », c'est plutôt « il y a le pouvoir sinon rien ». C'est une figure qui est négation, sans être à proprement parler négation de la négation, qui est donc négation sans l'affirmation, qui se tient dans l'absentement de ce à quoi on s'oppose. Du coup l'adversaire est en fait inaccessible et cela revient souvent à l'assimiler à un « système », à la « domination ». Il devient une abstraction dominante. Un système, c'est ce à quoi vous ne pouvez opposer que le rien. C'est même sa définition. Dès qu'on vous déclare « ce à quoi je m'oppose c'est le système », vous avez un élément sourdement nihiliste, parce qu'on est dans l'élément du rien subjectivable, qui est hors la systématicité du système.

Je récapitule le mouvement parce qu'il faut quand même s'y insérer d'une autre manière. Premièrement, du point de vue de la subjectivité constitutive de ce qu'est l'adversaire il faut être au-delà de la figure de la négation de la négation. Deuxièmement, les figures de la gauche et du rebelle, opposées mais finalement constitutives du moment présent, ne représentent pas une véritable solution. Il faut donc à la fois en penser abstraitement la dimension et voir ce qu'on propose au-delà. Disons-le autrement : la gauche – comme catégorie bien sûr, ce n'est pas simplement la grande collection des candidats socialistes aux élections présidentielles – est définissable comme la figure qui a une conception substitutive de l'opposition, substitutive à l'adversaire. Si l'on parle d'orientation dans la pensée, d'orientation dans l'existence, on dira que la figure d'orientation proposée par la gauche est toujours une figure selon la loi : il faut le pouvoir, il faut se substituer au pouvoir pour changer la loi. S'orienter dans la pensée, c'est toujours s'orienter selon le régime de la loi tel qu'une substitution rend possible sa modification. En ce qui concerne le rebelle, lui propose de s'orienter selon le désir. À un niveau d'abstraction plus élevé, on peut donc dire que le couplage essentiel des deux figures, c'est le couplage de la loi et du désir et, comme on le sait, il y a une profonde identité entre les deux, une réciprocité articulée dont Lacan, entre autres, a fait la théorie. En conséquence j'ai proposé de dire que ces deux figures sont en réalité des figures complémentaires de désorientation, car ni l'une ni l'autre ne proposent la constitution nouvelle d'une figure de l'adversaire qui pourrait nous réorienter. Du coup leur effet réel est désorientant. Ce n'est pas que la désorientation soit forcément mauvaise mais en tout cas ces figures ne sont pas des propositions d'orientation dans la pensée ou dans l'existence. Ce sont plutôt des propositions qui, en tant que figures masquées de l'acceptation, sont des propositions de désorientation.

Pour pouvoir proposer une orientation, il faut s'orienter selon le générique, c'est-à-dire, si l'on veut, s'orienter selon les vérités, selon quelque chose qui pourrait être nommé « vérité » dans un sens renouvelé, quelque chose qui ne se laisse réduire ni à la loi ni au désir, ni à leur articulation. C'est ça le défi. Il n'y a aujourd'hui de proposition possible de réorientation dans la pensée et dans l'existence que si on tient que le jeu général de l'orientation n'est pas réductible à l'articulation de la loi et du désir. De cela nous avons fait le tour depuis Mai 1968 et ses conséquences, qui ont été précisément l'expérimentation historique prolongée des virtualités contenues dans le tandem loi-désir quant aux figures possibles de constitution nouvelle de l'adversaire. Je pense que cette expérimentation est maintenant saturée et que ce dont il s'agit dans cette paire loi-désir s'est donné dans le tandem hostile et paradoxal des maoïstes lacaniens d'un côté et des anarchistes deleuziens de l'autre.

J'en viens maintenant à ce qui est mon point de départ de toute l'année, à savoir la possibilité de quelque chose qui ne se laisse réduire ni à la loi ni au désir. Cette opposition nous allons la prendre un peu autrement en disant : ce qui ne se laisse réduire ni aux corps ni aux discours, ou encore, si vous préférez, qui n'est réductible ni aux corps ni aux langages. En effet, je vais consacrer cette année à la construction conceptuelle d'un appareillage de pensée rendant possible que ce qui nous oriente soit irréductible à la combinaison des corps et des langages, tout en assumant naturellement son existence essentielle, basique, fondamentale, infrastructurelle.

Si on lui donne sa forme négative mon énoncé de départ pourrait être : « Il n'est pas vrai qu'il n'y a que des corps et des langages. » Car l'énoncé « il n'y a que des corps et des langages » est commun à la figure de la gauche et à la figure du rebelle. Il est ce qui permet de dire que ce qui nous oriente est soit de l'ordre de la loi, soit de l'ordre du désir et que, par conséquent, ou bien on est dans la figure substitutive du pouvoir et de la loi, ou bien on est dans le nihilisme du désir. Je suggère donc d'appeler cet énoncé l'axiome du matérialisme démocratique, que je considère comme l'idéologie dominante de notre temps, de notre site, de notre lieu. Et je pense que si nous voulons réellement trouver un principe d'orientation qui soit au-delà de la négation de la négation, c'est-à-dire au-delà de la dialecticité usuelle, à savoir « je me lève contre l'oppression, contre l'exploitation, contre les méchants qui pullulent, etc. », ce qui est déjà très bien, mais qui encore une fois est manifestement saturé, insuffisant, alors il faut déplacer l'énoncé constitutif du matérialisme démocratique. En effet, si les figures actuelles de l'orientation potentielle sont désorientantes c'est bien parce qu'elles se situent en réalité à l'intérieur de cet énoncé primordial du matérialisme démocratique.

Vous voyez bien que dire qu'il n'y a que des corps et des langages amène à définir la liberté comme la liberté des corps par rapport aux langages, les bons langages étant ceux qui ne contraignent pas les corps de telle ou telle manière. À l'inverse on dira que le bon langage est celui qui permet à l'expressivité des corps d'être maximalement créatrice. Tant que vous restez là-dedans, vous êtes, à mon sens, essentiellement dans la désorientation. Vous n'êtes ni dans le dispositif dialectique de la négation de la négation, lequel est saturé et obsolète, ni non plus dans une conception novatrice de l'affirmation. Le problème de cette année c'est en conséquence de parvenir à nous doter d'un appareillage minimal contre l'énoncé considéré comme dominant, comme structurant la situation, et en même temps contre l'ensemble de ses conséquences concernant la définition de la liberté, de l'égalité, de ce que sont les droits de l'homme. La construction générale des conséquences de cet énoncé, de sa signification véritable, de l'entame qu'on peut faire contre lui, est en réalité l'enjeu du livre que je viens de terminer, qui a pour titre *Logiques des mondes* et qui est un énorme livre. On peut donc considérer ce séminaire comme un accompagnement, une introduction, une présentation concentrée de *Logiques des mondes,* qui paraîtra quelque part dans le printemps mais que nous n'allons pas attendre. Notre enjeu c'est à la fois d'avoir une complète intelligibilité de ce que c'est que le matérialisme démocratique ainsi que des conditions sous lesquelles on peut lui opposer vraiment quelque chose. C'est donc la construction d'une scène idéologique nouvelle. Après tout, une des fonctions majeures de la philosophie, a toujours été de contribuer à l'édification d'une scène idéologique nouvelle, dans laquelle on identifie la figure idéologique dominante, ici le matérialisme démocratique, en cherchant les points, les lieux où opérer une sorte d'incise, d'exception à cette domination.

Mon entreprise consistera à travailler à une construction qui oppose au matérialisme démocratique quelque chose que j'appelle une dialectique matérialiste et qui, là aussi, peut avoir un énoncé constituant très simple. Je propose comme énoncé constituant de la dialectique matérialiste l'énoncé suivant : « Il n'y a que des corps et des langages, sinon qu'il y a des vérités. » La forme est très importante, vous remarquerez que ce n'est pas simplement : « Il n'est pas vrai qu'il n'y a que des corps et des langages. » En réalité il y a trois choses et non pas deux, car la dialectique consiste toujours à dire d'une manière ou d'une autre qu'il y a trois choses et non pas deux. Et si la forme est très importante, c'est qu'il s'agit de faire apparaître le troisième terme, non pas dans le même registre du « il y a », qui est celui des deux autres, mais en figure d'exception. Nous allons donc bien dire qu'il n'y a que des corps et des langages, c'est la part matérialiste de l'énoncé avec laquelle au fond nous sommes d'accord d'un certain point de vue. J'entends par là que dans un certain registre du « il y a », c'est bien vrai qu'il n'y a que des corps et des langages. Sinon qu'il y a autre chose, sinon qu'il y a des vérités. « Sinon que » veut dire que, dans certaines conditions, pas toujours, peut-être rarement, quelque chose est, qui n'est pas dans le même registre, qui n'est pas exactement dans la figure du « il n'y a que des corps et des langages », mais qui n'en est pas moins pouvoir être dit « étant ».

Comme vous le voyez, cette construction va comporter – et c'est ça qui fait son extrême difficulté, plus un autre problème que je vais vous dire – premièrement une part matérialiste, la logique du « il y a ». Quand on dit « il y a des corps et des langages », en quel sens prend-on « il y a » ? Ça, c'est un premier travail. Le second travail portera sur une logique de l'exception, à savoir « sinon qu'il y a des vérités ». En exception du « il y a », apparaît quelque chose qui est également de l'ordre du « il y a », mais sur un autre mode de ce « il y a ». En tout cas, il faut savoir que l'appareillage dont nous avons besoin contient une logique du « il y a » et une logique de l'exception. Et naturellement la corrélation entre les deux. Empiriquement, je voudrais vous faire remarquer, parce que cela est pour l'instant très abstrait, parce qu'introductif, que la pente majeure du matérialisme démocratique c'est de considérer qu'il n'y a pas d'exception. On pourrait presque le définir ainsi. « Il n'y a pas d'exception » se dit très souvent dans l'espace idéologico-politique en raison du fait qu'il n'y a qu'une seule chose, qu'une politique par exemple, qu'une économie, qu'un marché mondial. Il y a une présomption de l'Un et cette théorie selon laquelle il n'y aurait en réalité qu'un seul ordre est une théorie dont le contenu propre est d'argumenter contre toute exception. Non sans raison, parce qu'on peut parfaitement soutenir que l'exception ce n'est jamais vraiment démocratique. Ici on soutiendra le contraire, mais c'est un problème qu'il faut examiner dans sa tension propre. L'exception, c'est ce qui n'est pas comme le reste, et le démocratique c'est ce qui fait que tout est comme le reste.

On pourrait en effet dire du matérialisme démocratique qu'il est conséquent en affirmant l'énoncé de la pluralité, « il n'y a que des corps et des langages », et en accordant à cette pluralité un statut d'unicité, puisqu'elle est sans exception, qu'elle est précisément le « il y a ». Or vous savez que c'est un argument fondamental de la pensée démocratique contemporaine que de répéter « il y a », ce qui signifie en fait « c'est comme ça ». C'est comme ça… et le reste ce ne sont que des utopies, des rêveries, c'est archaïque. Ce « c'est comme ça » majeur se ramifie en pluralité immanente dans l'énoncé « il n'y a que des corps et des langages », qui est également une instance de l'Un, dans la mesure où il est une théorie de la non-exception. C'est au demeurant une figure très complexe, parce que la non-exception est camouflée par la multiplicité. L'opération est très fine, très subtile et d'ailleurs nous en sommes tous plus ou moins corrodés ou atteints. La non-exception est camouflée par la multiplicité parce qu'en commençant par reconnaître qu'il y a des corps et des langages vous ouvrez à une multiplicité sans bords. Vous reconnaissez tout, la diversité des cultures, la diversité des individus, la diversité des postures sexuelles. Vous reconnaissez tout, sauf justement ce qui prétend être en exception de cette modalité du « il y a », qui prétend qu'il n'y a pas que cela.

Par suite la non-exception se présente dans la figure de la multiplicité pure et de son acceptation normative. Et c'est pour ça qu'il est justifié de parler de matérialisme démocratique. C'est bien un matérialisme au sens où l'on affirme qu'il n'y a que des corps et des langages, ce qui paraît être une thèse matérialiste élémentaire, qui d'ailleurs est vraie. Mais tout en reconnaissant cette multiplicité comme figure du « il y a », on l'accompagne, quasiment par en dessous, de la forclusion de toute exception, laquelle signifie en réalité que la pluralité est le mode propre d'existence de l'Un. Je tiens que c'est ça le cœur du matérialisme démocratique, à savoir que la non-exception, la figure unique du « il y a » est précisément donnée dans la figure de la multiplicité apparemment normative. C'est si vous voulez une forme de la reconnaissance de l'autre, car, l'autre n'étant jamais qu'une combinaison de corps et de langages particulière, je dois le reconnaître puisque c'est ce qu'il y a. Ce que je ne peux pas reconnaître c'est évidemment ce qui est en exception de ce qu'il y a, ce qui, d'une certaine manière, dirait, et c'est l'autre axiome que je propose de soutenir : « il n'y a que des corps et des langages… sinon que », en ouvrant simplement la brèche formelle de l'exception possible. Et c'est cette brèche de l'exception dans le « il y a » que j'appelle « vérité ».

Tout ça c'était pour faire le tour du premier type de difficulté. Reconnaître la logique générale du « il y a », que nous avons en partage, puisque, après tout, nous dirons aussi qu'il n'y a que des corps et des langages. Nous n'allons certes pas dire qu'il y a des âmes ou des esprits, qu'il y a des feux follets, voire une spiritualité. Non, nous ne dirons rien de ce genre ! Il faut se convaincre que l'on partage la logique du « il y a » et que, de façon immanente, on y suture, on y greffe une logique de l'exception. Oui, il n'y a que cela, sinon que c'est ouvert à un « il y a » d'une autre espèce, immanent au premier, fondé sur le premier, qui introduit une logique de l'exception. C'est là un travail qui est en partie un travail de logique. J'y reviendrai. C'est en tout cas une première difficulté, ça ne va pas de soi, ça demande un appareillage compliqué, et c'est parce que cet appareillage est pour part à construire que nous avons tant de difficultés. Entendez bien que ce « nous » est un « nous » hypothétique, virtuel. Nous avons des difficultés à être dans l'espace pas simplement de l'exception mais de sa possibilité. Parce que d'une certaine manière, la puissance du matérialisme démocratique, c'est que nous sommes forcés de reconnaître qu'il y a des corps et des langages puisque c'est avec ça que se constituent les mondes, les univers, les cultures, toutes nos représentations. Mais tout en partageant cela nous avons besoin d'un appareillage nouveau et compliqué pour assumer la figure potentielle ou virtuelle de l'exception, c'est-à-dire, selon le nom que je lui donne – on peut lui en donner un autre – le « sinon que » des vérités.

La deuxième difficulté, c'est que le matérialisme démocratique, si réellement il est une idéologie, ce que je crois, est, d'une manière ou d'une autre, de l'ordre du semblant, de l'ordre de la représentation imaginaire. Mais sa figure singulière c'est d'être un semblant tel qu'il est argumenté du réel. Ce n'était pas du tout comme ça du temps où l'idéologie dominante était la religion chrétienne, laquelle était une grande figure du semblant, argumentée de l'extériorité au monde, à la transcendance, au destinal, à tout ce que vous voulez. Le matérialisme démocratique c'est une idéologie dont la figure particulière se présente comme la pure et simple description de la réalité. Une idéologie qui prétend précisément que c'est tout ce qui n'est pas elle qui argumente d'une extériorité au réel, ou d'une transcendance quelconque. Du coup, construire quelque chose qui échappe au matérialisme démocratique est très compliqué, parce qu'on a affaire à une figure toujours apte à prononcer que ce qu'elle dit c'est simplement ce qu'il y a. Et en un certain sens, c'est vrai, puisque, en effet, il n'y a que des corps et des langages. Vous voyez pourquoi elle est toujours en état d'arguer que son propos, propos en dernier ressort de caractère idéologique, est tout simplement la matérialité même, l'effectivité de ce qu'il y a. C'est là une situation relativement inédite : l'idéologie dominante se présente elle-même comme entièrement argumentée de thèses sur le réel et de la description de ce qu'il y a, mettant par conséquent au défi tout adversaire potentiel, d'assumer le « il y a ». Car l'argumentaire du matérialisme démocratique consiste toujours à dire : « Si vous convenez avec nous de ce "il y a", vous devez en tirer les mêmes conséquences que nous ; vous devez assumer entre autres qu'il n'y a pas d'exception. » On nous le répète tous les jours : « C'est comme ça. »

Ainsi l'idéologie elle-même se présente comme le contraire de l'imaginaire, comme la pure et simple description du « il y a » comme tel. Cependant, si nous soutenons la thèse que ce n'est qu'une idéologie, ce n'est qu'une apparence, car, en éliminant l'exception, le « il y a » du matérialisme démocratique bascule dans l'imaginaire. C'est là une opération assez compliquée : le moment où le matérialisme démocratique s'avère une idéologie, c'est précisément lorsqu'il se totalise lui-même, c'est-à-dire lorsqu'il forclôt toute exception. Cette forclusion de l'exception, soit la clause de l'Un, est son élément idéologique propre. Mais cet élément idéologique lui-même est constamment argumenté du réel, argumenté du « il y a ». Il s'agit donc d'une opération tout à fait singulière, qui doit être démontée et formalisée comme telle. Elle revient, dans le cas du matérialisme démocratique, à penser le réel du semblant, c'est-à-dire le réel du semblant de réel. Qu'est-ce que le réel du semblant de réel ? La question que nous devons adresser au matérialisme démocratique c'est comment il se fait qu'il soit en état de se présenter comme la description de ce qu'il y a, alors qu'à l'évidence nous expérimentons par ailleurs qu'il organise imaginairement les consciences et qu'en fait il n'a qu'un seul but : disposer des sujets devant le marché, les constituer comme des sujets de la marchandise.

La question est vraiment de comprendre où nous nous faisons vraiment avoir. Aujourd'hui ce n'est pas clair ! Mais la conscience de se faire avoir nous l'avons. Il n'en reste pas moins que, sauf à régresser dans les figures de la négation de la négation et de la dialecticité, notre réponse à la question de savoir où fonctionne exactement l'imposture n'est pas claire. C'est un des grands propos du séminaire de cette année que de tenter d'aller un peu loin dans l'élucidation. Quel est le point d'imposture du matérialisme démocratique, alors même que ce qui semble être son être propre est de décrire correctement le « il y a », comme un assortiment, un jeu réciproque des corps et des langages ? On sera bien obligé de dire à un moment donné que l'imposture c'est de forclore l'exception. Il s'agit d'ailleurs d'une imposture très spéciale, très nouvelle. C'est pourtant ce moment-là qui fait basculer le matérialisme démocratique dans la figure imaginaire de la totalisation, dans la figure imaginaire de l'Un ou du Tout.

Pour traiter ce point de façon déployée, nous serons obligés de penser ce que c'est dans ce cas-là que la figure propre du semblant, autrement dit : qu'est-ce que le semblant en tant qu'il est argumenté du réel ? Nous devrons donc aller jusqu'à rendre raison du « il y a » de l'apparaître lui-même et nous demander en quel sens le « il n'y a que des corps et des langages » peut être un « il y a » du semblant. Et ce, bien que ce soit une thèse que nous partageons. Nous allons donc tenter de montrer comment une thèse sur ce qu'il y a, laquelle paraît non seulement raisonnablement matérialiste, mais également raisonnablement démocratique, est susceptible de fonctionner comme une imposture radicale. Autrement dit, comment il se fait que nous sommes contraints de partager une thèse qui fonctionne dans l'élément d'une imposture radicale et comment cette imposture radicale est possible s'agissant d'une thèse de ce genre. Il va donc falloir examiner quel est le « il y a » propre de l'apparaître, le « il y a » propre du semblant, sans cependant basculer justement dans une pure théorie du semblant. J'appelle théorie du semblant quelque chose qui dirait que finalement tout ça relève du virtuel, quelque chose comme une thèse à la Baudrillard. Nous allons donc cheminer sur une crête qui n'est pas celle-là. Nous devrons assumer la matérialité de la thèse, à savoir que le « il n'y a que des corps et des langages » ne relève pas, en soi, de l'image, du virtuel, du fantôme, que c'est une thèse matérialiste raisonnable, et montrer à la fois qu'il y a un fonctionnement de cette thèse qui la fait basculer dans la logique du semblant ou dans la logique de l'apparaître. C'est, à mon avis, un problème tout à fait capital aujourd'hui.

En conséquence, il faut que nous ayons la possibilité d'une théorie du semblant, de l'apparaître, qui soit une théorie du réel de l'apparaître et non pas une théorie du pur apparaître de l'apparaître, une théorie du semblant qui ne soit pas une théorie du semblant comme substitut du réel, mais qui assume qu'il y a un réel du semblant lui-même. Et quel est ce réel ? Quelle est cette dimension qui seule nous permet de comprendre qu'une thèse matérialiste évidente peut en définitive fonctionner comme une imposture idéologique ? C'est ce que j'appelle la nécessité d'une nouvelle grande logique. Cela n'a rien d'étonnant puisque le schéma dialectique c'était la grande logique de Hegel. Nous avons donc besoin d'une nouvelle grande logique qui succède, relaie, relève la logique dialectique comme telle.

Toutefois, comme nous ne voulons pas tomber dans une figure idéaliste ou une figure du semblant pur, il va falloir que l'exception aussi relève du régime du « il y a ». Parce que si nous disons « il n'y a que des corps et des langages, sinon qu'il y a des vérités », nous aurons à rendre raison du « il y a des vérités », donc du « il y a » de l'exception, et comme il n'y a que des corps et des langages, il faut qu'il y ait un corps des vérités, et que cependant les vérités ne soient pas réductibles aux corps et aux langages. C'est la deuxième partie de notre programme : tenter de penser ce que peut bien être le corps de l'exception. Pour le langage, cela va de soi. Mais le point difficile c'est : que peut bien être le corps de l'exception et en quel sens les vérités ont-elles un corps ? Vous voyez que nous sommes obligés d'en passer par là. C'est ce qu'on appelle une figure de torsion. Nous assumons qu'il n'y a que des corps et des langages et nous ajoutons « sinon qu'il y a des vérités », du coup, nous avons un retour du fait que nous avons assumé qu'il n'y avait que des corps et des langages sur le fait qu'il y a des vérités. La question est parfaitement légitime. En quel sens y a-t-il une corporéité, c'est-à-dire une matérialité des vérités elles-mêmes ? C'est en ce sens que nous parlerons d'une exception immanente puisque cette exception nous oblige à montrer que ça n'est pas un autre monde, une autre scène, que ça n'est pas excepté du « il y a » lui-même. C'est pour cela que je parlais de dialectique matérialiste. « Dialectique » ça veut dire qu'il y a une exception, mais « matérialiste », signifie que cette exception elle-même doit pouvoir se présenter sous la forme du régime général du « il y a ». Le tout culmine évidemment dans la question suivante : qu'est-ce que le corps d'une vérité ?

Si bien que nous avons pour cette année, comme d'ailleurs dans *Logiques des mondes*, deux grands problèmes. Premièrement, quelles sont les lignes générales d'une nouvelle grande logique ? C'est-à-dire d'une nouvelle théorie du lien entre l'être et l'apparaître, ou entre le réel et le semblant. Deuxièmement, nous aurons à élaborer une théorie du corps des vérités. À titre de renseignement, je vous indique comment ces problèmes sont ordonnés dans *Logiques des mondes.* Vous allez voir immédiatement le lien avec ce que je viens de vous dire.

Le livre commence par une longue préface qui présente la possibilité d'une nouvelle scène idéologique et qui dramatise un peu l'opposition entre matérialisme démocratique et dialectique matérialiste. Au fond, cette opposition n'est pas directement philosophique, elle est pré-philosophique au sens où elle indique les virtualités idéologiques de l'ensemble. Nous essayerons de faire en sorte que le matérialisme démocratique dominant soit en quelque manière contraposé ou ébréché par une autre orientation de pensée qu'on appellera la dialectique matérialiste. La préface argumente dans cette direction.

Suivent cinq livres. Le livre I est directement une théorie du sujet : on entre dans le vif de la possibilité d'une subjectivation de l'exception. On peut dire qu'il présente la thèse selon laquelle toute exception est subjective ou, si vous préférez, que toute exception est corrélée à un effet de sujet. Le « sinon que » dans « il n'y a que des corps et des langages », relève d'une logique subjective. Ce livre I, mais c'est en même temps de l'anticipation, propose les linéaments d'une théorie du sujet apte à porter l'exception. Cette théorie du sujet je l'ai traitée dans les séminaires de 1996-1997 et 1997-1998, réunis maintenant dans le volume *Théorie axiomatique du sujet*. C'est un peu cette théorie axiomatique du sujet qui est présentée dans le livre I, avec pour but d'entrer tout de suite dans les raisons pour lesquelles l'exception, en tant qu'elle est dans la figure d'un sujet, vient en effet en exception de l'objectivité, du principe général du « il y a ».

Vient ensuite la grande logique. C'est un gros travail auquel sont consacrés les livres II, III et IV qui constituent le corps de cette grande logique. Le livre II a pour titre « Le transcendantal ». Pour moi le transcendantal ce sont les conditions générales de ce que c'est que l'apparition d'un monde, dans la mesure où j'appelle « monde » toute scène de l'apparaître, toute scène du « il y a » ou de l'être-là. C'est simplement l'examen des conditions de possibilité d'un monde, tandis que pour Kant le transcendantal désignait les conditions de possibilité de l'expérience. Le livre III, « L'objet », porte sur la question de savoir ce que c'est, dans le monde, qu'un objet. Comment peut-on singulariser un objet dans un monde ? Et puis le livre IV, « La relation », s'interroge sur ce que c'est qu'une relation entre objets ? Tout ça est d'un classicisme parfait : conditions générales de l'apparition d'un monde ; objets du monde ; relations entre objets du monde.

Le livre V s'appelle « Les quatre formes du changement ». C'est le livre qui contient la théorie de ce qui peut se passer dans un monde qui ait statut d'exception aux lois du monde. On va distinguer quatre formes du changement. D'abord le changement comme simple dépliement du monde, comme loi du monde, je parle là de « modifications », un peu en écho aux « modes » spinoziste. On part donc des modifications d'un monde, lesquelles font partie de ce monde et sont sous la loi de ce monde. À l'autre extrémité on trouve l'événement, qui nomme les conditions de possibilité de l'exception : il faut qu'il arrive quelque chose d'une nature tout à fait particulière pour que l'exception du « il y a » puisse elle-même se présenter dans un monde. Entre les deux, on étudie deux formes intermédiaires du changement. Je ne vous donne pas toute la machinerie, mais l'objectif fondamental c'est de distinguer, dans les changements, ceux qui sont intramondains au sens strict, donc conformes aux lois du monde, de ceux qui affectent le transcendantal, donc les conditions de possibilité du monde et pas simplement le monde dans son développement. C'est là une distinction majeure qui doit être repensée à nouveaux frais, parce que, en fin de compte, c'était ce type de distinction qui, dans la logique dialectique, sous-tendait le thème de la révolution. Prenez par exemple l'opposition traditionnelle entre réforme et révolution. Vous remarquerez qu'aujourd'hui tout le monde parle de réforme et plus personne de révolution ; le couple est un peu défait, réforme est devenu un mot de la droite pure, et quand on voit que c'est Sarkozy qui se fait le champion de la rupture, alors là ça devient sensationnel ! Mais il faut bien voir sur quoi portait en réalité le débat entre réforme et révolution. La réforme c'était une transformation homogène au monde ; on transformait quelque chose, mais on le transformait de l'intérieur de la loi du monde. Tandis que la révolution c'était une transformation du monde, de sa condition de possibilité même, de sa nature intime. Ainsi l'opposition politique entre réforme et révolution a toujours été l'opposition entre deux types de changement. On va la retrouver là, mais dans un argumentaire non dialectique, un argumentaire finalement soustrait à la logique de la contradiction. Et on identifiera d'un côté les modifications, de l'autre les événements, au sens où la modification est interne à la figure d'apparaître du monde, tandis que l'événement affecte la condition de possibilité du monde lui-même, c'est-à-dire son organisation transcendantale.

Le livre VI c'est « La théorie des points ». C'est un livre à la fois décisif et peut-être le plus difficile parce que c'est un livre sur le rapport entre la multiplicité infinie et le Deux. Ce que j'appelle « point », c'est le moment où l'ensemble des nuances de l'apparaître d'un monde se concentre dans un choix pur entre deux possibilités. Attention, ce n'est pas d'un côté le choix entre trente-six mille possibilités et de l'autre le choix entre deux possibilités, c'est le moment où l'ensemble des nuances possibles d'un monde se concentre lui-même, en tant que multiplicité infinie, dans la figure du Deux. C'est un moment où dire oui ou non, ceci ou cela, est une prise de position, non pas sur ceci ou cela, mais une prise de position sur l'ensemble de la multiplicité infinie du monde lui-même. C'est à mon avis un point absolument décisif parce qu'on ne va pas dire, comme on le dit dans la dialectique, que la loi du monde est la contradiction, que la loi du monde c'est le Deux, que structurellement le monde est divisé en deux. En fin de compte c'était, grossièrement parlant, la conception du monde historique comme lutte des classes ou comme conflit entre deux camps, entre deux options. Ce qu'on va dire, c'est que dans certaines circonstances, en un point particulier du monde, *dans* le monde, il arrive que l'ensemble des nuances phénoménales de l'apparaître se concentre dans la figure du Deux. C'est ça un point du monde. Ce n'est pas le monde structuré par le Deux mais au contraire un monde qui, très localement, présente le nuancier infini de son existence dans la figure du Deux. C'est une théorie absolument nécessaire parce qu'on peut montrer qu'un corps de vérités procède toujours point par point, que le cheminement d'une vérité se fait point par point. Il se fait en allant d'une figure de ce genre à une autre figure de ce genre et, en définitive, une vérité c'est le traitement d'un certain nombre de points, pas du tout quelque chose qui appréhende le monde dans sa globalité ou dans sa totalité. D'où la nécessité d'avoir une théorie de ce que c'est qu'un point.

Et le livre VII a pour titre « qu'est-ce qu'un corps ? » Comme vous le savez, Spinoza disait que « nous ne savons pas même ce que peut un corps ». Ce livre VII est donc consacré à répondre à distance à Spinoza car, en un certain sens, nous savons ce que c'est un corps. Enfin, nous avons une idée de ce que peut un corps. Par « corps », il faut entendre ici naturellement un « corps de vérités », pas n'importe quel corps. D'où la question : qu'est-ce qu'un corps en tant que corps subjectivable ? Car « corps subjectivable » ou « corps de vérités », c'est la même chose. Une fois qu'on a découvert ce que c'est qu'un corps, on a complété ce qui était amorcé dès le livre I en matière de théorie du sujet. Parce que dans le livre I on ne sait pas encore ce que c'est qu'un corps ; on dit qu'un sujet c'est un corps mais on ne sait pas encore ce que c'est. Dans le livre VII, on sait ce que c'est un corps et donc, si je puis dire, on sait à peu près tout. En tout cas on sait pas mal de choses.

Encore après, après le livre VII, vient une conclusion. La conclusion c'est le texte qui vous a été distribué, le texte « Qu'est-ce que vivre ? » Et c'est tout simplement l'état actuel de la conclusion de *Logiques des mondes*. C'est bien pour ça que c'est quelquefois un peu obscur, un peu difficile à comprendre. Mais parfois aussi c'est très limpide. Par conséquent l'élucidation de cette conclusion va être la manière dont je vais vous présenter *Logiques des mondes*. Vous connaîtrez ainsi le livre à fond avant tout le monde parce que, au lieu que dans le livre ça commence par la préface et va à la conclusion, ici on commence par la conclusion. Je vous dois bien une manière originale de lire et nous allons lire comme les crabes, à reculons.

Je signale au passage que cette conclusion a pour titre celui du séminaire interrompu de 2003-2004. Donc on reprend les choses, en un certain sens, au point où on les avait laissées.

Aujourd'hui je voudrais pour terminer, situer le cheminement de notre explication de ce texte. Le schéma général qui est le nôtre est ambitieux puisque notre méthode va consister à faire le commentaire d'un texte un peu en diagonale ou à reculons, en élargissant peu à peu les perspectives. Je commencerai par les deux énoncés qui me semblent être à la fois les plus énigmatiques et les plus importants.

Vous trouvez le premier dans le point 4 : « La vie est ce qui vient à bout des pulsions. » Cette définition particulière de la vie est paradoxale en apparence, puisque souvent la vie est présentée comme ce qui est de l'ordre de la pulsion, ou en tout cas comme l'une des pulsions fondamentales. Or ce que j'entends par là c'est que l'existence, telle qu'elle peut être digne d'être vécue, est une vie affirmative parce que, précisément, elle n'est pas hantée par un adversaire non identifié, alors qu'une vie malheureuse, c'est justement une vie hantée par un adversaire qu'elle ignore. C'est bien pour ça que la philosophie dialectique et tout ce qui s'y rattache directement ou indirectement a été longuement vécu comme une figure d'émancipation : la vie était une vie qui au moins n'était plus hantée par un adversaire insaisissable, obscur, mais qui, au contraire, identifiait, de façon immanente, ce qui lui était adverse. Or il se trouve que maintenant nous sommes de ce point de vue-là à nouveau dans l'ombre. On appelera donc « vie » la vie qui n'est plus hantée par un adversaire obscur, une vie dont je dis qu'elle est venue à bout des pulsions. Car j'identifie ce venir-à-bout-des-pulsions à « il n'y a que des corps et des langages, sinon que », où le « sinon que » est la figure grammaticale de l'exception, laquelle porte le venir-à-bout-des-pulsions. Autrement dit on est dans une vie qui n'est plus sous la coupe de son adversaire obscur si l'on est dans la grammaire de l'exception. Car venir à bout des pulsions c'est toujours être dans la création d'un nouveau présent. C'est ce qui est dit deux lignes plus haut : « On lui confiera [au nouveau corps] fidèlement une temporalité neuve. » Voilà pour le premier énoncé, lequel cristallise, je crois, la difficulté.

Le deuxième c'est l'énoncé final : « L'animal désabusé dont la marchandise est l'unique repère, nous ne serons livrés à sa forme que si nous y consentons. Mais de ce consentement nous protège l'Idée, arcane du présent pur. » Cette deuxième thèse, c'est mon dernier mot, si l'on peut dire ! Si nous sommes livrés à la forme de cet animal désabusé c'est bien par notre propre consentement. En consentant à donner à « il n'y a que des corps et des langages », soit au matérialisme de l'adversaire, le même sens que le matérialisme démocratique, nous serons livrés à l'animal désabusé dont je parle, à savoir à la subjectivité passive qui comparaît devant la marchandise. Paradoxalement, l'espoir, c'est que notre perte requiert notre consentement. Je crois que c'est là une caractéristique tout à fait ancienne du matérialisme démocratique : il fonctionne non pas à la tromperie, à l'illusion, mais, de manière majeure, au consentement. Ce consentement nous est extorqué parce qu'il est argumenté du réel, que c'est une idéologie du « il y a ». Certes, en un certain sens nous acceptons cette norme du « il y a », mais le problème est d'accepter sans consentir. Nous devons accepter qu'il n'y ait que des corps et des langages, mais nous ne devons pas consentir à ce que cela entraîne la forclusion d'autre chose. J'appelle « acceptation » le fait que nous devons ne pas nous soustraire à la dimension raisonnable de cet axiome et dire : « Ce n'est pas vrai, il y a autre chose. » D'une certaine manière nous devons, raisonnablement, accepter cet axiome. En revanche, j'appelle « consentement », non pas accepter l'axiome du matérialisme, mais lui donner le même sens que celui que lui donne le matérialisme démocratique, c'est-à-dire en réalité la forclusion de l'exception. L'exception, naturellement, c'est grammatical, puisque ne pas consentir à l'absence de l'exception c'est au départ ne pas consentir à l'éradication du « sinon que », qui peut-être ouvre à quelque chose d'incertain. La rature de la possibilité ou de la virtualité de l'exception, c'est le sens que le matérialisme démocratique donne à l'énoncé « il n'y a que des corps et des langages », et accepter cet énoncé ne doit pas être payé du prix du consentement. Qu'est-ce qui nous en protège ? Comme on le verra, c'est ce que j'appelle « l'Idée ». L'Idée ça veut simplement dire qu'il y a des vérités, ça veut dire le remplissement de l'exception, ça veut dire que toute vie véritable est une vie en vérité, ou une vie pour une Idée, comme je le dis ailleurs dans le texte. Une Idée c'est le fait qu'il y a réellement un présent ; ce n'est pas du tout une transcendance platonicienne, cela signifie simplement qu'un nouveau présent est attestable, le présent d'une vérité justement. Qui, en tant que présent d'une vérité, est le seul véritable et pur présent. Nous montrerons pourquoi le présent des corps et des langages est toujours un faux présent, un présent absorbé par une dimension de non-présence. Il n'y a de réellement présent que les vérités, ce qui va de pair avec le fait qu'il n'y a de réellement présent qu'un sujet. Le présent c'est une dimension du sujet. Et si tout sujet est sujet d'une vérité, ou sujet pour un corps subjectivable, alors il n'y a de présent que le présent d'une vérité. En principe, nous pouvons toujours être protégés du consentement par l'Idée : le fait qu'il y ait des vérités nous protège du consentement qui est, j'y insiste, plus que l'acceptation. Vous avez là un des ressorts essentiels de la propagande contemporaine, laquelle consiste à nous dire : « Ce que vous êtes forcés d'accepter, vous devez y consentir. » Au fond on voit bien comment les complications philosophiques consonnent avec les évidences immédiates : vous devez bien accepter qu'il n'y ait que des corps et des langages, vous devez bien accepter que le monde soit comme il est. Qui va dire le contraire ? Nous acceptons tout à fait que le capitalisme soit hégémonique, c'est comme ça ! Mais y consentir consiste finalement à dire qu'il n'y a pas d'exception, pas de point d'exception. Ce qui veut dire aussi : il n'y a pas de sujet.

C'est pourquoi le mouvement général de notre explication de texte de cette année va se faire selon ces lignes. Aujourd'hui nous avons en quelque sorte parcouru l'ensemble, mais la prochaine fois nous allons commencer par des précisions sur le matérialisme démocratique lui-même, donc par expliquer, de manière centrale, les énoncés 5 et 6, du moins en partie, ce afin de réélucider, de reclarifier très précisément et très conceptuellement ce que c'est que le matérialisme démocratique. Nous allons pour ainsi dire commencer par une théorie de l'idéologie dominante plus définitive ou ramifiée que celle que j'ai exposée aujourd'hui. Ensuite nous basculerons tout à fait de l'autre côté car nous traiterons d'un concept absolument opposé à tous ceux du matérialisme démocratique et qui joue un rôle central, le concept d'éternité.

Il s'agira en effet de définir l'éternité de façon nouvelle. C'est un concept philosophique qui a une longue histoire. Et je considère philosophiquement comme une entreprise décisive de reconstituer une signification contemporaine du mot « éternité ». Ce ne peut pas être une signification héritée, religieuse, c'est pourquoi je pense que nous ne nous en tirerons pas sans réédifier, sans reconceptualiser complètement et à nouveaux frais la notion d'éternité. En effet il est impossible de tenir l'exception, de tenir le « sinon que » des vérités si l'on n'a pas de possibilité de débaptiser l'éternité. J'entends par là que si vous restez dans la temporalisation sans exception au temps, si vous êtes dans le temps en tant que temps, alors vous resterez nécessairement prisonniers du fonctionnement matérialiste démocratique de « il n'y a que des corps et des langages ». Attention, nous sommes là dans la question de savoir ce que nous sommes en état de penser, je ne suis pas en train de dire qu'il y a des choses éternelles. C'est un autre problème. Il s'agit de savoir si nous sommes en état de penser véritablement une figure d'éternité qui soit une figure contemporaine. Ça, c'est un point décisif. En conséquence une partie de l'entreprise peut se nommer « intégrale laïcisation du concept d'éternité », ce qui revient à extirper l'éternité de l'ensemble de ses connotations et de ses sémantèmes religieux. Pourquoi assistons-nous à une reviviscence de l'islamisme ? À mon avis, c'est parce qu'il tient sur l'éternité, certes dans des conditions dramatiquement désastreuses. Mais si vous abandonnez l'éternité aux religions, vous êtes perdus, ça c'est sûr, et aujourd'hui, la disposition générale des choses c'est que les énoncés du matérialisme démocratique imposent d'une certaine façon l'abandon de l'éternité aux religions. Nous devons donc absolument, impérativement, c'est quasiment une question de survie de la pensée, éviter ce dualisme, éviter précisément la figure qu'on nous impose de la guerre contre le terrorisme. On nous présente d'un côté l'Occident sous le signe du matérialisme démocratique, et de l'autre, l'éternité abandonnée aux religions criminelles. C'est quand même une situation intolérable. Philosophiquement, j'en suis absolument convaincu, cela signifie que nous avons comme devoir, comme impératif, de créer, d'inventer, de redisposer une notion intégralement laïcisée d'éternité. Et cette notion d'éternité, affectée aux vérités, affectée aux Lumières si vous voulez, devra être entièrement disjointe de l'appareillage imaginaire des religions sous sa figure oppressive ou terrorisante, tout en restant incompatible avec le matérialisme démocratique, en exception d'avec lui. Tout le problème est de savoir si cette conception contemporaine de l'éternité peut être intégralement affirmative et non pas simplement régulatrice, idéale ou sceptique.

Je terminerai par Guyotat parce qu'il y a une très belle formule au début de *Tombeau pour cinq cent mille soldats*. Un personnage nommé Iérissos, qui va mourir à la fin du livre I, dit ceci :

> J'entre dans l'incroyance avec un tremblement de joie. Mon front, je le veux écrasé et serré par l'arceau d'une litière, et mes épaules souillées par les vomissures. Ô doute, seule éternité. (p. 50)

Vous voyez là une version de l'éternité, intégralement laïcisée, mais dans sa figure négative : la seule chose éternelle est l'incroyance ou le doute. Eh bien, un des propos de ce séminaire est d'assumer en effet que l'éternité doit être une notion intégralement laïcisée, qu'elle est compatible en effet avec la joie de l'incroyance, mais qu'elle n'est pas réductible au doute.

Merci.

Qu'est-ce que vivre ?

0. Nous voici à même de proposer une réponse à ce qui, depuis toujours, est la question « intimidante » – comme le dit un personnage de Julien Gracq – à laquelle, si grand soit son détour, la philosophie est à la fin sommée de répondre : qu'est-ce que vivre ? « Vivre », évidemment, non pas au sens du matérialisme démocratique (persévérer dans les libres virtualités du corps), mais bien plutôt au sens de la formule énigmatique d'Aristote : vivre « en Immortel ».

Nous pouvons tout d'abord reformuler le système exigeant des conditions d'une réponse affirmative du type : « Oui ! La vraie vie est présente. »

1. Ce n'est pas un monde, donné dans la logique de son apparaître – l'infini de ses objets et de ses relations – qui induit la possibilité de vivre. Si du moins la vie est autre chose que l'existence. L'induction d'une telle possibilité repose sur ce qui, dans un monde, fait trace de ce qui lui est advenu sous les espèces d'une disposition foudroyante. Soit la trace d'un événement évanoui. Une telle trace est toujours, dans l'apparaître mondain, une existence d'intensité maximale. Par incorporation du passé du monde au présent qu'ouvre la trace on apprendra qu'antérieurement à ce qui advint et n'est plus, le support d'être de cette existence intense était un inexistant du monde. Fait trace dans le monde, et signe pour la vie, la naissance d'un multiple à l'éclat de l'apparaître, auquel il n'appartenait que sous une forme éteinte.

La première directive philosophique à qui demande où est la vraie vie est donc la suivante : « Prends soin de ce qui naît.

Interroge les éclats, sonde leur passé sans gloire. Tu ne peux espérer qu'en ce qui inapparaissait. »

2. Il ne suffit pas d'identifier une trace. Il faut s'incorporer à ce qu'elle autorise comme conséquences. Ce point est crucial. La vie est création d'un présent, mais cette création est, comme l'est pour Descartes le monde au regard de Dieu, création continuée. Autour de la trace, autour de l'éclat anonyme d'une naissance au monde de l'être-là, se constitue la cohésion d'un corps antérieurement impossible. Accepter ce corps, déclarer ce corps, n'est pas suffisant pour être le contemporain du présent dont il est le support matériel. Il faut entrer dans sa composition, il faut devenir un élément actif de ce corps. Le seul rapport réel au présent est celui d'une incorporation. Incorporation à cette cohésion immanente au monde que délivre, nouvelle naissance au-delà de tous les faits et balises du temps, le devenir-existant de la trace événementielle.

3. Le déploiement des conséquences liées à la trace événementielle, conséquences qui créent un présent, se fait par le traitement de points du monde. Il se fait, non par le trajet continu de l'efficace d'un corps, mais par séquences, point par point. Tout présent est fibré. Les points du monde où l'infini comparaît devant le Deux du choix sont en effet comme les fibres du présent, sa constitution intime dans son devenir mondain. Il est donc requis, pour que s'ouvre un présent vivant, que le monde ne soit pas atone, qu'il y ait des points où s'assure, fibrant le temps créateur, l'efficace du corps.

4. La vie est une catégorie subjective. Un corps est la matérialité qu'elle exige, mais de la disposition de ce corps dans un formalisme subjectif dépend le devenir du présent : qu'il soit produit (le formalisme est fidèle, le corps est directement situé « sous » la trace événementielle), qu'il soit raturé (le formalisme est réactif, le corps est tenu à une double distance de la négation de la trace), ou qu'il soit occulté (le corps est nié). Ni la rature

réactive du présent, qui nie la valeur de l'événement, ni, *a fortiori*, son occultation mortifère, qui suppose un « corps » transcendant au monde, n'autorisent l'affirmation de la vie, qui est incorporation, point par point, au présent.

Vivre est donc une incorporation au présent sous la forme fidèle d'un sujet. Si l'incorporation est dominée par la forme réactive, on ne parlera pas de vie, mais de simple conservation. Il s'agit en effet de se protéger des conséquences d'une naissance, de ne pas relancer l'existence au-delà d'elle-même. Si l'incorporation est dominée par le formalisme obscur, on parlera de mortification.

La vie est en définitive le pari fait sur un corps advenu à l'apparaître qu'on lui confiera fidèlement une temporalité neuve, tenant à distance la pulsion conservatrice (l'instinct mal nommé « de vie ») comme la pulsion mortifiante (l'instinct de mort). La vie est ce qui vient à bout des pulsions.

5. Parce qu'elle vient à bout des pulsions, la vie s'ordonne à la création séquentielle d'un présent, laquelle constitue et absorbe un passé de type nouveau.

Pour le matérialisme démocratique, le présent n'est jamais créé. Il affirme en effet de façon tout à fait explicite qu'il importe de tenir le présent dans la limite d'une réalité atone. C'est que pour lui, toute autre vision plie les corps au despotisme d'une idéologie, au lieu de les laisser libres de gambader dans la diversité des langages. Le matérialisme démocratique propose de nommer « pensée » la pure algèbre de l'apparaître. Il résulte de cette conception atone du présent une fétichisation du passé comme « culture » séparable. Le matérialisme démocratique a la passion de l'histoire, il est, véritablement, le seul authentique matérialisme historique.

Contrairement à ce qui se passe dans la version stalinienne du marxisme, version dont Althusser a hérité, tout en la contrariant de l'intérieur, il est capital de disjoindre la dialectique matérialiste, philosophie de l'émancipation par les vérités, du matérialisme historique, philosophie de l'aliénation par les corps-langages. Rompre avec le culte des généalogies et des récits revient à restituer le passé comme amplitude du présent.

Je l'écrivais déjà il y a plus de vingt ans, dans ma *Théorie du sujet* : l'Histoire n'existe pas. Il n'y a que des présents disparates dont l'éclat se mesure à la puissance qu'ils détiennent de déplier un passé qui soit à leur mesure.

Dans le matérialisme démocratique, la vie des corps-langages est la succession conservatrice des instants du monde atone. Il en résulte que le passé est chargé de doter ces instants d'un horizon fictif – d'une épaisseur culturelle. C'est du reste pourquoi le fétichisme de l'histoire s'accompagne d'un discours insistant sur la nouveauté, sur le changement perpétuel, sur la modernisation impérative. Au passé des profondeurs culturelles s'accorde un présent dispersif, une agitation précisément dépourvue, elle, de toute profondeur. Il y a des monuments qu'on visite et des instants dévastés qu'on habite. Tout change à tout instant, et c'est la raison pour laquelle on contemple l'horizon historique majestueux de ce qui ne changeait pas.

Pour la dialectique matérialiste, c'est presque l'inverse. L'immobilité stagnante du présent, sa stérile agitation, l'atonie violemment imposée du monde, est ce qui frappe d'abord. Peu, très peu de changements capitaux dans la nature des problèmes de la pensée, depuis Platon (par exemple). Mais à partir des quelques procédures de vérité que déplient, point par point, des corps subjectivables, on reconstitue un passé différent, une histoire des achèvements, des trouvailles, des percées, qui n'est nullement une monumentalité culturelle, mais une succession lisible de fragments d'éternité. Car un sujet fidèle crée le présent comme être-là de l'éternité. En sorte que s'incorporer à ce présent revient à percevoir le passé de l'éternité elle-même.

Vivre, c'est donc aussi, toujours expérimenter au passé l'amplitude éternelle d'un présent. Nous accordons à Spinoza la célèbre formule de la proposition XXIII du Livre V de *L'Éthique* : « Nous sentons et nous expérimentons que nous sommes éternels. »

6. Il importe toutefois de nommer cette expérimentation. Elle n'est pas de l'ordre du vécu, ni de celui de l'expression. Elle n'est pas l'accord enfin trouvé des capacités d'un corps et

des ressources d'un langage. Elle est incorporation à l'exception d'une vérité. Si l'on convient d'appeler « Idée » ce qui à la fois se manifeste dans le monde – dispose l'être-là d'un corps – et fait exception à sa logique transcendantale, on dira, dans le droit fil du platonisme, qu'expérimenter au présent l'éternité qui autorise la création de ce présent, c'est expérimenter une Idée. Il faut donc assumer ceci : pour la dialectique matérialiste, « vivre » et « vivre pour une Idée » sont une seule et même chose.

Le matérialisme démocratique ne voit, dans ce qu'il nommerait plutôt une conception idéologique de la Vie, que fanatisme et instinct de mort. Et il est vrai que s'il n'y a que des corps et des langages, vivre pour une Idée est nécessairement l'absolutisation arbitraire d'un langage, auquel les corps doivent être ordonnés. La reconnaissance matérielle du « sinon que » des vérités autorise seule qu'on déclare, non pas du tout que les corps sont soumis à l'autorité d'un langage, mais qu'un nouveau corps est l'organisation au présent d'une vie subjective sans précédent ; et je soutiens que l'expérimentation réelle d'une telle vie, intelligence d'un théorème ou force d'une rencontre, contemplation d'un dessin ou élan d'un meeting, est irrésistiblement universelle. En sorte que l'avènement de l'Idée est, pour la forme d'incorporation qui lui correspond, tout le contraire d'une soumission. Elle est, selon le type de vérité dont il s'agit, joie, bonheur, plaisir ou enthousiasme.

7. Le matérialisme démocratique présente comme une donnée objective, un résultat de l'expérience historique, ce qu'il appelle « la fin des idéologies », mais il s'agit en réalité d'une injonction subjective violente, dont le contenu réel est : « Vis sans Idée. » Or, cette injonction est inconsistante.

Qu'elle accule la pensée au relativisme sceptique est une évidence désormais assurée. La tolérance, le respect de l'Autre, sont nous dit-on, à ce prix. Mais on voit tous les jours que cette tolérance n'est elle-même qu'un fanatisme, car elle ne tolère que sa propre vacuité. Le scepticisme véritable, celui des Grecs, était en réalité une théorie absolue de l'exception : il plaçait les vérités si haut, qu'il les jugeait inaccessibles au faible intellect de l'espèce humaine. Il s'accordait ainsi au courant principal de la philosophie antique, lequel pose qu'accéder au Vrai est le propre de la part immortelle des hommes, de ce qu'il y a en l'homme d'inhumain par excès. Le scepticisme contemporain, celui des cultures, de l'histoire, de l'expression de soi, n'a pas cette hauteur. Il est simple accommodement à la rhétorique des instants et à la politique des opinions. Aussi dissout-il d'abord l'inhumain dans l'humain, puis l'humain dans la vie ordinaire, puis la vie ordinaire (ou animale) dans l'atonie du monde. Et c'est de cette dissolution que résulte la maxime négative « Vis sans Idée », inconsistante de ce qu'elle n'a plus aucune idée de ce que peut être une Idée.

C'est la raison pour laquelle le matérialisme démocratique se propose en fait de détruire ce qui lui est extérieur. Comme nous l'avons remarqué, c'est une idéologie violente et guerrière. Cette violence résulte, comme tout symptôme mortifère, d'une inconsistance essentielle. Le matérialisme démocratique se veut humaniste (droits de l'homme, etc.). Mais il est impossible de disposer d'un concept de ce qui est « humain » sans en venir à cette inhumanité (éternelle, idéelle) qui autorise l'homme à s'incorporer au présent sous le signe de la trace de ce qui change. Faute de reconnaître les effets de ces traces, où l'inhumain ordonne que l'humanité soit en excès sur son être-là, il faudra, ces traces et leurs conséquences infinies, pour maintenir une notion pragmatique purement animale de l'espèce humaine, les anéantir.

Le matérialisme démocratique est un ennemi redoutable et intolérant de toute vie humaine – c'est-à-dire inhumaine – digne de ce nom.

8. L'objection banale est que si vivre dépend de l'événement, la vie n'est promise qu'à ceux qui ont la chance de l'accueillir. Le démocrate voit dans cette « chance » le stigmate d'un aristocratisme, ou d'un arbitraire transcendant : celui que depuis toujours on lie aux doctrines de la Grâce. Et il est vrai que j'ai plusieurs fois utilisé la métaphore de la grâce, pour indiquer que vivre, ce

qui s'appelle vivre, suppose toujours qu'on accepte d'œuvrer aux conséquences, généralement inouïes, de ce qui advient.

Réparer l'injustice apparente de ce don, de ce supplément incalculable d'où procède la relève d'un inexistant, c'est à quoi s'emploient de longue date les tenants, non point de Dieu, mais du divin. Le plus récent, le plus talentueux et le plus ignoré d'entre eux, Quentin Meillassoux, élabore pour ce faire une théorie entièrement neuve du « pas encore » de l'existence divine, accompagnée d'une promesse rationnelle concernant la résurrection des corps. Tant il est vrai que c'est bien des nouveaux corps et de leur naissance qu'il est inévitablement question dans cette affaire.

9. Je crois aux vérités éternelles et à leur création fragmentée dans le présent des mondes. Ma position sur ce point est tout à fait isomorphe à celle de Descartes : les vérités sont éternelles parce qu'elles ont été créées, nullement parce qu'elles sont là depuis toujours. Pour Descartes, les « vérités éternelles », dont nous avons rappelé, dans la préface, qu'il les posait en exception des corps et des idées, ne sauraient être transcendantes au vouloir divin. Même les plus formelles, mathématiques ou logiques, comme le principe de non-contradiction, dépendent d'un acte libre de Dieu :

> « Dieu ne peut avoir été déterminé à faire qu'il fût vrai que les contradictions ne peuvent être ensemble et par conséquent il a pu faire le contraire. »

Bien entendu, le procès de création d'une vérité, tel que s'en constitue le présent par les conséquences d'un corps subjectivé, est très différent de l'acte créateur d'un Dieu. Mais en son fond, l'idée est la même. Qu'il soit de l'essence d'une vérité d'être éternelle ne la dispense nullement d'apparaître dans un monde et d'être inexistante antérieurement à cette apparition. Descartes a sur ce point une formule très remarquable :

> « Encore que dieu ait voulu que quelques vérités fussent nécessaires, ce n'est pas à dire qu'il les ait nécessairement voulues. »

L'éternelle nécessité concerne une vérité elle-même, l'infinité des nombres premiers, la beauté picturale des chevaux de la grotte Chauvet, les principes de la guerre populaire ou l'affirmation amoureuse d'Héloïse et Abélard. Mais non point son processus de création, suspendu qu'il est à la contingence des mondes, à l'aléatoire d'un site, à l'efficace des organes d'un corps, à la constance d'un sujet.

Descartes s'indigne qu'on puisse supposer les vérités séparées des autres créatures et devenues en quelque sorte le destin de Dieu :

> « Les vérités mathématiques, lesquelles vous nommez éternelles, ont été établies de Dieu et en dépendent entièrement, aussi bien que tout le reste des créatures. C'est en effet parler de Dieu comme d'un Jupiter ou Saturne, et l'assujettir au Styx et aux destinées, que de dire que ces vérités sont indépendantes de lui. »

J'affirme aussi que toutes les vérités sans exception sont « établies » d'un sujet, forme d'un corps dont l'efficace crée point par point. Mais, comme Descartes, je pose que leur création n'est que l'apparaître de leur éternité.

10. Je m'indigne donc, comme Descartes, de ce qu'on fasse déchoir le Vrai au rang du Styx et des destinées. À vrai dire, pour ce qui me concerne, je m'indigne deux fois. Et la vie tient aussi son prix de cette double querelle. D'abord contre ceux, culturalistes, relativistes, gens des corps immédiats et des langues disponibles, pour qui l'historicité de toute chose exclut qu'il y ait des vérités éternelles. Ils ne voient pas qu'une création véritable, une historicité d'exception, n'a d'autre critère que d'établir, entre les mondes disparates, l'évidence d'une éternité. Et que ce qui apparaît n'est dans l'éclat de son apparition qu'autant qu'il se soustrait aux lois locales de l'apparaître. Une création est trans-logique, de ce que l'être y bouleverse l'apparaître. Ensuite, contre ceux pour

qui l'universalité du vrai prend la forme d'une Loi transcendante, devant laquelle on doit plier le genou, à laquelle il faut conformer nos corps et nos mots. Ils ne voient pas que toute éternité, toute universalité, doit apparaître en un monde et y être, « patiemment ou impatiemment », créée. Une création est logique, dès lors qu'une vérité est une apparition d'être.

11. Cependant, je n'ai pas besoin de Dieu, ni du divin. Je crois que c'est ici et maintenant que nous nous suscitons, que nous nous (res)suscitons comme Immortels.

L'homme est cet animal dont le propre est de participer à de très nombreux mondes, d'apparaître en d'innombrables lieux. Cette sorte d'ubiquité objectale, qui le fait transiter presque constamment d'un monde à l'autre, sur le fond de l'infinité de ces mondes et de leur organisation transcendantale, est par elle-même, sans qu'il soit besoin d'aucun miracle, une grâce : la grâce purement logique de l'innombrable apparaître. Tout animal humain peut se dire qu'il est exclu que partout et toujours il ne rencontre qu'atonie, inefficience du corps ou défaut d'organes aptes à en traiter des points. Incessamment, dans quelque monde accessible, quelque chose advient. À tout animal humain est accordée, plusieurs fois dans sa brève existence, la chance de s'incorporer au présent subjectif d'une vérité. À tous, et pour plusieurs types de procédures, est distribuée la grâce de vivre pour une Idée, donc, la grâce de vivre tout court.

L'infini des mondes est ce qui sauve de toute dis-grâce finie. La finitude, le constant ressassement de notre être mortel, pour tout dire, la peur de la mort comme unique passion, tels sont les ingrédients amers du matérialisme démocratique. On relève tout cela quand on s'approprie la variété discontinue des mondes et l'entrelacs des objets sous les régimes constamment variables de leurs apparitions.

12. Nous sommes ouverts à l'infinité des mondes. Vivre est possible. Par conséquent, (re)commencer à vivre est ce qui seul importe.

13. On me dit quelquefois que je ne vois dans la philosophie qu'un moyen de rétablir, contre l'apologie contemporaine de l'ordinaire et du futile, les droits de l'héroïsme. Pourquoi pas ? Cependant, l'héroïsme ancien prétend justifier la vie par le sacrifice. Mon vœu est de le faire exister par la joie affirmative que procure universellement le suivi des conséquences. Disons qu'à l'héroïsme épique de qui donne sa vie, succède l'héroïsme mathématique de qui la crée point par point.

14. À propos d'un de ses personnages Malraux note, dans *La Condition humaine* : « Le sens héroïque lui avait été donné comme une discipline, non comme une justification de la vie. » Je place en effet l'héroïsme du côté de la discipline, seule norme du Vrai et des peuples, contre la puissance et la richesse, contre l'insignifiance et la dissipation de l'esprit. Encore faut-il, cette discipline, l'inventer, cohérence d'un corps subjectivable. Alors, elle ne se distingue plus de notre désir de vivre.

15. L'animal désabusé dont la marchandise est l'unique repère, nous ne serons livrés à sa forme que si nous y consentons. Mais de ce consentement nous protège l'Idée, arcane du présent pur.

IX

30 NOVEMBRE 2005

Vous vous souvenez que l'année dernière nous avions pris plus ou moins l'engagement de commencer quelquefois par des commentaires ou des notations sur les circonstances. Je voudrais aujourd'hui vous livrer quelques considérations descriptives sur ce qui est appelé « les émeutes des jeunes des banlieues », en liaison avec le fait que nous vivons à l'heure actuelle sous un régime d'exception. C'est tout à fait significatif qu'on réactive une loi de 1955, destinée au départ à réprimer les gens à l'occasion de la guerre coloniale en Algérie, c'est une manière assez intéressante de fêter cela un demi-siècle après ! Il y a cinquante ans, il y avait tout de même une guerre organisée. Je ne vais pas justifier l'état d'urgence de l'année 1955, je l'ai bien connu moi-même. Cela a un côté cyclique de protester à cinquante ans d'intervalle contre la même législation ! Mais il se trouve que dans les deux cas les gens qui sont en cause sont pris dans quelque chose comme le soupçon de n'être pas des vrais nationaux, d'être non intégrés. On pourrait titrer ça « Intégration et désintégration de la figure nationale » dans ce pays. Six notations, ce n'est pas un propos articulé.

1. Il faudrait méditer sur le nom même de « banlieue », ou de « cité », parce que cette appellation est par elle-même significative d'une tendance prononcée, dans ce pays, à une sorte d'apartheid généralisé concernant les classes populaires – je prends ici « classes » dans un sens absolument descriptif – et singulièrement ceux qui, en leur sein, sont de filiation étrangère. C'est frappant parce que « banlieue » est immédiatement perçu

comme un régime d'extériorité par rapport à ceux qui prononcent le mot, alors qu'en réalité, « banlieue », c'est la dimension populaire des grandes villes. Ce devrait être une partie de la ville, représenter une partie de la ville, une partie essentielle où vivent des gens en grand nombre. Or la représentation fixe cela d'emblée dans une sorte de lointain spatial et humain très particulier, ce que j'appelle un apartheid, au sens géographique du terme. C'est une séparation, une mise à distance et par conséquent la constitution de la chose en problème. C'est une différence significative avec ce qu'étaient les quartiers ouvriers au XIXe siècle. Naturellement il y avait aussi toute une mythologie des quartiers ouvriers, l'ordre existant ne s'étant jamais interdit de désigner ou de dénoncer l'habitat populaire comme un lieu de sauvagerie. Ce n'est pas une invention d'aujourd'hui, il y a une longue histoire visant les « barbares », les « classes dangereuses », attributs variés dont on affuble la misère populaire, dans ses effets et ses conséquences. Mais les quartiers ouvriers étaient des quartiers des villes, ils étaient représentés comme intérieurs à la ville, ils étaient un espace propre de la ville elle-même. Comme on le voit par exemple lors de la Commune de Paris, ils étaient à ce point dans la ville qu'ils s'en sont rendus maîtres en diverses occasions. Belleville ou Ménilmontant, ce n'est pas la même chose que les banlieues. En outre, une grande partie de la production ouvrière était également interne à la ville, prise dans le tissu urbain lui-même. Je vous renvoie au très beau livre d'Éric Hazan, *L'invention de Paris*, sur lequel j'aurai l'occasion de revenir, car il pose la question de savoir si, justement, cette ville est ou n'est pas habitée par son peuple. C'est une vraie question, sous-jacente à ce mot, « banlieue », mot qui est au fond un mot d'ex-territorialité, d'extraterritorialité populaire au regard de la ville. Encore une fois, j'y insiste, il s'agit d'un phénomène nouveau, qui s'est constitué progressivement. Il a commencé dès ce siècle, dès les années 1920-1930, mais s'est déployé complètement au fur et à mesure que la population ouvrière était reléguée loin du centre, jusqu'au moment ou ce « loin » est devenu extraterritorial. De sorte qu'on entend des formules tout de même extraordinaires du genre : « Les CRS sont entrés dans les banlieues et n'en sortiront plus. », choses qui sont tout de même des syntagmes d'occupation. Cela revient à dire que l'État occupe une partie extraterritoriale des grandes villes, alors qu'on devrait évidemment assumer tout ça comme une dimension géographique interne, immanente à la ville.

2. Je crois qu'on peut faire l'hypothèse que nous assistons – avec des arrière-plans historiques très importants – à un processus de constitution original d'un racialisme spécifiquement anti-Africains noirs. Je le dis d'autant plus que je crois que ce n'était pas une donnée évidente dans ce pays. Le racialisme anti-Noirs est une donnée très ancienne et très répandue, mais il n'était pas significatif du débat idéologico-politique dans ce pays, or il le devient. Nous assistons ainsi, c'est toujours intéressant, à la constitution des paramètres, des identifiants de ce racialisme, au point qu'on voit se dessiner l'idée d'une frontière. À cet égard j'accorde une grande importance aux incidents de Mellila, à la tentative d'organiser les forces répressives marocaines ou libyennes comme une sorte de rempart ou de mur intermédiaire entre l'Afrique noire et l'Europe, avec l'apparition du syntagme « subsaharien », qui pointe que derrière le Sahara commence la sauvagerie. C'est un vieux thème. C'est dans cet ordre d'idées qu'il faut inscrire les offensives actuelles contre le regroupement familial, la thématique de la polygamie, etc. D'ici à ce qu'on nous suggère qu'ils sont cannibales ! Rien n'est absolument impossible pour les lecteurs assidus de Finkielkraut !

Il est intéressant pour tout le monde de saisir les voies de constitution d'une disposition réactive ou réactionnaire de ce genre. Il existe des expériences massives de racisme anti-Noirs, mais ici nous avons immédiatement sous les yeux la construction progressive d'un dispositif singulier. On voit apparaître les assignations géographiques, politiques, familiales dans un contexte renouvelé et on commence à entendre de-ci, de-là, le thème absolument classique de ce genre de disposition qui est que ces gens-là font trop d'enfants. C'est depuis toujours une caractéristique fondamentale de l'Africain : il fait trop d'enfants. Mais là ça devient, petit à petit, un syntagme essentiel, qui introduit la thématique d'une invasion imminente par les Africains noirs. C'est quelque chose qui me frappe beaucoup et qui éclaire la pratique – sur laquelle vous savez que je suis intervenu, parce que je le jugeais nécessaire – d'un rapport à l'État entièrement marqué par le contrôle policier. Le contrôle policier est évidemment ségrégationniste par essence puisqu'il ne se fonde que sur le critère de l'apparence, de la couleur, et il est constitutif d'un racialisme nouveau.

3. Je considère que ce qui s'est passé s'est passé principalement du côté de l'État lui-même. Il y a eu des émeutes et des voitures brûlées pendant plusieurs semaines, c'est un fait, mais enfin le pays n'était pas à feu et à sang. Cela a donné lieu à une constitution étatique et médiatique de la situation, à mon avis plus importante que les faits eux-mêmes. Ce qu'il y a eu de gravissime ce sont pour moi les dispositions prises par l'État, non pas les émeutes en elles-mêmes, qui étaient cependant significatives. Je crois qu'on peut dire que c'est l'État qui a transformé une situation de révolte circonscrite en état d'exception. Si donc « événement » il y a, c'est beaucoup moins la figure des révoltes que la réaction de l'État, et je dois dire, malheureusement, d'une partie importante de l'opinion organisée par cet État. C'est là un phénomène nouveau, et à mes yeux, inquiétant. Réellement inquiétante cette possibilité que l'État se saisisse d'une situation pour la transformer aussi facilement en état d'exception. Je crois qu'on peut dire qu'à travers tout cela, étape après étape – comme vous savez, les processus n'acquièrent leur visibilité que de façon discontinue –, le fameux État de droit se délite, inexorablement. Juste après qu'on en ait fait une vache sacrée : « l'État de droit », les « droits de l'homme ». Assez tôt j'ai écrit que « droits de l'homme » signifiait qu'il fallait d'abord être un homme, et qu'être un homme supposait d'obéir à des critères très précis. On le voit bien. Il est évident que dans la situation actuelle, tout le monde n'est pas un homme au même titre qu'un autre. Et c'est là-dessus que se fonde le délitement de l'État de droit, qui n'a de signification que minimalement égalitaire,

même si cette égalité est formelle. On peut se demander pourquoi l'État de droit est en train de se déliter au point que, devant des émeutes de gamins, il faille décider l'état d'exception, l'état d'urgence, quasiment une occupation territoriale. C'est une vraie question, et je crois qu'il faut répondre que dans la société actuelle, la masse des pauvres, pour utiliser un mot descriptif, au cœur de laquelle se trouve en effet un grand nombre de gens de filiation ou de provenance étrangère – comme des quantités d'autres gens l'ont été ou le seront encore – que cette masse des pauvres doit être persuadée d'abord que ce qui lui arrive est de sa faute et surtout pas de la faute de ce qui est fait, du système dans son ensemble, et que, ensuite, puisque ce qui lui arrive est de sa faute, elle n'est pas organiquement du pays, elle n'est pas d'ici, elle y est seulement tolérée. Autrement dit, elle doit considérer que sa présence est le résultat d'une bénévolence des gens qui sont au-dessus d'elle. Elle doit intérioriser sa présence dans la figure d'une tolérance conditionnée, parce qu'il faut bien voir que toutes les histoires sur l'« intégration » reviennent à dire que leur présence est sous condition. Sous condition de quoi ? De se tenir tranquille et d'être comme tout le monde. Sauf qu'eux n'en ont pas les moyens. Dans ce cas qu'ils se débrouillent ! Si bien que je pense que nous allons tendanciellement vers un régime dont la double caractéristique est qu'il sera censitaire et racialiste. Censitaire parce qu'en réalité la citoyenneté proprement dite aura pour condition qu'on ne soit pas trop pauvre. Quant aux autres, moins pauvres, on leur fera savoir qu'ils sont dans une situation telle que l'on ne peut que les tolérer. Racialiste, parce que, au cœur de ceux qui sont rejetés dans le lointain social, il y a en effet un très grand nombre de gens d'origine étrangère et que, en outre, on constitue la figure africaine comme une singularité typique à l'intérieur de cette étrangeté.

4. On a parlé toute l'année dernière de la figure oppositionnelle. Vous constaterez que là elle a fait merveille ! Pour trouver des gens qui disparaissent aussi misérablement dans un trou de souris, il faut se lever de bonne heure. Il est clair que la figure, la subjectivité oppositionnelle, en tant que figure masquée du

ralliement, est à l'épreuve quand la situation est tendue, quand il faut quand même prendre une position quelconque. Or on voit bien dans le cas présent que l'opposition est dans l'incapacité de prendre position. Pourquoi ? Parce qu'elle ne peut pas rompre le pacte essentiel qui la lie en réalité à l'ordre dominant. Elle est sommée de le faire, mais elle ne peut pas le faire et elle ne peut pas non plus rallier ouvertement les positions de la droite. Par conséquent, elle n'a pas d'autre possibilité que de disparaître. Et c'est ce qu'elle fait, laissant finalement les gens en place faire le boulot gouvernemental, policier, et législatif. Tout cela est une démonstration significative, qui elle-même s'inscrit, hélas, dans ce que je considère comme une extraordinaire faiblesse des réactions générales à la situation présente. C'est à la fois très frappant et symptomal. Cette situation est d'une extrême gravité idéologique, voire humanitaire, puisqu'on nous a bassiné avec l'humanitaire. Des propos ouvertement persécutoires à l'égard de minorités désignées comme telles, des ségrégations assumées dans le corps populaire sont des phénomènes très graves et je prends date ici pour dire que les conséquences en seront considérables. Que ces phénomènes puissent se passer dans un contexte de réaction, pour l'instant aussi faible, est tout de même un symptôme qui indique aussi que c'est sur cet arrière-plan que fonctionne l'opposition, l'opposition comme figure explicite du ralliement tremblant à la fonction gouvernementale et autoritaire.

5. Pour se placer maintenant sur un autre versant des choses : l'émeute. L'émeute comme telle ne constitue aucunement la production spontanée ou transitive d'un véritable sujet politique ; je crois d'ailleurs que personne ne soutient vraiment ça. Personne ne soutient que ces émeutes soient des choses remarquables ou formidables : les jeunes ont fait ce qu'ils pouvaient et savaient faire, c'est tout. Et ce, dans un cadre étroit et limité. Faire porter la discussion là-dessus serait absurde. La question c'est ce que l'émeute peut constituer : les émeutes ne sont pas par elles-mêmes des productions politiques organisées, sinon elles seraient des insurrections. Il faut quand même donner à tout ça des noms précis. L'émeute ce n'est pas l'insurrection, ce qu'elle fait c'est

organiser la visibilité d'un problème et c'est en ce sens qu'on peut la dire symptomale au sens large. Ce problème, en revanche, dans la mesure où sa visibilité a franchi une nouvelle étape, est intégré à l'ensemble des problématiques ou des voies politiques qui s'ouvrent, se proposent, ou sont en travail.

Quel est, dans ce cas précis, le problème dont la visibilité a été organisée ? Là, on est obligé de faire des hypothèses et de le nommer éventuellement de différentes façons. Ma position, c'est que le problème ainsi mis en scène par l'émeute, est l'existence d'un écart, aujourd'hui considérable, radical, visible justement, entre d'un côté le pays et les gens qui y vivent, et de l'autre l'État, la puissance gouvernementale, censée être représentative ou dirigeante de cette situation. Il y a aujourd'hui un problème de l'État, du gouvernement, dans la mesure où il est manifeste que, pour lui, une masse fondamentale de gens de ce pays ne relève en dernier ressort que de questions de police. Quels que soient les discours sirupeux dont on entoure ça et les projets mirobolants dont on assortit la réalité. Sur ce point j'ai été très frappé de l'oubli extraordinairement rapide, non seulement des autorités, mais également d'une bonne partie des journalistes d'opinion, de la stricte origine de l'affaire. Parce que l'origine de l'affaire c'est quand même la mort de deux jeunes gens et pas des abstractions comme la religion musulmane, la polygamie ou la misère des banlieues ! Dans une émeute, il faut être au plus près de la factualité car les motifs du départ sont très importants. Or au départ il s'agit quand même d'un gamin de quinze ans et d'un autre de dix-sept ans, qui sont morts parce qu'ils avaient la police aux fesses. On nous a immédiatement raconté que c'était pour des raisons légitimes, alors que ce n'était pas du tout le cas. On (i.e. le gouvernement) ment donc comme un arracheur de dents. Je trouve d'ailleurs extraordinaire que, premièrement, le gouvernement ne se livre à aucune autocritique sur ce point – la moindre des choses serait de prétendre qu'il a été mal informé – et que, deuxièmement, il ne s'incline pas devant ces morts, qui sont à l'origine de tout, et devant les familles de ces morts. Il est tout de même extravagant que le président de la République, Chirac, intervienne dans cette affaire sans prononcer un mot là-dessus. Moi-même, si j'étais dans la situation des familles des jeunes gens, je trouverais ça scandaleux. Parce que tout de même, deux morts de jeunes gens, il faudrait savoir dans quelle balance on les met par rapport à un certain nombre de voitures brûlées, ce qui est quand même l'origine de l'affaire. Le mépris dans lequel cette origine de l'affaire est tenue, en tant que vérité littérale – on pourrait dire en tant que signifiant primitif de la chose ou réel de la mort –, est significatif à mon sens de l'écart entre l'État et le pays, lequel concerne un très grand nombre de gens, qui se voient du coup relégués dans un lointain, lequel ne relève en fin de compte que de procédures d'occupation et d'ordre. Voilà pourquoi le solde de tout ça est l'occupation territoriale d'un certain nombre de cités par la police, avec promesse qu'elle va y rester toujours. Or, à supposer qu'on veuille vraiment convaincre les gens qui sont là, ce n'est certainement pas une très bonne méthode que de les occuper, au sens strict, en envoyant là-bas des contingents d'hommes armés.

Ce qui a été dit dans ces émeutes – il n'a pas été dit grand-chose, pour les raisons que je vous disais : ce n'est pas une insurrection, ce n'est pas un sujet politique constitué, c'est en effet une émeute… Ce qui a été dit, pour autant qu'il a été dit quelque chose, c'est : « On est de ce pays, et tout se passe comme si on n'en n'était pas, car l'État ne nous compte pas vraiment comme étant du pays. » C'est parfaitement vrai : l'écrasante majorité de ces gens viennent d'ailleurs, même s'ils sont formellement de nationalité française, mais voilà la conscience qu'ils en ont et qu'est venu renforcer le fait que l'État s'est engouffré là-dedans en annonçant toute une série de mesures discriminatoires. Je crois véritablement que le noyau c'est la double assertion conflictuelle d'appartenance au pays et de résiliation par l'État, par les autorités, de cette appartenance. C'est un point capital et je dirais, même si c'est tendre un peu les choses, que, du point de vue des catégories politiques traditionnelles, la question qui a été mise en visibilité est peut-être plus une question nationale qu'une question sociale. Naturellement je sais comme tout le monde la pesanteur, le poids du social dans cette affaire, la misère, le chômage, je sais ce qu'il en est de la situation concrète des gens. Cependant je maintiens que la subjectivité qui s'est manifestée, que ce qui a été prononcé, est plutôt de l'ordre de « je me considère comme d'ici et on ne me considère pas comme d'ici », et c'est ça que j'appelle « national » au sens large du terme. On a affaire à une discordance à mon avis tout à fait grave, avec le risque de conséquences extrêmement périlleuses, entre la logique d'appartenance au pays, telle qu'elle est vécue et pratiquée, et le verdict étatique ou officiel sur cette appartenance. Il ne faudrait pas oublier que la remise en cause de l'appartenance de gens au pays est toujours un phénomène d'une gravité exceptionnelle. Cela rappelle quand même de sombres années. On voit ressurgir l'idée d'expulser des gens qui ont des papiers réguliers, ce qui ramène aux sinistres années où l'on farfouillait dans la généalogie des gens jusqu'à la troisième génération pour décider s'ils étaient d'ici ou pas. Les comparaisons historiques valent ce qu'elles valent mais il est quand même frappant de voir réapparaître ce point.

Toujours dans cette logique des choses, on voit bien que la puissance publique, gouvernementale, étatique, a profité de la circonstance pour étendre la responsabilité supposée de l'émeute bien au-delà de ses acteurs effectifs. Ainsi on a vu apparaître tout d'un coup le problème du regroupement familial, le problème de la provenance des gens, le problème des sans-papiers. On est donc passé d'émeutes de gamins – aujourd'hui, un jeune entre quinze et dix-sept ans qui traînaille dans les rues c'est encore un gamin, tout le monde le sait – à la « culpabilité des étrangers ». Et cette transition a été extraordinairement facile et frappante. On aurait pu dire qu'il y avait un problème spécifique de la jeunesse, car c'étaient massivement des gamins, mais très vite c'est devenu la promesse de nouvelles lois persécutoires contre les étrangers en général. C'est ça le bilan politique tiré par le gouvernement et l'État. En outre, envisager de « contrôler le regroupement familial », donc de disloquer définitivement les familles, au moment où l'on dit, sociologiquement, que c'est la faiblesse de la structure familiale qui est responsable, c'est vraiment une solution formidable ! Ces répercussions, contradictoires et totalement absurdes, d'une expansion du problème initialement posé, ou mis en visibilité par l'émeute, aboutissent en fait à une logique sans frein de persécution des minorités de provenance étrangère dans ce pays. J'affirme donc que cette logique est extraordinairement dangereuse et menaçante et que la situation est très mauvaise.

6. Ma dernière remarque serait, je crois, qu'il y a une responsabilité personnelle de chacun dans cela. Parce que cela ne concerne pas directement les partis, c'est une circonstance gouvernementale et étatique. Disons d'abord que mettre un pays en état d'exception et d'urgence contre des gamins déshérités, c'est un symptôme répugnant. Que devant des émeutes de gamins, absolument déraisonnées en effet, on appelle à l'ordre, ce n'est vraiment pas mon problème. Mais que l'on mette tout le pays et toute son opinion au régime de l'état d'exception, qu'on vote ou qu'on projette de nouvelles lois discriminatoires contre l'ensemble des communautés étrangères, et qu'on construise de surcroît un nouveau racialisme anti-Noirs dans ce pays, ça c'est purement et simplement révoltant. Et qu'on ne vienne pas me dire que c'est un vrai problème, qu'on pourrait faire autrement, qu'on devrait les intégrer mieux que ça. Non ! Il faut commencer par dire que c'est une saloperie ! En tout cas, je n'hésite pas à le dire !

Dans ce contexte l'idée générale qu'on ne peut pas laisser seuls ces gamins face à la police et à l'État est très importante. Il y a eu des initiatives allant dans ce sens-là : initiatives des familles dans les cités, initiatives d'assistance aux procès pour en vérifier les régularités, initiatives de surveillance de la police. Tout ça c'est extrêmement bien, ce sont, si vous voulez, des questions générales d'organisation populaire. Et je soutiens qu'on en a vraiment besoin, à la fois parce qu'on a vu qu'en effet ces émeutes étaient des émeutes, c'est-à-dire qu'elles étaient inorganisées, faiblardes et, en un certain sens, négatives, mais on en a aussi besoin parce que la réaction de l'État, qui est à mon avis le point principal aujourd'hui, risque d'être dévastatrice si elle ne rencontre rien devant elle. Or les projets vont bon train, ils sont tous positivement effroyables ; ils représentent vraiment des lois racialistes et des lois de persécution considérables. Je pense qu'il importe d'être dans la posture de la volonté ferme et prolongée d'obtenir le démantèlement du système des lois scélérates qui ont été ou vont être votées. Ça, c'est un point capital. Et enfin il faut affirmer sur toutes ces questions le droit ouvrier et populaire, appelons-le comme ça, c'est-à-dire le droit des gens. Le droit des gens à être ici sans que ce soit suspendu à des classifications, des prédicats, des désignations, des sociologies elles-mêmes dépendantes de l'autorité policière et étatique.

Voilà ce que je voulais vous dire. Et je vous le dis avec une certaine gravité. Comme vous le savez, je suis un optimiste né, mais là je dois dire que j'ai trouvé ça assez impressionnant. Et franchement ce ne sont pas les voitures brûlées qui m'ont impressionné. Ce n'est pas particulièrement bien. Tout le monde s'exclame : « Ils détruisent leurs propres lieux ! » Mais les malheureux, que voulait-on qu'ils fassent ? On aurait pu leur donner des conseils insurrectionnels intelligents évidemment, du genre : « Mes chers amis, marchez donc sur l'Élysée ! » Ou comme l'a proposé un journal : « Ils n'ont qu'à s'inscrire sur les listes électorales. » Formidable ! D'une certaine façon ils ont fait avec ce qu'ils avaient sous la main. Je ne dis pas que c'était malin. Mais pour être malin, il faut le pouvoir. On entend dire : « Ils brûlent leurs voitures, ils brûlent leurs écoles. » Eh bien oui, ils ont brûlé l'endroit où ils étaient. Parce qu'une partie de leur dire c'était : « Nous on est ici, et puisqu'on ne veut pas qu'on soit ici, alors on va brûler ici. » Je ne dis pas que ce soit une idée géniale ! Mais enfin, on peut avoir l'intelligibilité de cela. Les petits malins pour qui « ils auraient dû faire beaucoup mieux », on ne les a pas vus faire grand-chose, eux, à propos de ces jeunes, à propos des cités, à propos de la ségrégation ouvrière. On ne va pas reprocher à une émeute de ne pas être une insurrection. C'est une émeute, en effet, et les émeutiers, que ce soit à Los Angeles ou ailleurs, ont toujours saccagé l'endroit où les gens sont. Mais quand ils essaient de faire autre chose, on leur tire dessus, tout simplement !

Il faut le savoir. Alors ils ont attiré l'attention comme ça sur ce que je répète être la conscience où ils sont, la conscience diffuse, pas organisée, de ce qu'ils sont ici et que ce qu'on déclare montre qu'ils ne sont pas d'ici. Et la première chose qui le montre c'est que quand deux d'entre eux meurent, personne finalement ne dit rien, sinon des mensonges. Parce que c'est ça l'origine factuelle de la chose. C'est pourquoi dans la situation actuelle chacun a ses responsabilités. Et je crois que nous n'avons pas fini d'en entendre parler parce que le train des choses requiert vraiment le bon vieux mot d'« engagement ».

Ce vaste prologue étant maintenant terminé – je ne pouvais pas rester muet là-dessus devant vous – nous reprenons le train des questions fondamentales de ce cours, qui d'ailleurs croiseront de façon plus abstraite les problèmes dont je parlais à l'instant.

Je vous rappelle que la matière, ou l'enjeu du séminaire de cette année, c'est une sorte de commentaire de texte, le commentaire du texte que vous avez sous le titre « Qu'est-ce que vivre ? » et qui, je le rappelle, est en fait la conclusion de mon livre, *Logiques des mondes,* à paraître en février ou mars. *Logiques des mondes* est organisé initialement à partir d'une opposition de caractère idéologique plutôt que philosophique entre ce que j'appelle le matérialisme démocratique d'un côté, et la dialectique matérialiste de l'autre. Le livre est donc campé autour ou à partir d'une opposition idéologique massive entre deux orientations de pensée possibles, qui sont aussi deux visions du monde. Un des visées du séminaire de cette année, c'est naturellement d'éclaircir ce point, d'éclairer la raison de cette opposition idéologique dans laquelle se constituent la pensée et l'action. Vous voyez bien que le changement par rapport aux dispositions traditionnelles c'est que ce n'est plus l'opposition entre matérialisme et idéalisme, laquelle a été l'opposition traditionnelle de la pensée révolutionnaire pratiquement depuis le XVIIIe siècle. Bien avant Marx, la pensée révolutionnaire s'est réclamée du matérialisme et a dénoncé la religion, la pensée bourgeoise, comme de caractère idéaliste. Je vous rappelle que quelqu'un comme Althusser considérait que l'opposition entre matérialisme et idéalisme constituait organiquement la philosophie elle-même, au sens où, depuis ses origines, la philosophie avait été réglée, normée intérieurement, par cette opposition. Pour Althusser la philosophie ne consistait pas de façon systématique à opposer des matérialistes à des idéalistes, elle était elle-même la scène de cette opposition. À l'intérieur d'une même philosophie, vous pouviez ainsi parfaitement retrouver des signes, des traces, d'un conflit entre l'idéalisme et le matérialisme, qui constituait précisément le devenir de la philosophie. En gros, pendant une très longue séquence historique, la pensée révolutionnaire s'est réclamée du matérialisme et a dénoncé l'idéalisme comme l'idéologie spontanée des classes dominantes quelles qu'elles soient, sous ses formes religieuses, spiritualistes, ou mythologiques. Or la première proposition que je soutiendrai c'est qu'aujourd'hui ce qui constitue la scène du repérage idéologique, et donc ce dans quoi s'inscrit la philosophie, est en réalité l'opposition de deux déterminations matérialistes, non pas l'opposition du matérialisme et de l'idéalisme. C'est un premier changement sur lequel je voudrais faire progressivement la clarté.

La thèse massivement soutenue de nos jours c'est que l'idéalisme a été vaincu. C'est, à mon sens, une variante de la thèse « Dieu est mort ». Prise au sérieux, cette dernière peut être transcrite par « l'idéalisme a été vaincu », ou par « l'idéalisme est mort ». Il est certain que la société contemporaine, dans sa forme la plus oppressive et la plus menaçante, celle dont on parlait tout à l'heure, n'est en rien une société idéaliste, ou marquée par l'idéalisme. C'est au contraire une société d'un matérialisme implacable, qui ne connaît que les relations de force, les relations de puissance. Elle a, comme l'annonçait Marx dans le *Manifeste*, dissous toutes les vieilles relations idéalistes « dans les eaux glacées du calcul égoïste ». Ces vieilles relations, c'étaient les relations d'honneur, les relations féodales, les relations religieuses, familiales. Ce que Marx annonçait, et sa puissance d'anticipation est extraordinaire, c'est que tout ça, tout ce contexte relationnel idéalisé allait être anéanti par la généralisation du mode de production capitaliste. Il a vu ça avec un bon siècle d'avance, et ceux qui prétendent qu'il est dépassé ne se rendent pas compte qu'il serait plus juste de dire que ce qu'il prédisait s'est réalisé. Annoncer la défaite de l'idéalisme dans les années 1840, c'était tout de même assez audacieux. Aujourd'hui c'est une évidence. Cela dit, philosophiquement aussi, il faut tirer les leçons de la défaite de l'idéalisme. La question qui se pose c'est de savoir quel est le dispositif de domination idéologique contemporain, si ce n'est pas une des formes héritées de l'idéalisme. Si l'idéalisme a été vaincu, comment se fait-il que ce ne soit pas pour autant une victoire révolutionnaire, une victoire de l'émancipation ? Ça, c'est un grand problème de notre temps, qui a souvent été difficultueusement examiné comme tel. Pendant longtemps, en particulier au XIXe, avec le culte de la science, du progrès, a régné la conviction que le matérialisme allait l'emporter en tant que dynamique révolutionnaire, et que l'idéalisme pouvait être défait au service finalement de l'émancipation.

Nous sommes donc confrontés à un phénomène en un certain sens tout à fait inattendu qui est que l'idéalisme a bien été vaincu, je ne crois d'ailleurs nullement à la possibilité de sa résurrection, pas plus qu'au retour des religions. Dieu est réellement mort et, contrairement à sa vocation naturelle, il ne ressuscitera pas... Cependant on est bien obligé de constater que cela s'accompagne non pas d'une victoire de l'émancipation. Mais plutôt, semble-t-il, de l'installation, à une échelle sans précédent, de ce que Marx annonçait, cette dissolution de tout « dans les eaux glacées du calcul égoïste ». Si l'on se pose la question de savoir quel est le dispositif contemporain de la domination on est donc inévitablement amené à considérer que c'est un matérialisme, ou une variante singulière du matérialisme. Par conséquent il faut se demander comment il se fait que ce matérialisme, couplé non pas à l'émancipation mais à la généralisation du pouvoir capitaliste, organise les sujets. Qu'est-ce qui fait que, en tant que disposition idéologique nouvelle, il est organisateur des subjectivités, dans la figure d'une domination renouvelée. C'est le premier problème. Le deuxième problème, qui est le même à l'envers, c'est ce que devient dans ce cas l'orientation matérialiste, dans sa destination émancipatrice ou révolutionnaire. Faut-il dire qu'elle a échoué et que nous ne sommes plus dans un espace de scission idéologique, mais que nous assistons à une espèce de triomphe atone ou général du matérialisme réactionnaire ? Quelle est alors la nouvelle configuration de la disposition idéologique générale dans laquelle nous trempons aujourd'hui ?

Nous voici par conséquent sommés de procéder à l'examen de la possibilité d'une scission du matérialisme lui-même, parce qu'il paraît difficile de soutenir qu'il y aurait eu inversion des positions. Il serait intéressant d'examiner cette thèse de la commutation des deux. Ainsi, le matérialisme qui pendant très longtemps, dans la phase révolutionnaire classique, a été l'idéologie de l'émancipation, aurait depuis été réorganisé comme matérialisme oppressif, comme matérialisme de la jouissance du capital, et du coup il n'y aurait de chances possibles pour l'émancipation que du côté de la figure idéaliste. Personnellement je ne crois pas cette hypothèse tenable parce que je pense que l'idéalisme a été vaincu tout simplement et qu'il est sans forces. Ce n'est pas que je rejette absolument l'hypothèse, mais il s'agit à mon avis d'une configuration morte, qui ne se laissera pas ressusciter par la bonne volonté émancipatrice elle-même, même si, de-ci de-là, la tendance à ressusciter un idéalisme de circonstance au service de l'émancipation existe. C'est à mes yeux une tentative absolument vaine parce que la victoire du matérialisme est événementielle, c'est un fait, elle est arrivée. Et tout ce qui prétend dénier cette arrivée est tout simplement archaïque et ne fait que retarder sur cet événement lui-même. Encore une fois, comme le dit Nietzsche, Dieu est mort, c'est un événement, l'idéalisme est vaincu.

Ainsi, la posture consistant à dire que l'émancipation est du côté de l'idéalisme est une posture sans avenir, qui ne peut être qu'une tactique d'arriération provisoire. De notre côté aussi nous avons à entériner la mort de l'idéalisme. Une seule issue nous est laissée : la scission du matérialisme lui-même. Il faut penser, réfléchir, considérer qu'il y a aujourd'hui deux voies matérialistes et non pas une seule. C'est à quoi est destinée l'opposition que je propose de construire entre matérialisme démocratique et dialectique matérialiste. « Matérialisme » est des deux côtés, en substantif d'un côté, en adjectif de l'autre. Et cette différence enregistre que la dynamique émancipatrice reste du côté du matérialisme, tout en produisant, en organisant sa scission. Mais à partir de là, pourquoi « matérialisme démocratique », et pourquoi « dialectique matérialiste » ? Je m'en expliquerai chemin faisant. Il y a forcément des raisons à ces choix de substantif ou d'adjectif. J'indique simplement que, si vous voulez élucider la victoire contemporaine du matérialisme réactionnaire, vous devez d'abord porter l'accent sur sa capacité organisatrice des subjectivités. Car c'est ça qui faisait la force de l'idéalisme qui, du temps où il était la substance même de l'idéologie réactive, était un puissant organisateur des subjectivités. C'est bien pourquoi il a pu être traité d'« opium du peuple ». La consolation religieuse, la morale publique, le spiritualisme dans son ensemble étaient organisateurs des subjectivités. Quand on entreprend de rendre compte d'une idéologie, il ne suffit pas d'en décrire la puissance objective, il faut en décrire la force subjective. L'élément qui caractérise la force subjective du matérialisme réactionnaire contemporain, je tiens que c'est son élément démocratique. C'est pour ça que j'ai choisi cette appellation, quitte à préciser après de quoi il s'agit. Il est absolument évident que la puissance organisatrice du matérialisme contemporain réside dans sa dimension démocratique, et que, en un certain sens, tout le monde est pour lui. Ce qui veut simplement dire que c'est l'idéologie dominante : à un certain niveau de sa construction subjective tout le monde est pour l'idéologie dominante. Le reste est en exception. Et maintenant, dans « dialectique matérialiste », pourquoi « dialectique » ? Eh bien, parce que, comme nous le verrons, on ne peut pas tenir la dualité, ça doit aller jusqu'au 3. C'est une dialectique matérialiste parce que c'est la puissance du 3, c'est-à-dire celle de l'exception par rapport à la simple dualité.

L'ensemble de ces catégories, de ces schèmes, constitue un enjeu fondamental du séminaire de cette année mais je les laisse en repos pour l'instant. Je vous avais dit que, dans notre texte, vous aviez deux énoncés radicaux, les plus importants peut-être. Nous avons expliqué le premier : « La vie est ce qui vient à bout des pulsions. » Le deuxième énoncé est l'énoncé terminal, l'énoncé 15 :

> L'animal désabusé dont la marchandise est l'unique repère, nous ne serons livrés à sa forme que si nous y consentons. Mais de ce consentement nous protège l'Idée, arcane du présent pur.

Voilà qui vous donne la piste explicative du texte qui vous est proposé, celle que je vais suivre : on ne va pas le prendre dans l'ordre, on va le rebâtir autrement. Au fond il s'agit de construire une liaison nouvelle qui effectivement tente de répondre à la question « Qu'est-ce que vivre ? » Qu'est-ce que vivre en tant que, comme on le sait au moins depuis les situationnistes, vivre veut dire autre chose que survivre ? C'est vivre en tant que la vie est autre chose que la perpétuation de sa survivance. C'est la capacité à se tenir dans la vie comme sujet. Et sous ce signe-là, dans cette ambition-là, il s'agit de construire une liaison entre venir à bout des pulsions, la souveraineté de l'Idée qui nous en protège et la création d'un présent. C'est ça la liaison principale qu'il s'agit de rendre claire. Venir à bout des pulsions c'est vivre dans un régime qui, pourrait-on dire, est autre que celui de l'immédiat. Car le matérialisme démocratique, c'est la condamnation à l'immédiat. Venir à bout des pulsions peut donc se dire aussi venir à bout de l'immédiat ; ça c'est la partie négative. Ensuite vous avez la souveraineté de l'Idée où il faut se tenir et enfin la question d'être dans la réalité du présent, dans sa création. Comme vous le voyez, le lien entre les trois choses n'est pas apparent. C'est donc bien ce lien qu'il s'agit de clarifier pour que la question « qu'est-ce que vivre ? » soit elle-même résolue ou en tout cas orientée vers sa résolution.

Commençons par l'immédiat, pourquoi importe-t-il d'en venir à bout ? Ce qu'on voit malaisément, c'est d'abord la puissance de l'Idée contre la pulsion : en effet tout le matérialisme semble nous enseigner le contraire, à savoir que la pulsion est la maîtresse de l'Idée ; ensuite c'est la relation entre la souveraineté de l'Idée et la création du présent puisque la tradition idéaliste nous a au contraire légué la conviction que l'Idée était au-delà du présent. Donc on va tordre les choses, c'est d'ailleurs une torsion constitutive de la dialectique matérialiste. Cette torsion résulte de ce que l'Idée (ce qui va être appelé l'Idée, mais vous verrez que c'est assez compliqué) va se trouver d'un côté réarticulée différemment sur le vital, sur l'immédiat, sur la pulsion, car elle va se trouver dans un rapport nouveau au corps ; par ailleurs, elle va avoir un rapport nouveau au présent, au présent du monde. Un des enjeux du séminaire est donc d'établir une doctrine de l'Idée, on pourrait même dire une pensée du principe, telle que cette Idée, ce principe, soit dans une relation toute nouvelle au corps. Ce qui nous rendra possible de parler d'un corps de l'Idée en un sens nouveau, à savoir comme ce qui permet en effet de venir à bout des pulsions, de l'immédiat, et ensuite, en ce qui concerne la dimension temporelle, d'entrer dans un autre rapport à la question du présent actif, du présent de l'action ou de la création. En conséquence l'Idée ne sera ni transcendante au corps, ni indifférente au présent. C'est ça qu'il s'agit de gagner. Parce que la différence fondamentale entre le matérialisme démocratique et la dialectique matérialiste c'est la reconnaissance de l'existence de l'Idée, la reconnaissance de l'Idée comme exception. Tout l'enjeu est de ce fait de pouvoir penser l'Idée de telle sorte qu'elle ne soit pas en position de transcendance ou d'arrachement au corps, mais qu'elle ne soit pas non plus dans une indifférence retirée ou transcendante au présent de la création ou de l'action.

Pour le dire autrement, dans une formule un peu plus risquée : « L'enjeu c'est de constater une solidarité organique possible entre la constitution du présent et quelque chose que nous appellerons l'éternité. » L'éternité sera, précisément, une caractéristique maintenue de l'Idée. Il serait évidemment facile de dire que du moment que nous enlevons à l'Idée toutes ses caractéristiques ordinaires, l'éternité, l'universalité, du moment où elle n'est plus rien de tout cela, on arrive sans difficulté à résoudre le problème de son homogénéité au corps d'un côté et au présent de l'autre. Or nous allons maintenir l'Idée dans sa tension d'exception, comme véritablement en puissance d'éternité. À vrai dire, si je remplace « Idée » par « vérité » – nous verrons que ces termes s'équivalent à peu près – ou que je dis que l'Idée est la production du procès de vérité, on voit bien que cela n'a de sens que pour autant qu'on en maintient, sur un certain bord, l'éternité. Parler de « vérité éternelle » est à mon avis redondant, car une vérité qui ne serait pas tout de suite éternelle, autant l'appeler une opinion. Mais il est vrai qu'« éternité » est un mot devenu entièrement obscur.

Quand je dis « rétablir la solidarité organique entre la création d'un présent et l'éternité », on voit bien que ça ne peut se faire qu'à travers une redéfinition de l'éternité. En quoi nous suivons, une fois de plus, le sillage de Rimbaud quand il s'écrie : « Elle est retrouvée. Quoi ? L'éternité. » Mais la retrouver c'est toute une affaire. La définition de Rimbaud c'était que « la mer allait avec le soleil ». Évidemment, si vous basculez l'éternité non pas du côté de l'Idée mais du côté de la nature, du côté de la métaphorique naturelle, alors cette éternité-là est l'éternité du poème. C'est vrai, le poème peut garder cette figure de l'éternité naturelle, mais c'est une grande discussion : dans le temps présent, par rapport au matérialisme démocratique et à sa menace immédiate, peut-on se borner à opposer à la disposition présente du monde le poème et lui seul ? C'est un peu ce que dit Rimbaud. Qu'on soit absolument astreint à opposer au régime du monde tel qu'il est une figure de l'éternité j'en suis absolument convaincu, pour des raisons qui se clarifieront ici même. Mais est-ce que ça peut n'être que l'éternité du poème ? Quand Rimbaud écrit que « la mer allait avec le soleil », là, oui, nous avons une figure d'éternité inscrite dans la splendeur du poème même. Mais est-ce que cette figure suffit ? À supposer que cela soit le cas cela voudrait dire que nous n'avons d'autre issue que le retrait. Et tout retrait est retrait dans le poème. Il n'y en a pas d'autre. Si nous étions véritablement dans la désespérance, nous pourrions dire qu'il n'y a que le retrait, mais c'est un pas que je ne franchirai pas. Je comprends cette conviction qui consiste à dire que le monde étant livré à la dévastation – thème heideggérien – nous n'avons plus, en un certain sens, que la pure instance du poème comme sauvegarde, comme gardiennage de l'être. Mais ce dont il s'agit pour nous c'est de savoir si l'éternité peut être autre chose que seulement la mer allant avec le soleil. Vous voyez bien que ça pose la question de ce que nous pouvons proposer comme figure conceptuelle, qui ne soit pas réductible à la singularité foudroyante du poème, telle qu'elle s'y articule à l'évidence de l'apparaître naturel.

Nous espérons trouver une figure de l'éternité dont l'arrimage au présent ne soit pas seulement l'arrimage au présent naturel. Il faut pour cela réassumer l'éternité comme une dimension réelle possible de la pensée agissante et non pas seulement du retrait poétique. On a souvent dit que le poème contemporain était un poème du seuil. La pensée se tient sur le seuil de la bénédiction de l'être ; le poème n'est pas le franchissement, il est le gardiennage du seuil lui-même, c'est pour ça qu'il est toujours quelque chose comme une entrée ou une aurore. Il est auroral parce que « la mer allait avec le soleil » et il capte cela qu'il détient comme l'entrée possible dans l'être. Du coup il est à la fois dans ce retrait et sur ce seuil. On pourrait dire au fond que ce qu'il s'agit de tenter, c'est de voir si on peut avoir une conception de l'éternité qui soit aussi un franchissement, qui ne soit pas simplement la pure tension de ce qui se tient sur le seuil de la beauté, ou du salut, ou de la nature. C'est un débat fondamental aujourd'hui : avons-nous une ressource autre que celle du retrait ? Y a-t-il une disponibilité qui soit celle d'un franchissement ? La forme générale, philosophique ou spéculative, de ce problème étant : existe-t-il la possibilité d'une Idée telle que son articulation au corps et au présent ne se résigne pas au retrait, c'est-à-dire ne reste pas contenue ou maintenue dans l'instance du poème ? C'est ça l'enjeu central.

On dira, en reprenant les termes de Spinoza dans un théorème fameux : « Nous sentons et nous expérimentons que nous sommes éternels. » Je trouve ça admirable : l'éternité devient évidemment tout autre chose qu'une vague promesse pour qui saura mourir convenablement. Mais le problème c'est de savoir quand et comment on sent et expérimente qu'on est éternel. Parce que Spinoza ne dit nullement que nous sentons et que nous expérimentons en permanence. Il sait bien qu'il y a quelque chose qu'il faut gagner. D'abord par les lectures assidues de l'ensemble des théorèmes de *L'Éthique*, ça, c'est la conviction naïve de tout philosophe ! Mais en réalité, l'idée profonde de Spinoza c'est que cette expérimentation est une expérimentation de l'éternité que nous sommes nous-mêmes, en tant que modes de la pensée et en tant que figures de la substance. Cette expérimentation est finalement la constitution – le mot n'est pas de Spinoza – d'une subjectivité nouvelle qui est par elle-même cette expérimentation de l'éternité. En ce qui me concerne je suis tout prêt à reprendre ce programme tel quel, c'est-à-dire : où et comment expérimentons-nous aujourd'hui que nous sommes éternels ? Vous avez tout à fait le droit de répondre : « Moi je m'en moque, je n'ai pas envie d'expérimenter que je suis éternel, je suis très bien comme je suis. » Mais alors il faut en payer le prix, c'est-à-dire il faut dire que tout va très bien ; dans ce cas-là, effectivement, nous sentirons et nous expérimenterons que nous sommes commerçants ! Mais précisément, la question de savoir si nous pouvons expérimenter autre chose donne toujours à entendre, d'une manière ou d'une autre, que nous ne sommes pas confinés à ce qui est prescrit que nous soyons. Parce qu'expérimenter qu'on est éternel, c'est toujours expérimenter qu'il y a en nous une dimension irréductible à ce que nous sommes, et le destin qui nous confine dans ce que nous sommes c'est précisément cela qui est rompu dans le cadre de cette expérimentation, puisque nous sommes alors naturellement autre chose que ce que nous sommes. Cette autre chose que ce que nous sommes : telle est la grande question.

Vous voyez qu'il y a une solidarité évidente entre éternité et exception, à savoir rupture avec ce qu'il est par ailleurs nécessaire que nous soyons. L'expérimentation dont il est question ici – et dont il sera aussi question dans « Qu'est-ce que vivre ? » – est forcément celle de l'éternité. Sinon c'est survivre, attendre la mort, résider dans l'immédiat. J'ai lu récemment une statistique qui m'a beaucoup intéressé. Quelqu'un plaidait pour le monde contemporain. Beaucoup de gens plaident pour le monde contemporain, c'est pourquoi, quand je me fais son procureur, j'ai le sentiment de faire œuvre utile. On lit tous les jours de grands plaidoyers pour le monde contemporain qui sont pour la réforme : « Il faut réformer, la France ne fait pas les réformes nécessaires… » Ça signifie que nous sommes encore insuffisamment domestiqués et qu'il faut soutenir le matérialisme démocratique encore bien plus que nous ne le faisons. Mais le quelqu'un qui faisait la statistique que j'évoquais disait : « Qu'on ne nous raconte pas d'histoires, le monde d'aujourd'hui est absolument formidable, la statistique est là : nous faisons l'amour quatre fois plus que nos ancêtres. » J'ai trouvé cela numériquement formidable ! C'est probablement vrai mais il y avait quand même dans la statistique quelque chose d'assez nu qui me plaisait. Ça c'est vraiment quelqu'un qui allait au cœur du problème : quatre fois plus, rendez-vous compte ! Je ne sais pas comment on a compté, je n'ai pas vu le dossier, mais il semblait bien qu'il y avait une statistique précise là-dessus. Lui ne disait pas qu'on expérimente qu'on est éternel. À la question « Qu'est-ce que vivre ? » il avait sa réponse. Une réponse classique d'ailleurs, il ne l'a pas inventée. Mais comme vous voyez, le problème aujourd'hui, si l'on n'adopte pas ce type de réponse un peu exagérément empiriste, c'est quand même de savoir où ça se tient, l'expérimentation qu'on est éternel. En un certain sens, la question « Qu'est-ce que vivre ? » c'est la question d'une topique ; c'est pour ça que les considérations topiques, topologiques, la question du lieu, la question de l'être-là, sont des questions qui deviennent philosophiquement primordiales dans le chemin que nous allons suivre. Elles deviennent primordiales parce que nous expérimentons que nous sommes éternels. Mais encore une fois : Où ? Quel est le lieu de cette expérimentation ? Ce serait un peu léger de répondre que le lieu, c'est ma conscience, que c'est moi comme individu, ce serait purement et simplement un retour à l'idéalisme vulgaire. Nous avons donc à penser un « où ? », qui est une figure absolument originale. C'est ce qui fait que la question du corps est importante, le corps en tant que corps localisé, qui soutient à la vérité un rapport de localisation, qui nous dit où cette expérience a lieu. Et puis la question de la construction du présent, c'est-à-dire du repérage temporel de l'activité de l'expérimentation, est décisive. C'est pourquoi nous retrouvons notre schéma qui dispose nécessairement l'Idée, dans son éternité effective, dans la double relation, nouvelle et à construire, entre une corporéité de type nouveau qui en assure la localisation et la création d'un présent qui l'arrache à la temporalité courante. C'est ça assurer la solidarité organique entre corps, présent et éternité, l'enjeu étant de définir une éternité telle qu'elle absorbe, qu'elle assume en elle-même les données conjointes du corps et du présent.

Une fois cela fixé nous pouvons passer à quelques remarques inaugurales sur le matérialisme démocratique lui-même, sur son identification. Naturellement il nous accompagnera tout du long, c'est notre adversaire idéologique. Nous serons près de lui et en même temps au plus loin. Alors, premier parcours : que faut-il entendre par « matérialisme démocratique » ? Nous appellerons « matérialisme démocratique » l'ensemble des conséquences de l'axiome très simple, l'axiome sur ce qu'il y a, celui qui dit qu'il n'y a que des corps et des langages. C'est un axiome transparent, si simple que vous voyez bien que, nécessairement, nous le partageons tous. S'il est vrai, en particulier, que l'idéalisme a été vaincu, et que par conséquent Dieu est mort, il paraît en effet absolument raisonnable de dire qu'il n'y a que des corps et des langages. Cela veut dire qu'il n'y a pas d'âme immortelle à laquelle est promis ceci ou cela, pas de Dieu transcendant qui crée et gouverne les corps. Cet axiome fondamental du matérialisme démocratique contemporain, tout le monde le partage car il est vrai qu'il n'y a que des corps et des langages. À nous de nous débrouiller avec ça !

Quelques conséquences de cet axiome : je vous les donne à partir de deux passages que vous trouvez dans le § 5 de votre texte :

Pour le matérialisme démocratique, le présent n'est jamais créé. Il affirme en effet de façon tout à fait explicite qu'il importe de tenir le présent dans la limite d'une réalité atone. C'est que pour lui, toute autre vision plie les corps au despotisme d'une idéologie, au lieu de les laisser libres de gambader dans la diversité des langages. Le matérialisme démocratique propose de nommer « pensée » la pure algèbre de l'apparaître. Il résulte de cette conception atone du présent une fétichisation du passé comme « culture » séparable. Le matérialisme démocratique a la passion de l'histoire, il est, véritablement, le seul authentique matérialisme historique.

Je voudrais expliquer cette première série de conséquences. D'abord, le matérialisme démocratique, suppose nécessairement un principe d'équivalence générale. Libre aux marxistes de dire que, s'il pose un principe d'équivalence générale, c'est tout simplement parce que sa loi est celle de l'équivalent général, c'est-à-dire de l'équivalent monétaire. Ce n'est pas faux mais, en un certain sens, ce n'est qu'une appropriation seconde de l'essence du matérialisme démocratique pour lequel il n'y a que des corps et des langages. Il faut bien voir que dans ce cas vous avez obligatoirement une permutabilité des corps et une équivalence des langages. C'est pour cette raison que ce matérialisme est immédiatement démocratique, parce que si vous voulez installer là-dedans la différence ou la hiérarchie, il faudra qu'il y ait autre chose que des corps et des langages. Tout langage qui prétendrait assigner des prédicats particuliers aux langages et aux corps serait un métalangage qui se présenterait comme réglant la hiérarchie des corps et des langages car il s'excepterait précisément de la loi générale. J'insiste sur le fait que cette loi d'équivalence constitue la puissance du matérialisme démocratique pour la raison qu'il apparie la substituabilité des corps et la stricte équivalence des langages, et présuppose un relativisme fondamental puisque précisément il exclut qu'il y ait une clause d'absoluité, le seul énoncé absolu étant qu'il n'y a que des corps et des langages. Cette substituabilité des corps et cette équivalence des langages sont les seuls principes d'organisation de cet énoncé, et cela veut dire qu'en dernier ressort tout s'équivaut : les hommes équivalent aux femmes, les cultures sont toutes excellentes, et finalement les opinions sont toutes bonnes : « J'ai mon opinion et tu as la tienne. » Tout ça c'est la démocratie et tout est bien parce que, en fin de compte, on a un régime de substituabilité ou de non-hiérarchie démocratique dans son essence.

Un point très important, un peu technique dans son élaboration, auquel je m'attache dans le livre VI de *Logiques des mondes*, mais dont nous pouvons ici donner une intuition, c'est ce que j'appelle « le prédicat d'atonie de la réalité ». Vu la substituabilité des corps et l'équivalence des langages la réalité est atone, au sens où elle ne comporte pas de clause ou d'instance de décision radicale interne au matérialisme démocratique. J'appelle « point du monde » ou « point d'un monde », un moment où ce monde se contracte quasiment en un point, tel qu'il relève effectivement de la décision pure, c'est-à-dire du « oui » ou du « non ». C'est une figure interne au monde qui soumet en un point les processus en cours à l'astreinte du Deux, soit du oui ou non. Ce point est véritablement un point, dans la mesure où il n'est jamais la balance globale de toute la situation mais en tant que point il impose la figure de la dualité décisionnelle et contracte la totalité de la situation dans cette localisation décisionnelle. C'est quand il se passe quelque chose réellement qu'il y a un point. J'appelle « monde atone » un monde dont on suppose qu'il est sans points et je proposerai une théorie complète du point. Mais en gros on dira qu'un point est une espèce de contraction des apparences du monde dans un moment où il faut dire oui ou non et qu'un « monde atone » est un monde présumé sans points. Je pose comme thèse qu'une des conséquences du matérialisme démocratique est d'exiger l'atonie du monde, jusqu'à promouvoir l'atonie comme idéal, comme valeur centrale du monde considéré. Je soutiendrai aussi que « Qu'est-ce que vivre ? » veut dire traiter quelques points, en sorte que la vie ne s'accommode pas du caractère atone du monde. Telle serait, si vous voulez, la première conséquence du matérialisme démocratique, la clause d'atonie du monde.

Entre parenthèses c'est une chose absolument tangible dans la réaction des autorités gouvernementales aux émeutes. On monte aussitôt sur ses grands chevaux : on parle de « violences terribles », la presse étrangère déclare la France à feu et à sang. Au fond c'est simplement l'horreur qu'il se passe quelque chose, une horreur panique. Parce qu'il ne s'est vraiment pas passé grand-chose. Si les émeutes récentes c'est le pays à feu et à sang, on se demande ce qu'ont pu être la Révolution française ou l'occupation nazie. Tout porte sur la question de savoir s'il y a eu mille ou quinze cents voitures brûlées. C'est vraiment un spectacle pauvre. On nous bassine aussi avec le « sécuritaire » : ce serait, nous dit-on, la préoccupation principale des Français. Mais peut-être qu'ils veulent l'aventure, je n'en sais rien. En tout cas ils sont censés vouloir la sécurité avec, à l'arrière-plan, la garantie que le monde est atone : il n'y aura pas de points. Bien plus importante que la sécurité en son sens empirique, est la clause d'atonie du monde : au moins ainsi on n'a pas à décider de quoi que ce soit. Et la France a une grande tradition de désir de l'atonie, dont la figure la plus frappante a été le pétainisme : faire comme si les Allemands n'étaient pas là, ça, c'est l'idéal. Faire comme si on ne savait pas très bien ce qui arrivait aux Juifs. Ce désir de sécurité et d'atonie on cherche à nous le refiler aujourd'hui, sous une forme démocratisée. Un pétainisme soft. La première conséquence de l'axiome du matérialisme démocratique c'est qu'on suppose que l'idéal du monde est son atonie. Comme toujours, on trouve des prosateurs ou systématisateurs américains qui nous expliquent depuis plus de vingt-cinq ans tout de même que l'idéal de la vie c'est une vie familiale tranquille. Ce sont les lointains descendants de l'énoncé de Voltaire : « Il faut cultiver notre jardin. » Énoncé à mon avis malencontreux parce que Voltaire n'était vraiment pas forcé de s'opposer à Leibniz par une conclusion aussi peu stimulante. Il faut cultiver notre jardin est une des variantes de l'axiome d'atonie et c'est la première conséquence que je voulais mettre en évidence.

La deuxième conséquence, je la tire également de la fin du § 5 :

« Dans le matérialisme démocratique, la vie des corps-langages est la succession conservatrice des instants du monde atone. »

Cette succession des instants du monde atone signifie que le point ne convoque de façon créatrice aucun présent réel. C'est la deuxième grande conséquence du matérialisme démocratique. Cela entraîne sur le passé des conséquences culturalistes. En effet, plus le présent est maigre, plus le passé doit être représenté, historicisé, exhibé, montré comme une culture séparée. C'est ce que j'appellerais la profondeur fictive du passé, la passion de l'histoire au sens médiocre du mot histoire, au sens de l'histoire conservatrice. Nous avons fixé ainsi deux conséquences du matérialisme démocratique tout à fait importantes dans ce qui va suivre : atonie du monde, et inexistence du présent. L'absence de points est généralement appelée « sécurité », et la définition technique ou philosophique de la sécurité c'est ça : protection de l'atonie du monde et de l'absence de points. En outre c'est un monde sans présent parce qu'il abolit le présent sous l'immédiat, c'est le sens de « succession des instants ». Deux disparitions sont donc constitutives du matérialisme démocratique, celle des points de décision, comme points du monde, au profit de l'atonie, c'est la logique sécuritaire au sens large, et disparition du présent au profit de l'immédiat, ce qui veut dire détemporalisation. Le matérialisme démocratique est ainsi une doctrine sécuritaire détemporalisée. D'où qu'il est contraint d'organiser une protection violente de l'atonie sécuritaire et de la détemporalisation et considère donc comme une menace immanente l'apparition de tout point, quel qu'il soit, c'est-à-dire de tout lieu où décider quelque chose est une astreinte, ainsi que la création de tout présent réel, actif, quel qu'il soit. Et maintenant, au regard de tout ça, que va dire la dialectique matérialiste ?

La dialectique matérialiste, nous l'avons vu la dernière fois, repose sur l'axiome : « Il n'y a que des corps et des langages, sinon qu'il y a des vérités. » Plutôt que « vérités », on peut préférer d'autres nuances comme « Idée », « sujet », ou « éternité ». Cet axiome enregistre le matérialisme mais y ajoute une exception. Bien entendu, la ligne générale de conséquences de cette thèse va être le contraire de celle de l'axiome du matérialisme démocratique. D'abord la dialectique matérialiste ne s'accommode pas de l'atonie du monde ne serait-ce que parce que l'atonie du monde résilie l'exception Il est évident que si vous ajoutez à l'axiome du matérialisme démocratique « sinon qu'il y a éventuellement une Idée », vous ouvrez à la possibilité que le monde ne soit pas atone. La dialectique matérialiste ne va pas affirmer que le monde n'est pas atone, elle va dire simplement qu'il est toujours possible qu'il ne le soit pas. Par ailleurs, pour autant qu'il y a une exception, elle crée un présent. C'est donc une hypothèse de temporalisation.

Contre le sécuritaire atone, la dialectique matérialiste pose donc la possibilité qu'il y ait quand même quelque chose à décider. La loi du monde contemporain dit à peu près qu'il n'y a rien à décider, car tout est déjà décidé. Et si l'on pose alors la question naïve : « Mais pourquoi devrait-il en être ainsi ? » on n'obtiendra pas d'autre réponse que le fait que c'est la loi du monde atone précisément. Et on ne peut même pas poser la question de savoir pourquoi il est atone, parce que ce serait déjà un point. On sait très bien que ce qui pose la question de l'atonie du monde, ce sont finalement toujours des émeutes, des insurrections, des grèves, des rassemblements, des machins archaïques et pathologiques. La loi du monde, aujourd'hui, c'est que c'est un monde dans lequel il n'est pas possible de décider quoi que ce soit et où en particulier personne n'a jamais décidé de l'atonie du monde. C'est sa loi propre et vous êtes dans cette atonie.

Alors ce que va dire la dialectique matérialiste c'est qu'il se pourrait qu'il y ait quelques points, qu'on a pu parfois constater qu'il y en avait, qu'il pourrait y en avoir d'autres, que sans doute il y en aura d'autres. Et alors, quand il y aura quelque chose, nous ne laisserons pas dire que ce n'est pas un point si c'en est un. Parce qu'une bonne partie de la répression actuelle, c'est pour bien expliquer que ce qui s'est passé n'était pas un point, et ne requérait donc des citoyens pas autre chose que la maintenance absolue de l'atonie et le principe sécuritaire renforcé. Première caractéristique : la possibilité qu'il y ait des points. Seconde caractéristique : que soit réouverte la question du présent. Cette carence du présent, le fait que le présent comme présent actif soit absent a été observé de longue date. Déjà Mallarmé dit, qu'« un présent fait défaut », ce qu'il attribuait au fait que la foule ne se déclarait pas. Cela signifiait pour lui que l'atonie du monde tenait à ce que la déclaration de la foule, soit l'instance d'un point collectif, n'était pas donnée. La dialectique matérialiste dira, énoncera que, de même que quelques points sont possibles, de même la réouverture du monde au présent actif est une possibilité.

La prochaine fois nous reprendrons tout cela en détail. Nous nous intéresserons plus particulièrement à la manière dont se présente le démêlé entre les deux. C'est-à-dire que nous demanderons où se trouve la scène du conflit, qui ouvrirait d'une certaine façon la possibilité de se confronter au matérialisme démocratique ? La question que nous pouvons nous poser c'est : y a-t-il aujourd'hui un point pour la pensée, tel que décider d'une orientation idéologique ait un sens ? Décider que, peut-être, il n'y a que des corps et des langages, mais que peut-être aussi, en incise de ce « il y a », il y a autre chose qu'« il n'y a pas ». Parce qu'une Idée c'est ça. Une Idée c'est quelque chose qu'il n'y a pas. C'est aussi ça l'éternité : « la mer allait avec le soleil ». Peut-être. Plus simplement : il y a quelque chose qu'il n'y a pas. Ce qui peut se dire autrement : nous ne sommes pas condamnés à l'atonie du monde.

Merci.

X

14 DÉCEMBRE 2005

Que sommes-nous en train de faire ? Pour l'instant nous sommes en train de proposer la construction d'un cadre d'évaluation de la situation idéologique subjective dans le monde qui est le nôtre. Ce n'est pas un cadre scientifique ou objectif, c'est un cadre subjectif, philosophique, voire même pré-philosophique, qui dessine au départ une sorte de schème formel où pouvoir inscrire les caractérisations subjectives fondamentales de la période. Ce cadre, quel en est le but ? Il s'agit de disposer la possibilité d'une orientation de la pensée mais aussi, puisque les deux choses sont liées, d'une orientation de l'existence, y compris de l'existence ordinaire, donc d'une orientation de la vie pratique. Il s'agit que celle-ci soit en tout cas dans une possibilité d'orientation, c'est-à-dire qu'il importe de venir à bout des faits désorientants de la contemporanéité. Parce que, lorsqu'un tel cadre est absent, ou lorsqu'il est devenu obsolète, les situations qui ont un pouvoir de désorientation se multiplient à mesure que se multiplient les points de la situation, ce qui a pour l'effet massif et subjectif de constituer une désorientation essentielle, à la fois de la pensée, de l'existence et de leur lien. En conséquence, disposer d'un cadre dans lequel redéployer l'ensemble de ces faits ou de ces questions, c'est aussi travailler à une réorientation, dont nous avons indiqué l'année dernière qu'elle était fondamentale. Je crois véritablement qu'une des caractéristiques du monde contemporain c'est que l'orientation de l'existence y est particulièrement difficile parce que, entre autres choses, elle est livrée à l'immédiat. Être livré à l'immédiat c'est tout comme être jeté aux lions, c'est un martyre. Cela ne veut pas dire que nous soyons les chrétiens du monde contemporain, mais il n'en reste pas moins que c'est comme un martyre.

Je voudrais, pour commencer, citer un certain nombre de faits parmi ce que j'appelle les faits désorientants, les problèmes en impasse, ou les interrogations, lesquels resteront sans issue tant que, précisément, on ne sera pas en état de les redisposer dans un cadre à la fois ordonné et nouveau. Afin de parcourir, à vrai dire dans le désordre, la situation et de la constituer, d'une façon un peu désordonnée, je voudrais énumérer douze faits, questions ou interrogations.

1. Je commence par la plus extrême actualité. Je voudrais que nous nous interrogions sur la signification d'un sondage paru aujourd'hui, sondage dans lequel il est dit que 63 % de la population nationale pense qu'il y a trop d'immigrés. 63 %, c'est considérable et le sondage en question insiste sur le fait que ça monte. Peut-être y aura-t-il bientôt 95 % des gens qui pensent qu'il y a trop d'immigrés… Si bien que finalement on pourra rassembler tous les autres dans cette salle ! On peut prendre cela comme un fait désorientant. En effet, qu'est-ce que ça veut dire au juste ? D'abord que veut dire « trop d'immigrés », quelle est exactement la signification du mot « trop » dans cette affaire ? Je pense que si on le demandait aux gens qui sont persuadés qu'il y a trop d'immigrés, ils seraient incapables de fournir une précision rationnelle quelconque sur ce mot. À partir de quand y en a-t-il « trop » ? Serait-ce qu'ils en voient « trop » ? Parce qu'il faut savoir qu'énormément de gens qui pensent qu'il y a trop d'immigrés vivent dans des endroits où il n'y en a pas un seul. Il y a ainsi des coins d'Alsace, des campagnes, où les gens se plaignent qu'il y a beaucoup trop d'immigrés alors qu'ils n'ont jamais eu l'occasion d'en voir un seul. Cet énoncé est donc une énigme, bien qu'il soit actuellement à l'horizon subjectif d'une bonne partie de la politique, ce n'est donc pas non plus un énoncé innocent ou indifférent. Je soutiens cependant qu'il est absolument opaque et que pour lui donner une quelconque transparence il faudrait par

exemple se demander au moins quelle est la figure de mesure qui autorise de parler, en la matière, d'un « trop » ? Quel est, en la matière, le transcendantal numérique de cette assertion ? Et puis, dans le système de représentation en question, que veut dire exactement « immigrés » ? Ce n'est pas du tout transparent non plus. On sent bien que les gens ne veulent pas dire qu'il y a trop de gens venus de l'étranger, parce qu'ils sont en réalité incapables de distinguer, d'évaluer, d'apprécier ou de séparer des autres une bonne partie de ces gens venus de l'étranger. À la limite d'ailleurs, un Portugais, un Polonais, ou un Américain peuvent ne pas être considérés comme des immigrés. C'est donc autre chose qui est dit. Il ne s'agit pas non plus du statut objectif d'immigré. Alors est-ce que ça désigne des figures racialistes : les Noirs, ou les Arabes ? En réalité, à lui seul, cet énoncé est un énoncé désorientant.

Ainsi vous voyez déjà poindre le fait que la désorientation est souvent la question d'une opacité de la norme. Là, « trop » représente un jugement. Mais quelle est la norme de ce jugement ? Eh bien, il y a justement une opacité de la norme, qui fonctionne de telle sorte que le jugement lui-même est finalement désorientant, y compris naturellement pour celui qui le prononce. Parce que celui qui dit « il y a trop d'immigrés », veut dire, lui, qu'il est absolument désorienté. C'est pour lui une manière de nommer, de manière en fin de compte semi-criminelle vu les conséquences que ça entraîne, sa propre désorientation. Une autre forme de la question, également présente dans le sondage c'est d'ailleurs : « Est-il vrai qu'on ne se sent plus chez soi ? » Voilà un énoncé de désorientation effective : les gens ne se sentent plus chez eux, ils sont perdus chez eux. Les deux choses étant parfaitement connexes, c'est un énoncé désorientant, par quelque bout que vous le preniez. Personnellement je suis évidemment absolument hostile à ce type de déclaration, mais surtout je ne la comprends pas. Il y a quelque chose là-dedans que je ne saisis pas complètement, et que d'ailleurs celui qui la prononce lui-même ne saisit pas vraiment. Et pourtant cette déclaration est à certains égards prégnante et déterminante.

2. Autre syntagme désorientant, pris à une autre extrémité du spectre : la Chine. Comment se fait-il que la Chine qui, il y a vingt-cinq ans, était un paradigme révolutionnaire extrémiste soit aujourd'hui le principal concurrent des Américains dans la compétition pour la puissance capitaliste ? Quelle pensée dialectique peut rendre compte d'un semblable retournement ? D'autant que la compétition ou la concurrence en question semblent prendre place dans un élément relativement homogène. Ce n'est pas du tout comme la compétition entre l'URSS et les États-Unis du temps de la guerre froide, compétition de deux systèmes hétérogènes s'affrontant pour le contrôle du pouvoir sur l'espace mondial. Comment se fait-il que la Chine soit venue à cette place ? Alors qu'il y a une vingtaine d'années ou un peu plus, temps historiquement court, elle était au contraire paradigmatiquement assignée à définir l'hétérogène, au regard du système impérial dans ses différentes composantes. Dans l'exemple précédent nous nous demandions quelle était la norme ? Ici nous dirons : quel est le principe dialectique ? Quelle est la figure ou la loi immanente de ce type de renversement ou de retournement ? Cela demeure incontestablement énigmatique. D'ailleurs tout le monde sait bien qu'aujourd'hui le mot « Chine » lui-même recouvre une incertitude de l'espace mondial. Une puissance certes. Mais quelle puissance ? Avec quels desseins ? En fonction de quelles figures de rivalité ? C'est une question que tout le monde se pose. La Chine est devenue l'interrogation majeure de la planète, en termes de puissance.

3. Autre fait désorientant – je cavale dans les symptômes hétéroclites – pris cette fois dans un contexte absolument différent. Pourquoi et par quels cheminements s'est installée, au fond de manière assez récente, la disjonction contemporaine entre philosophie et mathématiques ? Alors qu'elles ont été entièrement mêlées de l'Antiquité à l'âge classique, de Platon à Descartes, qu'elles se sont entièrement étayées l'une sur l'autre sans doute jusqu'à Husserl, chez qui vous trouvez encore une compénétration fondamentale dans la figure du rapport entre logique formelle et logique transcendantale. Or on est bien obligé de

constater que, petit à petit, a œuvré, a travaillé, un élément de disjonction entre les deux, élément dont nous héritons aujourd'hui et qui est devenu obscur. Ce qui existe c'est une spécialité : la philosophie des mathématiques, de même qu'il existe une esthétique ou une philosophie du droit. Et cette spécialité ne porte pas remède, bien au contraire, à la disjonction. En effet, s'il y a une philosophie des mathématiques, c'est que la mathématique est un objet pour la philosophie, donc quelque chose qui est une condition tout à fait extérieure à son être propre. Mais alors, qu'est-ce qui, aujourd'hui, organise les partages ?

Nous avons rencontré la question de la norme, puis la question des retournements et voici la question des partages. En particulier des partages disciplinaires. Question foucaldienne d'une certaine manière. Alors, si l'on prend cet exemple particulièrement abrupt, comment sont organisés aujourd'hui les partages disciplinaires ? Vous voyez bien que cela à son importance, parce que ça change pour part le statut de la pensée : ce qui est identifié comme pensée n'est pas exactement au même régime d'identification si vous soutenez cette disjonction ou si, au contraire, vous soutenez un élément de compénétration nécessaire. Comment donc transite une identité de pensée dans les partages disciplinaires ?

4. D'où peut provenir que des intellectuels qui se situent eux-mêmes, et sont situés par l'opinion, à la gauche du spectre de l'intelligentsia nationale en viennent à tenir des propos racialistes et répressifs. On le constate, on le voit, mais on ne s'en étonne pas assez. On s'en indigne évidemment, moi le premier, et on proteste. Mais le point énigmatique dans cette affaire c'est : qu'est-ce exactement que ce cheminement, ce déplacement ? Sous l'effet de quel système de forces immanentes, de contraintes ou de déterminations de pensée en est-on venu à considérer que, de l'intérieur même d'un espace considéré comme « de gauche », progressiste au sens large, ou en tout cas plein de générosité et de soutien au droit, on puisse tenir des propos ouvertement racialistes et répressifs, dans la grande tradition des propos réactionnaires ? Et ce qui est intéressant, ce n'est pas tellement qu'il

y ait des propos réactionnaires, c'est que les gens qui les tiennent soient situés là où ils sont situés, à la fois par eux-mêmes et par l'opinion. Ça, c'est une question qui est absolument une question du monde contemporain et qui, pour être recadrée, perçue, requiert des analyses assez nouvelles. Comme celles d'ailleurs que nous avons esquissées ici concernant le statut même de la gauche. Et si on ne dispose pas de ces catégories de pensée le fait demeure dans son opacité énigmatique.

5. Une variante de la précédente, qu'on avait plus ou moins évoquée la dernière fois. La France est un grand pays cosmopolite, ne serait-ce que parce qu'elle a eu un grand empire multicontinental. Ce n'est pas un trou perdu du fin fond de la steppe la France, c'est une grande puissance impériale du passé, peut-être déclinante. Quoi qu'il en soit, comment se fait-il qu'un grand pays cosmopolite, à tradition révolutionnaire reconnue universellement, puisse tenir les collégiens des quartiers populaires des grandes villes pour ses ennemis intérieurs principaux ? Là aussi le fait qu'il ait fallu décréter l'état d'urgence parce qu'il y a eu des émeutes de collégiens par-ci par-là est un phénomène dont on ne s'étonne pas assez. Sa dimension, en fin de compte énigmatique, ne nous frappe pas suffisamment. En revanche, sa dimension réactionnaire, répressive, « à la Sarkozy », est parfaitement limpide, mais là n'est pas le problème. On devrait tout de même s'étonner qu'un grand pays à héritage historique immense, de très longue date cosmopolite dans sa composition immanente, en vienne vraiment à décréter quasiment l'état de guerre intérieur contre une fraction de ses collégiens des milieux populaires. Là aussi, quel est le principe de dérive dans cette affaire ? C'est une question transcendantale véritablement. Qu'est-ce qui rend possible que ce pays – à la stupéfaction générale d'ailleurs puisqu'il se vantait justement de ne jamais faire ça – en arrive là, que ce soit ça la figure de l'ennemi intérieur, la figure qui demande vraiment des voies d'exception de toute nature. Des bandes de collégiens du pays, ont fait des conneries, et alors… Comment expliquer l'effervescence et la crispation étatiques autour de ce point, la désignation de cela, avec des intellectuels à l'appui,

comme le problème numéro un du pays ? Il y a dans cette affaire quelque chose de pathologique. Et c'est cette pathologie qui doit nous interroger, pas seulement la nécessité par ailleurs immédiate de prendre position sur ce point. La question importante c'est de savoir ce qui rend possible tout cela, en quelque manière dans les entrailles du pays lui-même. Plus important peut-être que le fait que ce soit ouvertement répressif, réactionnaire et indigne est sans doute que ce soit désorientant.

6. Vient une question délicate et complexe. D'où provient la raréfaction patente du lien entre art de masse et densité artistique ? Autrement dit, d'où vient que ce qui, à l'évidence, possède une densité artistique novatrice et fait rupture dans le champ de l'art coïncide de plus en plus rarement avec la possibilité d'un effet, d'une réception de masse de la chose en question ? Au XIXe siècle par exemple, vous avez de manière patente dans la littérature, des possibilités de coïncidence à grande échelle entre la densité artistique maximale et la réception maximale : c'est le cas de Hugo, c'est le cas de Dickens, c'est le cas de Tolstoï, et de plusieurs autres. Et, pendant toute une partie du XXe siècle, vous avez cela à l'évidence au cinéma : c'est le cas de Chaplin, de Hitchcock, de Kurosawa, et de bien d'autres. Il n'est pas vrai du tout que dans l'histoire de l'art on ait une discordance nécessaire entre l'inventivité artistique et la raréfaction ou le caractère élitaire du public. C'est un phénomène qui existe déjà, je ne le nie pas. De même, il existe aussi, au XIXe siècle ou au XXe siècle, des choses de grande densité artistique qui, en effet, n'ont trouvé qu'un public restreint. Mais ce n'est pas une nécessité, et on trouverait un nombre significatif de contre-exemples. Il semble indubitable qu'il y a aujourd'hui une raréfaction de ces contre-exemples, qui affecte le cinéma lui-même, où il semble bien que n'aient plus capacité de figurer au rang d'art de masse que des productions industrielles. Je ne sais pas combien d'entre nous iront voir *King-Kong*... Mais on a l'impression d'être coupé des gens si on n'y va pas, l'impression d'une solitude écrasante ! Ce qui est curieux c'est que c'est celle-là même du grand singe. En fin de compte son désastre est sa solitude.

Je pense qu'il faut constituer cela comme une question par soi-même, et non pas comme une lamentation. Je ne dis, ni ne pense que « l'art de masse était supérieur à l'art élitaire ». Je constate qu'il y avait une distribution relativement aléatoire et que, pour des raisons très compliquées, dans un certain nombre de cas les choses se croisaient, tandis que dans d'autres elles ne se croisaient pas. Mais là il semble que ce croisement soit de plus en plus improbable, y compris dans le cinéma, alors qu'il a été au XXe siècle l'art de masse par excellence, de même qu'une certaine littérature, la littérature romanesque, l'avait été au XIXe siècle. C'est là une question intrinsèque, et c'est aussi un phénomène désorientant, qui rend aujourd'hui l'évaluation effective des processus artistiques extrêmement compliquée. Et surtout cela semble conduire à une espèce de résignation élitiste sans avant-garde qui n'est pas une bonne chose car elle n'a aucune dynamique propre.

7. Autre domaine, et là vous voyez qu'à chaque fois c'est un symptôme en forme de problème. Pourquoi « ouvrier » est-il un mot politique dans la France de 1840, où les ouvriers représentent moins de 10 % de la population, mais a pratiquement disparu aujourd'hui comme mot politique, alors que les ouvriers sont toujours plus de 30 %. Si vous leur ajoutez les employés de la couche inférieure, qui en sont distincts de manière vraiment très technique, on arrive quasiment aux abords de la majorité ou plus. Là aussi, tout le monde va dire « déclin du marxisme », etc., mais ce n'est pas vrai, parce qu'« ouvrier » était un mot politique au XIXe pour beaucoup d'autres que les marxistes. C'était un mot politique même pour Auguste Comte, lequel n'était franchement pas un marxiste flamboyant ! Il n'en reste pas moins qu'il considérait que la clé de voûte des temps modernes était l'alliance de la femme et du prolétaire. C'était bien vu. « Ouvrier » était donc installé comme mot politique et l'est resté jusqu'au début des années 1970 à peu près. Sa disparition ou quasi-disparition ne date pas de bien longtemps. Même Arlette Laguiller n'ose plus prononcer le mot, elle dit « travailleurs » et « travailleuses », c'est un signe, mais son organisation s'appelle encore « Lutte

ouvrière » tout de même. La contrainte de cette disparition est très puissante et ceux qui maintiennent le mot sont très minoritaires. Or il n'y a à cela aucune espèce de raison objective. C'est pour ça que je donnais des statistiques, qui ne sont jamais très prégnantes par elles-mêmes. La thèse selon laquelle les ouvriers disparaissent est tout à fait inexacte. Ils sont en tout cas bien plus nombreux qu'au moment où Marx en parlait.

Ainsi le destin d'un mot comme mot politique n'est pas corrélé à des données sociologiques quantitatives. Alors à quoi est-il corrélé ? Quelle est la signification de cette disparition ou de cette soustraction ? C'est un point désorientant de l'époque, parce que ce mot avait une fonction d'orientation, et ce de bien des manières. C'était en particulier un mot à partir duquel s'organisait la subjectivité populaire comme subjectivité certes distincte, séparée, dissidente, rebelle au besoin, mais qui avait une puissance immanente de structuration et de discipline. « Ouvrier » était ce autour de quoi la dissidence populaire trouvait des systèmes de représentation qui lui donnaient consistance. On a vu, on voit, et on ne cessera de voir que c'est un problème-clé. En effet le problème n'est pas la dissidence populaire, c'est la figure interne de la discipline de type nouveau dont elle est capable. La disparition d'un tel mot en tant que mot politique a des effets très grands, et ceci indépendamment de la question de savoir ce qu'il advient de l'URSS. Dans le champ politique la disparition des mots est un point d'une importance extrême, auquel il faut porter la plus grande attention. Le fait qu'il y ait ou qu'il n'y ait pas « ouvrier », ou encore « peuple », ou des mots de cet ordre, est le signe d'une transformation immanente de la plus haute importance, du champ de la politique comme pensée.

8. Autre question. Dans quelles conditions s'est opérée la prise de pouvoir de la musique sur les masses, et principalement sur les masses de la jeunesse ? Quelle est l'origine exacte, la destination et le fonctionnement actuel du pouvoir de la musique ? Je crois avoir déjà eu l'occasion de le dire mais j'estime que le pouvoir de la musique est beaucoup plus important aujourd'hui que le pouvoir des images : le pouvoir des images est devenu un lieu

commun, tandis que le pouvoir de la musique reste beaucoup plus fondamental. Je constate en effet qu'une bonne partie de l'articulation subjective de la jeunesse se fait autour de ce pouvoir de la musique, des musiques, de leur multiplication. Et que dans le même temps s'est établie une sorte d'indistinction musicale qui fait que musique artistique novatrice, musique de divertissement, rythmique pure, etc., sont absolument mises sur le même plan. Ce processus est lui-même une condition du pouvoir de masse de la musique, parce que c'est en tant qu'elle est à la fois pluraliste et indistincte, sans hiérarchie, qu'elle est en état d'exercer ce pouvoir. Or comment en est-on arrivé là ? Et quelles en sont exactement les conséquences ? Qu'est-ce que ça signifie comme symptôme du monde contemporain ? C'est une question de la plus haute importance et de la plus grande obscurité. D'autant que c'est à peu près consensuel : finalement tout le monde est d'accord que « les musiques c'est très bien ». Et tout le monde va, bon pied bon œil, à la « Fête de la musique », qui est tout de même la célébration annuelle de son pouvoir. Une fête, on le sait, ça célèbre toujours le pouvoir de quelque chose, ne serait-ce que le pouvoir du désir ou de la sexualité, le pouvoir du non-pouvoir, celui des esclaves… Et quelle est la nature exacte de ce pouvoir, qui est aussi pour l'essentiel, on le sait bien, le pouvoir du rythme et qu'est-ce qui l'a installé dans le monde contemporain ? On répondra que c'est évidemment l'ensemble de ses supports technologiques. Mais les supports technologiques ne sont jamais que des supports, ce sont des instruments du pouvoir, ce n'est pas le pouvoir lui-même. Quoi qu'il en soit il est certain que ce pouvoir est une composante du monde contemporain tout à fait essentielle et en même temps fort peu claire.

9. Autre chose, plus intra-philosophique. Comment a pu trouver prise, notamment dans la France académique, l'installation de la conception empiriste et grammairienne de la philosophie ? C'est la conception dite « américaine », ou « anglo-saxonne », mais peu importent les nations. Il s'agit d'une conception de la philosophie extrêmement tendue et sectaire, qui se définit elle-même comme la seule conception praticable de la

philosophie, et que je définirais comme l'ajointement ou la combinaison d'une conception empiriste et d'une conception grammairienne. On l'appelle quelquefois « philosophie analytique » mais ce nom est obscur. Il est absolument clair que l'espace philosophique français, y compris universitaire, a été originairement hostile à cette conception. Et quand je dis « originairement » c'est depuis Descartes. On retrouve l'opposition de Descartes et de Locke, ou quelque chose comme ça. Il y a bien une originarité historique de l'opposition de la philosophie française, y compris dans sa modalité académique, à ce dispositif empiriste d'abord, empirico-langagier aujourd'hui. Mais tout se passe maintenant comme si cette hostilité, petit à petit, était défaite, et comme si carrière était donnée à l'installation possible de ce paradigme.

Encore une fois ce n'est pas un jugement, c'est la description d'un processus. Je tiens qu'un point essentiel de l'historicité de la philosophie française était de se construire comme philosophie du concept. Donc comme une philosophie qui ne pouvait être ni empiriste, ni langagière précisément, comme le montre le paradigme cartésien, qui n'est ni l'un ni l'autre. Et la philosophie du concept, comme vous le savez, ça va jusqu'à Deleuze. Ça soutient des variantes extrêmement multiformes qui ont toutes pour point central que la philosophie est, en dernier ressort, philosophie du concept, « création de concepts », disait Deleuze, production, exhibition, raffinement ou analyse de concepts. C'est ça le cœur absolu de l'activité philosophique, de la philosophie non pas comme étude figée mais comme mouvement, comme interrogation concernant la pensée. Le dispositif empirico-langagier est évidemment tout autre. C'est donc une vraie question de savoir à quel moment les digues ont cédé ? À quel moment les figures de résistance à cela se sont-elles ébréchées de telle sorte que ce qui paraissait inconcevable encore dans les années 1960 ou 1970 est devenu aujourd'hui largement une évidence ? Et pourquoi ? En tout cas ce paradigme est installé et quand il est installé quelque part, il entend faire terre brûlée. Le paradigme empirico-langagier n'est pas compatible avec l'autre. Et donc s'il s'installe, il s'installe… j'allais dire comme une tumeur, mais ce serait sans doute un peu polémique. En tout cas il s'installe avec sa propre norme et ses propres finalités. Comment en est-on arrivé là ? Je n'ai pas moi-même d'hypothèse là-dessus. Une hypothèse plate parmi d'autres, va être que c'est à cause de l'importance des universités américaines. Mais cela est encore absolument empiriste. Il y a certainement un défaut de la cuirasse beaucoup plus significatif à trouver, et ce, de l'intérieur de la philosophie elle-même. Sans doute la disjonction philosophie-mathématiques a-t-elle joué un rôle car toutes ces questions évidemment s'enchevêtrent les unes dans les autres.

10. On a parlé de la musique et du rythme. Y a-t-il réellement fusion ou confusion de l'image et du réel à travers les technologies numériques, les images virtuelles ? Ce pont-aux-ânes de la virtualisation de tout, de l'inséparabilité progressive entre image et réel, correspond-il à quoi que ce soit d'effectif ou bien s'agit-il purement et simplement d'une discursivité elle-même idéologique ou interprétative ? Assistons-nous véritablement à quelque chose qui ferait qu'on aurait des zones d'indiscernabilité effectives entre la virtualisation numérique, l'image artificielle et le réel comme tel ? Serions-nous entrés dans le monde du virtuel et de la composition indistincte de l'image ?

C'est là une question tout à fait prégnante et extrêmement obscure. Car la vraie question c'est de savoir de quelle théorie du réel elle se soutient. Pour pouvoir dire que « image » et « réel » sont en voie d'indistinction à travers la virtualisation numérique de la représentation et la déconstruction des indices réels que produit finalement l'image de la représentation, il faut avoir une théorie particulière du réel, à mon avis, une théorie empiriste du réel. Et si vous n'avez pas cette théorie du réel ne s'agit-il pas tout simplement de ce qu'on voudrait que nous pensions ? Bref, ne serait-ce pas une idéologie au sens courant, à savoir quelque chose qui participe de l'ordre général du monde tel qu'il est pour la perpétuation il serait nécessaire qu'il se représente lui-même. Car malgré tout, s'il y a l'idée que l'image et le réel sont en quelque sorte substituables, cela entraîne dans une théorie du réel qui, dans mon langage à moi, est hors d'état de vous proposer un point, donc de vous proposer quelque chose à propos de quoi il faut impérativement décider. Pour ma part je soutiens que la thèse de l'indistinction de l'image et du réel est en réalité une thèse sur la volonté, c'est-à-dire sur la décision. Je développerai cela ultérieurement. En tout cas, en disant cela on donne une interprétation assez complexe de quelque chose que vous lisez partout et qui est en gros qu'aujourd'hui on est dans le monde des images, que, le temps passant, on sera de plus en plus dans une mimétique généralisée car, en tout état de cause, on peut fabriquer n'importe quoi avec du virtuel. Il faut bien voir que c'est là un énoncé dont la finalité est de dire que toute décision est vaine, parce que toute décision est déjà pré-ensevelie dans les images qui lui correspondent.

11. Avant-dernière remarque. Pourquoi une hégémonie de la danse s'installe-t-elle dans le spectacle vivant ? Car on observe une corrosion progressive du théâtre par la danse. Ne croyez pas du tout que je sois en train de prononcer la moindre critique sur la danse contemporaine, au contraire j'en suis un chaud défenseur. Ce dont je parle, ce n'est pas d'elle-même en tant que spectacle vivant. c'est de son hégémonie sur le spectacle vivant, de sa corrosion du théâtre et de ce qui, à travers cela, transite, à savoir l'autorité du corps sur le texte. Encore une fois, il ne s'agit pas de trancher entre l'autorité du corps sur le texte et l'autorité du texte sur le corps. Mais ce qui s'insinue, à travers l'hégémonie de la danse, c'est en tout cas l'autorité du corps sur le texte. Par conséquent, dans les catégories du matérialisme démocratique, l'autorité du corps sur le langage ; ou l'autorité du langage du corps sur les autres langages, quelque chose comme ça. C'est une question tout à fait significative parce qu'elle est probablement très liée aux configurations idéologiques contemporaines. Ce n'est pas la responsabilité de la danse, qui est installée dans des figures qui la dépassent et qui sont beaucoup plus essentielles au corps social que la danse elle-même, laquelle est dans une période d'intense créativité, ce qui donne d'autant plus de force et de vigueur à cette hégémonie.

12. Dernière réflexion. Pourquoi la quasi-invisibilité de la poésie ? Je ne dis pas du tout qu'il n'y a pas de poésie, il y en a,

il y a des poètes, de grands poètes, mais il y a progressivement une sorte d'invisibilité de la poésie. Surtout si l'on compare à ce qu'a pu être, à d'autres époques pas très éloignées, son audience large, son audience populaire, relayée par son audience scolaire. J'appartiens encore à cette génération pour laquelle une des disciplines scolaires était d'apprendre un nombre considérable de poèmes par cœur. Donc de les avoir comme un trésor subjectif, toujours disponible. Or cela ne se fait plus, ça se fait maigrement, ou mal, c'est secondarisé. Cette espèce d'archipel de la langue qu'est le poème, cette sorte de ressource infinie de la langue, est éloignée et mise en invisibilité relative. Beaucoup de gens continuent à être dans l'idée du poème mais il y a indiscutablement une invisibilité, qui se solde par le fait que les éditions de poésie, les revues de poésie, sont confinées dans des espaces de plus en plus étroits, en dépit du fait que là aussi l'inventivité et la création demeurent.

De même que je disais que la théorie des images, la souveraineté des images et du virtuel était une proposition qui, en définitive, porte sur la décision, je pense que la quasi-invisibilité de la poésie porte sur la déclaration. Un poème, quel que soit son régime stylistique, est une déclaration, il fonctionne langagièrement au régime de la déclaration. À part l'épopée ce n'est pas une narration. Le poème parle en son propre nom, c'est-à-dire qu'il déclare quelque chose qui s'impose à l'examen de tous, au nom seul de sa validité ou de son immanence à la langue. C'est une déclaration sur la ressource infinie de la langue dans ce qu'elle charrie de prononciation sur ce qui est. Je pense que, de même que le monde contemporain, par des ressources subtiles, tente de porter atteinte à la décision, c'est-à-dire de nous enseigner qu'en vérité on ne peut rien décider, que tout est déjà décidé – vous pourrez décider qui est le président de la République peut-être, mais enfin ça n'ira pas loin. Tout est déjà décidé et ça veut dire qu'on n'a pas réellement le droit de déclarer, ou plus précisément, d'une certaine manière on a le droit de déclarer uniquement ce qui l'a déjà été. Or le poème c'est le lieu de la déclaration de l'infini de la langue.

Je vous livre l'ensemble de ces points. Vous pourrez les méditer et voir dans quelle mesure ils sont des symptômes de désorientation, y compris pour nous-mêmes. Ils le sont parce que ce sont des points de concentration du monde contemporain dont la figure même est énigmatique, c'est-à-dire à propos desquels le monde contemporain lui-même ne propose pas de cadre général ; il les entérine en son propre sein comme des évidences de son propre devenir.

Comme je terminais sur l'invisibilité du poème, je vais rebondir immédiatement à partir de lui. Vous vous souvenez que nous avons pas mal utilisé René Char l'année dernière et il y a deux ans ; je vais lui emprunter deux énoncés que vous trouverez dans *La Parole en archipel*, dans l'édition de La Pléiade à la page 411, dans le recueil qui s'appelle *Quitter* – ce titre me plaît. C'est sûr que nous avons à quitter quelque chose. Ce sont donc des déclarations, absolument. Char est un poète particulièrement déclaratoire, quelquefois aux limites du sentencieux, et ce sont des poèmes de la fin des années 1950 ; *La Parole en archipel* est même de 1960. Alors je vous les fais entendre, ces énoncés, ces déclarations. Elles sont tirées d'un poème qui s'appelle « Dans la marche » ; ce que nous pouvons souhaiter être, dans la marche. Et Char dit ceci d'abord :

> Nous ne pouvons vivre que dans l'entrouvert, exactement sur la ligne hermétique de partage de l'ombre et de la lumière. Mais nous sommes irrésistiblement jetés en avant. Toute notre personne prête aide et vertige à cette poussée.

Je voudrais retenir l'expression « la ligne hermétique de partage de l'ombre et de la lumière » comme récapitulatif de tout ce que je vous ai dit avant. Au fond, chacun de ces points a quelque chose d'hermétique, d'énigmatique, et on sent bien que c'est parce que n'est pas complètement fait à leur propos le partage entre l'ombre et la lumière. Lorsque nous sommes confrontés à tous ces points, nous sommes exactement, en effet, sur la ligne hermétique de partage de l'ombre et de la lumière, et ce que nous dit Char c'est que nous allons nous pousser, ou être poussés, vers le franchissement de cette ligne, soit du côté de l'ombre, soit du côté de la lumière. C'est pour ça que cette question de l'orientation de la pensée, c'est la même chose que la question de savoir comment nous franchissons la ligne hermétique entre la disposition de l'ombre et la disposition de la lumière.

Un peu plus loin, Char parle d'un sentiment que nous pouvons éprouver aujourd'hui aussi et qui est, plutôt que celui d'un commencement, le sentiment d'être plus proche de quelque chose qui semble à la fois finir et ne pas devoir finir :

> Pour l'aurore, la disgrâce c'est le jour qui va venir. Pour le crépuscule, c'est la nuit qui engloutit. Il se trouva jadis des gens d'aurore. À cette heure de tombée, peut-être, nous voici.

Ici je retiendrais : « À cette heure de tombée, peut-être, nous voici. » À cette heure où la menace est la nuit, peut-être avons-nous à être des gens du crépuscule. Mais des gens du crépuscule pas du tout au sens où nous serons ce par quoi transite la nuit, mais des gens du crépuscule qui tiennent en eux-mêmes la survie du jour ; des gens qui, au moment de la tombée, ne vont pas consentir à la nuit. Et ça, c'est une figure que je trouve très forte. De même que les gens d'aurore sont ceux qui étaient faits pour que le commencement demeure, afin de n'être pas prématurément engloutis par le jour, de même nous voici à l'heure de la tombée, non pas pour accélérer la venue de la nuit, mais pour faire au contraire que le jour soit retenu. Nous serons ainsi des gens qui nous retenons de consentir à la nuit. Voilà ce que je voulais faire dire au poète.

En guise de transition, et pour conclure cet examen anarchique du monde, je voudrais vous recommander trois livres que j'estime tous les trois liés à la conjoncture. D'abord, sur la question de la ville et de l'émeute, des émeutes urbaines, des émeutes de banlieues. J'ai dit, la dernière fois que le mot « banlieue » fonctionnait aujourd'hui comme un mot d'exil et qu'on devrait dire « l'espace de la ville ». À moins que l'on n'appelle

« ville » seul l'endroit où les riches sont retranchés. Cependant que la ville c'est l'espace général de la socialité urbaine dans son ensemble. Et alors, à propos de la ville, de sa relation à l'émeute et du caractère en définitive toujours fécond, difficile, obscur, de la relation entre émeute, insurrection et ville, je vous rappelle le livre que j'ai déjà mentionné et qui n'est pas d'aujourd'hui, c'est celui d'Éric Hazan, *L'Invention de Paris*, que vous trouvez dans la collection Points aux éditions du Seuil. C'est un livre proprement admirable, d'abord par la connaissance extraordinaire de Paris qu'il révèle, et par son invention historique. Mais aussi, et peut-être surtout, par l'intimité du rapport qu'il établit entre la ville et précisément le destin d'émancipation qu'elle porte dans la douleur pour les masses de gens qui y habitent. Vous y trouverez des pages frappantes sur les différentes insurrections parisiennes, sur 1830, 1848, sur la Commune. Mais vous y trouverez aussi, ce qui est revigorant, une vision optimiste du devenir de Paris, à savoir l'idée que, en fin de compte, on n'arrivera pas à enclore Paris dans les murailles du conservatisme. À bien d'autres époques on a cru qu'on y arriverait, Haussmann l'a cru, divers urbanistes réactionnaires l'ont cru, mais Éric Hazan maintient la thèse qu'en réalité la ville restera effervescente, à condition qu'on comprenne que son espace s'agrandit sans arrêt. En particulier, son espace ne peut pas être dessiné, clôturé, pas même par le périphérique, sur lequel il dit des choses passionnantes, comme nouveau rempart d'une ville qu'on souhaiterait close mais qu'on ne parvient pas à clore.

Le deuxième ouvrage porte sur la question coloniale, agitée de toutes parts depuis qu'il y a une loi qui enjoint de considérer sa dimension positive. Je pense qu'il y a un point très important à saisir dans le colonialisme, celui qui pose non pas la question de savoir objectivement si on a construit des routes, des hôpitaux, etc., mais la question sur ce qu'était, de part et d'autre si je puis dire, la subjectivité coloniale. Qu'était-elle en profondeur ? Quel était le degré de retranchement hostile et taciturne des populations dominées par rapport au colonisateur, élément sur lequel on a d'ordinaire très peu de renseignements. On a bien sûr des renseignements sur les mouvements de libération explicites, les politiques, mais dans la quotidienneté de l'occupation, de l'administration coloniale, la masse des gens, c'était quoi ? Sur ce point je vous renvoie au très beau livre de Paul Bowles, qui s'appelle *La Maison de l'araignée*. Il porte sur le Maroc colonial français dans sa phase terminale, c'est-à-dire dans les années 1950. Le témoin est américain. C'est intéressant, parce qu'il est en quelque sorte hors du jeu et qu'il décrit fort bien sa position hors-jeu. À partir de quoi il parvient à toucher quelque chose de la dissidence intime prépolitique de la population du pays colonisé : la manière dont elle ne consent qu'en apparence à la situation et l'existence d'une réserve subjective profonde qui fait qu'en réalité elle n'y a jamais consenti, sans que ça prenne nécessairement la forme d'une rébellion explicite ou même celle d'une conceptualité politique claire. Le livre montre bien comment dans la subjectivité de côtoiement du colonisateur, il y a toujours eu en réalité une sorte de résistance infranchissable qui explique le destin au fond très bref de la colonisation, au Maroc en particulier : un demi-siècle, soit presque rien. Et il montre également que si cela ne s'est pas installé plus longuement c'est qu'en un certain sens, ça n'a, en profondeur, jamais eu lieu. Ça a été une surface, une surface maintenue par la force, une surface articulée qui masquait la profondeur, mais de fait ça n'a jamais eu lieu parce qu'il n'y a jamais eu de consentement authentique de ceux qui en étaient l'objet. Bowles le dit en tant que romancier, c'est ça qui est intéressant. Ce n'est pas une thèse abstraite. C'est dit dans la profondeur des personnages. Il a vu cela et il l'a écrit.

Le troisième livre traite de l'esclavage et de Napoléon. Vous connaissez les querelles sur « Faut-il célébrer Austerlitz ? » ou sur « Bonaparte, est-ce qu'on l'aime ou pas ? ». Il en va de « la grandeur de la France » ou de « la République ». Sur la question propre de la relation entre la Révolution française et l'esclavage à Saint-Domingue le livre que je vous recommande est en anglais, mais tant pis. Il s'appelle *The black Jacobins* (*Les Jacobins noirs)* de C.L.R. James. Le sous-titre c'est *Toussaint Louverture et la révolution à Saint-Domingue*. C'est à la fois un récit détaillé, une interprétation mesurée et un commentaire de l'histoire de ce qu'on appelle aujourd'hui Haïti à l'époque de l'abolition de l'esclavage, de la Révolution française, des guerres révolutionnaires dans l'île, de la tentative de reconquête de l'île par Bonaparte, laquelle a d'ailleurs échoué, de la restauration de l'esclavage, de l'emprisonnement de Toussaint Louverture, de son assassinat en vérité par Bonaparte. C'est un livre frappant que je vous recommande vivement.

Après avoir lu ces trois livres vous aurez des armes pour vous orienter sur la question de la ville et des émeutes, sur la question de la subjectivité du colonisé et sur la question de l'esclavage.

Reprenons maintenant un fil plus directement conceptuel. La dernière fois nous avions commencé cette construction d'un espace de repérage des données subjectives contemporaines en proposant une opposition binaire, un premier partage entre matérialisme démocratique et dialectique matérialiste. Je rappelle une fois encore que l'axiome du matérialisme démocratique c'est « il n'y a que des corps et des langages », cependant que l'axiome de la dialectique matérialiste ajoute : « il n'y a que des corps et des langages, sinon qu'il y a des vérités ». Comme vous l'avez vu, je propose une organisation du repérage subjectif idéologique autour de ce qui va être une logique de l'exception. Nous avions dit également qu'un premier déplacement introduit par ce partage, c'est qu'il instaure une division du matérialisme en lieu et place de l'opposition traditionnelle idéalisme-matérialisme. On est de toute façon dans l'élément du matérialisme, et ce qui est scindé c'est le matérialisme lui-même. C'était la première remarque.

La deuxième remarque que je voudrais introduire aujourd'hui c'est que dialectique, en tant qu'adjectif, était autrefois opposé à métaphysique. Dans le dispositif marxiste traditionnel, il y a en effet deux couples d'oppositions : le couple matérialisme-idéalisme et le couple dialectique-métaphysique. De sorte que, si on prend les polarités extrêmes, on oppose le matérialisme dialectique à l'idéalisme métaphysique. Le remaniement consiste à ne pas s'installer dans l'opposition matérialisme-idéalisme mais à dire qu'il y a aujourd'hui deux figures possibles du matérialisme corrélées au fait que tout le monde est d'accord pour dire que l'idéalisme c'est fini et que Dieu est mort. C'est la première opération. La deuxième opération c'est que l'opposition de la dialectique et de la métaphysique est elle aussi résiliée. Il est important de comprendre pourquoi les marxistes classiques opposaient « dialectique » à « métaphysique ». C'est qu'ils considéraient que métaphysique désignait en définitive une philosophie de l'Un, ou de l'immobile, tandis que dialectique, c'était une philosophie du mouvement et de la contradiction. Vous aviez ainsi mouvement-contradiction d'un côté et identité-immobilité de l'autre. Ainsi l'immuabilité et l'identité théologique, divine, métaphysique, était opposée à une pensée du mouvement comme contradiction vivante, cependant que, par ailleurs, le matérialisme, en tant que primat de la matière sur l'esprit était opposé à l'idéalisme. Dans le repérage que je propose dialectique n'est pas opposé à métaphysique, au sens où la contradiction serait opposée à l'identité. Mais la dialectique matérialiste va affirmer qu'il y a la possibilité que quelque chose soit en excès de la stricte bipartition entre corps et langages, cet excès n'étant à proprement parler ni une synthèse des deux termes précédents, ni non plus un terme supplémentaire, quelque chose qui ferait qu'on compterait « vérités » comme un troisième terme ontologiquement distinct, qui ne serait ni corps ni langages mais une troisième réalité. Ainsi dialectique va désigner, et c'est la clé de tout le problème, la possibilité du 3 par rapport au 2, donc la possibilité d'un excès sur le 2, de sorte que nous ne sommes pas contraints ou chevillés à la dualité puisque quelque chose peut être en excès de cette assertion quant au 2. On peut compter 3, sans que cependant ce 3 introduise un terme supplémentaire isolable, ou encore moins, qu'il soit une synthèse dialectique des deux premiers.

Mais alors que va-t-il être ? Eh bien, il va être en exception du 2. Autrement dit, il va nommer l'écart du 2 (tout 2 contient un écart), dans la figure d'une exception au 2, laquelle est en quelque sorte une exception immanente. Pour qu'il y ait 2, il faut qu'il y ait un trou, vous avez un entre-deux, l'« entrouvert » dont nous parlait Char tout à l'heure. Il y a un entrouvert qui n'est pas réductible à l'ouvert, sans être non plus fermé. C'est l'entre corps et langages mais en même temps il n'y a rien d'autre que corps et langages, de même que l'entrouvert est précisément l'écart entre ouvert et fermé. Ici c'est la même chose : ce qui va être nommé en exception immanente ce n'est aucun des deux termes mais c'est « l'entre » des deux termes, qui se réalise cependant comme excès sur le 2. C'est pourquoi je dis que dialectique ne renvoie pas immédiatement à la contradiction ni à la synthèse. En ce sens c'est un schéma non hégélien, au moins en apparence : c'est une exception immanente, dans la mesure où quelque chose fait exception au 2 à l'intérieur du 2 lui-même. C'est pour ça que je disais que si on veut se le représenter, on se le représentera comme l'écart qui, en effet, est immanent au 2.

L'écart, au fond, c'est le moment où la conjonction est indiscernable de la disjonction : vous pouvez dire l'écart soit sous la forme « il y a et cela et cela », par exemple « il y a et corps et langages », mais vous voyez bien que vous pouvez le dire aussi comme le fait qu'il n'est « ni corps ni langage ». Il faut en conclure ceci, qui est très proche de l'intuition deleuzienne, avec laquelle je suis profondément d'accord : la dialectique, c'est la possibilité que « ni... ni... » veuille dire la même chose que « et... et... », que « ni corps ni langage » soit indiscernable pour ce que ça désigne en réalité de « et corps et langage ». C'est donc une disjonction conjonctive, ou une conjonction disjonctive. Deleuze, vous le savez, parlait de « synthèse disjonctive ». Je serais pour ma part réticent à aller jusqu'à synthèse, vous voyez bien pourquoi. Je préférerais soit conjonction disjonctive soit disjonction conjonctive, c'est-à-dire l'équivalent du « et... et... » et du « ni... ni... » comme point d'exception au 2, immanent au 2 lui-même. Cela permet d'assumer l'axiome matérialiste tout en ajoutant « sinon qu'il y a ce point possible où le "et... et", et le "ni... ni" sont indiscernables », qui est le point de conjonction disjonctive des deux, donc de ce qui est en exception des deux. Du coup l'intuition centrale que nous aurons à travailler, c'est que c'est ça qui constitue un présent, dans la mesure où un présent n'est constitué que si se constitue ce qui est en exception du 2. C'est la raison pour laquelle je soutiendrais que dans le matérialisme démocratique, qui est le fonctionnement simple de « il n'y a que des corps et des langages », il n'y a pas de présent ; dans le 2, il n'y a pas de présent, et nous vivons sans présent. Je reviendrai là-dessus parce que la question de la temporalité est tout à fait importante dans cette affaire et qu'une des figures centrales de l'opposition entre matérialisme démocratique et dialectique matérialiste est constituée par la question du présent.

Quelqu'un parmi vous m'a fait remarquer que j'utilisais « histoire » là où il faudrait dire « mémoire ». Je le lui accorde. Le fait qu'il n'y ait pas de présent dans le matérialisme démocratique crée une obsession de la mémoire, c'est-à-dire une obsession du passé. La conservation du passé est la rançon payée à l'absence du présent. Quand le présent est intense, le passé sert au présent, c'est tout. Il est ce à partir de quoi le présent est reconstitué dans sa propre visibilité. En revanche, quand, pour les raisons que nous avons dites, il n'y a pas de présent, ce qui surgit est au contraire le passé. Et ce sous la forme d'un impératif, d'un « devoir de mémoire ». C'est là une expression très étrange que nous aurons plusieurs fois l'occasion de commenter ; c'est comme si la conservation du passé prenait la forme d'un impératif. Mais en réalité, s'il y avait un présent vivant le passé ne pourrait pas être sous la forme d'un impératif, il circulerait du point du présent lui-même, il serait incorporé à la vie du présent. En revanche, quand le présent fait défaut on se retrouve devant la nécessité absolue de constituer le passé et de le figer dans la figure d'un impératif, figement qui finit par prendre la forme de la loi, c'est inéluctable. Car vous voyez que ce qui le mène à la loi c'est le devoir, qu'il est donc déjà dans la forme d'un impératif, qu'il est conservé dans la forme d'un impératif, tout prêt à être recueilli et figé définitivement dans la figure de la loi. Et cela n'est possible, je le soutiens, que parce qu'il n'y a pas de présent.

À l'inverse, dans la dialectique matérialiste, vous avez la représentation de la possibilité du présent, en tant que disjonction conjonctive, d'un présent qui rend possible une contemporanéité, donc que soit possible, dans le présent vivant, « et cela et cela, et encore autre chose », ou encore que nous, vous, moi, d'autres, soyons vraiment contemporains, c'est-à-dire vraiment pris dans un présent vivant effectif et partagé, qui est irréductible au passé comme à l'avenir, un présent affirmatif, à savoir qui n'est ni sous la loi du passé, ni commandité par l'avenir. Le présent est un régime d'autosuffisance de la contemporanéité qui, à partir de là va s'élargir en passé et se projeter en avenir. Cette autosuffisance se fait au point de l'intervalle lui-même, au point où on est dans un « ni… ni… », « ni passé ni futur » et aussi dans un « et… et… », « et cela et cela et cela ». C'est ça la vitalité du présent.

Ainsi le mouvement de la dialectique matérialiste va consister à reconnaître la constitution du présent et à concevoir que la relation fondamentale dans laquelle la subjectivité peut se constituer comme subjectivité affirmative n'est pas du tout, comme dans le matérialisme démocratique, la relation entre le passé et l'immédiat. Car on pourrait dire que, dans le matérialisme démocratique, l'absence du présent est colmatée par la prégnance de l'immédiat. Il faut absolument distinguer « présent » et « immédiat ». Le présent, nous venons de le voir, est bien plus fondamental que l'immédiat, avec lequel il n'a pas de relation. Le présent c'est quasiment une donnée logique, dialectique, c'est la donnée de l'intervalle comme tel dans la figure de l'indiscernabilité entre le « et… et… » et le « ni… ni… ». Tandis que l'immédiat c'est la donnée empirique de ce qui transite ; c'est un immédiat non subjectivable, un immédiat de l'objectivité temporelle. C'est bien pourquoi l'absence du présent se réalise, dans le matérialisme démocratique, comme autorité de l'immédiat. Autorité qui est une évidence dans le monde contemporain et qui explique dans une large mesure une partie de ce qu'on pourrait appeler la souffrance des jeunes. La souffrance des jeunes est patente : c'est l'asservissement à l'immédiat, soit « l'immédiatisme ». L'immédiatisme est une contrainte terrible. Il se donne les apparences de la jouissance mais il se réalise en réalité comme destruction. Cette autorité absolue de l'immédiat est un prix payé à l'absence du présent.

Mais la relation fondamentale qui caractérise le matérialisme démocratique du point de vue de la question du temps c'est la relation entre immédiat et passé ; c'est-à-dire que la contrainte de l'immédiat est assortie d'un devoir quant au passé. La législation sur le passé est ce qui donne une apparence de profondeur à la fugacité et au caractère destructif de l'immédiat. Si le devoir de mémoire s'impose c'est bien parce que vous n'avez pas de présent, mais seulement de l'immédiat, sur lequel vous ne pouvez rien construire. L'immédiat est inconstructible. En conséquence vous colmatez la fuite permanente de tout dans l'immédiateté par la légifération monumentale sur le passé. Cela explique bien pourquoi le fait qu'il y ait des lois sur le passé est absolument homogène au fait qu'il n'y a pas de présent mais seulement de l'immédiat. Cette légifération est une assurance contre la perversion de l'immédiat : on va donner des lois sur le passé pour affirmer qu'il y a quelque chose quand même, quelque chose d'autre que la circulation indéfinie de la marchandise et l'asservissement de tout le monde à l'immédiat. Ce qu'il y a c'est du passé, d'ailleurs toujours sous forme négative, conservatrice, sacralisée. Il y a un passé qui ne se réalise que comme morale, comme loi et comme religiosité délabrée, comme culte misérable. Le devoir de mémoire, c'est ce qui réalise, dans la société contemporaine, la corrélation impossible entre la profondeur du passé et l'absence du présent. Or c'est en fait une relation sans relation, une relation qui ne relie rien, parce que l'immédiat c'est justement ce qui ne se relie à rien. Et on va donc chercher une garantie abstraite dans l'extériorité législative du devoir quant au passé.

Quelle va être la relation fondamentale dans la dialectique matérialiste ? Je propose de dire que c'est la relation entre le présent et l'éternité. Là on entre dans un propos un tout petit peu plus complexe. Au point où nous en sommes, on peut aussi articuler l'opposition entre matérialisme démocratique et dialectique matérialiste dans les termes suivants : d'un côté la temporalité s'édifie sur la relation sans relation de l'immédiat et du passé, de l'autre, sur la relation du présent comme constitution dialectique dans sa relation à l'éternité. Car partout où un présent s'est constitué quelque chose d'éternel va advenir, en un sens qui naturellement demande à être recomposé, refait. Les deux dispositions subjectives sont donc enracinées dans des temporalisations absolument différentes. L'enjeu c'est alors de réintroduire le concept d'éternité dans sa corrélation au présent. De le faire au régime dialectique, c'est-à-dire au régime de l'exception immanente, pas au régime de la séparation ou de l'extériorité transcendante. Il s'agit que l'éternité soit immanente au présent comme production vivante, comme création. Je tiens que le présent ne peut être que créé. Un présent qui n'est pas créé, c'est de l'immédiat. Le cheminement c'est donc de réintroduire cette dialectique matérialiste dans l'amplitude qui fait que le présent a comme production immanente, en régime d'exception, quelque chose comme l'éternité d'une vérité. C'est un trajet, une construction. Ça ne va pas de soi. Cette construction sera notre propos dans la suite mais je voudrais vous en donner l'échelonnement sans attendre. Ensuite on s'appuiera sur le texte, parce que tout y est, mais je commence par le reconstruire d'une façon entièrement différente.

Cet échelonnement je vous en propose dix étapes. Cela fait plus que de séminaires qu'il n'en reste, donc il faudra essayer de traiter plusieurs étapes à la fois. Je vous donne les étapes comme telles, avec des commentaires pour l'instant absolument minimaux.

Thèse 0. *On appelle « monde » un lieu de l'être-là des multiplicités.*

Autrement dit, on appelle « monde » un espace d'apparaître. Je précise rapidement ce que j'entends par là. La thèse que je développe, qui est également celle de Deleuze et celle que tout le monde partage aujourd'hui, c'est que l'être comme tel n'est jamais que multiplicité pure et ne peut pas être réduit à la figure unaire du Dieu transcendant. Si donc on admet que l'être, pensé comme tel, est au régime de la multiplicité pure, on appellera « monde », non pas les multiplicités comme telles, mais le lieu de leur être-là, le lieu où elles sont advenues comme telles, le lieu où elles apparaissent, non pas à quelqu'un, à un sujet, mais celui où elles apparaissent en soi. L'apparaître est une catégorie qui ne relève pas de la subjectivité, du phénomène, de la représentation. On appellera « monde », idée au fond assez intuitive, un lieu, un espace d'apparaître. J'ai appelé cela la thèse 0 parce qu'en réalité ce n'est pas une thèse, c'est une définition. Ensuite ce seront vraiment des thèses.

Thèse 1. *Il y a des mondes.*

Ça, c'est une thèse. D'abord parce que c'est un « il y a », une assertion. Et ensuite parce qu'il y a *des* mondes. Vous voyez que son envers négatif c'est : il n'y a pas *un* monde, ou il n'y a pas *un* univers, mais il y a des mondes. Il y a une multiplicité des lieux d'apparaître pour les multiplicités, ce qui ne veut pas simplement dire qu'elles sont, dans leur composition, des multiplicités, mais bien qu'elles apparaissent multiplement. Nous retrouvons là la vieille thèse tout à fait capitale de la multiplicité des mondes réintroduite à nouveaux frais, qui va aller plus tard de pair avec la thèse portant sur les vérités, donc sur l'éternité, « il y a *des* vérités », toujours référées à *des* mondes qui sont en général distincts.

Thèse 2. *La pensée de ce pluriel est possible.*

En effet, dire « il y a des mondes » n'indique pas comment il y a possibilité d'une pensée de cette pluralité des mondes. Il est nécessaire d'affirmer cette possibilité car la thèse de la pluralité des mondes a souvent été considérée comme un obstacle à la pensée. Et cet obstacle demeure encore aujourd'hui sous la forme bien connue du relativisme culturel. Le relativisme culturel consiste à dire qu'il y a des mondes, des cultures, des langages, et que les corps pris dans ces langages ne communiquent pas forcément de façon aisée ou immédiate. C'est donc une forme spécifique de la thèse « il y a des mondes », qui admet que la complète pensée de ce pluriel n'est pas nécessairement possible. Pour notre part nous allons soutenir que la pensée de ce pluriel est possible, c'est-à-dire qu'il y a une logique des mondes. Et que les mondes sont discernables selon la logique propre qui est la leur. Ce qui veut dire qu'il y a *des* logiques des mondes. Ce sera une théorie du transcendantal, au sens où il y a une logique transcendantale des mondes. Et penser la pluralité des mondes, c'est penser en définitive la pluralité de leur logique, la pluralité des logiques de l'apparaître.

Thèse 3. *Il y a des événements.*

L'« événement » est défini comme un changement dans le monde, non pas du monde mais de sa logique. À proprement parler, un événement n'est pas simplement une modification du monde, ça, il y en a tout le temps, c'est une modification de la logique du monde concerné. On appellera donc « événement » quelque chose qui touche à la logique de l'apparaître, pas simplement quelque chose qui apparaît en plus ou autrement dans le monde. On en donnera une définition logique, très précise, comme disruption ou rupture dans la constitution logique du monde lui-même. L'événement est si vous voulez un changement du transcendantal. Le transcendantal peut être modifié. La logique des mondes peut changer.

Thèse 4. *La pensée de l'événement est possible.*

Là vous avez une symétrie par rapport à la thèse 2. La pensée de la pluralité des mondes est possible et la pensée de l'événement est possible. Il peut y avoir une théorie du changement réel, donc des conditions d'existence du monde, et pas seulement d'un changement interne aux phénomènes du monde. Les conditions de possibilité d'un monde peuvent changer et il peut y avoir une pensée d'un tel changement. Je souligne que c'est une thèse fondamentale du matérialisme démocratique que de considérer qu'il ne peut rien y avoir de tel. C'est ce qu'on nous explique tous les jours : les conditions de possibilité de notre monde ne peuvent pas être changées, c'est-à-dire qu'il n'y a, de ce point de vue là, pas d'événement à proprement parler. Et ça prend la forme empirique de « la révolution est une utopie », « les ruptures c'est mauvais », « de toute façon, les lois économiques sont là, tout le monde s'y est rallié », etc. Toutes ces thèses charriées par la propagande quotidienne deviennent, si on les ramène à leur noyau philosophique, il n'y a pas de changement possible dans le transcendantal des mondes ; le monde change tout le temps mais il est aussi, en un certain sens, identique. En d'autres termes, on nous invite à considérer les changements comme ordinaires et à nous adapter incessamment à ces changements, mais la loi de ces changements, elle, n'étant pas modifiable nous avons à nous y adapter vite fait, parce que la loi propre des transformations, elle, ne changera pas. Or vous voyez que cette nécessité absolue des « réformes », comme on dit aujourd'hui, ce qui veut dire de l'adaptation au transcendantal du monde capitaliste contemporain, est en réalité le corollaire de la thèse selon laquelle tout changement de ce transcendantal est exclu. Nous, nous allons poser qu'il y a des événements. Et non seulement qu'il y a des événements mais qu'une pensée de l'événement est possible. Et, plus important encore, qu'elle est triplement possible.

a) On peut penser l'événement dans son être, c'est-à-dire dans l'être-même des multiplicités présentées, dans son être comme co-appartenance, comme multiplicité qui se contient elle-même, qui s'indique elle-même.

b) On peut penser l'événement dans son apparaître, dans son apparaître comme intensité maximale.

c) On peut penser l'événement dans ses conséquences – ce sera finalement le point d'indice le plus important – comme relève d'un inexistant. Pour donner une esquisse de la technique de la chose : la conséquence essentielle, la conséquence centrale d'un événement véritable, celle qui organise toutes les autres, consiste en ce qu'un terme qui n'apparaissait pas vient à apparaître. Un terme qui inexistait dans le monde vient à exister. C'est ce que j'appelle, pour employer l'excellent mot que Derrida a introduit pour traduire *Aufhebung*, la « relève » d'un inexistant. La relève d'un inexistant, c'est le point qui va faire trace, dans un monde, de l'événement effectif. J'en reviens toujours à mon commentaire philosophique infini de l'Internationale : « Nous ne sommes rien soyons tout ! », c'était le programme de la relève d'un inexistant. En conséquence, voyez dans le propos qui est le mien ici une

Internationale généralisée. Alors la relève de l'inexistant va être le point par quoi les conséquences événementielles s'attestent.

Ces trois régimes de pensée sont appropriables à l'existence effective d'événements, c'est-à-dire aux transformations affectant le transcendantal comme tel, ou, si vous voulez, affectant la logique d'un monde.

Thèse 5. *Tout événement laisse une trace.*

Il y a des événements. La pensée de l'événement est possible. Tout événement laisse une trace. Et cette trace sera en réalité identique à l'inexistant relevé. Autrement dit, la trace événementielle fondamentale qui est de l'ordre des conséquences, c'est précisément la relève de l'inexistant. Et l'inexistant, le terme « inexistant », en tant que relevé, en tant que maximalisé, (« Nous ne sommes rien, soyons tout ! ») fera trace de l'événement effectif.

Thèse 6. *Autour de cette trace peut apparaître un nouveau corps.*

C'est pour ça que nous serons en exception immanente, car on va bien tenir qu'il n'y a que des corps est des langages. Et, c'est un point crucial, ce qui va se constituer autour de la trace sera en fin de compte de l'ordre du corps, sera un nouveau corps. Ainsi, la condition de possibilité du transit du présent à l'éternité, c'est qu'il y ait un nouveau corps. Articuler le présent à l'éternité ne peut pas se faire par simple agencement ou recomposition des corps préexistants, il faut qu'apparaisse et que se constitue un nouveau corps. La logique de cela va consister à montrer comment un nouveau corps peut, en quelque sorte, coaguler ou cristalliser autour de la trace de l'événement, comment, autour de l'inexistant relevé, quelque chose peut se constituer comme une compatibilité nouvelle des multiplicités, compatibilité nouvelle qui va faire surgir la nouveauté d'un corps.

Thèse 7. *Ce nouveau corps peut porter la forme d'un sujet.*

Ici, entre autres faute de temps, je ne peux pas en dire plus. Mais vous voyez que ça signifie que le nouveau corps va être non seulement un nouveau corps objectif, mais ce qu'on peut appeler un corps subjectivable. Autrement dit, ce nouveau corps va s'installer dans le monde concerné, dans le monde affecté par l'événement. Il va se comporter comme le support d'un sujet, le support d'une forme-sujet.

Thèse 8. *Ce nouveau corps subjectivé va créer, point par point, une vérité.*

Ce corps subjectivé, en tant que constitué autour de la trace et portant une forme subjective, c'est ce qu'on appellera une vérité. C'est-à-dire que sous condition de l'événement, vous avez une trace, sous condition de la trace, vous avez la possibilité d'un nouveau corps, ce nouveau corps peut porter une forme subjective, ce corps subjectivé produit quelque chose, et cette production qui se fait point par point c'est ce qu'on appellera une vérité.

Thèse 9. *Cette production du corps subjectivé est éternelle.*

Cette vérité, c'est la dernière thèse, est éternelle. Le sens précis d'« éternel » est le suivant : bien que produite dans un monde, une vérité est reconnaissable comme telle dans tout monde. Elle est donc l'objet possible d'une résurrection trans-mondaine. Cela ne veut pas dire qu'elle est constamment réactivée mais elle est éternelle en tant qu'elle est réactivable dans tout monde. Cela indique son éternité, donc son existence trans-mondaine. Éternité est ici indiscernable de l'existence trans-mondaine et ne peut pas avoir d'autre sens parce que cela veut dire au fond : communication entre les présents. Si on admet que finalement la création d'un présent c'est le surgissement d'un nouveau corps – c'est ma thèse fondamentale – il y a présent lorsqu'il y a surgissement et constitution d'un nouveau corps. Ça, on peut le montrer simplement sur l'exemple de la rencontre amoureuse : on voit parfaitement que la constitution du présent et la constitution du nouveau corps c'est une seule et même chose. Donc quand il y a constitution d'un nouveau corps et constitution du présent, cette constitution du corps subjectivé produit des effets qu'on appellera des vérités. Le fait que cela soit reconnaissable d'un autre monde veut dire que le présent de cet autre monde reconnaît en quelque manière le présent du premier monde. La conception nouvelle de l'éternité sera de poser que c'est la communication des présents. Puisqu'il y a multiplicité des mondes, il y a multiplicité des possibilités du présent. Et « éternité » signifie simplement que les présents communiquent par appropriation possible des vérités singularisées dans tel ou tel monde, à partir de n'importe quel autre monde. Et donc le transit fondamental du présent à l'éternité passe en définitive par la production des corps subjectivés.

Voilà. C'était un peu rapide mais on détaillera.

XI

11 JANVIER 2006

Eh bien, je vous souhaite une bonne année. Le tout, c'est de savoir ce que c'est qu'une bonne année. Il faudrait pour ça un séminaire entier, d'une grande complexité, qui commencerait déjà par la question « Qu'est-ce que c'est qu'une année ? » On s'est bien interrogé sur ce que c'était qu'un siècle, on pourrait donc aussi s'interroger sur ce que c'est qu'une année et se demander ce qu'a été l'année 2005 ? Enfin, savoir ce que c'est que « bonne », c'est encore bien plus compliqué. On serait obligé de remonter jusqu'à l'idée du Bien ; on s'en dispensera. Donc : bonne année !

Nous en étions restés à une sorte de grande ponctuation puisque nous nous étions arrêtés sur l'énumération d'une dizaine d'énoncés où se récapitulait un trajet pour la pensée. Le trajet qui conduit en fait du monde tel qu'il est là à l'éternité d'une vérité telle que, quoiqu'éternelle, elle a été créée dans un monde, et aussi dans un temps, mais se trouve disponible, par exemple dans notre monde ou un de nos mondes. Ce trajet-là part de l'évidence de la présence d'un monde, c'est-à-dire de l'apparaître-là de la configuration d'un multiple pur, jusqu'à l'éternité singulière d'une vérité. Une vérité dont on admettra à la fois qu'elle a été créée, qu'elle est singulière en ceci qu'elle procède d'une création dans un monde déterminé et que cependant elle est éternelle au sens d'une disponibilité pour tout monde qui la détache de sa production singulière. Ce détachement n'est pas un détachement réel ; il a lieu mais n'efface ni ne rature ni n'annule la singularité du monde dans lequel cette vérité a procédé. La vérité est alors rendue disponible pour tout autre monde, dans des conditions sur lesquelles nous reviendrons.

Alors je redonne la liste des dix énoncés, des dix ponctuations, des dix jalons de ce trajet général, que j'avais présentés sous la forme des dix thèses que je reprends ici en les complétant si besoin est :

Thèse 0. *On appelle « monde » un lieu de l'être-là des multiplicités.*

Je vous avais signalé qu'il s'agissait là plus d'une définition que d'une thèse, d'où son numéro. C'est en effet un énoncé en quelque manière antérieur aux énoncés qui structurent notre trajectoire proprement dite, et qui est donc absolument axiomatique.

Thèse 1. *Il y a des mondes.*

Il y a des mondes et non pas un univers, si on appelle « univers » un monde qui serait le seul monde. On peut dire les choses ainsi : l'univers = le monde, sous condition qu'il n'y ait qu'un monde. Et on opposera donc le pluriel des mondes à l'unicité de l'univers. On peut compléter la thèse en disant : il y a des mondes et non pas un univers.

Thèse 2. *La pensée de ce pluriel est possible.*

En réalité la pensée de ce pluriel des mondes n'est rien d'autre que ce qu'on peut appeler « la logique ».

Thèse 3. *Il y a des événements.*

On appellera « événement » une transformation, pour autant qu'elle affecte la logique de la transformation, c'est-à-dire la logique du monde.

Thèse 4. *La pensée de l'événement est possible.*

Elle est possible dans son être, c'est-à-dire que l'être de la multiplicité événementielle comme tel est pensable. Cela ne va pas sans critère, et le critère est l'auto-appartenance : l'être-multiple d'un événement est un multiple qui s'auto-appartient, c'est-à-dire un multiple qui est élément de lui-même, ou, si vous voulez, un multiple qui se présente lui-même, présentation de soi comme tel, qui institue ontologiquement l'événement. Donc la pensée de l'événement est possible dans son être. Elle est possible dans son apparaître, c'est-à-dire dans les connotations logiques ou topologiques de l'événement ; c'est-à-dire que l'événement lui aussi apparaît dans un monde, il est soumis à cette loi. Du coup la pensée de l'apparaître d'un événement dans un monde est praticable. Enfin la pensée de l'événement est possible dans le système de ses conséquences. On peut dire que la pensée de l'événement est triplement possible, au regard de la logique des mondes, ontologiquement, logiquement et réellement, si on appelle « pensée réelle » la pensée telle qu'elle s'effectue dans le registre des conséquences.

Thèse 5. *Tout événement laisse une trace.*

La trace est toujours dans la figure de la relève d'un inexistant : il y a un point d'inexistence dans tout monde, et la conséquence première d'un événement est toujours la relève d'un inexistant, ce qui fait apparaître l'inexistant sous une intensité maximale, alors qu'il était là avec une intensité minimale. J'avais évoqué la phrase de l'Internationale, « Nous ne sommes rien, soyons tout ! » qui est en réalité une figure générique : tout événement s'atteste de ce qui rend possible la relève d'un inexistant. C'est pour ça qu'il est dit, dans le texte que vous avez, qu'« il faut être attentif lorsqu'on est dans la question de vivre vraiment, d'abord à ce qui inapparaît, à ce qui inexiste », et non pas à ce qui se donne dans la brillance de l'apparaître maximal, car c'est toujours dans la métamorphose de ce qui inexiste que se fait la signature de l'événement. L'événement est toujours venu à l'apparaître de ce qui n'apparaissait pas, de ce qui était là mais sans y apparaître. C'est cette relève de l'inexistant qui constitue la trace de l'événement.

Thèse 6. *Autour de cette trace peut apparaître un nouveau corps.*

Vous avez probablement là le moment matérialiste essentiel de la théorie des vérités éternelles elle-même, puisque ce n'est que selon l'apparition d'un corps nouveau qu'une vérité peut procéder dans un monde, et que donc quelque chose peut apparaître qui soit en exception de ce qui apparaît. Dans l'axiome « Il n'y a que des corps et des langages, sinon qu'il y a des vérités », le « il y a » des vérités est lui-même corporel, il n'échappe pas à la loi matérialiste des mondes. Il faut qu'il y ait un nouveau corps pour qu'une vérité procède en un monde. Et la théorie du corps, en tant que corps subjectivable ou corps de vérités, est le cœur de la difficulté. Vous voyez bien pourquoi. C'est en effet le moment où vous engagez une logique de l'exception : quelque chose s'excepte de l'uniformité des langages et des corps, sans qu'on admette, pour autant, que cette exception se fait du point d'un autre monde, ou d'une transcendance, ou d'une altérité radicale. Nous devons pouvoir penser le « sinon que » (l'exception) en immanence à la matérialité. Il n'y a donc pas d'autre recours que de dire : le « sinon que » des vérités, cette exception à la loi monotone de l'équivalence démocratique des corps et des langages, n'en est pas moins armaturé dans la matérialité elle-même. Donc elle fait corps. Naturellement ce n'est pas un corps disponible. C'est un corps nouveau, un corps qui doit procéder dans le monde et se constituer comme corps inaugural.

Cette sixième thèse constitue un énoncé décisif mais difficile en même temps. En effet, qu'est-ce que la constitution d'un corps autour d'une trace ? Cela demande un soin d'investigation matérialiste rigoureux. Tout le point est de savoir comment il y a un avenir matériel de la coupure événementielle. L'événement fait coupure dans la logique du monde mais ce ne serait rien, en un certain sens, ce ne serait qu'un éclair, une césure oubliée, si ne procédait pas, à partir de la trace de cette coupure, la constitution d'un corps nouveau. Vous avez là le centre matérialiste du problème. La dialectique de l'exception n'est matérialiste que sous la condition qu'elle rende rationnelle l'hypothèse d'un corps de vérité, donc d'une éternité d'abord portée par un corps, d'une éternité qui est tout le contraire d'une éternité spirituelle, car elle n'est l'éternité ni d'un dieu ni d'une âme. C'est une éternité portée par un corps *dans* un monde singulier, et qui crée, ce faisant, une disponibilité universelle.

Thèse 7. *Ce nouveau corps peut porter la forme d'un sujet.*

C'est pourquoi on l'appellera un corps subjectivable, « sujet » désignant le formalisme tel que, du point de ce corps, procède une vérité ; autrement dit, les conséquences de l'existence de ce corps sont subjectivées comme vérité.

Thèse 8. *Ce nouveau corps subjectivé va créer, point par point, une vérité.*

La production singulière du nouveau corps, tel qu'il porte la forme d'un sujet, se nomme vérité, mais ça se fait point par point. Autrement dit, ce n'est pas un processus continu ou garanti ; la création d'une vérité dans un monde est un processus discontinu. C'est là une discussion qui, y compris politiquement, a eu de grands effets : le corps seul ne garantit pas la production de vérité. C'est le corps *dans* la procédure du tramé de ses effets qui, point par point, peut la garantir. Un point, je le rappelle, c'est une donnée de la situation ou du monde. Donc quand je dis que le corps procède point par point, cela veut dire effectivement qu'il procède de façon matérialiste à l'intérieur du monde, en tant que le monde lui propose des points à traiter. Dire que, comme production du corps subjectivable, la vérité procède point par point s'oppose absolument à une tout autre thèse qui est que dès lors qu'il y a le corps subjectivable, alors les effets de vérité s'ensuivent. Or cela a été, par exemple, au XXe siècle, la théorie du parti. La théorie du parti c'était ça : à partir du moment où vous avez constitué le corps, le contrôle ou la maîtrise des effets de vérités, politiques en la circonstance, sont sous la garantie de ce corps. Seulement on a eu tendance à oublier que ce corps n'agit que point par point et que rien ne garantit qu'en tant que corps il dispose des ressources – ressources subjectives évidemment – nécessaires pour traiter les points en tant que points. On a vu ainsi des partis trébucher sur des circonstances, c'est-à-dire s'avérer incapables de traiter un point particulier – ça revient toujours à ça. Et en tant qu'ils s'avéraient incapables de traiter un point, petit à petit, les effets de vérité s'annulaient, s'ensablaient, étaient inopérants.

L'énoncé selon lequel le corps produit point par point des effets de vérité est un énoncé matérialiste majeur, qui évite de considérer le corps purement et simplement comme le constituant des effets de vérité. Il en est l'opérateur inéluctable, mais il n'en est pas le constituant. Encore faut-il qu'il soit dans la saisie, point par point, de l'espace même dans lequel il opère. Et donc vous voyez bien qu'une vérité, quoiqu'éternelle en fin de compte, est réellement tributaire du monde où elle est constituée, puisque ce n'est que point par point, en ce monde, qu'elle a pu procéder comme conséquence du corps subjectivable. Ainsi une vérité, quoiqu'éternelle, est marquée du monde où elle est créée. C'est ce qui fait sa singularité, ce qui fait que son éternité n'est pas une éternité suspendue, transcendante ou indifférente. Lorsqu'elle est appropriée à partir d'un autre monde elle sera naturellement détachable de ce monde, par des opérations particulières. Mais il n'en reste pas moins que du point de vue de sa matière, elle restera tributaire du fait qu'elle a été constituée point par point dans un monde donné.

Thèse 9. *Cette production du corps subjectivé est éternelle.*

Elle est éternelle en un sens dont je vous ai dit qu'il était précisément l'une de nos grandes questions.

Je voudrais commencer par donner la signification de ce trajet qui a été ponctué par les thèses, les énoncés, en question. Le trajet part des multiplicités pures et conduit aux vérités éternelles, en passant par « apparaître », « corps », « apparaître-événement », « corps-sujet »... On pourrait faire la liste de l'enchaînement conceptuel mais je préfère tenter de saisir la dramaturgie de ce trajet. Quelle est sa tension propre ? Quel est aussi son paradoxe ? Quel est son problème ?

Au fond on pourrait dire que c'est un trajet qui conduit de l'indifférence ontologique à la disponibilité de l'éternité. Au départ vous n'avez rien d'autre que des multiplicités indifférentes, et à l'autre extrémité vous avez une disponibilité des vérités éternelles comme présent, soit une disponibilité au présent des vérités éternelles. C'est là une vision en quelque sorte plus électrique, plus polarisée du trajet. Mais entre les deux, qu'est-ce qu'il y a ? Entre cette indifférence ontologique inaugurale des multiplicités comme telles – pour des raisons intrinsèques elles sont indifférentes au trajet lui-même, elles ne constituent pas par elles-mêmes le trajet – et cette éternité disponible qui est active au présent, entre les deux vous avez la logique, la logique des corps finalement, la logique de la consistance de ce qui apparaît. Vous avez la consistance de l'apparaître et, en même temps, ce qui peut perturber cette logique, dans la figure de l'événement. Donc entre les deux, vous avez, si vous voulez. le transcendantal. Appelons donc « transcendantal » la logique de l'apparaître et ce qui l'incise ou y fait coupure. C'est ce qui va rendre possible qu'il y ait un nouveau corps et qu'on ne soit pas simplement dans l'énoncé « il y a des corps » mais dans l'énoncé « il y a de nouveaux corps ».

En guise de commentaire et pour revenir à notre dichotomie initiale, l'opposition entre matérialisme démocratique et dialectique matérialiste, je dirais ceci. Dans le matérialisme démocratique il y a les corps et les langages, et ce qu'on souhaite c'est que les langages ne briment pas la capacité des corps ; mais une fois garanti que ce n'est pas le cas, tous les corps et les langages peuvent s'équivaloir dans l'espace démocratique. Tandis que pour la dialectique matérialiste il n'y a que des corps et des langages sinon qu'il y a des vérités, donc il y a quelque chose d'irréductible à la variété, à la pluralité qualitative des corps et des langages, qui est accessible à partir de cette pluralité, accessible universellement. Sauf que vous voyez bien que le vrai problème est qu'on ne peut pas dire cela sans soutenir qu'il y a une corporéité, une matérialité. Par conséquent une partie du problème devient : à quelles conditions, peut-il y avoir non seulement des corps et des langages, mais de nouveaux corps, dans un monde qui assure l'être-là des corps en général ? C'est pour ça que je dis qu'entre l'indifférence anonyme des multiplicités d'un côté, et la disponibilité au présent des vérités éternelles de l'autre, il y a évidemment la logique de l'apparaître : qu'est-ce qu'un monde ? que les mondes ? que l'être-là des multiplicités ? Et puis il y a, de façon nécessaire, comme condition de possibilité du nouveau corps, ce qui fait exception à cette logique, c'est-à-dire ce qui est en incise ou en interruption des lois raisonnables de la présence-là ou de l'apparaître des multiplicités dans un monde. On pourrait ramener cela à trois moments, qui nous remettraient pour ainsi dire dans une atmosphère dialectique traditionnelle :

a) le moment de l'indifférenciation ontologique ;

b) le moment, scindé, de la logique, « scindé » parce que c'est à la fois l'exposition de la consistance de l'apparaître et l'exposition de sa fragilité, c'est-à-dire de la possibilité que quelque chose advienne là, qui n'est pas conforme aux lois ;

c) le troisième temps qui serait précisément la disponibilité des vérités éternelles, leur disponibilité au présent.

Comme je vous l'avais dit la dernière fois, la question de l'éternité c'est la question de l'éternité au présent, la question de la présence de l'éternité. Si l'on commence par dire que l'éternité est séparée, on est forcément reconduit aux dispositifs théologiques traditionnels. J'aurais envie de dire avec Rimbaud que l'éternité, il faut la retrouver. Le problème de l'éternité c'est qu'elle soit là, c'est qu'elle ne soit pas, précisément, dans la séparation. Une des dimensions du monde contemporain c'est d'exclure l'éternité en faisant comme s'il était de son essence d'être séparée. Dire qu'il n'y a que le présent veut précisément dire qu'il n'y a pas l'éternité, puisque l'éternité ne peut alors qu'être séparée du présent. Or s'il n'y a que des corps et des langages, il n'y a que des corps et des langages au présent. Tout le problème spéculatif, le problème philosophique fondamental, consiste donc à établir qu'il n'est pas de l'essence de l'éternité d'être séparée du présent, que l'éternité peut être là. Ce qui signifie qu'il peut y avoir une disponibilité universelle, au présent, des vérités éternelles quelles qu'elles soient. Et c'est cette disponibilité des vérités éternelles qui constitue le troisième temps, la troisième instance du trajet.

Je reviens maintenant sur ces trois moments.

L'indifférence ontologique comme socle général signifie que le « il y a » pur, à savoir le « il y a » comme indistinction du possible et de l'effectif, c'est-à-dire le « il y a » en tant que tel, n'est qu'exposition des multiplicités formelles, des multiplicités pures, et que du coup la pensée de cela c'est cette figure de la pensée qui exclut le sens, qui se tient au plus loin du sens, figure qu'on appelle, depuis qu'elle existe, la mathématique. Donc l'indifférence ontologique se manifeste par ceci que les multiplicités en tant que telles sont dépourvues de sens du point de vue anthropologique, elles ne nous destinent à rien et ne sont destinées à rien ; elles sont des possibilités formelles comme telles. Mais la différence affecte aussi la pensée, au sens où la pensée de cela est possible, et qu'elle est même, si l'on veut, la pensée suprême dans la mesure où elle est la pensée de ce qu'il y a, absolument saisi dans son « il y a » comme tel. C'est cet ensemble qui constitue ce que j'appelle l'indifférenciation ontologique primordiale, soit l'assortiment des multiplicités pures qui sont des multiplicités sans-un et ne se récapitulent donc pas dans l'unité d'une signification et d'une langue formelle qui elle-même exclut le sens. L'indifférenciation ontologique première c'est cette corrélation, c'est-à-dire le double manque de l'Un et du sens. Les multiplicités sans-un sont des multiplicités qui, lorsqu'elles sont poussées au terme de leur décomposition, ne nous donnent que le vide, s'effritent dans le vide. Et la langue (ici la pensée de cette situation) qui est dans la figure du formalisme mathématique est une langue qui se délivre de l'appui du sens. Une langue qui, comme le disait Lacan, est « ab-sens ». On pourrait dire que c'est la langue de l'absence de sens, de ce en quoi l'Un est absent ; c'est-à-dire que l'absence de l'Un transite comme absence de sens dans la langue qui pense cette absence de l'Un, c'est-à-dire qui pense le multiple pur.

De cette indifférence ontologique on pourrait dire qu'elle est après tout la transcription abstraite, ou l'ontologie sous-jacente, du matérialisme démocratique lui-même. Le matérialisme démocratique c'est en fait : il y a ce qu'il y a et, puisque rien ne fait sens, tout fait sens. C'est l'obtention, à partir de la différence ontologique primordiale, de la conversion du « rien ne fait sens » en « tout fait également sens ». Les deux énoncés sont réciprocables parce que le sens n'est sens que pour autant que la règle de sa distinction avec le non-sens est expérimentable. Si tout fait égalitairement sens, alors on peut donner sens à ce qui n'en a pas. Et donc je soutiendrais volontiers que l'indifférenciation ontologique n'est que la forme abstraite, ou sous-jacente, du matérialisme démocratique.

Que nous soyons matérialistes signifie que nous partageons cette figure de l'indifférenciation ontologique comme strate première de l'élucidation de toute chose, et que nous ne considérons pas qu'elle est exclusive de son opposé, à savoir l'absoluité des vérités éternelles. La dialectique matérialiste est au fond quelque chose qui a le même socle ontologique que le matérialisme démocratique : à la fin des fins, il n'y a que de l'immanence, il n'y a que de la multiplicité sans-un, formellement pensable, et qui ne nous destine à rien. Dire qu'il n'y a pas de destination de l'être s'oppose absolument à la thèse de son historialité, donc à la thèse heideggérienne ou post-heideggérienne selon laquelle il y a une histoire de l'être qui le destine. Et cette idée que l'être est destiné et nous destine en tant qu'il est destiné, c'est ce que ni le matérialisme démocratique, ni la dialectique matérialiste ne soutiennent. On acceptera en effet que le socle ontologique fondamental ne destine à rien et que pour autant qu'on s'en tient à lui, il soit mathématiquement pensable comme ab-sens de l'absence de l'Un. C'est par là que nous pouvons tendanciellement nous établir en compatibilité avec le matérialisme démocratique, tout en faisant à ce moment-là assez bien ressortir son fond nihiliste, qui est celui du monde contemporain, à savoir que cette indifférenciation doit faire loi. C'est en fait la transformation de l'indifférenciation ontologique en impératif anthropologique, soit « tout s'équivaut » ou « tout vaut tout ». Ce qu'assure, évidemment, dans le monde qui est le nôtre, la circulation marchande dont la loi est celle de l'équivalent général. L'équivalent général assure qu'il y a bien un point où tout est commutable. Il est donc logique que la loi du matérialisme démocratique soit universellement la loi du nombre. D'abord parce que c'est la loi du compte marchand, et ensuite parce que c'est politiquement la loi du suffrage. Donc, quand tout vaut tout, on compte. C'est d'ailleurs une contrainte légitime, il n'y a rien d'autre à faire qu'à compter… ses sous. Et cela est cohérent avec une certaine indifférenciation ontologique.

Passons maintenant à l'autre extrémité du spectre et interrogeons cette fois la disponibilité de l'éternité comme présent. Que veut dire exactement la disponibilité de l'éternité comme présent ou la possibilité des vérités éternelles ? Je rappelle qu'une vérité est créée dans un monde. La vérité de l'invention du théâtre est créée dans le monde grec, la vérité de la politique internationaliste est créée au XIXe siècle en Europe, etc. Ainsi des vérités disponibles sont créées dans des mondes singuliers. Cela dit, il faut qu'elles soient telles qu'elles soient reconnues dans un autre monde que celui dans lequel elles s'originent. Une vérité a été créée dans la singularité d'un monde, sa matière est tissée de ce monde, et elle est cependant reconnaissable comme telle du point d'un autre monde, du point, plus précisément, d'un autre corps subjectivable. Et ce que veut dire cette « reconnaissance » c'est que cette vérité, produite dans un monde, sera utilisable par le nouveau corps subjectivable d'un autre monde à ses fins propres, c'est-à-dire pour la production d'une autre vérité. Une vérité est disponible, non pas pour un spectacle général, mais en tant qu'elle va être incorporée au nouveau corps. La procédure de reconnaissance est en réalité une procédure de réincorporation. Le nouveau corps subjectivable va ainsi s'incorporer cette disponibilité, bien qu'elle ait procédé dans un monde qui peut être totalement différent, y compris transcendantalement ou logiquement différent du monde dans lequel la deuxième vérité procède.

Attention, le terme fondamental de « réincorporation » ne veut absolument pas dire « réincarnation ». Je traîne déjà suffisamment de casseroles religieuses, pour ne pas en rajouter ! « Réincorporation » est, si vous voulez, plus discipliné et surtout plus exact, puisqu'il y a toujours eu un corps de vérités et que la condition de sa production est précisément qu'un sujet soit la forme d'un corps nouveau. Une fois réincorporée par un nouveau corps, une vérité peut être tout à fait distincte, tout à fait différente. Mais pas complètement puisqu'elle s'est incorporée la première. Ce qui va rendre raison du fait que les vérités circulent universellement et aussi du fait que si leur usage peut être extraordinairement hétérogène, c'est précisément qu'elles ne sont pas destinées à tel ou tel usage. C'est dans la contingence de la nouvelle création d'un corps dans un monde nouveau que va procéder la réincorporation de la vérité ancienne.

Permettez-moi de donner rapidement quatre exemples, qui sont ceux que je prends dans la préface de *Logiques des mondes* ; je le fais pour esquisser ce que j'entends par « réincorporation ». J'en ai choisi délibérément un dans chacune des procédures génériques : un exemple artistique, un exemple scientifique, un exemple politique et un exemple amoureux.

Le premier exemple c'est la réincorporation par Picasso de la stylistique de la représentation des animaux dans l'art rupestre. Là le comparatisme consiste à trouver le chemin de la réincorporation. Si on compare les chevaux tels qu'ils sont peints sur les parois de la grotte Chauvet, qui est de découverte récente, avec toute une série de chevaux peints ou dessinés par Picasso, on peut cheminer, ce qui n'est pas étonnant puisqu'il connaît les chevaux de Lascaux, de l'évidente ressemblance à un élément beaucoup plus radical, qui est l'incorporation de la stylistique de la présentation du cheval dans la grotte, de la caballéité du cheval si vous voulez. Le cheval de la grotte a tout de même 30 000 ans, c'est donc un autre monde, absolument. On ne le connaît pas très bien d'ailleurs, enfin on en connaît les vérités éternelles, car plus un monde est vieux, plus il est épuré, plus il est réduit à ses vérités éternelles. Donc on ne connaît presque que ça. Est-ce religieux ou pas ? Est-ce que ce sont des trucs de chasseurs ? Est-ce pour s'amuser ? On ne sait pas. Enfin ces chevaux sont là. Dans leur évidence stupéfiante de l'art. Et on voit bien que

Picasso, d'un côté les connaît, mais on voit aussi que, en réalité, il redispose un point précis de ce qui est en jeu dans ces peintures rupestres pour ses propres fins, à savoir ce qu'il en est de la peinture post-cubiste, ou quelque chose comme ça, c'est-à-dire une peinture qui maintient la figuration mais qui, d'une certaine façon, la distord ou la re-spatialise différemment. C'est ça qu'on appellera une « réincorporation ». La réincorporation signifie non pas simplement la ressemblance, l'imitation, mais une disponibilité telle que quelque chose de ce qui a eu lieu là est en effet disponible aux fins d'une nouvelle subjectivation, d'un nouveau corps. Et je pense qu'on peut arriver à voir de quoi il s'agit. Il s'agit de ceci que l'animal a une figure d'apparaître tel qu'il est lié de façon singulière à l'Idée. En effet, le contour, là le trait, saisit l'animal de façon particulière parmi l'ensemble des multiplicités présentées dans un monde, parce qu'il en exhibe une reconnaissance schématique particulière. Ce n'est pas posé comme n'importe quoi, comme un caillou informe, il est posé ce que c'est qu'un cheval. La peinture nous dit : voilà, un cheval c'est ça. Elle ne fait pas que représenter un cheval, elle dit ce que c'est qu'un cheval. Et elle le dit en peinture, pas autrement. Et ce dire de ce que c'est qu'un cheval est asservi, incorporé à des objectifs picturaux plus généraux qui ne sont pas les mêmes dans le cas de Picasso et dans le cas du peintre de la grotte. Il y a eu un cynique grec qui croyait avoir fait une plaisanterie définitive contre Platon en déclarant : « Moi je vois bien ce que c'est qu'un cheval, mais je ne vois pas du tout ce que c'est que la caballéité. » Il voyait le cheval mais il ne voyait pas l'idée du cheval. Eh bien, ce que je suis en train de vous raconter dément ce cynique, car ce qui est en question, ce qui travaille dans l'éternité de la vérité picturale, ce que précisément il s'agit de faire voir c'est la caballéité. Faire voir l'idée du cheval dans un propos pictural plus général, tel que ce n'est pas *ce* cheval qu'on va vous montrer, même si c'est en effet un cheval particulier. On va vous montrer les différentes manières de peindre ce que c'est qu'un cheval. Et donc Picasso ne peint pas comme le ou les peintres de la grotte mais dans cette visée-là il incorpore ce qu'ils ont fait à sa propre peinture. C'est pourquoi les chevaux de la grotte Chauvet ont statut de vérité éternelle.

On peut raisonner de la même manière sur beaucoup de choses. Un exemple que je crois avoir déjà pris devant vous, il y a un certain nombre d'années, c'est la question tout à fait extraordinaire de la réappropriation des textes mathématiques d'Archimède, alors qu'ils étaient devenus incompréhensibles. C'est une histoire typique de ce que c'est que la réincorporation. Archimède est un génie mathématique absolument stupéfiant de l'Antiquité grecque tardive. Il va jusqu'aux abords du calcul infinitésimal, de l'intégration des surfaces, etc., dans une limpidité et une densité exceptionnelles. Nous avons ses écrits et pendant de longs siècles en Occident, ces textes transitent sans produire aucun effet, parce qu'il est hautement probable qu'ils ne sont plus compréhensibles, c'est-à-dire que ce dont il y est question est devenu opaque. C'était une vérité perdue. Or son éternité s'atteste parce que, à partir des XVe, XVIe, XVIIe siècles, ces mêmes textes deviennent des éducateurs fondamentaux de la recréation mathématique de la période historique en question. Ils s'avèrent disponibles dans leur fonctionnement de vérité, au prix naturellement d'une complète réincorporation dans un dispositif nouveau qui va conduire, lui, à la création du calcul de l'infini, du calcul différentiel, etc. Comme on le voit, l'œuvre d'Archimède est attestée, d'un point de vue matérialiste, comme vérité éternelle, par sa résurrection.

J'avais dit préférer « réincorporation » à « réincarnation ». Mais « résurrection », je n'ai pas trouvé mieux. Donc, l'essence d'une vérité éternelle c'est d'être apte à sa résurrection et il y a en outre une chose qu'on pourrait dire à ce propos. Au fond, dans le matérialisme démocratique du « il n'y a que des corps et des langages », il n'y a pas de résurrection du tout, parce qu'aucun corps ne ressuscite, sauf dans certaines fables, et aucun langage non plus. Par contre une vérité le peut. Si donc vous admettez qu'il n'y a que des corps et des langages, vous excluez la résurrection ; vous n'aurez que des imitations tardives mais pas de résurrection, donc pas de réincorporation. Tandis que si vous êtes dans la dialectique matérialiste, vous admettez cette résurrection, qui s'appuie sur le fait qu'il est de l'essence des vérités éternelles de pouvoir être réincorporées, et par conséquent d'être aptes à la résurrection.

Et – c'est peut-être une coquetterie lacanienne – il me semblait qu'il y aurait trois instances possibles du thème de la résurrection, lequel transite de longue date. Il y aurait une instance imaginaire qui dit qu'« il y a résurrection des corps ». Je l'appellerais l'instance religieuse de la résurrection. Ensuite une instance symbolique qui affirme qu'« il y a une possibilité des langages ». Et ça, je pense que c'est l'enjeu de l'histoire, car, après tout, l'historicisme a été une des religions modernes. Mais ce n'est pas de l'imaginaire, c'est du symbolique. Quand Michelet déclare que l'histoire est la résurrection intégrale du passé, ce qui est sa définition, derrière le côté romantique et exagéré de la définition, on voit que pour lui « résurrection intégrale du passé » veut dire restitution du langage dans lequel le passé s'est prononcé lui-même, donc résurrection symbolique de ce qu'a été la circulation langagière comme telle. Ça ne va pas être simplement un langage sur le passé mais la résurrection du langage homogène de ce passé. Et ce passé va exister comme tel dans la réitération de sa symbolique. La religion est à mon avis l'instance imaginaire de la résurrection, tandis que l'histoire est son instance symbolique. Enfin, les procédures de vérités proprement dites ce sont les instances réelles. Ainsi, dans le cas de l'œuvre de Picasso ou de l'œuvre des mathématiciens du XVIIe siècle, nous avons une résurrection réelle. On aurait donc bien les trois instances (imaginaire, symbolique et réel) de la résurrection, à travers le triplet de la religion, de l'histoire et puis des procédures génériques, des procédures de vérités, bien entendu pour autant qu'on les pratique ou qu'on les connaisse. L'art, la science, l'amour et la politique seraient de tels lieux.

Vous voyez également que, dans la mesure où il y a réincorporation, c'est-à-dire où il y a résurrection réelle, pour autant que c'est le statut des vérités, on peut donner une définition du sujet, là aussi un peu en coquetteries lacaniennes. En effet, si un sujet est la forme d'un corps subjectivable, d'un corps de vérité, si un sujet est ce qui donne forme à la possibilité des conséquences d'un corps subjectivable, et si un tel corps se nourrit de réincorporation, ce qui est très souvent le cas, alors, au moins dans ce cas, on pourra dire : un sujet c'est ce qui réincorpore une vérité pour une autre vérité. Et c'est cette capacité subjective de réincorporation d'une vérité pour une autre vérité qui porterait l'éternité, c'est-à-dire sa disponibilité pour une réincorporation subjective. Il y a par conséquent bien un lien entre l'éternité des vérités et le fait que le sujet puisse être entre deux vérités, être l'entre-deux du vrai, c'est-à-dire être ce qui donne forme à la réincorporation d'une vérité pour une autre vérité.

Vient ensuite l'exemple politique, développé dans *Logiques des mondes*, qui traite la thématique révolutionnaire moderne, en particulier la question de savoir ce que c'est qu'un État révolutionnaire, et s'il peut y en avoir un, ce qui était quand même la grande condition du XXe siècle : l'État socialiste, l'État communiste, l'État révolutionnaire par opposition à l'État bourgeois, à l'État oppression, etc. Cette question est, en un sens, la même que celle discutée dans un texte chinois du Ier siècle avant J-C, *La Dispute sur le sel et le fer*. Je vous recommande vivement ce texte étonnant car, dans les deux cas, on constate que la question fondamentale c'est le rapport entre État et égalité. Dans le cas de Picasso j'ai dit que ce qui est fondamental c'est le caractère essentialiste de l'apparaître de l'animal, le fait qu'il apparaisse comme cheval, comme chien, ainsi que la question de savoir comment cela peut être peint. Dans le cas d'Archimède, on voit, si on regarde les détails, que ça tourne autour de l'appropriation mathématique de l'infini. Et ici cela porte sur un point tout à fait précis qui est : l'égalité peut-elle se passer de l'État ? Vous savez qu'en politique, une thèse fondamentale de caractère libéral est que la liberté doit, autant que faire se peut, se passer de l'État. Il s'agit de la liberté individuelle, de la liberté d'entreprendre, et là il faut le moins d'État possible : pas de services publics, uniquement des services privés. L'État est quasiment réduit à la gendarmerie ! Ça, il en faut quand même, pour le cas où il y aurait trop de gens mécontents. Mais en dehors de la gendarmerie, pour le reste, la liberté c'est quand il n'y a pas d'État. L'État c'est la coercition, les lois, l'ordre. La question qui se pose cette fois est celle du rapport entre État et égalité et, au fond, la thèse qui circule entre le texte chinois et les textes disons léninistes, qui ressortissent de mondes complètement différents, c'est que l'égalité a pour condition, au moins comme condition première, peut-être transitoire mais en tout cas inéluctable, l'État répressif, c'est-à-dire qu'il y a une concomitance inévitable entre la volonté égalitaire et l'État répressif. C'est là une aporie, tout le monde le voit bien. Et ça transite entre le thème chinois proposé par l'École des légistes, lequel concerne le caractère implacable de la loi d'État, seule condition pour finalement abaisser les puissants, mortifier les riches, rendre possible l'égalité, et puis, à l'autre extrémité, dans un autre monde, le thème de la dictature du prolétariat qui signifie que c'est dans la forme répressive et autoritaire de l'État que, transitoirement du moins – Marx pensait que c'était une transition, mais il n'a jamais dit combien durait une transition – on peut espérer briser les hétérogénéités de la richesse et de la puissance. Tout cela gravite autour d'une conception politique fondamentale, qui est une question qui apporte quelques embryons de réponse et qui est le lieu d'un problème réel de la politique, très difficile, redoutable, probablement non encore résolu par la politique d'émancipation, à savoir la corrélation entre autorité collective et égalité. Et par voie de conséquence, il faut bien le dire, c'est la mise en scène de la réflexion portant sur la tension considérable qui existe entre le motif de la liberté et le motif de l'égalité, sur leur caractère non absolument homogène.

Pour ma part je soutiens toujours que cette question doit être prise au sérieux et qu'on fait trop comme si liberté, égalité et fraternité ne posaient aucun problème. En effet, lorsque qu'on prononce cette maxime, ce qu'on voit c'est toujours pas mal de liberté et pas beaucoup d'égalité. L'égalité est toujours la sacrifiée de la maxime. Quant à la fraternité, c'est la fraternité à l'intérieur des mêmes strates. Du coup, quand il y a égalité, il y a liberté différenciée et fraternité stratifiée. Il semble bien que l'égalité ne puisse faire l'économie d'une destruction des différenciations inégalitaires, et qu'elle se heurte à des résistances énormes : dès que vous touchez aux riches, vous risquez votre peau, ça, c'est une loi de l'histoire. Du coup on n'y touche pas et la maxime générale consiste à dire : « Eh oui, c'est parce que c'est comme ça et finalement, s'il y a beaucoup de gens très riches, tout le monde sera plus riche. » Mais vous voyez bien que le point, ce n'est pas le problème de la santé économique générale, c'est ce que devient dans cette affaire la maxime égalitaire et le fait que l'égalité est finalement revendiquée comme une norme intrinsèque.

Il est par conséquent très frappant de constater que la vérité de cette difficulté, car je soutiens que c'est une vérité de proposer la difficulté comme telle, comme un enjeu immanent de la politique, se manifeste dans la thématique de la dictature du prolétariat, mais qu'elle est déjà installée dans un texte chinois qui a plus de 2 000 ans d'âge, et ce dans une figure qui consiste à dire qu'il faut une figure étatique répressive transitoire pour installer l'égalité, et que celle-ci ne s'installe pas de façon transitive à la liberté. De toute évidence, ce qui s'installe de façon transitive à la liberté c'est plutôt une exacerbation de l'inégalité. Voilà où nous en sommes. Mais vous comprenez bien ce que signifie cet exemple du point de vue de la disponibilité et de la réincorporation de deux énoncés situés dans des mondes entièrement séparés.

Sur l'amour enfin, c'est très complexe parce qu'on est obligé de passer par les figures de l'amour qui ont été archivées. Or les histoires d'amour on ne les connaît pas toutes. Il y en a beaucoup et ce sont des vérités éternelles disponibles, mais la plupart sont à l'état non archivé. Il s'ensuit qu'on est toujours obligé d'en revenir à Tristan et Yseult, à Didon et Enée, ou à Héloïse et Abélard, donc aux histoires d'amour célèbres. Notez que des histoires d'amour, il y en a de plus en plus, ne serait-ce qu'avec tous ceux qui tiennent absolument à venir en parler à la télévision. Nous disposerons bientôt d'une archive gigantesque, dont nous ne saurons plus quoi faire. Peut-être aussi que dans le même temps ces histoires d'amour se dégraderont, peut-être qu'elles n'accéderont plus au statut de vérités éternelles…

L'exemple que j'ai choisi c'est la comparaison entre ce qui est dit de l'amour de Didon et Énée dans Virgile et ce qui est dit du même amour dans *Les Troyens* de Berlioz, qui est un opéra, avec les mêmes personnages, la même histoire. C'est tout à fait passionnant de voir comment se fait la réincorporation. C'en est une véritablement car Berlioz est porteur d'une conception romantique de l'amour qui, à vrai dire, n'est pas forcément celle qui est comme telle présente dans Virgile. Néanmoins il va réincorporer les éléments fondamentaux pensés par Virgile dans la conception dialogique de l'opéra romantique. C'est bien ce qui montre que cette figure amoureuse est dans la disponibilité d'une vérité éternelle, donc offerte à la réincorporation éternelle.

Voilà ce qu'on pouvait dire sur les deux extrémités du trajet. D'un côté une théorie du multiple pur comme ontologie désanthropologisée. Si je parle d'indifférence ontologique c'est que la dimension anthropologique est inapparente, inexistante : il n'y a pas de destination anthropologique de cette ontologie, elle est séparée de l'humanité comme telle. De l'autre côté nous avons une théorie des vérités comme éternités locales : les vérités éternelles sont créées dans des mondes singuliers, conjointes à des procédures de réincorporation, c'est-à-dire qu'elles sont instituées localement mais qu'elles sont réincorporables à distance, par un monde tout à fait autre que celui qui constitue leur berceau. S'il n'y a pas de destination anthropologique de la théorie des multiplicités pures, c'est-à-dire si l'homme n'est requis à aucun moment dans cette ontologie, qu'en est-il sur ce point de la théorie des vérités, c'est-à-dire, est-ce que la théorie des vérités comporte une dimension anthropologique quelconque ? Autrement dit, est-ce que dans tout ce dont on vient de parler : *La Dispute sur le fer et le sel*, l'amour de Didon et d'Énée, les œuvres d'Archimède, les chevaux sur les parois des grottes, on a l'impression que ce sont des hommes qui ont fait tout ça ? Je répondrais que ce qu'on peut penser à ce niveau-là c'est que l'animal humain, cette bête à deux pattes, qui existe depuis quelques milliers d'années, peut indéniablement participer comme individu à la construction d'un corps de vérités, c'est-à-dire être incorporé à un corps subjectivable. On ne va pas dire que lui-même comme individu est ce corps subjectivable. Lui-même, comme individu, est un corps au sens du matérialisme démocratique, pour lequel il y a des corps et des langages. Il est un corps, mais il n'est pas le corps nouveau tel qu'on l'entend comme support d'une vérité éternelle. Mais il est clair cependant que les individus, des individus, des animaux humains, peuvent participer comme tels à la construction d'un corps de vérités, avec des différenciations d'ailleurs repérables selon qu'il s'agit d'amour, de politique, d'art ou de sciences. Suivant les instances d'inscription, les procédures d'incorporation seront différentes. Autrement dit, on admettra qu'un individu puisse participer d'un sujet. Si le sujet est la forme d'un corps subjectivable tel qu'une vérité en procède, alors il faut admettre que l'individu, en tant que désignation d'un animal humain quelconque, peut s'incorporer à un tel sujet. Nous entrons alors dans une dialectique individu-sujet qui doit permettre de calibrer ou de mesurer la dimension anthropologique de la théorie des vérités, s'il y en a une. Nous avons dit que dans l'ontologie il n'y a pas de dimension anthropologique, en revanche, à l'autre extrémité du spectre, la théorie des vérités en a une, pour autant qu'on se prononce sur la dialectique individu-sujet, étant admis qu'à un individu, à un animal humain quelconque, il peut arriver d'être incorporé à un corps nouveau. Et donc, si je puis dire, l'individu peut être subjectivé, ça peut lui arriver. La philosophie, en tout cas la mienne, va finalement conclure que vivre, vivre d'une vie digne de ce nom, c'est être subjectivé. Et elle va conclure que ce qu'on lui souhaite, à l'animal humain, c'est qu'il lui arrive d'être subjectivé.

Cependant, autre manière d'aborder la question du rapport matérialisme démocratique-dialectique matérialiste, ce n'est pas du tout ce que soutient le matérialisme démocratique. On dira qu'il soutient qu'il n'y a que des individus, ou bien, en nuançant un peu que, quand il soutient, à propos de l'homme, qu'il n'y a que des corps, ça veut dire qu'il n'y a que des individus. En réalité, c'est un tout petit peu plus compliqué. Je dirais plutôt que la maxime du matérialisme démocratique c'est qu'il n'y a que des individus et des communautés. C'est son anthropologie. Tandis que la maxime de la dialectique matérialiste serait, en transposant notre premier axiome : « Il n'y a que des individus et des communautés *sinon* qu'il peut y avoir des sujets. » Cela dit, le problème est de savoir comment des individus sont incorporables à des corps subjectivables, comment des individus sont donc subjectivés. La position du matérialisme démocratique, c'est que la subjectivation, en ce sens-là, est toujours ruineuse, puisqu'il n'y a pas de sujet. La subjectivation est une illusion, elle est du registre de l'imaginaire néfaste. Maxime fondamentale du matérialisme démocratique : il ne faut surtout pas être subjectivé parce que la captation par la subjectivation c'est la définition spéculative du totalitarisme. Et qu'est-ce qu'un individu totalitaire ? C'est un individu qui s'imagine qu'il est sujet. C'est très simple, très « mode ». Être subjectivé, ça n'est jamais que s'imaginer qu'on est incorporé à une subjectivité. Or il n'y a que des individus et des communautés. La dialectique matérialiste, elle, va poser qu'il y a des sujets. Ce qui revient à dire qu'il y a des vérités, mais pris du côté de l'acteur si vous voulez. Le sujet c'est l'acteur. C'est la forme du corps subjectivable en tant qu'agent des vérités.

En résumé nous avons sur ce point un discord. Le socle ontologique commun énonce que l'être est non destiné et qu'il y a un principe d'indifférence ontologique. Le matérialisme démocratique reste au plus près de ce socle commun et son anthropologie en est une transcription immédiate. En revanche la dialectique matérialiste va instituer un écart entre l'anthropologie et l'indifférenciation ontologique. Cet écart passe par l'énoncé : « L'individu est subjectivable, c'est-à-dire qu'il n'est pas réductible aux multiplicités atones ou indistinctes. Il n'est pas pris dans l'égalité anonyme de ce qu'il y a. Il peut aussi être incorporé à un nouveau corps, auquel cas on dira qu'il participe d'un sujet. » J'insiste sur ce point : la thèse n'est pas qu'un individu peut devenir sujet. J'ai eu cette formule dans le temps, parce qu'elle est une formule plus commode d'un point de vue, si vous voulez, propagandiste. Mais elle est équivoque. Dire que l'individu peut devenir sujet, c'est au fond dire qu'il n'y a que des individus mais qu'il y en a qui peuvent être un peu au-delà d'eux-mêmes. Aujourd'hui c'est légèrement plus compliqué. En effet je ne dirais pas qu'être subjectivé veut dire que l'individu se métamorphose en sujet, ce serait une doctrine de la conversion et de la mutation sur place, ce serait la multiplicité individuelle comme telle qui serait métamorphosée en sujet. Ce que je dirais c'est que dans les conditions d'apparition ou de constitution d'un nouveau corps, conditions qui excèdent toujours et de toutes parts l'individu, il y a la possibilité pour l'individu d'être incorporé à ce nouveau corps, et donc de participer de la forme subjective créatrice de vérité.

L'opposition ne prend pas place entre individu et sujet, avec d'un côté la thèse du matérialisme démocratique « il n'y a que des individus », et de l'autre la thèse qui serait « l'individu peut être sujet ». La possibilité de subjectivation est une possibilité intrinsèque, elle ne passe pas par les individus. C'est ça le point qu'il faut bien comprendre : ce n'est pas la métamorphose de l'individu en sujet comme conversion révélante, qui est ce qu'on a quand l'éternité est conçue de manière transcendante. La religion par exemple appelle les individus à devenir sujets, c'est très clair. Et elle pense qu'il faut surmonter en soi-même la restriction de l'individu pour devenir le sujet. Ce que je propose là est plus matérialiste, donc plus près de l'indifférenciation ontologique : l'individu ne se métamorphosera pas lui-même en sujet, il est une multiplicité du monde ; par contre, ce qui peut lui advenir, c'est d'être incorporé par la figure subjective. Ce n'est pas exactement la même chose, mais en tout cas ça s'oppose complètement au matérialisme démocratique. On ne se contente pas de dire qu'il n'y a que des individus et des communautés, en ajoutant « sinon qu'il y a des sujets » on souligne que l'individu n'est pas sans possibilité au regard du sujet. Autrement dit, pour un individu la subjectivation est une des possibilités, ce n'est pas une ressource individuelle ou propre, c'est une possibilité du monde. La subjectivation vous est toujours proposée par le monde sous les conditions de l'événement, du corps subjectivable, procédures sur lesquelles on reviendra. C'est pourquoi la question est toujours de savoir si on accepte cette proposition ou si on la refuse, là, en tant qu'individu véritablement. Et si on l'accepte cela entraîne un régime de conséquences dont on n'est pas le régent ni le centre, parce que c'est une logique de l'incorporation.

Voilà ce qu'on peut dire, sur les deux extrémités de notre propos : l'indifférenciation ontologique d'un côté, à savoir les multiplicités pures et leur pensée formelle, et puis à l'autre extrémité, l'incorporation des vérités éternelles et leur communication trans-mondaine. On peut dire en effet qu'une vérité est un suspens trans-mondain, dans la mesure où c'est quelque chose qui, quoiqu'entièrement lié à un monde, n'en est pas moins proposé, offert ou disponible à tout autre monde. Tout ça culmine et se concentre dans une dialectique assez complexe de l'individu et du sujet dont ici je ne donne évidemment que les linéaments.

Venons-en maintenant à ce qui se passe entre les deux. Finalement c'est ça le plat de résistance. L'entre-deux c'est le problème principal. Qu'est-ce qui se joue et rend possible la coexistence des multiplicités indifférentes et des vérités éternelles ? Comment se fait l'opération ou le transit des unes aux autres ? Qu'est-ce qui rend pensable l'incorporation individuelle à un sujet et qui en fait autre chose qu'une grâce ou un miracle ? Quelle structure du réel rend possible l'apparition d'un sujet et sa production singulière, qui est en effet une vérité éternelle ? Comme vous le voyez, nous avons sur un bord les multiplicités indifférentes et sur l'autre bord les vérités éternelles. Le système de possibilités c'est ce qu'il y a entre les deux. Bien entendu les multiplicités pures ne vont pas engendrer par elles-mêmes les vérités éternelles, encore faut-il qu'on ait un régime de possibilités.

Notre trajet c'était celui-là mais là on va le prendre de l'intérieur de la conceptualisation. Nous allons procéder de la manière suivante. On va construire une espèce d'énorme tenaille dont on va prendre les deux bords : d'un côté les multiplicités pures indifférentes, tout ce qu'il y a comme possibilités purement formelles, et puis de l'autre la disponibilité au présent des vérités éternelles. L'écart se situe entre « multiplicités » (indifférenciation non destinale) et puis « vérités éternelles » (disponibilité universelle). On va donc resserrer par couples successifs de concepts jusqu'à arriver au point commun, l'idée étant de disposer des concepts intercalaires par couples jusqu'à ce qu'on ait le lieu d'articulation qui est commun, c'est-à-dire qui ne peut être pensé que sur les deux versants à la fois. On aura ainsi des couples de notions qui resserrent petit à petit la compréhension de l'écart inaugural entre les deux bornes de notre dispositif, notions qui auront à être examinées ensemble parce qu'elles rapprochent petit à petit les deux bords. Je vous indique des paires de concepts que vous pouvez disposer sur le schéma, en gradations successives, et en même temps en rapprochements successifs.

multiplicités indifférentes *vérités éternelles*
être-là ou apparaître *présent créateur*
consistance logique *nouveau corps*
transcendantal *conditions d'existence*
inexistant *trace*
point *organe*
événement

La prochaine fois je vous distribuerai un schéma tout fait qui nous guidera presque jusqu'à la fin et nous l'expliquerons au fur et à mesure. Une fois qu'on a l'intelligence générale de ce schéma, on peut, après, partir à la recherche des vérités éternelles disponibles. Disponibles dans ce monde. Ou en tout cas telles que nous puissions leur proposer un minimum de réincorporation. Car il faut bien voir qu'une vérité n'est vivante que si elle est réincorporable. C'est ça l'épreuve de son éternité.

Je voudrais terminer par quelque chose qui nous ramènera au plus près peut-être de la situation subjective présente, qui est un passage de Pasolini. Vous savez que Pasolini, dont nous avons fait un grand usage l'année dernière, est un poète profond parce que, par bien des côtés, il anticipe ou donne une version années 1950 de quelque chose qui nous habite à nouveau. C'est un passage tiré du grand poème qui s'appelle « Les Cendres de Gramsci », un des très très grands poèmes du siècle, sans aucun doute.

Ce que vous allez entendre dans ce poème c'est la description d'un monde livré au matérialisme démocratique, donc d'un monde dans lequel le vrai s'est absenté. Poétiquement, Pasolini donne deux noms à ce que pourrait être le vrai : « religion véridique », par quoi il désigne l'instance du vrai, non pas une religion particulière, et « histoire ». Comprenez bien, le poème date de 1954, il y a donc un demi-siècle, et l'idée que l'histoire puisse être le lieu d'où procède une vérité est tout simplement une leçon du marxisme ambiant : c'est l'histoire en tant qu'intensité au présent des vérités disponibles. À l'époque, « histoire » est le nom de ce que c'est qu'une réincorporation des vérités, « religion véridique » étant le nom de la vérité elle-même. Le monde que décrit le poème est un monde dans lequel il n'y a ni religion véridique ni histoire, un monde où l'idéalité est absente, on pourrait dire aussi « il n'y a pas d'Idées », mais où cependant il y a une séduction du monde. C'est pour ça que c'est intéressant aujourd'hui. Il y a une espèce de sensualité omniprésente du monde, qui est dans l'abri ou dans les ténèbres de ce retrait absolu de toute réincorporation possible des vérités. Le poème s'achève par une interrogation de Pasolini sur la possibilité, pour lui, de vivre dans ce monde, c'est-à-dire de vivre sans réincorporation possible. Je vous lis la partie 6, la partie terminale.

> [...] Et on sent très bien que pour ces êtres
> vivants, au loin, qui crient, qui rient,
> dans leurs véhicules, dans leurs mornes
>
> îlots de maisons où s'évanouit
> le don perfide et expansif de l'existence –
> cette vie n'est qu'un frisson ;
>
> présence charnelle, collective ;
> on sent l'absence de toute religion
> véridique ; non point vie mais survie

– plus joyeuse, peut-être, que la vie – comme
en un peuple d'animaux, dont le secret
orgasme ignore tout autre passion

que celle du labeur de chaque jour :
humble ferveur, que vient parer d'un air de fête
l'humble corruption. Plus se fait vain

– en cette trêve de l'histoire, en cette
bruyante pause où la vie fait silence –
tout idéal, plus se révèle

la merveilleuse et brûlante sensualité
presque alexandrine, qui enlumine
et illumine tout d'un feu impur, alors qu'ici

un pan du monde s'écroule, et que ce monde
se traîne, dans la pénombre, pour retrouver
des places vides, de mornes ateliers…

[…]

La vie est bruissement, et ces gens qui
s'y perdent, la perdent sans nul regret,
puisqu'elle emplit leur cœur : on les voit qui

jouissent, en leur misère, du soir : et, puissant,
chez ces faibles, pour eux, [peut-être] le mythe
se recrée… Mais moi, avec le cœur conscient

de celui qui ne peut vivre que dans l'histoire,
pourrais-je désormais œuvrer de passion pure,
puisque je sais que notre histoire est finie ?

Ce chant magnifique de Pasolini proclame, un demi-siècle avant Monsieur Fukuyama, que l'histoire est finie. Mais vous voyez bien que c'est d'une autre histoire qu'il s'agit, à savoir l'histoire telle qu'elle serait le lieu effectif de la réincorporation dans le procès d'une vérité. Je rappelle que, comme tout poète profond, Pasolini fait sa part à ce qu'il dénonce : il comprend bien que dans ce monde désaffecté de toute vérité il y a un impératif de jouissance circulant, une espèce de sensualité marchande, disponible, qui fait qu'il y a cette survie à laquelle nous sommes appelés à participer. Mais évidemment, « la vraie vie est absente ». Et comme vous le savez, notre question c'est ici, si abstrait qu'en soient les détours, la question de savoir « Qu'est-ce que vivre ? » et « Comment s'orienter dans la vie ? » Et c'est bien la question de Pasolini : sans l'histoire, au sens où il l'entend, pouvons-nous vivre ? Notre problème à nous c'est d'inventer une vie qui soit non pas exactement sans l'histoire mais qui ne soit plus transitive à l'histoire, c'est-à-dire qui ne soit plus commandée par l'idée que l'histoire comme telle porte la vie, l'incorporation. C'est évidemment le point faible de Pasolini : il est encore dans une position d'attente d'une proposition d'incorporation qui serait en quelque manière faite globalement par l'histoire. Et il n'a pas tort de dire qu'il n'y a pas d'histoire en ce sens, c'est-à-dire que nous sommes dans un monde où l'histoire ne nous fait plus de promesses. Nous avons donc à vivre sans les promesses de l'histoire. Ça c'est sûr. C'est pourquoi il faut saluer le poète qui nous le donne à penser.

XII

15 MARS 2006

Il est distribué un schéma qu'on trouvera à la fin de cette séance.

Ces derniers temps j'ai été amené à méditer sur la sentence autrefois fameuse de Mao Tse Toung : « Être attaqué par l'ennemi est une bonne et non une mauvaise chose. » C'est une phrase des *Écrits militaires*. J'y pensais parce qu'il y a eu récemment un certain nombre de critiques dirigées contre moi, sous des formes assez offensives. Pour réfléchir sur ce point, il faut voir dans quel contexte Mao dit cela, et si on peut généraliser le propos. Ce propos se situe dans le contexte de la guerre populaire, laquelle relève d'une longue tradition de la stratégie chinoise, depuis Sun-Tse. En lui-même il n'est donc pas absolument nouveau. Cependant, si on élargit sa possible portée, on voit qu'il pose la question de la dialectique dès lors qu'elle s'applique à un conflit dans lequel il s'agit d'un rapport du faible au fort.

Il faut noter que cette question de la dialectique du faible au fort a donné, dans les années 1960, de célèbres mots d'ordre comme « Un petit peuple peut vaincre une grande puissance », mots d'ordre qui ont accompagné, par exemple, la guerre du Vietnam.

De façon générale, le plus faible, c'est celui qui est nécessairement engagé dans une *défensive* stratégique, ce qui inscrit simplement le fait qu'il n'est pas le plus fort et qu'il lui est donc impossible de passer à une offensive générale immédiate. Le faible est en position de défensive stratégique, et par conséquent, lorsqu'il passe à l'offensive, cette offensive est locale, puisque stratégiquement sa position est celle de la défensive. L'offensive du plus faible est donc localisée et tactique, et il faut impérativement qu'elle soit victorieuse, sans quoi elle n'aura fait qu'aggraver la faiblesse de la défensive stratégique. Par voie de conséquence, les stratèges disent toujours qu'il faut, premièrement, que cette offensive tactique soit menée sous la règle d'une supériorité locale écrasante, et deuxièmement qu'elle opère par surprise, c'est-à-dire qu'elle surprenne l'adversaire dans un défaut local de son dispositif global. Sous ces conditions, dans la durée, se produit alors un épuisement progressif des forces de l'adversaire, non pas parce qu'il serait écrasé par une offensive globale, mais parce que, petit à petit, le devenir du conflit provoque la possibilité de plus en plus cumulée d'offensives tactiques locales à supériorité massive, puisque chaque victoire locale renforce le potentiel de celui qui était initialement le plus faible. En effet chaque victoire permet de saisir les armements de l'adversaire, de démoraliser localement ses troupes, etc.

Cette dialectique nous intéresse, vous voyez bien pourquoi. En effet, la question de l'appropriation à la dialectique de l'espace du rapport entre le local et le global est en fin de compte aussi une question qui est à l'arrière-plan des vérités qui, bien que localisées en tant que singularités, ont cependant une portée stratégique au long cours. En conséquence on peut dire que ce principe dialectique combine finalement une offensivité toujours localisée ou tactique et un principe de défensive générale qui consiste en réalité à conserver ses forces, c'est-à-dire à ne pas les exposer à la supériorité globale de l'adversaire. Ce principe de conservation suppose évidemment une hétérogénéité qualitative, suppose en réalité qu'on soit d'un autre ordre que l'adversaire. Combiner cela avec une supériorité écrasante locale, voilà quel est le principe général qui recouvre cette dialectique du faible au fort.

Je pense que mon petit livre, *Circonstances 3. Portées du mot « juif »*, qui est à l'origine de ce qui m'a amené à méditer sur le fait qu'être attaqué par l'ennemi est une bonne et pas une mauvaise chose, peut parfaitement être situé dans cet espace. Et ce qui m'intéresse c'est beaucoup plus de rendre raison de cette tension que de reprendre les thèses dont vous pouvez prendre connaissance dans le livre. En réalité, quand on fait quelque chose, le sens est toujours rétrospectif. Rétrospectivement, on pourrait dire qu'avec ce livre il y a eu de ma part comme une attaque brusquée, une attaque surprise, selon les principes exposés ici, à savoir sur un point de la situation idéologique dominante, où l'adversaire au sens large était, au long cours, fort en apparence et faible en réalité. C'est ce point, qui est la règle de la stratégie dialectique, que je voudrais élucider devant vous. Parce que, évidemment, lorsque vous opérez par surprise et en un point, vous frappez une partie d'un dispositif fort dans son apparence générale, mais qui s'avère en fait, à la lumière de votre propre frappe, localement faible.

Traduit dans la logique générale qu'on met en avant ici, il faut revenir à l'énoncé du matérialisme démocratique, à savoir « il n'y a que des corps et des langages » – sur lequel s'ouvre *Logiques des mondes* qui est maintenant publié – dont je dis dans la préface qu'une variante possible est « il n'y a que des individus et des communautés ». La dernière fois nous avions déjà dit pas mal de choses sur cette question des communautés et je ne développe que ce qui sert notre propos d'aujourd'hui. En résumé, les communautés, c'est-à-dire les cultures, c'est-à-dire en fin de compte les langages au sens large, sont les enveloppes des individus qui, eux, sont l'autre forme d'existence. Mais ces enveloppes sont aussi des limites, au sens où la théorie démocratique est ici une théorie des prédicats. Il y a diversité prédicative, c'est le discours de l'altérité culturelle : « il y a des autres », « il y a d'autres cultures », etc. Les individus, en fin de compte, circulent, sont enveloppés, comme par les langages, par ces diversités culturelles, et en même temps, dans le matérialisme démocratique, leur liberté, l'expressivité des corps, ce que les corps sont aptes à soutenir, à faire, à désirer, à analyser, est inscrite, normée, et mesurée par cette diversité. Vous avez là les deux grands mots d'ordre du matérialisme démocratique pris dans sa figure actuelle : d'un côté une éthique de l'altérité (altérité culturelle, respect de l'autre, etc.), et d'autre part le fait que les individus en tant qu'existence expressive ultime, c'est-à-dire en fin de compte les corps, sont dans un rapport à cette altérité qui est à la fois un rapport d'enveloppement et en même temps de limite, puisqu'ils sont mesurés et normés par cela et qu'ils doivent évidemment respecter la diversité comme telle. Ce qui donne, en récapitulant, que nous devons être ensemble et différents. C'est ça la démocratie. C'est une théorie des différences et du consensus. Et au bout du compte c'est une théorie du consensus sur les différences, ce qui, soit dit en passant, revient à dire que c'est une théorie du même, au sens où il faut être différent, mais pas au point naturellement de ne pas être immanent au consensus sur la différence. C'est d'ailleurs un résultat normal de cette construction, parce que, si vous n'avez que des corps et des langages, si vous n'avez pas de vérités, la norme doit être immanente au rapport des corps et des langages, c'est-à-dire qu'elle doit être consensuelle quant au fait que finalement c'est toujours des communautés qui enveloppent et à la fois norment le système de l'expressivité des individus dans leur relation à l'altérité.

C'est l'occasion de vous signaler le dernier livre d'Éric Hazan, qui s'appelle *L.Q.R.* et a pour sous-titre *La propagande du quotidien.* C'est un petit livre très amusant et très vrai. Première question : pourquoi *L.Q.R* ? C'est assez sophistiqué. *L.Q.R* ça veut dire *Lingua Quintae Republicae*, soit, la langue de la Ve République. C'est en effet en hommage au journal, absolument remarquable, que le linguiste allemand, juif, Viktor Klemperer a tenu pendant toute la guerre. Il a réussi à échapper à la persécution parce qu'il était marié à une aryenne. Donc il est passé au travers ; difficilement, mais il est passé au travers. Et son journal, c'est au fond une description très profonde et très intense de ce que c'est que le nazisme, l'Allemagne nazie, à travers la mise en place, dans tout le pays, d'une nouvelle langue. Eh oui, « il n'y a que des corps et des langages » disaient aussi les nazis. La dimension « corps », on savait que pour eux c'était le racisme ; il y avait des corps racialisés, des corps segmentés en « races ». Et puis, du côté des langages, il fallait évidemment qu'il y ait le langage du national-socialisme lui-même. Et Viktor Klemperer montre que c'est une création, à l'intérieur de la langue allemande, une espèce de forçage, de déformation, d'usages singuliers internes à la langue allemande, un nouvel allemand en quelque sorte ; l'allemand nazi. Dans son journal, il appelle cette langue *L.T.I.* : *Lingua tertii imperii*, ce qui veut dire « langue du IIIe Empire » donc « du IIIe Reich ». Klemperer est resté en Allemagne, et dans ce journal, par les simples et rigoureux moyens de l'analyse langagière, il a extrait l'essence véritable du nazisme dans l'espace de son exercice quotidien. C'est en référence à ce magnifique livre de résistant intérieur et sans du tout tenter de rivaliser avec lui, mais en lui rendant hommage, qu'Éric Hazan a appelé son livre *L.Q.R.*

Si je vous parle de ça maintenant c'est qu'Eric Hazan analyse, dans un chapitre très drôle, comment une partie de cette langue de la Ve République, c'est-à-dire la propagande quotidienne qui nous façonne et qui affirme qu'il n'y a aujourd'hui en France que des corps et des langages, accole l'un à l'autre les mots « ensemble » et « différent », ce qu'on retrouve dans la prose des politiciens démocrates aujourd'hui. La traduction politicienne de « il n'y a que des corps et des langages », via sa traduction « il n'y a que des individus et des communautés », devient nécessairement « on est tous ensemble, on est tous pareils », et en même temps, « on est si divers, si différents ». Hazan montre que c'est constamment à l'œuvre dans n'importe quel discours de Chirac. C'est un exercice à la Klemperer, dans des circonstances, Dieu merci, moins tragiques, moins épouvantables. Hazan ne pense pas du tout que ce soit simplement le discours de la droite. C'est exactement pareil à gauche. En particulier, il signale que notre maire, Bertrand Delanoé, est un grand spécialiste de ça, il en serait même le champion. Par exemple, après le malheureux échec de la candidature de Paris aux Jeux Olympiques : « Ceux qui ont eu le plaisir de construire ensemble en étant différents. » Autre sentence de Delanoé, dans un autre discours : « Ceux qui ont envie d'être différents et ensemble. » On voit bien là, le fonds commun de l'idéologie démocratique politicienne ordinaire. Parce que vraiment ça circule partout. Or, si l'on réfléchit à un niveau plus spéculatif, ça veut dire que ce qu'il y a, ce sont des individus qui, en quelque manière, sont mis ensemble sous leurs systèmes de différences ; leur subjectivité est d'être disposés dans le « il y a des individus et des communautés » de telle sorte que, côté individus, ils sont ensemble, et, côté communautés, ils sont différents, et c'est ça le collectif comme tel. Finalement ça veut tout simplement dire qu'on exalte la diversité des langages, la diversité des cultures, en vue de l'action consensuelle des corps rassemblés.

Or il se trouve – et c'est, j'y insiste, un très grand malheur historique – que le mot « juif » est devenu un paradigme de ce fonctionnement. Ce n'est pas du tout son histoire naturelle. Il n'a rien à voir avec ça mais ça lui est arrivé, dans la modernité. Pas depuis très longtemps, depuis une vingtaine d'années environ. D'un côté, évidemment, il est censé dénoter une différence, différence significative et irréductible. Savoir exactement laquelle est un vrai problème, d'ailleurs escamoté dans cette affaire : c'est la différence axiomatisée, la différence comme telle si je puis dire. Et en même temps il est impérativement et radicalement consensuel de nommer cette différence en tant que différence exceptée de toute contradiction, en tant que différence qui ne peut pas devenir, dans aucun contexte, une contradiction. C'est ça le point de vue de la dialectique du mot : il est le différenciant paradigmatique, en même temps qu'il est au centre de l'opération selon laquelle le « ensemble » doit normer un accord absolu sur la différence. Le mot « juif » fonctionne ainsi comme le paradigme de cela, c'est-à-dire qu'il est à la fois la différence et le consensus. Tel est son fonctionnement idéologique dans le contexte actuel, bien que ce ne soit pas du tout son destin, sa nature, son historicité, et aucunement, dans un sens, sa vérité. L'argument classique de la consensualité différenciante qui affecte ce mot est évidemment un argument victimaire pur : l'exception victimaire valide la corrélation de la singularité et du consensus. Déjà en 1993 dans *L'éthique*, ce n'est donc pas une nouveauté, je soutiens que l'argument est victimaire mais que, en la circonstance, il est de façade. Il n'y a dans cette affaire ni compassion, ni représentation historique véritable des victimes. C'est une odieuse instrumentation des victimes, parce qu'il n'y a que le résultat qui compte. Et le résultat c'est que le mot est installé dans la position où je dis qu'il est installé.

Il y a là en effet ce qui, du point de vue du dispositif démocratique contemporain, est représenté comme un point fort. C'est pour ça que j'en reviens à « fort en apparence », « faible en réalité ». C'est un point fort parce que les trois termes « victimes », « différences » et « consensus » – « victimes » faisant médiation constituante entre les deux autres – sont intégrés dans ce dispositif avec l'intensité maximale, et ce pour des raisons factuelles absolument incontestables. En effet, il est bien vrai que si l'on cherche où ce triangle constitue son intensité maximale dans le siècle, c'est incontestablement sous le mot « juif » que ça se passe, avec l'extermination des Juifs d'Europe par les nazis. On a donc pu installer le mot dans une opération qui consiste à valider, non pas du tout le mot ni les gens qui lui correspondent, ils sont dans cette affaire tout à fait hors jeu, mais le dispositif fondamental, celui de la corrélation entre « différences » et « ensemble ». C'est ça l'enjeu fondamental, et c'est ça dont, malheureusement pour lui, ce mot est devenu le gardien.

Je soutiens cependant que ce point fort est aussi en réalité un point faible, et ce pour deux raisons. La première raison, théorique, d'apparence abstraite, c'est que, en réalité, ce point sacrifie l'universalité au nom de l'unanimité. L'unanimité, gardienne de la corrélation triangulaire se substitue dans le champ général de la pensée, de l'idéologie politique, à l'universalité véritable. Et de ce point de vue là, le mot « juif » lui-même, qui, pour de tout autres raisons, a une universalité authentique, est sacrifié. Il est sacrifié dans son universalité, sous couvert de sa protection inconditionnelle. C'est une opération complexe. Il est dans sa réalité sacrifié, au profit du gardiennage d'une unanimité empirique qui en réalité ne fait que valider l'axiome du matérialisme démocratique dans sa figure « il n'y a que des individus et des communautés ». C'est de cela qu'il est le gardien sacrifié, en tant qu'universalité véritable. Nous touchons là un point très important qui est la corrélation entre universalité véritable (la question des vérités) et la question du nombre, de l'unanimité, de l'organisation interne des opinions. Alors que le mot « juif » était promis, et demeure promis à une universalité véritable, compte tenu de son intrication à de très nombreuses procédures de vérités dans l'histoire, il est là sacrifié au profit d'un gardiennage idéologique qui bascule tout entier dans le registre des opinions.

La deuxième raison est réelle. Ce dispositif prétend, dans une triangulation singulière, disposer un consensus pacifié et en être le gardien, parce que ce consensus intègre les différences, il promeut la notion générale de paix dans « ensemble » et « différents » finissent par être la même chose. Or ce dispositif lui-même a des ennemis, c'est la loi du genre. Et le problème c'est qu'il est commis et forcé d'appliquer à ses ennemis la doctrine qui le constitue, à savoir qu'il n'y a que des corps et des langages. S'il n'y a que des corps et des langages, et s'il n'y a par conséquent que des individus et des communautés, et si les communautés sont enveloppantes et normatives comme différences, au regard des individus, et si vous appliquez cette doctrine à un adversaire quel qu'il soit ou à une extériorité quelle qu'elle soit, il s'ensuit que vous devez prononcer qu'il y a des communautés intrinsèquement mauvaises. C'est un point inéluctable. La doctrine en question va nécessairement basculer localement en son contraire, à savoir un racialisme affiché. Il va falloir déclarer qu'il y a des communautés mauvaises. Parce que si vous appliquez au fait qu'il y a des adversaires, non pas la doctrine que j'essaie ici d'élaborer, mais la doctrine selon laquelle il n'y a que des communautés et des individus, et qu'il s'avère que certains types langagiers ou culturels ne sont pas internes à ce dispositif il va falloir les considérer comme adverses. Et les considérer comme adverses en leur appliquant le schème en question revient à dire qu'il y a des communautés qui ne sont pas intégrables dans l'ensemble, c'est-à-dire qu'il y a des langages inintégrables dans la norme qui régit le rapport entre différences et ensemble. Il est absolument clair qu'aujourd'hui ce qui nomme ça, c'est l'islam, et ce de manière parfaitement indépendante de ce qu'on pense des politiques qui s'enveloppent dans l'islam. L'islam nomme ça, aux niveaux des opinions banales : islam, islamisme, arabo-musulman, beaucoup d'autres noms... même subsaharien ! Pendant un temps ça a été « totalitaire » mais c'est un peu usé. Il y a bien ce bon Glucksmann qui est sorti de terre pour expliquer, de manière très cohérente et très logique, que les nouveaux totalitaires c'était l'islam, de Staline à Mahomet !

Dans le livre d'Éric Hazan vous avez là-dessus des pages formidables : je vous recommande les pages 87 à 97, qui sont des pages sur la portée, le développement de ces mots-là. Hazan ne saurait être suspecté de sympathies quelconques pour les politiques que ces mots recouvrent parfois, mais il étudie l'agencement de ces mots dans le dispositif en question. Ce faisant il montre bien, et je suis d'accord avec lui, que c'est une des formes du sacrifice auquel est soumis, dans cette affaire, le mot « juif ». Celui-ci se trouve capturé, quelquefois via la politique de l'État d'Israël, quelquefois plus globalement, dans la thématique d'un conflit culturel entre arabes et juifs, entre islam et judéo-christianisme. Ce qu'il faut souligner c'est la profonde logique de tout ça. Si de fait on est dans l'espace général selon lequel la maxime des situations est qu'il n'y a que des individus et des communautés, l'instrumentation du mot « juif » est dramatique, périlleuse, extrêmement agressive en réalité, et amène finalement à mettre ce mot au service d'un racialisme renouvelé dans lequel il se trouve compromis et engagé sans aucune raison autre que l'instrumentation à laquelle il a été soumis dans la triangulation ensemble-victimes-différences. Tout cela a commencé bien avant. C'est un avatar d'une longue histoire qui prend naissance au milieu des années 1970, sous le label des « nouveaux philosophes » et qui s'est déployée et accélérée dans cette instrumentation singulière.

Je dis pourtant que c'est un point faible. Pourquoi ? Parce que c'est la combinaison instable et contradictoire d'une unanimité démocratique de façade, d'une réduction de l'universalisme à un unanimisme qui articulerait d'une façon en quelque manière naturelle la différence et l'ensemble. C'est ça d'un côté, mais de l'autre ça s'articule immédiatement à une agressivité qui finalement est une agressivité hétérophobe, c'est-à-dire phobique de l'autre, souvent à teinture racialiste, ou en tout cas souvent hostile à des communautés ou à des cultures déterminées. Et bien sûr cette synthèse constitue notre opinion journalistique et politicienne, celle pour laquelle « nous sommes tous ensemble et harmonieusement différents », sans oublier qu'« il y a des affreux sur lesquels il faut taper de toute urgence ». Le schéma planétaire c'est le discours de Bush, dont l'omniprésence est saturante. Cette combinaison est une combinaison faible qui ne soutiendra pas indéfiniment la juxtaposition d'une réduction de l'universalisme à l'unanimisme d'un côté, et d'une effectuation de tout ça dans un élément agressif et hétérophobe de l'autre. C'est là le fond du problème et ça explique que sur ce type de questions les choses prennent souvent une tournure un peu nerveuse. En tout cas cette affaire est centrale dans le dispositif idéologique d'aujourd'hui. C'est son noyau de protection et de défense contre tout ce qui lui serait hétérogène. C'est le discours de la domination. Il a raison Hazan, c'est la *lingua*, la langue commune de la Ve République. C'est vraiment une langue commune, et « ensemble » et « différents » sont ainsi les ressorts de cette langue. Le Président de la République vous présente ses vœux, il dit « c'est formidable, soyons tous ensemble », et en même temps « on a une grande diversité, assumons la diversité dans l'ensemble républicain ». Ça a bonne mine mais il faut voir que c'est le gardiennage d'une représentation très particulière, à la limite elle-même philosophique, des conditions dans lesquelles les gens sont enveloppés, situés, dans l'espace général. Or c'est un espace qui de fait n'admet l'existence que des corps et des langages, des individus et des communautés, et qui doit garder ça par des moyens de distorsions nominales graves dans lesquelles le mot « juif », entre autres, a malheureusement été pris, reconfiguré, entièrement déformé, entièrement détourné de son profond destin universaliste, un espace dans lequel, en fin de compte, et pour des raisons qui sont des raisons rigoureuses, logiques, l'effectuation est une effectuation agressive et hétérophobe.

Cela étant dit, nous allons reprendre nos affaires où nous en étions, en regardant le schéma qui vous a été distribué. Je vais le commenter et puis amorcer la suite à partir de là. Il peut se lire dans différents sens. La découpe la plus générale, c'est la découpe en trois régions : « région de l'être », « région du sujet » et « il y a ». Quelle en est la signification ? Le « il y a », c'est l'expression la plus générale, c'est pour ça qu'elle désigne en quelque sorte l'intérieur du triangle, l'intérieur du mouvement général. C'est ce qui subsume les différents registres dans lesquels quelque chose d'absolument indistinct se présente et donc tente de prononcer une généralité supérieure à celle de l'être comme tel ; le « il y a » désigne le régime de l'être, événement inclus, et par conséquent la bascule post-événementielle des choses et en définitive les vérités comme telles. Il nomme à la fois l'écart et la communauté de présentation entre les multiplicités pures (les multiplicités indifférentes, l'être-en-tant-qu'être) et l'existence des vérités. On pourrait dire, si vous voulez : il y a des multiplicités indifférentes et il y a des vérités. Et ce qu'il y a, à proprement parler, c'est ceci qu'il y a des vérités dans l'élément même où il n'y a que des multiplicités indifférentes. Ou encore : il n'y a que des multiplicités indifférentes sinon qu'il y a des vérités, ce qui est un tout petit peu plus abstrait que « il n'y a que des corps et des langages sinon qu'il y a des vérités ». Par conséquent la région du « il y a » désigne les deux côtés et c'est pourquoi elle est disposée entre multiplicités indifférentes et vérités éternelles. C'est la région de la proposition présentative générale qui nomme le statut de l'être en même temps que ce qui y fait exception, ce sont les deux versants du « sinon que », les deux versants de la logique de l'exception. Cela dit, de l'autre côté, du côté où l'on est dans l'identification du mouvement et non pas simplement dans son résultat ou dans son espace général, ça se scinde. Vous voyez bien que le « sinon que » est, comme l'aurait dit Deleuze, une synthèse disjonctive. Vous pouvez le prononcer soit comme « il y a », c'est son côté synthèse, soit comme l'existence d'une différenciation de registres, c'est son côté disjonctif. Il dit les deux. « Sinon que » c'est la corrélation entre « il y a » et les deux régions, celle qui se tourne vers les vérités et celle qui est tournée vers les multiplicités indifférentes. Dire que le « il y a » est sur ces deux versants signifie que c'est une synthèse mais aussi une découpe.

Les définitions sont comme toujours des définitions nominales. J'appelle « région de l'être » ce qui s'espace entre multiplicités indifférentes et événement. C'est ce qui rend intelligible tout ce qui, en quelque manière, se déploie ou se déplie entre l'être pur et l'événement comme césure. L'être pur, ce sont les multiplicités indifférentes sporadiques et infinies, dont le pur être est dissémination, ce que dans *L'être et l'événement* j'appelais « multiplicités inconsistantes », multiplicités en tant que multiplicités absolues et sans totalisation, ou multiplicités sans-un. « Région de l'être » c'est le régime général d'intelligibilité de ce qui s'espace là, donc ce qui nous permet de penser ce que veut dire qu'un événement advient au multiple, puisqu'évidemment on admettra que tout événement est situé dans l'être. C'est là un point très important : il n'y a pas de relation d'extériorité pure entre l'événement et l'être, ou entre l'événement et les multiplicités indifférentes. Tout événement affecte une ou des multiplicités ; c'est là son lieu d'existence et d'efficace ; il n'est pas ailleurs. Quand je dis « ce qui s'espace entre multiplicités indifférentes et événement » cela veut dire ce qui s'espace en réalité dans les multiplicités indifférentes elles-mêmes, en tant qu'exposées de façon immanente à la possibilité événementielle. La région de l'être, dans son principe d'intelligibilité, c'est non seulement l'intelligibilité de ce que c'est qu'une multiplicité en tant que telle, mais l'intelligibilité de ce qui fait qu'une multiplicité en tant que telle peut se trouver exposée à ce qu'on nomme événement.

La « région du sujet » c'est ce qui pense l'espacement entre événement et vérités. Pourquoi « sujet » ? Parce que « sujet » nomme cet espacement même, parce qu'il est le terme actif de cet espacement. On appelle « sujet » ce qui, du point d'un événement, est apte à porter la configuration d'une vérité. « Région du sujet » est en quelque sorte symétrique de « région de l'être », au sens où, de même que « région de l'être » nomme l'intelligibilité de l'espacement entre multiplicités indifférentes et événement, de même

« région du sujet » nomme le principe d'intelligibilité de l'espacement entre événement et vérités. L'orientation dans la région de l'être se fait d'abord de « multiplicités indifférentes » vers « événement », et dans la région du sujet elle se fait d'« événement » vers « vérités éternelles ». Au terme de quoi on circule de multiplicités indifférentes à vérités éternelles via l'événement. Contrairement, si je puis dire, à « région de l'être », « région du sujet » est sous une condition surnuméraire à « multiplicités indifférentes ». La région de l'être n'a pour condition de son parcours de compréhension que « multiplicités indifférentes », il n'y a pas d'autre point de départ. On part de la théorie des multiplicités pures. Du point de vue du mouvement intelligible, on part en fait des mathématiques.

Ensuite, par un mouvement d'élucidation immanente, on en vient à penser comment il se fait que quelque chose comme une coupure, comme un tremblement, puisse affecter des multiplicités de manière interne. C'est dans ce mouvement d'intelligibilité de la région de l'être qu'être et penser sont la même chose, aurait dit Parménide. Dans ce mouvement la pensée et l'être sont la même chose, en tant que susceptibles d'être affectés par un événement. Dans la région du sujet, on a une condition événementielle : ça ne part pas de « multiplicités », ça y est installé ; le mouvement de pensée ne comporte pas, à proprement parler, la pensée des multiplicités, supposée acquise. Il se pose la question de comment il se fait que, sous condition d'un événement, on puisse avoir quelque chose comme des vérités dans le sens qui va d'« événement » à « vérités », intégrant naturellement la pensée des multiplicités, déjà supposée acquise dans le mouvement de l'intelligibilité de ce que c'est qu'un événement. Voilà pour cette première triangulation. Ça, c'est la lecture en surface.

Vous avez ensuite la lecture diagonale qui est la lecture de l'ordre de l'espacement, soit le mouvement formel de la pensée dans chacun des deux espacements. Entre « multiplicités indifférentes » et « événement », puis entre « événement » et « vérités éternelles », quelles sont les ponctuations ? Et qu'est-ce qu'une ponctuation ? Une ponctuation c'est un concept, c'est ce que dit Deleuze. Quels sont les concepts qui se cumulent de telle sorte que vous accomplissez le trajet concerné ? Si vous allez de « multiplicités indifférentes » à « événement », par l'entremise de quel enchaînement conceptuel pouvez-vous transiter pour que ce mouvement soit en quelque manière répété ou refait dans son intelligibilité effective ? Dans le cas de l'autre trajet c'est la même chose : quelles sont les ponctuations, les jalons essentiels qui vous permettent de passer d'« événement » à « vérités éternelles » ? Il s'agit de comprendre comment il se fait que, sous condition d'un événement, peut s'effectuer, dans une multiplicité, un trajet subjectif tel qu'il instaure, qu'il dispose, avec le matériau de cette multiplicité, une vérité nouvelle, une vérité appropriable depuis un autre monde. Ça, c'est la deuxième lecture, que je reprendrai tout à l'heure.

Vous avez également une lecture verticale possible, qui fait apparaître des corrélations entre les concepts de chacun des trajets. Vous avez ainsi des paires conceptuelles dont un élément est situé sur le premier trajet, un autre sur le second trajet, et qui se correspondent verticalement. Par exemple la thématique du « présent créateur » correspond à la thématique générale de l'« être-là » ou de l'« apparaître » ; « consistance logique » correspond à « nouveau corps » ; « transcendantal » à « conditions d'existence » ; « inexistant » à « trace » ; « points » à « organes » et, dans un certain sens, « conséquences » à « évanouissement ». Cette lecture verticale montre que tout concept du deuxième parcours, concept qui tente de rendre intelligible le mouvement par lequel un sujet porte une vérité, que toute ponctuation de ce trajet, reprend, intègre un des niveaux d'analyse du premier trajet. Donc les deux trajets ne sont pas, du point de vue de la pensée, entièrement indépendants l'un de l'autre, chaque pas de l'un intègre un pas de l'autre. Sauf que, si l'on tient compte de l'orientation du mouvement, les places sont contraires. Prenons par exemple la corrélation verticale entre « consistance logique » et « nouveau corps ». La « consistance logique » va être élucidée en deuxième pas, si je puis dire, dans le premier trajet. J'appelle premier pas « être-là » en laissant de côté « multiplicités indifférentes » et « vérités éternelles » qui sont les extrêmes. « Nouveau corps », lui, va être avant-dernier dans l'autre cas, c'est-à-dire quatrième. Et ainsi de suite. Autrement dit, quand vous progressez dans l'intelligibilité du mouvement subjectif, celui qui vous conduit de la rupture événementielle à la constitution d'une vérité, vous intégrez régressivement les concepts fondateurs du premier trajet, vous vous enfoncez en quelque sorte dans le premier trajet.

Au passage je voudrais ponctuer cette idée que la construction d'une vérité est aussi, du point de vue de l'intelligibilité, un enfoncement dans l'être. C'est pour ça qu'il faut également penser la corrélation verticale. En effet, si vous ne la pensez pas vous aurez l'impression que vous avancez tranquillement : que vous partez de « multiplicités indifférentes » et qu'ensuite viennent « être-là, apparaître, consistance, transcendantale, inexistant, point, événement, organe, trace, conditions d'existence, nouveau corps, présent créateur, vérités éternelles ». C'est un chemin jalonné, important certes, mais en réalité ce n'est qu'une apparence formelle. C'est éventuellement un trajet d'écriture. Mais le trajet de pensée proprement dit n'est pas de cet ordre-là. Ainsi, quand vous avancez sur le deuxième trajet, vous procédez à un nouveau parcours du premier, mais dans le sens rétrograde : vous vous enfoncez en réalité vers « multiplicités indifférentes ». Autrement dit, plus vous avancez d'« événement » vers « vérités », plus vous vous enfoncez en même temps, par une intégration de type nouveau, par un mouvement en spirale, dans les déterminations ontologiques les plus fondamentales. Et il y a lieu de penser que de ce point de vue là il y a un lien profond entre « vérités éternelles » et « multiplicités indifférentes ». Ce n'est pas une contradiction simple : quand vous parvenez à la constitution d'une vérité susceptible d'être ressuscitée, reconnue depuis un autre monde, vous êtes aussi tout près de l'indifférence de la multiplicité comme telle. C'est ce que dans *L'être et l'événement* j'ai appelé le caractère générique des vérités, au sens où une vérité exprime en quelque sorte ce qu'il y a de plus profondément indifférent dans ce dont elle est vérité. Une vérité c'est en fait ce qui est le plus éloigné de l'expression de la particularité, donc ce qui touche au fondement même de la situation, je dirais aujourd'hui « du monde ». Et le fondement même du monde c'est après tout qu'il est une multiplicité indifférente.

Ainsi, dans la singularité d'une vérité s'exprime aussi l'indifférence de la multiplicité sous-jacente. C'est pourquoi, au sens le plus fort du terme, une vérité est générique, c'est-à-dire une synthèse de singularité et d'universalité, puisque premièrement, elle déborde de toutes parts la multiplicité dans laquelle elle s'inscrit ou le monde dont elle est vérité, si bien qu'elle est reconnaissable et appropriable depuis n'importe quel autre monde, mais que, deuxièmement, elle exprime aussi, en profondeur, le caractère absolument indifférent de la multiplicité sous-jacente. C'est d'ailleurs une des raisons pour laquelle elle est appropriable depuis n'importe quel autre monde, vu que n'importe quel autre monde est également constitué sur le fondement d'une multiplicité indifférente. C'est là un point spéculativement très profond. C'est ce qui fait que le schéma doit absolument être lu, non pas seulement comme un trajet, mais comme une géologie qui stratifie les concepts dans un ordre, lequel a finalement pour effet que la progression, à partir d'un certain moment, est aussi une rétrogradation, ou encore, que l'avancée dans l'ordre post-événementiel est aussi un enfoncement, un recul, une rétrogradation dans l'ordre de l'intelligibilité de l'être comme tel.

Plus vous êtes, si je puis dire, dans l'éclat des vérités éternelles, plus vous êtes dans l'absolue dissémination obscure des multiplicités indifférentes. C'est un point qui est dialectique au sens fort, et c'est pourquoi je maintiens l'expression « dialectique matérialiste ». Je la maintiens d'abord formellement, parce que je pense qu'il s'agit d'une pensée dans laquelle le 3 subsume le 2, et que c'est ça la dialectique dans sa généralité. Mais, plus fondamentalement peut-être, c'est parce qu'il y a, pour prendre une métaphore platonicienne, intégration dans le mouvement ascensionnel vers les vérités éternelles, intégration de l'appropriation de ce qu'il y a de plus indifférent dans la matérialité du monde, c'est-à-dire de ce qu'il y a de plus générique, de plus indistinct. Plus une vérité est distincte, comme l'aurait dit Descartes, plus elle est aussi intelligibilité de l'indistinct. C'est là entre autres choses ce que le schéma essaie de prononcer.

En résumé vous avez une lecture en surface, topologique, une répartition de régions. Vous avez une lecture linéaire, en chemin. Et vous avez une lecture stratifiante, ou généalogique, en profondeur. Il faut, pour le lire vraiment, manier ce schéma dans ces trois dimensions.

Quelques mots de commentaire sur l'aspect « chemin », après le commentaire sur l'aspect « topologie des régions ». Je donne simplement des définitions un tout petit peu plus explicites de l'échelonnement des concepts.

On n'a pas à revenir sur « multiplicité indifférentes » en tant que telles, mais le premier pas c'est de comprendre que la multiplicité indifférente doit nécessairement apparaître, en tant qu'elle est là. Attention, « là » ce n'est pas spatial, c'est le « là » de sa singularisation, le « là » de son « il y a » : en tant qu'« il y a » cette multiplicité-là, elle doit apparaître. On appelle « apparaître », l'être-là de la multiplicité. Et on nomme « monde », ce qui est inclus dans « être-là » ou « apparaître ». Monde ne veut pas dire catégorie séparable ; on nomme monde, au sens abstrait, le lieu, le « là » de cet apparaître. Par conséquent le premier temps consiste à comprendre ce que veut dire pour la multiplicité indifférente la nécessité de l'apparaître, c'est-à-dire comment il se fait que les multiplicités indifférentes existent dans un statut non réductible à leur intelligibilité ontologique pure. Autrement dit, comment se fait-il qu'il y a autre chose que les mathématiques, autre chose que de pures pensées appropriables aux mathématiques ? On pourrait imaginer un monde où il n'y aurait que les mathématiques et la pensée des mathématiques : à ce moment-là on aurait une espèce de court-circuit entre multiplicités indifférentes et vérités éternelles. On n'aurait pas de trajet à proprement parler, on aurait un monde, à vrai dire effectivement parménidien, sauf que ce seraient des multiplicités et non pas l'Un. On aurait les multiplicités et l'être pensé de ces multiplicités comme effectuation mathématique immédiate.

Notre question, toute simple, c'est comment il se fait qu'il n'y ait pas que les mathématiques. Vous savez à quel point c'est vrai. Au point même que ce sont les mathématiques qui sont plutôt devenues la question. Depuis le début la philosophie se pose plutôt la question : « Comment se fait-il qu'il y a les mathématiques ? » Pour ma part, je renverse volontiers la question et je m'interroge sur comment il se fait qu'il n'y a pas *que* les mathématiques. En un certain sens, ce serait beaucoup plus transparent si c'était le cas : on aurait les multiplicités indifférentes dans leur pensabilité immédiate. Mais il se trouve qu'il y a beaucoup d'autres choses que les mathématiques. C'est pour ça qu'il faut un premier pas. Les mathématiques étant la pensée des multiplicités indifférentes, cela s'approprie au fait que quelque chose dans le « il y a » de l'être ne se laisse pas réduire à sa multiplicité indifférente. Et c'est cette chose-là, non réductible à la multiplicité indifférente, non réductible à l'être comme tel, qu'on va appeler « l'apparaître ». Vous comprenez bien naturellement qu'il n'y a aucun sujet pour qui ça apparaît et que « apparaître » doit être pris ici hors d'une conscience. Ça apparaît tout court. L'apparaître c'est ce à partir de quoi devient pensable qu'il y a, non pas seulement les mathématiques, mais des mondes.

Le deuxième pas consiste à se demander comment il se fait qu'il y ait une pensabilité générale des mondes. Notre question devient : comment se fait-il que ce qui n'est pas les mathématiques n'est pas non plus le chaos, n'est pas inintelligible ? Comment expliquer qu'il y ait de la pensée, et donc que quelque chose consiste dans ce qui n'est cependant pas la consistance mathématique des multiplicités pures ? Cette consistance est celle de l'apparaître. Mais alors pourquoi est-ce que l'apparaître consiste ? C'est avéré par le fait qu'il y a des vérités dont le référent n'est pas la multiplicité pure, autrement dit, il n'y a pas que des vérités mathématiques. C'est un constat. Il y a des vérités artistiques, des vérités politiques, des vérités amoureuses. Il n'y a pas que les mathématiques veut donc dire qu'il n'y a pas juxtaposition des mathématiques et du chaos, ce qui serait une autre possibilité : on aurait autre chose que les mathématiques, mais cette autre chose serait absolument dépourvue de vérité et donc livrée à l'indifférence empirique de la multiplicité. Nous devons par conséquent suivre une ligne qui reconnaît qu'il y a autre chose que les mathématiques et que cette autre chose, n'étant pas chaotique ou inintelligible, est travaillée par des vérités ; une ligne qui reconnaît que possède une consistance propre cela même qui, dans l'ordre de l'être, n'est pas réductible à sa consistance mathématique, c'est-à-dire à sa multiplicité indifférente comme telle.

Je propose d'appeler « logique » cette consistance, puisque j'ai appelé « ontologique » la mathématicité. Comme vous le savez, dans *L'être et l'événement* j'ai énoncé que finalement l'ontologie c'était les mathématiques. Je le redis ici d'une certaine manière. Et j'appelle « logique » cette consistance, plus vaste que celle des mathématiques, donc non réductible à la mathématicité comme telle. Autrement dit, j'appelle « consistance » la consistance étendue au « il y a » de l'apparaître, aux mondes. C'est bien ce que dit le titre *Logiques des mondes*, à savoir, il y a des logiques des mondes, irréductibles à celles de la pensée mathématique de l'être comme tel. De même que j'ai énoncé que les mathématiques étaient la forme effective de l'ontologie, c'est-à-dire de l'intelligibilité des multiplicités indifférentes, de même ce qui à la fois expose les multiplicités indifférentes à la mondanité et s'avère irréductible quant à sa pensée aux mathématiques, mais qui cependant a une vérité, ou peut supporter une vérité, je l'appelle « logique », étant entendu qu'il est tout à fait normal que cette logique, qui est un principe général de consistance, soit également effective dans les mathématiques. C'est donc simplement un terme plus vaste désignant la consistance des mondes, y compris naturellement de ce monde particulier de l'ontologie que sont les mathématiques, à savoir un monde sans apparaître.

Le pas supplémentaire consiste tout simplement à proposer un cadre général de pensabilité de la logique, une logique générale dans laquelle se dispose toute logique de la consistance comme telle, et donc à dégager les propriétés minimales par lesquelles passe le fait que les mondes sont consistants. Savoir comment il se fait que les mondes sont consistants est une vieille question de la logique. Mais comment définit-on cette consistance logique ? Ensuite il faudra se demander quels sont les réquisits minimaux pour qu'il y ait intelligibilité de ce que les mondes sont consistants, de ce qu'il y a une logique. C'est ce que, conformément à une certaine tradition, j'appelle le « transcendantal ». « Transcendantal » comme principe général. Évidemment, pour Kant le transcendantal ce sont les principes généraux de la consistance de l'expérience. Chez lui « transcendantal » renvoie à un sujet, un sujet générique, un sujet qui n'est pas une individualité psychologique, mais un sujet quand même. Cela s'explique parce que son fil conducteur c'est le concept d'expérience, et que la consistance c'est la consistance *pour* l'expérience. Kant admet que le monde sensible consiste pour un sujet ; c'est-à-dire que la phénoménalité consiste, qu'il y a des lois de la nature, qu'il y a la physique de Newton. S'il y a des lois de la nature, c'est que les phénomènes consistent, qu'il y a donc une logique des phénomènes. Et cette logique est transcendantale, au sens où elle est une logique de l'expérience subjective, de l'expérience des phénomènes, telle que la phénoménalité consiste et n'est pas un chaos informe.

La question est donc bien la même : comment se fait-il que ce qui n'est pas mathématique n'est quand même pas chaotique ? Comment se fait-il par exemple qu'une physique est possible ? C'est la question de Kant. Et on appellera « transcendantal » le registre de la réponse. Sauf qu'il faut bien comprendre que pour nous c'est du transcendantal sans sujet : la consistance du monde est un phénomène en soi, elle n'est pas une phénoménalité pour une détermination quelconque, subjective ou consciente. Le sens du mot « transcendantal » est donc un peu tordu, un peu transformé. Je l'ai gardé parce qu'au fond il répond quand même à la question sur les conditions de possibilité formelles de la consistance des mondes. Mais évidemment ce transcendantal-là n'a rien à voir avec l'expérience subjective ou la représentation des phénomènes, c'est une disposition immanente à l'apparaître lui-même. L'apparaître consiste parce que tout monde est indexé sur un transcendantal.

Outre qu'il n'est pas subjectif, la deuxième variation par rapport au transcendantal kantien c'est qu'il n'y a pas d'unicité du transcendantal : vous pouvez avoir plusieurs types de transcendantaux différents. Et d'ailleurs c'est aussi pour ça qu'il y a *des* mondes, et non pas un monde. Il y a des mondes parce que la garantie de consistance d'un monde, à savoir son transcendantal, peut avoir des configurations très différentes d'un monde à un autre. Le fait qu'il y a des mondes n'est pas seulement le fait qu'il y a une collection de multiplicités ; le fond du problème c'est que l'agencement de la consistance des multiplicités qui apparaissent peut varier. En général, la plus profonde identification d'un monde est une identification de son transcendantal. Autrement dit, si on nomme « logique » la consistance des mondes, vous avez *des* logiques, des logiques des mondes. Ce n'est pas simplement les mondes qui sont au pluriel, mais plus fondamentalement, plus organiquement, la condition de possibilité de la consistance de ces mondes, sous le nom de « transcendantal », qui est également appelée à varier.

Après la consistance de l'être-là ou de l'apparaître et les conditions de possibilité de cette consistance nous allons rencontrer, un peu comme chez Kant, la question du négatif. En particulier la très considérable question du néant. Qu'est-ce que c'est que le négatif dans la logique d'un monde et surtout, qu'est-ce que le néant ? La réponse classique c'est que le néant c'est rien. On est bien embarrassé avec cette réponse, et depuis fort longtemps. Déjà Platon trouvait qu'il fallait faire mieux que ça. Vous voyez bien que la difficulté de la question c'est qu'on se pose, non pas la question de ce qui n'est pas, mais la question du néant d'un monde. Donc de ce qui, tout en étant en un certain sens d'un monde, n'y apparaît pas. Il s'agit du point où se concentre la différence entre « être dans un monde » et « apparaître dans un monde », et qui est la forme spécifique de l'inapparaissant d'un monde en tant que néanmoins il est dans ce monde. Tout le point est que ne pas apparaître dans un monde, ce n'est pas la même chose que ne pas être. C'est bien plutôt d'avoir comme propriété de son être de ne pas apparaître dans le monde concerné. J'ai proposé d'appeler ça « l'inexistant », pour des raisons qui tiennent tout simplement au fait que ce qui est dans un monde, je l'appelle « ce qui existe », qui est différent de « ce qui est ». Ce qui est ce sont les multiplicités indifférentes et ce qui existe ce sont les multiplicités indifférentes pour autant que leur être-là est assigné à un monde, donc à un transcendantal. On pourrait dire qu'exister c'est être dans un monde, c'est-à-dire être dans une certaine indexation transcendantale, être sous une logique, et pas simplement sous une mathématique, même si cette mathématique est elle-même sous une logique. Du coup, si être dans un monde c'est exister, se pose la question de savoir ce qui inexiste. Car vous voyez bien que ce qui inexiste c'est une tout autre question que ce qui n'est pas. C'est là une étape indispensable pour des raisons que je dirai plus tard. Ce point admet une résolution, à savoir qu'on peut tout à fait donner une définition de ce que c'est que l'inexistant d'un monde. Pour l'instant je ne vous la donne pas car on n'en a pas besoin et qu'il faudrait en passer par des choses assez sophistiquées.

Le pas suivant va nous rapprocher du registre subjectif, mais de façon strictement intérieure au transcendantal. Ce ne sera donc pas du tout être subjectif, ce sera pré-subjectif. C'est la question des points. Comme je l'ai déjà dit, un « point » c'est grosso modo une instance du 2 dans le transcendantal. C'est ce qui convoque l'existence au choix, l'existence étant, comme je viens de le dire, ce qui apparaît dans un monde. L'existence est convoquée à un choix, elle est convoquée à comparaître devant le 2 en tant que ceci ou cela, en tant qu'« alternative » aurait dit Kierkegaard. Cela n'a rien d'abstrait. Vous pouvez prendre comme exemple n'importe quel choix radical, choix qui vous place devant ceci ou cela, devant une instance du 2. C'est ce qui, dans le transcendantal, permet de définir ce que c'est qu'un choix radical ; c'est un protocole de comparution de l'existence devant le 2. On peut en donner une définition structurale du genre : « Étant donné tel transcendantal, voilà ce que c'est qu'un point, pour ce transcendantal », ou « voilà quelles sont dans ce transcendantal les différentes manières dont on peut définir ce que c'est qu'un point, c'est-à-dire ce que c'est qu'un choix pur ». C'est assez simple, c'est une espèce de fonction qui fait passer toute l'organisation du transcendantal vers quelque chose qui est simplement un 2, qui est donc la ressource possible du transcendantal, en choix, pour l'existence.

Ce qui est fondamental, c'est qu'il y a des transcendantaux qui sont très riches en choix, très riches en points. Et puis il y en a qui en ont très peu. Il y a même des transcendantaux, hélas, qui n'ont aucun point. Et les mondes qui ont des transcendantaux sans points sont des mondes inaptes aux vérités. J'avais proposé de les appeler des « mondes atones ». Les mondes atones sont structurellement définissables. Ce sont des mondes dont le transcendantal est tel qu'il ne comporte pas de point, tel qu'on ne peut pas faire comparaître d'existence devant un choix pur. Il n'y a pas d'alternative au sens de Kierkegaard, lequel aurait sans doute dit que ce sont des mondes dont Dieu s'est absenté, même si la plupart des choix dont il nous parle ne sont pas très excitants ! Quelquefois on rêve d'un monde atone : pas de choix, pas de 2, rien, on flotte à la surface, on fait la planche... Mais comme on le verra, la définition que je propose de « Qu'est-ce que c'est que vivre ? » requiert qu'il y ait des points. Et heureusement nous participons nous-mêmes de plusieurs mondes, notre propre existence participe d'une pluralité de mondes. On est éventuellement tenté de s'installer dans le monde atone mais ce n'est pas un destin. On peut trouver des mondes avec des points.

Les mondes où il y a beaucoup de points je les appelle des « mondes tendus ». Par exemple le monde constitué par les séquences révolutionnaires intenses, quand tous les jours la situation se modifie, quand tous les jours il faut à nouveau choisir quelque chose. Il y a ainsi des séquences où les journées révolutionnaires se succèdent, dans une confusion telle qu'on n'a pas même le temps d'examiner exactement quelle est la situation car on est déjà catapulté vers d'autres choix. C'est ça un monde tendu, et c'est définissable transcendantalement. On peut en gros définir ce que c'est qu'un transcendantal qui a autant de points qu'il a de degrés, autant de points que de mesures possibles de ce que c'est qu'un existant de ce monde. Et puis, entre les mondes atones et les mondes tendus, il y a les intermédiaires. Ceux où il y a quand même quelques points, voire pas mal de points, et où on a le temps de s'organiser pour les traiter.

Lorsque vous disposez du système général apparaître-consistance logique-transcendantal-inexistant-point, vous avez cumulé les matériaux de l'intelligibilité nécessaire pour vous repérer entre multiplicités indifférentes et événement. Parce que vous avez de quoi comprendre ce que c'est qu'un événement, en particulier les connexions intimes qui existent entre un événement et la nature du monde qu'il affecte, donc la logique du monde qu'il affecte. Il y a une relation entre ce qu'est la ressource intime d'un événement et la nature structurale du transcendantal qui soutient le monde qui est affecté par cet événement. C'est évidemment très important parce que l'événement va être spécifié comme point ultime de l'intelligibilité de tout le parcours qui s'est originé dans les multiplicités indifférentes et qui a déployé la logique de l'apparaître et ses différents degrés.

Dans ce contexte « événement » c'est un petit peu plus compliqué que dans *L'être et l'événement,* parce qu'il s'agit de comprendre comment un événement apparaît et pas simplement ce que c'est que l'être d'un événement. En un certain sens, dans *L'être et l'événement*, il y avait une mathématique de l'événement en même temps qu'on signalait que l'événement était une exception. On pourrait dire que sa mathématicité passait en fraude d'un axiome, dans la mesure où il y avait un axiome qui était suspendu ou nié par l'événementialité. La théorie du multiple se trouvait ainsi déformée en un point par l'événement, puisqu'il y avait un axiome des multiplicités que l'événement violait expressément en lui étant non conforme. C'était donc un point de non-mathématicité interne à la mathématique. En gros, on donnait la mathématique de l'être et puis on montrait qu'il pouvait y avoir « événement » sous condition qu'un des axiomes soit soustrait. C'était donc essentiellement une conception soustractive de l'événement. À l'époque c'était surtout la manière dont l'événement faisait exception aux lois de l'être qui m'intéressait. Elle continue d'ailleurs à m'intéresser.

Mais dans le cas présent c'est un petit peu plus compliqué parce qu'on veut connaître les conditions logiques de l'événement et pas simplement sa nature ontologique. Ontologiquement il demeure une exception aux lois de l'être, mais ce n'est pas suffisant pour penser ce que c'est, car, tout compte fait, un événement ça apparaît aussi dans un monde donné. Et donc on est bien obligé de savoir quelle est sa caractérisation logique, on ne peut pas se contenter de sa caractérisation soustractive ou ontologique. Il s'ensuit qu'on va avoir des caractéristiques de l'événement directement indexées à la logique du monde et pas simplement à la mathématique des multiplicités. Ce qui du coup va surgir ce sont des distinctions dans le ce-qui-arrive. Dans *L'être et l'événement* vous aviez la situation et puis vous aviez les événements. Tandis que maintenant on va entrer dans les nuances et distinguer quatre modes différents du ce-qui-arrive. La logique des mondes, c'est plus nuancé que s'il n'y avait que les mathématiques, car si tel était le cas on resterait effectivement dans le dispositif parménidien. Malheureusement ou heureusement il y a des mondes et on doit distinguer quatre types : la modification, le fait, la singularité faible et l'événement. La prochaine fois nous aurons l'occasion de passer par des exemples mais vous pouvez dès maintenant en avoir une intuition élémentaire.

1. *La modification* c'est tout simplement ce qui se passe dans un monde, qui est tout à fait homogène à son transcendantal et qui est sous la loi de consistance propre à ce monde. Évidemment un monde change tout le temps, mais on appellera « modification » (en écho des modes de Spinoza) les changements constants et infiniment nombreux qui se produisent mais qui ne sont que le dépli de ce monde sous la logique de son apparaître, à savoir le ce-qui-se-passe conformément aux lois mêmes du ce-qui-se-passe dans ce monde.

2. *Le fait* désignera quelque chose qui est une perturbation minimale, c'est-à-dire qu'on ne peut pas ranger uniquement au

titre de ce qui présente le monde dans sa logique transcendantale, cependant que son degré d'apparition n'est pas d'intensité forte. C'est une perturbation locale, dont l'apparaître propre n'a pas d'intensité particulière. Car, point fondamental, « exister », « apparaître », « être-là » se fait toujours selon un certain degré d'intensité. C'est pourquoi aussi vous pouvez inexister, ce qui veut simplement dire apparaître avec l'intensité minimum, mais aussi exister intensément, être complètement dans le monde, y être avec une intensité maximum ou encore y être dans des degrés intermédiaires.

3. *La singularité faible* désigne quelque chose qui est également une perturbation locale mais dont le degré d'intensité est fort, en réalité maximal. En résumé, avec la modification, on est dans l'immanence légale, avec le fait vous avez une petite perturbation, d'une intensité faible, et avec la singularité faible vous avez affaire à une perturbation de grande intensité mais dont les conséquences sont faibles. Car c'est un point essentiel : la mesure des effets d'une perturbation se fait à partir de l'inexistant. C'est là qu'on va connecter la question de l'événement et la question du non-apparaissant. En effet, la conséquence d'une perturbation locale est réellement intense lorsque cette perturbation est capable de doter l'inexistant d'une existence, de faire exister l'inexistant. La singularité faible est certes très intense dans son apparaître propre, mais elle n'arrive pas à faire exister l'inexistant : elle le laisse inexister.

4. *L'événement* c'est ce dont l'intensité est maximale et qui fait exister l'inexistant, c'est-à-dire qui parvient, pour employer le mot proposé par Derrida comme traduction de Hegel, à être une « relève » de l'inexistant, au sens où il relève l'inexistence à l'existence. Donc l'événement s'aborde logiquement à la fois par l'intensité de l'existence et la relève de l'inexistant, c'est-à-dire par l'intensité des conséquences. Pour parler d'événement, il ne suffira pas de l'intensité de l'existence, il faudra mesurer l'intensité des conséquences, en particulier son effet sur l'inexistant.

Pour revenir sur l'événement, une question m'a souvent été posée autrefois : l'événement n'est-il pas entièrement une question rétroactive ? Est-ce que ce n'est pas du point de vue de l'engendrement des vérités que l'on est susceptible de dire après coup que c'était un événement ? Dans le dispositif ancien qui était le mien, on aurait pu répondre oui... Ici la réponse est un tout petit peu plus modulée. Il y a une condition logique intrinsèque (je ne parle pas de la condition ontologique qui est maintenue) : il faut que la perturbation locale soit de forte intensité existentielle, qu'elle existe fortement, qu'elle soit en réalité maximale. Événement sera pris, en son sens traditionnel quand même, comme une secousse de forte intensité ; il y a réellement quelque chose de sismique dans l'événement, qui se donne dans le fait qu'une perturbation logique, locale, est d'une forte intensité intrinsèque. Cela dit, ça ne suffit pas. C'est une caractérisation intrinsèque, mais il existe une autre caractérisation logique qui passe par les conséquences, laquelle fournit un protocole rationnel d'évaluation qui, il faut le reconnaître n'est pas nécessairement immédiat. Car, évidemment, il faudra voir, expérimenter ce qui advient de l'inexistant. Est-ce que l'inexistant est relevé de telle sorte qu'il se met à exister dans le monde ? Ce qui veut dire : est-ce que ce qui n'apparaissait pas apparaît ? Ce n'est que sous cette condition qu'on pourra distinguer la singularité faible de l'événement.

Nous avons donc un dispositif complet qui donne une détermination intrinsèque et qui explique en même temps pourquoi c'est également une question de conséquences. En outre, et cela ouvre à notre second trajet, il ne faut pas croire qu'un événement – un événement qui relève l'inexistant – suffise à lui seul pour constituer un sujet capable de produire ou de composer une vérité éternelle. Nous ne sommes là que dans le système des conditions : il faut qu'il y ait un événement, mais l'événement doit être, dans le système de ses conséquences, capable de relever l'inexistant. C'est là une définition intrinsèque du ce-qui-se-passe. Mais on n'est pas encore pour autant au terme du trajet. Simplement, ce qu'on a c'est une trace. Et c'est une grande différence par rapport à *L'être et l'événement.* Cette trace objective de l'événement c'est précisément le fait que l'inexistant a été relevé.

On sait qu'il y a événement véritable uniquement si, dans l'ordre de ses conséquences, il y a apparition de l'inexistant. Tout événement véritable suppose, une fois qu'il a disparu – parce que l'événement s'évanouit –, qu'il laisse au moins une trace, signe que l'inexistant est relevé. En tant qu'il existe l'événement fait démarcation entre l'ancien monde et le nouveau. Ce qui ne veut pas encore dire qu'il y a un sujet ou une vérité. En tout cas il y a une différenciation interne au monde, produite par l'événement, dans la figure de la trace, qui marque qu'un inexistant du vieux monde existe, que quelque chose qui n'apparaissait pas apparaît.

Si vous songez à ce que peut être votre propre expérience événementielle, dans l'ordre politique, amoureux, etc., vous verrez qu'en réalité ce qui montre qu'on a été dans la figure événementielle c'est que quelque chose qui n'apparaissait pas apparaît. C'est une intuition évidente, comme toujours après coup, Au fond c'est très simple, quelque chose qui n'était pas là est là. Quelque chose supplémente effectivement le monde. Ce n'est pas simplement que quelque chose a changé, au sens des lois du monde, ça ce sont les modifications. Ce n'est pas non plus que quelque chose est arrivé d'un peu perturbant mais de très faible, comme un fait. Non, il est arrivé quelque chose d'une grande intensité, telle que, véritablement, a surgi dans le monde quelque chose qu'il n'y avait pas. C'est pourquoi tout sujet est une création. Tout sujet est en effet sous la condition impérative que quelque chose qui n'existait pas existe, que quelque chose qui n'apparaissait pas dans le monde apparaît.

En conséquence va s'enclencher là un protocole de supplémentation dont le cœur véritable, le lieu central, sera l'apparition d'un nouveau corps, apparition qui va s'organiser autour de cette trace, qui va en quelque sorte coaguler autour de cette trace. Un nouveau corps va se constituer autour de ce qui n'existait pas. Et c'est ce point qui n'existait pas qui va être le noyau, le cœur du nouveau corps.

Voilà pour aujourd'hui. Merci.

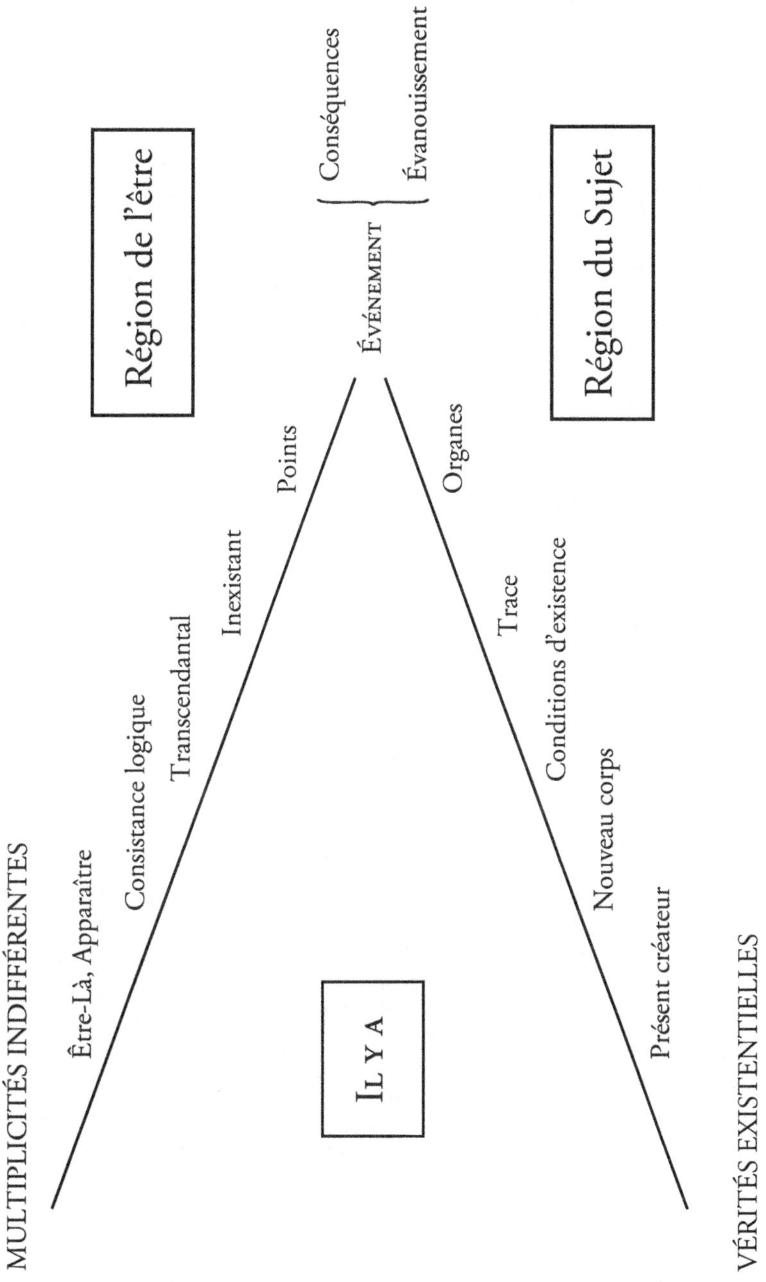
MULTIPLICITÉS INDIFFÉRENTES
Être-Là, Apparaître
Consistance logique
Transcendantal
Inexistant
Points
Région de l'être
ÉVÉNEMENT
Conséquences
Évanouissement
IL Y A
Organes
Trace
Conditions d'existence
Nouveau corps
Présent créateur
Région du Sujet
VÉRITÉS EXISTENTIELLES

XIII

26 AVRIL 2006

Deux échéances, dont un certain nombre d'entre vous ont déjà été avertis. Ce samedi 29, sous l'égide du Centre International d'Études de la Philosophie Française Contemporaine, Yves Duroux et moi-même interrogerons Élizabeth Roudinesco, psychanalyste et historienne, qui vient de publier un livre, *Philosophes dans la tourmente*, livre spécifiquement consacré à un certain nombre de philosophes français de la période des années 1960 à aujourd'hui. Nous allons donc lui poser un certain nombre de questions sur son rapport, vu de la psychanalyse, à ces philosophes. Et puis, le 6 mai nous organisons une journée sur *Parsifal*. Sur l'opéra de Wagner, mais au-delà sur le signifiant *Parsifal*. C'est organisé par François Nicolas et moi-même et il y aura Denis Lévy, Isabelle Vodoz et également Slavoj Zizek, qui viendra parler de cet opéra sur lequel il médite depuis longtemps.

C'était la première chose. La seconde est une chose tout à fait triste et concerne un jeune philosophe, vraiment de très grande qualité à mes yeux, François Zourabichvili, auteur de ce que je tiens quand même comme le meilleur petit livre sur Deleuze, *Deleuze, une philosophie de l'événement*, également un grand connaisseur de Spinoza, et de beaucoup d'autres choses. J'ai travaillé avec lui dans diverses circonstances, il était là par exemple lors de la journée sur *Matière et mémoire* organisée par le Centre. François Zourabichvili est mort la semaine dernière. Un homme jeune. Je m'autorise à dire qu'il a décidé de mourir, puisque de toute façon c'est une chose qui est connue maintenant partout. C'est une chose qui m'affecte vraiment, pour toutes sortes de raisons. Ce n'était pas un ami intime mais je le connaissais bien et il faisait partie de cet ensemble flou de jeunes philosophes entre 30 et 40 ans, que je considère comme la véritable relève aujourd'hui de la philosophie dans sa force véritable. C'est quelqu'un qui est en moins. C'est une perte. C'est très dommage que la vie ait ainsi vaincu ce philosophe qui était un philosophe de la vie. Toujours ce paradoxe amer qui est que quelque chose de la vie elle-même se présente comme mort. Je tenais à lui rendre hommage, devant vous ce soir, et vous dire mon regret, ma peine de la disparition de François Zourabichvili.

Autre préliminaire : le mouvement contre le CPE. On pourrait évidemment consacrer cette séance et d'autres à organiser des débats là-dessus, mais on aura le temps, partout et dans tous les coins, ainsi ce n'est pas véritablement la peine. Je serai donc très bref. Je voudrais tenter de formuler, au point où nous en sommes, c'est-à-dire après la victoire tactique du mouvement sur le gouvernement, les questions à partir desquelles se décidera ce qu'on pourra appeler l'avenir politique de ce qui s'est passé là. Évidemment cela est sous-tendu par la thèse que, à proprement parler, un mouvement par lui-même et en lui-même n'est pas exactement politique. Il est à la charnière de l'historique et du politique. Il a lieu dans une figure plus ou moins événementielle. Donc il a lieu et cet avoir-lieu ne décide pas à lui seul de l'avenir politique, pas plus que, pour prendre une comparaison extrême, dans la conception qui est la mienne, l'événement ne décide seul de la procédure de vérité. On a quelquefois avancé la formule selon laquelle les mouvements ne sont pas à proprement parler politiques, mais présentent des possibles politiques, c'est-à-dire ouvrent à la possibilité du possible, ou présentent une gamme ouverte de possibles politiques. Un mouvement est le réel de la multiplicité des possibles, quelque chose comme ça. On peut dire aussi qu'il est la politique dans son suspens historique, c'est-à-dire dans le suspens de l'avoir-lieu collectif, historique. Si on admet ça, je crois qu'on peut constituer trois questions à partir de ce qui s'est passé.

Première question, toujours très importante : c'est de décider quelle séquence qu'on interroge. On dit « le mouvement contre le CPE », mais quelle est la séquence historique qu'on considère, telle que, en effet, elle a ouvert à la multiplicité des possibles politiques, et telle que la question de savoir comment va se décider son avenir politique est constituée. Décider sur la séquence, c'est déjà en un sens décider sur l'articulation de l'historique et du politique. Et dans ce cas on peut avoir, de cette séquence, trois visions essentielles :

1. La vision ultracourte. La séquence, à proprement parler, c'est le mouvement contre le CPE, depuis les décisions gouvernementales qui mettent cette affaire en scène, jusqu'à la décision gouvernementale de plier bagage. Cet espace serait l'espace du mouvement dans sa conception la plus courte et la plus homogène en même temps : l'objectif est assigné et la victoire est définissable.

2. Vient une séquence moins courte, moins homogène, mais toujours dans la donnée de la temporalité séquentielle brève. Ce serait la séquence qui intégrerait la révolte des jeunes des banlieues de l'automne dernier. On aurait ainsi une séquence distincte, qu'on considérerait comme la séquence à propos de laquelle est ouvert le système des possibles politiques, qui irait de novembre à aujourd'hui. Une séquence dont vous voyez bien qu'en un certain sens elle augmente en intensité ou en variété immanente, mais qu'en même temps elle perd en homogénéité, dans la mesure où l'on sait bien que la question de l'articulation des deux est une question encore ouverte.

3. Enfin on pourrait considérer une séquence beaucoup plus longue. On pourrait penser à une séquence qui démarrerait en fait avec le mouvement de décembre 1995, qui intégrerait donc la grève et les manifestations contre le projet Juppé sur la sécurité sociale, mouvement victorieux, comme vous le savez, puisque le projet a été pour l'essentiel retiré. Souvenons-nous toutefois que la victoire n'annonce pas toujours la victoire, que c'est un concept très ambigu. Cette séquence inclurait le mouvement de décembre 1995, l'ensemble de la séquence concernant le

mouvement et l'organisation des ouvriers sans papiers, à partir de l'occupation de l'église Saint-Bernard. Elle intégrerait à mon sens le non au référendum sur l'Europe : il y aurait ainsi une instance parlementaire de la chose. Elle intégrerait sans doute d'autres choses encore, je ne peux pas ici faire un inventaire qui serait trop en vrac. Je ne donne que quelques repères qui indiquent que se dessine là, la possibilité d'une séquence complexe mais chargée, portant justement la question de l'ouverture de nouveaux possibles politiques à des niveaux différents, et concernant des strates de la société différentes.

Notre première question consiste donc à dire : « Il s'est passé quelque chose, il faut maintenant penser la nouveauté de ce quelque chose et voir sur quels types de possibles nous allons décider et trancher. » Évidemment on n'aboutit pas aux mêmes conclusions selon qu'on tranche en faveur de telle ou telle disposition de la séquence.

La deuxième question suppose qu'on ait tranché la première, qu'on ait décidé du cadre séquentiel de l'articulation entre histoire et politique. À partir de là, comment aborde-t-on la question de l'unité subjective de la séquence ? En gros, de quoi est-il question, non seulement en termes de revendications sur ceci ou cela, donc pas seulement dans la présentation de la diversité immanente de la séquence et de ses étapes successives. Qu'est-ce qui autorise à la considérer comme une séquence ? On se place là d'un point de vue plus subjectif ; c'est toujours quand on entre dans un point de vue subjectif qu'on passe de l'évaluation historique à la possibilité politique. Est-il possible de mettre en avant, ou de proposer, une unité subjective de la séquence ? La précision technique de la question est assez simple : au fond une unité subjective de séquence finit toujours par se cristalliser dans un ou des mots d'ordre. Un mot d'ordre politique majeur constitue, épingle si vous voulez, l'unité subjective de la séquence. Dans ce cas je pense qu'est ouverte la question de savoir ce qui constitue subjectivement le mot d'ordre de rupture, ou le mot d'ordre événementiel, à travers lequel se constitue quelque chose comme une subjectivité politique nouvelle, au-delà et en même temps dans la séquence. Cette question n'est pas tranchée pour une raison que je crois prévisible qui est que, jusqu'à présent, les mots d'ordre, fort nombreux, qui ont été mis en avant, oscillent entre la particularité tactique (par exemple « retrait du CPE », excellent mot d'ordre qui, évidemment, ne réalise pas l'unité subjective d'une séquence dans l'espace politique proprement dit) et des mots d'ordre qui, eux, sont par contre d'une grande généralité idéologique, comme par exemple « contre le libéralisme ». Il va évidemment toujours se trouver des gens pour dire : « Mais ce dernier mot d'ordre est en réalité l'essence générale du mot d'ordre tactique. » Voilà qui est peut-être un peu trop hégélien. Je crois plutôt qu'il faut dire que, à l'heure actuelle, le système de mots d'ordres capable de constituer ou d'épingler une nouvelle subjectivité politique en la matière est un chantier ouvert. Parce que précisément ce qui est l'espace constitué juxtapose en fin de compte des mots d'ordres de la généralité idéologique (qui est intéressante en un certain sens mais politiquement inactive) avec des mots d'ordre qui sont tout à fait actifs mais qui sont dans une restriction tactique considérable. Là il s'agit d'une affaire de jonction entre la séquence et le cadre mental dans lequel elle se constitue. Un mot d'ordre, c'est toujours la résultante d'une séquence effective et du cadre mental, intellectuel, dans lequel elle se déploie, se pense et se réfléchit.

Et notre troisième question, c'est : à supposer qu'on ait trouvé, que surgisse, ou que soit clarifiée la question de la formulation subjective de la séquence en termes de mot d'ordre politique, dans quel espace politique cette unité s'inscrit-elle, dans quelle conception générale de l'espace politique fait-elle résonner sa propre unité, ou son propre nom, ou son propre mot d'ordre, ou ce qui l'épingle ? Ça, c'est évidemment la question de savoir si c'est représenté comme possiblement interne au parlementarisme ou pas. Et ça décidera sur la question de savoir si le bilan de cette affaire sera ou non les élections de 2007. Donc ça décidera sur la question de savoir si finalement ça va retravailler à la remise en scène de la gauche. Or ce n'est pas joué du tout. Le coup se prépare. Une fois de plus. Comme il a commencé à le faire dès 1848.

On a ici beaucoup parlé de la gauche. On en a fait une philosophie générale. L'embuscade est absolument prête. Mais si c'est ça qui l'emporte, dites-vous bien que dans un an, de ce mouvement, il n'y en aura plus trace. Il n'y aura certes pas de CPE, mais on peut compter sur la gauche pour proposer quelque chose comme le CPA, ce que je lui suggère d'avance : le Contrat pour l'avenir ! C'est aussi une question de nom. Comme vous le voyez, on en est là. Et c'est une question qui vient après les trois autres, à savoir : quelle est la détermination historique de la séquence ? Quelle est la zone d'articulation de l'historique et du politique, dans la figure de l'unité subjective, telle qu'elle se reflète dans des mots d'ordres fondamentaux ? Et dans quel espace imagine-t-on que ces mots d'ordres puissent être pratiqués, déployés, etc. ? Est-ce l'espace parlementaire, c'est-à-dire l'espace de la gauche ? Ou est-ce que ça dessine une autre voie, parallèle, non incompatible, mais qui serait entièrement dans une figure d'autonomie par rapport à l'autre ?

C'est tout à fait intéressant, parce que c'est comme une vraie leçon de choses sur les points que nous avons abstraitement discutés ici. Premièrement : une figure événementielle quelconque doit décider du monde dans lequel elle opère, c'est-à-dire doit décider en effet de ce qu'on embrasse sous le nom de ce qui se passe ? Est-ce que c'est une césure vraie, une surrection brutale et fugitive ? Est-ce que c'est un peu plus épais ? Est-ce que c'est un peu plus long ? Ou est-ce que c'est même carrément séquentiel ? Et, bien entendu, quel degré d'homogénéité ou d'hétérogénéité accepte-t-on de prendre en compte dans ce type de situation ? Il y a toujours une tendance à considérer que plus c'est homogène mieux c'est, mais ce n'est pas forcément un critère pertinent. Le fait est que le mouvement récent a mis en scène de difficiles et violentes contradictions au sein du peuple ; c'est-à-dire que la première articulation de la séquence et la deuxième ne sont pas agencées de manière homogène. Et donc il est évident qu'entrer dans la politique c'est trouver l'espace d'homogénéité de cet hétérogène. C'est toujours avec un hétérogène naturel si je puis dire, ou légué par la situation, et transformé en autre chose que lui-même, qu'on crée un espace nouveau. Parce que c'est forcément dans un espace nouveau que l'hétérogène peut se transformer en homogène. Mais ça concerne tout le travail de la séquence. Et naturellement ça ouvre à la possibilité d'une unité subjective en termes de mots d'ordre : que ce soit une chose qui ne soit ni dans la généralité idéologique ni dans la trop grande particularité tactique. Et troisièmement ça décide de la question très ample qui est la question de savoir s'il est possible qu'une révolte articulée s'inscrive dans un espace qui ne la voue pas finalement à servir de masse de manœuvre à telle ou telle des cliques parlementaires.

Voilà ce que je voulais dire simplement, sur l'intérêt très vif et très dense de la période en cours. Et sur le fait qu'on est naturellement au début des difficultés voire au tout début. On pourrait quasiment dire qu'on a mangé notre pain blanc. Mais le pain blanc du mouvement comporte beaucoup d'ingrédients, c'est sa force et sa joie. Mais c'est aussi sa difficulté.

Mon dernier préliminaire, puisque nous sommes dans les conditions de la philosophie, après la politique, la poésie, c'est la mort de celui que je tiens pour l'un des plus grands poètes contemporains : le poète russe Aïgui. Il est mort le mois dernier, à 71 ans. Quelques commentaires le concernant car il n'y en a pas eu beaucoup. Là on a pu quand même constater que la mort de celui qui était certainement un des plus grands poètes vivants, ne fait pas événement journalistique. C'est un enseignement parmi d'autres. Certes on peut dire : « Le fait qu'un médiocre chanteur de rock soit mis sur le même plan que la musique créatrice, pourquoi pas ; ça a toujours été. » Oui, mais là c'est un peu autre chose. On a affaire vraiment à une figure majeure de l'histoire du poème et c'est le silence. Heureusement, ici, nous avons les moyens et la possibilité de célébrer un petit peu cette voix qui s'est tue, en tant que voix essentielle, pas en tant que voix livrée à la compétition commerciale.

Quelques éléments de comparaison avec d'autres poètes du XXe siècle. Aïgui a un point commun avec Pasolini, tout à fait remarquable : c'est un poète qui a pratiqué simultanément, pendant un temps, une grande langue nationale et une langue locale. Vous savez que Pasolini a écrit de très grands poèmes en italien national, mais il a écrit aussi des poèmes dans le dialecte frioulan, un dialecte très spécifique, très singulier. Et on voit bien comment sa poésie a tiré parti du jeu entre dialecte frioulan et italien national. Dans le cas de Aïgui, c'est pareil : il a pratiqué un dialecte local qui est le tchouvache, mais l'essentiel de son œuvre poétique est dans la langue russe nationale. Il a donc lui aussi expérimenté cette espèce de frottement langagier entre une grande langue instruite, et une langue très singulière, localisée dans une communauté beaucoup plus restreinte. Je note, à propos de lui comme de Pasolini, qu'un point de la poésie contemporaine est de se demander (en un sens comme Deleuze) comment les langues minoritaires peuvent travailler de l'intérieur des grandes langues établies. Et le résultat est de l'ordre du poème. La déstabilisation de la langue nationale par le filon secret de la langue locale, c'est ça qui pousse dans ses retranchements la grande langue nationale.

Il y a par ailleurs de grandes similitudes entre lui et Paul Celan. De grandes similitudes poétiques. Pas du tout de destin. Par le travail tout à fait étonnant et singulier sur la coupe de la langue. On trouve chez Aiguï une manière d'interrompre toute rhétorique du poème en passant à autre chose dès que l'expression de la première chose est jugée suffisamment concentrée et suffisamment explicite. Et le poème est ainsi une succession de coupes dans la langue, pas du tout une exploitation de la langue en extension, comme peuvent l'être d'autres types de poésie. On sait que le grand récit épique, par exemple, c'est la langue dans sa gloire expansive. Ici la langue est au contraire saisie comme une espèce d'ardoise qu'on taille, elle est sculptée sur une arête vive. Elle est interrompue constamment par le fait que ce qu'on a dit, le dire, est suffisamment concentré pour qu'on passe immédiatement à autre chose. Il n'y a donc pas non plus exactement de principe de liaison. Les liaisons sont éludées et il y a plutôt un principe de consécution et de coupe.

Par ailleurs il y a une concentration métaphysique sur l'apparence. J'entends par là une fonction propre du matériau image, dans le poème, qui est une interrogation sur la signification de l'apparence elle-même. Ce n'est pas simplement l'illustration d'une essence par l'apparence, c'est une interrogation sur le monde sensible auquel le poème se réfère : quelle est la signification du fait que le poète doit se référer au monde sensible ? Le poème parle de ruisseaux, d'arbres, de mers, de souffles, etc., mais finalement quel est l'ordre de cette nécessité ? Quelle est la prescription qui fait que le poème se déploie dans l'image ? De ce point de vue c'est un travail comparable à celui de Wallace Stevens : le poème comme interrogation sur l'apparence.

Pasolini, Celan, Wallace Stevens... Je sais que, à la fin des fins, c'est une poésie religieuse en un sens tout à fait définissable et particulier. C'est une poésie religieuse parce qu'elle interroge l'apparence du point de vue de sa capacité à faire signe, le monde sensible étant pris comme un réseau de signes. Contrairement à celle de Wallace Stevens, qui cherche la vérité de l'apparence, ou même l'apparence comme vérité, la solution du problème de l'apparence est ici l'apparence comme signe. On pourrait dire que le dieu des poètes c'est toujours le dieu tel que l'apparence dans le poème fait signe. Et sur ce plan on pourrait comparer Aïgui à T.S. Elliot, ou encore, parmi les poètes français à Patrice de la Tour du Pin. Je cite Patrice de la Tour du Pin parce qu'il rend plusieurs fois hommage à Aïgui.

Beaucoup de poèmes d'Aïgui ont paru. Moi-même j'avais, il y a quelques années, commenté un poème qui s'appelle « Wallenberg à Budapest » (1988) et dans le *Court traité d'ontologie transitoire*, la première séquence d'introduction s'achève sur un poème d'Aïgui qui s'appelle « Ici ». Ce n'est pas un hasard : la poésie d'Aïgui est véritablement une poésie de l'ici, on pourrait dire que sa grande question c'est justement comment ici, en tant qu'ici, fait signe. Et ce qui fait signe, ce n'est pas l'ailleurs. Il y a également dans le livre *Poètes d'aujourd'hui* consacré à Aïgui par Léon Robel, un poème très intéressant pour nous qui s'appelle « Août : Nietzsche à Turin ». La curiosité d'Aïgui est considérable, sa poésie est traversée de personnages : on voit passer Nietzsche, mais aussi Baudelaire, Malevitch, Antoine Vitez, et d'autres. Un poème d'Aïgui est toujours adressé à quelqu'un de particulier, dans ce cas à Nietzsche. Le poème date de 1967, il est donc relativement ancien dans la carrière d'Aïgui. C'est un poème extraordinaire qui parle de quelque chose de très connu concernant Nietzsche, à savoir la permutabilité, chez lui, des métaphores de la terre et des métaphores de l'air, de la permutabilité du matériau opaque et du matériau aérien. Il montre que la pensée de Nietzsche est tendue vers la possibilité de la métamorphose de la montagne, de la pierre solide, en espace aérien, ce qui explique, que son élan fondamental, sa métaphore essentielle, soit la métaphore de la danse. Il faut être danseur, précisément parce qu'il faut être celui qui métamorphose le poids en élan, qui métamorphose la pierre en ciel. Cela a été observé dès Bachelard, ce n'est donc pas une chose nouvelle, mais Aïgui en fait véritablement un poème. « Nietzsche à Turin », c'est la transfiguration poétique de la thèse nietzschéenne, de la commutabilité ou de la substituabilité de l'aérien au terrestre. C'est le moment où la montagne et le ciel permutent.

Je terminerai par le tout dernier recueil d'Aïgui, *Toujours plus loin dans les neiges*, présenté et traduit par Robel. Je vous lis ce qui, pour nous, dans l'ordre de la traduction disponible, est véritablement le dernier poème d'Aïgui puisqu'il est daté de 2004. Il a pour titre « De plus en plus autrement sur la terre », et pour sous-titre « À propos des tableaux d'un ami ». Aïgui va dire pourquoi cette peinture est de plus en plus autrement sur la terre, c'est encore une fois la question de l'ici : comment être autrement ici ? La peinture nous indique un lieu qui est le lieu de l'autrement-ici.

> Dans les herbes de la terre, petit à petit entre la luminescence des souvenirs de l'artiste. La reconnaissance comme mouvement fluctuant chuchote par leurs stations. La disposition à s'agiter d'un instant à l'autre, respiration du monde comme souffle régulier et, surgissent des espaces de plus en plus semblables à une haute

tranquillité. On dirait que la parole de Sarof tient ton esprit en paix.... Sur ses toiles de plus en plus hautement...

Nous aurons donc une pensée, et bien plus qu'une pensée, pour ce très très grand poète.

Nous revenons maintenant à notre schéma. Je vous rappelle qu'il est destiné à inscrire le mouvement par lequel se constitue le rapport impossible en apparence entre l'ontologie des multiplicités indifférentes et la thématique des vérités éternelles. Je le redis de la façon la plus simple et la plus architecturée. Comment se fait-il que, admettant qu'il n'y ait rien d'autre que des multiplicités indifférentes, des multiples de multiples, on puisse soutenir que cependant il y a des vérités ? Qu'est-ce qui rend acceptable cette juxtaposition terminale ? Car il ne s'agit pas de deux mondes séparés : dans les mêmes mondes, il y a ontologiquement des multiplicités indifférentes et subjectivement des vérités soustraites au temps. J'y insiste, nous ne sommes pas dans la solution métaphoriquement platonicienne consistant à distinguer deux mondes : nous ne disons pas que le monde des vérités éternelles est juxtaposé de façon extérieure à l'immanence des mondes présentés, des mondes sensibles. Il n'y a aucune distinction entre sensible et intelligible pas plus qu'entre monde inférieur et monde supérieur ou entre monde des vérités et monde des multiplicités indifférentes. C'est au point du même qu'il y a les deux. Les vérités éternelles sont créées et disposées, de l'intérieur d'un monde particulier, sans intervention d'un autre monde. Nous sommes donc à la recherche d'un « platonisme sans dualisme ». Et ce qui est platonicien, c'est précisément de dire qu'il y a le deux au point du même.

Cette question de la genèse du deux au point du même est un problème platonicien fondamental puisque c'est chez Platon le problème de la participation : la participation, c'est l'idée que, étant donné un objet sensible quelconque, c'est bien un objet sensible, il est là, mais en un autre sens il participe de l'intelligible. Chez Platon, ce n'est pas qu'il y a deux mondes, ça, c'est un cadre de commodité (c'est comme si vous coupiez en deux le schéma) ça ne va pas vous dire comment ça communique. La théorie platonicienne de la participation, qui est loin d'être claire, consiste à dire que la même chose, une table par exemple, est bien là, elle est absolument et de part en part dans le sensible. Mais d'un autre côté, le fait qu'on soit en mesure de dire que c'est une table exige qu'elle participe de l'univers intelligible, c'est-à-dire qu'elle communique de façon particulière avec l'idée de table. La participation est au cœur du platonisme, c'est une question importante et décisive, mais en même temps extrêmement complexe. Cela consiste à dire qu'au point du même, à savoir cette table, il y a cette table et puis il y a autre chose que cette table, qui cependant est immanent à la table, qui est le mode sur lequel elle participe de l'intelligible. Ce sont là des rappels tout à fait scolaires, mais c'est pour vous dire qu'on peut appeler « platonisme » la conviction qu'il n'est possible de rendre raison de l'un qui est là, que pour autant qu'il est aussi, et en même temps, traversé par le deux. C'est-à-dire que quelque chose de l'un qui est là, participe, au point du même, de son autre : la table sensible et la table intelligible, c'est bien joli de les séparer, sauf que le problème important et intéressant c'est : comment la table sensible se laisse-t-elle reconnaître du point de l'intelligible ? On peut donc parler de « platonisme sans dualisme » et en un certain sens on peut le dire de Platon lui-même puisque, par l'argument de la participation, il est déjà vrai chez lui que c'est au point du même que quelque chose se donne de l'autre. Et que donc tout 1 est 2. C'est ça le platonisme.

« Tout 1 est 2. » Moi je dis : tout monde est susceptible d'être aussi le lieu de quelque chose de trans-mondain. En tout monde peut procéder un élément qui est trans-mondain, c'est-à-dire un élément qui est reconnaissable comme tel du point d'un autre monde. Et une vérité c'est ça. Une vérité c'est quelque chose qui est identifiable comme vérité, y compris dans des positions qui ne sont pas immanentes au monde où cette vérité a été disposée, déployée ou créée. Une vérité est trans-mondaine en ce sens-là. Mais il va bien falloir dire aussi qu'elle est mondaine, puisque ce n'est que dans un monde qu'une vérité peut advenir. Et ce au sens fort : non seulement ce n'est que dans un monde qu'une vérité peut advenir, mais elle advient avec les matériaux de ce monde, la matérialité d'une vérité est intégralement celle d'un monde. Cependant il y a en elle quelque chose d'autre que cette identité mondaine qui permet qu'elle soit identifiable comme telle du point d'un autre monde, au sens où elle peut y être ressuscitée. Car la rendre active dans un autre monde suppose une procédure, cela n'a rien de contemplatif. Il faut que, dans la procédure mondaine particulière, soit réactivée la disponibilité de la vérité telle qu'elle a été constituée dans un autre monde.

Reportez-vous au schéma. La dernière fois on avait commencé par spécifier pourquoi il y avait trois régions. Le « il y a » comme région générique ; c'est-à-dire qu'« il y a », au point du même, des multiplicités indifférentes et des vérités éternelles. La « région de l'être », qui est la disposition structurale des multiplicités indifférentes, c'est-à-dire le mode à partir duquel se pense leur apparaître. Et la « région du sujet » qui est la région où procèdent les vérités. Le schéma nous donne à la fois une corrélation et une torsion. C'est une corrélation parce qu'il y a un chemin qui se dessine : multiplicités indifférentes → événement → vérités éternelles. On n'est pas dans une disjonction des deux mondes. Mais il y a une torsion qui est représentée par l'excentrement de l'événement. L'événement est le point de jonction, d'articulation et de coupure entre les deux régions, entre la région de l'être et la région du sujet ; il y a donc bien une séparation. Il y a une distinction, mais qui n'est pas disjonctive, entre la région de l'être et la région du sujet. En fin de compte, penser ce qu'il y a c'est penser le mode sur lequel on peut articuler la région de l'être et la région du sujet.

La dernière fois nous avions commenté être-là, apparaître, consistance logique, transcendantal, inexistant, points et événement. Je le refais à toute allure. Multiplicités indifférentes, c'est ce qui se laisse penser mathématiquement comme multiplicités de multiplicités, sans point d'arrêt dans l'un et sans détermination qualitative particulière. Ces multiplicités doivent apparaître et un monde c'est le lieu où elles apparaissent. Cet apparaître est consistant, ce n'est pas un chaos. L'apparaître n'est pas chaotique, il a un ordre. Cet ordre peut changer mais il y en a toujours un. Il y a donc une consistance logique de l'apparaître. On peut même dire que toute logique est en réalité une logique de l'apparaître. La régulation de cette logique, on l'appelle le transcendantal. Le transcendantal c'est simplement la disposition qui permet de penser pourquoi l'apparaître est consistant, pourquoi il y a une logique de l'apparaître. L'inexistant est un point de corrélation obligé entre le transcendantal et les multiplicités, c'est-à-dire que dans tout monde il y a un multiple qui inapparaît. Ce multiple qui inapparaît singulièrement dans ce monde est l'inexistant propre de ce monde. Enfin, un point c'est une disposition singulière d'un monde, qui est la possibilité (dans certains cas l'impossibilité) que celui-ci soit transcendantalement disposé de façon à être exposé à un choix binaire, à la possibilité d'un oui ou d'un non. On appelle ça un point du transcendantal et, par voie de conséquence, un point du monde. Tout cela est susceptible d'une exposition objective. La pensée des multiplicités indifférentes, c'est la théorie pure des multiplicités mathématiques. La théorie de l'apparaître, c'est la logique. La clé de la pensée de l'apparaître c'est la question de la pensée de sa consistance : il y a donc un monde, et pas un chaos. Le transcendantal, c'est l'armature la plus générale possible, de ce que c'est qu'une logique de l'apparaître. L'inexistant, c'est un point singulier dans tout monde. Et les points, eux, c'est le mode propre sur lequel un monde peut, ou ne peut pas, passer par le défilé d'un choix radical.

Tout ça est également susceptible d'une analytique détaillée, que je ne fais pas ici mais que vous trouverez dans *Logiques des mondes*. C'est la pensée, pas uniquement de la figure générique, ontologique, de l'être comme tel, mais aussi de la part logique de l'ontologie. En effet, dans « ontologie » vous avez l'être comme tel, mais vous avez aussi « logie », *logos*, « logique », et ça se dispose comme la loi d'apparaître des multiplicités. C'est une manière détaillée de proposer une intelligibilité de la logique comme principe de cohésion de l'apparaître. Cette idée est très ancienne, vous la trouvez chez les stoïciens, et en un certain sens également chez Kant, mais elle est reprise ici dans des termes et avec des procédures tout à fait nouvelles, qui permettent de penser non seulement qu'il y a des multiplicités indifférentes, mais que ces multiplicités se disposent dans des coexistences qui sont des coexistences logiques, et non pas des coexistences désorientées. Événement veut simplement dire la survenue d'une dérégulation transcendantale. On a détaillé la chose la dernière fois en indiquant qu'événement est pris dans plusieurs formes possibles du changement. C'est la forme la plus radicale du changement, celle qui entraîne une dérégulation du transcendantal lui-même. Un événement ça porte atteinte à la logique du monde, et pas simplement à ce qui importe ou n'importe pas dans ce monde. Un événement porte atteinte à la logique du monde du double point de vue de l'inexistant et des conséquences.

On peut appliquer ça à l'analyse, au système de questions que je vous proposais tout à l'heure au sujet de la séquence pertinente pour analyser les derniers événements dans la France d'aujourd'hui. La question de la séquence est une question qui porte sur l'amplitude, sur l'échelle, véritable d'où l'événementialité de l'événement apparaît. Quelle est l'échelle ? C'est une sorte de décision sur le monde où vous allez disposer l'événement en question. Dire qu'il y a la lutte contre le CPE et dire qu'il y a une séquence qui commence en 1995, ce n'est pas la même chose du point de vue du monde à propos duquel vous dites qu'il y a ou qu'il n'y a pas événement. Vous fixez une échelle, donc un environnement mondain qui n'est pas le même dans les deux cas. Et bien entendu vous obtiendrez des conclusions différentes quant à l'événementialité de l'événement parce que vous n'aurez pas les mêmes considérations sur ses effets transcendantaux, c'est-à-dire sur ses effets sur la logique. En effet la logique que vous mettez en scène n'aura pas les mêmes opérateurs selon que vous dites que cette affaire doit être prise dans un ensemble qui dure dix ans, ou que vous dites que cette affaire doit être prise dans les deux mois de son surgissement. Vous n'aurez pas les mêmes principes de cohésion, et vous n'aurez pas non plus les mêmes évaluations quant à l'événementialité de l'événement.

La question de l'événement comme unique capacité d'articulation des multiplicités indifférentes aux vérités éternelles est une question qui se pose au regard de l'unité mondaine dans laquelle on travaille. Vous avez deux critères principaux d'évaluation. Il y a événement s'il y a relève de l'inexistant, c'est-à-dire si un point attesté comme inexistant dans le monde se trouve indexé à une apparition maximale. Il faut commencer par repérer ce qui inexistait, et non pas seulement ce qui existait. Qu'est-ce qui inexistait de telle sorte que l'événement l'a fait apparaître comme tel, dans son intensité indubitable de présence au monde ? C'est le premier point. Et deuxièmement, il s'agira de savoir si l'événement lui-même est situable dans le monde avec une intensité d'apparition donnée. Ainsi l'interrogation sur l'événement, et par conséquent la question de savoir comment on évalue ce qui s'est passé, quelle est la discipline des conséquences, est relative au monde, donc suppose toujours une périodisation en termes historico-politiques, un choix séquentiel. Cela veut dire qu'il faut identifier le point d'inexistence dans la situation considérée. Reprenons notre exemple. Si on interroge la révolte des jeunes des banlieues l'attestation quant à l'inexistant est relativement claire : c'est évident que des gens qui sont ici sont considérés, en fait, comme un corps étranger. Donc une certaine loi du monde les déclare inexistants, bien que naturellement ils existent. Dans ce cas on voit bien que, quels qu'en soient les contours, la révolte signifie quelque chose comme « nous vous sommons de désigner notre existence ». Du coup l'élément de relève de l'inexistant est immédiatement lisible. Car les questions que tout le monde pose vont être : « Est-ce que ces gens existent ou pas ? » C'est ça qui est immédiatement en cause. Ensuite : « Est-ce que c'est bien ou mal que ces gens existent ? » « Est-ce une calamité ? Une pathologie sociale ? », etc. On en discute dans tous les coins et tout ce qu'on trouve à leur répondre c'est : « Si vous ne nous aimez pas, partez ! » Tout de même, nul n'est obligé d'aimer Le Pen. On n'est même pas obligé d'aimer la France. Il y a des moments où je ne l'aime pas du tout, il faut le dire. Si vous êtes dans la France de Pétain, ou pendant la guerre d'Algérie vous n'êtes pas obligé de lui vouer un amour considérable. J'ai connu personnellement de longues périodes où la France était franchement épouvantable. Alors ça veut dire quoi « aimer la France » ? Et si on répond à ces gens : « Si vous ne l'aimez pas, partez ! », est-ce que moi aussi je vais partir ? On voit bien que ce qu'il y a derrière, c'est un racialisme à peine camouflé. Ça veut dire : « Tels que vous êtes, vous n'êtes pas en état d'aimer vraiment la France. » Ce qui entre parenthèses revient à dire ne pas être en état de trouver formidable Sarkozy. Il y a des tas de gens qui aiment Sarkozy. C'est la forme spécifique de leur amour de la France. Peut-être qu'ils vont l'aimer président, allez savoir. Mais on n'est pas obligé d'être comme eux. Tout ça porte sur la question de l'inexistence. Est-ce que l'inexistant existe ? Et le débat se poursuit sur : qui existe ici ? C'est un débat sur « ici », cela nous ramène à Aïgui. Finalement : qui est d'ici ?

En revanche, si vous prenez la séquence très courte du CPE, c'est moins évident, il faut le reconnaître. Cela ne la disqualifie pas, mais c'est moins évident, parce que c'est plutôt un problème de « ne pas vouloir que quelque chose qui est établi, installé (le Code du travail, etc.) », soit barré d'un coup de plume. Donc en un certain sens, vient s'ajouter une dimension conservatrice, un élément objectif, alors que dans le premier cas, y compris dans la fureur aveugle, absolument prépolitique, ce n'était pas du tout « on veut que ça reste comme c'est ». C'est pourquoi je pense qu'il est préférable d'articuler les deux séquences en une seule. Car dans la question de l'événementialité qui nous occupe, les conséquences ne seront pas les mêmes. Peut-être que si on élargit encore plus la séquence, la capacité d'intégration des éléments hétérogènes sera, du point de vue des questions difficiles qui sont les nôtres, plus créatrice que si on la restreint sur la particularité événementielle en séquences plus courtes. Je tenais à ce que vous compreniez bien ce qui est en jeu. Il s'agit dans l'événement de tout autre chose que de simplement quelque chose qui arrive, même avec une forte intensité. On parlera d'événement si l'intensité est telle que ce qui arrive a puissance de relever l'inexistant en un point de la situation, ou en un point du monde.

Supposons maintenant que nous ayons quelque chose de cet ordre : comment explorer, à partir de là, la région du sujet ? C'est un peu notre enjeu d'aujourd'hui. Comment rendre lisible la barre d'en dessous, le cheminement qui conduit de l'événement aux vérités éternelles ? Regardez bien le schéma parce que les corrélations imposent de traiter la chose dans un certain ordre. En effet, ce n'est pas rationnel d'expliquer organes, puis trace, puis conditions d'existence, puis nouveau corps, puis présent créateur, même si, d'une certaine manière, c'est un ordre possible. Mais il faut considérer d'abord les corrélations verticales que nous allons expliquer dans l'ordre, suivant leur numéro : 1. la corrélation inexistant-trace ; 2. la corrélation consistance logique-nouveau corps ; 3. la corrélation être-là-présent créateur, 4. la corrélation transcendantal-conditions d'existence (on est revenu en arrière) ; 5. la corrélation points-organes.

Nous nous situons dans un monde qui a été affecté par un événement, au sens où, d'abord, ce qui s'est passé est apparu avec une intensité maximale et ensuite, où cela s'est avéré capable de relever l'inexistant du point de vue des conséquences. Encore une fois, on peut prendre de nombreux exemples, mais essayons de travailler la conjoncture la plus récente, c'est toujours la chose la plus active mentalement. Supposons qu'avec ce qui s'est passé là, nous ayons eu les moyens de décider sur la séquence, que nous ayons eu les moyens d'identifier l'inexistant – pour ma part je suis absolument convaincu que l'inexistant c'est le prolétaire de provenance étrangère sous ses différentes variantes, dont la jeunesse est toujours une métaphore ou une plaque sensible. Supposons que nous l'ayons identifié comme ça ou autrement et que ce qui s'est passé soit tel que ça le relève, c'est-à-dire que ça l'installe au seuil de l'existence politique ou subjective, dans une figure de division de la situation. Ce que nous allons avoir par conséquent, c'est quelque chose qui s'enracine du côté objectif dans l'inexistant. C'est pour ça que c'est ça le premier point à considérer. Quelle va être, dans la nouvelle situation, la trace de l'événement ? Eh bien, la trace de l'événement, c'est précisément la relève de l'inexistant. Je vous signale que vous avez ici une transformation importante par rapport à *L'être et l'événement* ou par rapport à ma pensée antérieure. Dans mon dispositif antérieur je disais qu'il y avait un nom de l'événement et que ce qui subsistait de l'événement dans la situation, c'était ce nom, une nomination de l'événement. C'était un peu compliqué parce qu'on était toujours en droit de dire : « S'il y a un nom de l'événement, qui est-ce qui a donné le nom ? D'où sort-il ? » S'il y a un nom, il y a une nomination, et s'il y a eu une nomination, c'est qu'il y a déjà un sujet. C'était une difficulté considérable que, je dois reconnaître, Jean-François Lyotard avait, le premier, mis en évidence. « En réalité, avait-il remarqué, chez Badiou, c'est truqué ; parce qu'il y a un sujet avant le sujet ; il y a un proto-sujet. » Or le sujet, en principe, est dans la descendance de la nomination, il suppose qu'il y a une trace de l'événement. Et si cette trace est elle-même le résultat d'un acte de nomination, il y a forcément un archi-sujet, un premier sujet qui seul rend possible le sujet proprement dit.

Je propose aujourd'hui de dire que la trace effective de l'événement est une modification du statut de l'inexistant. Il y a événement pour autant que, dans l'ordre de ses conséquences, est avéré que quelque chose qui inapparaissait est venu de façon indubitable à l'apparaître, et ce avec un degré d'apparition maximal. Je crois effectivement que l'expérience courante valide que, lorsque réellement il s'est passé quelque chose qui affecte la logique de l'apparaître, le mode sur lequel la logique de l'apparaître est affectée, c'est d'abord que quelque chose qui inapparaissait apparaît. Ensuite il y a d'autres conséquences. Quelque chose avait un être mais se trouvait disposé de telle façon dans le monde considéré que le statut de cet être était de ne pas apparaître, qu'il était dans la modalité de n'y pas être. Politiquement la métaphore est celle de « l'ouvrier clandestin », comme on dit : il est là mais il n'est pas là, on ne sait pas, il ne devrait pas être là ; il est expulsable. Il a le statut juridique de celui qui est là sans y être : on va le renvoyer puisqu'il ne devrait pas être là.

Il est très intéressant sous cet angle de prospecter la question de la rencontre amoureuse, c'est l'un de nos exemples canoniques. Là aussi, il y a de toute évidence une figure de l'inexistant qui était proprement une relation inexistante. Quelque chose, un lien, qui n'avait pas à apparaître, qui ne pouvait pas apparaître, apparaît maximalement, dans une intensité ravageuse. Et cette intensité est ravageuse parce qu'elle est antérieurement soutenue par de l'inapparaissant. Elle est hantée par le fait qu'il n'y avait, à proprement parler, pas lieu qu'elle apparaisse, cette relation dévastatrice. Mais elle est apparue. C'est ça qu'on appelle « une rencontre ». Dans une vraie rencontre, les gens étaient indifférents, ou ne se connaissaient pas. Il y a aussi les cas romanesques où ils s'aperçoivent, de façon foudroyante, qu'ils s'aiment alors qu'ils se connaissent depuis dix ans dans le cadre le plus plat. Toutes les variantes sont possibles. En tout cas ce qui est sûr c'est que le schéma formel est l'apparaître radical de quelque chose qui n'apparaissait pas. On pourrait voir ça aussi dans l'apparition de ressources musicales qui étaient précisément forcloses avant leur apparition, etc.

C'est sûr : ce qui atteste un bouleversement de la logique d'un monde, c'est d'abord que l'inexistant d'un objet se met à apparaître. C'est ça la trace. La corrélation inexistant-trace est particulièrement limpide : il y a trace de l'événement, au sens où l'inexistant change de statut transcendantal, passe du degré minimum au degré maximal d'apparition, faisant trace immédiatement de ce qui n'apparaissait pas. Cela veut dire aussi autre chose. C'est un point que je fais circuler dans l'autre texte que je vous ai donné au début de l'année, qui est la conclusion de *Logiques des mondes*. Ça veut dire que la difficulté de la vigilance par rapport aux vérités, c'est que c'est une vigilance à ce qui n'apparaît pas, puisque c'est là que vous allez avoir la possibilité d'une trace. Ce qui apparaît maximalement n'est intéressant que pour autant qu'il est le résultat d'un inapparaître antérieur. Et donc, s'il y a, ce qui n'est pas sûr, une éthique générale, une de ses maximes c'est certainement : « Sois particulièrement attentif à ce qui n'apparaît pas. » C'est vraiment le contraire de l'éthique commerciale, pour laquelle ce qui domine c'est : « Ne t'intéresse qu'à ce qui apparaît. » Ce serait même : « Ne t'intéresse maximalement qu'à ce qui apparaît maximalement ! » D'où les publicités du type : « 500 000 personnes ont vu ce film. » On voit bien quelle est la nature exacte de cet argument. C'est un argument anti-événementiel au sens strict, qui revient à dire : « Pour autant que ça apparaît conformément aux lois transcendantales établies de façon maximale, c'est intéressant, incorporez-vous donc à ce maximal ; soyez le cinq cent mille unième ! » Voilà qui nous fera une belle jambe ! En tout cas ça permet à certains de passer à la caisse.

Comme vous le voyez dans la mesure où l'événementiel c'est ce qui n'apparaissait pas, le repérage de sa trace a toujours lieu sur l'horizon de l'inapparaître, et non pas sur l'horizon de l'apparaître. En même temps, ça apparaît maximalement dans la séquence post-événementielle, sur le fond de l'inapparaître. Se pose alors la question de la capacité de diagnostic. Qu'est-ce qui, dans un monde, est important quant au repérage de sa capacité aux vérités ? C'est bien du côté de ce qui apparaît. Mais c'est du côté de ce qui apparaît, en tant que relié souterrainement au fait de n'avoir pas été dans l'apparaître, d'avoir fait l'épreuve du non-apparaître. C'est ce que j'appellerais la dialectique de la trace. Après tout, pour prendre une métaphore, dans la chasse aux vérités il faut trouver la trace. Et trouver la trace c'est une dialectique singulière, parce que ça se passe dans l'éclat maximum, en tant qu'il est hanté par le non-apparaître radical. C'est ça la première opération de diagnostic sur la trace.

Ensuite quelque chose va se constituer autour de la trace. Parce que, au départ, il n'y a après tout que la trace. L'événement lui-même, est évanoui. Il a lieu et puis il disparaît. En tant que composition événementielle, c'est-à-dire en tant qu'articulation objective, il n'apparaît que pour disparaître. Mais il laisse la trace. Donc ce qui compte, du point de vue de la procédure de vérité, c'est la trace. La trace qui va tenir en quelque sorte le non-apparaître dans l'apparaître, qui combine la possibilité du non-apparaître dans la modalité de l'apparaître. Par conséquent tout ce qui s'organise en fait de vérité va s'organiser autour de la trace. Il n'y a que cela qui atteste, dans les conséquences, l'effectivité événementielle. J'appelle « corps de vérité » ou « nouveau corps », le corps, c'est-à-dire la multiplicité, la composition multiple, qui va s'organiser, se regrouper autour de la trace. Un critère formel assez simple c'est que le nouveau corps va être constitué de ce qui existe maximalement en relation à la trace. On peut donner à cela un sens technique, mais ce n'est pas vraiment la peine ici. D'ailleurs vous voyez bien ce que ça veut dire : si quelqu'un par exemple assiste à quelque chose qu'il interprète comme une révolution, ou comme un événement historique majeur, il va participer au nouveau corps qui va se constituer autour de la trace de cet événement majeur, pour autant que sa propre existence individuelle est dans une relation maximale à cette trace, c'est-à-dire à l'inexistant tel qu'il a été relevé. Si par exemple vous êtes comme Marx et que vous pensez que l'inexistant politique c'est le prolétariat, et que les révolutions politiques c'est ce qui fait exister ou apparaître ce prolétariat inexistant, vous allez participer au corps politique, à l'Internationale, la Ire par exemple, pour autant que votre propre existence va être liée à cette relève de l'inexistant. Inexistant qui existe, ou non-apparaître qui apparaît de façon également maximale. Autrement dit, le nouveau corps va se composer de tout ce qui s'agglomère à la trace, dans la figure d'une intensité maximale, à savoir tout ce qui va exister, autant qu'il est possible d'exister, dans l'identité à la trace.

On peut également donner des exemples très simples, très ordinaires, de ce que, une fois la trace identifiée, le destin personnel peut être de s'incorporer maximalement aux entours de cette trace et à ce qui se coagule autour de cette trace. C'est ça entrer dans un corps de vérité, s'incorporer à une vérité. Une vérité en devenir naturellement, une vérité encore inconstituée. Une vérité dont n'existe que la trace. Pour autant que vous allez être dans une norme de votre existence, maximalement reliée à cette trace, vous allez entrer dans un corps de vérité. Et ce corps de vérité est un nouveau corps. Il est nouveau évidemment puisque dans le monde antérieur il n'avait pas lieu d'exister, la trace n'étant pas constituée comme trace. C'est pour ça que, en ce sens-là, c'est bien un corps événementiel, un corps qui ne se constitue comme objet du monde que pour autant qu'il y a la trace de l'événement, et dans des mesures existentielles d'intensité entièrement liées à cette trace événementielle. « Corps » n'a ici aucune signification biologique particulière. Cela désigne un ensemble matériel tel que des individus peuvent s'y incorporer, mais éventuellement d'autres choses aussi. De telle sorte que ce nouveau multiple réel va exister dans le monde, avec comme condition, tout simplement, d'être dans un rapport maximal à la trace événementielle.

Ensuite il y a une liaison entre « nouveau corps » et « consistance logique » parce que pour autant que c'est un nouveau corps, il doit consister. Il est lui-même dans la cohésion de l'apparaître. Ce n'est pas l'irruption du chaos dans le monde. Et donc vous allez avoir la question de ce qu'est la consistance logique du nouveau corps. C'est fondamental car c'est le mode sur lequel va travailler le dysfonctionnement de la logique antérieure. Avant l'événement vous aviez en effet un dispositif de la consistance, et après l'événement ce dispositif est remanié, puisque l'inexistant se met à apparaître. Le corps, lui, va coaguler autour de cette trace. Mais selon quels principes de consistance ? Il y aura nécessairement des règles à trouver, qui vont régir la consistance du nouveau corps, celle du corps de vérité. À ce moment-là nous serons confrontés au problème de la logique mondaine de la vérité. C'est ce qui explique la corrélation verticale entre ce que c'est qu'un nouveau corps et la question de la consistance logique, qui se présente sous la forme de la question : qu'est-ce que la consistance de la procédure de vérité elle-même, en tant que corps qui apparaît dans un monde ?

Or c'est là une question extraordinairement difficile, dans toutes les procédures de vérités que nous connaissons. En politique, c'est la question de l'organisation, en son sens le plus général. Ça a été pendant tout un temps la question du Parti. On peut penser que ce n'est plus le cas. Mais si la question de la consistance du corps n'est plus la question du Parti, c'est de toute façon la question de l'organisation. Et c'est un impératif : vous ne pouvez pas échapper à des énoncés singuliers concernant la consistance du corps tels qu'ils s'articulent et se regroupent autour de la trace événementielle. Il est donc clair que la question de l'organisation va se retrouver dans les autres procédures de vérités. Dans l'art cela sera la question de la nouvelle discipline formelle. Si iconoclaste que vous soyez, il y a toujours une discipline formelle. De même qu'il y a une discipline de l'informe. La question de la discipline formelle, dans l'amour, c'est la question du couple, laquelle est bien la question de la trace événementielle telle qu'elle crée un nouveau régime d'intensité dans une relation. C'est la question de savoir quelle est l'expérience cohérente, dans un monde déterminé, de cette affaire ? La discipline du couple, on peut toujours s'asseoir dessus, mais on en subira les conséquences. Et ce n'est pas strictement une question matrimoniale, c'est une question immanente au devenir de l'amour comme tel. Tout le monde sait que cela requiert de l'invention, de l'attention, de la persévérance. C'est comme la question des nouvelles disciplines formelles, ou celle des nouveaux corps théoriques dans la science. Tout cela relève d'une seule et même question qui est que, à partir du moment où une vérité procède par regroupements corporels autour d'une trace événementielle, elle doit résoudre la question de sa propre cohésion. Une partie finale de *Logiques des mondes* consiste d'ailleurs à montrer que ce point-là est très exigeant. En effet, si l'on veut réellement garantir une consistance minimale du corps de vérité, dans des conditions post-événementielles, il va y avoir une série de critères très contraignants. C'est une des raisons fondamentales pour laquelle il n'y a pas de correspondance terme à terme entre événements et vérités. Il n'y a pas, si je puis dire, autant de vérités que d'événements, même en prenant « événement » en son sens le plus rigoureux. En effet, au-delà de l'événementialité, il faut obligatoirement que le nouveau corps se constitue selon des principes de consistance, qui sont des principes novateurs.

On peut aussi rabattre ce point comme une grille d'analyse sur les événements de la dernière période. C'est absolument évident que la question majeure est de savoir quel corps politique, au sens rénové du terme, surgit de tout cela. Elle ne se réduit pas seulement au problème de savoir s'il va y avoir une organisation qui va hériter de ça. Le problème c'est de savoir quels sont les principes de cohésion (qu'il y ait une ou trente-six mille organisations), quelle proposition de consistance politique nouvelle sort de là. Et s'il n'en sort aucune, ça sera avalé par les vieilles consistances. Parce que la loi de consistance est inéluctable, vous ne pouvez pas opposer l'illogique à la logique, ça ne marche jamais. Il y a des anarchismes vivants, mais le concept d'anarchisme victorieux est contradictoire. Si vous parvenez à résoudre, à expérimenter, à pratiquer la question de la nouvelle consistance du corps vous constaterez que la question la plus concrète et la plus décisive des procédures de vérités, qu'il s'agisse de l'amour et de la politique, comme des autres, ce sont des questions logiques, donc de discipline. Je prends « discipline » au sens de, ce qui de la part organisée (c'est-à-dire de la part de compatibilité immanente) régit un corps de vérités. Ce sont des questions décisives qui périodisent l'histoire des vérités car ce sont celles qui décident de la corrélation effective entre événement et vérité. Ce sont des questions logiques d'abord parce que l'événement est un dysfonctionnement logique, quelque chose qui a porté atteinte au transcendantal du monde. Quelque chose qui ouvre, comme possible, qu'en un point déterminé il y ait un corps dont le principe de cohésion immanente est nouveau ; c'est en fait l'invention d'un nouveau régime de compatibilité entre éléments d'un corps, corps qui peut être celui d'une œuvre picturale ou poétique. Je vous ai dit que pour Celan, comme pour Aïgui, il s'agit, dans la langue, d'un nouveau régime du rapport entre continuité et discontinuité, d'une proposition nouvelle sur les coupes dans la langue, et sur le destin poétique de ces coupes. Cela revient à dire que c'est une nouvelle proposition sur ce que c'est que la cohésion d'un corps poétique. Ce n'est absolument pas un hasard si l'un est un juif allemand qui a traversé l'expérience du nazisme et l'autre un Russe qui a traversé l'expérience du stalinisme. Cela veut dire qu'ils ont eu, dans des conditions absolument dramatiques quant à la langue, à réinventer le principe de cohésion politique de la langue en tant que tel. Qu'ils ont eu, en particulier, à incorporer à la langue, l'expérience d'une interruption de la langue. Qu'est-ce que parler poétiquement allemand après la guerre ? Et qu'est-ce que parler russe, en poésie, là aussi après la guerre, car c'est à ce moment-là que commence Aïgui. Vous voyez bien que c'était une sommation absolument singulière, qui est un enregistrement, dans les mécanismes les plus secrets du corps langagier lui-même, de ce que c'est qu'une compatibilité de type nouveau. Et on voit très bien qu'ils proposent, comme compatibilité, des choses qui auparavant étaient absolument incompatibles. Vous avez un régime de coupures qui, auparavant, était considéré comme insignifiant, ou ne produisant aucun sens. Donc ils forcent le sens dans la direction d'une coupure qui crée un nouveau régime de compatibilité dans lequel il y a une dialectique du courant de la langue et de son interruption qui est absolument nouvelle. C'est ça le nouveau corps et sa consistance logique.

Ce qui résulte de tout cela de façon immédiate, c'est ce que j'appelle un « présent créateur ». Le nouveau corps est un corps actif pour lequel il y a effectivement un nouveau présent : être contemporain du nouveau corps, voilà quel est le présent. Et comme ce présent ne préexiste pas à la formation du corps lui-même, c'est être contemporain de l'époque où l'inexistant est venu à l'apparaître. Ce qui revient à dire, s'incorporer au nouveau corps, c'est la constitution d'un nouveau présent, le présent véritable. Une vérité surgit en tant que création d'un présent nouveau. Reste une question difficile, que tout le monde est finalement amené à se poser. En effet, quand vous avez un grand mouvement, la question n'est pas tant celle du mouvement lui-même qui, c'est sûr, va apparaître et disparaître. Ça va finir par s'arrêter, c'est la seule certitude qu'on ait sur les mouvements. Mais la question est de savoir s'ils auront constitué ou non un nouveau présent. La présence d'un mouvement n'est pas la garantie qu'il constitue dans le monde un nouveau présent politique, tel qu'il fixe une nouvelle contemporanéité. Être contemporain de ça va devenir une loi générale de la nouveauté dans le monde concerné. Un présent créateur n'est rien d'autre que le développement créateur du corps lui-même et de son formalisme subjectif. Ce qui est le mode propre d'apparaître d'une vérité. Une vérité apparaît comme un nouveau présent, c'est-à-dire comme, au sens strict, une nouvelle temporalité, temporalité disjointe, séparée de la temporalité dominante du monde concerné. Une nouvelle manière de vivre au présent. Dans un texte fameux des années 1880, Mallarmé assignait lui aussi les restrictions de la possibilité politique elle-même au fait, disait-il, qu'« un présent fait défaut ». Et il ajoutait : « faute que se déclare la foule ». Si on retourne la phrase, on dira : si la foule se déclare, un présent peut advenir. Mais ça ne suffit pas, on le sent bien. Si la foule se déclare, c'est très bien, mais il faut plus que cela pour qu'un présent se constitue, il faut que se constitue, autour de la trace de cette irruption de la foule, un nouveau corps, qui est le corps de vérité, avec sa nouvelle consistance logique. C'est à ce moment-là, dans ces conditions-là, qu'on sait ce que c'est que le nouveau présent. Le nouveau présent, c'est l'ensemble des mécanismes d'incorporation au nouveau corps et vous existez dans ce nouveau présent pour autant que vous êtes dans cette figure de l'incorporation, qui est le mode propre d'apparaître d'une vérité. Une vérité, elle apparaît comme nouveau présent dans la figure de l'incorporation à un nouveau corps, qui lui-même est pris dans une consistance logique particulière et qui, finalement, s'organise autour de la trace événementielle.

Là, évidemment, on va être renvoyé à la question des « conditions d'existence » générales de ce nouveau présent. C'est la corrélation entre « conditions d'existence » et « transcendantal ». Est-ce que le transcendantal du monde autorise réellement la possibilité maximale qui est celle de l'existence d'un présent créateur ? Nous entrons là dans le matérialisme proprement dit, à savoir dans le problème des conditions de possibilité. Car il n'est pas vrai qu'étant donné n'importe quel monde, n'importe quelle vérité puisse y procéder. Ce serait quand même une vision qui relève de ce que Novalis, le grand poète allemand, appelait « l'idéalisme magique », à savoir, dans n'importe quel monde, n'importe quoi peut surgir. Or tel n'est pas le cas. Nous avons vu que l'événement doit être apte à procéder à la relève de l'inexistant. L'inexistant il y en a toujours, ce n'est pas le problème. Mais autour de cette trace qui est la relève de l'inexistant doit se constituer un nouveau corps, lequel doit se doter de sa propre consistance. Tout cela va donner un nouveau régime du présent, un nouveau régime de la contemporanéité. Mais pour tout cela il y a des conditions transcendantales qui sont les conditions d'existence du présent dans le monde, car tout cela se passe dans un monde déterminé, modifié, atteint dans son transcendantal, mais qui perdure cependant, qui continue à être là et à exister comme monde.

Par conséquent on va avoir des conditions transcendantales d'existence du présent créateur dans la figure du nouveau corps. Il y en a un certain nombre et je n'entre pas dans le détail ici. Elles s'articulent toutes autour d'un point précis qui est qu'il faut que l'incorporation soit réellement possible ; c'est-à-dire que non seulement le nouveau corps doit se constituer autour de la trace, mais qu'il faut que l'on puisse s'incorporer à ce nouveau corps, qu'il ne soit pas un corps fermé. Cela correspond à bien des expériences immédiates et ordinaires : vous pouvez certes constituer un nouveau corps mais s'il est fermé et qu'il n'admet aucune nouvelle expérience, il ne sera rien d'autre que l'inertie de sa propre fermeture. Il va en fait transformer l'événement en répétition, ce qui signifie que le nouveau corps ne sera que le piétinement de la trace. C'est la figure critique de l'impuissance en tant que maladie du corps de vérité. Là aussi on peut prendre l'exemple de l'amour. Un opérateur tout à fait remarquable de cette fermeture, c'est la jalousie. Pensez à *La Prisonnière* de Proust, qui va finalement s'enfermer dans une pièce et ne plus sortir. C'est le moment où l'expérience amoureuse devient défensive, où finalement elle n'existe que pour autant qu'elle ne s'expose plus au monde que minimalement, qu'elle ne va plus rien incorporer, comme expérience supplémentaire, dans sa propre dynamique. Elle devient un ensemble fermé qui va répéter son événement inaugural. Elle sera simplement l'itération de la trace, et non pas l'incorporation du corps. Distinction majeure entre quelque chose qui a constitué un corps comme corps impuissant à s'ouvrir au monde lui-même, et la constitution d'un corps qui est un corps d'incorporation constamment ouvert à des expériences nouvelles. Cela va jouer un grand rôle dans le système des conditions d'existence, parce que le transcendantal intervient dans cette possibilité d'avoir réellement un corps d'incorporation. C'est ça les conditions transcendantales. Il n'est pas vrai que n'importe quel monde autorise n'importe quoi. C'est là qu'intervient la finitude, si précisément on appelle finitude l'action transcendantale de restriction de l'espace des vérités, le fait que certains mondes sont agencés de telle sorte que l'espace des vérités est étroit et que les corps de vérités ne peuvent pas procéder aisément.

Voilà qui nous amène à la dernière corrélation, parce qu'un aspect fondamental de cette réflexion, c'est ce qui se passe quand le transcendantal du monde contient peu de points, c'est-à-dire peu d'expositions du corps à des choix. Car l'incorporation se fait toujours autour d'un point, c'est-à-dire autour du moment où le corps, pour traiter une situation particulière, doit choisir de passer par ici ou par là. Et si un monde a peu de points, il propose peu de moments de cet ordre, c'est-à-dire qu'il n'impose au corps que très peu d'expériences décisionnelles. J'appelle « expériences décisionnelles », de façon tout à fait formelle et abstraite, la nécessité de choisir entre deux possibilités dans ce moment où le monde entier, pour le corps, se contracte dans l'exigence d'un choix radical entre deux options. Or la chance d'un corps de vérités menacé par la répétition, c'est toujours d'être exposé à un choix de ce genre, d'avoir à faire face à une alternative. Sinon le corps n'arrive même pas à distinguer en lui-même répétition et incorporation. Il se répète sans le savoir. On sait très bien que ce qui réveille, ce qui régénère un corps endormi, c'est la nécessité absolue d'avoir à décider quelque chose. De ne pas pouvoir, justement, persévérer dans son être mais d'être convoqué, ou sommé par le monde, de parier sur quelque chose, car là vont être décidées les nouvelles incorporations, les nouvelles modifications du corps de vérités. Ça aussi c'est une expérience très connue : à partir du moment où plus rien n'a à être décidé, on est dans l'instance de la répétition.

Il est donc évident que laisser ouverte la possibilité de l'incorporation pour un corps de vérités, c'est toujours être dans l'épreuve de quelques points. Or certains transcendantaux restreignent énormément cette possibilité, voire l'annulent. C'est ce qui se passe dans ce que j'ai appelé les mondes atones, ces mondes où il n'y a pas de points. Dans ce cas, il faut changer de monde. Et c'est possible. On peut changer de monde parce que changer de monde, c'est souvent changer d'échelle. Comme je vous le disais au tout début de ce séminaire, si vous choisissez de replacer la lutte contre le CPE dans un espace qui est un espace séquentiel d'au moins dix ans, vous le considérerez autrement, c'est-à-dire que vous disposerez le même multiple dans un autre monde, dans un autre transcendantal, dans un espace qui, peut-être, contient d'autres points. C'est pourquoi il n'y a pas de destin du monde atone parce qu'on peut changer de monde. Il n'en reste pas moins que changer de monde est toujours un plan d'épreuve lui-même d'une grande difficulté. D'où l'importance fondamentale, dans les conditions transcendantales de persévérance et de recréation d'un corps de vérités, de savoir si le transcendantal du monde autorise qu'il y ait des points.

Comme vous le savez, notre monde est un monde dans lequel on fait doctrine de ce qu'il n'y a pas de point à proprement parler. C'est la propagande sur les nécessités. Les nécessités, c'est qu'il n'y a pas de points. Vous pouvez certes choisir mais malheureusement, quand on vous dit qu'il y a un choix, c'est toujours pour vous expliquer qu'un des choix n'est pas vraiment un choix parce que ce serait simplement la conservation catastrophique des archaïsmes du passé. La propagande générale consiste à dire : « Vous croyez qu'il y a un choix, mais en réalité il n'y en a pas, parce qu'au fond une des branches du choix n'est que du conservatisme pur et simple. » C'est la propagande journalistique ininterrompue sur le fait que les Français ont une nature particulière qui est un « conservatisme inébranlable », parce qu'ils veulent absolument garder ce qu'ils ont et que donc ils refusent toujours les réformes. En même temps on explique que les réformes sont nécessaires, qu'il s'agit de s'accommoder à la mondialisation, que les nécessités économiques font par exemple qu'il est impossible de continuer à payer les mêmes retraites qu'avant, que tout ça c'est le temps passé.

Pendant une partie du mouvement contre le CPE j'étais aux États-Unis. La présentation du mouvement y était remarquable. C'était : « Il n'y a qu'une seule chose qui est plus bête que le gouvernement, ce sont les manifestants. Parce que le gouvernement, il aurait dû faire comme on fait d'habitude : discuter, négocier, convoquer les gens, etc. Mais tout ça, il l'a mal présenté. Il est mauvais. Et puis les manifestants, sont très mauvais aussi, parce que ce sont des archaïques convaincus, qui veulent à tout prix garder ce qu'il y a. Qui ne rêvent, alors qu'ils sont tout jeunes, que d'être toute leur vie des fonctionnaires. Ce sont des petits vieux. Ils ne veulent pas prendre de risques. » On avait envie de leur dire : « Mais pourquoi est-ce qu'ils prendraient des risques pour engraisser un certain nombre de nababs ? » Parce que c'est quand même ce qu'on leur demande : « Prenez des risques, n'ayez plus aucune sécurité d'emploi, qu'on puisse vous virer quand on veut ; et surtout travaillez dur ! » Au terme de quoi il y aura quelques milliardaires français de plus. Cela pour vous dire que la conviction profonde qu'on cherche à installer, c'est qu'il n'y a pas de points. Ou que tout point apparent est un faux point, un trompe-l'œil. En réalité, ce qu'on vous appelle à décider, sous le nom de réformes, c'est simplement d'être comme le monde tel qu'il exige que vous soyez. C'est ça l'absence de points.

Le traitement des points est donc une réquisition fondamentale du développement des corps de vérités. Et on appellera « organes » ce qui, dans le corps, se constitue comme apte à traiter des points. Dans l'organisation intérieure du nouveau corps, un point aura à être traité par un organe approprié à ce point. Ça se comprend parfaitement. Si vous êtes confronté à un point, il va falloir que le corps, si je puis dire, passe dans le point, passe dans la décision strictement binaire qui lui est infligée. Et pour ça, il va falloir qu'il se remodèle intérieurement de manière à être apte, en effet, à traiter le point. On pourrait ainsi donner une définition de ce que c'est qu'« un corps sans organes », pour reprendre la fameuse expression de Deleuze. Un corps sans organes, c'est un corps livré à un monde sans points. Un corps sous la supposition que son horizon est un monde atone. En revanche, si le corps est réellement confronté à des points, alors il doit avoir les organes qui correspondent au traitement de ces points. Demandez-vous par exemple ce que veut dire, pour le mouvement, quelle qu'en ait été la séquence, traiter le point « récupération par la gauche parlementaire ou pas », ce qui est vraiment un point. Vous voyez bien qu'il doit y avoir une constitution subjective interne à ceux qui se saisissent de ce point, qui les rend aptes à le traiter. Parce que s'il n'y a rien de nouveau apte à le traiter, il sera traité selon la logique antérieure qui est précisément que le destin inéluctable de pareils mouvements est de se solder par un gouvernement de gauche. Exactement comme le mouvement de décembre 1995 a en effet préparé le retour des socialistes au pouvoir, avec les résultats que l'on sait.

L'organe est donc un remodelage intérieur au corps, tel que la nature singulière du point auquel il est confronté peut faire l'objet d'un traitement qui ne sera pas la liquidation du corps mais son développement. Quand on parle d'un organe, on parle d'un organe qui traite le point au bénéfice du corps. Pas au bénéfice de la situation, car ça voudrait dire qu'il le traite contre le corps, ou par liquidation du corps. La notion d'organe suppose donc, premièrement, que dans l'objectivité du monde il y ait des points, que le transcendantal présente des points, et deuxièmement, que le corps soit apte à se présenter devant le point, à traiter le point de telle sorte qu'il le traite au bénéfice d'une réouverture de l'incorporation. Pour reprendre l'exemple d'un amour : si vous êtes confronté à un choix dramatique qui concerne le couple comme tel, il faut que le mode d'être intérieur du couple, la façon dont il discute les choses, dont il décide, soit telle qu'elle soit apte à traiter le point en question afin de rouvrir au couple l'expérience amoureuse du monde. C'est ça qu'on appellera un organe, c'est-à-dire une création immanente au corps, telle qu'il peut traiter un point – qui est toujours une épreuve, une concentration du monde sur un choix – au bénéfice de sa propre incorporation, de sa réouverture.

Je résume l'ensemble de la procédure.

Autour de la trace événementielle, se constitue un nouveau corps ; ce nouveau corps est doté d'une consistance logique qui lui est propre ; cette consistance logique permet de parler d'un nouveau présent, d'une nouvelle contemporanéité de l'incorporation elle-même. Si le transcendantal autorise que se développent ces incorporations, donc que ce présent s'institue véritablement comme présent, le corps développe en son propre sein les organes nécessaires pour affronter des points, de telle sorte qu'il se renforce et qu'il réouvre son incorporation. En fin de compte, dans la figure d'un sujet, qui est le formalisme du corps lui-même, tout cela va dessiner et instituer une nouvelle vérité. Et cette vérité sera éternelle, précisément parce qu'elle aura été le solde, dans un monde, de la création d'un nouveau présent. C'est la présence radicale de l'ensemble de la procédure qui institue l'éternité comme telle. Et c'est précisément parce que ce n'est pas dans une conséquence de l'ordre existant, mais dans l'institution d'un nouveau présent, que ce nouveau présent est réactivable. En effet, quand un présent est créé de façon séparée du monde particulier dans lequel il s'instaure, alors il a une existence comme présent. Et cette existence comme présent peut du coup être réactivée dans une autre procédure de vérité, ou dans un autre monde. Car l'éternité c'est la réactivation possible du présent, telle est la définition matérialiste, non religieuse de l'éternité. C'est la possibilité de la résurrection du présent dans un autre monde.

Mais tout cela suppose évidemment beaucoup de conditions. Ce qui explique que les vérités soient relativement rares.

Merci.

XIV

31 MAI 2006

Je voudrais commencer aujourd'hui en reprenant, en rouvrant, hélas, la rubrique des disparitions. J'indiquerai pourquoi je reviendrai un tout petit peu sur le grand poète russe Aïgui et je vous parlerai de la mort d'un autre poète et écrivain, à mon avis tout à fait remarquable et partiellement méconnu, à savoir Jean Grosjean, mort tout récemment.

Cette insistance sur Aïgui a pour moi une signification plus générale, qui est l'importance exceptionnelle du poème, comme condition générique de la philosophie. Le poème comme forme radicale de la langue, comme ce qui, dans la langue elle-même, et par sa métamorphose immanente, intérieure, coupe vers une déclaration essentielle. Tout poème est finalement dans la forme de la déclaration, et pas du tout dans la forme de l'argumentation, ni de la démonstration. C'est une déclaration qui doit être jugée comme telle et qui ne s'autorise que d'elle-même, c'est-à-dire qui n'est pas prise dans un réseau commun de règles. De là évidemment que le poème est cette autre extrémité de la capacité de la langue par rapport au formalisme mathématique. Le formalisme mathématique est anonyme, même si on connaît des noms propres de théorèmes. Il s'ensuit, comme disait Lacan, qu'en raison précisément de son anonymat, il est transmissible intégralement, alors que le poème est radicalement propre, radicalement singulier. La raison de fond c'est que la mathématique c'est ce qu'il y a d'extrême dans la langue, du point de vue de sa capacité à obéir à une règle, à être dans le partage absolu de la transmission dès lors que la règle est comprise. Une démonstration est une démonstration pour tout le monde ; celui qui la fait, celui qui l'a inventée, s'efface et disparaît derrière la possibilité de la re-faire, de la re-comprendre dans son universalité intégrale, dans sa transparence pure. Tandis que, à l'autre extrémité, le poème, quoique pris dans des règles d'agencement ou d'organisation, est précisément ce qui n'en demeure pas moins une déclaration qui est au risque pur du sujet et sera évaluée de ce point de vue, pas du point de vue de la conformité de son processus à une règle partagée.

Si bien qu'on peut dire que le mathème, la mathématique, c'est la dimension extrême d'anonymat de la langue, tandis que le poème est la forme extrême, radicale, de sa singularité. Comme vous savez, j'ai toujours soutenu que c'étaient deux conditions essentielles de la philosophie. Et qu'elles l'étaient dans leur compatibilité paradoxale, dans leur disjonction essentielle. Nombreux sont les poètes d'ailleurs qui ont ressenti avec les mathématiques comme une rivalité, ou comme un espace de discord homogène, tel Mallarmé, tel Pessoa, et beaucoup d'autres. Je le dis d'autant plus que si mon usage des mathématiques est souvent considéré comme une des racines de mon obscurité essentielle, je soutiens que l'usage du poème, aussi important pour moi, quoique dans un autre ordre et pour d'autres raisons, ouvre à des difficultés au moins aussi, sinon plus considérables. Précisément à raison de ce qu'il y a en lui d'anonyme et de partagé, le mathème est en un certain sens plus ouvert que ne l'est le poème. Tandis que le poème doit être compris à la fois comme univoque, c'est-à-dire comme coupant court vers l'essentiel, et cependant comme absolument singulier. Je me disais que s'il y a une antiphilosophie contemporaine, au mauvais sens du mot, pas au sens des grands antiphilosophes qu'ont pu être Rousseau, Kierkegaard, Nietzsche, Wittgenstein ou Lacan, on pourrait définir cette basse antiphilosophie contemporaine par l'indifférence conjointe au mathème et au poème, c'est-à-dire comme prétendant que le cheminement de la pensée philosophique peut se faire dans une indifférence aux deux. Or, cette indifférence aux deux fait de la philosophie une accompagnatrice du journalisme. Ce côté d'essayisme journalistique, qui est une représentation grandissante de la philosophie, quand ce n'est pas sa dégénérescence académique pure et simple, on peut sans doute le définir en profondeur comme la tentative de faire passer sous le nom de philosophie quelque chose de simultanément indifférent au mathème et au poème. Et qui, de ce point de vue, est immédiatement dépourvu de tout accès abrupt à la pensée et laisse croire qu'on peut accéder à la pensée dans la convivialité des opinions. Alors que de toute évidence mathème et poème sont le sol de conditions dans lesquelles il est possible de rompre avec les opinions, au sens de la définition originairement platonicienne de la philosophie. Ce sont deux écoles distinctes, mais à cet égard deux écoles comparables.

Il est certain qu'aujourd'hui, on le sait, les poètes le disent, la poésie souffre. Elle souffre entre autres choses de ce déni de sa fonction d'abrupt dans la langue, et de ce qu'on lui substitue de pure circulation. Voilà pourquoi j'ai les mêmes raisons de mener le combat pour la transparence mathématique comme ce qu'il y a au monde de plus facile, et pas du tout de plus difficile, car c'est l'absolument partageable qui paradoxalement fait obstacle. De même, je mène un combat pour que le poème soit pris en compte comme radicalité singulière de ce dont la langue est capable. À ce titre je voulais revenir sur Aïgui parce que j'avais regretté de ne pas vous avoir lu le poème dont je vous avais parlé, poème de 1967 qui s'appelle : « Août : Nietzsche à Turin », que vous trouvez dans le volume *Poètes d'aujourd'hui* qui date, je crois, de 1993. C'est une occasion de souligner l'importance des médiateurs de la poésie dans la traversée des langues étrangères, c'est-à-dire des médiateurs de poètes un peu lointains, en particulier. Une définition possible d'un grand poème, c'est qu'il survit à sa traduction. Il existe la thèse inverse, qui est qu'un grand poème est tellement enfoncé dans sa langue qu'il ne survit pas à la traduction. C'est une guerre dans l'interprétation du poème. En ce qui me concerne, ma thèse, ma pratique, mon expérience, c'est que c'est la première idée qui est la bonne : même si la perte est considérable, un grand poème survit, comme grand, à sa traversée dans la traduction. Je dirais même que le considérable de la perte est aussi une mesure de la résistance du poème et que la manière dont vous recevez la frappe du poème dans sa traduction, est une mesure de l'amplitude de pensée qui était immanente à sa singularité dans la langue. Il y a ainsi des médiateurs : traducteurs ou présentateurs, à qui l'on doit l'introduction de poètes dans la langue française. C'est le cas d'Armand Guibert pour Pessoa, de Martine Broda pour Paul Celan. Et c'est le cas, de façon particulièrement exemplaire, de Léon Robel pour Aïgui.

Je voulais donc vous lire : « Août : Nietzsche à Turin », car il s'agit d'un hommage à la philosophie. Nous avons des hommages de la philosophie au poème, mais nous sommes heureux d'avoir aussi les hommages du poème à la philosophie. Ce poème est, nous l'avions dit, habité par l'idée qu'il y a chez Nietzsche une communication possible, une transmutation de la pesanteur et de l'aérien. En l'occurrence, dans les images du marbre et de l'air. Il y a quelque chose d'aérien dans le marbre, ou de blanc comme le marbre dans l'air, qui fait que la pensée de Nietzsche (ou, va dire Aïgui : « la vision de Nietzsche »), la vue de Nietzsche, organise cette commutabilité du marbre et de l'aérien, ou du marbre et du ciel. Et la médiation c'est la blancheur. Nous avons ainsi une perception de Nietzsche à Turin, qui est le Nietzsche terminal, le Nietzsche de l'après-folie. Le Nietzsche que j'ai toujours, pour ma part, dans les interprétations que, après beaucoup d'autres, j'en ai proposé, considéré comme essentiel, en tant que le Nietzsche où la détermination, si je puis dire archi-politique du destin, est particulièrement visible. Le poème met en scène, traduit ce regard blanc de Nietzsche, qui est évidemment le regard aussi de l'après-folie, comme organisateur d'une permanente substituabilité entre le principe de la pesanteur et le principe de la légèreté, entre le roc et l'air.

> Or dans sa vue il y avait – comme quelque chose de blanc :
> Marmoréen – sans pesanteur :
> Et sans matérialité ! –
> À cause de cette parenté eût-on dit
> Il sentait les précipices ouverts :

Et dans le marbre au jardin
Et dans la blancheur du papier –
Ils se frayaient une voie à travers l'air – comme à travers de la soie ! –

Dans la main soudain ils s'ouvraient tout grand
Laissant
Vides quelque part des grottes –

Et dans cette générale et vide aperture
/ si longtemps reculant comme une sorte de ciel /
De roses autoépuisées –

Déchiqueté et vif cela pleurait
En une humide
Aérienne dirait-on calcarité

Cette « aérienne calcarité » qui est le final du poème, ce calcaire aérien, cette pierre céleste, est finalement la définition, pour Aïgui, de ce qu'est le regard terminal de Nietzsche. Voilà ce que je voulais ajouter.

Maintenant je voudrais vous parler de Jean Grosjean qui est un poète, et plus encore un prosateur français, mort tout récemment. Jean Grosjean, né en 1912, est mort à 94 ans. C'est dans les vingt dernières années de sa vie qu'il a fait ce qu'il y a de plus essentiel dans son œuvre. Poète et prosateur, il a commencé dans l'élément de la poésie. C'est une poésie en versets, assez amples, sans doute dans la descendance de Paul Claudel, dans laquelle il y a un élément chrétien, religieux, essentiel, avec des références constantes à la Bible, dont il a été un des grands traducteurs. Ça, c'est la première partie et le premier versant de son œuvre, toute une série de recueils poétiques. Une poésie qui sans doute n'est plus assez abrupte et déchiquetée pour être pour notre oreille immédiatement contemporaine, mais dont la subtilité doit être entendue à l'intérieur de l'amplitude du verset et de la prosodie.

Élégies est le recueil poétique de Jean Grosjean que je préfère. Il date, comme le poème d'Aïgui, de 1967. Il s'agit d'une série de poèmes très beaux, qui sont des poèmes adressés. C'est-à-dire que d'un bout à l'autre il y a un « tu » à qui l'on s'adresse, donc un autre qui est un autre indécis parce que c'est un autre aimé. En ce sens-là ce sont des poèmes d'amour, mais aussi peut-être, dans ou au-delà de ce « tu » aimé, y a-t-il quelque chose qui s'infinitise, qui, si on le traduit immédiatement dans le langage religieux, touche à la divinité, une divinité qu'on tutoie et qui est donc immédiatement présente dans la proximité amoureuse. Voici l'« Élégie 11 » :

> Si j'étais Dieu, je n'aurais eu de doigts que pour modeler dans l'âme ton visage dont ton corps est le nimbe incorruptible et dont les univers ne sont que l'ombre.
>
> Puisse novembre immerger de ses brouillards masures et chemins du bas-pays pour te laisser cueillir dans l'arbre mort le grand fruit rouge de l'arrière-saison.
>
> Encore un jour où nous fûmes ensemble, ou presque un jour tant le temps se hâtait, mais je dévorerai dans les ténèbres son soleil sur ta bouche.
>
> Tes yeux ont refermé sur soi leur fleur pour illuminer l'ombre où me plongeront les heures qui ne te verront plus.
>
> Si tu t'endors dans les tombeaux du monde, je haïrai le *luceat eis quam olim Abrahae promisisti et semini ejus*.
>
> Je regarderai d'une planète éteinte luire bruissante au loin la terre humaine comme un cimetière de ville, le dimanche, plein de vivants qui n'ont pas su ton nom.
>
> Mais si ton âme se taisait dans mon âme, adieu ! nous n'aurions pas même existé, ni rien, ni personne et Dieu sans doute se serait rêvé lui-même.

En vain auraient brillé les poussières d'astres dans les flaques de ta route ou les larmes des branches sur tes paupières si je ne les avais vues.

L'espace n'était que juste la distance et notre heure juste le loisir pour que tu voies ta face dans mes paroles et que j'entende ma voix sur ton visage.

C'est tout de même un très beau poème. Et je trouve sa fin tout à fait extraordinaire, parce que ces dernières lignes me paraissent être une définition poétique tout à fait extraordinaire de ce que c'est que l'événement d'une rencontre dans la procédure amoureuse. Car, comme je l'ai toujours soutenu pour toutes les procédures génériques, cette construction d'un présent pur fait qu'instant et espace fusionnent dans une commutabilité des mots et des visages. C'est ça qui est ici décrit ou nommé dans le poème comme la naissance de la rencontre.

Voilà pour le versant proprement poétique de l'œuvre de Grosjean. En 1972, Grosjean a donc déjà 60 ans, paraît quelque chose d'apparemment assez différent, qu'il appelle « un récit », dont le titre est *Clausewitz*. Clausewitz, le fameux théoricien de la guerre, devient chez Grosjean un personnage. C'est une évocation en 80 pages de ce fameux théoricien de la guerre, saisi et pris dans une situation singulière qui est précisément la guerre menée en France contre Napoléon. C'est structuré autour de discussions, d'une part entre Clausewitz et des généraux prussiens, et d'autre part entre ces généraux et une femme qui délivre le point de vue singulier de son sexe sur l'ensemble de ces considérations concernant à la fois la guerre et la nation. C'est un petit chef-d'œuvre. Il n'y a pas autre chose à en dire. Je ne peux que vous recommander de le lire. Je vous lis juste le début. Vous verrez comment Grosjean procède, par une incorporation immédiate, extrêmement soudaine, d'un nom propre repéré, Clausewitz, dans le concret d'une fable. Et il va unir et insérer ce personnage, par ailleurs identifiable et connu, dans un univers naturel.

Clausewitz montait le long des vignes.

[J'adore ça. C'est merveilleux. Cela nous guérit de tellement de commentaires sur Clausewitz].

> Clausewitz montait le long des vignes. Quand il fut à découvert, il dut biaiser à cause du vent. Il ne ralentit le pas qu'une fois à l'abri de la lisière. Des feuilles jaunes et lentes tombèrent devant lui. La respiration se faisait plus facile, le ciel et l'automne semblèrent plus proches. Clausewitz en avait assez du long effort qui sclérose. La guerre de libération, commencée en Russie d'hiver, avait culminé vers un solstice de juin comme une boucherie en haut d'une rue. Et, songeait-il, après le tyran, une autre tyrannie.
>
> L'odeur du musc monta comme une enfance. L'enfance n'est pas le passé, elle est le présage. Elle préfigure la vie et s'entête à briser les figures dont la vie se masque. Clausewitz était le plus strict des hommes dans son service, mais sitôt la tâche assurée il devenait pensif comme une fille. Il avait une promptitude de poudre, mais son œil de cheval effrayé prenait toujours pour une liturgie l'action des canons qui lui devaient leur place.
>
> Clausewitz longeait le bois comme un jeune homme en visite chez ses oncles. Son regard errait tour à tour à sa gauche, dans l'ombre où luisait le lierre, et à sa droite, sur les éteules qu'éclairait une fin d'après-midi. Combien les cieux essaient d'orage avant d'obtenir cette douceur. (p. 7-8)

Ensuite, notamment vers 1982-1983, Grosjean a 70 ans, va se révéler que cette création singulière et unique, ce récit titré *Clausewitz*, est en réalité l'invention d'un nouveau genre. C'est une forme de récit, très bref, 100 très petites pages au maximum, centrées autour d'un personnage ou, peut-on dire, d'un nom propre, souvent, mais pas toujours, tiré de l'Antiquité ou de la Bible. Cela nous vaudra *Darius*, *Pilate*, *Élie*, *Jonas* et quelques autres. Personnages de l'histoire ou de la légende, qui donnent la figure du nom propre au récit, lequel procède d'une technique qu'on entend dès le début de *Clausewitz*. Elle consiste à aller très rapidement couper vers l'action ou vers le dialogue, sans portrait, c'est-à-dire sans du tout faire accompagner le nom propre d'un contexte descriptif ou historique véritable, avec de très fortes images qui vont immédiatement incorporer le nom propre dans un univers sensible et qui alternent avec de nombreux dialogues, une théâtralité très centrée sur des problèmes essentiels. L'ensemble, avec sa rapidité et cette incorporation singulière du nom propre dans cet univers sensible nouveau, impose une espèce de puissance réservée qui est à mon avis la singularité de l'effet produit par les récits de Grosjean. C'est une espèce de dire abrupt, confiant et volontaire – au sens où la capacité de Grosjean à susciter le personnage dans l'univers sensible qui va lui être accommodé est incontestable – mais qui reste étonné par la souveraineté du visible. Vous avez ainsi un élément contrastant entre ce dire très abrupt, très rapide, très confiant dans sa capacité, qui pourtant s'attache à un nom propre repéré et connu, lequel cependant reste en dessous, dans l'étonnement de la puissance du visible où précisément on a incorporé le nom propre.

Je voudrais vous faire entendre ça dans deux des récits : *Darius* et *Pilate*. Darius, c'est l'empereur de Perse. Avec son conseiller, Daniel, ils sont tous les deux en promenade dans la forêt, escortés par leurs gardes. Et les gardes surveillent Darius et Daniel, à la fois comme des personnages importants, mais aussi en raison de complots et d'intrigues de palais.

> Darius hocha la tête et se retira dans le bois. Daniel s'étendit parmi les herbes tremblantes et il s'endormit. Les fourmis se promenèrent sur son front sans deviner ses rêves.
>
> Quand il se réveilla le souvenir de ses rêves ne pouvait se démêler des souvenirs de sa vie, mais il aperçut très haut dans le ciel un petit nuage lilial qui s'interrogeait sur le sens du vent.
>
> Il entendit craquer des brindilles. On lui touchait l'épaule. Il tourna la tête. Darius lui faisait signe de le suivre et rampait sous les basses branches. Ils se dirigèrent vers un ronflement d'engoulevent : c'étaient les deux gardes qui dormaient entre les ronciers.
>
> Darius riait sans bruit. Il regagna la lisière et susurra : Je ne broute pas encore.

> Puis une fois debout : Maintenant que les témoins de ma gloire dorment comme les ivrognes de Macbeth, je crois que je commence à te comprendre. La jeunesse n'est pas ce qu'on a perdu, elle est de ne pas savoir ce qu'on a devant soi. Me voici, comme nos moissonneurs de ce matin, prêt à m'arrêter n'importe quand pour acclamer l'éternité qui passe. (p. 63-64)

Vous devinez que je suis touché évidemment par un personnage qui se redresse pour acclamer « l'éternité qui passe », passage dont tout un chacun peut être le témoin. Dans un bois au petit matin, on peut être saisi par le passage de l'éternité. Et cela, dit-il, c'est la jeunesse. C'est pourquoi elle est perpétuelle. La jeunesse c'est tout simplement avoir la chance d'acclamer au coin d'un bois l'éternité qui passe. Et alors la vie va devenir autre, parce qu'on ne peut pas impunément acclamer l'éternité qui passe.

Enfin, dans un autre sens, plutôt tourné vers la mort et la salvation, la figure du salut, il y a cet autre texte : *Pilate*. Pilate, c'est le Pilate de l'Évangile, le Pilate de la condamnation du Christ et ça raconte sa vie. Dans le passage que je vais vous lire Pilate a été destitué, il est vieux et malade, il est en train de mourir. C'est une scène théologique. Ça va être la scène de sa rédemption à lui, Pilate, c'est-à-dire du mode propre sur lequel, en définitive, il est sauvé. Pour comprendre la scène, il faut savoir qu'il y a au début une scène très forte, où l'on amène Jésus à Pilate. Pilate, lui, n'a pas de préjugés, il n'est pas vraiment dans l'affaire, et ce qui va décider de sa décision, c'est le trouble complet où le met le regard de Jésus, du Christ. Le Christ le regarde et Grosjean fait d'ailleurs la remarque que le Christ comprend qu'il a, pour la première fois, affaire à l'autorité véritable. Jusqu'à présent c'étaient des discussions militantes. Maintenant il est devant celui qui décide. Et alors il dit très peu de choses, il se contente de le regarder. Toute l'histoire de Pilate est l'histoire de l'incompréhensibilité de ce regard pour Pilate lui-même. C'est-à-dire qu'on a regardé l'homme de l'autorité de telle manière que cette autorité a été troublée, perturbée, uniquement par la façon dont l'autre l'a regardé, comme étant le détenteur de l'autorité. Et Pilate, ensuite, se révèle incapable d'assumer sa fonction, il est déréglé et finit par être destitué. Il tombe dans la mouise et finalement meurt misérablement.

> Pilate ne pouvait bouger, il ne pouvait tourner la tête, mais il avait entendu des pas sur le gravier et il en avait la gorge sèche. Des anges lui apportèrent un gobelet d'eau de source à boire et aussi une cuvette d'eau pour se laver les mains comme il en avait eu l'habitude dans une autre vie.

Alors ça, c'est tout à fait Grosjean n'est-ce pas : les anges amènent de l'eau, on est exactement dans le même mouvement de phrase que lorsqu'on décrit les feuilles des arbres ou le coucher du soleil n'est-ce pas ; on est dans le rêve de Pilate tout simplement. Et on est aussi bien, et surtout, dans une réédition de la grande scène où Pilate, quoiqu'il soit le Roi, se lave les mains de la décision concernant la condamnation à mort du Christ.

Continuons :

> Le grand ange s'agenouillait et lui lavait les pieds, et Pilate se sentait à la fois gêné et dispos. Et quand le grand ange releva la tête, Pilate fut stupéfait car les anges n'ont pas de regard, les anges nous voient sans avoir de regard, mais le grand ange regardait Pilate et Pilate y reconnaissait le regard du condamné de Jérusalem.
>
> Quand le Nazaréen se fut relevé, Pilate à son tour put se lever, mais c'était avec l'intention de tomber à genoux. Le Nazaréen lui regarda les yeux comme il avait fait autrefois, mais cette fois-ci la clarté du regard n'était plus au fond d'une citerne.
>
> Pilate découvrit que les moissons étaient faites jusqu'à l'horizon et que ne roulaient plus dans le ciel que ces grands chars de vapeur qui ont la luminosité de la neige et que saluent d'arabesques imprévisibles les envols des oiseaux de l'été. (p. 107-108)

C'était la fin de *Pilate* et c'est ce que je voulais vous dire sur Jean Grosjean, de manière, bien entendu, à ce que vous le lisiez.

Dernier point dans la rubrique de l'actualité sur lequel je voulais attirer votre attention. Je pense qu'il faut s'intéresser grandement au devenir de la guerre en Afghanistan. Cette guerre est à mon avis à certains égards encore plus symptomale encore que ne l'est l'évidence de la guerre en Irak. Je rappelle que la guerre en Afghanistan a été la première réaction constituée des États-Unis suite aux attentats du 11 septembre, qu'elle a été massivement approuvée par l'ONU, et a donné lieu à très peu de protestations de l'opinion publique. Tout le monde a dit : « Les Talibans on ne les aime pas, donc c'est bien fait pour eux. » On est trois ans après : la guerre est toujours là. Elle insiste de plus en plus. L'occupation américaine est manifestement considérée comme intolérable par la population. Il y a eu ces jours derniers de considérables émeutes à Kaboul suite au comportement des troupes américaines. Ces émeutes ont été directement sous le mot d'ordre de « à bas le gouvernement mis en place par les Américains », « à bas les Américains ». Le sud du pays est de moins en moins contrôlé par les forces alliées. Enfin, la France est très engagée dans cette guerre, ce qui est pour nous une différence importante avec la guerre en Irak.

C'est une guerre symptomale parce que c'est une guerre qui a été considérée très largement comme une guerre à peu près légitime, et dont l'illégitimité, qui pour moi était évidente dès le début, va s'avérer de plus en plus au fur et à mesure qu'on va découvrir naturellement que c'est une guerre faite à un peuple qui ne demandait aucunement ce type d'intervention. Il est donc intéressant de la suivre, d'en suivre le devenir, comme un analyseur de la vérité de la politique française dans son espace international aujourd'hui. Parce que le dédouanement sur la guerre en Irak n'empêche pas que la présence militaire française en Afghanistan soit tout à fait réelle, et que, quasi clandestine pendant de longs mois, elle ne peut plus l'être. Petit à petit il va falloir justifier, légitimer, expliquer pourquoi nous sommes fourrés dans la guerre en Afghanistan. Je voulais simplement vous dire qu'il faut faire attention à ce qui se passe là, se tenir au courant, enregistrer les nouvelles concernant l'action de l'armée française dans ce territoire lointain. Je pense en outre que c'est un analyseur de la situation planétaire actuelle et de la politique française qui, dans le triple devenir de toute cette affaire, se dit de trois noms propres : Afghanistan, Irak, Iran. Là nous sommes dans la question de savoir ce que va devenir ce processus guerrier engagé séquentiellement en Afghanistan. Ça a été la première guerre de ce triangle et la première guerre est toujours, en un certain sens, la mesure des autres.

Je reviens maintenant à l'analyse que nous proposions de la corrélation entre multiplicités indifférentes et vérités éternelles. Nous avions, la dernière fois, achevé le parcours conceptuel requis, parcours conceptuel qui est finalement destiné à conjoindre l'incommensurable en proposant une espèce de conjonction improbable. Vous avez d'un côté, du point de vue de l'ontologie pure, la reconnaissance qu'il n'y a rien d'autre que des multiplicités indifférentes, c'est-à-dire que l'être ne nous destine, ne nous promet rien. Après tout, comme le proclame Parménide depuis l'aube de la philosophie, il est bien vrai, que l'être est ce qu'il est – nommément non pas l'Un comme il le croyait, mais la multiplicité indéfinie. Néanmoins, qu'il soit la multiplicité indéfinie plutôt que l'Un aggrave en réalité la dimension d'indifférence qui est la sienne. Multiplicités indifférentes veut dire multiplicités non pas seulement indifférentes à l'homme, c'est plus vaste, mais multiplicités indifférentes au sens. Il est de l'essence de l'être comme tel de rester indifférent au sens. On ne dira d'ailleurs pas non plus qu'il est dans l'élément du non-sens, ce qui serait en fait lui conférer un sens. Là on voit bien que les thèses absurdistes sur l'être sont en fait encore internes à l'univers du sens. Quand vous dites que l'être est absurde ou de trop – je pense aux formules sartriennes du genre « l'en-soi est de trop pour l'éternité » – l'en-soi n'est pas particulièrement de trop. Que signifierait qu'il ne soit pas de trop, sinon qu'il est exactement ce qu'il doit être. Elles sont brillantes et frappantes, ces formules de l'absurdité existentialiste, mais ce sont des formules qui, de toute évidence, ne sont que l'envers interne des formules théologiques concernant le sens de l'être. En réalité, ce qu'il faut soutenir, c'est que l'être est indifférent au partage du sens et du non-sens, parce qu'il est antérieur, ou en amont de ce partage. C'est en ça que l'être pur est dans le registre de la multiplicité indifférente.

Attention, cela ne signifie nullement qu'il est impensable – c'est là aussi une confusion très importante – ce n'est pas du tout parce que quelque chose est totalement extérieur au sens qu'il est soustrait à la pensée. Car s'il n'y en a pas de sens, il peut néanmoins y en avoir vérité. C'est bien ce que nous prouve l'existence de la science mathématique. La science mathématique comme science de la multiplicité indifférente comme telle, nous prouve, jour après jour, que l'indifférence au sens peut parfaitement être le lieu de la plus transparente vérité. On a donc ça d'un côté : la multiplicité indifférente au régime du sens. Et de l'autre côté on a l'existence de vérités éternelles, transmissibles ou appréhendables depuis la pluralité des mondes, qui ne sont pas dans le régime de la dissémination ontologique, c'est-à-dire de la multiplicité indéfinie où tout équivaut à toute autre multiplicité. Les multiplicités indifférentes n'ont aucune raison d'être particulièrement hiérarchisées, elles sont dans l'égalité de leur être. En revanche, les vérités éternelles disposent certaines configurations de façon absolument exceptionnelle, c'est-à-dire reconnaissent l'existence de processus qui sont en exception ou en incise de l'indifférence. Finalement, le trajet conceptuel que nous reprenions, et qui est détaillé, exemplifié et formalisé dans *Logiques des mondes*, c'est un procès philosophique de connexion, d'organisation conceptuelle d'une connexion entre les multiplicités indifférentes (à savoir le régime de l'être soustrait au sens) et le régime d'exception que constituent les vérités éternelles.

Vous voyez qu'est soutenue là une thèse philosophique un tout petit peu tendue, un tout petit peu paradoxale, qui est que l'indifférence absolue de l'être comme tel ne fait pas obstacle à la reconnaissance de l'existence, en exception, des vérités éternelles. Autrement dit, l'existence des vérités éternelles n'exige absolument pas qu'il faille reconnaître que ce qu'il y a a du sens. Je crois que nous avons là une proposition intrinsèquement de l'époque de la mort des dieux. Au fond ce que nommait « Dieu », ou « dieux », c'est la conviction que vérité et sens étaient conjoints, que la vérité était aussi, en quelque manière, disposition du sens de ce qu'il y a. Il y avait ainsi, un point de vérité éternelle qui fonctionnait comme garantie du sens. Et ce point c'était communément, y compris dans la métaphysique classique, « Dieu ». La mort de Dieu, que je considère comme un événement réel, s'est produit réellement, à savoir que Dieu vivait et qu'il est mort. « Dieu vit » désigne l'absolue possibilité, ou l'absolue conviction, qu'il existe un point de vérité qui nous dispense du sens, qui donne du sens à la vie, à la moralité, à l'action, à la mort. Et la mort des dieux est la fin d'un point de vérité éternel, garantie de la donation du sens, la fin de cette conviction.

Je fais ici une petite parenthèse. Personnellement je prends cela tout à fait au sérieux, c'est-à-dire que je pense réellement que Dieu est mort. Je ne crois pas du tout au retour des religions ou à quoi que ce soit de ce genre. Ça, c'est un point de discorde très important avec l'analyse courante des idéologies contemporaines. Non, Dieu est mort, bien mort, il ne reviendra pas, il n'a pas de fantôme, de spectre. C'est irréversible. Et donc il faut interpréter ce qui est couramment nommé « retour de la condition religieuse », voire « retour des dieux », d'une tout autre façon. Il faut l'analyser non pas dans l'espace de la théologie mais purement et simplement dans l'espace de la politique et entrer dans cette question du prétendu « retour des religions » par les catégories politiques, pas par les catégories religieuses qui ne sont que des oripeaux. Jetés sur quoi, eh bien, justement sur la mort de Dieu. Ce sont les haillons d'un cadavre. Ça, c'était une parenthèse. Il n'en demeure pas moins que ce que signifie vraiment la mort de Dieu, c'est la séparation du sens et de la vérité. En particulier la séparation de la pluralité du sens et des vérités éternelles.

L'interprétation commune de la mort de Dieu, consiste en général inévitablement à substituer la question du sens à la question des vérités. C'est évidemment comme ça que Nietzsche fonctionne. Nietzsche dit finalement que « ce qu'il y a ce sont des interprétations », donc « des dispositions du sens », ou, comme le dira Deleuze, que « ce qu'il y a, c'est une logique du sens ». Deleuze commence d'ailleurs son livre sur Nietzsche en affirmant la thèse que Nietzsche est l'introducteur de la catégorie de sens en philosophie. Il paraît presque évident que le mouvement de la mort de Dieu, en tant qu'il disjoint vérités éternelles et donation du sens, nous assigne à la pluralité du sens, ou à la logique du sens, dans un orphelinat des vérités éternelles. L'homme moderne serait ainsi l'orphelin des vérités éternelles. Il serait livré à la pluralité productrice du sens, donc, en définitive, à un espace plus ou moins relativiste, ou culturaliste, dans lequel finalement ce qui est intéressant c'est de se poser les questions des conditions de production du sens, étant donné que ce sens n'est plus dispensé par un point qui puisse être dit le point des vérités éternelles. Deleuze m'a écrit un jour que « vérité », qui était pour moi un mot si important, était, à proprement parler, un mot dont il n'avait pas besoin. Et c'est tout à fait vrai. Il pouvait s'en servir éventuellement, et il s'en servait quelquefois, mais il n'en avait pas besoin. Et ce, parce que, en définitive, dans l'élément de la production machinique du sens, la question des vérités n'est pas nécessaire, elle n'organise en tout cas pas la philosophie comme telle.

Par conséquent c'est tirer une leçon différente de la mort de Dieu que de soutenir que « sens » est disjoint de « vérité », ou de soutenir que ça ne signifie pas pour autant que « vérités éternelles » ait cessé d'être organisateur de la philosophie. Ce que moi je considérerais plutôt, c'est que ce qui a été sacrifié et atteint dans le processus de la mort de Dieu, ce n'est pas la catégorie de vérité mais justement celle du sens. Les multiplicités sont en effet hors sens, hors question du sens. Et donc ma tentative consiste à raccorder la possibilité des vérités éternelles à une défection du sens. Où l'on retrouve, soit dit en passant, le caractère paradigmatique conjoint des mathématiques et de la poésie. Parce que les mathématiques, je le répète, c'est en effet la leçon exemplaire quant à l'indifférence des vérités au sens. Et la poésie c'est l'exploration du langage, constamment aux lisières de la défection du sens, autrement dit, l'exploration de ce dont le langage, qui paraît voué au sens, est capable lorsqu'on le conduit à la lisière de l'abolition de la question du sens. C'est bien pour ça que mathématique et poésie sont considérées comme des épreuves pour la pensée. Elles sont, l'une comme l'autre, dans l'expérimentation de ce qui subsiste de vrai dans la capacité du langage si l'on est aux lisières du non-sens, voire même en deçà de tout sens. Et donc, à l'école des mathématiques comme de la poésie, le propos est au fond d'assumer une espèce de court-circuit entre vérités éternelles et être-multiple, un court-circuit au sens propre puisqu'il n'y a pas la médiation du sens. En effet la vérité n'est plus portée par une couche de sens qui enrobe la nudité de l'être et dispose cette nudité pour la possibilité du vrai. Car c'est là la représentation la plus tenace, à savoir l'idée que, entre la nudité de l'être et la possibilité des vérités éternelles, s'interpose justement la sédimentation du sens. Dans l'élément de la mort de Dieu, ma tentative est de montrer qu'il n'y a pas cette sédimentation du sens, et que donc les vérités éternelles sont certes des procédures en exception du « il y a », mais qu'elles doivent pouvoir économiser la médiation du sens.

Ce raccordement peut être décrit comme la surrection ou l'apparition d'un sujet dans (à l'intérieur même de) l'étalement dépourvu de sens de l'être. Cette surrection du sujet apparaît dans un monde et elle est nécessaire pour que soit portée, hors sens, une vérité éternelle. Ça, c'était pour bien re-formaliser, re-décrire la signification générale du projet, et le situer dans un horizon où la mort de Dieu est non seulement acceptée, revendiquée, mais prise absolument au sérieux, au pied de la lettre. Au pied de la lettre, Dieu est mort. Ce n'est pas une métaphore. Non. Il vivait et il est mort. Ça lui est arrivé. Ce qui prouve bien qu'il était vivant puisqu'il lui est arrivé quelque chose, à savoir de mourir. Mais philosophiquement, soit du point de vue des fonctions qu'assumait le dieu de la métaphysique, cette mort crée un espace dans lequel l'équilibre entre sens et vérité est rompu. Il en résulte un espace de nudité de l'être et de logique de l'apparaître dans lequel on fait l'économie de la question du sens et dans lequel une vérité peut être portée par la surrection corporelle et matérielle d'un sujet.

Je rappelle les conditions auxquelles ce raccordement peut se faire, telles qu'on les trouve dans le schéma. Il faut ce qu'on peut appeler un point focal discontinu, à savoir, un point de discontinuité qui est en même temps un point de focalisation. C'est le point de l'événement qui est à la fois conjonction et disjonction. Cependant cela ne suffit pas, il faut des conditions connexes, conditions plus structurales, que je récapitule rapidement. Vous les trouvez sur les deux côtés : d'une part, celui de la structure transcendantale de l'apparaître, c'est-à-dire de la structure des mondes, de l'autre, du côté de ce qu'on peut appeler la forme post-événementielle du corps subjectivable, laquelle est cette surrection du sujet dont on parlait, mais qui est un corps, une matérialité. Quant à la « structure du transcendantal » ce sont les structures qui font que les multiplicités apparaissent dans un monde. On y trouve des choses très compliquées, mais si on les simplifie jusqu'à leur os, on dira qu'on trouve : des formes d'ordres et, à l'intérieur de ces formes d'ordres, des opérations qui permettent de penser ce que c'est que l'existence, bien entendu comme distincte de l'être, l'existence comme apparaître de l'être de la pensée, y compris dans la modalité de l'inexistence. Ensuite on va trouver la structure formelle, objective, du choix, à savoir les points, c'est-à-dire des formes de condensation des nuances de la situation mondaine, dans un oui ou un non, dans un 1 ou un 2, dans une dualité constituée. « Formes d'ordres », « opérations synthétisées dans le concept d'existence », et « structure formelle du choix », voilà ce qu'on doit trouver du côté des formes transcendantales de l'apparaître. De l'autre côté, celui de la surrection du sujet, on doit avoir une trace intramondaine de l'événement, la possibilité d'une incorporation à cette trace et des organes de traitement des points.

Cette présentation, je la voulais la plus transparente possible mais elle est terriblement simplifiée. Je commente maintenant les trois données parallèles.

a) Côté de la structure transcendantale de l'apparaître :

– « Formes d'ordre ». Cela veut dire que tout monde est consistant, que tout monde dispose les intensités d'apparition dans une forme qui tient ; c'est une thèse opposée à la thèse du chaos : les mondes ne sont pas chaotiques ; ils sont indifférents au sens, mais pas chaotiques, ils proposent des formes d'ordre.

– « Opérations ». Cela veut dire que l'organisation interne des intensités de ce qui apparaît dans un monde permet de qualifier chaque multiplicité comme une existence dans ce monde. Cela permet en outre de mesurer l'intensité de cette existence, y compris sous cette forme minimale de l'intensité d'existence qui est l'inexistence. C'est là un point très important, qui réclame des variations un peu plus sophistiquées. Existence et inexistence sont des catégories de l'apparaître, pas des catégories de l'être. Les catégories de l'être c'est être ou ne pas être. Exister, c'est le mode propre sur lequel un être se présente dans un monde. Donc l'existence est toujours relative au monde et elle n'est pas, comme la multiplicité pure, l'objet d'un jugement d'être invariant. C'est pourquoi on peut parler d'« inexistence », ou de « terme inexistant », alors que, ontologiquement, c'est quelque chose qui est. L'inexistant c'est la preuve de ce que l'existant n'est pas l'être, puisqu'une chose qui est, c'est-à-dire qui est une multiplicité assignable, mathématiquement pensable, peut parfaitement inexister dans un monde. Il est par conséquent le témoin de la mondanité du multiple, c'est-à-dire de ce que l'apparaître ne se dissout pas dans l'être, n'est pas résorbable dans l'être. Ainsi, « existence » et « inexistant » sont fondamentaux pour mesurer et penser la distance entre la logique de l'apparaître dans un monde et la mathématique pure du multiple.

– « Points ». On en a beaucoup parlé et je ne veux pas trop y revenir. Un point est une structure transcendantale qui propose un choix radical. Ce n'est pas une subjectivité, c'est une structure formelle du choix, autrement dit, il y a comme un défilé dans lequel il faut passer. C'est une proposition du monde lui-même. Ce qui est très important à mes yeux c'est que cela prouve que quand on est dans l'instance du choix ce n'est pas une délibération intérieure au sujet. Il y a une objectivité de la puissance du choix, c'est-à-dire que le choix est un choix imposé ou, comme le dit Lacan, que tout choix est un choix forcé, au sens où vous êtes contraints au choix par la figure du monde lui-même, pour autant, naturellement, que vous participez d'un sujet. Il est évidemment possible d'éluder le choix. La meilleure manière de le faire c'est de ne pas s'incorporer à une subjectivité générique quelconque. Dans ce cas vous ne serez pas soumis à la contrainte du choix. Mais si vous participez au développement d'un sujet, quel qu'il soit, alors là vous allez rencontrer des contraintes de choix, c'est inéluctable. C'est d'ailleurs dans ces contraintes que le corps subjectif va se renforcer et s'éprouver en même temps, sans garantie aucune toutefois. Parce que finalement le processus de renforcement ou de constitution d'un corps subjectif, c'est le traitement des points. C'est là que pour lui le monde est concentré dans une dualité constituante. Il doit passer où il faut passer. Et ça, c'est ce qu'on peut appeler une victoire. Il y a des victoires subjectives, bien avant la question des batailles. Une victoire subjective c'est quand un corps subjectivable a réellement traité un point. J'ai détaillé ailleurs les conditions formelles du traitement d'un point. Elles sont considérables. C'est très exigeant le traitement d'un point. La plupart du temps on capitule. Mais quelquefois on traite le point et c'est une victoire. Et cette victoire n'est rien d'autre que le renforcement du sujet. Voilà qui peut servir de leçon aussi pour toutes les procédures génériques, y compris la politique. La politique ça consiste à traiter des points. Et la récompense c'est qu'on est mieux qu'avant. Et être mieux qu'avant c'est être plus apte à traiter d'autres points. Et à la fin des fins ? Eh bien, il n'y a pas de fin. Il y a la production immanente de quelque chose qui restera comme une vérité éternelle de la politique. Vous allez objecter qu'à un moment donné « ça échoue. », ce qui ne veut rien dire. L'échec c'est simplement que tout processus se sature, trouve son achèvement ou renonce à traiter les points. C'est la loi universelle des choses. Comme disait le grand Hegel : « Après tout, tout ce qui naît mérite de périr. » Ce n'est pas grave. La question c'est de savoir si on a été dans l'aptitude à traiter un certain nombre de points, renforçant par là même la possibilité d'en traiter d'autres. Au fond, ce que nous promet la victoire, c'est la possibilité d'autres victoires éventuelles. C'est tout. Mais la mythologie qui soutient tout ça, c'est la nécessaire mythologie d'une transformation globale du monde, c'est l'idée que ça va changer le monde. Et c'est très bien de penser ça. Naturellement ce n'est qu'un accompagnement imaginaire de l'incorporation subjective. D'abord parce qu'il n'y a pas vraiment de globalité représentable du monde. Donc « changer le monde » on ne sait pas trop ce que ça veut dire puisqu'on ne connaît pas, de l'intérieur d'un monde, les limites de ce monde, on ne le connaît pas comme un tout. Du coup, premièrement, la question de son changement global, ou total, n'a pas de sens. Et deuxièmement, c'est oublier qu'il n'y a de victoire que point par point et qu'il n'y a pas de dernier point. Vous voyez en quel sens la notion de point est une contrainte objective du transcendantal, relativement à la fidélité d'un sujet. Le sujet fidèle, c'est celui qui ne va jamais renoncer à traiter un point, tout en sachant que le traitement du point est simplement le renforcement du corps subjectif dans le traitement possible d'autres points, et que tout ça c'est le procès même de constitution de ce qui, ressaisi d'un autre monde, apparaîtra comme une vérité éternelle.

b) Côté de la forme post-événementielle du corps subjectivable :
– « Trace. » D'abord il faut qu'il y ait une trace de l'événement. Cette trace, elle a une définition formelle, c'est la relève d'un inexistant. Elle est immanente et consiste dans le passage d'une existence de degré minimal, d'une inexistence dans le monde, à une existence maximale. On a ainsi une bascule d'un des termes du monde, de l'inexistence à l'existence proprement dite, à l'existence complète. C'est ça qui fait trace de l'événement. Cela montre bien que la trace est un phénomène de l'apparaître, une modification de l'évaluation transcendantale. Et donc, comme je le dis dans le texte *Qu'est-ce que vivre ?* ce qui importe est toujours lié à ce qui n'avait aucune importance, à ce qui inexistait dans la situation. Et ce qui inexistait dans la situation,

n'importait pas vraiment dans la situation, puisque c'était dans l'inexistence. D'où l'impératif que je proposais : prêter attention à ce qui n'existe pas, c'est-à-dire à ce qui est inapparaissant dans la situation. Parce que c'est toujours là que quelque chose fait trace de l'événement. Donc si vous n'êtes attentifs qu'à ce qui importe, vous manquerez la trace. Ainsi s'explique que les débuts de la constitution d'un sujet nouveau soient toujours extraordinairement localisés et minoritaires, ce sont des choses presque imperceptibles dans leur commencement, parce qu'elles se regroupent autour d'une trace qui elle-même porte sur un point qui inexistait et qui comme tel n'attirait l'attention de personne. Vous voyez la métaphore de tout ça : c'est en un point éloigné de toute importance que ce qui importe apparaît, en tant que trace d'un événement qui affecte le transcendantal.

Il s'ensuit que tout héroïsme fondateur, prenons ce mot, toute acceptation d'une incorporation subjective première, se fait au détriment de ce qui, dans la régulation normale d'un apparaître, importe véritablement. C'est pour cette raison que, contrairement à ce qu'ils prétendent, les grands moyens de communication sont absolument inaptes à déceler les traces d'un événement, alors qu'il est clair que ce serait leur métier. Mais ils y sont constitutivement inaptes, parce qu'ils ne peuvent ni reconnaître la trace elle-même, parce qu'elle se situe au lieu de ce qui, à leurs propres yeux, n'importe pas, ni reconnaître les débuts de la constitution du corps subjectivable, parce que cela se fait en un lieu qui, lui aussi, n'importe pas. Voilà pourquoi on est toujours surpris de constater que des phénomènes qui apparaissent à un moment donné, des phénomènes historiques considérables, ont pu rester entièrement ignorés sur des séquences quelquefois extrêmement longues. Ainsi j'ai toujours été très frappé de ce que, quand vous scrutez la littérature française, l'historiographie française, la philosophie française de la totalité du XIXe siècle, pour trouver le nom de Marx, il faut vraiment chercher très longtemps. Ça n'est pas présent, c'est lointain, indistinct. Naturellement après coup on en juge autrement. Mais c'est une loi générale qu'on peut formaliser : vu que la trace d'un événement est une relève de l'inexistant, c'est parfaitement cohérent. Bien sûr les reconnaissances peuvent se faire plus ou moins rapidement, mais il y a une tendance générale à ne pas identifier l'émergence, ou la surrection d'un sujet.

– « Incorporation à la trace ». C'est un peu le même problème. Une incorporation maximalement possible à ce que constitue la relève de l'inexistant va s'installer dans le sillage de cette relève avec une intensité existentielle maximale. Le paradoxe, bien connu de tous les expérimentateurs de vérités, qu'il s'agisse des militants, des amants, ou des artistes, c'est que vous vous incorporez, donc que vous accordez votre propre intensité existentielle maximale à une chose qui apparaît, dont vous êtes le témoin et dont vous déclarez qu'elle apparaît maximalement, alors que presque toute la situation dit qu'elle n'apparaît pas du tout. Vous êtes ainsi le témoin d'une apparition maximale, au point même de ce qui était, et qui va demeurer pendant tout un temps de l'inapparaissant, et vous déclarez qu'apparaît quelque chose qui, pour une majorité de témoins, n'apparaît pas. Donc vous êtes quand même comme un visionnaire ou comme un fou. En termes d'opinion, il y a une folie de l'incorporation au corps subjectivable. Tout le monde sait que, surtout au début, ceux qui s'incorporent à la vérité sont généralement considérés comme des fous. Une longue tradition considère la passion amoureuse comme une folie, et cela vaut également pour les expérimentations artistiques ou les « utopies » politiques (comme l'on dit). Non sans raison puisque malgré tout, dans l'incorporation à un processus subjectivable, il y a toujours un moment où vous devez déclarer, comme une conviction maximale, que quelque chose d'essentiel apparaît au point même de l'inapparaissant. Beaucoup de gens diront que vous avez une vision. D'ailleurs, pendant tout un temps, distinguer les vraies visions des fausses, ce n'est pas facile. Imaginez que quelqu'un vous dise : « Moi j'ai vu la Vierge dans un arbre. » Cette personne a vu quelque chose qui n'existait pas comme existant absolument. Or l'univers est rempli de visions fallacieuses et d'apparitions douteuses. La seule chose qui fait qu'une apparition n'est pas douteuse ce sont ses conséquences. En définitive, tout va dépendre de la capacité du corps subjectivable à traiter quelques points. Mais tant que ce n'est pas le cas, l'incorporation est une opération paradoxale, que vous avez à soutenir dans l'élément de son paradoxe. De fait, toute conviction originaire, ou toute conviction subjective novatrice, est nécessairement dans une certaine forme de l'insoutenable. Et le plus terrible c'est que vous avez à faire propagande pour cet insoutenable puisque, en règle générale, l'incorporation signifie déclarer l'apparition de l'inapparaissant, déclarer que là est ce qui advient comme vérité.

– « Organes ». La doctrine de l'organe est complexe, mais on peut en donner une idée : un organe c'est ce qui, de l'intérieur d'un corps subjectivable, se déclare ou peut être apte à traiter un point. C'est, si vous voulez, la dimension d'un corps subjectivable qui est suffisamment spécialisée dans le traitement d'un point. Dans *Logiques des mondes* je prends des exemples très simples. Ainsi, dans le cas de la révolte des esclaves dirigée par Spartacus, il y a constitution d'une armée des esclaves. Dans ce cas le corps subjectivable est représentable comme « armée des esclaves », chose qui effectivement n'avait aucun sens avant que cette armée soit constituée, parce que, s'il y avait des gens qui n'étaient pas dans l'armée, c'étaient bien les esclaves. Quand apparaît une armée des esclaves, apparaît en effet dans le champ politique un corps subjectivable, absolument, irréductiblement nouveau. Ensuite les points, ce peuvent être des batailles. Et là, de deux choses l'une, si vous êtes confrontés à l'armée romaine, ou bien vous êtes disloqués, ou bien vous êtes vainqueurs. Et ce point, il faut absolument le traiter, la seule manière de ne pas le traiter étant de refuser la bataille, ce qui n'est pas toujours une bonne idée. Et si vous acceptez la bataille, si l'armée des esclaves en tant que corps subjectivable décide de traiter le point, d'affronter les légions romaines, vont se poser des questions spécifiques. Comment affronter la cavalerie romaine sans disposer d'une cavalerie équivalente ? De même que dans les guerres de partisans se pose toujours à un moment donné la question de savoir comment affronter les chars alors que vous n'en avez pas, ou comment faire face à l'aviation alors que vous n'avez pas d'avions. Il faut alors spécialiser, à l'intérieur du corps militaire, des unités aptes à traiter la question en dehors des normes classiques. Le paradoxe de l'organe, c'est qu'il tend à instituer une division intérieure au corps subjectivable. Puisque vous allez avoir des unités spécialisées dans l'affrontement avec la partie dure de l'armée adverse, vous allez devoir former un corps de spécialistes relativement indépendant du reste du corps militaire, lequel est de plus en plus désorganisé, ou peu spécialisé, comme il est normal pour une armée populaire ou pour une armée d'esclaves. Dans ce cas l'organe fonctionne non seulement comme spécialisation, mais comme séparation. Cependant qu'une armée classique est sous l'ordre de ses officiers, de sa hiérarchie, et fonctionne à la discipline formelle, une armée populaire, armée qui s'est auto-constituée, n'a de force que dans son unité et a par conséquent impérativement besoin d'une discipline subjective. Mais comment des organes spécialisés vont-ils s'avérer compatibles avec cette unité subjective ? Elle paraît beaucoup mieux réalisée lorsque vous avez une foule inorganique qui se lance sur les Romains avec sa seule fougue subjective, sauf qu'elle va se faire tailler en pièces par la cavalerie. C'est exactement ce qui se passe quand vous avez une manifestation et que, à l'intérieur de la manifestation, il faut mettre sur pied un service d'ordre. On sait très bien que, au fur et à mesure qu'il se spécialise, le service d'ordre devient aussi redoutable pour les manifestants que pour l'adversaire. En effet, il est spécialisé, mais il est également séparé et jouit d'attributs particuliers. Ce sont là des problèmes dont on pourrait chercher des exemples dans les autres procédures. On verrait que le moment où, pour traiter un point, c'est-à-dire pour que le sujet se développe et se renforce, vous devez avoir un organe de traitement du point. En effet, la formation interne de l'organe du traitement du point étant en même temps une séparation vous allez être dans l'obligation de reformuler le principe de votre unité, laquelle ne va pas se présenter comme avant, parce qu'elle va devoir intégrer la séparation singulière de l'organe. C'est à mon avis une question de la plus haute importance concrète. Et dans toutes les procédures génériques, qu'il s'agisse de la science, de l'art, de l'amour, de la politique, c'est une contradiction fondamentale et motrice. Pour traiter ce genre de point il va falloir spécialiser certaines régions du corps subjectif, et cette spécialisation est en même temps une division, alors que par essence le corps subjectif ne vit qu'au régime de son unité subjective, il n'est pas étatisé, il n'est pas contrôlé par les lois transcendantales de l'apparaître, il est une création continuée.

On peut dire aussi qu'un corps subjectivable, c'est quelque chose qui doit reformuler les conditions de son unité, à l'épreuve des points. Cela éclaire quelque chose qu'on connaît bien et dont chacun fait l'expérience : rien n'est plus périlleux qu'une victoire. On a traité le point, bravo, mais ce n'est qu'un commencement. Si on définit formellement la victoire comme la capacité d'un corps subjectivable à traiter un point (définition formelle légitime), on voit que, comme ce traitement a entraîné un certain type de division interne au corps, le problème du sujet après la victoire, ou dans l'élément de la victoire, c'est la reformulation de son unité. Comment résorber ou accepter cette division dans une figure nouvelle de l'unité subjective ? C'est évidemment une épreuve interne, immanente, qui expose le sujet victorieux à une difficulté inédite, qui est que le type de subjectivité qui était à l'horizon de sa victoire n'est plus valide dans l'élément de cette victoire. Dans le cas de l'armée d'esclaves de Spartacus on sait très bien que des contradictions très vives ont surgi entre certains des corps spécialisés qui se considéraient comme militairement aptes, et toute une foule d'esclaves ralliés qui en outre étaient là avec femmes, bagages, enfants, et qui rendaient la situation militaire plus difficile. Cependant il fallait bien marcher avec ces gens-là aussi. Mais le problème était dramatique : comment reformuler l'unité comme unité d'un autre type que celle de la pure révolte, laquelle faisait lever une foule considérable, agissante et déterminée ? C'est un point qui a été central et a donné lieu à des affrontements politiques violents durant toute la guerre d'Espagne. Relisez l'admirable roman qu'est *L'Espoir* de Malraux, vous verrez que c'est au cœur du propos, dans l'opposition entre ce qu'il appelle « l'illusion lyrique », qui est en fait la constitution anarchiste, à la fois parousique, sacrificielle, unanime, de l'affrontement avec les fascistes, et la conception communiste et stalinienne qui dit qu'il faut commencer par faire une armée pour avoir des officiers, des gens disciplinés, des corps spécialisés. Ce genre d'affrontements politiques fratricides ont ensanglanté la guerre d'Espagne, et c'est exactement le problème dont nous parlons ici. Il ne s'agit pas de donner raison dans cette affaire aux staliniens, mais il est certain qu'il n'était pas possible d'aller à l'affrontement autrement que sous certaines conditions concernant le traitement des points et le degré d'acceptation d'une spécialisation intérieure des organes. Comme vous le voyez cette question est d'une importance descriptive essentielle et, sous peine de rester innocente, ou abstraite, toute théorie du sujet doit impérativement lui faire sa place.

La question de l'organe, liée à la question du traitement des points, est la question décisive du rapport, entre unité subjective et organisation. « Organisation » est ici à rapprocher d'« organe », au sens le plus général du terme : ce qui organise le corps de telle sorte qu'il dispose d'organes capables de traiter les points. Ne croyez surtout pas que ce soit réservé à la politique, même si on puise là les exemples les plus frappants. C'est également une question très difficile dans la procédure amoureuse. Parce que, dans la procédure amoureuse, si vous instituez l'amour comme une règle de vie, règle de vie qui est la vie du Deux comme telle, ce que j'appelle la scène du Deux, il vous faut constamment maintenir quelque chose de l'élan initial qui figure l'unité de cette scène dans le traitement des points. Celui-ci va être du genre : « Quel appartement ? », « Des enfants ou pas ? », « Où va-t-on en vacances ? » C'est la même chose que pour Spartacus : l'armée romaine arrive, est-ce qu'on accepte la bataille ou pas ? Il n'y a que des différences d'échelle. Mais les différences d'échelle sont des différences de mondes. Ce sont des points. Et donc il faut les traiter. Mais pour les traiter, il va falloir introduire, dans l'événement de la subjectivité inaugurale qui a décidé de l'amour comme tel, toute une série de spécialisations pratiques, qui vont évidemment mettre l'unité initiale dans une épreuve renouvelée, point par point. Pourtant c'est une épreuve par laquelle il faut passer car c'est là que vous construisez. Et la construction point par point doit remettre à l'ordre du jour de quel type d'unité il s'agit, tout en gardant le principe originel de l'incorporation, qui est quand même celui de la trace de l'événement. Le problème c'est de rester dans la trace de l'événement, de l'événement qui est, là, tout simplement. Ce Deux qui n'existait pas s'est mis à exister à partir de la rencontre, il s'est mis à exister dans le monde et la maintenance de ce Deux, comme unité du Deux lui-même, comme rapport du Deux à lui-même, est dans l'épreuve des points. Cette expérience commune peut être reconstituée procédure générique par procédure générique, et c'est évidemment la question fondamentale posée par la nécessité des organes.

Cette récapitulation vous aura permis de voir quelles vont être non pas seulement les organisations conceptuelles, mais les points qui nous intéressent ici et que nous traiterons encore l'année prochaine. C'est toute la question de s'orienter dans la pensée, dans l'existence, de savoir ce que c'est qu'être, que vivre, d'une manière qui ne soit pas animale, ce que c'est que participer effectivement à cette relation incommensurable entre multiplicités indifférentes et vérités éternelles. Qu'est-ce pour un individu, qu'accepter l'incorporation ? C'est un problème qui est loin d'être fantasmatique ou théorique mais qui, lorsqu'on est dans l'épreuve véritable du monde, c'est-à-dire dans l'épreuve des points, devient finalement le problème de la maintenance de l'unité, dans des formes transformées d'organisation.

Nous retrouvons la question de l'organisation, qu'on a tendance à réserver au domaine politique, où tout le monde sait qu'elle pose problème. En réalité il faut généraliser le problème et comprendre que, en définitive, toute procédure subjective est à l'épreuve d'une question d'organisation. Plus précisément : de la question du rapport entre unité et organisation. Unité, c'est donné en principe par l'incorporation à la trace, c'est-à-dire par la relève de l'inexistant. Être le compagnon proche de la relève de l'inexistant, c'est ça l'incorporation, et là on a une unité de principe. Mais la maintenance de cette unité dans le traitement des points, c'est-à-dire dans l'organisation, voilà la question difficile. C'est la question que j'appellerais celle de l'existence des vérités, de l'épreuve existentielle des vérités. La nécessité s'impose de réorganiser afin que l'unité perdure, alors même que des divisions y sont attendues, et vous ne pouvez pas éviter qu'il faille des organes pour traiter les points. Ces divisions devront donc être traitées de telle sorte que l'organisation n'annule pas l'unité, et c'est un problème très complexe qui n'a de solution qu'au cas par cas. C'est d'ailleurs pourquoi toute séquence d'une vérité éternelle est aussi et toujours la solution d'un problème d'organisation. Ainsi, toute proposition universelle est une proposition sur l'organisation. Tout amour exemplaire est un amour qui a proposé au Deux une forme d'organisation inédite. Cela pour vous dire que ce n'est pas le mariage qui résout le problème. Mais ce n'est pas non plus lui qui le contredit !

Lorsque nous en sommes là, en ce point où non seulement il y a des victoires, puisque je partais du péril des victoires, il y a cette chose plus essentielle qui est une victoire sur la victoire, c'est-à-dire le traitement du péril de la victoire elle-même, ou la solution du problème d'organisation légué par la victoire. Parce qu'en réalité la victoire est toujours remportée non pas directement par l'unité mais par l'organe lui-même. C'est lui qui peut prétendre être victorieux. Et s'il prend le pouvoir sur l'unité, il va la détruire. Ce qui n'est jamais qu'une séparation. La victoire sur la victoire consiste toujours à remettre l'organe à sa place, à sa place dans un nouveau type d'organisation. Il faut que l'organe ne soit que l'organe de l'organisation, c'est-à-dire finalement de l'expression de l'unité. Ce n'est pas facile, comme le montre l'histoire des troupes victorieuses qui prennent le pouvoir politique. Une troupe victorieuse, ce n'est jamais qu'un organe qui a été formé pour un but. Si elle prend le pouvoir politique, elle écrase l'unité au nom de laquelle elle a agi. C'est pareil dans le cas d'un couple qui organiserait tout tellement bien pour les enfants qu'il n'y a plus rien pour lui et qu'il devient une machine familiale.

Là aussi, ça veut dire que la famille a pris le pouvoir sur l'amour, aventure bien connue, tout à fait parallèle au fait que la troupe victorieuse prend le pouvoir. Nous savons que toutes ces matrices politiques sont aussi, d'un point de vue formel, immanentes à notre vie active. C'est bien de ça, qui est transversal et commun à l'expérience subjective des vérités, dans leur ensemble, que j'essaie de faire théorie Et si nous avons non seulement les victoires, mais la victoire sur la victoire, alors, bien que nous ne soyons après tout que des animaux quelconques, nous participerons au devenir matériel d'une vérité.

Le devenir matériel des vérités, c'est à la fois la possibilité des victoires et la possibilité de la maîtrise des victoires dans l'élément de la fidélité à la relève de l'inexistant. Ne jamais oublier l'inexistant, c'est ça l'important. Ce que la victoire fait oublier c'est que c'est de l'inexistant que finalement tout procède. L'orientation dans la pensée, l'orientation dans l'existence, en tant que lumière sur la vie, lumière sur l'existence, c'est cette participation au devenir matériel d'une vérité, qui est dans l'élément de la victoire, mais en même temps dans l'élément de la fidélité à l'inexistant. En fin de compte, dans la procédure de vérité, tout échec tient à ce que l'inexistant originaire a été oublié : la victoire l'a emporté sur l'inexistence et on ne se souvient plus d'où l'on procède. Le monde vous a vaincu. Vous échappiez au monde parce que vous vous enraciniez dans l'inexistant. Mais si l'inexistant est omis ou raturé, alors, en réalité, le principe transcendantal du monde vous a vaincu.

Merci.

XV

14 JUIN 2006

Eh bien, bonsoir, pour ce dernier séminaire de l'année. Ce que je voudrais faire, évidemment, c'est une sorte de récapitulation de notre trajet : voir où nous en sommes, et aussi annoncer, ne serait-ce que fugitivement, ce que nous allons faire l'année prochaine. Comme vous le savez la construction générale de ce séminaire s'étend, sous le titre général, *S'orienter dans la pensée, s'orienter dans l'existence,* sur trois années dont nous achevons ici la seconde. Comment ces trois années ont-elles été agencées ?

Pour le dire simplement, la première année proposait des catégories d'analyse, des catégories conceptuelles immédiatement appropriables à la situation présente, des catégories avec lesquelles on peut réfléchir une conjoncture. Autrement dit, quel est l'appareil philosophique qui, aujourd'hui, permet de se saisir des phénomènes subjectifs dans le rapport aux situations ? Nous avions longuement pris comme fil conducteur le caractère, aujourd'hui difficile, d'un usage simple des catégories dialectiques. Le rapport subjectif à la situation doit-il se placer sous le signe de la contradiction, de l'analyse des contradictions, ou de la position négative et révoltée au regard de la situation ? En gros, est-ce que l'entrée de l'analyse de la situation peut se faire selon les catégories de la négativité ? C'était un peu la question que nous avions mise à l'ordre du jour.

Or les choses se compliquent à partir du moment où l'on renonce à entrer dans les situations à partir de la négativité, à partir du moment où l'on considère que l'analyse et l'engagement en pensée dans une situation ne se font pas nécessairement à partir des figures de la négation. En effet, que devient alors la notion même d'adversaire, ou de différence antagonique entre les positions ? Nous avions cheminé entre la conception selon laquelle le sujet politique peut se constituer dans les situations, à partir du moment où on a une position négative les concernant, donc où l'entrée politique dans les situations se fait à partir de la révolte, de l'indignation, de la protestation, du refus, et l'élaboration finalement dialectique de tout cela. Il y avait ça d'un côté, et puis de l'autre, évidemment, l'idée consensuelle, à savoir l'idée que ce n'est pas la contradiction qui est la matrice de la pensée politique parce que, en définitive, il existe une possibilité d'harmonie, de consensus. À ce moment-là, l'adversaire est rejeté dans le pathologique. Autrement dit, nous cherchions à déterminer la maintenance d'une catégorie de l'adversaire hors négation pure, sans que la contradiction soit la matrice de l'analyse de la situation, mais sans pour autant renoncer à l'idée qu'il existe effectivement des points de vue antagoniques à l'intérieur et au regard de la situation. C'est pourquoi le centre de notre analyse a été une réélaboration de la catégorie même de l'adversaire. On aurait pu, au fond, donner comme sous-titre à cette première année : « Pour une théorie non dialectique de l'adversaire », ou « Pour une théorie non dialectique de l'antagonisme ». Tel a été l'enjeu de cette première année, qui nous a mobilisés, derrière des poèmes de Pasolini et bien d'autres matériaux, toujours en conservant cette figure fondamentale de l'adversaire comme maintenance extérieure à la négativité pure.

En ce qui concerne la deuxième année, j'avais annoncé qu'elle serait consacrée aux concepts philosophiques nécessaires pour établir effectivement ce qu'est le principe d'une orientation dans la pensée et d'une orientation dans l'existence. Au fond, ce qui a été proposé, c'est une batterie de concepts philosophiques qui portent en définitive sur la relation disjonctive entre ce qui apparaît et ce qui est, à savoir le fait qu'il existe un ordre propre de l'apparaître, dans lequel ce qui est est à l'épreuve de la possibilité de sa mise en vérité.

Une thèse sous-jacente, que je n'ai pas développée parce qu'elle relevait plutôt de la première année, mais qui est à vrai dire une thèse essentielle du monde contemporain, c'est que ce qui est c'est ce qui apparaît. Une thèse donc sur la substantialisation du semblant. C'est une chose que Marx avait déjà vue : à partir du moment où l'on vit dans un monde qui est sous le paradigme de la marchandise, ce qui apparaît ne se laisse plus distinguer de ce qui circule ou de ce qui est. La marchandise, c'est essentiellement ça. Si Marx parle de « fétichisme de la marchandise », c'est bien que la marchandise, comme le fétiche, est un substitut dont la logique propre est la logique du semblant. En effet, ce qui le soutient et le fait exister est sa valeur d'échange, non pas son utilité et sa valeur d'usage. Si donc on appelle « réel » un objet quel qu'il soit, avec son importance, son intérêt, sa signification véritable pour un usage créateur, on voit bien que la valeur d'échange, soit la marchandise comme telle, ne se présente pas sous le signe du réel. Elle se présente sous le signe d'un univers dans lequel le semblant et le réel sont indistinguables et, dans le monde contemporain, la relation entre ce qui apparaît et ce qui est indique bien la prévalence du semblant comme organisation fondamentale de l'univers marchand. C'est une constatation empirique mais intéressante, parce qu'elle soutient la nécessité d'en revenir à une élaboration philosophique de la distinction entre l'être et l'apparaître.

C'est d'ailleurs une longue histoire… Vous savez qu'une critique fondamentale de Nietzsche contre la philosophie en général, contre Platon en particulier, porte sur la distinction entre l'être et l'apparaître, à savoir l'idée que, au-delà de l'apparaître, il y a un arrière-monde réellement existant. Cette scission entre être et apparaître est le grief fondamental de Nietzsche, qui entend abolir cette distinction et montrer que ce qu'il y a ce sont des interprétations de ce qui apparaît et que la vitalité de ce qui apparaît n'a pas besoin de se soutenir d'une catégorie de l'être distincte de l'apparaître. C'est une critique forte et intéressante, mais périlleuse, en tout cas aujourd'hui. Parce qu'aujourd'hui il n'est que trop vrai que ce qui nous est imposé est l'indistinction entre l'être et l'apparaître. Et si très tôt, un peu par provocation philosophique, j'ai parlé de retour à Platon ou de geste platonicien, si j'ai levé haut le drapeau de Platon – drapeau très attaqué et très défaillant qui, il faut bien le dire, était tombé pendant tout le XIXe siècle dans une grande misère – c'est principalement parce que le mot d'ordre selon lequel ce qui apparaît doit être pensé dans sa distinction d'avec l'être constitue à mes yeux un geste essentiel de la critique spéculative ou philosophique d'aujourd'hui. En effet, dans l'élément de l'indistinction entre l'être et l'apparaître il est impossible de maintenir de façon efficiente la distance nécessaire au monde contemporain, lequel, si je puis dire, réduit le réel au semblant, et dont la proposition est précisément que l'apparaître vaut pour l'être.

C'est vrai de la marchandise mais c'est également vrai en politique. Comme on le sait, progressivement, les caractéristiques d'un candidat quelconque sont son apparence. Ça va depuis ce qu'il dit, mais dont l'irréalité est unanimement assumée, jusqu'au fait qu'on va finir par l'élire parce qu'il a une moustache, ou parce que c'est une dame, etc. Or tout ça est un jeu profond. On a tendance à en rire, mais ce n'est risible qu'à un premier niveau, car, de manière essentielle, ce n'est que la projection, dans l'espace des subjectivités publiques, d'un point fondamental qui est lui, un philosophème, à savoir qu'il n'y a pas lieu de distinguer entre ce qui apparaît et ce qui est. Il en résulte d'ailleurs des normes particulières qui font que ce qui est normé est normé selon l'apparaître : ce qui apparaît est ce qui a valeur, ce qui compte. C'est parfaitement normal à partir du moment où l'apparaître, le semblant, est indistinguable de ce qui est. C'est pourquoi, comme je vous l'ai dit, un point politique fondamental est toujours de prendre garde, de s'intéresser à ce qui n'apparaît pas. Ce serait la maxime : « Prends soin de l'inapparaissant et ne te soucie que moyennement de ce qui apparaît. » Certes ce serait bien sûr exagéré de ne pas s'en soucier du tout. Un peu d'apparaître tout de même. Mais il y a une mesure, et la mesure c'est celle qui nous sépare, précisément, de l'engagement philosophique qui soutient la thèse de l'indiscernabilité entre ce qui apparaît et ce qui est.

Ainsi s'explique que le fil général de ce j'ai proposé cette année, et de ce que j'ai écrit dans la dernière période, trouve en son centre la question de la logique de l'apparaître. Car c'est bien selon un mouvement essentiel, et non par hasard, que c'est dans la distinction entre être et apparaître – distinction renouvelée, repensée, refondée –, que gît le ressort véritable d'une distanciation critique par rapport au règne implacable du semblant.

À partir de là, il s'agit de comprendre comment cette critique de l'apparaître peut ne pas aboutir à des résultats ordinaires, qui seraient de considérer que seul vaut l'être comme tel et que ce qui apparaît est sans vérité. C'est un peu la même chose qu'à propos de la dialectique. Comment penser qu'on entre dans les situations autrement que par la figure de la contradiction, sans pour autant sacrifier l'antagonisme ? Par analogie on pourrait dire : après le problème de la dialectique, le problème du matérialisme c'est comment distinguer l'être de l'apparaître, de façon rationnellement constituée, sans avoir à sacrifier l'apparaître au nom de la vérité. C'est autour de cette difficulté qu'on a travaillé cette année, et qu'on travaillera certainement encore, parce que c'est un vaste programme philosophique. Autrement dit, c'est un geste platonicien mesuré. Ce pour le cas où par « platonisme » on entendrait, de façon vulgaire, le sacrifice du monde sensible au nom de la pure vérité du monde intelligible. De même, si on s'installe dans un platonisme vulgaire de la transcendance, alors évidemment on va distinguer l'être de l'apparaître, mais pour raturer l'apparaître et affirmer aussitôt que la vérité est au-delà ou hors du monde, qu'elle est dans un autre monde. Je ne vais pas vous faire un cours d'histoire de la philosophie mais vous savez que, pour moi, là n'est aucunement l'intuition fondamentale de Platon. Il s'agit donc de maintenir l'écart ou la distance entre l'être et l'apparaître, mais en montrant que la vérité, qu'une vérité, procède aussi selon l'apparaître. En effet, l'opposition de l'être et de l'apparaître ne saurait coïncider avec l'opposition de la vérité et du semblant, de la vérité et du faux. L'apparaître n'est pas, de manière essentielle, le lieu du faux, bien que nous ayons à le distinguer du lieu de l'être. Le problème consiste en fait à montrer que le processus d'une vérité doit pouvoir être pensable dans son apparaître même. Même si, bien entendu, cet apparaître est l'apparaître de l'être et non pas l'apparaître du faux, de la négation ou du semblant. C'est bien l'être qui apparaît, si je puis dire « en personne », et cependant il n'y a pas lieu d'identifier l'être à l'apparaître. On ne va pas non plus tomber dans l'orientation critique qui consisterait à dire que seul l'apparaître est connaissable, tandis que l'être demeure inconnaissable. Non. Il y a un connaître de l'être, il y a une ontologie : la mathématique. Et il y a aussi une pensée possible de la cohérence de l'apparaître, une logique de l'apparaître, une logique des mondes.

Comme vous le voyez, le rapport entre l'être et l'apparaître, ne doit être ni celui de la vérité et de l'erreur, ni de la vérité et du faux, ni du réel et du semblant. Ni non plus celui de l'inconnaissable et du connaissable, l'être étant retiré, en quelque manière, dans l'obscurité de l'inconnaissable, et l'apparaître ou le phénomène étant le lieu de l'organisation de tout savoir. Nous suivons donc une ligne de crête qui doit maintenir que le procès d'une vérité concerne l'être mais traverse l'apparaître, ce qui veut dire qu'une vérité surgit toujours dans un monde effectif, c'est-à-dire dans un lieu de l'apparaître comme tel, dans un être-là. Il y a un être-là de la vérité. La vérité est donc de ce monde. Elle n'est pas ce qui, dans ce monde, fait signe pour un autre monde. Elle est un processus de ce monde. Et, par ailleurs, cela n'entraîne pas que la connaissabilité de l'apparaître, l'apparaître d'une vérité elle-même, entraîne le retrait de l'être dans l'inconnaissable. Car l'être est connaissable et il y a une pensée de la cohérence logique de l'apparaître. « Vérité » est un mot qui désigne des processus traversants, situés dans l'être-là ou dans l'apparaître. Par conséquent, les concepts nécessaires pour s'orienter dans l'existence et pour s'orienter dans la pensée sont des concepts attachés à la résolution du problème du statut de la vérité, catégorie en déshérence aujourd'hui. Effectivement, dans un monde où être et apparaître sont assumés comme indistinguables, la catégorie de vérité va être tenue pour inutile. Tout ce qu'il y a c'est l'intensité du semblant. Nous n'accepterons donc pas la déshérence de la catégorie de vérité, et nous allons la restituer, mais de telle sorte qu'elle soit disposée dans un agencement de type nouveau entre être et apparaître.

Mon entrée dans cette question porte sur l'examen de la tension propre de ce problème. Le fait princeps est que la pensée de l'être nous le livre comme multiplicités indifférentes, c'est-à-dire que, en effet, ce n'est pas de l'être seul que procèdent les vérités. On peut même dire que c'est d'une certaine interruption du régime légitime de l'être qu'une vérité procède. C'est le premier aspect : l'être est connaissable, mais ce que nous parvenons à en connaître ne rend pas raison de l'existence des vérités, voilà pourquoi on parle de « multiplicités indifférentes ». Par ailleurs il y a des « vérités éternelles », mais quant à leur processus celles-ci sont assignables à des mondes déterminés. Donc elles apparaissent. Elles sont l'exemple même de ce qui tout à la fois se soutient de l'être et apparaît. Pour autant que les vérités se soutiennent de l'être, elles sont trans-mondaines. Autrement dit, elles ne sont pas réductibles à la singularité d'un monde et cependant elles apparaissent dans un monde. On a donc organisé une systématique conceptuelle autour de cette double propriété fondamentale des vérités, être trans-mondaines et intra-mondaines à la fois. Les vérités sont ainsi assignables à un monde, en même temps qu'elles sont déchiffrables, lisibles ou exposées à une résurrection du point d'un autre monde. Seule une telle situation fait preuve que « vérité » co-appartient à l'être et à l'apparaître.

En disant cela, nous nous tenons au plus loin du platonisme vulgaire, mais en revanche très près d'une interprétation possible de la réminiscence platonicienne ainsi que de la participation, les deux étant liées. En effet, chez Platon, la possibilité que le sensible participe à l'intelligible suppose bien que « vérité » co-appartienne à l'être et à l'apparaître. Sinon on ne comprendrait pas du tout comment le sensible pourrait participer à l'intelligible. Je le répète : ce qui est fondamental chez Platon, ce n'est pas du tout le schéma des deux mondes, le sensible et l'intelligible. Le cœur du platonisme, le cœur de son intensité philosophique, c'est la participation, à savoir le mode propre sur lequel, sous le nom d'« Idée », ce qui est susceptible de vérité co-appartient à l'être et à l'apparaître, ou co-appartient à la transcendance et à l'être-là. Entre parenthèses, c'est évidemment la raison pour laquelle Pascal peut dire : « Platon pour préparer au christianisme ». On voit bien ce qu'il veut dire. Dans Platon, on trouve effectivement cette idée remarquable que, finalement, l'absolu peut participer du monde, que l'absolu peut être dans le monde. Et il est clair que le christianisme donne de cela une image très frappante, celle de l'incarnation, celle de l'être dans le monde. L'incarnation c'est très précisément l'absoluité de l'infinité divine présente là. C'est l'être-là du vrai comme tel, ou de l'absolu comme tel. Pascal a bien vu, dans les intuitions fulgurantes qui sont les siennes, qu'au cœur du platonisme on n'a pas l'écart de deux mondes (ce serait une platitude !) mais qu'on a un point de jonction des deux mondes qui est le mode propre sur lequel l'Idée est présente là. Présente à vrai dire pour Platon dans la plus humble expérience : si je sais que ceci est une table, c'est parce que ça participe à l'Idée de la table. Ce n'est peut-être pas très facile à comprendre, mais c'est comme ça. Et si on généralise, si on essaie de clarifier l'intuition dont il s'agit, on voit que cette intuition c'est en définitive l'idéalité comme telle : la pensabilité des choses co-appartient à l'être et à l'être-là, co-appartient à l'être et à l'apparaître. Si vous refusez cette idée de co-appartenance à l'être et à l'apparaître de l'idéalité, alors vous allez repousser l'Idée au-delà du monde et vous allez donner du platonisme une version ésotérique, qui n'a plus d'autre issue que la néantisation mystique. Parce qu'alors il faudra sacrifier le monde pour accéder à l'Idée et, dans cette perspective, l'Idée est d'outre-monde, absolument. Il existe à vrai dire un platonisme de ce genre. C'est ce qu'on pourrait appeler le platonisme mystique, lequel consiste tout entier dans une ascèse d'extériorisation à l'apparaître, pour pouvoir tenir l'essentiel dans un mouvement où d'ailleurs la vie et la mort sont indiscernables. Rien d'étonnant à cela, quand vous devez outrepasser le monde, au risque de l'infini, la distinction entre la vie et la mort devient ténue. C'est même le propre de l'expérience mystique radicale. Il s'agit cependant d'un platonisme tout à fait particulier. Celui auquel Pascal fait allusion est à mon avis beaucoup plus réel. Pascal montre que, chez Platon, réellement vous avez une tentative – la première et la plus décisive, celle qui a donné la matrice de tout – de penser que pour accéder au vrai comme tel il faut assumer qu'il co-appartient à l'être et à l'apparaître.

Il faut reconnaître que je me suis déployé dans cette filiation platonicienne en disant qu'on peut penser, par un trajet singulier, articulé et complexe, le fait que les multiplicités indifférentes et les vérités éternelles existent dans le « il y a », se partagent le « il y a », et que donc il y a et les multiplicités indifférentes et les vérités éternelles, pour autant naturellement qu'on comprend que la corrélation des deux est un processus qui apparaît. Pour une intelligibilité complète de la coexistence des multiplicités indifférentes et des vérités éternelles la co-apparition de l'être et de l'être-là est une nécessité. C'est également pourquoi j'emploie délibérément le syntagme « vérités éternelles », qui fait très archaïque. Mais par les temps qui courent, être archaïque est une vertu. Être moderne, c'est très suspect tout de même. Et surtout être en train de se moderniser. Mieux vaut s'archaïser ! On pourrait lancer ça comme mot d'ordre : archaïsez-vous ! On nous bassine sur le fait qu'on n'est pas moderne, d'accord, on ne l'est pas du tout et on va s'archaïser à fond. Si j'ai employé « vérités éternelles », c'est un peu en tant que geste platonicien. C'est de la même eau. C'est pour m'abriter, en lui donnant un sens radicalement nouveau, dans l'élément d'une tradition que je subvertis mais qu'en un certain sens je réarticule. En réalité « vérités éternelles » désigne ceci que l'universalité apparaît, c'est-à-dire qu'elle est maintenue dans sa surrection effective à partir de la singularité des mondes. J'assume également que la matière même des vérités ce sont des multiplicités indifférentes, ce qui revient à dire qu'il n'y a rien d'autre que des multiplicités indifférentes, sinon que, avec des multiplicités indifférentes, il peut arriver, dans des conditions singulières, que l'on ait la construction, le processus d'avènement de vérités éternelles.

C'est à cela que l'on avait consacré ce deuxième temps. Mais alors pourquoi est-ce un temps central dans le dispositif des trois années de ce séminaire ? On pourrait répondre de façon simple : parce que ce sont des catégories qui aboutissent à la conclusion, recevable à mon sens aujourd'hui, qui est que l'absolu existe. Et qu'il n'est besoin, pour penser cela, ni de l'artifice, ni du récit fabuleux des religions et des dieux. L'absolu existe. La chance de l'absolu nous est réellement accordée. Ça aussi c'est une thèse combattante, parce qu'en définitive la thèse dominante, c'est que l'absolu n'est pas notre chance contemporaine et qu'il faut vivre sans. Moi j'ai toujours admiré – là ce n'est pas Platon, mais Hegel, mon autre gourou, car il faut bien le dire, dans l'histoire de la philosophie, il y a Platon, Descartes et Hegel, c'est déjà pas mal – la grande phrase hégélienne : « L'absolu est auprès de nous. » Je crois vraiment que c'est une phrase décisive, que Hegel profère dans le contexte qui est le sien. Ce n'est pas du tout la même chose de s'orienter dans la vie ou dans l'existence si on pense que l'absolu est auprès de nous, ou si on ne le pense pas. C'est même une démarcation décisive ! « L'absolu auprès de nous », c'est une image naturellement. C'est un peu trop proche peut-être de l'ange gardien. L'absolu est auprès de nous avec ses grandes ailes, et il nous conduit dans la vie... Là ça commence quand même à devenir trop archaïque !

Ici je ne résiste pas à mon envie de faire une petite parenthèse. Ceux parmi vous qui sont les plus anciens m'ont déjà entendu dire que la théorie des anges est une théorie très intéressante. Dans ce massif, très étrange pour nous à beaucoup d'égards, qu'est la philosophie médiévale il faut s'intéresser à la théorie des anges. J'ai toujours trouvé que c'était une des choses les plus fascinantes, ces discussions spéculatives sur les anges. Vous avez par exemple le grand affrontement entre saint Thomas et Duns Scot sur la question de la nature effective des anges, c'est formidable. Pourquoi ? Eh bien, parce que c'est toujours la même chose : l'ange, c'est la médiation. C'est du platonisme réalisé, au sens où la participation est la coexistence du sensible et de l'intelligible, la coexistence de la matière et de l'esprit, la coexistence du corps et de l'âme. En gros, pour faire une vérité, il faut bien du corps et de l'âme. Platon en a l'intuition. Mais l'ange alors ? Eh bien, l'ange, c'est l'ensemble des degrés intermédiaires par lesquels, justement, il y a cette médiation active entre la matérialité et la spiritualité. La théorie des anges, c'est proprement la théorie des différentes compositions possibles entre matière et forme, pour emprunter le lexique aristotélicien, et en fin de compte elle dispose une hiérarchie dont le sommet avoisine Dieu et dont la base avoisine l'homme. Et du coup on tire une espèce de grande diagonale superbe… Cela dit, « l'absolu est auprès de nous », c'est difficile de se le représenter aujourd'hui sous la forme de la hiérarchie, des trônes, des dominations, des archanges, etc. Et c'est bien dommage ! Mais comment se le représenter ? Pour moi cette phrase hégélienne signifie : tenir à l'impossible. Formellement ça peut ne pas vouloir dire grand-chose, bien que, dans des circonstances concrètes, ça veuille dire des choses très précises. L'absolu est auprès de nous, ça veut dire des choses comme : « Les Allemands ont écrasé la France, le pays est dévasté, eh bien, on va résister ! » Dans les conditions de 1940, c'est impossible ! Ça veut dire quoi ? Que vous allez prendre votre fusil de chasse et partir dans la forêt ? Ça a l'air insensé. Mais c'est ça. C'est là que l'absolu est auprès de nous justement. Vous n'allez pas être un pétainiste ordinaire, celui qui dit : « Finalement, c'est bien vrai qu'on a perdu la guerre, c'est bien vrai qu'il faut survivre, alors il vaut mieux s'arranger. » En s'appuyant d'ailleurs sur d'excellentes raisons : « Ma famille, mes enfants… et puis de toute façon je ne suis pas un héros. » Ce sont de très bonnes raisons, sauf que, pour les faire fonctionner, il ne faut surtout pas penser que l'absolu est auprès de vous, parce que sinon, là, il va vous embêter.

« L'absolu est auprès de nous », aujourd'hui, ça veut dire que dans des conditions très diverses et très variées de votre expérience, vous allez tenir sur l'impossible, c'est-à-dire tenir effectivement sur un point qui, en tant que point réel, est unanimement déclaré comme un point impossible. Vous allez tenir contre la propagande, laquelle n'a jamais d'autre contenu que de vous contraindre au possible. C'est sa définition absolument générale. Elle peut prendre bien des tours, mais elle se ramène toujours à cette seule pratique : contraindre au possible, qui est toujours le possible prescrit par les formes dominantes de l'apparaître. Soutenir le possible, ça veut dire tenir sur l'apparaître en tant qu'être, en tant qu'indiscernable de l'être. À l'inverse, « l'absolu est auprès de nous » va signifier, tenir sur l'écart entre l'être et l'apparaître. Non pas au sens où l'être, encore une fois, serait la vérité et l'apparaître le faux. Mais tenir sur l'écart comme tel. Parce que l'écart constitue une perturbation du régime du possible. En effet, si l'apparaître n'est pas indiscernable de l'être, il se peut que celui-ci vienne perturber l'apparaître, qu'il remonte en quelque sorte à la surface de sa propre apparition comme perturbation. C'est cette perturbation que, comme vous le savez, j'appelle un « événement ». L'événement est dans son essence le mode propre sur lequel s'effectue l'écart de l'être et de l'apparaître. Il se produit une perturbation des lois de l'apparaître, par une poussée de l'être qui apparaît, en tant qu'il apparaît.

Mais pour penser cela, il faut que vous pensiez l'écart, sans pour autant penser la disjonction totale. Parce que si c'est la disjonction totale, il n'y aura pas non plus cet effet de perturbation, qui est une perturbation dans un monde déterminé. Paradoxalement, que l'absolu soit auprès de nous, veut dire qu'il n'y a pas lieu, en toutes saisons et sur toutes questions, de considérer que l'être et l'apparaître sont la même chose. Il faut toujours arguer, à un moment donné, d'un point d'écart. Du point de vue de la logique de l'apparaître, ce point d'écart va effectivement se manifester comme impossible. Parce que la logique de l'apparaître n'est pas identique à ses perturbations. C'est pour ça que je dis que tenir sur l'écart de l'être et de l'apparaître, c'est en définitive résister à la prescription du possible et tenir concrètement sur une assignation d'impossibilité. Cela peut également se dire : inventer ou créer d'autres possibles. Sauf que cela revient au même : si vous créez du possible, c'est qu'il était impossible ; parce que, s'il était déjà possible, vous n'aviez pas à le créer. Donc si vous faites apparaître un impossible, un inconnu, c'est que vous avez travaillé dans l'élément de l'impossible, que vous avez tenu sur cet impossible. C'est pour cette raison que tous les concepts qui gravitent autour de l'écart entre l'être et l'apparaître entrent immédiatement dans la question de s'orienter dans l'existence ou la pensée. Ce sont des concepts en apparence abstraits : la question de l'écart entre l'être et l'apparaître peut sembler une vieille question philosophique alors qu'elle est au contraire extrêmement active et contemporaine, dans la mesure où c'est dans l'élément de l'élaboration de cet écart qu'il y aura sens à dire que vous tenez sur un point d'impossible. Ainsi s'explique qu'aujourd'hui l'ensemble complexe des réinterprétations philosophiques sur l'écart entre l'être et l'apparaître forment l'arrière-plan, les outils, l'horizon conceptuel nécessaire, pour pouvoir maintenir que, d'une certaine façon, l'absolu est auprès de nous. C'est ce qui s'oppose par conséquent à l'essence radicalement désabsolutisante de la propagande générale concernant notre monde.

C'est aussi ce qu'on peut opposer – et c'est le lieu d'en dire un mot – à la scène falsifiée sur laquelle notre monde fait grand tapage, à savoir le conflit, la contradiction, entre la démocratie et le fanatisme islamique. Cette contradiction, quel est son intérêt de propagande ? Quel est l'intérêt de présenter le monde sous cette forme ? Pourquoi y a-t-il dans la situation contemporaine tellement de gens intéressés à soutenir cela qui, somme toute, n'a actuellement guère de sens pour l'écrasante majorité de l'humanité ? Ce n'est pas une contradiction pour les Chinois... Pourquoi est-ce si fascinant pour les Occidentaux ? Eh bien, la raison en est que la figure du terroriste est tout simplement chargée de représenter ce qui arrive lorsqu'on a affaire à des gens qui s'imaginent que l'absolu est auprès d'eux. Ce qu'on vous dit c'est : « Voilà des gens qui pensent qu'ils ont l'absolu auprès d'eux, il est si près d'eux, cet absolu, qu'ils ne tiennent plus à leur propre vie. D'où les attentats-suicides : leur vie c'est zéro parce que la vraie vie est ailleurs. » Vous voyez bien que c'est l'image diabolisée et terrifiante de quiconque persiste à soutenir que s'orienter dans l'existence se fait à partir de l'axiome selon lequel l'absolu est auprès de vous. L'absolu est là, théologisé. Or c'est un absolu archaïque. On pourrait montrer, à beaucoup d'égards, que c'est un absolu délétère, que quelque chose là-dedans résonne incontestablement avec une absolutisation de la mort. Mais représenter le monde comme conflit entre la démocratie ordinaire et ce type de disposition a le grand avantage de disqualifier définitivement, à travers des figures grimaçantes, terrifiantes et mortifères, l'idée générale selon laquelle on doit s'orienter dans l'existence à partir d'un point d'impossible. Ne vous y trompez pas : cette représentation est partie prenante de la pression exercée en faveur de la résignation à la possibilité démocratique. Ce que je dis là n'a absolument rien à voir avec le jugement politique qu'on peut porter sur ces gens-là, que je considère très largement comme des figures fascisantes. Massacrer des civils, organiser des attentats aveugles, ce sont des méthodes d'agitation politique absolument répugnantes. Il n'y a aucun doute là-dessus. Mais c'est tout à fait indépendant de la manière dont c'est traité. Ce sont deux questions séparées, qu'il faut absolument disjoindre, comme c'est le cas sur bien des problèmes. Il est urgent de distinguer le jugement politique qu'on peut porter sur ce type de pratiques politiques, qui peut être une condamnation ferme et impitoyable, de la manière dont c'est articulé, instrumenté et déployé au service de fins dont il faut bien savoir qu'elles consistent à faire croire qu'on a là le modèle indépassable de ce que donne la conviction quant à l'absolu, lorsqu'elle est immergée dans la sphère de la politique, de l'action ou de l'éthique, ou de la vie tout court.

C'est toujours la même propagande : « Vivez dans la modestie du possible », dont en fin de compte on ne voit guère ce qu'elle veut dire. Car de quelle vie s'agit-il en réalité ? Sinon d'une vie dans laquelle il faut répondre positivement à des injonctions du genre : « Achetez nos produits, mariez-vous, ayez des enfants, veillez à ce qu'ils aillent à l'école, tenez-vous tranquilles ! » Sans oublier : « Soyez cultivés. » Car la culture est venue au relais de la religion. J'ai toujours envie d'avancer la maxime : la culture c'est l'opium du peuple ! La culture n'est aucunement un principe d'orientation. D'ailleurs tout le monde est désorienté, on le sait très bien. S'orienter dans la vie ou s'orienter dans la pensée suppose un point d'absoluité quelconque. Tout le monde le sait mais en même temps c'est inapproprié à un monde dans lequel il ne doit pas y avoir d'écart entre le semblant et l'être, donc à un monde où il ne doit pas non plus y avoir de vérité. Car la vérité procède selon cet écart, sans pour autant lui être identique : c'est ça la distinction avec le platonisme vulgaire et avec tous ses descendants religieux. Sans cet écart, il n'y a plus qu'à se résigner à ce possible marchand, dont l'ennemi est quiconque a réglé son existence sur un point d'absolu quel qu'il soit, ennemi dont on va finalement nous expliquer que le terroriste est le paradigme.

Somme toute, tout ça n'est qu'un prolongement de ce qui s'est passé dans les nombreuses opérations antitotalitaires initiées à la fin des années 1970. C'est la continuation d'une longue séquence dans laquelle deux questions ont été absolument fusionnées. La première était de savoir quel bilan on faisait de l'expérience soviétique. C'était une question précise, qui avait déjà été une question interne à la politique révolutionnaire elle-même. Cela faisait en effet belle lurette qu'à l'intérieur de la politique révolutionnaire on débattait férocement des étapes successives de l'expérience soviétique ; ce ne sont pas les bourgeois qui ont inventé ça. On pouvait en effet condamner impitoyablement les aboutissements et la nature de l'État soviétique, mais cette première question aurait dû être absolument distinguée de l'usage général fait d'une seconde question, celle de la propagande antitotalitaire pour nous enseigner que, en fin de compte, il faut absolument se résigner au modèle politique existant dans le monde occidental. Vous voyez bien que dans ce cas, l'organisation du point si important concernant le rapport entre l'analyse et ses conséquences était déréglée. En effet pourquoi du jugement porté sur une expérience séquentielle, qui avait abouti à une impasse, fallait-il conclure à l'abandon de ses principes fondateurs ? La logique aurait été de juger qu'on avait affaire à une séquence particulière de la politique d'émancipation et qu'il était évident qu'il fallait passer à une autre séquence de cette politique. Cela n'impliquait aucunement qu'il faille se jeter dans les bras de la démocratie dominante. Exactement comme le fait d'être contre le terrorisme, considéré comme une impasse absolument mortifère, n'a pas pour principe de réalité d'adorer le gouvernement américain ! Là je parle en stricte logique, car il s'agit d'une faute logique ; il n'y a aucun lien de nécessité entre les deux.

Je vous disais tout ça pour animer ce vaste dispositif conceptuel sur l'écart entre l'être et l'apparaître, du point de vue de sa destination. Y compris dans *Logiques des mondes*, sa destination c'est de répondre à des questions comme : qu'est-ce que vivre aujourd'hui ? Qu'est-ce qu'être réellement dans l'intensité d'une orientation de la vie et de l'existence ? Qu'est-ce que maintenir des prescriptions universelles ?

Voilà qui m'amène à annoncer simplement, avant de clore sur la poésie, ce qu'il en sera l'année prochaine. Nous avons analysé les catégories de la situation présente, nous avons fourni l'appareillage nécessaire quant aux fondements mêmes de la notion d'orientation dans l'existence. L'année prochaine, il s'agira d'être quand même plus prescriptifs. Du coup j'avais envie de parler un peu comme Descartes, après avoir parlé un peu comme Platon, ou un peu comme Hegel. J'hésite à le faire, parce que ça pourrait être mal interprété, mais tant pis. Disons que j'ai le sentiment que ce dont il s'agira l'année prochaine sera de trouver et de fonder ce que Descartes appelait une « morale provisoire », et je vais tenter de m'en expliquer.

D'abord je prends le terme en un sens vraiment très dilué et très général, pourquoi une « morale » ? Eh bien, parce qu'il s'agira quand même de savoir sous quelles règles minimales la vie véritable est possible. Il ne s'agira pas seulement des conditions génériques de cette vie, mais plus précisément des quelques règles ou impératifs que nous pouvons partager, me semble-t-il, face à la pression dissolvante du monde contemporain. Quels que soient par ailleurs les engagements disparates des uns ou des autres, disparates parce que le monde contemporain est un monde de la dissolution. Forcément car dès que vous n'avez plus de point d'absoluité, tout s'éparpille. C'est toujours le point d'absoluité qui tient l'existence comme une procédure minimalement unifiée ou représentable sous le signe de son unité. Et si vous n'avez plus ça, vous êtes désorientés parce que vous êtes aussi disséminés. Ça ne veut pas simplement dire être multiple, parce que multiple on l'est toujours. Mais c'est être dans un multiple égaré véritablement, dans une multiplicité égarée. J'ai toujours trouvé extraordinaire le passage du *Manifeste* où Marx dit : « Finalement le capitalisme c'est la destruction de tous les vieux liens, de toutes les vieilles relations, de tous les vieux pactes. » C'est pour ça qu'on continue à admirer aujourd'hui, comme des événements démocratiques extraordinaires, que les femmes et les hommes ça soit pareil, et puis les homosexuels aussi. Et puis que les enfants aient des droits. Et même les animaux... Cependant Marx le dit déjà : pour le capitalisme, ces distinctions n'ont aucun intérêt, tout ce qu'il connaît c'est : capital et force de travail. Donc, au cours des siècles, toutes les vieilles différences, toutes les vieilles relations, tous les vieux liens vont être anéantis. Il n'y aura plus que des atomes. Et Marx conclut par la phrase célèbre : « Tout cela est dissous dans les eaux glacées du calcul égoïste. »

On parlera donc de « morale », c'est un vieux mot et vous allez me dire : « Si maintenant on est dans la morale des vérités éternelles, alors là, on est vraiment dans l'archaïsme le plus résolu. » Vous voyez cependant que je ne fais que reprendre le mot. Pour moi « morale » désigne un ensemble de règles tel que ça conserve un sens de s'orienter dans l'existence ou dans la pensée et que donc ça résiste à la dissolution. Cela ne signifie pas qu'il n'y a pas d'hétérogène, pas de multiplicités disparates, mais en tout cas nous ne sommes pas en proie à la multiplicité égarée, à son indifférence dissolvante. Pourquoi « provisoire » ? Je dis « provisoire » parce c'est en réalité tout simplement la récapitulation de ce que j'ai avancé souvent ici, à savoir que nous sommes dans un temps intervallaire. Le vieux monde de l'émancipation n'est plus tenable dans son détail, et les vieilles catégories dialectiques de l'émancipation sont saturées. Or le nouveau dispositif n'est pas clairement lisible ou visible. On est entre les deux et donc on ne peut pas trouver de règles qui soient, en quelque manière, emportées par un mouvement général sur lequel il y aurait accord.

Cela veut dire que nous sommes obligés de travailler en faisant l'économie du sens de l'Histoire. Heureusement d'ailleurs, parce que si aujourd'hui on devait se prononcer sur le sens de l'Histoire on serait obligé de dire qu'il est tout à fait désastreux et que l'Histoire nous entraîne irrésistiblement vers la dissolution. Avec quelques résistances qui parfois accélèrent même la dissolution, comme dans le cas de la figure du sacrifice terroriste. Nous ne pouvons plus dire que l'Histoire travaille pour nous. C'était pratique d'avoir quelqu'un qui travaillait pour nous. Surtout quelqu'un d'aussi majestueux que l'Histoire, déjà les majuscules travaillaient pour nous ! Mais dans l'absence de ce qui travaillait pour nous je pense quand même que nous avons à travailler sous le signe de la proximité de l'absolu et de l'universel. Là aussi, vous le voyez, c'est le chemin qu'on cherche à suivre entre l'ancienne conviction que de grandes entités objectives travaillaient pour l'émancipation, et l'idée négative qui est que, puisque tout ça est saturé, il faut se résigner au possible, au capital… On ne va pas soutenir que l'histoire travaille pour nous, mais on ne va pas soutenir non plus que, du coup, toute prescription émancipatrice est impossible. « Provisoire » désigne donc cet intervalle, qui est probablement un intervalle entre événements. Autrement dit, on fait avec les vérités dont on dispose, c'est-à-dire des vérités tramées à partir d'événements lointains, obscurcis, saturés, mais on fait quand même avec ça, sans dire « Attendons qu'il se passe quelque chose. » Car ce ne serait plus une morale provisoire mais une immoralité provisoire. En réalité, avec l'absolu auprès de nous, et on peut toujours penser, à partir de ce qui a eu lieu, qu'il est auprès de nous, c'est la meilleure préparation à la venue d'une relance.

Ce serait ça le programme pour l'année prochaine : une morale provisoire pour notre temps. Et si j'emploie « morale », c'est parce que je ne veux pas employer « politique », car je ne pense pas que tout ça se joue seulement dans la sphère politique, même si celle-ci fournit des exemples particulièrement pertinents. Je maintiens absolument le spectre général des procédures de vérités. En conséquence cela concerne aussi les mutations de l'amour, les formes d'art contemporain, les révolutions et développements scientifiques à venir. Et « morale » désigne aussi des règles suffisamment limpides et universelles pour être appropriées au cadre de la multiplicité des procédures de vérité : c'est un ensemble de règles relatives à l'usage que nous pouvons faire de nous-mêmes, pauvres animaux, dans la conviction que l'absolu est auprès de nous.

Dans la mesure où cette conviction est en fin de compte un peu celle qui anime un très beau poème de Wallace Stevens je voudrais conclure cette année par ce poème que je vous lis avant de le commenter. C'est un poème tiré du recueil *Description sans domicile*, dans une très belle traduction de Bernard Noël. Est inscrite dans le poème la question de cette pauvreté nécessaire, qui est comme la métaphore de la fidélité à l'inexistence. Ainsi il n'y a de victoire vraie que dans la nouvelle figure par laquelle le sujet affirme son unité, et le poème se conclut sur la nouvelle donation de ce que c'est qu'être ensemble.

Lumière, la première du soir, et c'est comme une pièce
Où l'on se repose et, sans trop de raison, pense que
Le monde imaginé est à la fin des fins le bon.

Voici, donc, le plus intense rendez-vous.
Et dans cette pensée nous nous recueillons,
Hors toutes les indifférences, en une chose :

En une seule chose, un simple châle
Autour de nous étroitement serré, car nous sommes pauvres,
 une chaleur,
Une lumière, un pouvoir, la miraculeuse influence.

Ici, maintenant, nous nous oublions l'un l'autre et nous-mêmes.
Nous sentons l'obscur d'un ordre, une totalité,
Un savoir, celui qui a ménagé le rendez-vous.

À l'intérieur de ses frontières vitales, dans l'esprit,
Nous nous disons que Dieu et l'imagination ne font qu'un…
Et qu'elle est haute cette lumière très haute qui éclaire le noir.

Hors de cette lumière-là, hors de l'esprit central,
Nous élevons dans l'air du soir une demeure,
Où il nous suffit d'être ensemble.

« Soliloque dernier de l'amant intérieur » (1954).

« Lumière », le mot d'ouverture du poème, c'est évidemment, d'un bout à l'autre, d'une vérité dont il s'agit, de la venue de quelque chose d'essentiel. Lumière, c'est ce qu'il y a et tout le poème, au fond, se déploie dans une sorte de ramification, de groupes de métaphores et de conséquences de cette idée qu'il y a une lumière. Elle arrive, elle vient, elle est la première du soir. On va donner des caractéristiques de cette lumière, comme étant ce qui advient, ce qui nous offre une chance. Ces caractéristiques sont tout à fait intelligibles : c'est « une pièce/ Où l'on se repose et [...] pense que/ Le monde imaginé est à la fin des fins le bon ». La venue de quelque chose, d'une vérité, de ce qui fait disposition pour nous, c'est très important et nous aurons à y revenir l'année prochaine. Elle est représentée dans la dialectique comme une excitation, comme une suscitation quasi-hystérisée mais ce à quoi on reconnaît l'incorporation à une vérité, c'est à la création d'une nouvelle forme de calme. Ce qui atteste, qui prouve qu'on est dans une nouvelle séquence de la vie, c'est l'intensité bien sûr. Mais plus essentiellement et plus fondamentalement c'est l'avènement d'un calme nouveau, pas celui qui existait avant mais une nouvelle espèce qualitative de calme. C'est comme une pièce nouvelle où l'on se repose. Comme un repos nouveau qui est aussi le repos de l'intensité intérieure.

Après, Stevens va dire qu'on pense, « sans trop de raison » que « Le monde imaginé est à la fin des fins le bon. » C'est sa manière à lui de dire que lorsqu'on est dans cette situation, on peut tout d'un coup penser que c'est l'impossible qui est la bonne chose. « Le monde imaginé », on nous le répète sans cesse, ce sont des utopies, à savoir ce qui est impossible au regard de la réalité. Or justement, avec Stevens, quand on est là dans ce nouveau calme, on peut penser que le monde imaginé, c'est le vrai, pas du tout le monde de la réalité commune.

Le signe qu'on est dans cette nouvelle séquence, dans ce nouvel appareillage de l'existence (« appareillage » au sens du navire), c'est simultanément la conversion de l'impossible en possible, ou de ce qui est représenté comme imaginaire en réel, et cela dans l'avènement d'une tranquillité neuve. Qui est aussi, en fait, le calme d'une certitude : celui-là je l'aime, c'est très effrayant mais c'est un calme essentiel. C'est pour toujours et c'est un calme terrible où le nouveau monde est le bon. C'est ça quand il arrive quelque chose. Et c'est quoi ça ? Eh bien, c'est « le plus intense rendez-vous ». Ce calme n'est pas contraire à l'intensité, c'est précisément l'intensité elle-même, Stevens le voit bien. Et puis, « rendez-vous » c'est évidemment, comme nous l'avons toujours dit, ce qui se présente comme une rencontre. Dans toutes les formes singulières de l'apparaître du vrai, la figure est celle d'un rendez-vous.

« Et dans cette pensée nous nous recueillons,/ Hors toutes les indifférences, en une chose » : ça c'est magnifique ! C'est exactement ce que nous avons expliqué la première année : l'indifférence de l'être est là mais, hors de cette indifférence, nous pouvons nous recueillir, se recueillir c'est une pensée, la pensée où advient le vrai, nous pouvons le faire ainsi dans l'indifférence de l'être, mais aussi hors l'indifférence de l'être. Et pourquoi va-t-on se recueillir hors l'indifférence de l'être ? Parce qu'on va se recueillir « en une chose », « une seule chose » : la rencontre d'une vérité, l'incorporation au vrai, l'orientation de l'existence, c'est toujours le moment où nous échappons à la dissolution et où nous nous recueillons en une seule chose.

Et cette chose c'est presque rien, ça Stevens le voit admirablement. Dans son essence, dans sa fragilité, elle n'est presque rien, mais à elle seule, cette simplicité, cette pauvreté de la chose va lutter contre la dissolution. Stevens choisit pour cela la métaphore d'« un simple châle/ Autour de nous étroitement serré » : un châle sur les épaules et on est dans le vrai. Et ce n'est pas une magnificence, ni un grand tintamarre, ça vient doucement, mais précisément comme ce calme, cette certitude et le système immense des conséquences. Car « nous sommes pauvres » ; certes on voit bien pourquoi : ce n'est pas une richesse, c'est une nudité.

Suivent d'autres métaphores : « une chaleur,/ Une lumière, un pouvoir, la miraculeuse influence », toutes les manières dont Stevens tente de dire ce que c'est. Et ce n'est évidemment pas facile à dire puisque ça n'appartient pas au langage antérieur. Un grand problème de la conversion de l'impossible, c'est qu'il faut qu'il dispose des mots nouveaux, qu'il fasse fonctionner la langue autrement. Car dans la langue telle qu'elle est livrée, le possible est déjà distribué. C'est la langue du journalisme, qui est la langue de la distribution des possibles et que nous parlons tous plus ou moins. Mais là, il faut que ce soit autre chose. Et s'il y a une chose dont la langue du journalisme est hors d'état de rendre compte, c'est d'un événement. C'est pourquoi ils sont toujours en train d'en bâtir de faux, appropriés à leur langue. Mais les vrais, naturellement, leur langue ne peut pas les nommer puisque c'est précisément une autre distribution langagière du possible et de l'impossible.

Et alors c'est quoi ? Stevens va dire : une chaleur, une lumière, ce dernier mot revient, c'est celui auquel il est le plus fidèle : « Une lumière, un pouvoir, la miraculeuse influence ». Ce n'est pas un pouvoir au sens du pouvoir d'État, c'est une nouvelle capacité : nous pouvons autrement. Ce dont nous sommes capables, ce que nous pouvons, change. Et ça se passe quand, ça ? Eh bien, « Ici, maintenant ». Ça c'est essentiel, je vous l'ai déjà dit. C'est un nouveau présent. C'est l'apparition du présent, ici, maintenant. Ce n'est pas une rêverie, ce n'est pas avant, ce n'est pas après, c'est ici, maintenant.

Et qu'est-ce qu'il se passe ? Il se passe que « nous », nous animaux humains, nous individus pris dans l'indifférence de l'être, dans l'indifférence des multiplicités, nous allons être au-delà de nous-mêmes, nous allons nous excéder, nous allons être plus que nous-mêmes, nous allons nous oublier, l'un, l'autre et nous-mêmes. Nous allons être dans une figure de nous-mêmes inédite. Dans une figure qui, par conséquent, est l'oubli de la figure précédente. C'est là une expérience que vous connaissez certainement d'une manière ou d'une autre : quand on est dans cet intense rendez-vous, eh bien, quelque chose en nous s'incorpore à plus grand que soi. Et c'est cette incorporation à plus grand que soi qui se paie d'un certain oubli de nous-mêmes, des autres, de nos voisins.

Et alors « Nous sentons l'obscur d'un ordre, une totalité,/ Un savoir, celui qui a ménagé le rendez-vous. » Stevens le dit très bien : nous sentons la puissance de l'événement, la puissance du vrai. Évidemment ce n'est pas clair. La nouvelle vérité n'est jamais claire. Vient ce magnifique « celui qui a ménagé le rendez-vous », qui est exactement ce que, moi, j'appelle la trace de l'événement. L'événement est ce presque rien déjà évanoui, ce souvenir de l'intensité de la rencontre, qui a ménagé le rendez-vous. Mais il y en a une trace. Et cette trace est bien trace de ce qui a ménagé le rendez-vous, mais elle est obscure, elle fonctionne comme une totalité, elle fonctionne comme un ordre, elle fonctionne comme un savoir. Un savoir de quoi ? Justement, nous ne le savons pas. Un savoir nouveau. Un savoir lui-même obscur.

Alors « À l'intérieur de ses frontières vitales, dans l'esprit », c'est-à-dire à l'intérieur des limites vitales qui sont désormais de nouvelles frontières, de nouvelles limites vitales, les nouvelles orientations de notre existence, « nous nous disons que Dieu et l'imagination ne font qu'un… » C'est encore une métaphore, qui dit la même chose que « Le monde imaginé est à la fin des fins le bon » du troisième vers. Et cela signifie que cette imagination de l'impossible qui est advenue là comme possible, c'est l'infini. Toucher au vrai c'est toucher à l'infini comme tel. Notre imagination, cette pauvre figure maltraitée de toutes parts comme imaginaire, elle est l'absolu, elle est devenue l'absolu qui est près de nous, elle est devenue l'infini qui nous excède et auquel nous sommes incorporés. La vérité en devenir, c'est ça ! La vérité comme processus, la vérité dont nous sommes participants, c'est précisément ce moment où Dieu et l'imagination ne font qu'un, parce que l'impossible et l'infini ne font qu'un.

« Qu'elle est haute cette lumière très haute qui éclaire le noir » : ça, c'est la caractérisation de la vérité supposée achevée. « Lumière », qui désignait, au début du poème, la venue du vrai, devient vers la fin, la supposition de sa réalisation complète. Et ça, c'est loin, c'est haut. Nous ne sommes pas complètement là. Quand nous sommes dans une incorporation au vrai, nous ne sommes jamais exactement dans son devenir final. Nous sommes dans la pauvreté de son processus. Mais il y a, loin, haut, « cette lumière [...] qui éclaire le noir », à savoir la certitude qu'il s'agit bien d'une vérité inchoative éclairant l'obscur dans lequel nous trempons.

Et nous alors, qu'est-ce que nous faisons là ? Eh bien, nous ne sommes pas exactement dans cette parousie du vrai. Nous ne sommes pas dans l'achèvement du vrai. Nous sommes, pour reprendre mes métaphores à moi, des militants du vrai, nous sommes dans la pauvreté de l'incorporation à la vérité qui devient. Nous pouvons espérer au moins porter un nouveau châle sur nos épaules. Nous pouvons être dans une nouvelle naissance, mais avec ce que « naissance » comporte aussi de fragilités et de menaces. Encore une fois, ce n'est pas l'arrivée triomphale du vrai dans l'appareil de l'État. Nietzsche le disait aussi : « Les vrais événements arrivent sur des pattes de colombes. » C'était le moment où Nietzsche était un grand inspiré.

C'est pour ça que nous sommes « hors de cette lumière-là », « hors de l'esprit central ». Ce que Stevens appelle « l'esprit central » c'est évidemment ce qui constituerait le centre de la nouvelle vérité, ce qui en serait comme le disque solaire essentiel. Or nous ne sommes pas dans le face-à-face avec cela ; surtout ne pas confondre le fait que nous maintenions la vérité comme processus avec le fait qu'il s'agirait du face-à-face avec la vérité totale dans la supposition de sa réalisation. Nous ne sommes pas dans cette lumière centrale. C'est aussi pour ça que nous ne sommes pas dans le moment où la vérité est représentée par un comité central, n'est-ce pas. Nous sommes en effet hors de ce centralisme-là. Mais le centralisme stalinien, si vous voulez, était lui-même une métaphore. Il était la métaphore de la conviction que le vrai allait arriver *dans* la figure de la totalité. Si « totalitarisme » a un sens, ce ne peut être que celui-là, et pas « l'État totalitaire », dont tout le monde sait que c'était un désordre affreux, une pagaille épouvantable, que ce n'était pas du tout des totalités, mais des agencements extrêmement compliqués et constamment en train de se défaire et de se refaire. Par contre il est vrai que ce qui animait alors la subjectivité dont Stevens parle ici, c'était l'idée que l'on était en train de parvenir à un face-à-face avec la vérité totalement réalisée.

Donc il y avait bien un esprit central. Et, entre parenthèses, s'il y avait de grandes figures centrales, c'est parce qu'elles étaient rendues possibles par la conviction qu'il y avait un esprit central. Le culte de la personnalité et toutes ces histoires c'étaient des symboles., une conviction. C'est pour ça que ça marchait, vous comprenez bien. Maintenant ça ne marche plus du tout, on s'en moque, mais c'est parce qu'on n'est plus dans l'élément de la même conviction fondamentale quant au vrai. Évidemment pour des gens qui pensent qu'il n'y a pas d'absolu du tout, ces figures sont des figures totalement inintelligibles. On fait comme si elles avaient été imposées de l'extérieur. C'est totalement faux. Elles ont été parfaitement admirées et construites de l'intérieur du mouvement. Et elles l'ont été parce que les gens pensaient qu'ils étaient dans l'esprit central, qu'ils communiquaient, qu'ils étaient dans l'espérance de la réalisation eschatologique de l'esprit central.

Évidemment nous partageons la conviction de Stevens, que nous sommes hors de l'esprit central, hors de cette lumière-là, hors de la totalisation du vrai. Nous sommes dans son effectuation et jamais dans sa totalisation. Et alors qu'est-ce que nous faisons ? La réponse se trouve en tout cas dans les deux admirables vers terminaux : « Nous élevons dans l'air du soir une demeure/ Où il nous suffit d'être ensemble. » Voilà. Avec rien d'autre que « l'air du soir », nous élevons « une demeure » et cela nous suffit. Nous n'avons pas besoin d'être dans l'esprit central puisque nous sommes ensemble. Et ce « ensemble » est soustrait à l'indifférence. Du coup, dans la demeure que nous arrivons à édifier sous le signe du vrai, il nous suffit d'être ensemble, puisque cet ensemble-là, lui, est soustrait à l'indifférence. Et cet ensemble c'est la communauté de ceux qui sont incorporés à une procédure de vérité. Et ça va des deux amants seuls au monde jusqu'à des peuples entiers. C'est affaire de circonstances. Dans tous les cas, ils édifient une demeure, où il leur suffit « d'être ensemble. »

Et ce que nous ferons l'année prochaine, ce sera essayer de trouver quelques règles adéquates à la construction de semblables demeures.

XVI

25 OCTOBRE 2006

Eh bien, bonsoir pour ce premier séminaire de l'année.

L'enjeu du travail que nous avons entrepris ces deux dernières années est de tenter de savoir ce que peut vouloir dire « s'orienter dans la pensée, s'orienter dans l'existence ». J'ai emprunté ce titre à une question qui était originellement celle de Kant : « Que signifie s'orienter dans la pensée ? » C'est en effet le titre d'un article de revue qu'il a publié en octobre 1786. Il est intéressant de se référer au contexte de l'article, pour préciser celui de notre propre entreprise. Kant publie cet article dans le cadre d'une polémique entre deux philosophes allemands de l'époque : Jacobi et Mendelssohn (le philosophe, pas le musicien). Cette polémique porte sur la signification des Lumières – en allemand *Aufklärung* –, c'est-à-dire sur la signification du combat mené tout au long du XVIIIe siècle pour la rationalité et les droits de la raison, y compris naturellement contre les droits de la révélation et de l'autorité. La polémique allemande entre Jacobi et Mendelssohn éclate donc tardivement, peu de temps avant la Révolution française, parce que Jacobi déclare qu'il y a, en réalité, dans les Lumières, une contradiction mortelle entre raison et moralité, au sens où le culte de la raison, ou la raison poussée dans son usage extrême, produit finalement une sorte de principe de rupture avec la moralité sous toutes ses formes. Mendelssohn, en la circonstance défenseur des Lumières, proteste qu'un usage « bien orienté » de la raison – c'est là que l'orientation fait son entrée en scène – doit permettre d'aller au-delà de la contradiction apparente entre raison et moralité et qu'il s'agit donc non pas d'une question de rationalité pure, mais précisément d'orientation dans la raison, et finalement dans la pensée. Cette polémique mettait donc en jeu l'autorité et la légitimité des Lumières dans le monde philosophique allemand de l'époque. Or il se trouve que Mendelssohn meurt en 1786, laissant d'une certaine façon les Lumières sans défenseur immédiat. Kant se sent alors obligé de relever le défi et d'entrer dans le combat. Il faut bien préciser qu'il n'en avait pas très envie, mais nécessité fait loi : le champion des Lumières étant mort, il fallait prendre la relève. Kant intervient donc sur la scène de ce conflit pour reprendre la question « Qu'est-ce que s'orienter dans la pensée ? », puisque tel était précisément l'argumentaire de Mendelssohn en réponse à Jacobi.

Je voudrais soutenir que cette polémique présente une analogie avec la situation contemporaine et que le contexte permet de soutenir la ressemblance. En effet, on peut considérer que pendant toute une période, il y a eu, par exemple sous le nom de « marxisme », la thèse d'une raison révolutionnaire, c'est-à-dire la thèse des Lumières politiques dans l'espace de la révolution elle-même. C'était l'idée que le conflit politique poussé jusqu'à sa forme la plus radicale, y compris enveloppant les formes insurrectionnelles, révolutionnaires, violentes, relevait en réalité d'une rationalité dialectique effective et qu'il ne fallait donc pas opposer la violence à la raison, ou la subjectivité enthousiaste à la rationalité, mais que, au contraire, on était au-delà de cette opposition dès lors précisément qu'on avait une orientation révolutionnaire effective de la rationalité politique. Par conséquent il s'agissait bien d'une question d'orientation dans la pensée, de la juste orientation révolutionnaire dans l'élément de la rationalité générale, décidée par le matérialisme historique au sens de Marx.

On peut parfaitement soutenir que s'est établie vers le milieu du XIXe siècle une nouvelle séquence des Lumières au sens large, qui était l'idée que la rationalité insurrectionnelle, ou la rationalité de la rupture, était pensable, tenable, dans une figure qui, précisément, lui permettait de s'opposer aux défenseurs divers de l'ordre établi. Exactement comme les Lumières pouvaient critiquer les formes autoritaires et oppressives du pouvoir et de la religion, de l'intérieur de la rationalité nouvelle. Il y a donc eu une époque des Lumières révolutionnaires. Et « marxisme » est l'un des multiples noms donnés à cette entreprise qui, d'une certaine façon, faisait fusionner le pathos révolutionnaire hérité du romantisme, c'est-à-dire la subjectivité révoltée, avec un dispositif de rationalité enveloppant l'histoire, la politique, et le rapport de l'histoire et de la politique. Il est tout à fait clair que, dans l'élément de la crise de ces Lumières révolutionnaires, qui s'est ouverte depuis assez longtemps, l'argument principal est qu'il n'est pas possible, dans ce contexte, de penser l'unité entre la politique et l'éthique. C'est l'argument majeur qui sert à proposer un bilan entièrement négatif de cette entreprise, du point de vue précisément victimaire et éthique. On est bien dans l'argumentation de type Jacobi, puisqu'on en est venu à soutenir que, entre la rationalité révolutionnaire sous sa forme dialectique, héritée entre autres du marxisme, et la moralité, sous la forme des droits élémentaires de l'homme et des droits de la vie, il n'y a pas de possibilité de réconciliation véritable. En revanche, sont dans la position de Mendelssohn, et finalement de Kant, ceux qui soutiennent que telle n'est pas la vraie question, et que la vraie question est celle d'une orientation correcte de la pensée politique elle-même, c'est-à-dire d'une réorientation de la pensée révolutionnaire. Ce sont ceux pour qui il ne faut pas liquider l'hypothèse des Lumières, soit l'hypothèse d'une rationalité révolutionnaire, qui s'incorpore y compris les formes subjectives héritées du romantisme révolutionnaire, mais accepte le fait qu'il y a un véritable problème d'orientation dans la pensée, d'orientation dans la raison, d'orientation finalement dans la politique elle-même. Ce sont donc ceux qui pensent qu'il est possible de restaurer, restituer, renouveler, dans l'élément de cette orientation novatrice, la fusion réalisée par la longue séquence de la rationalité politique révolutionnaire.

C'est en raison de cette analogie que je tiens à ajouter quelques mots concernant l'entreprise de Kant. Dans l'article de 1786

Kant définit sa tâche ainsi : « Le concept élargi et déterminé du "s'orienter" doit représenter avec netteté la maxime de la saine raison dans ses applications à la connaissance des objets supra-sensibles. » Par conséquent, ce qu'il propose, de façon synthétique, par une détermination effective (« élargie » et « déterminée ») de ce que veut dire s'orienter dans la pensée, c'est d'ouvrir la possibilité de trouver des maximes de la raison, des maximes de la pensée, qui puissent s'étendre jusqu'aux « objets supra-sensibles », c'est-à-dire, finalement, jusqu'à l'être lui-même. Je me sens une affinité avec cela parce que, dans ce travail sur « s'orienter dans la pensée », c'est bien d'un concept élargi et déterminé du « s'orienter » qu'il s'agit et que nous cherchons une nouvelle maxime de l'orientation. Je vous ai dit pourquoi. C'est parce que fondamentalement le monde contemporain est un monde de la désorientation subjective. En un certain sens, nous sommes tous dans l'élément de cette désorientation, laquelle est d'ailleurs une désorientation calculée, homogène à l'être dominant du monde. Et dans l'élément de cette désorientation nous cherchons à répondre malgré tout, de façon non nihiliste, à la question « Qu'est-ce que s'orienter dans la pensée ? », reprenant ainsi à nouveaux frais la tâche de Mendelssohn et de Kant par rapport au combat des Lumières, et finalement, à la Révolution française. Nous reprenons cette question, par rapport à la séquence historique de la rationalité révolutionnaire dialectique, elle-même accusée, quasiment dans les mêmes termes, d'être incompatible avec l'éthique, ou incompatible avec la moralité élémentaire et, dans la situation présente, nous avons besoin d'un concept élargi et déterminé. Élargi d'abord, parce qu'il est impossible de déterminer ce que c'est que s'orienter dans la pensée sans recourir à des propositions qui touchent à l'ontologie et à la logique. En effet, il n'est pas possible de traiter de cela dans l'étroitesse de la détermination empirique et il est nécessaire de rebâtir quelques axiomes ou quelques hypothèses de caractère ontologique et logique pour y voir clair. Déterminé, ensuite, parce que nous avons à réfléchir à partir de procédures de vérités effectives, c'est-à-dire à propos de processus réels. On doit donc à la fois assurer les assises élargies quant à la maxime de s'orienter dans la pensée, et faire tout un travail onto-logique de connexion entre l'ontologie et la logique, et en même temps ne jamais perdre de vue qu'il s'agit, finalement, des procédures de vérités réelles. Enfin, les « objets supra-sensibles » représentent dans mon lexique à moi la nécessité de réintroduire la thématique des vérités, et même des vérités éternelles. « Vérités éternelles » vient ici, après tout, exactement à la place d'« objets supra-sensibles » pour Kant ; car les vérités éternelles, bien que matérielles, sont précisément irréductibles à leur matérialité immédiate.

Il existe également une analogie de contexte : la crise des Lumières révolutionnaires, appelons-la comme ça, s'est ouverte dès les années 1970 du siècle dernier. C'est une longue crise, qui utilise le même système d'arguments, c'est-à-dire la mise en contradiction de la rationalité révolutionnaire et de la moralité, ou de la logique et de l'éthique. Vous avez aussi une analogie de camps. Il y a le camp de ceux – on pourrait les appeler les « jacobins » modernes – qui soutiennent qu'il y a une contradiction irréductible entre la moralité et la rationalité révolutionnaire héritée du XXe et même du XIXe siècle. Et puis le camp de ceux qui soutiennent qu'il y a plusieurs options : qu'en effet un bilan de l'époque ou de la séquence révolutionnaire s'impose, mais qu'il s'agit d'un problème d'orientation et non pas d'un problème de contradiction insurmontable, ou de contradiction antagonique. Il y a ainsi une analogie de contexte, de même qu'une analogie de maximes, parce que c'est bien vrai que, pour trouver ce que veut dire « s'orienter dans la pensée », il faut élargir l'espace de l'investigation et en même temps se rapporter toujours à des procédures déterminées.

Le second point très frappant dans le texte de Kant, c'est que Kant voit clairement que dans cette affaire il s'agit d'un passage de l'objectif au subjectif, et qu'à partir du moment où vous admettez que le problème de la crise des Lumières révolutionnaires n'est pas un problème de contradiction entre politique et éthique mais un problème d'orientation, vous en appelez forcément à des configurations subjectives nouvelles, à des maximes du sujet nouvelles dans l'élément de la politique. Et il n'y a pas d'objectivité telle qu'elle puisse nous permettre de décider ; c'est-à-dire que, entre l'hypothèse d'une orientation et l'hypothèse d'une crise irrémédiable, l'objectivité ne permet pas de trancher. Finalement on est dans la logique de l'émergence d'une subjectivité qui puisse soutenir ce conflit, soutenir ce débat d'orientation. Et il est vain d'imaginer qu'un argumentaire descriptif, une théorie objective de l'état du monde, permettrait de prendre cette décision. Kant le formule dans une phrase très forte : « S'orienter dans la pensée signifie : étant donné l'insuffisance des principes objectifs déterminer son assentiment d'après un principe subjectif. »

Comme vous le voyez, s'orienter dans la pensée est une question d'assentiment. Or à quoi donne-t-on son assentiment ? Ce n'est pas une question qui puisse d'aucune manière être tranchée par des références à l'objectivité pure. Donner son assentiment relève d'un principe subjectif, et non pas d'un débat objectif concernant l'état des forces, du monde, des classes. Cet aspect m'importe particulièrement parce que dans la vision que je me fais des choses, il s'agit de savoir si on donne ou non son assentiment à l'émergence, dans le monde, de ce que j'appelle un « corps de vérités », ou un « corps subjectivable ». Car tel est le protocole à travers lequel se constitue un sujet. Finalement un sujet est toujours, sous une forme ou sous une autre, un conglomérat d'assentiments. On donne son assentiment à quelque chose qui est dépendant d'un événement, qui se constitue dans l'élément de la mondanité réelle, et le principe de cet assentiment, qui constitue la subjectivité de type nouveau, est un principe subjectif : rien, dans la situation, n'est contraignant au regard de cet assentiment. Il n'y a rien d'autre, si vous voulez, que le suspens de l'animal humain quant à la possibilité de donner son assentiment à ce qui là se passe, à ce qui là advient, à ce qui là s'est constitué dans la figure embryonnaire d'un nouveau corps de vérité. Par conséquent on accordera tout à fait à Kant que s'orienter dans la pensée, c'est-à-dire trouver de nouvelles figures de l'orientation dans la pensée, c'est toujours déterminer un assentiment à la lumière d'un principe subjectif. C'est la raison pour laquelle il est impossible de trancher la question de ce que c'est que s'orienter dans la pensée, surtout en période de crise, en période d'achèvement d'une séquence et du commencement incertain d'une nouvelle séquence, sans disposer de principes subjectifs, c'est-à-dire aussi d'un renouvellement de la théorie du sujet, que Kant naturellement s'est également proposé de produire dans l'espace de la philosophie.

Qui plus est, Kant voit très bien aussi que, outre le problème des lois de l'assentiment qui relèvent d'un principe subjectif, il y a celui de la discipline des conséquences. Ce n'est pas tout de donner subjectivement son assentiment, encore faut-il que cet assentiment se renouvelle dans la figure d'une assomption, d'une acceptation, d'un redéploiement effectif des conséquences, c'est-à-dire d'une incorporation effective aux processus de vérités. Kant le dit dans une formule assez drôle. Entre parenthèses, Kant est un personnage souvent sinistre, mais pas forcément dépourvu d'humour. C'est pour ça, mais pas seulement, qu'il est « avec Sade » comme dit Lacan. Kant dit ainsi, et la phrase ne manque pas de sel aujourd'hui : « Sans une loi quelconque [prenez ici "loi" dans le sens supérieur du mot, c'est-à-dire en tant que discipline de la pensée ; ce n'est pas une loi au sens des lois qu'invente Sarkozy tous les jours, c'est une loi au sens où elle institue une maxime ou un impératif de la pensée] absolument rien ne peut se maintenir longtemps, pas même la plus grande sottise. » Et ça, aujourd'hui, c'est une vraie question : est-ce que la plus grande sottise arrivera à se maintenir longtemps ? Je ne prononcerai pas de nom ; c'est une formule générale que vous interpréterez vous-mêmes. La question est donc de savoir quelle est la loi à travers laquelle se maintient l'assentiment. Car, sauf à être pire que la plus grande sottise, on ne peut pas espérer que l'assentiment se maintiendra longtemps, indépendamment ou extérieurement à une loi, qui naturellement va être une loi que la pensée se donne à elle-même. Cela montre bien que si s'orienter dans la pensée est toujours à l'école des procédures de vérités, à l'école de quelque chose qui fait émerger dans un monde déterminé un nouveau corps subjectif, un nouveau corps de vérité, il y a dans cette question trois composantes à examiner séparément. Kant d'ailleurs le fait puisqu'il distingue la question de l'accès au supra-sensible, la question de l'assentiment, et la question de la loi de l'assentiment. De manière plus générale on dira que ces trois éléments sont :

– Un élément de création parce que c'est toujours sous une loi événementielle que se donne la question de l'assentiment : quelque chose a eu lieu, une grande ou une petite chose, peu importe ; c'est sous cette condition de l'avoir-lieu que s'engagent une procédure de vérité et un corps subjectivable, ou une nouveauté, par rapport à laquelle l'orientation a du sens ; c'est le régime événementiel des vérités.

– Un élément d'incorporation, qui est l'assentiment lui-même. Car donner son assentiment, c'est s'incorporer au processus ; ce n'est pas réflexif, ce n'est pas une opinion sur, ce n'est pas dire oui ou non, un assentiment véritable c'est beaucoup plus que cela, c'est une incorporation effective à ce qui est en train de devenir, dans la figure d'une vérité universalisable.

– Un élément de discipline qui est : comment l'assentiment construit-il sa durée ? On peut dire aussi : comment se construit la consistance de l'action du corps de vérité dans le monde où il a surgi ?

S'orienter dans la pensée va se référer à cette triple investigation : l'élément de création qui revient à la théorie de l'événement, l'élément de l'incorporation qui revient à la théorie des corps de vérité et l'élément de discipline qui relève du traitement des points ou de la consistance du corps dans l'action effective dans un monde déterminé.

Notez, puisque nous parlons de loi, que la discipline a deux formes. Ça Kant ne le dit pas mais on peut aisément le décrire. La discipline c'est à la fois sous un impératif de continuité, car l'assentiment n'est rien s'il n'enveloppe pas la thèse de sa continuation. L'ennemi de l'assentiment c'est le caprice, qui fait qu'au premier obstacle on capote et on passe à autre chose. À ce moment-là, l'assentiment, au sens de sa capacité à être le principe subjectif d'une orientation dans la pensée, est évidemment transformé en simple psychologie. Donc, sous la maxime « continuer », l'assentiment s'élève au-dessus de la subjectivité psychologique. Mais il y a aussi un impératif de discontinuité, celui qui s'applique au traitement des difficultés. Vous savez que j'ai une théorie particulière sur les difficultés, qui est la théorie des points. Traiter les points c'est prendre la succession de décisions qui permet la consistance des conséquences de l'assentiment. Et donc ce que Kant appelle la loi, la loi des conséquences, qui consiste à être conséquent avec l'assentiment lui-même, se donnera comme discipline de la procédure de vérité, ou discipline de l'incorporation, sous cette double forme : un impératif de continuité d'une part, et d'autre part un impératif de discontinuité consistant à traiter les choses point par point, telles qu'elles se présentent dans la consistance mondaine. C'est en raison de cette double détermination de la discipline, comme troisième composante de ce qui règle les orientations dans la pensée, qu'il convient d'ajouter « s'orienter dans l'existence » à « s'orienter dans la pensée ». Car il y a lieu de s'orienter également à propos de l'existence. Ce qui peut se dire, tenir l'assentiment dans l'épreuve de l'existence effective du processus de vérité et pas simplement dans l'épreuve de son existence abstraite ou générale. Tenir de l'intérieur de la procédure, l'assentiment sous le double impératif de continuer et de traiter les points.

Là il faudrait intercaler une grande méditation sur l'existence. Sur ce que c'est que l'existence. Je ne vais pas le faire tout de suite. Ce qui est fondamental c'est de bien retenir la distinction entre existence et être. L'épreuve de s'orienter dans la pensée, c'est une épreuve d'existence qui ne doit pas être confondue avec l'arrière-plan d'être de la situation, du monde dans lequel on se trouve, parce que l'existence c'est le mode propre sous lequel une vérité apparaît, à savoir le registre de son apparaître mondain, sa facticité, sa composition élémentaire, telle qu'elle fait partie d'un monde déterminé. Il ne s'agit pas uniquement de multiplicités indifférentes, il s'agit de mondes déterminés dans lesquels apparaissent des corps de vérité nouveaux et il est impossible de s'orienter dans la pensée s'il n'y a pas incorporation aux processus et aux corps. Par conséquent, l'existence c'est l'épreuve de l'apparaître d'une vérité, c'est sa consistance mondaine. Et c'est aussi, pour le sujet, l'épreuve de son incorporation à quelque chose qui a lieu, en tant que cela *est* bien sûr, mais que cela apparaît ici et maintenant, dans un monde déterminé.

En conséquence, dans la mesure où ce dont il s'agit principalement c'est de l'existence d'un corps de vérité, le point vraiment essentiel à comprendre c'est que l'existence, en tant qu'elle est apparaître d'une vérité, est ce à propos de quoi il va y avoir des divergences dans la pensée, ce à propos de quoi la pensée va se diviser, car c'est effectivement ce à propos de quoi il y a des hétérogénéités subjectives. Il est évident que l'incorporation à un corps subjectivable suppose une reconnaissance de son apparaître, de son existence, laquelle va être niée par tous ceux qui refusent de s'y incorporer, voire y sont hostiles. Il s'ensuit qu'une partie de l'incorporation à un corps nouveau va consister tout simplement dans la déclaration de son existence, c'est-à-dire de l'effectivité de son apparaître. Loin d'être, comme on pourrait le croire, ce sur quoi tout le monde est d'accord, l'existence est au contraire ce sur quoi il y a fondamentalement désaccord. C'est même quelque chose qui la distingue radicalement de l'être qui, lui, est dans une indifférence attestée à la déclaration le concernant. Si ce ne peut être le cas de l'existence, c'est précisément parce qu'elle enveloppe l'existence du corps de vérité, c'est-à-dire l'existence de la nouveauté comme telle, et, en dernier ressort, l'existence d'une possibilité effective de s'orienter dans la pensée. La question de l'existence enveloppe inévitablement une décision ou un choix quant à ce qui existe. D'où qu'une vraie querelle porte toujours non pas sur le sens de ce qui existe, mais sur ce qui existe purement et simplement. C'est très différent évidemment de ce qu'affirment les philosophies herméneutiques. On rejettera absolument la maxime nietzschéenne selon laquelle il n'y a que des interprétations. Il y a des existences, il y a des interprétations, il y a des multiplicités effectives ; il y a des processus réels. Mais la querelle, l'opposition subjective, porte en général non pas sur le sens de ce qu'il y a mais sur ce qu'il y a, c'est-à-dire sur l'existence. Ou, plus précisément sur ce qui apparaît dans un monde.

D'une certaine manière, c'est peut-être aussi un des biais d'entrée dans la faiblesse congénitale de la conception parlementaire de la politique. Parce que, au fond, un axiome fondamental de la figure parlementaire électorale (ou démocratique, comme vous voulez) de la politique, c'est de supposer qu'on est d'accord sur ce qui existe mais que l'on n'a pas, le concernant, la même interprétation ou le même programme. Et donc, tout le monde sera d'accord pour dire : « on peut établir ce qui existe » ; « on va recourir aux statistiques, aux sondages, etc. », mais la possibilité même de débattre avec quelqu'un dans cet espace-là suppose que vous ayez un minimum d'accord sur ce qui existe et après quoi, par contre, vous avez de vives querelles d'orientation, d'interprétation, etc. Or en réalité, le problème c'est que ce n'est pas comme cela que les choses se présentent : les oppositions véritables, dès lors qu'il est question de s'orienter véritablement dans la pensée, sont des querelles quant à l'existence, quant à ce qui existe. Il y a désaccord sur ce qui existe. Et ce désaccord, naturellement, est irrémédiable, et vous ne le colmaterez pas par des interprétations.

Quand il y a un désaccord dans la pensée, et par conséquent sur la question de son orientation, c'est toujours un désaccord sur le protocole d'existence. Je me contenterai ici d'une référence textuelle. J'ai proposé une forme de cette connexion entre pensée et existence dans le chapitre 2 de mon *Court traité d'ontologie transitoire* qui a pour titre « La mathématique est une pensée ». J'y défends la thèse, illustrée par les cas des crises axiomatiques des mathématiques, que s'orienter dans la pensée relève précisément de la connexion entre pensée et existence. La formule est la suivante : « Nous appellerons "orientation dans la pensée" ce qui règle, dans cette pensée, les assertions d'existence. » Ainsi, j'ai, déjà en 1998, cette idée que s'orienter dans la pensée c'est, pour employer le vocabulaire de Kant, trouver les lois qui, dans cette pensée en mouvement, pensée issue d'une création et d'une incorporation, règlent les assertions d'existence, c'est-à-dire règlent les déclarations quant à ce qui existe. À cette formule on pourrait substituer celle que je donnerais plutôt aujourd'hui : s'orienter dans la pensée relève de la discipline d'une incorporation à un corps de vérité ou discipline subjective. Donc la « maxime subjective » dont parle Kant pour s'orienter dans la pensée relève de la discipline d'une incorporation. Et elle implique, lorsque les choses se présentent dans un monde sous forme de points, de traiter les effets réels dans l'existence. Finalement, la question de l'orientation dans la pensée ainsi définie, ce sont les maximes générales du sujet de vérité, c'est la discipline subjective ou de l'incorporation. Et ça consiste à traiter de façon conséquente l'impératif de la continuité (continuer), mais aussi l'impératif de la discontinuité (traiter les points).

Aujourd'hui la grande question de l'orientation dans la pensée c'est de savoir quel est le point. Et le débat, la discussion antagonique, porte sur l'existence d'un point comme point. Je rappelle brièvement ce que c'est qu'un point. Nous supposons qu'il y a un événement, nous supposons qu'il y a une procédure de vérité, nous supposons qu'il y a un corps subjectivé. Un point c'est un élément du monde qui va, pour le corps subjectivable, concentrer l'infinité mondaine sous la forme du 2, c'est-à-dire sous la forme d'une décision pure entre ceci ou cela. Vous voyez qu'il y a dans le point un double aspect : d'un côté il concentre le monde, l'infinité du monde, il la rassemble dans une figure localisée. Donc il y a un élément de concentration, et puis il y a un élément de décision, un élément que Kierkegaard appellerait celui du « ou bien, ou bien », ou encore « l'alternative ». C'est un moment où le corps subjectivable ne peut plus continuer son travail, son existence, son apparaître, qu'en se soumettant à l'impératif de cette concentration, sous la forme d'une décision abrupte qui ne permet plus de s'abriter derrière les nuances du monde, mais oblige de passer dans le 2. On pourrait dire finalement : vu du point de vue des procédures de vérité, un monde est ce qui expose un sujet à la disposition des points, c'est un monde *pour* une vérité, pour l'apparaître d'une vérité, c'est ce qui expose, à un sujet, à un corps subjectivable, la disposition des points. C'est ça un monde, dans sa corrélation avec une procédure de vérité.

Vous trouverez vous-mêmes des exemples, mais, pour reprendre notre vieil et fondamental exemple de la procédure amoureuse, toujours disponible, vous voyez bien qu'à supposer qu'il existe un sujet amoureux, c'est-à-dire en réalité les effets conséquents d'une rencontre, cette rencontre expose comme telle une différence, au sens où elle fait d'une différence ou d'une dualité, la loi de l'expérience du monde. Pour le dire très simplement, on était 1 et on est 2. Le monde est expérimenté dans l'élément de cette dualité singulière qui va être une procédure de vérité, et montrer ce qu'est la différence, au cas par cas, dans la forme élémentaire du 2 comme tel. Qu'est-ce, tout compte fait, que le monde vu du point du 2 et non plus du point du 1 ? Si c'est ça dans sa forme, la procédure amoureuse, vous voyez bien qu'un point c'est tout simplement un moment où la continuation de cette procédure, la continuation de l'amour, exige de prendre une décision, dans la forme « ou ça, ou ça ». Et il est probable que si l'on passe mal, ça va affecter gravement la procédure elle-même. C'est donc une vraie alternative. Dans une alternative, il faut décider, sans garantie complète du passage, parce que la situation amoureuse elle-même se concentre dans cette décision, ou dans ce choix, et ce, pourrait-on dire, sans appel, ou peut-être avec des appels, mais il ne faut pas trop s'y fier, aux appels. Le monde amoureux lui-même est évidemment sous l'impératif « continuer » : « Est-ce qu'elle m'aime toujours ? », « Est-ce pour la vie ? », c'est bien connu. Mais par ailleurs l'épreuve est aussi celle de la discontinuité dans les moments où cet impératif se voit confronté à une concentration du monde amoureux comme tel, dans la figure d'une décision cruciale dont on sait bien qu'elle va avoir des effets considérables, qu'en tenir les conséquences va être très important et que peut-être même la procédure va venir s'y échouer.

C'est ça un point, de manière générale, quelle que soit la procédure. On sait très bien, par exemple, que dans la procédure artistique musicale, il y a un point parce que la question de savoir si l'on va rester dans la tonalité, même élargie, ou admettre des dissonances inadmissibles du point de vue de la tonalité elle-même, va se présenter pour quelqu'un comme Schoenberg, mais déjà pour quelqu'un comme Debussy ou comme Wagner, comme quelque chose qui met en jeu l'historicité musicale elle-même. Et là, il se peut très bien, si vous faites le mauvais choix, qu'avec le recul du temps vous soyez considéré comme un académique, qui a tout simplement mené la musique à une impasse sans intérêt. Ce sont là des points d'existence qui font exister le monde pour la procédure de vérité concernée : c'est ce qui fait exister un amour au moment de son risque, c'est aussi ce qui fait exister une politique. L'exemple canonique le plus connu c'est, en octobre 1917, la question de savoir s'il faut ou non donner l'ordre de l'insurrection. Et là on a des déclarations répétées de Lénine : « la crise est mûre », « il faut y aller », « la situation est telle que si ce n'est pas maintenant ce sera jamais ». Et en face vous avez les autres bolcheviques qui, très légitimement, ne sont pas très chauds pour donner l'ordre de l'insurrection parce qu'ils savent bien que si l'insurrection est écrasée, ce sera fini pour un bout de temps. Pour eux mieux vaut continuer sans traiter le point, s'installer dans la maxime de la continuité sans assumer celle de la discontinuité. Il est tout à fait passionnant de relire sous cet angle les textes de Lénine de l'époque, parce qu'on voit bien que c'est très formellement, très précisément, une injonction à ce que la procédure en cours soit fidèle à elle-même *dans* l'élément de la discontinuité aussi. Pourtant les autres ne sont pas du tout des lâches, ce sont de sincères révolutionnaires, mais ils pensent que rassembler, ou armaturer, l'ensemble de cette situation dans cette figure du 2 est un risque extrême. S'orienter dans la pensée, pour autant que c'est connexe de la question d'une procédure de vérité ou d'un corps subjectivable est toujours à l'épreuve des points. Et les points sont des propositions du monde qui exposent à un sujet la disposition du monde sous sa forme à la fois concentrée et décisoire.

La grande proposition qu'on cherche à nous faire avaler aujourd'hui, c'est qu'il n'y aurait pas de points, c'est-à-dire que tout se ferait par inflexion, inclinaison, déclinaison, procédure, modification, compromis. On veut nous faire croire que toute théorie du point est une théorie extrémiste, parce qu'elle serait, comme l'on dit, de l'ordre du décisionnisme. Elle ramènerait la situation à un ordre de choses où le choix est posé dans une rigueur telle que le système de ses conséquences doit être totalement assumé, alors que dans la réalité ce n'est jamais comme ça. J'ai proposé de dire qu'un monde sans points est un monde atone, c'est-à-dire un monde en métamorphose spontanée de sa forme propre, qui ne se concentre jamais dans la figure du point. Le premier dispositif de propagande du monde contemporain consiste donc à soutenir qu'il n'y a, fondamentalement, que des mondes atones. Ou encore, que les mondes réellement démocratiques sont des mondes atones.

Mais il y a une autre manière de faire, qui est d'arguer ou de disputer de l'existence ou de l'inexistence d'un point, c'est-à-dire de proposer comme point un point qui ne peut pas être un point pour un corps de vérité, de faire en sorte que ce point soit en réalité homogène au monde comme il est, dans sa distribution étatique ou dans sa distribution légale. Le monde, là, n'est plus atone à proprement parler, mais s'il a des points, ceux-ci ne sont pas appropriables par un corps subjectivable ou dans l'élément d'une vérité, ils le sont uniquement en tant que « corps officiel » de la situation ou du monde. C'est par exemple l'idée que le point du monde contemporain serait l'opposition entre l'islamisme et l'Occident. On ne peut pas dire que cette opposition soit atone. C'est au contraire un point radical, guerrier, violent, absolument exposé dans la forme du point. Simplement je soutiens qu'aucune procédure de vérité ne peut s'approprier ce point, car c'est par définition un point étatique. C'est pour ça d'ailleurs que la forme qui lui est associée est la forme de la guerre et ce n'est pas un hasard si, en fin de compte, c'est la proposition de Bush : on est en guerre, c'est la guerre contre le terrorisme, et finalement la guerre entre l'islamisme et les démocraties occidentales. C'est une propagande pour l'existence d'un point qui, au regard d'une procédure de vérité quelconque, ou d'un corps politique subjectivable émancipateur, n'est absolument pas appropriable comme point. Ce n'est pas qu'il n'y ait pas des choses graves qui se passent, pas de terroristes, pas de fondamentalistes islamiques, mais ça ne peut pas être un point à travers lequel transite une vérité quelconque, une vérité politique créatrice, émancipatrice. C'est ce que j'appellerais « un point pour un corps étatique », « État » étant pris dans son sens ontologique le plus général, comme la figure structurale de la donnée du monde comme tel, comme la loi de distribution des corps dans un monde déterminé, qu'on désigne comme « l'état du monde ». Comme on le constate, il est tout à fait possible de proposer quelque chose qui ait la figure d'un point, tel qu'il soit un point pour un corps étatique et non pas pour un corps subjectivable. Là nous avons ce que je vous disais tout à l'heure, une discussion sans issue sur l'existence même du point. Est-ce que ce point est, ou n'est pas un point, au sens subjectivable du terme ? Si c'est un point étatique, il n'est pas subjectivable autrement que dans la forme étatique elle-même, c'est-à-dire en définitive dans le champ politique, où il ne se réalise que dans la figure de la guerre. Mais si c'est un point pour une procédure d'émancipation, il en va tout autrement.

Vous avez ainsi deux registres entremêlés de la propagande sur l'existence : un premier type de propagande étant de dire qu'en fin de compte il n'y a pas de points, que tout compte fait le monde est atone et que c'est très bien ainsi, car les points c'est toujours excessif, toujours meurtrier. Eh oui, comme le dirait Jacobi, c'est toujours en contradiction avec la moralité élémentaire, ce sont des décisions radicales, alors qu'il est préférable de vivre tranquillement en cultivant son jardin. Ce premier type de propagande va de pair avec l'idée que le monde est d'autant plus atone qu'il est constamment en métamorphose, car la métamorphose, forme continue de la transformation, est exclusive de tout point. Donc le monde change tout le temps, tout en restant toujours le même, il n'y a pas de point. Et le second type de propagande consiste à proposer de faux points. Ce que j'appelle « faux point » ce n'est pas ce qui n'aurait pas la forme du 2 mais c'est un 2 inappropriable pour un corps de vérité, et seulement praticable par un corps étatique, un 2 qui est finalement une inscription dans la loi du monde comme tel, et non pas du tout le développement d'une vérité de ce monde. Le conflit sur l'existence des points est un trait capital de l'orientation dans la pensée. Et la question « Quel est le point ? » doit se poser de telle sorte que ça ne soit ni une concession à la thèse de l'atonie du monde, ni une concession à une thèse purement étatique du point. Comme vous le voyez là, s'orienter dans la pensée prend bien, dans la singularité de l'existence du point, la forme d'une polémique sur l'existence.

De ce point de vue j'en viens maintenant à la caractérisation de la situation actuelle, dont on peut dire qu'elle brouille l'ensemble des procédures de vérités. Bien sûr ce que je dis là est immédiatement perceptible dans le champ historique et politique, mais ce serait tout aussi valide dans le champ de l'histoire des sciences, de l'art contemporain, ou quand il s'agit de la différence sexuée. Ce qui caractérise la situation actuelle, me semble-t-il, c'est qu'il y a une lisibilité globale affaiblie de ce que c'est qu'un point, au sens où la visibilité des points n'a plus la même évidence ou la même clarté que celle qu'elle a eue dans la séquence des Lumières révolutionnaires. Et non seulement dans ladite séquence mais également dans la séquence qui est celle des avant-gardes artistiques, celle des mutations de la subjectivité amoureuse, ou celle de la transformation de la nouvelle scientificité telle qu'elle s'est mise en place au début du XXe siècle. Dans tous les cas, il n'y a pas de registration globale, de méthode générale du discernement des points, il n'y a plus de lisibilité de l'existence des points.

Prenons un exemple particulièrement clair : celui de la guerre de 1914-1918. La guerre, on le sait, c'est un point étatique, un point inappropriable comme tel par tout corps de vérité. C'est une terrible, et finalement vaine et absolument étatique boucherie ; on ne peut pas imaginer que la guerre comme telle soit appropriable, et c'est ce que vont dire tous les grands esprits de l'époque. Mais quel est alors le point ? Comment se présente le point qui, lui, est un point inévitable pour une subjectivité politique émancipatrice ? C'est évidemment : « Doit-on ou non se rallier à cette guerre ? » Pendant ce temps la guerre elle-même a bien lieu, elle a lieu dans la dimension du corps étatique. C'est au demeurant un bon exemple pour distinguer un corps étatique d'un corps subjectivable. En tant que disposition guerrière des corps, cette guerre a absolument lieu, elle ne relève pas de l'appropriation subjective. Ce qui par contre est immédiatement en discussion c'est : « Faut-il rallier la guerre ou pas ? » et c'est un point qui va être globalement lisible à travers la maxime proposée par les révolutionnaires de l'époque, maxime qui est celle du défaitisme révolutionnaire. Celle-ci va consister à faire orienter le corps révolutionnaire du côté du refus de participer à cette guerre : « Cette guerre n'est pas notre affaire, et nous sommes prêts même à pousser la non-participation jusqu'à travailler activement à la défaite de notre propre camp étatique apparent. Parce que cette défaite produira des chaos, des tumultes propices à la révolution. » Comme vous le voyez vous avez l'exemple même d'un 2 étatique pur, à savoir la guerre elle-même. Et puis vous avez le terrible choix qui, lui, en revanche, est un point inéluctable pour un corps subjectivable, dans la politique révolutionnaire, dans la politique émancipatrice, et qui est « patriotisme/nationalisme ou défaitisme révolutionnaire ».

Maintenant pourquoi y a-t-il une lisibilité globale ? En réalité, les défaitistes révolutionnaires ont été une minorité, mais c'est là un point qui n'a pas d'intérêt en lui-même, parce que le nombre de ceux qui font ceci ou cela c'est électoral. À certains égards la vérité est toujours minoritaire, là n'est pas le problème. Mais il y a une lisibilité globale, qui va être immédiatement expliquée, et qui est évidemment la théorie des guerres impérialistes, laquelle existe avant même la guerre de 1914-1918. Même des gens de centre gauche comme Jaurès ont pu dire : « L'impérialisme porte la guerre comme la nuée porte l'orage. » Le fait que l'impérialisme soit, d'une certaine manière, le milieu où se préparent des guerres absolument sanglantes et le déchaînement des puissances de mort, est une théorie inscrite, définie, à l'intérieur de laquelle le point peut être situé précisément comme le choix entre le défaitisme révolutionnaire qui n'assume pas la nature étatique de l'impérialisme et son conflit, et puis le ralliement honteux, pour des raisons pseudo-nationales, au camp de la guerre, du côté de la France, ou du côté de l'Allemagne, ou du côté de la Russie, etc. Comme on sait, la fermeté dans l'orientation du défaitisme révolutionnaire va être pour beaucoup dans la révolution bolchevique en Russie car elle a été assumée de façon conséquente par les dirigeants bolcheviques.

Cet exemple pour vous montrer qu'une caractérisation de la situation contemporaine est probablement que nous éprouvons une difficulté à établir un protocole global d'identification des points, et ce, quelle que soit la procédure de vérité considérée. De là évidemment la vulnérabilité à la propagande adverse, qu'on peut appeler la propagande anti-vérités, celle des réactions de toujours, dans tous les ordres. Elle combine la thèse qu'il n'y a plus de points, c'est le contenu réel du motif de « la fin des idéologies ». « Fin des idéologies » ça veut dire en gros : « Il n'y a plus de points, donc ne cherchez pas quel est votre point, de toute manière c'étaient les vieux idéologues qui racontaient qu'il y avait des points. » Et cela se combine avec la confusion entre « point pour un sujet » et « point pour l'état du monde », l'entrelacement des deux fournissant la propagande adverse. Et la vulnérabilité au regard de cette propagande augmente dès lors qu'il y a affaiblissement du protocole global d'identification des points dans l'ordre de la procédure où l'on se trouve. De là que, par rapport à des situations du type de celles que je rappelais ici, qui permettaient de traiter la chose de façon active et novatrice, le traitement d'un point est aujourd'hui beaucoup plus difficile à trouver. C'est la crise des Lumières dans son versant subjectif. Les Lumières c'était précisément la proposition d'un dispositif global de repérage des points. C'était ça aussi la rationalité marxiste, laquelle n'est pas simplement une théorie scientifique de l'histoire, c'est son aspect académique, tandis que son aspect profond, c'est d'être une ressource globale pour la détermination de ce que sont les points pour un corps de vérité.

Mais alors, si la situation est celle que je décris, c'est-à-dire celle d'une situation intervallaire, où la reconstitution d'une sorte de méthode générale pour l'identification des points est devenue difficile, comment s'orienter dans la pensée ? Comment s'orienter dans l'existence si cela consiste, de manière essentielle, à repérer les points, et si la situation est telle que le repérage des points est subjectivement difficile ? Tel est le problème que je compte examiner cette année. Cette conjoncture, j'y insiste, est une conjoncture qui affecte toutes les procédures de vérités. La question de l'orientation de la pensée ou de l'orientation de l'existence se pose dans la sphère artistique, comme dans la sphère amoureuse ou dans la sphère scientifique. Au fond, le problème est un problème de transcendantal, un problème général de logique des mondes aujourd'hui, et pas simplement un problème strictement politique. D'où la faiblesse par rapport aux thèses d'atonie, ou aux thèses qui identifient les points au corps étatique de la situation. D'où la question : que faire ?

Dans le dernier séminaire de l'année dernière j'avais annoncé que j'avais l'intention cette année de m'attacher à fonder ce que Descartes appelle « une morale provisoire » et je m'étais expliqué sur l'usage des deux termes de cette expression. Je n'y reviens pas. Je maintiens que ce dont nous avons besoin aujourd'hui c'est d'une morale provisoire, que Descartes appelle également « une morale par provision ». Je la définirais comme une règle pour faire les choses lorsque la théorie globale du discernement des points est obscurcie et en même temps comme l'ensemble des moyens nous permettant de pratiquer une fermeté absolue dans les décisions d'existence soustraites au consensus. Autrement dit : il s'agit de tenir des points, même déliés de toute représentation de la totalité. L'objectif de cette année va donc être de détailler ce que peuvent bien être les tenants et aboutissants de cette morale provisoire, laquelle devrait nous permettre, tout simplement, de traverser une période intermédiaire, comme il y en a eu déjà dans l'histoire, où l'on doit transiter d'un appareillage qui permettait de se repérer, qui fournissait la possibilité d'un repérage du système des points, à un autre appareillage certainement différent. D'où le terme de morale provisoire au sens de Descartes.

Parenthèse. En préparant ce que j'allais vous dire j'ai été amené à penser à quelque chose dont je ne m'étais jamais vraiment rendu compte et qui est que je dois énormément de choses à Descartes. Beaucoup plus que je ne croyais. Ces choses s'additionnent et puis un beau jour on se dit : « Mais je dois beaucoup à cet homme ! » Que je doive beaucoup à Platon, je l'ai toujours dit. Mais finalement à Descartes aussi. Je récapitule donc, à vol d'oiseau, ces points cartésiens,

1. Il y a d'abord l'anonymat de l'extériorité. Comme vous le savez, pour Descartes, l'extériorité c'est l'étendue géométrique pure. C'est donc très proche d'un anonymat mathématique de l'extériorité : il y a quelque chose qui est dépourvu de finalité propre, même de configuration stable, qui est finalement représentable comme multiplicité. Dans le cas de Descartes la multiplicité est géométrisante, c'est l'étendue. De cet espèce d'anonymat insignifiant de l'extériorité je me sens très proche, à travers une forme d'allergie aux concepts vitalistes en général, chose très frappante chez Descartes. Descartes est mécaniste, même les animaux sont pour lui des animaux-machines, donc la vie ce n'est rien du tout. Il y a des combinaisons de multiplicités mais il n'y a pas la vie. Or j'ai toujours trouvé qu'avoir recours à la thématique de la vie en tant qu'opérateur ontologique dispensait de traiter la radicalité dépourvue de sens de l'extérieur, à savoir le fait que l'extériorité comme telle, la mondanité du monde dans son être véritable, est dépourvue de tout sens parce qu'elle est strictement de l'ordre du géométral dans le cas de Descartes, ou pour moi de l'ordre de la multiplicité pure.

2. Le second point sur lequel je suis aussi très proche de lui, c'est le motif général du sujet, la maintenance de ce motif contre tous les procès fait à cette catégorie d'être une catégorie métaphysique. Ce n'est certes pas le même sujet, mais en définitive tout le monde sait, y compris les adversaires de la théorie du sujet, que l'initiateur de cette catégorie c'est Descartes. Descartes, y compris dans la perception qu'il a des liens de cette catégorie avec le vide, car en un certain sens, le doute c'est l'évidement immanent de la catégorie du sujet, de telle sorte qu'il est réduit à

un point, au sens géométrique du terme, et qu'il est l'assertion de sa propre existence. C'est le cas dans le *cogito* : il n'est que l'assertion de sa propre existence, il est le *je suis* comme tel. Donc cette connivence entre le sujet et le vide est un thème cartésien que je trouve d'une grande portée.

3. L'infini. Descartes est celui qui a eu l'audace de dire que l'infini était un concept plus clair que le fini. Ce sont ses propres termes : « L'infini c'est plus clair que le fini. » Ça, il fallait le faire, deux siècles avant Cantor, car ce n'est pas évident. Je suis absolument d'accord avec Descartes pour dire que la notion de l'infini est plus claire que celle du fini et c'est bien pourquoi je pense que l'être en général est dans l'élément de l'infini. Ce qui est compliqué c'est le fini, c'est la finitude, ce sont les clauses de finitude. C'est l'infini la vraie clarté rationnelle.

4. La volonté comme catégorie majeure. La question de la volonté, c'est très compliqué. Si l'on choisit une catégorie qui identifie le sujet dans le registre des facultés, alors, pour Descartes, ce sera finalement la volonté. La volonté est vraiment le propre absolu du sujet. Et ça s'oppose de toute évidence à ceux pour qui le propre du sujet c'est le désir. Ça ne dit pas que le désir n'existe pas, qu'il n'est pas important. Mais si l'on veut trouver la faculté qui est l'emblème de la singularité de ce qu'est le sujet, Descartes dira : c'est la volonté. Sous une forme ou sous une autre je dirais la même chose. Je n'emploierai pas forcément le mot « volonté », qui est peut-être un peu trop psychologique, mais je dirai c'est la « décision », « l'incorporation ». C'est la marque de la contemporanéité de Descartes avec une vision essentiellement héroïque du sujet. N'oublions pas qu'il est contemporain de Corneille. En revanche, quand le désir est la catégorie emblématique du sujet, on va être dans la tension, la pliure, l'obliquité. La volonté est héroïque, le désir ne l'est que lorsqu'il se présente lui-même dans la relève de la volonté, quand on considère qu'il ne faut pas céder sur son désir, maxime lacanienne héroïque ! Mais « ne pas céder sur son désir » n'est pas transitif au désir lui-même ; c'est finalement autre chose que désirer. En définitive, rien n'interdit d'appeler « volonté » le « ne pas céder sur son désir ». D'ailleurs,

chaque fois que c'est héroïque, c'est irréductible au désir comme tel. Et inversement, si l'on est dans le désir comme tel, alors on redoute l'héroïsme, ou on le critique. Descartes est un penseur héroïque, et je suis en sympathie avec ça, avec l'idée de présenter la volonté comme emblématique du sujet, si même le désir en est l'infrastructure. Je ne nierai pas que la structure de l'individu soit le désir, mais ça n'empêche pas que c'est la volonté qui est emblématique. Exactement comme Lacan dira : « Oui, il y a le désir ; et l'objet est sa cause, mais le ne-pas-céder-sur, ça c'est l'éthique ; c'est l'éthique du désir, ce n'est pas le désir. »

5. La différence entre vérité et substance. Le fait que « vérité » n'est pas un nom substantiel. La substance, pour Descartes, c'est la pensée ou l'étendue ; « vérité », c'est encore autre chose, c'est un troisième terme. Et donc il y a l'idée que les vérités sont des maximes, des axiomes, mais pas des substances. Je suis aussi de ce côté-là. Sinon que pour moi c'est autre chose : je dirais que « vérité » c'est un processus et que c'est en tant que processus qu'une vérité doit être appréhendée, non pas en tant que multiplicité pure, car ça, c'est le résultat. L'essence de la vérité est une essence en processus ou en création.

6. L'universalisme. En particulier la conviction que toute vérité, c'est-à-dire toute pensée en vérité, est transculturelle, translangagière. Descartes dit que ce qu'il pense il pourrait le dire en bas-breton. Ce n'est pas lié au latin, ce n'est pas lié au français, ça peut se dire en bas-breton. Peu importe la langue. Pour ma part je ne pense pas exactement que peu importe la langue, parce que je pense que la langue est dans le matériau des vérités, mais je pense que, ultimement, la procédure de vérité comme telle est intelligible de façon translinguistique. Ça ne veut pas dire qu'elle est indifférente à la langue, mais seulement que, y compris son lien à la langue est intelligible de façon translinguistique. Par exemple, le lien d'un poème à la langue du poème est intelligible comme lien créateur dans la traduction elle-même. Ce n'est pas vrai que la poésie est l'intraduisible. Naturellement quelque chose va rester en rade, mais ce qui sera transmis sera aussi que quelque chose est en reste, c'est-à-dire que le rapport de création

du poème à la langue sera transmis dans la traduction, même si sera également transmis qu'il y a un reste. Et donc la grandeur du poème sera transmise, ce qui est essentiel.

7. La création des vérités éternelles. Ça, c'est une invention extraordinaire de Descartes. Les vérités éternelles sont des créations. Dans son cas ce sont des créations de Dieu, et dans mon cas ce sont des créations post-événementielles dans lesquelles n'intervient aucun dieu. Mais laissons Dieu de côté si vous voulez, ce n'est que la machinerie du temps. L'idée centrale chez Descartes c'est que les vérités éternelles sont elles-mêmes créées, c'est-à-dire qu'il n'y a pas d'éternité des vérités éternelles. Elles sont portées par un acte de création événementiel particulier, d'où elles surgissent *comme* éternelles. C'est ça l'important : l'éternité d'une vérité est un attribut de la vérité comme telle, ce qui ne signifie pas qu'elle est là depuis toujours. Ce n'est une question ni de durée, ni de préexistence, c'est une qualification intrinsèque : elle est éternelle parce que, de n'importe quel point du temps, elle est identifiable comme telle.

Après ça, vous voyez pourquoi il est intéressant d'examiner la morale provisoire de Descartes et de s'en inspirer. Je vous invite à relire la 3e partie du *Discours de la méthode* : « Une morale par provision ». Je vous rappelle quand même que, dans cette partie, Descartes distingue quatre maximes, quatre règles. Dans ces règles, il y en a, à mon sens, deux qui sont de convention, et deux qui sont d'invention. Il y en a deux qui sont des règles prudentes, et finalement des règles d'inscription dans le monde. Et puis il y en a deux qui ont une tout autre résonance. Il y a, comme très souvent chez Descartes, une hétérogénéité de l'assortiment des règles de la morale provisoire. Parce que Descartes est un tacticien, un grand tacticien. On a fait beaucoup de commentaires sur son « je m'avance masqué » et c'est bien vrai, il faut dire qu'il s'avançait très masqué et puis, quand le risque augmentait, il mettait les choses dans son tiroir. Quand il a appris la condamnation de Galilée, il a pris son *Traité du monde* et l'a fourré comme toujours dans son tiroir. C'était un tacticien.

Il savait qu'il fallait universaliser son œuvre mais dans des conditions contextuelles particulières. Et à mon avis, très souvent chez Descartes, c'est deux pas en avant, un pas en arrière : il fait deux pas en avant et puis, comme les objections peuvent pleuvoir et le risque augmenter, on va faire un pas en arrière.

Dans ces quatre règles, je vois très bien comment deux d'entre elles démentent les deux autres de façon un tout petit peu habile. Les deux qui sont de convention, ce sont la première et la troisième. La première c'est : « obéir aux lois et coutumes de mon pays », ça, ça ne mange pas de pain... Surtout que son pays, ce n'est pas facile de savoir lequel il était, vu qu'il était prudemment allé habiter en Hollande. Voilà pour la première règle. Et la troisième, c'est « tâcher à me vaincre plutôt que la fortune », règle stoïcienne moyenne, qui revient à changer mon désir plutôt que le cours des choses, plutôt que le cours du monde. Si je veux quelque chose qui est au-delà de mes possibilités, il vaut mieux y renoncer plutôt que de me casser la figure. Ça c'est très raisonnable ! Et puis après tout, on fait tous comme ça. Il ne faut pas tellement lui jeter la pierre. Parce que *grosso modo*, chacun, les neuf dixièmes du temps, obéit aux lois et coutumes de son pays. Et puis renoncer à une chose parce qu'elle est impossible, ça nous arrive souvent aussi, on renonce même déjà parce qu'elle est difficile !

Par contre les deux autres, vous allez entendre tout de suite qu'elles ne sonnent pas de la même façon. Dans la deuxième vous allez avoir une sonorité héroïque tout à fait contraire. Elle vient tout de suite après « obéir aux lois et coutumes de mon pays », mais là c'est une maxime d'entêtement absolu, même quand on a tort. « Ma seconde maxime était d'être le plus ferme et le plus résolu en mes actions que je pourrais, et de ne suivre pas moins constamment les opinions les plus douteuses lorsque je m'y serais une fois déterminé, que si elles eussent été très assurées. » Voilà une maxime d'entêtement. Ça veut dire, en réalité : Je dois être absolument et rigoureusement dans la discipline des conséquences ; une fois que j'ai décidé de donner mon assentiment à quelque chose (parce que c'est vraiment de cela qu'il s'agit), je ne vais pas trop examiner si en fin de compte c'est clair ou douteux ; si je n'ai pas les moyens de l'examiner, on verra plus tard ; en tout cas je vais m'installer dans la discipline des conséquences. C'est tout à fait extraordinaire que Descartes, ce rationaliste parfait, admette qu'en matière de morale c'est la discipline des conséquences qui importe le plus. Beaucoup plus, en fin de compte, que la certitude du point de départ : puisque, même si c'est douteux, je dois m'y tenir absolument tant que je n'ai pas, cela va sans dire, de raisons évidentes de changer d'opinion. Mais tant que ce n'est pas le cas, je suis mon opinion, je travaille à la discipline des conséquences sans fléchir.

Enfin la quatrième, dont je vous lis un passage plus long :

> … et enfin je n'eusse su borner mes désirs ni être content, si je n'eusse suivi un chemin par lequel, pensant être assuré de l'acquisition de toutes les connaissances dont je serais capable, je le pensais être par même moyen de celle de tous les vrais biens qui seraient jamais en mon pouvoir ; d'autant que, notre volonté ne se portant à suivre ni à fuir aucune chose que selon que notre entendement la lui représente bonne ou mauvaise, il suffit de bien juger pour bien faire, et de juger le mieux qu'on puisse, pour faire aussi tout son mieux, c'est-à-dire [alors là la proposition est formidable !] pour acquérir toutes les vertus, et ensemble tous les autres biens qu'on puisse acquérir ; et lorsqu'on est certain que cela est, on ne saurait manquer d'être content.

Comme vous le voyez, cette maxime, très tortueuse dans son rapport à la maxime conventionnelle « il vaut mieux changer ses désirs que changer le monde », consiste à dire que, en définitive, l'important est d'aller jusqu'au bout de ses capacités. Si j'exerce jusqu'au bout mes capacités, alors je disposerai de tous les biens dont je peux disposer. C'est une maxime purement subjective, ce n'est pas un rapport d'extériorité entre ce que je peux et le monde. Au contraire c'est un rapport immanent à la subjectivité, une maxime subjective, dirait Kant. C'est une maxime qui consiste à dire que si j'ai pour « chemin » comme il dit, si je prends le chemin d'aller jusqu'au bout de mes capacités en matière de pensée, en matière de jugement, alors je suis assuré d'avoir finalement les vertus nécessaires, c'est-à-dire d'avoir les biens auxquels j'aspire en tant que sujet.

Pour récapituler tout ça, finalement la morale provisoire de Descartes, c'est deux choses essentielles :

– Une maxime des conséquences : une fois que j'ai donné mon assentiment, je dois pratiquer la discipline des conséquences, quelles que soient les péripéties de cet assentiment. Ça, c'est une maxime qui soutient que, y compris quand est menée contre mon assentiment une guerre générale, je dois rester ferme ; y compris quand on me fait valoir que mon point de départ est douteux, que les Lumières révolutionnaires étaient criminelles, je dois continuer, je dois m'entêter. Ça c'est cartésien n'est-ce pas !

– Et puis l'autre maxime qui est la maxime de la capacité : je dois faire confiance à ce dont, à tel ou tel moment, j'expérimente que je suis capable. Si j'expérimente, dans la pensée que je suis capable de ceci ou cela, je dois faire confiance à cette capacité. Et si je fais confiance subjectivement à cette capacité, alors j'aurai les vertus et les biens auxquels je peux aspirer.

Maxime des conséquences et maxime de la capacité. Je crois que, véritablement, nous sommes là au plus près de ce qui armature la possibilité de s'orienter dans la pensée. Ce qui armature la possibilité de s'orienter dans la pensée, c'est en tout cas de savoir qu'il y a une maxime des conséquences, qu'une orientation c'est une discipline des conséquences. Et il y a une maxime subjective, fondamentale, qui est de ne jamais sous-estimer ses capacités, mais de leur faire confiance. On pourrait dire que cette maxime des capacités, c'est aussi une maxime de confiance. Et en définitive, à l'épreuve de l'incorporation, si j'arrive à ajuster une maxime des conséquences et une maxime de confiance, alors je disposerai, même si les points sont peu nombreux, même si je n'ai pas de méthode générale de discernement des points, je disposerai quand même d'une morale provisoire.

C'est ce que nous continuerons à examiner la prochaine fois.

XVII

29 NOVEMBRE 2006

Entrons tout de suite dans le vif du sujet. Vous savez que notre propos est de répondre autant que faire se peut à la question « Que veut dire s'orienter dans la pensée, que veut dire s'orienter dans l'existence ? » J'ai proposé de dire qu'après tout on pouvait appeler ça une morale, une morale pour temps désorientés, c'est-à-dire pour des temps où la question du sujet s'entremêle obscurément avec la question du caractère intervallaire d'une séquence, dont l'identification n'est elle-même pas entièrement clarifiée du point de vue même des procédures de vérités ou des corps de vérités.

Je commence par résumer les quelques notions essentielles que j'ai introduites la dernière fois et qui vont nous servir dans toute notre trajectoire. La distinction tout à fait fondamentale qui va jouer d'un bout à l'autre c'est évidemment la distinction entre être et existence. Je vais en réexposer l'armature car il s'agit de bien comprendre que c'est dans l'articulation de l'être et de l'existence que se situe en dernier ressort le problème de l'orientation. On peut redire cela de façon assez simple. Admettons, entrée un peu hégélianisante, que les trois dimensions en jeu dans la pensée de l'orientation sont l'être, l'être-là et le sujet. Ce que nous avons dit jusqu'à présent c'est que l'être doit être pensé comme multiplicités indifférentes ; que, sous condition d'un événement, le sujet est le principe de construction des vérités éternelles et que, dans cette triade, l'être-là est entre les deux mais pas dans un sens spatial ou classificatoire : il est le lieu d'articulation des deux. Vous avez ainsi les multiplicités indifférentes comme déterminations intrinsèques de l'être en tant qu'être, et à l'autre extrémité, les vérités éternelles comme principe général de ce qui se tient dans l'universalité subjective. Entre les deux il y a la multiplicité des mondes, qui est quand même le point d'être-là où est avérée la possibilité d'un apparaître des vérités éternelles elles-mêmes. La question la plus compliquée c'est de savoir comment il se fait que les vérités éternelles sont créées, et que donc en ce sens l'éternité est non pas transcendante mais immanente au temps lui-même.

En somme, c'est dans cette triplicité « multiplicités indifférente » ou « être », « multiplicités mondaines » ou « être-là » ou « apparaître », et « multiplicités des vérités éternelles » que doivent s'enregistrer les distinctions fondamentales sur lesquelles nous allons jouer pendant toute l'année. En fait vous avez trois types de multiplicités : la multiplicité indifférente de l'être-en-tant-qu'être, la multiplicité transcendantale des mondes, et la multiplicité sans récollection des vérités éternelles. Et c'est du jeu d'intrications, de superpositions, de nouages de ces trois types de multiplicités que résulte, entre autres choses, une morale provisoire possible, même dans un temps désorienté. Rappelons aussi que les vérités résultent d'une sorte de poussée du premier niveau dans le second, puisque c'est comme une montée de l'être à la surface de l'apparaître qui constitue l'événement proprement dit. Car l'événement est dérégulation ou dysfonctionnement des lois transcendantales de l'apparaître sous la poussée de la multiplicité comme telle, en particulier de la multiplicité anonyme, la multiplicité inexistante. Le jeu des trois types de multiplicités peut donc également se lire comme l'exercice d'une poussée dérégulatrice, illégale si je puis dire, de la multiplicité ontologique sur la multiplicité logique, c'est-à-dire de l'être dans l'espace de l'apparaître.

Dans ce contexte-là nous aurons à revenir sur « existence ». L'existence, j'y insiste, est une catégorie de l'apparaître, une catégorie de l'être-là, une catégorie mondaine. Exister c'est être là dans un monde. Par conséquent la première distinction entre être et existence, distinction essentielle, majeure, c'est que la multiplicité indifférente ne peut être dite exister – à ce moment-là elle existe dans la figure d'un objet – que pour autant qu'elle a son lieu, c'est-à-dire qu'elle est *là* dans un monde spécifié et déterminé. L'existence est ainsi une catégorie de la particularité, parce que le multiple est assigné à son être-là dans un monde et appartient au deuxième type de multiplicités, les multiplicités mondaines. D'autre part, pour vous aider à vous repérer dans la philosophie contemporaine, j'ajouterais qu'il faut aussi prendre garde au fait qu'existence se distingue de vie. En effet, nous réserverons le mot « vie », et la question « Qu'est-ce que vivre ? », à l'existence orientée, c'est-à-dire à l'incorporation au processus d'une vérité. Cette question aura en dernier ressort pour réponse : vivre de façon effective, vivre d'une vie qui vaille la peine d'être vécue, c'est vivre selon la maxime d'une incorporation au processus d'une vérité, au corps d'une vérité.

On peut parfaitement dire que l'existence suppose l'être, puisque ne peut être là qu'une multiplicité, une multiplicité indifférente. Mais on dira aussi que la vie suppose l'existence, au sens où c'est à un être-là qu'il peut advenir de vivre réellement dans la figure de son incorporation à une vérité. Il faut donc avoir en tête cette double différenciation entre existence et être, et entre existence et vie, qui montre bien que l'existence est un concept intermédiaire. De là évidemment qu'une question importante est le rapport entre existence et mort. Car si l'existence est différente de la vie, elle est aussi différente de la mort. On pourrait dire que l'existence, c'est ce qui est entre la vie et la mort. Vous voyez pourquoi « existence », dans sa double détermination intermédiaire entre l'ontologique comme tel et les vérités vivantes, est un concept-clé pour tout ce qui va suivre On réservera donc « vie » aux vérités, le reste étant en effet du registre de l'existence.

C'étaient là les premières notions conceptuelles fondamentales. Le deuxième point c'est de bien comprendre « être-là », qui supporte « existence ». Je rappelle simplement qu'« être-là » est un multiple pris, saisi, en quelque sorte capturé, dans un réseau d'identités variables avec d'autres multiples, et par conséquent aussi de différences variables avec d'autres multiplicités. C'est donc un multiple mondanisé, dans la mesure où c'est ce qui inscrit la multiplicité *là*, qui la localise, dans un réseau de mesures transcendantales des identités. Enfin le troisième grand registre, c'est l'incorporation, c'est-à-dire le mode propre selon lequel tel ou tel être-là, tel ou tel existant, ou inexistant, s'incorpore au processus d'une vérité éternelle créée dans un monde. Donc « existence » suppose « être-là », qui, lui, est destiné à l'incorporation : telle est la matrice générale, et pour l'instant purement catégorielle, dont nous allons faire usage.

Mon second rappel porte sur la signification véritable de « orientation dans la pensée » ou, plus généralement, de situation, ou orientation dans un monde. Ce qu'il faut retenir c'est qu'une orientation, tout comme une désorientation, ne sont jamais des caractérisations herméneutiques, dans la mesure où il ne s'agit pas d'un différent sur le sens. Nous l'avons déjà dit et nous y reviendrons souvent : un désaccord véritable porte toujours sur une assertion d'existence, pas sur l'interprétation de cette existence, c'est-à-dire que le désaccord porte sur ce qui existe, et non pas sur les prédicats ou les interprétations d'une existence supposée acceptée. Entre parenthèses, ce point indique les limites de la règle politique contemporaine, dans l'espace du parlementarisme. Comme je l'ai déjà dit, on peut définir le parlementarisme comme un ordre étatique à l'intérieur duquel on suppose que les assertions d'existence sont partagées. Après, les interprétations divergent et les prédicats diffèrent. Je vous donne un seul exemple, parce qu'il est très clair. Tout le monde est censé savoir ce que c'est qu'un « Français ». Que ça existe ! Mais en réalité, est-ce que « ce que c'est qu'un Français » ça existe ? Vous voyez bien qu'il y a immédiatement, par en dessous, des assertions d'existence absolument conflictuelles. Donc une orientation en général c'est ce qui règle dans la pensée les assertions d'existence : on est orienté lorsqu'on a des principes concernant des assertions d'existence. Et si tel n'est pas le cas, alors, selon ce qui existe, on est désorienté, car l'interprétation ne suffit pas. Autrement dit, être en état d'interpréter ce qu'il y a ne vous oriente pas, ce qui oriente vraiment c'est d'être en état de trancher sur l'existence à partir de principes qui sont en réalité des principes régulateurs de l'assertion d'existence comme telle. Finalement « orientation dans la pensée » désigne – si l'on prend la formule développée, celle que je vous présentais la dernière fois – une existence qui s'incorpore à un corps de vérités selon une discipline d'incorporation qui traite précisément les points du monde. Et ces points qu'il faut traiter relèvent des assertions d'existence, la querelle véritable portant sur la question de savoir si tel point est vraiment un point ou pas, s'il existe ou non comme point ? Voilà pour les récapitulatifs abstraits.

À partir de quoi on peut déjà dessiner le principe général d'une morale provisoire. Une morale provisoire enregistre une fermeté absolue concernant les assertions d'existence qui sont soustraites au consensus, c'est-à-dire les assertions d'existence qui ne sont pas distribuées communément. On pourrait dire aussi, des assertions d'existence nouvelles, des assertions d'existence qui ne sont pas déjà retombées dans la pure et simple existence justement. Donc, fermeté absolue concernant les assertions d'existence soustraites au consensus ; quant à ces assertions, tout leur réel est le traitement des points. Or la difficulté contemporaine, c'est que cela doit être fait sans le secours d'une représentation de la totalité. Par conséquent, tenir ferme sur l'assertion d'existence concernant les points, extérieurement à toute proposition consensuelle, et sans le secours d'une représentation de la totalité, c'est ça qui exige une morale provisoire. Nous avions extrait ce thème de la morale provisoire des quatre grandes maximes de Descartes dans le *Discours de la méthode*, et nous avions vu qu'on pouvait en retenir deux. En réalité, la légendaire prudence de Descartes consiste à accoler deux maximes absolument innocentes et convenues à deux maximes radicales. Donc il y a deux maximes ordinaires, ou parlementaires, et deux maximes radicales ou révolutionnaires, quelque chose comme ça. Une totalité cartésienne… Nous appellerons ces deux maximes la maxime des conséquences et la maxime de la capacité. La maxime des conséquences signifie que vous n'êtes pas obligé constamment de décider quelque chose, mais que, si vous l'avez décidé, il faut absolument et implacablement en assumer les conséquences. Et la maxime de la capacité c'est : si vous avez confiance en ce dont vous êtes capable, vous en serez capable. Remarquez que ce n'est pas une question d'être, car les capacités, c'est une question entièrement liée à la position subjective de la capacité elle-même. Cette capacité a pour essence la confiance que vous avez en vous-même quant à cette capacité. Si l'on fait un peu de psychologie classique, on dira que la vertu désignée par la maxime des conséquences c'est la constance. Ça se relie chez moi au thème de la fidélité comme subjectivité des vérités. Et la maxime de la capacité, c'est le thème de la confiance. Donc être confiant et être constant. Voilà résumées les maximes de la morale provisoire de Descartes dans ce qu'elles ont de radical et d'essentiel. En réalité, la maxime de la confiance s'approprie l'incorporation : si j'ai confiance dans le processus de vérité auquel je m'incorpore, je m'y incorporerai. Et la constance c'est l'impératif « continuer ». Nous aurons l'occasion de revenir sur la dialectique assez subtile entre constance et confiance.

Sur ces maximes, sur leurs tenants et aboutissants, je voudrais maintenant prendre pour guide la poésie, sur le point justement qui va nous soucier aujourd'hui, qui est leur intersection. Qu'advient-il au point où se nouent maxime des conséquences et maxime de la capacité ? Autrement dit, de quelle figure complexe la morale provisoire s'avère-t-elle être le support, figure à laquelle avoir recours pour s'orienter dans la pensée et dans l'existence ? La figure que je proposerais pour cet exercice dialectique est une figure poétique empruntée à la guerre, plus précisément, la figure subjective du soldat. De façon tout à fait empirique en effet, il n'est pas étonnant de trouver constance et confiance comme déterminations de cette figure.

La création poétique de figures dans et par le croisement de la poésie et de la guerre est peut-être la plus ancienne de toutes. C'est évidemment l'armature de *L'Iliade*, qui est la proposition poétique du croisement figural de la poésie elle-même et de la guerre. Et ce croisement engendre le héros, le guerrier, figure subjective, dont on va voir qu'elle se divise. Il ne fait aucun doute que dans notre monde à nous cette figure du guerrier a pratiquement disparu, ce qui est un point révélateur, emblématisé par plusieurs éléments. D'abord il n'est plus réellement imaginable de mourir pour quoi que ce soit. Sinon de mort naturelle et sous condition d'assurances. Je pense aussi que, de ce point de vue, il y a une historicité profonde liée à la disparition du service militaire, laquelle s'est faite de façon quasiment anodine. Il a disparu, comme ça. Chirac a supprimé le service militaire, c'est peut-être ce qui restera de son œuvre. Mais cette œuvre est aussi un désœuvrement. Je ne vais pas défendre ici le service militaire mais je soutiens que sa disparition est un fait pensé, et pas simplement institutionnel. Le service militaire c'était misérable ! Tout le monde le sait. C'était devenu une clochardisation accélérée. Mais sa misère, préambule de sa disparition, n'empêche pas que cette disparition est un fait pensé, car le « service militaire », les mots eux-mêmes le disent, indiquait la maintenance, fût-ce dans des conditions bureaucratiques asphyxiées, de la figure dont nous parlons, celle qui a retenu la puissance du poème à ses côtés pendant des millénaires. Donc ce n'est pas rien que le héros puisse, à travers le poème, être précisément assigné à figurer ce qui est plus élevé que lui-même, à savoir les maximes de capacité et de conséquences, dans leur extrême, dans leur intensité la plus poétique voire dans l'épreuve hégélienne de la mort. C'est donc une figure disparue, mais cela ne nous empêche pas de l'utiliser pour clarifier ce que nous voulons dire. En réalité, – c'est là une distinction importante – la figure du guerrier n'est pas encore, y compris dans les textes que je vous ai donnés, la figure du soldat. Parce que, entre les deux, il y a la venue de la guerre moderne. Comme toujours c'est un peu arbitraire, mais on peut renvoyer la venue de la guerre moderne à la levée en masse pendant la Révolution française. Cette levée en masse signe l'apparition d'une figure qui n'est plus la figure du héros aristocratique, du héros désigné, du roi ou du prince en armes. C'est l'apparition du héros anonyme.

Et c'est là, dans cet anonymat massif, dans l'anonymat du héros, que le soldat se substitue au guerrier.

Comme vous le savez il est du destin du soldat d'être le soldat inconnu. C'est lui qui est dans le grand monument. Ce n'est pas Achille, ni Hector, c'est le soldat inconnu le vrai héros. Il y a donc un anonymat fondamental du soldat. Et puis si l'on pense au film récent *Indigènes*, on voit qu'il faut aller chercher toujours plus en profondeur l'anonymat du soldat, car il y en a qui ont été sensiblement plus anonymes que d'autres. Et c'est à juste titre qu'on demande que cet anonymat profond soit porté au jour, au jour de la célébration minimale de cette figure, dont tout le monde sait qu'il faut la célébrer, qu'il est indigne de la laisser retomber, non seulement dans l'anonymat, mais dans l'anonymat non désigné, l'anonymat non nommé, contrairement précisément au soldat inconnu, qui est toujours nommé en tant qu'inconnu. Ce qui nous intéresse dans le soldat, c'est cette figure du héros anonyme, comme figure nouvelle engendrée par la guerre moderne, et qui transforme la poétique de la figure. On peut dire qu'une poétique lyrique a pris le pas sur une poétique strictement épique. En même temps que le tournant de la guerre et la promotion, par la levée en masse, du héros anonyme, donc du soldat qui se substitue, politiquement, au prince en armes, la lyrique de cet anonymat se substitue à l'épopée des noms propres. Car l'épopée c'est toujours une épopée des grands noms propres, d'Achille à Roland.

C'est avec cette figure du soldat, avec la figure du héros anonyme, que nos deux maximes entrent en scène, c'est en tout cas ce que je voudrais soutenir, à travers l'exemple du nouage du poème et de la figure des vérités conquérantes dont la guerre est une métaphore. Parce que, si on regarde de près, dans le registre épique du guerrier, il n'y a à vrai dire ni constance ni confiance. Pas de constance : il n'est que de voir que *L'Iliade,* qui est l'histoire des caprices d'Achille, et des autres d'ailleurs. Il se retire sous sa tente ; il ne veut plus. Mais ses caprices ne lui retirent pas sa dimension stable de héros, parce que cette dimension est articulée sur le nom propre. Et le nom propre demeure, le nom propre est stable. Mais il n'y a pas de confiance non plus parce que, en réalité, dans l'espace épique ordinaire, chacun est le rival de tous les autres. Personne n'aurait l'idée de faire totalement confiance à Ulysse – « on va sûrement se faire avoir » –, ni à Achille – « il va se mettre en colère ». Si les principes de l'espace épique ne sont pas les principes de constance et de confiance on y trouve néanmoins un couple tout à fait différent, celui du destin et de l'exception, qui s'articulent et se conjoignent dans le nom propre. Je pense d'ailleurs que ce couplage du destin et de l'exception représente un rapport métaphorique aux vérités différent de celui des maximes de conséquences et de capacité. Différent dans la mesure où sur « destin » et « exception » vous ne bâtissez pas une morale provisoire. Vous construisez tout autre chose, sans doute une morale tragique. Admettons que les grandes épopées guerrières soient des poèmes du destin et de l'exception, ce que je crois qu'elles sont, on peut dire que ces poèmes-là sont tissés par un rapport extérieur entre les dieux et les hommes, au sens où cela touche à la logique de la vérité du point de vue du rapport, encore externe, entre les immortels et les mortels. Du reste, la scène de ces épopées est une scène où le niveau de l'action guerrière proprement dite est de quelque manière surplombé par des histoires très compliquées entre les dieux. En somme la corrélation entre exception et destin se joue dans l'articulation entre les mortels et les immortels, entre les hommes et les dieux ; c'est d'ailleurs la raison pour laquelle le héros, en définitive, sera appelé un « demi-dieu », il est un demi-dieu s'il est le résultat du croisement entre mortels et immortels. Cela entraîne sans doute une présomption de finitude : il y a encore un élément restreint, mais extraordinaire, qui assigne la corrélation de l'exception et du destin à cet enclos qu'est la relation destinale entre les mortels et les immortels. Si vous préférez, l'immortalité, comme procédure subjective de vérité, est encore non complètement immanente. En effet, les immortels sont assignés à leur place, qui n'est pas celle des mortels, et ces demi-immortels que sont les héros jouent le rôle d'une espèce de médiation qui articule exception et destin, ou qui articule les dieux et les hommes. C'est ça le poème du guerrier. Et en ce sens le guerrier est métaphorique de la vérité selon exception et destin.

Maintenant, par différence, il faut se demander ce que c'est que le poème du soldat. Je pense en effet qu'il y a un poème du soldat, comme il y a un poème du guerrier, et que ce ne sont pas les mêmes. Dans le poème du soldat, il s'agit que l'anonyme soit incorporé à une vérité problématique. Il va falloir dire que l'anonyme, celui qui est comme les autres et qui ne requiert pas à proprement parler de nom propre, peut être cependant incorporé à une vérité problématique. Par suite le poème du soldat est forcément un poème de l'immortalité immanente. C'est ça sa singularité : ne prenant pas en compte l'univers articulé des noms propres, il ne peut distribuer mortels et immortels dans des registres séparés. L'immortalité immanente c'est l'éternité dans le temps. Et donc la métaphore en est toujours quelque chose comme un monument aux morts, car l'immortalité c'est le monument aux morts interne à la mort elle-même et, finalement, interne à la vie. Je ne prends évidemment pas « monument aux morts » directement dans son sens architectural, comme dans les villages de France où l'on peut voir représenter un guerrier casqué avec, en dessous, la liste interminable des massacrés de la guerre de 1914, spectacle qui, moi, me saisit toujours. Vous allez dans un petit village de quelques centaines d'habitants et vous voyez au centre du village la liste implacable des morts, qui témoigne de ce que la guerre a décimé littéralement la population de ces coins perdus. « Monument aux morts » c'est alors le résultat final et républicain de l'affaire, la compensation fictive. Mais au sens où je l'entends, c'est la métaphore de ce qui désigne, dans le poème du soldat, l'immortalité immanente, à savoir que sa mort même est un monument de la vie. C'est donc dans un sens trans-matériel qu'il y a dans le poème du soldat une monumentalité inéluctable. Là vont se déchiffrer constance et confiance, c'est-à-dire les maximes de conséquences et de capacité qu'on peut appeler l'héroïsme postchrétien, pour le différencier de l'héroïsme antique ou médiéval.

Qu'est-ce après tout que le soldat ? Comment va-t-il être nommé, ou saisi, ou capturé dans le poème ? Le soldat c'est premièrement une figure de la discipline évidemment, une figure de l'abnégation, de la conséquence absolue, de la conséquence sans restrictions. Et cette discipline est d'autant plus absolue que nous sommes dans la guerre moderne. Attention, ce n'est pas la guerre d'aujourd'hui : la guerre moderne n'existe plus. Peut-être la dernière guerre mondiale était-elle la dernière guerre moderne. La guerre moderne connaît d'immenses mouvements, qui mettent en jeu des millions d'hommes et s'étalent dans des espaces géants, d'immenses mouvements où la confiance est absolument requise, vu que le principe du mouvement est invisible. C'est le contraire absolu de la charge héroïque derrière un prince armé, où le prince – le principe de la bataille – est dans une visibilité essentielle. Comme vous le savez, le premier qui a remarqué ça c'est Stendhal dans la fameuse scène de Fabrice del Dongo à la bataille de Waterloo. Déjà la bataille de Waterloo est une bataille moderne, parce que le soldat ne peut pas se faire par lui-même une idée de la signification du mouvement. Il n'est pas représenté par une image de prince ou de général, on ne les voit pas. Le principe du mouvement demeure invisible et par conséquent vous ne pouvez associer la discipline qu'à une confiance dans le mouvement lui-même : on vous a dit de faire ça, il faut le faire, non pas parce que vous êtes en état d'intégrer complètement ce dont il s'agit, ce n'est pas comme lorsque vous suiviez votre héros (au sens premier du terme) dans sa marche. La guerre moderne, c'est une présentation effective de la discipline comme confiance.

Deuxièmement la guerre moderne est aussi le théâtre de la capacité absolue, c'est-à-dire d'une capacité qui, en un certain sens, annule la mort. C'est une exposition à la mort d'une nature telle qu'elle développe, déploie la capacité de l'homme face à la mort, face au risque, dans des conditions qui ne sont pas celles du combat singulier. Il s'agit au fond d'une capacité plus abstraite, plus vaste aussi, celle d'être au sein de cette discipline, dont le principe est invisible et qui requiert d'être présent au feu dans une confiance totale. La présence au feu suppose en réalité que l'on porte la capacité jusqu'au principe de l'invincibilité. C'est pour ça que nous-mêmes, pour qui toutes ces figures sont obsolètes, nous avons du mal à comprendre exactement la subjectivité des gens qui ont été de ces guerres. Parce que c'est un mélange de confiance absolue dans un mouvement impénétrable d'un côté, et, de l'autre, une exposition surhumaine au feu, laquelle porte les deux maximes à leur intensité quasi irrémédiable. Je dirais volontiers que nous avons là la morale provisoire au-delà d'elle-même, comme morale définitive. C'est pourquoi c'est en dernier ressort une illustration politique, illustration qui est comme une naissance concentrée de ce dont il est ici question.

Ça, c'était pour fixer le cadre. Remarquons au passage que cette figure poétique du soldat nous instruit sur ce qu'il en est de l'entrelacement subjectif des deux maximes. Il y a d'innombrables poèmes du soldat. Vous pouvez d'ailleurs vous exercer à les relire sous cet angle, qui est leur capacité d'instruction sur les grandes maximes de la connexion aux vérités. C'est par exemple une grande spécialité de Victor Hugo : « Ceux qui pieusement sont morts pour la patrie/ Ont droit qu'à leur tombeau [alors là, évidemment, on a le tombeau tout de suite] la foule vienne et prie. » Je dirais que la partie essentielle de la poésie de Victor Hugo est en réalité une poésie du soldat. L'épopée est pour lui un genre complexe, car elle est sous la juridiction de la poétique du soldat, laquelle n'est plus épique. C'est pourquoi l'épopée, chez Hugo, est toujours en un certain sens trop lyrique pour être complètement une épopée véritable.

J'ai choisi de vous présenter les poèmes de deux des plus grands poètes de langue anglaise pour les deux derniers siècles : Gerard Manley Hopkins pour le XIXᵉ et Wallace Stevens au XXᵉ. Ce sont deux grands poèmes de la lyrique du soldat.

À titre d'instruction, quelques repères élémentaires. Gerard Manley Hopkins, pour le situer dans le temps, c'est 1844-1889. C'est un chrétien ; aucun de ses poèmes ne le laisse ignorer. Et il est plus que chrétien, c'est un jésuite, il est devenu père jésuite en 1868 et a terminé sa vie, finalement assez courte, comme professeur jésuite de grec à la faculté de Dublin. Le croisement de Hopkins et du grec, c'est toute une affaire.

Voici donc le poème de Gerard Manley Hopkins qui s'intitule « Le soldat », écrit vers 1887. Je me suis permis de retoucher un peu la traduction de Jean Mambrino :

Oui. Pourquoi tous, en voyant un soldat, le bénir ? Bénir
Nos garances, nos cols bleus. La plupart d'entre eux n'étant
Que frêle argile, et même qu'argile vile. La réponse : notre cœur
Puisque, fier, il nomme courageux ce métier, qu'il devine,
Espère, se convainc que les hommes ne le sont pas moins ;
Il se figure, feint, prise, apprécie l'artiste d'après son art ;
Ravi d'aviser tout de bon aloi, puisque tout a tant d'allure,
Et que la tunique rouge exprime l'esprit même de la guerre.
Voyez notre Christ notre Roi.
Il connaît la guerre, a servi la traversée combattante.
Nul ne tire mieux une vergue. Et il attend, dans la joie
Quand il voit quelque part quelque homme faire tout ce que peut
un homme,
S'incline avec amour, se jette à son cou, l'embrasse,
Et crie : « Ô action faite-Christ ! Ainsi fait Dieu-fait-chair ;
Si je revenais », crie Christ, « je le ferais ».

Quant à Wallace Stevens ce n'est pas du tout cette œuvre furieuse, concentrée, presque testamentaire, qu'il y a dans la violence de Hopkins. Grand cadre de compagnie d'assurances, il a écrit des poèmes toute sa vie, les poèmes les plus importants entre 65 et 70 ans, écrivant vraiment comme quelqu'un qui fait son pain. Et alors ce poème, « Esthétique du mal », est intégré à un recueil non traduit de 1947, titré en anglais *Transport to summer* (*Transport dans l'été*). L'été et le soleil sont, je le signale, des figures majeures de la poésie de Stevens. Et ce pour une raison qui évidemment me touche particulièrement, c'est que la poésie de Stevens est une immense méditation sur l'être et l'apparaître, qui pose la question de savoir comment le poème se situe dans la distinction entre la puissance de l'idée et la normalité du monde. Le débat propre à Stevens c'est d'agencer poétiquement, dans une complexité d'ailleurs extrême, le nouage poétique de la puissance de l'idée et de la normalité du monde. Sans sacrifier la normalité du monde, qui doit donner le tissu imagé des choses, de telle sorte que la connexion entre être et apparaître soit saisissable sans transcendance, mais sans sacrifier non plus la puissance de l'idée.

À noter que le recueil qui vient avant *Transport dans l'été*, et qui n'est pas non plus traduit, s'appelle *Parts of the world* ; donc *Parties du monde.* Et alors dans *Transport dans l'été*, qui contient « Esthétique du mal », vous trouvez deux autres gigantesques poèmes philosophiquement cruciaux qui sont « Description without place » (Description sans lieu) et « Note toward the supreme fiction » (Notes en direction d'une fiction suprême). « Esthétique du mal », « Description sans lieu » et « Notes en direction d'une fiction suprême », constituent un ensemble poétique sans équivalent à mon avis dans le cœur du XXe siècle. C'est quelque chose d'absolument extraordinaire. Des traductions existent mais le recueil entier n'a jamais été traduit.

Tous ces poèmes sont conçus explicitement par Stevens comme des poèmes de guerre. Ils sont écrits pendant la guerre, entre, 1942 et 1944. Les États-Unis sont en guerre et dans le *Parts of the world* il y a d'ailleurs un poème que je vous signale, titré « Examen du héros en un temps de guerre ». C'est vous dire que cette question de la figure du soldat dans la guerre est réellement le propos explicite de Stevens. Je dirais qu'il est celui qui a porté la question du soldat au cœur du XXe siècle, alors qu'elle était née bien avant. Peut-être s'achève-t-elle avec lui. Peut-être est-il le dernier grand poète, européen ou américain, de notre tradition immédiate, à créer, à tenir la question du poème du soldat. Il existe également un texte en prose, très intéressant, dont je vais vous lire des extraits, qui s'appelle « L'immense poésie de la guerre ». Comme vous allez le voir, ça donne le contexte de tout ce que Stevens pense, écrit et médite poétiquement sur la guerre, dans le cadre d'une contradiction… Je vous lis ce texte, qui n'a pas été traduit à ce jour :

> L'immense poésie de la guerre et la poésie d'une œuvre d'imagination sont deux choses différentes. En présence de la violente réalité de la guerre, la conscience se substitue à l'imagination, et la conscience d'une guerre immense est la conscience d'un fait. Si cela est vrai, il s'ensuit que la poésie de la guerre, comme conscience des victoires et des défaites des nations, est une conscience factuelle mais d'un fait héroïque, d'un fait dont l'échelle est si considérable que sa conscience pure affecte l'échelle de la pensée commune et constitue une participation à l'élément héroïque.

Ce qui est vraiment intéressant c'est que la thèse de Stevens c'est que, en temps de guerre, l'attraction du réel est telle que l'imagination est congédiée ; mais surtout que l'échelle du réel qui est constituée à ce moment-là a une si puissante attraction que l'héroïsme anonyme et général qu'elle charrie attire et fait que la lecture même de la poésie de la guerre constitue une participation à l'élément héroïque. Ce qu'il décrit là, ce sont des conditions subjectives d'incorporation, absolument ! C'est l'incorporation qui se fait par attraction. Une attraction dont le principe n'est pas du tout l'imagination, mais au contraire la défaite de l'imagination. Vous savez que très souvent l'incorporation est décrite comme une illusion imaginaire ; c'est le procès qui a été fait constamment aux grandes aventures politiques du siècle dernier, à savoir qu'en définitive elles n'avaient été que des excroissances imaginaires, de fallacieuses illusions. Ici Stevens défend exactement la thèse contraire, c'est-à-dire qu'il y a cette incorporation héroïque quand en réalité quelque chose de l'imagination n'est plus à la mesure de ce qui se passe. Ce n'est donc pas l'imaginaire qui constitue le sujet héroïque mais au contraire la défection de l'imaginaire au profit de la réalité. Je crois que c'est une thèse tout à fait intéressante. Et Stevens continue :

> Il a été facile de dire, dans la période récente [celle de la guerre donc] que toute chose tend à devenir réelle. Ou plutôt que toute chose se meut en direction de la réalité, ce qui veut dire en direction

du fait. Nous laissons le fait et y revenons. Nous revenons à ce que nous voulions que soit le fait, non à ce qu'il fut, non à ce qu'il est […] La poésie d'une œuvre d'imagination illustre avec constance la lutte fondamentale et interminable contre le fait. Elle se poursuit universellement même dans les périodes que nous appelons « la paix » mais, dans la guerre, le désir d'aller dans la direction du fait comme nous voulons qu'il soit, et d'y aller vite, est dominant. Rien n'apaisera jamais ce désir.

Ainsi, dans la guerre, « le désir d'aller dans la direction du fait comme nous voulons qu'il soit, et d'y aller vite, est dominant » : ça, c'est vraiment la loi de l'incorporation. Et rien n'apaisera jamais ce désir, sinon une conscience du fait telle que chacun est au moins convaincu de disposer de l'être du fait lui-même. Donc ce qui donne le désir, et ce qui en même temps laisse la paix, est la conscience que le fait, c'est-à-dire le réel, tel que la guerre l'exalte dans l'homme, nous allons disposer de son être par incorporation à l'élément héroïque.

Le poème maintenant. C'est un gigantesque poème dont je ne vous lis que la partie VII, car c'est celle qui est consacrée à la figure du soldat :

Qu'elle est rouge la rose qui est la blessure du soldat,
Les blessures de nombreux soldats, les blessures de tous
Les soldats qui sont tombés, rouges en sang,
Le soldat du temps agrandi au format de l'immortel.

Une montagne d'où l'aisance est à jamais bannie,
Sauf si l'indifférence à une mort plus profonde
Est aisance, se dresse dans l'obscur, une colline d'ombre
Où le soldat du temps trouve un immortel repos.

Des cercles d'ombres concentriques, en eux-mêmes
Immobiles, mais se déplaçant sur le vent,
Forment des circonvolutions mystiques dans le sommeil
Temporel du soldat rouge immortel sur son lit.

Les ombres de ses camarades le retournent
Dans la haute nuit, l'été exhale pour eux
Son parfum, une lourde somnolence, et pour lui,
Pour le soldat du temps, il exhale un sommeil estival,

Où sa blessure est bonne parce que la vie l'était.
Aucune part de lui ne fut jamais part de la mort.
Une femme se lisse le front de sa main
Et le soldat du temps gît tranquille sous cette caresse.

Nous allons extraire de ces deux poèmes – magnifiques, il faut le dire, surprenants aussi – un certain nombre de caractéristiques concernant précisément les maximes qui nous servent de point de départ : la maxime des conséquences et la maxime de la capacité. Vous voyez bien comment les deux poèmes forment un monument à la figure du soldat, car le poème lui-même est monument, dans sa texture et dans son affirmation. Je voudrais articuler tout ce qu'ils ont en commun, ce qu'ils nous donnent à penser, en quatre points :

1. Le premier point, qui est majeur, c'est que la figure est une figure affirmative. C'est-à-dire qu'il n'y a aucune espèce de déploration. Le monument est un monument qui n'est pas une commémoration, qui n'est pas une déploration, qui n'est pas une oraison funèbre. Le monument poétique consiste à dire que la figure du soldat est une figure qui, jusque et y compris dans la mort, est l'affirmation d'une sorte de transhumanité essentielle, immanente à l'humanité elle-même. Un point tout à fait remarquable, c'est le « Oui » par lequel s'ouvre le poème de Hopkins, un « oui » isolé et sans connexion, qui est comme l'affirmation pure. D'un bout à l'autre cette affirmation va être relayée par son articulation métaphorique, jusqu'à se confondre, à la fin, avec l'affirmation de Dieu lui-même. Le trajet du poème, c'est depuis « Oui » jusqu'au « oui » par Dieu même. Parce que le poème c'est le « oui » par lequel le Christ s'identifie au soldat, devient soldat,

est soldat. Et inversement, l'action du soldat est une action du « Dieu-fait-chair » lui-même. L'élévation du poème est de part en part l'élévation d'une affirmation. Elle est au fond l'exégèse du « Oui » initial. Elle va nous dire ce que contient ce « Oui », ce « oui » au soldat.

Dans Stevens, on va avoir deux points majeurs. Le premier c'est que l'été (« Dans la haute nuit, l'été exhale pour eux/Son parfum, une lourde somnolence, et pour lui,/ Pour le soldat du temps, il exhale un sommeil estival. »), dont on sait qu'il est dans tous ses poèmes l'instance d'appui de l'affirmation, l'été va déplacer la nuit et le sommeil. L'été va se destiner au soldat, il va exhaler *pour lui* « un sommeil estival ». Mais « sommeil estival » c'est un oxymore, c'est-à-dire le sommeil comme une puissance de la nuit portée à la puissance de l'été. C'est pourquoi c'est une « haute nuit » : il y a une élévation de la nuit, dans la figure par laquelle l'été destine le sommeil. Et tout cela est *pour* « le soldat du temps ». Cette dernière expression est fondamentale : nous l'avons expliquée tout à l'heure. Évidemment tout ça se lie à la formule tout à fait extraordinaire : « Aucune part de lui ne fut jamais part de la mort. » C'est-à-dire que ce n'est pas seulement affirmatif mais que le soldat mort – puisque là il s'agit de soldats morts au combat, blessés – le soldat mort ou rouge de sang, couché dans son sommeil d'été, ne participe aucunement de la mort. Rien de lui n'a été, en quelque manière, une partie de la mort. Il faut donc pousser l'affirmation, s'agissant de la figure du soldat, jusqu'au point où, à proprement parler, le soldat mort est laissé, par la mort elle-même, intact dans sa vie. Il est la vie bonne, la vie affirmative, la vie positive si je puis dire, dans le mouvement de la mort elle-même. C'est aussi la raison pour laquelle on va pouvoir dire que « sa blessure est bonne parce que la vie l'était », c'est le même énoncé. La puissance de la vie, si elle était bonne, est telle que la blessure elle-même ne peut pas contredire ce point. Dans la figure du soldat, la vie affirmative l'emporte éternellement. Et ce caractère radicalement affirmatif de la figure du soldat l'est bien entendu pour les raisons qui vont suivre.

2. La deuxième chose, c'est la capacité, qui est énoncée de façon particulièrement intense dans le poème de Hopkins. La capacité humaine, telle qu'identifiable dans la figure du soldat, est le moment où il y a identité entre le Christ, l'homme, et finalement Dieu, quant à cette capacité même. Toute la fin le poème le dit : si Dieu « voit quelque part quelque homme faire tout ce que peut un homme », alors il dit « tu es comme moi ». Voilà, ça, c'est le faire-Christ, c'est ce que fait « Dieu-fait-chair ». Dans la figure du soldat prise comme paradigme du moment où l'homme fait tout ce qu'il peut, c'est-à-dire où il est dans sa capacité radicale, alors en ce point-là il n'y a plus, dans la théologie très particulière de Hopkins, de distinction entre l'homme et Dieu. Cette théologie est fondée sur ce point qu'il est possible d'être indiscernable du Christ ou de Dieu même, tout simplement en épuisant la capacité humaine en tant que telle. La figure du soldat nomme cette possibilité que « quelque homme » fasse « quelque part [...] tout ce que peut un homme ». Et alors le Christ va dire : « Ô action faite-Christ ! », donc action transformée en divinité, action qui est une action divine. C'est un point fondamental dont résulte, pour toute la première partie du poème, que cette puissance, c'est-à-dire cette capacité d'identification de l'homme à Dieu ou au Christ dans la figure du soldat est si grande que, en tant que capacité réelle, elle ordonne notre jugement sur l'apparaître. En effet tout le début du poème consiste à se demander comment il se fait qu'on bénisse et qu'on admire le soldat rien qu'en le voyant. Parce qu'il a une tunique rouge, il se promène, là, et tout le monde bénit le soldat, tout le monde s'exclame : « Ah le brave soldat ! » D'où cela vient-il ? Est-ce qu'on a raison ? Oui, oui, on a raison. Et pourquoi ? Parce que la capacité réelle dont le soldat fait preuve à la guerre, dans le procès réel du combat, est telle, elle est tellement « faite-Christ », que cela remonte finalement jusqu'à une croyance en l'apparaître lui-même. Devant une action d'une telle nature on se dit que l'homme doit être à la hauteur de sa possibilité. On va apprécier l'artiste d'après son art. Cet art, qui est l'art du

soldat, est aussi bien l'art du Christ. Le Christ connaît la guerre, « il a servi la traversée combattante ». C'est la figure du Christ comme soldat. Et l'identité au Christ est si puissante qu'elle valide finalement la bénédiction de l'apparence. Même si surgit dans le milieu du poème l'idée que c'est peut-être parfois un faux-semblant, que ce n'est pas parce qu'on a une veste rouge qu'on est forcément dans l'« action faite-Christ ». Mais c'en est au moins l'apparaître, c'en est au moins la promesse. Vous voyez combien le principe de capacité est puissant. C'est un point dont on a l'expérience dans bien d'autres registres : si vraiment on a des témoignages concernant la possibilité qu'un homme fasse tout ce que peut un homme, c'est une conviction si puissante qu'elle organise le jugement sur l'apparence en tant que capacité réelle et qu'elle valide finalement le militant éventuel d'une capacité, non seulement dans l'exercice de cette capacité, mais dans son possible, dans les signes de sa possibilité. C'est là quelque chose qui indique que Hopkins a une thèse sur la puissance de l'incorporation ; c'est le signe que le possible de l'incorporation à une vérité est si radical, si puissant, qu'il s'étend, qu'il a un principe d'extension, aux signes de son apparaître. Voilà pour le principe de capacité dans sa signification subjective majeure, et organisatrice.

3. Sur le principe des conséquences, ou de fidélité, il y a dans les deux poèmes des notations tout à fait majeures. Pour Stevens il est clair que la matière de la figure du soldat, c'est le temps. Le refrain du poème c'est « soldat du temps ». Tout soldat est ainsi un soldat qui fait figurer le temps dans sa puissance d'immortalité. C'est pour ça qu'il est le soldat du temps, et si vous regardez bien la structure du poème, vous verrez que sa scansion, son refrain, c'est le croisement entre temps et immortel. Il vaut la peine de relire tous les derniers vers des quatrains « Le soldat du temps agrandi au format de l'immortel », « Le soldat du temps trouve un immortel repos », « Temporel du soldat rouge immortel sur son lit », « Pour le soldat du temps il exhale un sommeil estival », « Et le soldat du temps gît tranquille sous cette

caresse ». Finalement, la tranquillité essentielle du soldat mort est liée au fait qu'en tant que soldat du temps, il s'est commué, il s'est élevé à la figure de l'immortel.

Il en résulte que, la matière du temps étant la figure du soldat, le soldat est dans la conséquence elle-même. Il est dans le temps de sa propre durée comme immortalité immanente. En ce sens la figure du soldat, de la discipline du soldat, avec en outre le fait que tout « soldat du temps » accomplit son acte dans la durée disciplinée, est par elle-même une puissance ou une promesse d'immortalité. Et la conséquence de la présentation poétique de la figure du soldat, c'est en réalité la création de l'immortalité subjective, et, c'est très important, de l'immortalité subjective anonyme. Car ce n'est pas l'immortalité subjective du héros dont le nom propre sera inscrit et célébré, c'est l'immortalité de l'incorporation temporelle elle-même.

4. Et, cela est dit dans les deux poèmes avec une force tout à fait singulière, qui fait que le mouvement du poème c'est le mouvement de la création de cette immortalité subjective. On peut reprendre des indices : « action faite-Christ », ou « Ainsi fait Dieu-fait-chair », dans Hopkins, indiquent simplement que l'action du soldat dans la guerre est une action qui par elle-même trouve son équivalent dans l'immortalité divine. De même, dans Stevens, « immortel sur son lit » ou « soldat du temps agrandi au format de l'immortel », qui est une formule tout à fait remarquable, c'est véritablement ce qui advient dans l'apparence du soldat mort. Vous voyez bien que cette immortalité n'est pas après la mort, ou distincte de la mortalité elle-même, c'est le soldat du temps, en tant qu'agrandi au format de l'immortel. C'est pour ça qu'on peut parler ici, poétiquement, d'une immortalité absolument immanente.

Impossible d'épuiser les deux poèmes, qui sont très complexes, mais regardons encore les deux grandes métaphoriques de la rose et de la montagne, dans les deux premiers quatrains de Stevens. La rose est en réalité, dès le premier vers, une métaphore de la blessure : « Qu'elle est rouge la rose qui est la blessure du soldat. » La blessure est donc la même chose que la rose, mais c'est ce qui prépare naturellement le fait que cette blessure pourra être dite bonne. Vous avez ainsi la blessure comme rose, puis la bonté de la blessure, en tant que la blessure était quelque chose qui s'est surimposé à la vie : « sa blessure est bonne parce que la vie l'était ». Rose, blessure, vie bonne, tout ça s'enchaîne dans une métamorphose métaphorique : déjà dans la rose est présente l'immortalité, qui fait que la blessure est bonne, parce que la vie l'était, parce que la blessure a laissé finalement la vie intouchée.

Si maintenant vous prenez la montagne. C'est un grand classique de ce type de poésie : la montagne c'est la figure du tombeau, c'est là, dans la « colline d'ombre », que « le soldat du temps trouve un immortel repos ». Mais ce tombeau est un tombeau *pour* l'immortalité. Ce n'est pas le tombeau en tant que signe fermé de la mort, c'est au contraire le tombeau ouvert sur l'immortalité de la figure.

Vous achèverez vous-mêmes l'élucidation des détails des poèmes. Mais que conclure de cette figure poétique du soldat au point d'intersection de nos maximes ? Leur point d'intersection c'est en réalité l'indiscernabilité de l'existence et de la mort. Et l'existence et la mort deviennent indiscernables parce qu'est créé de l'immortel en immanence à l'action elle-même : l'« action faite-Christ » ou le soldat mort dont la « blessure est bonne ». Donc entre exister et être mort il n'y a pas de discernabilité véritable. Non pas parce que ce seraient des états identiques mais parce que le mouvement qui les conjoint a créé de l'immortel. C'est au point d'indiscernabilité de l'existence et de la mort que se crée de l'immortel et cela est possible parce que nous avons la conjonction d'une discipline et d'une capacité maximale, la conjonction d'un principe de constance (le soldat du temps) avec la capacité radicale de l'humanité à faire ce qu'elle peut, et qu'ordinairement elle ne fait pas, car l'existence ordinaire c'est d'être en deçà de tout ce qu'on pourrait. Mais quand un homme fait tout ce que peut un homme, alors quelque chose d'immortel advient de façon immanente, qui produit, dans son espace propre, l'indiscernabilité de l'existence et de la mort.

Reste évidemment à se demander comment cela est possible, c'est-à-dire quelles relations entretiennent ordinairement l'existence et la mort pour qu'une telle relève soit possible. Le poème nous dit, et c'est ça, je crois, le sens profond de tout poème du soldat, qu'une existence anonyme, une existence qui est sans le nom propre dont la mémoire s'illustrera, est une existence qui peut fort bien, par conjonction d'une maîtrise du temps et d'une extension de la capacité, créer un point d'immortalité. C'est en ce sens que le poème du soldat est toujours un monument aux morts. Il est un monument aux morts en tant qu'il désigne l'immortalité du mort lui-même, c'est-à-dire qu'il affirme toujours que le mort n'est pas mort, y compris dans sa symbolique, symbolique que nous ne comprenons plus vraiment aujourd'hui, comme la flamme de l'Arc de triomphe, dans sa relative bêtise, qui est celle de toute métaphore trop matérielle. Cependant la flamme dit ce qui ne s'éteint pas et se définit comme ce qui ne doit pas s'éteindre, ce qui doit être constamment allumé et rallumé. Elle dit donc, en moins bien, la même chose, que ces poètes.

La thèse que soutient le poème du soldat, c'est que l'existence anonyme est apte à l'immortalité. Pas du tout à l'immortalité comme connexion transcendante mais à l'immortalité comme fait, « dans les faits », dirait Stevens, dans la puissance d'orientation du fait. Le poème le dit, mais quel système de garantie ou de prospection peut-on en donner conceptuellement ? Pour cela, il faudra évidemment revenir sur l'existence et il faudra que ce trajet poétique dans la métaphore du « soldat du temps », ou de l'« action faite-Christ » soit rationnellement compatible avec ce qu'on dit de l'existence et de la mort.

En conséquence, ce qui sera la prochaine fois à l'ordre du jour ce sera l'existence et la mort. Et on va s'arrêter là pour aujourd'hui.

XVIII

13 DÉCEMBRE 2006

Il est distribué un schéma qu'on trouvera à la fin de ce séminaire.

Je commence, comme d'autres fois, par une note marginale. Récemment, dans *Le Monde*, qu'il m'arrive de lire, j'ai été frappé par un entretien avec l'écrivain américain Russell Banks et je voudrais dire en quelques mots pourquoi.

La première raison c'est que Russell Banks est un très grand romancier de notre temps. Je vous exhorte vivement à le lire, surtout que notre question d'orientation dans la pensée et dans l'existence, il se la pose aussi à sa manière. C'est en effet un penseur de la question de savoir ce que peut bien vouloir dire être un sujet qui oriente son existence dans l'espace américain. Autrement dit, qu'est-ce qu'être un Américain ? Non pas au sens objectif, à savoir quelqu'un qui habite, qui est né, ou qui a des relations intimes avec l'Amérique, mais dans le cas où cela constitue la possibilité d'une subjectivité véritable. C'est pour cela qu'il est dans notre champ d'examen car il représente une expérience romanesque sur la question de savoir ce que veut dire s'orienter dans l'existence, avec d'ailleurs une oscillation très puissante dans ses romans entre des personnages d'origine sociale très différente. On trouve d'abord des personnages généralement d'extraction tout à fait populaire, des ouvriers, des gens pauvres, des gens à l'éducation courte, qui sont des figures d'égarement dans l'existence, de désorientation au sens strict, et qui, de l'intérieur de cette désorientation, cherchent ou trouvent par hasard un point auquel ils tiennent et qu'ils traitent, mi aveuglément, mi lucidement. Et cela va fixer leur orientation comme destin, comme quelque chose d'à la fois essentiel et obscur. Notons que de ce point de vue Russell Banks présente l'intérêt d'être un écrivain de la subjectivité populaire, ce qui est après tout très rare dans le roman, particulièrement dans le roman français. Il oscille donc entre cette figure-là et puis de grandes figures historiques, intellectuelles, de gens éduqués, de penseurs, qui déterminent de façon cette fois absolument volontaire, peut-être même exagérément volontaire, ce que c'est qu'une existence orientée. Tout ça ce sont des figures romanesques extrêmement puissantes. C'est vraiment le problème de Russell Banks, d'inscrire cette question de l'orientation dans l'existence dans l'élément d'une désorientation presque primitive, première, et en même temps dans l'élément de ce qu'on pourrait appeler une sur-orientation volontariste, sous le signe d'une morale impérieuse. Comme si l'être américain ne pouvait qu'hésiter entre une sorte d'aveuglement destinal essentiel, qui peut avoir sa grandeur et sa puissance, et un volontarisme moral, qui est en excès sur ce que la situation autorise.

Je vous signale trois livres de Russell Banks. Vous pourrez regarder vous-même les autres.

– *Affliction* est tout à fait dans l'archétype de la première figure, c'est-à-dire en l'occurrence, de l'ouvrier conducteur de chasse-neige dans une petite ville de l'extrême Nord américain. Cet ouvrier s'obstine à tenir, dans des conditions de violence extrême, car il est aux prises avec la destruction, par la création d'une station de ski pour Blancs fortunés, de tout ce qui existe dans sa petite ville du Nord. Il y a toujours un arrière-plan historique, économique et social de ce genre chez Russell Banks. Je ne vais pas vous raconter le livre qui est l'histoire de cet itinéraire. En tout cas, c'est extraordinairement fort, c'est aux lisières de l'aveuglement et de la lumière qu'on se dirige, dans une violence extrême, sous la conduite obligée qui est de tenir un point. Car là vraiment le protagoniste tient un point, sans même pouvoir exactement dire ou transmettre quel est ce point. Mais il le tient. Il y a une réalité épique chez Russell Banks, quelque chose qui du dedans travaille le roman par l'épopée, l'épopée moderne.

– *De beaux lendemains*. Ce texte a été transposé dans un très beau film éponyme d'Atom Egoyan. Ici c'est un peu autre chose, c'est la saisie de ce que c'est qu'une collectivité en proie au désastre, à une catastrophe, de la manière dont elle se révèle à elle-même, ou dont, à partir de là, elle modifie intérieurement le système des données subjectives. La donnée initiale, c'est que l'autobus qui conduit les enfants du village à l'école a un accident, que la quasi-totalité des enfants sont tués et que quelqu'un vient du dehors pour enquêter là-dessus. Là c'est plus choral, plus collectif et ça va révéler les arêtes fondamentales de la vie de la collectivité, avec comme fil conducteur en particulier une histoire d'inceste, traitée à la fois avec une délicatesse et une force exceptionnelle. Après tout, comme vous le savez, c'est une question très agitée aujourd'hui, et c'est un témoignage romanesque singulier sur ce problème.

– *Pourfendeur de nuages*. Il s'agit là d'un roman historique, qui est sans doute le livre essentiel de Russell Banks. Cela part du personnage de John Brown, héros américain très connu. Au XIXe siècle, celui-ci s'est levé contre l'esclavage et a organisé un petit groupe militant armé, violent, lequel s'est emparé un matin d'une ville du Sud en appelant les esclaves à la révolte. Finalement aucun esclave ne s'est révolté, aucun n'a bougé. Le groupe est resté totalement dans la séparation avec le peuple noir et John Brown a été pendu. Russell Banks reconstruit la figure exceptionnelle de John Brown dans ce très gros roman qui plonge dans la profondeur historique de l'Amérique. C'est un personnage qui est comme un prophète biblique, qui terrorise sa famille, qui a une espèce de grandeur puritaine étonnante. Au fond on sent très bien que, à travers ce personnage et son équipée sous un impératif moral absolu, Russell Banks parle de lui-même aussi, et plus précisément de l'expérience révolutionnaire aux États-Unis dans les années 1960. Il parle à sa façon des Panthères Noires, des Weathermen. Il a été lui-même membre d'un groupe gauchiste jusqu'au début des années 1970 ; il a été un activiste révolutionnaire américain « radical », comme ils disent là-bas, et cela a représenté un marquage essentiel de sa vie. Dans l'agrandissement épique de la figure de John Brown, on retrouve ce paradoxe violent de la cause impérieuse et juste, mais traitée dans un élément si exemplairement moral qu'elle ne parvient pas à trouver le chemin de sa constitution véritable. Finalement elle se transforme en témoignage singulier, à propos duquel le romancier Russell Banks reste au fond, comme il est naturel, dans l'expectative. Ce livre nous offre l'une des plus grandes et des plus puissantes figures du roman, c'est un peu comme le capitaine Achab dans *Moby Dick*. C'est une figure d'une force extraordinaire, figure véritablement surorientée, qui illustre que, si on s'oriente dans la pensée par un impératif construit de telle manière qu'il n'a pas la suffisance propre pour se lier aux gens concernés, ça se transforme en destin et en solitude.

Ces trois livres, *Affliction*, *De beaux lendemains*, *Pourfendeur de nuages*, sont non seulement des livres magnifiques, mais des livres qui somme toute ne nous éloignent pas de notre propos qui est de trouver ce que j'appellerais une morale sans morale ou encore une morale démoralisée, morale provisoire, qui précisément ne s'expose pas à créer quelque chose comme la figure de John Brown dans *Pourfendeur de nuages*. Il faut savoir que Russell Banks est ce que les Américains appellent un militant « radical », exprimant par là quelque chose que nous ne savons finalement pas très bien dire. C'est entre progressiste et révolutionnaire, quelque part dans cette zone-là ; ça n'a pas d'équivalent en français, en tout cas cela n'a rien à voir avec le radical-socialisme de la IIIe République. Je pense d'ailleurs que le fait que ce mot n'a pas de traduction immédiate dans notre langue signifie que la chose elle-même n'existe pas, au sens où il s'agit là d'une posture indécidable entre la politique et la morale. C'est une figure à propos de laquelle on ne peut pas décider si l'impératif de donner sens à l'existence est à structuration singulièrement politique, ou exemplairement morale. Cela a pour conséquence qu'entre l'action efficiente et l'action exemplaire, il n'y a pas vraiment de distinction. À la limite, entre le militant et le saint, il n'y a pas de différence véritable. L'épopée de John Brown, qui en principe est l'épopée de la libération des Noirs, est en réalité une sainteté personnelle qui, comme il se doit, s'achève par le martyre. En fin de compte, John Brown est un martyr de la juste cause de l'émancipation des Noirs d'Amérique et il en est plutôt le saint ou le prophète qu'il n'en est le militant ou le dirigeant politique.

Cette figure, qui crée une indécidabilité entre morale et politique dans le champ des questions effectives, dans le champ du réel, et qu'exprime, en américain, l'adjectif « radical », nous intéresse parce qu'elle met à l'ordre du jour, sous une forme tout à fait puissante, la question de ce que c'est que s'orienter dans la pensée ou s'orienter dans l'existence à partir du moment où la maxime est claire. C'est là qu'on voit que toute la difficulté vient de ce que la question de l'orientation n'est pas réductible à sa maxime. « Nous voulons, désirons, l'émancipation des Noirs et nous devons absolument lutter contre l'esclavage et pour cette émancipation. » Voilà une maxime indubitable, indiscutable, une maxime exemplairement « partagée », si je puis dire. John Brown porte à son comble l'incandescence de cette maxime, il voue intégralement sa vie à cela, avec une violence et une autorité extraordinaires. Il est, pour parler notre lexique de la dernière fois, le soldat de cette cause, prêt à se sacrifier pour elle s'il le faut. Et d'ailleurs l'action qu'il va entreprendre sera une action armée. Mais la maxime ne résout pas la question car elle ne contient pas à elle seule la question de l'orientation. C'est là un point qui évidemment distingue absolument la question de l'orientation de la question morale au sens de Kant, pour qui il faut agir selon une maxime universalisable. C'est bien vrai qu'il faut agir et orienter son existence selon les maximes universalisables, dans tous les ordres de l'action ou de la création. Mais ça ne dit pas encore ce dont il s'agit. La maxime universalisable doit en plus être comptable du processus de son effectuation événementielle, du processus de sa subjectivation véritable. En l'occurrence, le problème de John Brown c'était de savoir quel type d'accès tracer entre lui et la subjectivité historique de la fraction noire du peuple américain. C'était là le problème de l'effectivité de la maxime. Finalement, dans cet exemple, le problème de la procédure de vérité qui lui est liée, entraîne que la maxime comme telle reste toujours indécidable, entre la politique et la morale. Il faut bien voir que c'est dans ce cadre que s'est établie une bonne partie de l'histoire du mouvement progressiste révolutionnaire américain, du mouvement « radical » américain. C'est là aussi que s'est établi Russell Banks pendant une période de son existence, et c'est là-dessus que, dans l'espace du roman, il médite, En effet l'élément romanesque permet de ne pas trancher tout à fait, c'est-à-dire de maintenir finalement l'indécidabilité entre la figure et la critique de la figure, donc l'indécidabilité entre la morale et la politique. Bien entendu je ne dis pas cela comme une critique du romancier Russell Banks.

Comme je vous le disais, il y a deux choses qui m'ont frappé dans son entretien au *Monde*. Entre parenthèses, Russell Banks est né en 1940, ce qui en fait quasiment mon contemporain, et il a été un activiste radical des années 1960-70, ce qui le rend pour moi encore plus contemporain. La première chose portait sur l'évolution de la situation. « À un moment donné, dit-il, à partir des années 1980 et 1990, je me suis aperçu que la quasi-totalité des étudiants était plus à droite que moi. » Et un peu plus loin : « Je me suis aperçu que, dans la classe [on parle toujours de "classe" aux États-Unis, même à l'université], j'étais le seul à être vraiment radical. » Radical bien sûr, au sens américain. Alors ça m'a touché. Je ne dis pas ça contre vous, mais j'ai bien compris ce qu'il voulait dire. Il ajoute tout de même : « Ce n'est pas tellement que les étudiants soient devenus plus réactionnaires [il est gentil lui aussi], c'est que la situation elle-même, la situation dans son ensemble s'est déplacée. » Après tout on pourrait dire que dans ce cas, c'est plutôt lui, Russell Banks qui n'arrive plus à être vraiment *de* la situation, ou *dans* la situation. Tandis que tous ces étudiants, eux, y sont vraiment, ils sont *de* leur monde. Mais le monde a glissé, le monde s'est déplacé. Ce que Banks nous dit c'est que l'Amérique est devenue bien plus réactionnaire qu'elle n'était, qu'elle s'est enfoncée dans ses dispositions les plus réactionnaires. C'est là un point très frappant, qui montre bien que, même si les situations sont différentes, il y a toujours quelque chose comme un mouvement général. Comme je vous le disais, les catégories de représentation politique américaines, et en particulier l'indécision, l'indiscernabilité entre morale et politique, créent un univers subjectif très différent. Qui d'ailleurs est loin de n'avoir que des désavantages, parce que, et ça on le voit très bien dans l'affaire de John Brown, l'avantage extrême de l'indiscernabilité entre morale et politique c'est de mettre immédiatement à l'ordre du jour le courage. Il faut rendre cet hommage aux jeunes radicaux américains qu'ils sont absolument courageux. Aux États-Unis le courage est une vertu partagée, et plus répandue qu'ici. Il y a ici une très grande strate de peur, et le courage n'est pas, on le sait, la vertu la plus partagée par les Français.

Il y a donc ça mais en même temps il y a ce mouvement d'ensemble qui est un décalage, un glissement, un déplacement. Et de ce déplacement, Banks va témoigner à sa manière. Il porte évidemment sur le problème de savoir dans quelles conditions s'opérera ou s'opère une transmission. Parce qu'évidemment, quand le monde change, il faut faire autre chose. On ne peut qu'accorder ce point. Mais faire autre chose dans des conditions telles que quelque chose est transmis de l'état antérieur, ce n'est pas la même chose qu'être dans une séparation complète. Et vous voyez bien que Russell Banks lui-même inscrit son œuvre de romancier sous le signe de la transmission de cela qu'il s'est trouvé à un moment donné être le plus radical. Mais le fait de se trouver là met à l'ordre du jour non pas du tout une accusation mais une transmission. Il s'agit de transmettre ce qu'on peut transmettre.

La deuxième chose qui m'a frappé c'est qu'il disait exactement le contraire de ce qu'on a dit ici les deux fois précédentes. Il se demandait comment, aux États-Unis, se constituaient les conflits. Cette question du conflit, nous l'avions abordée, en particulier il y a deux ans ; nous nous étions demandé à quel moment se constitue le conflit, ce que c'est qu'un vrai conflit ou un faux conflit et enfin ce que c'est que l'adversaire. Et la réponse de Russell Banks c'étaient deux choses. D'abord il renvoyait immédiatement la chose à des groupes constitués, de caractère généalogique et racial, ce qui est absolument américain aussi. Pour lui le conflit portait sur les différences radicales de vision entre Afro-Américains, américains venus d'Europe, Hispano-Américains. Donc il y avait ce partage, lisible dans ses romans, de cette vision immédiate des choses en termes de « groupes culturels », appelons-les comme ça. Ce sont aussi à certains égards des groupes raciaux, historiques, géographiques même. En tout cas ce sont des groupes constitués autour de référents culturels communs. Et c'était ça qui lui venait immédiatement à l'esprit dès qu'il parlait des conflits. La deuxième chose c'est qu'il disait qu'en réalité le conflit ou la différence de vision ne portait pas sur les faits, car tous ces groupes étaient d'accord sur les faits qui ont constitué l'histoire de l'Amérique, plus précisément des États-Unis, mais qu'ils n'étaient pas d'accord sur leur interprétation.

En somme, il donnait premièrement une interprétation des conflits en termes de groupes, de groupes culturels. Et deuxièmement il tentait d'élucider ces conflits en termes herméneutiques. Comme vous le savez je soutiens exactement le contraire. Pour moi tout conflit véritable porte sur des assertions d'existence et pas sur des interprétations d'une existence supposée partagée. Tout ça portait donc sur le rapport entre interprétation et existence dans et pour l'orientation. Parce qu'évidemment Russell Banks se posait la question des conflits pour savoir quelle pouvait être aujourd'hui une orientation radicale, émancipatrice, à l'intérieur des États-Unis. Sa question était la même que la nôtre. Et il répondait que le conflit était un conflit des interprétations, sur une base historique communément partagée, ou communément acceptée. Cela m'a renforcé dans l'idée que la question de l'existence, en tant qu'elle est le support de l'orientation, et non pas seulement le support des interprétations à partir desquelles s'orienter, était véritablement décisive dans l'affaire qui nous occupe ici. Autrement dit, c'est l'idée qui paraît très abstraite, mais dont on va voir qu'elle est fondamentale, que l'orientation est à même l'existence, qu'elle n'est pas médiée par une interprétation. Que par conséquent le conflit n'est pas un conflit des interprétations mais un conflit d'assertions ou, si vous voulez, un conflit de décisions d'existence, ou de constats d'existence. Et là je voyais que, effectivement, il y avait un désaccord avec Russell Banks. Désaccord que je ramènerais à celui dont je parlais tout à l'heure, à savoir que si en effet la question est une question de différence des interprétations, alors en définitive c'est une question morale, ce n'est pas une question de procédures de vérité. En revanche, si c'est une question de procédures de vérité, alors la question décisive est la question : qu'est-ce qui existe ? Et bien entendu, à l'intérieur de cette question : qu'est-ce qui n'existe pas ? Parce que la question de l'existence c'est aussi la question de l'inexistant. Et en fin de compte c'est la question de l'inexistant qui est le point fondamental de notre méditation. Nous l'avons déjà maintes fois indiqué. Et donc nous allons repartir maintenant de cette question de l'existence.

Pour en venir à mon propos je vais refaire notre trajet en d'autres termes, à savoir en termes de projet, de maximes et de figures.

1. En termes de projet. Notre hypothèse est que nous sommes dans un temps intervallaire, un temps entre une séquence de l'orientation générale et une autre séquence qui n'est pas encore construite, ou lisible. Nous sommes ainsi dans un entre-temps du temps, tel est notre site historique. On peut dire aussi : nous sommes dans un temps provisoirement désorienté. L'accord est assez général là-dessus. Et donc nous cherchons une orientation sur fond de temps désorienté ou, si vous préférez, une morale provisoire des temps intervallaires. Une première nécessité pour nous est de prendre en compte l'existence car l'autre hypothèse, que nous croiserons très souvent, est une hypothèse nihiliste, à savoir qu'il n'y a que la combustion de l'existence elle-même, parce que, dans un temps désorienté, on ne peut pas espérer une orientation. De là que, pour cette vision, le rêve de l'orientation

est un rêve archaïque. En temps désorienté l'espace de déploiement de cette thèse est particulièrement ouvert car le nihilisme profond croît, faisant en quelque sorte maxime de la désorientation elle-même, en prenant pour maxime subjective la loi du temps, de l'époque. Ce qui revient en quelque manière à se situer dans l'existence brute, dans l'existence qui affirme son droit à sa propre combustion, à son propre incendie.

Notre projet est par conséquent un projet non nihiliste pour temps désorienté, à savoir tenter de soutenir autre chose que l'incendie nihiliste de l'existence. C'est pour ça que j'ai flirté avec le mot cartésien de « morale provisoire ». Une morale provisoire c'est comme quand Descartes dit que si on est perdu dans une forêt, eh bien, il faut prendre une décision. Lui, il prend la décision d'aller tout droit. Aller tout droit dans une forêt c'est un petit problème. Mais justement, on va essayer d'aller tout droit : c'est là ce qu'il propose comme morale provisoire pour temps désorienté. Si vous êtes perdus, vous pouvez à tout le moins avoir comme maxime provisoire d'essayer en tout cas de vous tenir à ce que vous avez décidé.

2. En termes de maximes. Nous avons vu que les maximes sont la maxime des conséquences et la maxime de capacité. Si on tient un point, il faut en assumer les conséquences, ne pas se laisser désorienter dans la conséquence de ce que l'on tient. La subjectivité de cette première maxime sera la constance. Quant à la maxime de capacité elle consiste à se déclarer capable de tenir les conséquences, c'est-à-dire à faire confiance à sa propre capacité, au-delà de la représentation, ou au-delà de ce qui est proféré par les autres. Descartes lui-même dit bien que si l'on fait confiance à sa capacité, en un certain sens on devient capable. La subjectivité de confiance c'est avoir confiance, et avoir confiance dans la confiance qu'on a en soi-même. Plus précisément, la constance veut dire exister selon un principe, ou un énoncé primordial, énoncé dont on tient dans le réel les points successifs. La construction de la maxime dans le réel se fait point par point et la constance consiste non seulement à tenir la maxime, mais beaucoup plus essentiellement, à tenir les points successifs de

son effectuation, ce qui revient à tenir l'existence du principe. On se réfère à l'existence du principe et pas seulement à son sens ou à sa possibilité. Il faut ici distinguer entre sens et existence parce qu'agir avec constance selon un principe, ce n'est pas seulement tenir ou maîtriser le sens du principe, c'est le faire exister, point par point. Le faire exister, c'est ça la fidélité véritable. Car la fidélité n'est pas dans la continuité du sens, elle est dans la discontinuité des points successifs qui matérialisent dans le réel la fécondité de la maxime. Enfin, la confiance signifie : ce type d'orientation de l'existence, j'en suis capable. Et cette capacité affirmée subjectivement va être à l'épreuve des points et va s'avérer dans la tenue des points.

Entre parenthèses, c'est peut-être un détail mais dans les circonstances concrètes il a toujours son importance : si on commence à être dans le sens de la maxime, on va se demander comment, subjectivement, on est à la hauteur de la maxime. Vous trouvez ça chez John Brown. Vous trouvez ça aussi dans toutes les figures archaïques du guerrier. Cela signifie, ce qui n'est pas forcément une critique, que l'action devient pour part un spectacle. L'action est dans le spectaculaire de la monstration du héros comme étant à la hauteur de sa maxime. Impossible d'ailleurs de décider entre la question de savoir si c'est de la figure du héros qu'il s'agit ou du sens de la maxime, parce que c'est permutable. C'est tout le contenu effectif de la catégorie cornélienne de « gloire ». Le « théâtre de la gloire » consiste précisément à montrer, dans le spectacle de l'action elle-même, que le sujet est à la hauteur de la maxime. Or il se trouve que c'est justement ce qui, d'une certaine manière, va interdire l'existence de la maxime. En effet est requis non pas un principe de constance et de confiance, mais un principe de gloire, un principe d'exception qui montre que « je suis moi, en tant qu'exception, à la hauteur de la maxime que je produis ». Par exemple on voit très bien, dans *Pourfendeur de nuages*, que John Brown se représente comme étant celui qui est à la hauteur de la maxime générale de l'émancipation des Noirs. C'est naturellement sa manière à lui de faire exister le sens de la maxime, de se déclarer ou de se représenter lui-même comme étant celui, à vrai dire le seul, qui est effectivement à la hauteur du sens de la maxime. En revanche, si vous raisonnez autrement, si vous pensez que la matérialité de la maxime c'est son traitement point par point, vous n'avez pas à vous poser la question de savoir si vous êtes à la hauteur. La confiance ne porte pas sur la représentation de la subjectivité comme étant à l'altitude de ce dont elle se déclare capable. La subjectivité doit simplement traiter un point. Traiter un point qui, sans doute, est une matérialité de la maxime, mais qui ne fixe pas une hauteur du sens de la maxime.

Vous voyez que c'est tout compte fait un détail important car, de ce point de vue, la morale provisoire n'est pas une morale d'exception. Elle ne requiert pas que l'on se forge une subjectivité dont l'altitude ou l'intensité propre sera mesurée par le sens d'une maxime ou d'un impératif. Il n'y a pas d'héroïsme du sens. Je soutiendrais même volontiers qu'aujourd'hui l'héroïsme du sens conduit inéluctablement au nihilisme. Si l'on soutient aristocratiquement que l'on doit être à la hauteur du sens de la maxime, cette maxime elle-même devient une maxime négative. Nous devons certainement combattre la tentation de considérer la morale provisoire comme une morale de l'exception. Parce que, dans le monde intervallaire tel qu'il est, cette tentation aristocratique ou guerrière reconduit nécessairement au nihilisme et que la seule maxime à la hauteur de laquelle on puisse prétendre être est en fin de compte la maxime de la destruction de soi dans l'incendie de l'existence. Tout héroïsme de ce genre est aujourd'hui mortifère. Si vous lisez *Pourfendeur de nuages* c'est ce que vous y trouverez : une figure immense, mais une figure qui met à l'ordre du jour ce qu'on pourrait appeler un nihilisme éthique. Je dis bien éthique et non pas cynique, car il faut distinguer entre les deux. Le nihilisme éthique peut être défini comme : transiter par la représentation de la subjectivité comme à la hauteur de la maxime générale qu'elle se propose d'effectuer, qu'il s'agisse de l'émancipation des Noirs, du combat intégral contre le libéralisme, ou de tout ce que vous voulez. Et le nihilisme cynique revient simplement à quelque chose comme « À moi ma jouissance quotidienne ! ».

3. En termes de figures. La dernière fois nous avons regardé la figure poétique du soldat, figure qui a été, entre la levée en masse de l'époque de la Révolution française et les deux guerres mondiales du XXe siècle, le plus puissant paradigme de la connexion entre constance et confiance, un paradigme imagé représentable. J'ajouterais que même le militant politique, le militant révolutionnaire de cette période a été, au fond, sous ce paradigme. Il s'est représenté et a été représenté comme un soldat de la révolution. Et ce pour des raisons que j'ai dépliées d'abord quand nous avons ici traité du siècle (1998-2000) et en un certain sens la dernière, et ensuite dans *Le Siècle*, livre issu de ce séminaire. Cela s'explique en grande partie parce que la révolution elle-même était sous le paradigme de la guerre. Elle se représentait comme la guerre, la guerre ultime, la guerre fondamentale, c'était « la lutte finale » comme guerre finale. De ce point de vue le militant révolutionnaire était dans la figure du soldat. Rien d'étonnant à cela puisque cette figure a émergé dans le contexte révolutionnaire lui-même, dans la levée en masse de la Révolution française. En tant que figure métaphysique et poétique, on peut définir le soldat comme l'exposition de l'existence à la mort en tant que création d'immortalité. Et c'est bien pour ça que la célébration du soldat se fait toujours sous le signe de l'immortel. Remarquons d'ailleurs que tout monument à l'immortalité est en même temps et essentiellement un monument aux morts. Nous avions dit que cette figure si essentielle du soldat qui, paradigmatiquement, est une figure d'orientation majeure, contient une maxime des conséquences parce que c'est aller jusqu'au bout de l'existence, exposer une existence où l'on n'accorde même pas à la mort d'en être la limite. C'est une exposition intégrale de l'existence. Et puis c'est une maxime de capacité parce que le soldat est anonyme : tout un chacun peut l'être. La légende poétique et narrative du soldat fourmille d'ailleurs des exemples de l'anonyme ou de l'homme quelconque, de l'homme indistinct qui s'avère capable de la

figure du soldat. Et la littérature révolutionnaire encore plus que les autres, qui exhibe constamment la figure de l'anonyme qui peut devenir, qui devient le soldat de la révolution. Rien n'en témoigne mieux qu'un tout petit texte de Mao Tse Toung qui s'appelle *Servir le peuple*. Je vous le recommande. C'est un texte de septembre 1944, très court et très beau. Il s'agit en fait d'une brève oraison funèbre prononcée par Mao à l'occasion du décès d'un des communistes de l'armée. Mao commence par citer un écrivain chinois antique, car on commence toujours, en Chine, par citer quelqu'un qui a dit la vérité trois mille ans auparavant. Un Chinois naturellement ! Et alors ce Chinois qui a déjà tout dit trois mille ans plus tôt, a dit que la mort est une chose fréquente, que tout le monde doit mourir. Mais il ajoute qu'il y a deux sortes de morts, absolument différentes : il y a des morts qui ont le poids ou la puissance du Mont Taï-Chan, et puis il y a des morts qui sont plus légères qu'une plume. Et Mao dit : « Oui, mourir dans la figure du soldat de la révolution, c'est une mort immortelle, c'est une mort qui est comme celle du Mont Taï-Chan ; tandis que mourir comme valet des corrompus, des impérialistes et des compradores, c'est une mort qui n'a pas plus de poids qu'une plume. » Vous voyez tout de suite que ce qui m'intéresse dans le discours de Mao, c'est que la mort y est évaluée directement selon l'orientation de l'existence. La connexion est immédiate : selon la manière dont on a orienté son existence, la mort n'est pas la même ; ce qui veut dire que la mort est une partie de l'existence, elle n'en est pas le contraire, ou le revers. La mort est *interne* à l'existence, et par conséquent interne à l'orientation de l'existence. Il s'ensuit que, contrairement à ce qu'on pourrait croire, la mort n'est pas ce qui réunit tout le monde dans un destin commun, ce n'est pas une puissance de désorientation. La mort est elle-même prise dans l'orientation de l'existence.

Et, une fois encore, Mao se constitue en adversaire de Staline. Malraux cite très souvent une phrase dont il prétend que Staline la lui a dite personnellement. Ce que raconte Malraux, personne ne peut le vérifier. Toujours est-il que je pense tout à fait que Staline était capable lui dire ça. Staline aurait dit : « Vous savez, à la fin, c'est toujours la mort qui gagne. » Or ce n'est pas du tout ce que dit Mao dans *Servir le peuple*. Parce que la sentence de Staline veut dire au fond : « On peut être dans un camp ou dans l'autre, vous pouvez être, vous, Malraux, écrivain français, et moi Staline, exercer férocement la dictature du prolétariat en Russie, à la fin c'est la mort qui gagne, c'est l'anonymat universel qui recouvre et indistingue les différences. » Mao dit même exactement le contraire : à la fin ce n'est pas du tout la mort qui gagne, c'est l'orientation de l'existence. La mort elle-même sera spécifiée, qualifiée, différenciée par l'orientation de l'existence. Il y aura des morts qui seront célébrées et honorées comme ayant la puissance et la force du Mont Taï-Chan, et il y aura des morts qui seront insignifiantes. Et Mao conclut en disant : « Désormais, quand quelqu'un meurt parmi nous, il faut absolument faire une réunion, parler du mort, et faire une cérémonie en son honneur. » Et il ajoute : « Il faut le faire, qu'il soit cuisinier ou soldat. » J'aime beaucoup ce « qu'il soit cuisinier ou soldat », parce que ça c'est l'anonymat reconnu. Devant la mort on peut juger de l'orientation de l'existence. Et l'orientation de l'existence ne dépend ni de la position sociale, ni des talents. L'orientation de l'existence c'est intrinsèque, c'est à même l'existence. Lorsque vous regardez une existence, vous devez y lire son orientation essentielle, laquelle inclut le poids spécifique de la mort, et c'est ce dont on doit parler ensuite, égalitairement, qu'il s'agisse d'un général, d'un maréchal, d'un cuisinier ou d'un soldat.

Je voudrais maintenant reprendre un petit peu l'opposition que j'avais instruite la dernière fois entre cette figure, à qui il indiffère que le mort soit cuisinier ou soldat, et puis la figure du guerrier de l'épopée classique, dont je vous avais dit qu'il était, avant tout, un nom propre comme Achille, Patrocle, Jason, Hercule… Le guerrier est une exception épinglée au nom propre, c'est le contraire du soldat anonyme, du soldat inconnu dont la flamme brûle sous l'Arc de Triomphe. Ce qui s'est imposé à tout un chacun, même à l'État français c'est que, finalement, le soldat était bien connu comme inconnu, et qu'il devait être célébré dans son anonymat lui-même, non pas sous l'autorité du nom propre. Quant au guerrier, il va se faire un nom dans les combats et on parlera de lui sous son nom, tel est son destin. Je vous avais dit que le guerrier relève de la connexion entre exception et destin, c'est-à-dire qu'il a d'une part à se faire un nom propre, et d'autre part à accepter ce qui lui arrive car, dès qu'un nom propre a un destin, il recèle quelque chose de singulier et d'héroïque. J'opposais donc exception et destin à constance et confiance. Et j'avais ajouté qu'à la figure aristocratique du guerrier avait succédé la figure révolutionnaire du soldat, la corrélation entre exception et destin ayant fait place à la corrélation entre conséquence et capacités, ou entre constance et confiance.

L'idée supplémentaire que je voudrais introduire aujourd'hui, c'est que le monde contemporain a raturé le soldat. Aujourd'hui le soldat est une figure qui s'éloigne à une vitesse exceptionnelle. Du coup son évanescence a tendance à se nourrir d'une sorte de légende noire du guerrier. C'est tout à fait frappant au cinéma, lequel est rempli de guerriers pseudo-médiévaux. On pourrait dire – c'est presque un théorème – que moins il y a de soldats, plus il y a de guerriers imaginaires, ou encore que, lorsque la figure du soldat est raturée, le guerrier imaginaire prolifère. Cela dit on trouve aussi « le guerrier » entre guillemets, à vrai dire un guerrier de caricature, qui est le guerrier de ce qui est parfois nommé la « légende urbaine », où pullulent mafieux, trafiquants, faux rebelles, tous ces matériaux de la fiction contemporaine. On a ainsi le chef de bande, le jeune guerrier, qui roule des mécaniques et qui se fait un nom dans l'espace de la querelle urbaine et de son anarchie. C'est là un symptôme qui m'intéresse. Pour moi cette tentative d'appropriation, complètement décalée, de la figure du guerrier intervient là où le soldat s'absente.

Si vous me permettez une interprétation un peu métaphorique, un peu poétique elle-même, de la question de l'islamisme – ce n'est pas qu'elle me passionne – je dirais que la proposition islamique consiste en gros à dire : « Vous n'avez pas besoin de faire semblant d'être des guerriers parce que nous allons vous proposer d'être des soldats. » Et je cherche à comprendre pourquoi ça marche. Évidemment on va dire que c'est la lutte du fondamentalisme islamique, non pas tant avec la démocratie qu'avec la figure de la légende urbaine du guerrier, mafieux, trafiquant, bandit, chef de gang, rappeur rebelle, etc. Toutes ces figures qui, si vous les regardez bien, ne sont, y compris dans leur costume, dans leur apparat, dans leurs systèmes de noms propres, que des caricatures de guerriers. Il pourrait très bien se faire qu'à un moment donné on propose, comme alternative à cette figure fictive du guerrier des trottoirs, la possibilité du retour à la figure du soldat. Du soldat de l'islam par exemple, mais peut-être de n'importe quelle autre figure du soldat aussi bien. Il me semble en effet que ce qui se joue là n'a en vérité que très peu à voir avec ces fariboles sur « le retour des religions », ou « la guerre des civilisations », dans la mesure où ce discours emphatique ne tient aucun compte d'un fait très précis et très essentiel, qui est que Dieu est mort depuis longtemps et ne ressuscitera pas. Honnêtement je pense que c'est une fausse piste, c'est de l'idéologie, de l'idéologie de guerre. Cela sert à nous persuader que « ces gens-là, c'est une autre civilisation ». Par contre, le fait que cela ait à voir avec la subjectivité de la jeunesse, je veux bien le croire, la jeunesse en tant que lieu privilégié du partage et du conflit entre la figure du guerrier et la figure du soldat. Et spécifiquement la jeunesse masculine.

Parce qu'il y a un problème de ce que c'est que la masculinité. On parle toujours des femmes, mais les hommes après tout, c'est aussi assez compliqué. Il ne faudrait surtout pas sous-estimer le rapport historique profond qui a existé pendant des millénaires entre la figure de la masculinité et les figures successives du guerrier ou du soldat. Il est faux de dire que la disparition de ces figures n'a pas laissé de traces. On sait très bien que ces deux figures restent absolument omniprésentes dans l'imaginaire de la jeunesse masculine. Il n'est que de regarder le moindre jeu vidéo. C'est invariablement l'histoire du héros guerrier qui extermine les ennemis, qui est dans la quête du Graal. Je ne me prononce évidemment pas sur la question de savoir si c'est bon ou mauvais ou si ce serait mieux d'habituer les jeunes à autre chose. Ce matériau est omniprésent. C'est comme ça. Et à travers ça, ce qui chemine, j'en suis persuadé, c'est le remplissement de la place vide du soldat par l'imaginaire du guerrier. Là où venaient la conséquence et la constance, viennent en réalité l'exception et le destin. Alors bien sûr, il ne faut pas s'étonner si quelqu'un vient et répète patiemment : « Écoutez, il n'y a pas de raison d'être dans l'imaginaire nihiliste du guerrier parce que vous pouvez être dans la figure positive du soldat. » Ce quelqu'un risque d'être entendu. Et ce pour une raison d'autant plus fondamentale que la figure du guerrier est aujourd'hui une figure inappropriable, donc vouée à l'imaginaire nihiliste. La figure du guerrier n'a pas de substance, n'a pas de soutien. C'est réellement une figure de cinéma, de jeux vidéo. C'est une figure de légende qui, comme toute figure de légende, ne porte à la fin des fins que le nihilisme. Et comme toutes les figures irréelles, ce qu'elle véhicule dans le monde tel qu'il est, c'est en réalité deux choses : la marchandise et la combustion de l'existence. La marchandise dans le pire des cas ; dans ce cas la figure du guerrier est en réalité une figure de trafiquant. Ou alors c'est une figure de rebelle véritable, mais alors elle se réalise dans l'incendie et dans la combustion suicidaire de l'existence.

À vrai dire je crois que ce qu'il faut conclure c'est qu'aujourd'hui il n'y a plus à proprement parler de figure. Et c'est peut-être la définition la plus radicale de ce que c'est qu'un temps intervallaire. Un temps intervallaire c'est un temps où il n'y a pas d'orientation bien sûr, où l'orientation doit être forgée dans la désorientation. Et ça se donne même dans l'imaginaire, de la jeunesse en particulier. Le résultat c'est que l'imaginaire de la jeunesse masculine se déploie soit dans la figure de l'absence de figure, soit dans l'opposition entre un faux guerrier et un faux soldat. Pendant longtemps les enfants jouaient aux soldats de plomb, maintenant ce sont des soldats virtuels. Mais en réalité c'est inexistant, immatériel. Et le fait que ce soit cette figure entre le faux guerrier et le faux soldat, qui plombe la subjectivité de la jeunesse, c'est un problème dévastateur, on le sait. Il faudra absolument en venir à des propositions d'orientation qui outrepassent ces figures. En fin de compte je dirais que nous avons à aller au-delà de la figure du guerrier, au-delà de la figure du soldat. Nous avons à figurer autre chose. Et pour ça il faut tout reprendre. Et pour ce qui nous concerne ici, commencer par tout reprendre au ras de la question de l'existence, puisque le progrès essentiel qu'a représenté le passage du paradigme de la figure du guerrier à la figure du soldat, en tant que paradigme de ce que c'est qu'une existence absolument orientée, tenait à ceci qu'il n'y avait pas la médiation du nom propre, qu'il y avait quelque chose qui était à même l'existence. Cela peut se dire sous la forme « qu'il soit cuisinier ou soldat », c'est-à-dire qu'il soit personne. C'est sans importance, il n'a pas à se faire un nom. Il est là, dans l'existence orientée comme telle, qui doit être saluée à ce titre. Contre la figure du guerrier nous devrons sans doute maintenir cet anonymat égalitaire essentiel. Et, contre la figure du soldat, que ce n'est pas obligatoirement dans le paradigme de la guerre. Voilà les deux exigences du moment, lesquelles sont difficiles à réaliser et à concilier.

Nous allons donc repartir de façon plus abstraite, au ras de la question de l'existence, de manière à essayer de faire surgir, d'abord dans le rapport de l'existence à la mort, le point qui nous occupe sur ce que c'est qu'une orientation radicale aujourd'hui. En vérité, ce que j'ai à vous dire dans l'immédiat n'est guère qu'un petit commentaire de ces trois dessins, lesquels contiennent tout ce dont nous avons immédiatement besoin. Il est juste qu'après avoir la dernière fois fait de la poésie nous fassions, je ne dis pas des mathématiques, mais quelque chose qui s'y apparente vaguement. Vous savez que je tiens que l'espace de la philosophie embrasse la connexion des deux, et que telle est la radicalité, la nouveauté de son langage.

Existence

1. Identité dans l'être (ontologie = mathématiques)

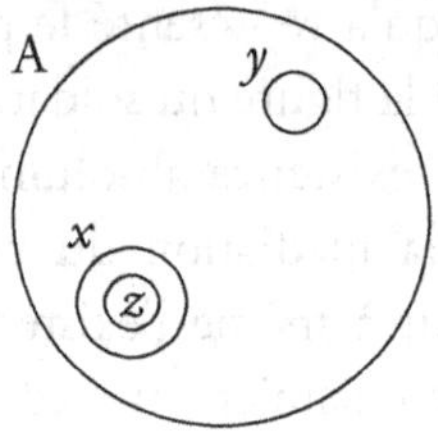

$$\left.\begin{array}{l} x \in A \\ y \in A \\ z \in x \\ z \notin y \end{array}\right\} x \neq y$$

$x = x, y = y, z = z$

2. Identité dans l'apparaître (logiques des mondes)

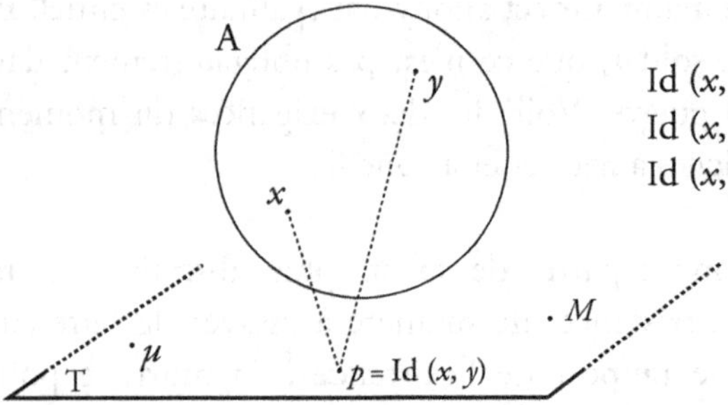

$\text{Id}\,(x, y) = M$	$x \equiv y$
$\text{Id}\,(x, y) = \mu$	$x \not\equiv y$
$\text{Id}\,(x, y) = p$	$x \cong y$

3. Existence (intensité réflexive dans l'apparaître)

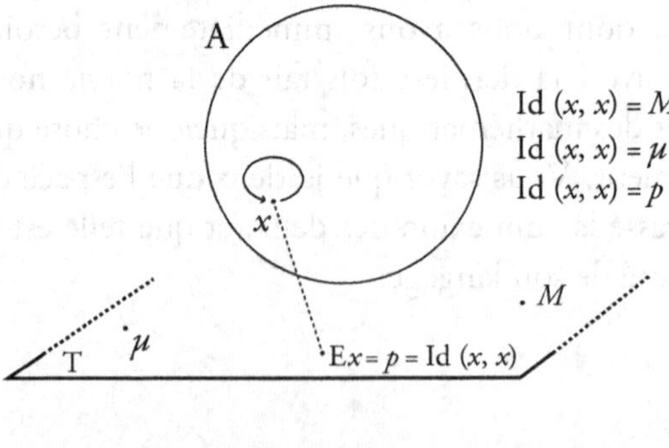

$\text{Id}\,(x, x) = M$	x existe absolument
$\text{Id}\,(x, x) = \mu$	x inexiste
$\text{Id}\,(x, x) = p$	x « p-existe »

Il s'agit de savoir ce que nous allons appeler « existence », donc de nous mettre bien d'accord sur sa définition, puisqu'il est clair que la question de l'orientation est la question d'être à même cette existence. Nous allons prendre les choses dans leur ordre et nous partons en conséquence de l'être comme tel dans la figure de la multiplicité indifférente. De la multiplicité indifférente on dira qu'elle est sans existence ni inexistence ; cela signifie que l'être pur, l'être comme multiplicité indifférente, est indifférent à la différence entre existence et inexistence : il est. Et être se suffit à soi-même. Nous sommes là dans une intuition fondamentale de Parménide, « notre père à tous » pourrions-nous dire après Platon, qui est que, pour autant qu'on s'ouvre un accès à l'être, c'est-à-dire pour autant qu'il y a un penser de l'être, alors ce penser est nécessairement indiscernable de l'être lui-même. Parménide le dit sous la forme : « Être et penser sont la même chose. » Et ça, c'est l'expérience que nous faisons dans les mathématiques. Si le premier disciple de Parménide – premier disciple voulant dire le premier infidèle, le premier hérétique aussi, de Parménide – à savoir Platon, a posé les mathématiques comme condition radicale de la philosophie, c'est parce que dans les mathématiques nous faisons l'expérience d'une indistinction effective entre la pensée et l'être. En effet, ce qui est pensé dans les mathématiques n'est pas séparable de cette pensée elle-même. Pour vous donner un exemple, un cercle n'a pas d'existence séparée de la pensée du cercle, ça vous pouvez l'expérimenter : il n'y a pas de figure séparable. L'expérience mathématique c'est d'abord et avant tout l'expérience d'une indistinction entre être et pensée, et par conséquent d'une inséparabilité de l'existence de ce qui est pensé et de la pensée, c'est-à-dire de l'être lui-même.

Cela nous amène à une réflexion tout à fait importante sur la relation entre existence et identité. Lorsque je pense l'identité du cercle, son identité mathématique, qui n'est pas l'identité de quelque chose de rond, de tel cercle, mais, si je puis dire, l'identité du cercle en soi, je ne peux pas séparer son existence, parce qu'elle n'a pas de lieu autre que ma pensée, elle n'est pas séparable de ma pensée. Mais alors quelle est son identité, si cette identité n'est pas séparable comme existence ? Vous voyez le problème. Il nous faut donc trancher sur la question de l'identité dans l'être. Pour ça on va revenir à un axiome que j'ai introduit depuis très longtemps : l'être c'est la multiplicité quelconque, indifférente, dont le cercle en soi n'est qu'une image. On dira, c'est la section 1 du schéma, que l'identité d'une multiplicité ce sont ses éléments. Et, ses éléments sont des multiplicités. Donc, dans une indistinction entre pensée et être, on représentera l'identité d'une multiplicité comme identité de ses éléments. En conséquence on dira que deux multiplicités quelconques sont les mêmes, c'est-à-dire *la* même, quand elles ont les mêmes éléments.

C'est récapitulé dans le schéma : on prend la multiplicité *A*. On suppose que les multiplicités *x* et *y* sont des éléments de *A*. Je les ai figurés non pas avec des points mais avec des ronds, simplement pour vous rappeler qu'un élément d'une multiplicité est une multiplicité. En effet, si j'avais mis des points vous auriez pu croire qu'il y avait une différence de nature entre la multiplicité et son élément, la multiplicité étant un rond et l'élément un point qui est dans le rond. Non, les éléments d'une multiplicité sont aussi des multiplicités. Et les éléments de *x* et de *y* sont aussi des multiplicités. On dit simplement que, s'il y a quelque chose dans *x* qui n'est pas dans *y*, il s'ensuit que *x* et *y* ne sont pas les mêmes. Par exemple, s'il y a dans *x* un *z* qui n'est pas dans *y*, on conclura que *x* est différent de *y*. Ainsi on peut dire que l'identité pure des multiplicités quelconques est purement extensionnelle, c'est-à-dire que c'est une affaire de composition élémentaire. Une multiplicité, c'est l'ensemble de ses éléments, ses éléments étant eux-mêmes des multiplicités, il y a donc une homogénéité générale de la multiplicité indifférente. Et quant à l'identité, elle est extensionnelle au sens où dès qu'il y a un élément qui est dans l'un et pas dans l'autre, c'est différent. Vous remarquerez que, de ce point de vue, la différenciation peut toujours se tester localement. Si vous dites que deux choses sont différentes, vous devez pouvoir montrer qu'il y a un élément de l'une qui n'est pas dans l'autre. Ainsi il y a toujours un test local possible de la différence entre deux multiplicités quelconques. Autrement dit, la différence est elle-même extensionnelle. Ce n'est pas la même chose quand vous dites que deux poires sont différentes parce que l'une est rouge, l'autre jaune : là vous faites une différence globale, qualitative. Tandis que dans le cas des multiplicités pures, c'est-à-dire de l'être comme tel, toute différence est extensionnelle, c'est-à-dire que vous devez pouvoir indiquer que quelque chose entre dans la composition d'une multiplicité, qui n'entre pas dans l'autre. Et ça suffit pour constituer une différence absolue.

Pour récapituler : au niveau de l'être pur, c'est-à-dire du système des multiplicités mathématiquement pensables – à vrai dire elles ne sont pas pensables autrement, elles ne sont pensables que mathématiquement – nous retiendrons deux caractères essentiels. D'abord, nous n'avons pas de questions d'existence formulables comme telles, parce que nous n'avons pas de séparation de l'existence d'avec l'être de la chose. Et le test c'est que nous n'avons pas de différence entre l'être et sa pensée. Ensuite, l'identité est extensionnelle. Ce qui veut aussi dire qu'il n'y a que deux cas. Ou bien deux multiplicités sont la même, ou bien elles sont différentes. Il n'y a pas de possibilité intermédiaire. D'où que le fait que la différence soit extensionnelle entraîne que la logique générale est binaire : ou c'est la même chose, ou ce n'est pas la même chose. C'est identique ou c'est différent. Il n'y a pas de médiation entre identité et différence. On peut dire aussi que l'identité est non dialectique, car, comme vous le savez, la médiation entre identité et différence c'est le ressort de la dialectique hégélienne et de toute dialectique finalement. Voilà ce que l'on pouvait dire concernant l'identité dans l'être, c'est-à-dire le commentaire immédiat de la mathématicité de la figure de la multiplicité pure.

De cela ressort que l'instruction de la séparation entre la pensée et l'être, le fait qu'on sort de la prescription de Parménide, n'est pas le niveau de l'être pur comme tel. En fin de compte, Parménide a raison, à sa manière : si l'on est dans la pure pensée des multiplicités indifférentes comme supports et constituants ontologiques de tout ce qui est, il est bien vrai qu'il n'y a pas de différence entre la pensée et l'être – c'est l'expérience mathématique comme telle. D'autre part il est vrai aussi qu'il n'y a ni changement ni mobilité ni quoi que ce soit de ce genre, parce qu'une multiplicité quelconque, telle qu'elle est représentée dans son identité stricte n'est pas susceptible de devenir autre qu'elle-même. Vous voyez bien qu'à partir du moment où la différence est extensionnelle, rien ne peut devenir autre qu'il n'est. La chose est ce qu'elle est, ou elle est une autre. Il n'y a pas de figure de transition, car pour qu'il y en ait il faudrait qu'il y ait une médiation entre l'identité et la différence, donc une dialectique de la différence et de la non-différence. À ce propos, on comprend bien que si la philosophie de Hegel est une philosophie de l'Histoire, c'est précisément parce que c'est une philosophie du devenir. Comme la catégorie majeure de Hegel c'est le devenir, on trouve chez lui, au cœur de tout, des figures de médiation entre l'identité et la différence. Il y a de la différence dans l'identité elle-même. C'est anti-parménidien par excellence. Avec Parménide, nous objecterons que si l'on se situe dans la strate de l'être-en-tant-qu'être, c'est-à-dire de la multiplicité sans prédicat, de la multiplicité pure, définissable exclusivement comme multiplicité de multiplicités, alors il n'y a rien de tout ça : il n'y a pas de médiation entre l'identité et la différence.

Donc nous soutiendrons avec Parménide que l'être pur est absolument immobile dans l'identité indiscernable entre être et pensée. C'est d'ailleurs tout le substrat de la joie mathématique. La joie mathématique est conquise parce que, précisément, on accède à l'être parménidien. C'est aussi pourquoi c'est un facteur d'épouvante et de terreur. Mais en réalité, au-delà de cette terreur il y a une joie ineffable qui est la joie de l'immobilité éternelle de l'être dans sa figure contemplée, où la contemplation est indiscernable de ce qui est contemplé. Ce n'est pas la peine d'aller chercher Dieu pour cela ! Le cercle suffit. Cela explique pourquoi depuis toujours les philosophes ont pensé, en le disant ou en ne le disant pas selon les époques, que le cercle, le nombre, étaient déjà bien aussi grands que Dieu. Ils l'ont pensé absolument : « Que nul n'entre ici s'il n'est géomètre. » On ne va pas dire « que nul n'entre ici s'il n'a été au catéchisme ». « Que nul n'entre ici s'il n'est géomètre » ça on va le dire, parce que là on a la mesure de ce que c'est que l'être immobile dans la splendeur de sa commutabilité avec la pensée. Certes il faut un peu d'effort pour y arriver. Pas tant que ça finalement et ça en vaut la peine. C'est ça l'inséparabilité de la pensée et de l'être.

Mais alors qu'est-ce qui sépare ? Ce qui sépare, c'est évidemment toujours et fondamentalement la question du lieu. C'est quand quelque chose doit venir en un lieu. Là, tout change. Tout change parce que le fait que l'être pur soit assigné à un lieu introduit un élément de contingence. En effet, s'il est vrai que l'être pur comme multiplicité indifférente est commutable à l'immobilité de sa pensée, rien en lui-même n'indique qu'il soit assignable à telle ou telle localisation. Cependant il est de l'essence de l'être en tant que réel de se localiser, ce qui fait qu'un élément de perturbation s'introduit dès que vous pensez ce qui est, non pas en tant qu'il est mais en tant qu'il est *là*. C'est pourquoi la difficulté fondamentale de la pensée est toujours le lieu. Il n'y a pas d'autre difficulté véritable pour la pensée que l'espace. Je prends ici « espace » en un sens très vaste : ce n'est pas simplement l'espace à trois dimensions dans lequel nous regardons les choses, c'est l'espace en tant que figure topologique de l'être, l'espace en tant qu'il est de l'essence de l'être d'être là, comme les philosophes l'ont su depuis le début. Même Platon se demande comment peut être possible que l'être soit là. C'est alors que tout se complique, alors qu'on sort des mathématiques. En effet, on sort de la mathématicité pure, de la mathématicité comme telle qui, elle, nous présente la multiplicité hors lieu, dans le lieu du hors-lieu, car la mathématique c'est le nom du lieu du hors-lieu.

L'être en tant que localisé, c'est-à-dire l'être en tant qu'assigné à un lieu, j'ai proposé de l'appeler son « apparaître ». L'apparaître c'est l'être en tant qu'il apparaît en un lieu, qu'il apparaît là. Comprenez bien que l'apparaître n'est pas apparaître pour un sujet, pour une conscience, pour un regard. L'apparaître est un mouvement immanent de l'être lui-même en tant qu'il est localisé. Ce n'est donc pas autre chose que le multiple pur, mathématiquement pensable, qui advient en un lieu. Par conséquent il ne faut pas considérer que l'apparaître est une espèce de surface ou de falsification phénoménale de l'être-en-soi, comme chez Kant par exemple. L'apparaître n'est pas ce qui *nous* apparaît, en tant que cette apparition soustrairait en quelque sorte l'être véritable derrière le rideau des apparences : « apparaître » (je prends le verbe de préférence au substantif « apparence ») c'est simplement la localisation de l'être comme tel. Et c'est lui en personne qui est localisé : une multiplicité indifférente vient à être localisée en un lieu.

La question est assez complexe dans son articulation générale. J'en donne le détail dans *Logiques des mondes*, mais ici nous n'en avons pas besoin. Il suffit d'un schéma clair. Qu'une multiplicité soit assignée à un lieu – ou encore qu'on ne soit plus dans l'être pur mais dans l'être-là – cela signifie que sa structuration interne cesse d'être réductible au principe extensionnel. Dans l'ordre de l'apparaître, nous le savons d'expérience, il n'est plus vrai que deux choses soient semblables, ressemblantes, identiques, différentes, exclusivement pour la raison que l'une a des éléments que l'autre n'a pas. On sait très bien que deux choses identiques peuvent apparaître dans des mondes distincts ou, pour toutes sortes de raisons, ne pas se ressembler dès qu'elles sont là dans un monde. Lorsqu'on localise une figure de multiplicité, le principe extensionnel pur qui régit les identités et les différences cesse de valoir et ce qui se passe, c'est qu'un élément entre par rapport à un autre dans un champ de nuances d'identités. C'est cette métamorphose qui constitue l'assignation à un lieu. Les choses apparaissent dans des profils, dans des intensités distinctes, dans des moments distincts. Le jeu du monde, parce que c'est de lui qu'il s'agit, le jeu *des* monde*s*, n'est pas réductible à la différenciation extensionnelle. L'assignation à un lieu, l'être-là d'une multiplicité, c'est précisément un opérateur de mesure des identités et des différences. Puisque les identités entrent dans des nuances, puisque l'identité cesse d'être au régime binaire de « ou identité ou différence », alors il faut qu'il y ait un espace de mesure de ce que c'est que l'identité. Il faut admettre qu'il y a des identités plus ou moins grandes, qu'il y a des échelles d'identités. Et ça, j'y insiste, c'est la métamorphose immanente des multiplicités à partir du moment où l'on est dans l'ordre de l'être-là ou de l'apparaître, et non plus seulement dans l'ordre de l'être pur. Mais ce qui est affecté et qui laisse subsister à l'arrière-plan la mathématicité pure, c'est le régime de l'identité et de la différence dans son interprétation en termes de nuances d'apparaître, et non pas en termes de différenciation pure dans l'être.

Vous avez ça dans la partie 2 du schéma. On reprend la même multiplicité *A* et on suppose que cette fois elle est affectée à un lieu. Remarquez que les éléments *x* et *y* je les représente cette fois par des points, parce que je me moque maintenant de l'extensionnel, ça m'est égal de savoir si ce sont des ensembles ou pas, ce sont des éléments de la multiplicité *A*. Ces éléments *x* et *y* de la multiplicité *A* vont se trouver mesurés quant à leur identité, c'est-à-dire qu'il va y avoir un degré d'identité assigné à l'identité de *x* et de *y* à l'intérieur de *A*. Là, j'ai noté que l'identité de *x* et de *y*, dans la fonction Id de (*x*, *y*), que vous lisez tout simplement Id(*x*, *y*), est égale au degré *p*. Qu'est-ce que le degré *p* ? Eh bien, justement, on dira qu'un lieu, c'est-à-dire un monde, c'est un système d'affectation de degrés aux identités des éléments qui y figurent. Autrement dit, en un lieu, l'être-là sera précisément la possibilité instrumentale que les identités soient mesurables par des degrés différents, et non plus, si je puis dire, coincées entre identité et différence. Ce système de degrés, je l'appelle « le transcendantal du lieu », ou « le transcendantal du monde ». Le transcendantal c'est simplement un système de degrés qui affecte aux multiplicités figurant dans un lieu une mesure de leur identité. Du coup, l'être-là de la multiplicité *A* – non pas son être qui est le système de ses éléments – va être une nouvelle mesure de l'identité interne des éléments de *A*, en termes de degrés. Je n'entre pas ici dans la logique du transcendantal. Bien entendu il faut qu'il y ait une logique minimale pour que tout ça fonctionne. On va dire simplement : il y a un degré minimum, que je note par la lettre grecque μ, et puis il y a un degré maximum que je note par la lettre grand *M*. Et puis il y a toute la gamme des degrés intermédiaires selon les mondes, qui ne sont ni le maximum ni le minimum. Là par exemple, le degré p représente un degré intermédiaire.

Maintenant, comment interpréter tout ça ? C'est extrêmement simple finalement. Si l'identité de x et de y est égale au maximum [$\mathrm{Id}(x, y) = M$], on dira que dans ce monde-là, dans ce lieu-là, x et y sont absolument identiques [$x \equiv y$]. Mais notez bien – ce sera un élément fondamental de la distinction entre existence et être – qu'il se peut très bien que x et y soient ontologiquement différents et que cependant la mesure de leur identité par le transcendantal les déclare identiques. Ça, c'est le décollage entre être et être-là. Ce qui est identique dans l'ordre de l'être pur, dans l'ordre parménidien, peut s'avérer différer dans l'ordre de l'assignation localisante à un lieu particulier, à un être-là. Si donc l'identité de x et de y est égale au maximum [$\mathrm{Id}(x, y) = M$], ils sont absolument identiques [$x \equiv y$] dans le lieu considéré, ou selon le transcendantal considéré. En revanche, si l'identité de x et de y est égale au minimum [$\mathrm{Id}\ (x, y) = \mu$], x et y sont absolument différents dans le monde considéré [$x \# y$]. Et puis si l'identité de x et de y est mesurée par un degré intermédiaire [$\mathrm{Id}\ (x, y) = p$], ils seront identiques au degré p. Alors [$x \cong y$] peut vouloir dire : ils se ressemblent un peu, ou ils se ressemblent beaucoup, ou ils appartiennent à la même catégorie mais ils ont des différences, ou ils sont très proches l'un de l'autre mais pas complètement, etc. On peut imaginer toutes les nuances de l'identité dans l'ordre de l'apparaître mondain.

Nous avons ainsi deux schémas somme toute très simples. L'identité dans l'ordre de l'être, c'est l'identité extensionnelle qui n'admet que deux hypothèses : identique ou différent, en fonction de la composition élémentaire. Et l'identité dans l'apparaître c'est la mesure d'un degré d'identité dans un lieu déterminé, avec un transcendantal déterminé, qui peut parcourir toute une série de degrés différents : depuis un degré minimal d'identité qui signifie que les deux identités sont absolument distinctes dans le monde considéré, jusqu'à un degré maximal d'identité qui fait qu'on ne peut pas les distinguer dans le monde considéré. Avec, entre les deux, toute la gamme des intensités identitaires possibles. Voilà pour le schéma général de l'identité dans l'être et de l'identité dans l'apparaître.

Un point fondamental, qui va nous introduire à la question de l'existence, c'est le problème de savoir si, étant donné une multiplicité, elle est forcément identique à elle-même. C'est un point majeur dans la réflexion philosophique depuis les origines, c'est la question de l'identité à soi, du « principe d'identité », comme disait Aristote. C'est peut-être la première loi logique à avoir été formulée dans l'histoire de la pensée universelle : *A* est identique à *A*. Aristote prend d'ailleurs pas mal de précautions pour expliquer que c'est *A* sous le même rapport, dans les mêmes conditions, dans le même contexte. Car l'affaire est tout de suite embarrassante. Formellement, on dira donc que *A* est identique à *A*. Toute une partie de l'histoire de la philosophie est l'histoire de l'identité, l'histoire de ses avatars. Et toute une partie de la critique contemporaine de la métaphysique s'en prend à l'identité. L'identité a été un fétiche philosophique.

Là nous allons prendre le problème dans nos propres catégories. Ce qui est certain, c'est que, au niveau de l'identité dans l'être (niveau 1 du schéma), un multiple est identique à lui-même. C'est évident, puisque vous ne pouvez pas le distinguer de lui-même par un élément qui serait dans lui-même sans être dans lui-même. Impossible d'avoir le test local de la différence, à savoir de trouver un élément qui d'un côté est dans *x*, et de l'autre n'est pas dans *x*, puisque *x* est justement défini par ses éléments. Par conséquent, dans l'ordre ontologique pur, dans l'ordre de la multiplicité indifférente, un élément ou une multiplicité est toujours identique à lui-même. En revanche, dans l'ordre de l'apparaître, rien ne prescrit, rien n'indique par nécessité, qu'un être-là, ou un élément d'un être-là soit identique à lui-même, puisque l'identité n'est pas extensionnelle. Vous n'aurez donc pas de raison particulière de déclarer que la fonction identitaire qui compare *x* à lui-même vaut toujours le maximum. Cela signifie que l'apparaître va admettre la possibilité qu'une entité ne soit pas nécessairement toujours identique à elle-même. C'est là que nous quittons Parménide : dans l'ordre de l'être-là il n'est pas vrai qu'il y a stricte immobilité ou identité de l'être pur, puisqu'il n'est pas du tout obligatoire que l'on ait le principe d'identité d'un élément à lui-même. Un élément peut différer de lui-même. Ainsi l'ordre de l'apparaître est dialectique, puisqu'il entérine le grand principe hégélien d'une différence immanente, d'une différence intérieure. Attention, il en entérine la possibilité, non pas la nécessité comme chez Hegel. Il est tout à fait possible que dans un monde déterminé, pour un transcendantal déterminé, x ne soit pas identique à lui-même. Ce qui signifie que la fonction Id (x, x) n'est pas nécessairement égale au maximum.

C'est la partie 3 du schéma. On reprend toujours le même multiple A et on prend un élément x de A. J'ai représenté par une flèche circulaire la question de l'identité de x à lui-même, la fonction Id (x, x). Celle-ci peut être égale à p, à μ ou à M. Nous appellerons la valeur Id (x, x) « existence de x », ce qui revient à dire que l'existence de x est le degré d'identité de x à lui-même. Autrement dit, l'existence d'un élément dans un monde, c'est en quelque manière l'intensité de son identité à soi. Ce n'est pas une abstraction très éloignée de l'expérience ou de notre conviction intime que, lorsque nous sommes quelque part, c'est dans la capacité à une forte identité à nous-mêmes que nous y sommes vraiment. Les gens qui disent : « J'étais quelque part, complètement égaré » n'y étaient pas vraiment, ils ne parvenaient pas à s'approprier le lieu parce qu'ils expérimentaient que, là, ils n'arrivaient pas à être eux-mêmes. On sait très bien qu'on est à l'aise quelque part quand on arrive à y être soi-même, ce qui signifie que, dans ce cas-là, Id (x, x) est proche du maximum. S'il est proche du minimum c'est que vous êtes sérieusement égaré et que vous n'avez plus qu'à vous en aller parce que le lieu vous est inadéquat. En réalité l'expérience existentielle consiste couramment à savoir si dans une situation déterminée, c'est-à-dire dans un monde déterminé, on est en état de soutenir au fond l'identité à soi-même ou si, au contraire, on se sent étranger à soi-même. Dans le vocabulaire de la tradition dialectique ou existentialiste on dirait qu'on se sent « aliéné ». Le terme d'« aliénation » indique précisément un certain degré, plutôt élevé, de différence avec soi-même. Nous retrouvons ainsi la distinction générale de l'être-là entre aliénation radicale, donc extrême différence d'avec soi-même, et stabilité identitaire maximale, qui signifie l'absolue égalité ou l'identité avec soi-même.

Dans un monde déterminé, vous rencontrerez ainsi trois cas. Premier cas : l'identité de x à soi-même est maximale, et x existe absolument. Comprenez bien que x existe absolument *là*, ce n'est pas une existence absolue intrinsèque, parce que l'existence absolue intrinsèque c'est au premier niveau, c'est la multiplicité A en tant que telle, donc telle que mathématiquement pensable. Mais *là* nous sommes à un autre niveau, c'est la multiplicité dans l'épreuve de son apparaître, dans l'épreuve de son être-là dans un monde déterminé, qui a un transcendantal déterminé. Dans ce monde déterminé, si x est en identité maximale à soi, on dit que x existe absolument. Second cas : l'identité de x à lui-même est minimale, on dira que x inexiste ; ça ne veut pas dire qu'il n'est pas ; il est, mais dans le monde considéré, il inexiste. Troisième cas : $\mathrm{Id}(x) = p$, on dira que x existe au degré p, c'est-à-dire qu'il n'existe ni maximalement ni minimalement, qu'il n'est pas dans une existence absolue, mais qu'il n'est pas non plus dans une existence minimale. Il est dans une existence moyenne, comme on est souvent quelque part, on est là, sans être ni totalement absent, ni totalement présent. Tout le monde connaît ça. On dira alors qu'on existe au degré p, plus ou moins grand ou petit, variable, qui peut aussi changer selon les moments du monde. Comme vous le voyez, vous allez avoir une marge de fluctuation de l'existence elle-même : l'existence ne va pas être une catégorie absolue, coincée entre existence et inexistence, l'existence va être un degré.

C'est le point essentiel sur lequel je voudrais conclure : « exister » est absolument différent de « être ». L'épreuve absolue c'est que vous pouvez être et inexister, puisqu'une multiplicité peut être et, dans un monde déterminé, être minimalement identique à elle-même, donc inexister. L'existence et l'être sont donc dans une vraie dialectique tendue. Toute existence est soutenue par un être, il y a toujours une multiplicité derrière. Mais il n'y a pas du tout identité entre l'être et l'existence. « Exister » est toujours coextensif à un degré d'existence, comme l'indique le degré *p*. Toute existence est un degré, donc une intensité et l'être-là dans son intensité, c'est ça l'existence. Du coup vous comprenez bien que, dans la mesure où exister est un degré d'intensité, la mort va faire partie de l'existence, elle va elle-même être un degré d'existence, peut-être minimal, mais ça ne sortira pas de la logique générale de ce que c'est que l'être-là. L'être-là c'est un degré d'existence ; si mort il y a, elle sera cette inflexion minimalisante de l'existence, pas le contraire de l'existence qui, étant un degré, n'a pas de contraire. Nous avons ainsi un sol de propositions concernant l'orientation de l'existence qui inclut cette donnée majeure qu'il n'y a pas de contraire de l'existence, parce que l'existence a une définition strictement intensive.

Je vous rappelle que nous avons pu dire que la figure du soldat mort était d'une certaine manière interne à l'existence ; et aussi que Mao disait que quand quelqu'un meurt, on n'évalue sa mort que selon l'intensité de son existence, qu'il y a donc des existences qui ont un grand poids, et des existences qui ne pèsent rien. La mort est intérieure à cette intensité ; c'est elle qui est emblématique de ce qu'a été le poids et l'intensité de l'existence. Ainsi cette immanentisation de la mort à l'existence, absolument interne à la figure du soldat, est ce qui va commander la position exacte de la question de la mort dans le problème général de l'orientation de l'existence.

Et naturellement nous opposerons absolument ce que c'est que l'orientation de l'existence à l'hypothèse heideggérienne d'un être-pour-la-mort.

Merci.

XIX

24 JANVIER 2007

Je vous salue… Nous commençons ici une nouvelle année, en espérant qu'elle sera féconde et qu'elle recèlera pour nous des éléments de pensée plus consistants que ceux qui font l'affiche.

Entrons sans plus tarder dans le cœur de ce qui va être discuté aujourd'hui. Mon point de départ sera une chose que je vous ai déjà dite mais qui est de la plus extrême importance et dont la compréhension n'est pas totalement simple. C'est le fait que tout véritable conflit, par conséquent toute incertitude ou toute question véritable, et en fin de compte tout choix, est un conflit d'orientations dans la pensée, jamais un conflit d'opinions. Ce que je vais tenter de faire aujourd'hui, c'est de clarifier cette distinction majeure entre orientation dans la pensée et opinion. Si l'on rattache cela aux objectifs de ce séminaire, fixer une morale provisoire dans un temps intervallaire ou dans un temps d'essence confuse, on dira – en nous inspirant de la métaphore chère à Descartes : qu'est-ce qu'on fait si l'on est perdu dans une forêt ? – qu'il s'agit de fixer un principe d'orientation. En effet, si l'on est perdu dans une forêt, tout le point est de savoir ce qui est le plus raisonnable en matière d'orientation puisqu'on est par définition désorienté. À quelle maxime pourrait-on obéir pour que dans une situation inaugurale de désorientation, on puisse s'éclairer d'un principe d'orientation, même si l'orientation, elle, aura ensuite à faire ses preuves ?

Nous avons déjà eu l'occasion d'esquisser une des difficultés de la situation et en même temps de fixer un des premiers jalons principiels, à savoir qu'il faut se gouverner non pas seulement sur ce qui existe mais peut-être plus essentiellement sur ce qui inexiste. Autrement dit, pour s'orienter dans l'être, puisqu'à la fin des fins c'est de cela qu'il s'agit, il faut s'efforcer de se tenir dans un rapport possible entre l'indifférence de l'être et la certitude des vérités éternelles. Or, en ce qui concerne la question de se tenir dans une proximité avec l'être qu'on appelle finalement une vérité, on sait que le guide n'est pas nécessairement ce qui apparaît, mais que ce qui importe également c'est *là* où ça apparaît, ainsi que ce qui inapparaît, ce qui inexiste. Dans les instants de confusion où l'apparaître devient autoritaire, où il fonctionne ou s'énonce comme une exigence unique, il est particulièrement important de se souvenir de la maxime « Gouverne-toi aussi sur ce qui inexiste. » C'est une leçon qui vaut de manière absolument générale ; elle n'est pas politique par elle-même. Je vous rappelle une fois de plus que ce point a été illustré de façon très frappante par Marx lorsqu'il a organisé l'espace pratique et politique à partir d'un inexistant-clé qu'il a nommé le « prolétariat », pour toutes sortes de raisons auxquelles il consacre maints et maints volumes, la première étant que prolétariat n'était jamais que le nom de l'inexistant canonique de son espace politique.

Dans un de ses derniers livres, *Spectres de Marx*, Jacques Derrida s'est livré à de brillantes analyses du spectral et du spectre. Faisons nous aussi un petit retour vers la première phrase du *Manifeste du Parti communiste* : « Un spectre hante l'Europe, le spectre du communisme. » Cette phrase signifie d'abord que ce qui hante l'Europe, c'est le prolétariat, en tant que spectral. Mais spectral pourquoi ? Précisément parce qu'il est de l'ordre de l'inexistence. Et le surgir à l'existence de cet inexistant est comme la concrétisation du spectral. Il y a toute une branche des mathématiques qui s'appelle « l'analyse spectrale ». Vous savez qu'un de mes thèmes favoris est qu'il y a une intuition linguistique des mathématiciens tout à fait prodigieuse. C'est une espèce d'ontologie claire, qui se dit uniquement dans la langue et dont les mathématiciens n'ont aucun besoin d'avoir conscience ; ils décident en fonction de leurs problèmes propres. Donc « analyse spectrale » ? En tout cas, on peut dire que Marx nous propose une analyse spectrale de la société sous le régime du capital.

À titre d'exemple, je voudrais ponctuer quelque chose que vous connaissez fort bien. Qu'en est-il aujourd'hui de l'inexistant dans les sociétés riches contemporaines, ces sociétés où, d'une certaine manière, quelque chose du capitalisme est parvenu à son extension et à son emprise véritablement maximale ? Eh bien, je crois que l'inexistant de cet espace en tant que tel est le prolétaire sans papiers de provenance étrangère, et c'est pourquoi il est au centre des orientations. C'est lui dont le destin est la mesure des principes, exactement comme Marx disait que le destin du prolétariat était la mesure des principes. Il ne s'agit nullement d'une importance statistique, quantitative, objectivable dans la loi du monde. Dans certaines circonstances l'orientation dans la pensée s'attache précisément à des points qui peuvent, selon la loi du monde, apparaître comme minimes. Ce n'est donc pas comme si je disais que là est le problème important. Il aurait de même été absurde pour Marx de dire que le problème important de nos sociétés c'étaient les ouvriers, ce qui aurait été une vision absolument objectiviste et pauvre. Ce qu'il voulait dire c'est que, quant à l'orientation dans la pensée, au devenir de notre pensée et de nos principes, c'est là qu'il y avait le point. Je pense que dans notre cas, il en va de même aujourd'hui, avec cette qualification particulière que, pour des raisons qui tiennent aux flux mondiaux des populations prolétaires, qui, au lieu de venir de Savoie ou d'Auvergne, viennent d'un peu plus loin et changent donc de couleur, de langage, de coutumes. Le destin du prolétaire de provenance étrangère mesure nos principes et donc notre liberté. Il est la mesure de notre liberté, de la liberté de tous. En effet, que ce prolétaire-là soit compté parmi nous selon une norme égalitaire prescrit ce dont nous sommes capables en fait de liberté. Vous remarquerez que nous sommes là dans une instance où la subordination de la liberté à l'égalité est frappante. C'est une dépendance normative, pas objective. Il s'agit non seulement de liberté mais de la capacité à la liberté, donc de son bornage, de son inscription. Cela indique très clairement que la liberté n'est pas un état mais une capacité. Je voulais rappeler tout ça parce qu'on y voit déjà que ce qui distingue une orientation d'une opinion c'est que deux orientations dans la pensée – comme dans la pratique, laquelle n'est jamais qu'une instance de la pensée – diffèrent par des assertions d'existence, tandis que les opinions diffèrent en tant qu'interprétations internes à une distribution déjà entérinée des existences. Nous appellerons donc « opinion » une interprétation qui peut parfaitement être en conflit avec une autre, mais cela dans un espace normé par une distribution des existences qui leur est commune.

Reprenons mon exemple. Imaginons une discussion, qui porte sur les conditions de reconnaissance des droits des prolétaires étrangers, entre des gens qui proposent des conditions drastiques et d'autres qui proposent des conditions plus souples. Si l'élément organique de la discussion sont les conditions de reconnaissance des droits des étrangers, ce sera un simple débat d'opinion. Je ne dis pas qu'il soit forcément inutile, mais c'est un débat d'opinion parce qu'il accepte comme donnée commune qu'il y a une différence réelle entre Français et étrangers. C'est à proprement parler une assertion d'existence : l'assertion d'existence d'une différence réelle. Le point de vue inverse consistera évidemment à soutenir qu'il n'y a aucune différence entre Français et étrangers, sinon des différences organisées par des décisions formelles, du genre « qui a des papiers et qui n'en a pas » ou bien « qui est né dans tel pays ou dans tel autre ». Dans ce cas il s'agit plus d'une question d'existence mais d'une question de différenciation dans le symbolique telle que, normativement ou juridiquement, il y a cette différence. Or ce qu'on voit aujourd'hui, hélas, c'est que s'impose de plus en plus la première thèse, à savoir qu'il existe une différence réelle entre Français et étrangers. C'est ce que recouvre le mot d'ordre d'« intégration ». Quand tel ou tel politicien énonce que même si l'étranger est en situation régulière, même si l'ordre de l'identité symbolique est établi, il lui faut, pour avoir des droits, comme le droit au logement opposable, ou le droit à être soigné – droits élémentaires, droits de survivance véritablement – faire la preuve qu'il est intégré, voire « parfaitement intégré », ce politicien procède à une assertion d'existence concernant la différence entre Français et étrangers comme différence réelle. Et je considère que ce n'est pas, en substance, extraordinairement différent du travail fait par les juristes sous Vichy pour établir qu'il y avait des différences réelles, qu'on pouvait établir selon des critères explicites, entre les Juifs et les autres.

La question vient donc uniquement de ce qu'il en est de l'assertion d'existence de la différence. Existe-t-elle comme différence objectivement assignable ? C'est le cas quand on commence à dire qu'il y a différence parce que tel étranger a telle ou telle coutume, telle ou telle manière de vivre, finalement telle couleur de peau, tel langage. Quel que soit le point invoqué, il concerne une assertion d'existence qui fait de la différence entre Français et étrangers une différence substantielle. En définitive s'impose petit à petit une atmosphère de discussion particulièrement glauque sur cette différence censée exister réellement, alors qu'en fait elle relève d'une question purement formelle et symbolique dont on sait bien qu'elle renvoie à des décisions arbitraires. Car l'idée que la distinction entre Français et étrangers est simplement une distinction contingente et arbitraire, réglée par des décrets successifs formels, fait progressivement place à l'idée, qui est alors une orientation véritable, qu'il y a une existence effective de différenciations. Encore une fois, la clé de tout ça c'est le mot d'ordre d'intégration, parce que l'intégration, elle, est désignée comme un processus réel, pas comme un processus formel, or s'intégrer, ce n'est jamais que s'intégrer aux supposées pratiques moyennes qui représentent dans la réalité objective le type idéal du Français. On va ainsi déclarer des choses comme « Il ne faut pas être polygame, parce que c'est contraire à la République française. » Notez que ceux qui disent ça sont très fréquemment eux-mêmes des polygames, mais apparemment le trait polygamique comme trait différenciant ne les concerne pas ; il est introduit en réalité *ad hoc*, à partir d'observations empiriques, qui pourraient porter sur de tout autres points, le seul but étant de créer le sentiment de la différence réelle. Parce que la vérité c'est qu'il n'y a pas de différence réelle. Si vous commencez à entrer dans cette logique-là, vous êtes dans une logique racialiste inéluctable. Pour substantialiser la différence comme existence effective vous êtes obligés de mettre en avant des traits qui la constituent comme telle, lesquels deviennent l'instrument de la création d'une subjectivité différenciante réelle, c'est-à-dire, en tant qu'assertion d'existence d'une différence, d'une orientation dans la pensée.

Il en résulte un conflit d'orientations qui porte sur l'existence ou la non-existence de la différenciation entre Français et étrangers, dont l'aboutissement, si nous laissons faire, va être que c'est à l'État qu'il reviendra de décider qui est son peuple, alors que c'est le peuple qui devrait décider qui est son État. En effet, à partir du moment où vous introduisez des facteurs de différenciation réelle pour fixer *dans* le réel, ici dans le lieu, qui existe en tant que Français, et qui existe en tant que non-Français, vous retrouvez le vieux rêve étatique selon lequel c'est l'État qui décide qui est du peuple. C'est en route, car nous avons déjà beaucoup laissé faire, sous des formes larvées mais explicites, de telle sorte que, en tant qu'assertion d'existence, ça fonctionne comme une orientation dans la pensée. À cela s'oppose l'assertion par laquelle vous introduisez effectivement une norme égalitaire quant au lieu, et selon laquelle les gens qui sont ici existent ici comme les autres. Il y a celui qui est là depuis dix ans, ou depuis trente ans, et c'est tout, car « intégré » ça ne veut rien dire. Ils sont l'un et l'autre au milieu des autres, et ils sont différents comme chacun est différent des autres, à commencer par différent de lui-même au cours de la vie. La différence est un thème sans intérêt. Par contre, spéculer sur l'identité c'est autre chose. Spéculer sur l'identité c'est toujours entrer dans une logique d'assertion d'existence qui constitue une orientation dans la pensée.

Par conséquent nous avons aujourd'hui deux orientations dans la pensée sur ce point, et à partir du moment où l'on est interne à une orientation, il peut y avoir de larges débats d'opinion. En revanche un conflit d'orientations n'est pas monnayable en débat d'opinion, parce qu'une orientation n'est pas une opinion, c'est une décision quant aux assertions d'existence. N'ayons pas peur de dire que les débats entre orientations sont, par essence, des débats antagoniques. Ce que, également par définition, ne sont évidemment pas les débats d'opinion qui sont, je le rappelle, structurés par une orientation commune, c'est d'ailleurs à ça qu'on les reconnaît. Le conflit d'orientations ne se monnaye pas en débat d'opinion parce qu'il n'est pas interprétatif mais existentiel.

Si maintenant on s'élève à un niveau plus abstrait, vous constaterez qu'il y a quatre termes dans cette affaire : opinion et orientation d'une part, interprétation et existence d'autre part. Le débat d'opinion est structuré par des différences d'interprétation sur un fond assumé comme commun, tandis que le débat d'orientation porte sur une assertion d'existence qui n'est pas susceptible d'interprétation, qui donc ne se monnaye pas en débat d'opinion. Entre parenthèses, de ce point de vue, ce n'est pas la fameuse « liberté d'opinion » qui délivre le principe de la liberté véritable. En effet, la liberté d'opinion, le débat d'opinion, suppose, très souvent implicitement, qu'il y a une communauté d'orientation. Or s'il y a une communauté d'orientation, la liberté n'est pas encore parvenue à son stade véritable, lequel consiste précisément dans l'engagement dans les orientations dans la pensée. Autrement dit, le débat d'opinion est en réalité non orienté parce qu'il est sous la prescription autoritaire et commune d'une orientation généralement implicite. En conséquence, le thème de la liberté d'opinion est vraiment, comme aurait dit Descartes, le plus bas degré de la liberté, un degré qui est en deçà de la liberté véritable dans l'ordre de la pensée et de l'existence.

Donc opinion, orientation, interprétation et existence. Je crois que ce qui va nous éclairer là-dessus c'est de considérer ces quatre notions comme matrices platoniciennes. Nous allons donc faire un pas en arrière platonicien, autour évidemment de la question de l'opposition entre opinion et orientation. Platon inscrit l'opinion, qu'il est sans doute le premier à avoir isolé, à la fois comme concept et comme réalité. Il inscrit l'opinion, *doxa*, en la situant dans le cadre de deux oppositions distinctes. Il y a d'abord une opposition tout à fait classique qui est l'opposition entre opinion et savoir, entre opinion et science. À vrai dire le mot « science » introduit une confusion. L'opposition entre *doxa* et *èpistèmè*, passée presque telle quelle de la langue grecque dans la nôtre, je crois raisonnable de la traduire par « opinion » et « savoir ». Ensuite il y a une autre opposition, à caractère plus nettement ontologique, l'opposition entre opinion et existence, ou entre opinion et réalité, entre opinion et être, entre opinion et vérité. On y verra plus clair tout à l'heure mais de toute évidence cela tire « opinion » du côté d'un statut plus ontologique. Ce n'est plus une pratique cognitive qui est en cause comme dans l'opposition opinion-savoir, mais quelque chose de plus radicalement ontologique. L'opinion, cette fois, va s'opposer au régime de l'existence. C'est en explorant cette double opposition qu'on va faire un détour platonicien réellement intéressant, lequel va nous éclairer vraiment sur ce qu'est l'opposition canonique entre opinion et orientation.

Permettez-moi une parenthèse à propos de ce détour platonicien. Certains d'entre vous ont peut-être lu un article me concernant dans *Libération.* Article qui après tout *vous* concernait également car il y était aussi question de vous. Cet article n'était pas d'une exactitude et d'un intérêt transcendants, mais enfin les choses du journalisme sont ce qu'elles sont ! Personne n'en attend des miracles. En haut de l'article il y avait une fresque. Vous et moi nous étions dans la fresque. Dans cette fresque, on me reconnaissait vaguement, mais ce qui m'a frappé c'est que j'étais avec Platon, Alexandre le Grand, Hegel, Lénine, Mao… donc en bonne compagnie ! Et vous aussi puisqu'après tout vous étiez dans la même galère, et que nous étions vous et moi la preuve d'un phénomène inquiétant. Tant mieux ! Inquiétons-les, à défaut d'autre chose, c'est déjà un premier pas. Cela confirme une idée que j'ai depuis quelque temps, idée que j'ai dite à un certain nombre d'entre vous et que je dis ici à tout le monde, à savoir qu'il faudrait – c'est mon désir, parce qu'après tout j'ai écrit maintenant les livres essentiels – que la philosophie se montre au cinéma. Mon projet est donc de faire un film qui aurait pour titre, ça en tout cas c'est sûr, *La Vie de Platon*. Ce serait un film qui ferait circuler la philosophie, dans son histoire, dans sa géographie et qui serait un film largement sur le contemporain, mais quand même avec un côté péplum. J'aimerais bien montrer des batailles navales, Platon capturé comme esclave, une vision un peu décalée du procès de Socrate, des choses comme ça. Je me disais en effet qu'il faudrait parvenir à ce que la philosophie se montre aussi dans l'espace de la grande prodigalité des images. Qu'elle accepte de se montrer dans une figure montrant que la grande prodigalité des images est constitutive de ce que l'image contient de déception et que la philosophie est depuis toujours concernée par cette question de la déception par l'image, question originaire, question de Platon. Sauf que Platon instruit la question de la déception par l'image dans l'image elle-même, dans la mesure où il est l'auteur de mythes, de fables, de théâtre, de descriptions. D'ailleurs sa grande polémique contre le théâtre est elle-même théâtrale. Et je me suis dit que la philosophie devrait se présenter comme telle, pas seulement sous la forme de cette philosophie indirecte qu'on trouve déjà dans de nombreux films, mais dans un film qui assumerait véritablement d'être expressément un film exhibant la figure contemporaine et en même temps éternelle de la philosophie. Du coup, ça va retomber sur vous car mon séminaire de l'année prochaine s'appellera « Pour aujourd'hui : Platon ! »

Je reviens maintenant au détour platonicien annoncé. Il s'agit de bien comprendre ce qu'est, pour Platon, une orientation dans la pensée. Quel nom emploie-t-il pour désigner une orientation positive dans la pensée ? Qu'est-ce pour lui qu'être orienté dans la pensée et l'existence ? Eh bien, il appelle ça la « justice ». Après tout, c'est un des noms possibles : aujourd'hui aussi on pourrait dire que la grande question c'est la question de la justice, pas de la justice au sens des tribunaux, mais de la justice au sens fondamental d'une orientation dans la pensée qui éclaire le monde. Platon appelle ça soit « justice », soit « vraie justice », soit, « justice en vérité » et il dit dans *La République* (Livre IV, 443 d) :

> Cette justice en vérité [nous avons là quelque chose comme sa définition première de l'orientation dans la pensée] relève non de la pratique extérieure mais de celle qui est intérieure en tant qu'elle engage le sujet en vérité, ainsi que tout ce qui l'articule.

Nous avons là quelque chose de très proche de ce que je vous proposais, et que je propose aussi dans *Logiques des mondes*, à savoir l'idée qu'une orientation dans la pensée c'est l'orientation d'un corps de vérités où s'articule le sujet. C'est à peu près cela que dit Platon : c'est de l'ordre de l'immanence, ce n'est pas normé à l'extérieur, et ça engage le sujet en vérité ainsi que tout ce qui le compose. Plus radicalement encore, en tant que telle, la justice, celle qui « engage le sujet en vérité », est le devenir-un, elle est là où l'individu dispersé et multiple devient un. C'est-à-dire qu'on assume que l'individu est multiple, que, dans mon langage, l'animal humain est une multiplicité, qu'il est coextensif au monde en tant que multiplicité singulière certes, mais en tant que multiplicité. Platon parle aussi de « l'individu dispersé, multiple ». Or une orientation dans la pensée et dans l'existence, une orientation c'est un devenir-un, c'est même la seule instance du devenir-un de cette multiplicité singulière qu'est l'animal humain. Tout se joue dans l'espace entre l'ontologie des multiplicités indifférentes d'un côté – l'animal humain participe de la logique des multiplicités indifférentes, comme tout ce qui existe, comme tout ce qui vit – et puis de l'autre la question des vérités éternelles. Et finalement le processus de vérité, ou l'orientation dans la pensée, c'est quelque chose qui permet de comprendre, d'avoir l'intelligence de la relation possible entre l'indifférence des multiplicités, la constitution indifférente ou neutre de l'être, et la surrection des vérités comme telles. Platon dit lui, que si l'on est entre multiplicités indifférentes et vérités éternelles, alors on est dans un devenir-un de la multiplicité elle-même. Je dirais, moi aussi : pour une vérité déterminée il y a *un* sujet de vérité, il y a une unité constitutive du sujet de vérité ; il y a une composition du multiple qui permet de l'identifier comme ce multiple qui porte une vérité, qui est ce que j'appelle son « corps ». Platon va dire que la justice c'est ce devenir-un lui-même, que c'est ça l'orientation, en tant que justice. Je le cite : « L'homme juste, quand il est saisi par cette orientation, est dans un devenir-un tiré du multiple. » Le grec dit *enna genomenon ek pollon*. Moi je traduirais, parce qu'il faut toujours faire des traductions radicales, « il est dans un devenir-un extorqué au multiple », en faisant porter au *ek* (hors de) une signification particulièrement forte. Quand vous ouvrez Platon vous voyez que tout ce que vous avez pensé a déjà été pensé, c'est la joie et en même temps l'inquiétude ! Donc retenons : « un devenir-un extorqué au multiple » comme figure radicale de ce qu'est l'orientation.

Rappelons fermement – précaution essentielle – que le « un » dont il est ici question, immanent à l'être-multiple, est essentiellement différent de l'être-un de Parménide comme du Dieu-Un des théologies. Sous cette condition, récapitulons. Premièrement, on appellera « justice » l'orientation dans la pensée en tant qu'elle engage le sujet en vérité. Deuxièmement, ontologiquement ce processus de l'orientation c'est la seule instance du devenir-un de la multiplicité animale de l'humain. On extorque au multiple la capacité à l'un. Et troisièmement, cet homme juste, ce sujet orienté selon son incorporation à une vérité, qui est dans le devenir-un de sa multiplicité, dispose en conséquence d'un principe qui, précisément, disqualifie l'opinion. Autrement dit, dans ce processus du devenir-un extorqué au multiple, un principe apparaît ou se donne qui disqualifie l'opinion.

Pour élucider l'opposition opinion-savoir, je vous lis la fin du passage où tout cela est déployé, un passage très resserré du Livre IV de *La République* :

> L'homme juste tient pour sagesse le savoir qui instruit cette action affirmative, pour injustice l'action qui la détruit, désignant comme ignorance l'opinion qui instruit cette destruction.

Là opinion est opposé à savoir, donc c'est bien *doxa* et *èpistèmè*. L'opinion désignée par l'homme juste comme opposée au savoir étant également désignée comme ignorance, on a les oppositions correspondantes opinion-savoir, ignorance-science. Une chose très importante, c'est que cette désignation du couple opinion-ignorance n'est possible que de l'intérieur du processus affirmatif lui-même. C'est-à-dire que seul celui qui est dans la justice peut prononcer ce point, c'est lui aussi qui peut appeler « sagesse » le savoir de l'action affirmative, et « opinion » ou « ignorance » ce qui s'opposerait ou viserait à détruire la conception affirmative. Il ne s'agit donc pas d'une appellation en surplomb, c'est de l'intérieur du devenir-un que cela est possible. Même à ce niveau en quelque manière cognitif, épistémologique, on voit déjà se profiler l'idée que le fondement de ce qui s'oppose à l'opinion comme orientation ne peut pas se trouver dans le multiple lui-même, mais toujours dans une instance du devenir-un du multiple. C'est du point où quelque chose saisit la multiplicité, de telle sorte qu'elle est dans le devenir-un de sa capacité, que peut être prononcée la distinction entre savoir et ignorance. Et donc il y a quelque chose du devenir-un qui prescrit la distinction cognitive elle-même. On pourrait dire que, là, Platon soutient quelque chose comme la thèse matérialiste de l'antériorité de la pratique. Il la soutient à sa manière. Ce qu'il appelle « action », c'est *praxis* et il soutient que quelque chose comme la *praxis* unificatrice de la multiplicité humaine est ce à partir de quoi, en tant qu'orientation, on peut disqualifier l'opinion en tant qu'ignorance.

Il faut maintenant regarder de près des mots que vous avez entendus, comme sagesse, instruire, ignorance. En effet, *èpistatein,* qui est traduit ici par « instruire », veut dire aussi « présider », « gouverner », c'est très proche de *arkein,* et donc l'instruction que donne le procès de la justice, c'est une instruction qui est principielle, au sens du « prince », c'est-à-dire de ce qui régit la distinction entre opinion et ignorance. « Sagesse » c'est *sophia,* vous le savez. Et *sophia* c'est le contenu de la philosophie. Et puis « ignorance » c'est *amathia* ; où vous entendez « mathème », « mathématique », « mathésis », etc., avec *a* privatif devant. Donc si on avait envie de donner une traduction lacanienne, on pourrait dire : « absence de mathème », au sens où l'opinion c'est l'absence de mathème. Tout ce développement, qui représente la première opposition entre « opinion » et « savoir », est construit chez Platon à l'enseigne du devenir-un de la multiplicité vivante, et tout est dit dans une phrase dont je vous ai donné des morceaux. C'est une très longue phrase, extraordinairement sinueuse et complexe. J'ai eu envie de la retraduire tout entière, à ma manière. C'était un gros travail... J'espère que ça sera cité dans le film ! Je vais vous lire la traduction de cette page. Écoutez-la bien parce que tout y est dit, vraiment, avec une subtilité et des ramifications extraordinaires. Je ferai quelques commentaires en la lisant. En grec c'est une seule phrase et le français, il peine, alors je l'ai un peu ponctuée tout de même.

> La justice n'a pas trait à la pratique extérieure mais à celle, purement immanente, qui dispose le sujet en vérité, ainsi que tout ce qui l'articule. Si bien que ledit sujet assume l'interdit opposé, par tout ce qui le compose, à la renégation comme à la confusion susceptible de désorienter l'organisation de son âme.

Voilà l'ennemi intérieur discerné, n'est-ce pas ? Ledit sujet étant disposé en vérité selon ce qui l'articule, il assume – ce qui ne veut pas dire qu'il est victorieux dans cette assomption – l'interdit, opposé par tout ce qui compose le corps subjectif à l'abandon renégat comme à la confusion, qui peuvent désorienter complètement l'organisation de son âme. Donc la maintenance du sujet va finalement conduire à la possibilité de s'écarter ou de se distancer des opinions. Cette maintenance du sujet est une maxime qui se présente d'abord comme un interdit : interdit de céder soit au retournement de veste, soit à la confusion. Au fond le total contemporain est largement fait de l'addition des deux : renégation + confusion et il désoriente donc l'organisation de l'âme, exactement comme Platon nous le dit :

> Et, affirmant au contraire dans le réel un ordre intime, le sujet prend le commandement de son propre être, invente une discipline et devient ami de lui-même.

Cette corrélation entre l'invention de la discipline et la possibilité d'être ami de soi-même dans l'élément de la vérité qui, petit à petit, va vous distancer de l'opinion, c'est tout de même proprement admirable !

Intervient maintenant la fameuse tripartition de l'âme platonicienne : le désir, le courage, la pensée (*nous*). Ma traduction est littérale, le grec dit bien *tria onta*, les trois étants, et vous allez voir comment Platon les noie dans une harmonie plus vaste :

> Les trois étants dont se fait son être, il les harmonise sans artifice, comme les trois degrés de l'échelle musicale, installant entre l'aigu, le médium et le grave, la subtile infinité des nuances. Organisant toutes ces nuances, le sujet extorque au multiple un devenir-un rigoureux.

Là on est au cœur de la chose. À partir du moment où le sujet a réussi à organiser, naturellement sous la juridiction de la justice, le système de multiplicités qui le compose, c'est-à-dire en tant qu'il se laisse prendre par une orientation dans la pensée, à partir du moment où il arrive à l'harmoniser, comme on écrit une partition musicale, il fait rendre et unifie toutes les nuances possibles de la tonalité, du timbre, alors il extorque au multiple un devenir-un rigoureux.

> Et le voilà, à la fois complet et discipliné, en sorte que dans le domaine de son acte, qu'il soit trésorier ou membre du service d'ordre [ça veut dire qu'il s'occupe d'argent ou de gymnastique, c'est donc une traduction vraiment littérale], amoureux ou activiste, il sait discerner et nommer juste, autant que belle, l'action qui fait vivre et déploie l'immanence initiale [à ce moment-là, quelle que soit son activité particulière dans le corps composé de la procédure, lui, il sait], tout comme il nomme « sophia », [contenu philosophique ou philosophie] le savoir qui gouverne cette action. Et contradictoirement il nomme « perte de tout mathème » l'action qui voudrait détruire l'immanence disciplinée et « opinion » l'état d'esprit qui gouverne ce type d'action.

Eh bien, ça, c'est une phrase de Platon !

Ainsi nous pouvons conclure que l'opinion est ici l'agent d'une destruction du savoir. L'« opinion », à ce stade, est couplée au « savoir ». Mais elle est couplée dynamiquement, au sens où ce n'est que de l'intérieur du devenir-un du sujet extorqué à la multiplicité immédiate, ou spontanée, que nous pouvons dire que l'opinion se laissera désigner comme ce qui est contraire, contrarie, veut détruire la figure obtenue du savoir, laquelle est en réalité la figure du devenir-un lui-même. L'opinion est donc un principe de destruction du savoir principiel, et telle est sa fonction dans le couplage. Pour revenir à notre langage, on dira que toute opinion est désorientation, et que, en ce sens, il y a une contradiction entre opinion et orientation. Toute opinion est une désorientation par adoption d'une orientation destructrice latente, tenue pour unique, et qui défait toute tentative d'extorquer de l'un à la multiplicité immédiate. En fin de compte, ce à quoi l'opinion sert, c'est en définitive à organiser une orientation masquée unique, qui rend en tant que telle impossible l'unification principielle que Platon nomme « justice ». Voilà pourquoi « opinion » s'oppose à « savoir » et, on peut le dire, également à principe.

Ça, c'est le premier sens tel que Platon le clarifie ici avec une extraordinaire subtilité. Mais il propose aussi un deuxième sens du mot « opinion », lequel est beaucoup plus du côté de l'ontologie et des termes subjectifs : *doxa* cette fois ne va plus s'opposer à *èpistèmè* mais à *noèsis*. *Noèsis*, il n'y a guère d'autre traduction que « la pensée ». Donc « opinion », même en terme de faculté, mentale ou subjective, va s'opposer dans ce cas à « pensée ». Autrement dit, nous avons cette fois l'idée que le registre de l'orientation est celui de la pensée, ce qui n'est pas le cas du registre de l'opinion. Dire cela, ce n'est pas la même chose que de dire que l'opinion ne fonctionne pas dans l'élément du savoir, car pensée est à la fois plus enveloppant et, dans la vision platonicienne, beaucoup plus proche de la question de l'être. Là nous sommes presque au bord de dire, dans le lexique platonicien convenu, que l'opinion est de l'ordre de l'inexistant strict, de l'inapparaissant, de ce qui n'est qu'imaginaire, tandis que son opposé, la pensée, est ce qui s'accorde naturellement à la figure de l'être.

Pour comprendre complètement cette opposition entre opinion et pensée, qui vient doubler l'opposition entre opinion et savoir, il faut renvoyer au couple ontologique du devenir et de l'être. Ce que Platon va nous dire c'est que si l'on veut comprendre en quel sens l'opinion s'oppose à la pensée, il faut comprendre en quel sens ce qu'il va appeler le devenir s'oppose à l'être proprement dit. Je traduis ici « devenir » ou « être proprement dit » mais ce n'est évidemment pas tout à fait ce qu'il faut faire, parce que les mots grecs sont *genesis* et *ousia*. *Genesis* sera mieux traduit par « genèse », parce que « devenir » a pris un sens exorbitant au regard de *genesis*. C'est vraiment la genèse, c'est-à-dire la chose pensée en tant que son histoire. Tandis que l'*ousia* c'est la chose pensée selon son exposition à la vérité. Donc il faudrait plutôt traduire « genèse » et « être-exposé » – c'est d'ailleurs ce que je propose au moins provisoirement. Autrement dit, la corrélation oppositive de l'opinion et de la pensée c'est ontologiquement l'opposition entre ce qui est attribué à une genèse et ce qui est attribué à l'exposition même de la figure d'être de la chose. Par conséquent ça fonctionne selon un principe d'existence. C'est une différenciation selon l'existence, et non pas comme la première opposition, selon quelque chose qui était entre l'éthique et la question de la connaissance. Cette fois c'est carrément l'existence qui entre en jeu, l'existence selon la genèse, l'existence selon ce qu'elle expose de son être. C'est travaillé dans plusieurs textes de Platon, mais par exemple, dans *République* VII 534 a, où la formule est absolument ramassée et élémentaire : « L'opinion concerne la genèse, la pensée concerne l'être-exposé. » Donc opinion (*doxa*) concerne la genèse (*genesis*), tandis que la pensée (*noésis*) concerne l'être exposé (*ousia*). C'est donc une autre opposition, et il est essentiel pour nous d'arriver à penser en termes contemporains la corrélation des deux oppositions.

Comment se fait-il que « opinion » soit devenu un terme majeur du monde contemporain ? Opinion, liberté des opinions, débat d'opinion, mon opinion, sondages d'opinion, etc. : on baigne dans l'opinion ! Il intéressant de comprendre ce que c'est, et là nous avons une élucidation complexe et en même temps d'une grande puissance. L'opinion comme opposée au savoir signifie qu'on peut parler sans savoir : on a une opinion et on peut l'exprimer sans savoir, ça n'affecte en rien le fait d'avoir une opinion. Et puis tirée dans un autre sens, l'opinion c'est la chose appréhendée non pas selon son exposition effective, mais uniquement selon sa genèse. Ce couple est aussi celui d'opinion et de vérité : pour Platon ce n'est pas vraiment distinct. Le premier couple (opinion vs savoir) doit être distingué du second (opinion vs pensée), mais c'est aussi l'opposition de l'opinion à la vérité. Ce qui recoupe une chose qu'on sait très bien, à savoir que « vérité » et « savoir » ce n'est pas la même chose. Dire que l'opinion s'oppose au savoir, donc qu'elle est ignorante, ce n'est pas la même chose que de dire qu'elle s'oppose à la vérité, ce qui veut dire qu'elle est hors pensée, qu'elle n'est pas dans l'élément normatif de la pensée.

Là-dessus il y a un très beau texte dans *Le Banquet*, à partir de 218 e. Comme toujours dans *Le Banquet*, il faut comprendre à quel moment stratégique de cette fable ahurissante ça se situe. C'est vers la fin, quand Alcibiade entreprend son gigantesque éloge de Socrate. Éloge ambigu qui est très proche de l'éloge qu'un analysant pourrait faire de son psychanalyste… après le transfert. C'est une construction gigantesque où Alcibiade énumère toutes les vertus de Socrate. À l'intérieur de cet éloge, il cite Socrate, parce qu'une partie de l'éloge est composée de ses souvenirs. C'est dans une riposte de Socrate à Alcibiade que se trouve notre passage. Alcibiade est en train de proposer une sorte de marché à Socrate, qui est, en gros, que lui-même a la beauté visible extérieure tandis que Socrate est laid comme un pou, mais que lui, Alcibiade, a bien vu qu'il avait une beauté invisible et intérieure, l'*agalma*, le trésor intérieur de Socrate. « Alors, poursuit-il, on pourrait échanger, beauté contre beauté. » Et Socrate de lui répondre que c'est peut-être très bien, beauté contre beauté, mais qu'Alcibiade médite là un sacré bénéfice à ses dépens, qu'il s'agit en fait d'un marché inégal, d'un trafic, bref d'un marché de dupes. Voici ce que dit exactement Socrate dans le dialogue de Platon, et la formule m'intéresse : « C'est troquer du cuivre contre de l'or, parce que c'est entreprendre de saisir une vérité en échange d'une opinion de beauté. » Dans cette phrase, il est absolument clair que ce qui est mis en couple c'est opinion et vérité (ici *aletheia*). Ce n'est plus ni savoir, ni pensée, c'est vérité. On voit bien que c'est dans le même défilé que celui qui organise le couplage d'opinion avec pensée. Pourquoi cela ? Parce que le couple qui définit ici l'opinion devient le couple de ce qui existe vraiment, contre ce qui a le statut imaginaire ou irréel d'une simple opinion. Dans *La République* on avait la formule « opinion-savoir », mais dans *Le Banquet*, la formule, qui est aussi celle du *Phédon*, est « ce qui existe vraiment est ce à quoi l'opinion s'oppose ». Et là on est bien en route vers l'orientation comme assertion d'existence, et non pas simplement l'orientation comme fermeté organisatrice du savoir, comme nous l'avons vu dans le premier texte.

Je rappelle ici ce que, j'imagine, bon nombre d'entre vous savent, à savoir que toute la première partie du *Séminaire VII* de Lacan, le séminaire de 1960-1961, intitulé *Le transfert*, est une remarquable analyse du *Banquet*, à laquelle je vous renvoie. C'est tout à fait intéressant, dans le contexte qui est le nôtre ici, de relire cette merveilleuse analyse du *Banquet*, qui occupe un tiers à peu près du séminaire et qui est une analyse textuelle, tout à fait littérale. On y trouve, comme souvent chez Lacan, une traduction libre du passage qui nous intéresse. Après vous avoir lu ma traduction de *La République*, je vous lis maintenant la traduction du *Banquet* par Lacan. Il a un peu changé l'ordre des phrases mais c'est une construction tout à fait vivace et tout à fait forte de ce passage.

> Après qu'Alcibiade s'est vraiment expliqué et a été jusqu'à lui dire ; « Voilà ce que je désire et j'en serais certainement honteux devant les gens qui ne comprendraient pas ; je t'explique à toi,

Socrate, ce que je veux. » Socrate lui répond : « En somme tu n'es pas le dernier des petits idiots s'il est vrai que justement tu veux ce que moi je possède. Si en moi il existe ce pouvoir, grâce auquel tu deviendrais meilleur, oui, c'est cela, tu as dû apercevoir en moi quelque chose d'autre, une beauté d'une autre qualité, une beauté qui diffère de toutes les autres. Et l'ayant découverte, tu te mets dès lors en posture de la partager avec moi, ou plus exactement de faire un échange, beauté contre beauté et en même temps tu veux échanger ce qui est, dans la perspective socratique de la science, l'illusion, la fallace, la *doxa* qui ne sait pas sa fonction, la tromperie de la beauté. Tu veux échanger tout cela contre la vérité. Et en fait, mon Dieu, cela ne veut rien dire d'autre que de troquer du cuivre contre de l'or. »

J'ajouterais que, évidemment, ce qui intéresse Lacan, c'est que le processus psychanalytique est évidemment comparé à ce troc et qu'en ce sens il est bien un transfert, c'est-à-dire un jeu de dupes organisé. C'est un jeu de dupes organisé parce que, si l'on reprend la traduction que Lacan propose de Platon, on aura quelque chose comme ça : l'analysant parle, comme Alcibiade, et il va dire : « Toi, psychanalyste, mon sujet supposé savoir, je vais te donner ma surface symptomale et désirante, et aussi de l'argent, et tu vas faire en sorte que je subjective ma vérité. » D'ailleurs Socrate a déjà dit, longtemps auparavant, que cette affaire était un jeu de dupes. Et comme le montre admirablement Lacan, Socrate va se débrouiller pour ne pas faire du tout ce qu'Alcibiade lui demande. Il ne va pas prendre Alcibiade en cure, mais il va lui dire : « Tu fais semblant de transférer sur moi mais en réalité tu transfères sur Agathon, mon voisin. » Il va donc aiguiller le malheureux Alcibiade sur une fausse piste, et lui il va s'en aller. Ainsi il aura été celui qui trouve le moyen élégant de refuser de prendre Alcibiade en psychanalyse, parce qu'il n'a nulle envie, de faire le métier du psychanalyste, lequel consiste à échanger de la vérité contre du semblant. Et c'est exactement ce qu'il dit à Alcibiade : « Toi tu es un petit malin, tu viens me voir et puis tu veux m'échanger de la vérité contre du semblant ; mais moi je ne marche pas. » La seule sagesse du psychanalyste c'est de dire : « Donne-moi aussi de l'argent. » Il faut reconnaître que ça, il l'a bien mérité. Au fond la somme devrait être calculée, à chaque fois, par la différence de proportion entre vérité et semblant. Ce n'est pas facile à évaluer. Le point de vue de Socrate c'est que ça coûte si cher qu'Alcibiade n'y arriverait pas. Il faudrait beaucoup de pièces en cuivre pour l'or qu'il demande.

Le point où nous en sommes est le suivant : sur un bord, « opinion » est couplé à « savoir » (*èpistèmè*), dans une figure qui permet d'avoir un principe de disqualification de l'opinion dès lors qu'on est engagé, pour Platon sous le nom de « justice », et dans mon lexique à moi, sous le nom de « procédure de vérité », dans une procédure telle que la pensée, étant orientée, est en état de se prononcer sur l'opinion elle-même, de l'écarter, de la distinguer, de la différencier du savoir. Sur l'autre bord, « opinion » est couplé à « pensée » (*noésis*), « vérité » (*aletheia*), « être », « être-exposé », « être-en-tant-qu'exposé » (*ousia*). Je dirais que ce dont il s'agit là ce sont les répondants ontologiques de l'orientation elle-même. C'est l'orientation en tant qu'elle convoque, non pas seulement du savoir, mais de l'existence. Revenant à notre contemporain on peut le dire ainsi : en tant que liberté vide le conflit des opinions s'oppose en effet au savoir. Comme le dit Platon, il est ignorant, ou plutôt in-scient. Au fond on peut opiner sans rien savoir. C'est même recommandé. Ça, c'est la première strate. Mais plus essentiellement l'opinion s'oppose à la pensée. C'est pourquoi il est question de vérité dans ce texte de Platon, de vérité face au semblant. On peut dire que l'opinion s'oppose à la pensée parce qu'elle ignore l'orientation dans laquelle elle se meut. Elle l'ignore non pas au sens de l'ignorance du savoir, mais elle l'ignore en tant qu'elle fonctionne de sa forclusion. Elle vient à la place forclose de l'orientation qui la régit. C'est en ce sens qu'elle n'est pas une pensée. Voilà qui nous permet de définir le trait particulier d'une pensée : une pensée réelle c'est une pensée qui est en état d'assumer son orientation, qui est homogène à une orientation qu'elle peut prononcer ou déclarer.

Elle n'est pas un débat interprétatif sur des distributions d'existence dont on ne connaît pas la règle. Elle prononce et déclare les existences à partir de quoi elle se structure comme orientation. On peut appeler « pensée » tout processus subjectif qui assume non seulement son orientation mais également la différence de son orientation avec une autre. C'est pourquoi il y a un élément antagonique dans toute pensée : dès lors qu'elle assume ou identifie son orientation, elle identifie aussi d'autres orientations comme incompatibles. L'opinion, elle, fonctionne toujours dans la compatibilité. J'irais jusqu'à dire qu'elle propose un régime de compatibilité qui est précisément la compatibilité obtenue par soustraction, par forclusion, d'une orientation supposée unique.

Il faut bien voir que la différence assumée par la pensée entre deux orientations porte sur l'existence. Car une orientation c'est la reconnaissance effective d'un protocole d'existence, ce qui explique qu'il n'y a pas de débat d'orientation. J'ai toujours été d'accord avec Deleuze lorsqu'il avançait que la philosophie était incompatible avec le débat, qu'il y avait certes des propositions antagoniques, mais que la philosophie ne pouvait pas les organiser en débat. C'est justement parce que la philosophie n'est pas une opinion que ce qui l'intéresse c'est de se prononcer sur ce qu'est une orientation. Car une orientation c'est un protocole axiomatique sur l'existence. Il ne peut donc, à proprement parler, pas y avoir de débat philosophique. On le sait très bien d'ailleurs. Personne n'a jamais vu des philosophes débattre pour parvenir à une motion de réconciliation votée à la majorité des suffrages ! Pour autant cela ne signifie pas que le débat est inutile, simplement, le débat est toujours, et par définition, un débat d'opinion. L'orientation ne débat pas, elle déclare. Elle peut être, se déployer, se développer, se rabougrir ou disparaître ; son destin n'est pas prescrit, mais en tout cas elle n'est pas dans l'élément du débat.

De ce point de vue il est tout à fait instructif de voir ce qui se passe quand la philosophie est organisée comme si elle était un débat. Là je ne parle même pas de la forme vulgaire du genre café-philo. Il paraît que la philosophie se porte très bien en ce moment, dans tous les magazines on annonce que ça fait un tabac. C'est normal puisque tout sujet porteur d'opinion est sacré « philosophe ». Du coup vous avez des débats philosophiques formidables ! Mais je ne parle même pas de ça, je parle des cas où, expressément, la philosophie accepte de se présenter sous forme d'un débat. Les objections et les réponses de Descartes après la parution des *Méditations* en sont l'exemple canonique. Si vous les lisez, vous verrez que débat il n'y a pas. Il y a tout autre chose. Il y a une ré-élucidation, une reformulation par Descartes de ses thèses, avec une fonction de l'objection qui est exactement la fonction des interlocuteurs de Socrate chez Platon, lesquels sont là pour faire rebondir la chose et lui permettre un déploiement supplémentaire. Mais à aucun moment il ne s'agit d'un débat d'opinion. Les objections et réponses structurent précisément une autre manière de faire qui est précisément de voir comment organiser, dans un espace mental, l'exposition des orientations, l'exposition et la théâtralisation de l'antagonisme des orientations. Ainsi les orientations créent un espace antagonique qui peut être dramatisé, qui peut être exposé, qui peut être déclaré et théâtralisé mais qui ne prend pas la forme d'un débat. En revanche, le débat d'opinion, lui, est désorientant. Il n'est pas prescriptif de l'orientation puisque précisément en tant que débat d'opinion, il a écarté la question de l'orientation. De ce point de vue, il a une fonction propre qui est une fonction de désorientation. Quitte à ce que des journalistes fassent publicité sur ma « haine de la démocratie », je n'hésite pas à dire que, dans son essence, le vote est désorientant. Ce n'est peut-être pas une objection véritable, parce qu'il n'est sans doute pas du tout destiné à orienter quoi que ce soit. C'est tout simplement une procédure de désignation arbitrale entre les différents candidats au pouvoir, de manière à ce que, plutôt que de prendre le pouvoir par la guerre civile contre les autres, ils le prennent dans des procédures d'alternance pacifiques, réglées précisément par la figure de l'opinion. La grande affaire du vote, c'est finalement de convaincre tout le monde que la politique est une affaire d'opinion. C'est là une thèse tout à fait particulière qui est en gros celle de la philosophie politique d'Hannah Arendt et de quelques autres, pour qui la politique est l'espace du jugement d'opinion. C'est évidemment une thèse fondamentale pour qui veut que l'ensemble de l'espace politique soit réglé par la question du vote. D'ailleurs l'homogénéité entre débat d'opinion et vote est très frappante. C'est pour ça qu'on peut débattre à la télévision, alors que, manifestement, on ne le pourrait pas si c'était d'orientations qu'il s'agissait. On a par conséquent une surface de débats qui oblige à forclore les orientations communes. En effet, si les candidats se mettaient d'accord sur le fait qu'ils ont la même orientation, ce serait encore plus désorientant que ça ne l'est au niveau des différences d'interprétation. Donc on va forclore le transcendantal véritable du débat d'opinion et installer le débat d'opinion comme s'il était une contradiction véritable, en dissimulant la strate dans laquelle il joue le rôle de ce que j'appellerais une orientation désorientante.

Du coup, penser la situation, c'est-à-dire s'installer non plus dans l'opinion mais dans la pensée – autant que faire se peut parce qu'on est toujours aussi dans l'opinion – c'est toujours le geste par lequel on s'extrait de l'orientation camouflée qui règle les débats d'opinion. C'est ça le geste essentiel. Celui auquel en réalité Platon convoque toujours. Le « personnage conceptuel » – pour employer le vocabulaire excellent de Deleuze – qu'est Socrate dans Platon, est bâti très précisément pour induire l'opération qui montre qu'on peut s'extraire de la figure du débat, en tant que son orientation fondamentale est camouflée ou implicite. Les dialogues de Platon sont des opérations extrêmement complexes pour la raison qu'il s'agit, pour commencer, de faire ressortir une orientation qui est en quelque manière clandestine ou camouflée et, à partir de là, de s'extraire du débat d'opinion pour orienter vraiment la pensée, pour la sortir de la désorientation. C'est pourquoi il n'y a pas vraiment opposition, comme on le dit trop souvent, entre la figure aporétique des dialogues, ceux où l'on amène l'interlocuteur dans un cul-de-sac, et puis les figures plus dogmatiques ou plus affirmatives. En réalité c'est entièrement articulé. C'est simplement que l'opération, dans son ensemble, est une opération d'orientation et que pour pouvoir procéder à cette opération, celle qui est en cours dans le passage que je vous ai traduit et lu, ou dans *Le Banquet* ou ailleurs, il faut interrompre la désorientation. C'est le geste premier. Mais comment montrer que le conflit dont il s'agit n'est pas un conflit d'opinions ? C'est une première figure qui, à elle seule, suppose des gestes de pensée, des gestes intellectuels absolument singuliers, absolument spécifiques. Et c'est au fond ça le commencement du processus par lequel on extorque de l'un à la multiplicité indifférente. Le début de cette extorsion, de ce *ek-pollon*, c'est précisément le geste par lequel on s'extrait du débat d'opinion, en montrant que la norme dans laquelle on va s'établir est une norme d'un tout autre type, voire une norme antagonique, qui propose la différence des orientations comme une différence sans déviations. Parce que l'on peut dire ça aussi : entre deux opinions il y a toujours une médiation qui est précisément le fonds commun caché qui permet de les organiser en débat. Tandis que lorsqu'on est dans l'espace des orientations, il n'y a plus de médiation. Socrate est ainsi le médiateur de la non-médiation. C'est pour ça que c'est un personnage qui doit agir par des moyens un peu étranges. Il est celui qui va faire passer, précisément, de l'espace de la médiation à celui de l'antagonisme, qui va donc mettre son interlocuteur face à face avec la nécessité de la discipline.

C'est en ce sens que, ultimement, l'orientation prononce sur l'existence, et non pas simplement sur une opposition entre opinion et savoir. Les deux temps de la procédure platonicienne sont tout simplement les deux modes d'opposition de l'opinion. L'opinion, en un premier sens, s'oppose au savoir comme si elle était une forme d'ignorance – c'est le thème fondamental des premiers dialogues de Platon, ou des premiers mouvements des dialogues. Et puis, en un deuxième sens, plus essentiel et plus profond, l'opinion c'est en réalité ce qui s'oppose à l'être-exposé comme tel, ou à la vérité comme telle, c'est-à-dire ce qui s'oppose à la subjectivation du vrai. Et à ce moment-là il ne s'agit plus seulement de la correction du savoir, il s'agit de l'être de l'existence, Il ne suffit plus d'opposer l'ignorance au savoir, il faut opposer des voies opposées, antagoniques, concernant des assertions d'existence. Il va falloir s'assurer de l'être de l'existence.

Qu'est-ce que c'est que l'être de ce qui existe ? Tel est le point d'achoppement fondamental de la discipline platonicienne. Bien sûr on sait que tout ce qui est, en un certain sens, existe. Donc le point de départ est toujours celui de l'existence de l'être. Tout être existe. Ce qui veut dire : tout être est localisé, tout être se propose en un lieu, tout être est explicité dans une mondanité. Mais la remontée véritable ce n'est pas simplement de concevoir que l'être existe, c'est de concevoir qu'il y a un être de l'existence. Quand vous vous prononcez sur l'existence, vous vous prononcez aussi sur l'être, et pas seulement sur une figure localisée de l'apparaître. Et le mouvement, que je dirais platonicien au sens large, que je retraçais ici à travers les deux sens du mot « opinion », c'est un peu le passage de l'existence de l'être à l'être de l'existence. C'est s'assurer de l'être de l'existence. Et non pas seulement de l'évidence inaugurale selon laquelle l'être existe, se donne, est instruit dans un monde.

Platon dit quelque chose comme cela, qui se trouve cette fois dans le *Phédon*, 78 c. C'est une phrase très tendue, qui m'intrigue depuis des décennies. Mais là, en travaillant pour vous, je crois que je l'ai un peu mieux comprise. La voici : « Cette existence dont, tressant questions et réponses, nous rendons raison de son être ». Ici « existence » c'est *ousia*, l'être exposé dans sa vérité, tandis qu'« être », c'est *einai*, être, et de cela « nous rendons raison » (*logos*) au sens de « nous trouvons raison ». Ce que dit Platon c'est que le jeu des questions et des réponses, le dialogue lui-même, est finalement destiné à rendre raison de l'être de l'existence. C'est donc le *einai* de l'*ousia*, l'être de l'existence qui est la vraie question, et non pas le mode sur lequel l'être existe. Par conséquent, pour comprendre complètement l'orientation, il faut comprendre l'écart entre *ousia* et *einai*, entre existence et être. Et c'est dans cet écart-là que travaille toute orientation de pensée véritable, en tant qu'assertion d'existence, et en tant que *dans* cette assertion d'existence elle rend raison de l'être de ce qui existe, donne raison à l'être de ce qui existe.

Et ça, pour conclure maintenant sur l'exemple initial, au fond nous pouvons le dire : c'est absolument vrai que, sous la maxime égalitaire qui fait que vous déclarez l'existence effective du prolétaire de provenance étrangère comme inexistant typique, vous prononcez réellement cette existence, qu'en réalité vous rendez justice à son être. C'est pour ça que c'est une orientation véritable. Vous n'êtes plus simplement dans l'interprétation de ses droits à exister, vous êtes dans un arrimage de son existence à son être, qui rend justice à ceci qu'il est ici, qu'il est d'ici. En ce sens, l'assertion d'existence, en tant qu'orientation dans la pensée, est que justice est rendue à l'être. Nous pouvons donc parfaitement reprendre le terme de Platon : en définitive, « justice » est bien un nom pertinent pour la procédure de vérité, ou finalement pour l'orientation dans la pensée. Parce que, à travers et dans le travail de l'écart entre « existence » et « être », son but est bien de rendre raison de l'être, c'est-à-dire de rendre justice à ce qui est.

Merci.

XX

14 FÉVRIER 2007

Nous voici à peu près au milieu de la trajectoire de cette année. Avant de la reprendre je voudrais commencer par une annonce personnelle, mais qui est bien autre chose… J'ai été très touché, très affecté par la mort de Philippe Lacoue-Labarthe et je voudrais vous en parler un moment.

J'ai été très affecté parce c'était vraiment pour moi un point d'existence, disons-le comme ça, un point d'existence important dans le monde contemporain, et de longue date. C'était un ami en vérité, un ami distant, réservé sans doute, mais absolument sûr. C'était bien entendu un philosophe extrêmement significatif dans le contexte actuel. Et je pense qu'il était, explicitement ou implicitement, mon interlocuteur fondamental sur en tout cas une question dont vous connaissez parfaitement l'importance pour moi, celle des rapports entre la philosophie et la poésie. La signification philosophique du poème, je dirais même plus : la signification historiale du poème.

Naturellement cela composait finalement une sorte de triangulation avec Heidegger. Mais précisément cette triangulation n'était pas un face-à-face, elle était la création d'un espace complexe dans lequel le système des questions du rapport de la philosophie à la poésie était disposé non pas seulement comme une question formelle, intemporelle, mais comme une question majeure de ce temps, une question d'éclaircie de ce temps. Et Lacoue-Labarthe était celui qui soutenait, sans doute d'un autre point, quelque chose que nous avions en partage, à savoir cette conviction que le poème contemporain, dans son relatif délaissement, dans le fait qu'il n'est plus aussi évidemment convoqué qu'il l'était dans la période romantique, nous dit aujourd'hui quelque chose, anticipe quelque chose ; qu'il est porteur, non pas d'un gardiennage comme c'était tout de même l'orientation majeure de Heidegger, mais au contraire d'une anticipation. Le poème est quelque chose qui énonce sur ce temps à la fois un point d'impasse, mais aussi un point de capacité, au sens où la poésie est capable de dire ce dont le temps sera capable, où elle n'est pas simplement enfoncée dans le regret de ce qui a disparu. En ce sens je crois que si quelque chose existe qui a une essence prophétique, ce n'est pas la religion mais le poème et ce, parce qu'il puise dans l'infinité de la langue. Et, puisant dans l'infinité de la langue, il est apte à lui faire exprimer, au présent, une ressource qui n'est d'ailleurs visible que dans cette infinité-là. Sur ce sujet aussi Lacoue-Labarthe disait des choses extrêmement précieuses.

Pour bien comprendre qui était Philippe Lacoue-Labarthe il faut naturellement revenir un peu sur cet horizon très singulier qu'a constitué Heidegger en France. Il y a là-dessus des polémiques récentes. Rappelons quelques faits bien connus. Dès le début, dès les années 1930, Heidegger est présent, non seulement dans la filiation qui va être celle des heideggériens à proprement parler, mais dans ce que je considère comme les deux tendances organiques de la philosophie française, à savoir celle de Bergson et celle de Brunschwicg, disons la philosophie d'orientation vitaliste ou existentielle d'un côté et la philosophie d'orientation conceptuelle et mathématisante de l'autre. Ces deux volets, ces deux orientations, sont vraiment ce qui constitue la singularité de l'espace philosophique français depuis le début du siècle au moins, sinon peut-être depuis la possibilité de donner deux interprétations différentes de Descartes. Une interprétation en subjectivité et une interprétation selon le mécanisme ; une interprétation selon la spiritualité subjective et une interprétation selon la science. Et dès le protocole le plus inaugural de la philosophie française on trouve ces deux tendances.

Or, dès le milieu des années 1930, Heidegger s'installe comme référence dans les deux tendances, et l'indice le plus complet on le trouve de façon tout à fait factuelle : en 1938, Jean Cavaillès et Raymond Aron entreprennent de créer une nouvelle collection de philosophie qui s'appelle *Les Essais philosophiques*. Deux textes essentiels de cette collection, créée aux éditions Hermann, paraissent en 1939 : *Esquisse d'une théorie des émotions* de Sartre, pour lequel j'ai une dilection tout à fait particulière parce que c'est vraiment le premier livre de philosophie contemporaine que j'ai lu, quelque part dans les années 1950, et d'autre part les *Nouvelles recherches sur la structure dialectique des mathématiques* d'Albert Lautman. Deux textes fondamentaux de l'année 1939 qui, l'un comme l'autre, attestent d'une pénétration, d'une influence, d'une référence constitutive à Heidegger, dans ce qui représente à l'évidence deux tendances organiques de la philosophie : *Esquisse d'une théorie de l'émotion* dans l'orientation existentielle et subjective, et *Nouvelles recherches sur la structure dialectique des mathématiques* dans une orientation explicitement platonicienne. Et Heidegger est là comme une référence au nouage ou à l'intersection des deux tendances.

À ce propos, rebond dans le rebond, je vous signale que les essais de Lautman viennent d'être réédités, et je conseille vivement à ceux qui ne l'auraient pas lu le livre : *Les mathématiques, les idées et le réel physique* (Vrin, 2006). Il s'agit d'une collection d'essais, puisque l'œuvre d'Albert Lautman est une œuvre inachevée. Vous y retrouverez le texte, les *Nouvelles recherches sur la structure dialectique des mathématiques*, dont la première partie a pour titre, ce qui nous intéresse évidemment, « La genèse de l'existant à partir de l'idée ». Cela porte entièrement sur le nouage de la dialectique idéelle et de l'existence comme telle. Dans ce texte Lautman entreprend une lecture tout à fait singulière et originale de Heidegger. Cela pour vous dire que nous ne nous éloignons pas de Lacoue-Labarthe, puisque celui-ci est inintelligible autrement que dans l'espace général de la signification de Heidegger en France. Comme vous le voyez, dès le début, ça n'attend pas la fin de la guerre, et dans le champ complet de la philosophie française, Heidegger est une référence constitutive.

Ensuite nous avons une influence explicite et générale. Rappelons que Heidegger a été traduit par Lacan et discuté par Hyppolite. Il a toujours été déclaré essentiel par Foucault, même si c'est une essentialité largement implicite, comme pour Lyotard. Et puis, relisant récemment la première page de *L'être et l'événement*, que j'avais oubliée, j'y trouve ceci : « Heidegger est le dernier philosophe universellement reconnaissable. ». Je m'inscris naturellement dans ce panorama général. Et je m'y inscris parce qu'aujourd'hui le verdict selon lequel Heidegger comme tel serait une pièce constitutive de la philosophie créatrice en France depuis les années 1930 est remis en cause sous le chef que dire cela finalement, c'est installer le nazisme dans la philosophie, ou des arguments de cet ordre. Et puis quelques nabots journalistiques essaient même de nous dire que Heidegger était un crétin ; c'est toujours à ce type de constatations que conduisent les déterminations idéologiques. Il faut rappeler ici une chose que disait Lyotard, auquel je voudrais rendre hommage. Lyotard, qui n'était pas du tout heideggérien, pas plus que je ne le suis d'ailleurs, avait dit : « Il faudrait tout de même sortir de l'alternative, ou bien Heidegger est nazi et il n'est pas un grand philosophe, ou bien il est un grand philosophe et alors il n'a pas été nazi. Et il faudrait s'installer dans la question redoutable qui est qu'il a été un grand philosophe et qu'il a été national-socialiste. » C'est évidemment ça qui constitue le défi propre que la philosophie doit soutenir ; c'est la question qui lui est adressée de l'intérieur de son devenir propre. Pas la question d'avoir à choisir entre un heideggérianisme pieux qui tenterait de démontrer, contre toute évidence, qu'il n'y a eu aucun emballement nazi de Heidegger – alors que manifestement il y en a eu un, et que les pièces sont là pour le dire – et puis un antiphilosophisme radical, qui consisterait à dire que, puisqu'il y a eu cet emballement nazi, Heidegger doit être jeté à la poubelle.

Voilà qui nous ramène évidemment à Lacoue-Labarthe puisqu'il s'inscrit dans cette histoire de l'horizon de Heidegger en France. Je pense que, au-delà de cette influence générale dont je parlais, au-delà du fait qu'il est présent comme une référence constitutive interne au développement de toute la part créatrice de la philosophie française, on peut construire l'histoire de Heidegger en France à partir de trois références essentielles, qui constituent proprement l'horizon de l'heideggérianisme français. Il y a d'abord celui qu'on peut appeler le premier passeur, Jean Beaufret, lequel a produit en quelque manière une sorte de médiation organique entre Heidegger, qu'il connaissait personnellement, et le discours philosophique en France. Il y a ensuite Derrida naturellement, qui a donné de Heidegger une interprétation conflictuelle extrêmement sophistiquée. Enfin vous trouvez Philippe Lacoue-Labarthe et Jean-Luc Nancy, appariés en un sens puisqu'ils ont écrit plusieurs livres ensemble et qu'ils ont fondé ce qu'on peut légitimement appeler l'École de Strasbourg, laquelle a été, un temps, une polarité philosophique exceptionnelle dans notre paysage.

Lacoue-Labarthe c'est ça, c'est ce dernier grand temps de l'heideggérianisme créateur en France qui, initialement sous l'influence et sous la direction de Derrida, a fait la singularité divisée de l'École de Strasbourg. Je dis divisée parce que Jean-Luc Nancy et Philippe Lacoue-Labarthe ont chacun leur œuvre propre, ils ne sont pas identifiables l'un à l'autre. Lacoue-Labarthe organise sa pensée autour de deux questions qui sont aussi les nôtres après tout. Ensuite je voudrais insister sur le fait que sa pensée est une pensée profonde, au sens où la profondeur signifie non pas le pathos, non pas la présomption de profondeur, mais au contraire une loyauté absolue. C'est à quoi je suis extrêmement sensible dans le dire de Lacoue-Labarthe, dans sa tonalité ; cette loyauté radicale de son questionnement. Sa première grande question c'est : peut-on inscrire la barbarie politique flagrante au XXe siècle dans une généalogie spéculative ? Autrement dit, la barbarie politique au XXe siècle est-elle un phénomène dont la singularité est fermée ? Ou alors, est-ce que l'interlocution philosophique avec cette barbarie doit dessiner une espèce de vaste paysage spéculatif, qui en serait la généalogie, de telle sorte qu'il y aurait une responsabilité spéculative proprement dite dans le phénomène lui-même ? Il ne s'agit pas pour autant de réduire la politique à la philosophie, mais il y aurait la possibilité que cette politique-là, ou ces politiques-là, se soient constituées dans un rapport à une généalogie spéculative qui, quoiqu'extérieure, n'en serait pas moins comme une condition du phénomène politique ou étatique lui-même. On peut donc dire qu'il est vrai que, pour Lacoue-Labarthe, la question est la question d'Auschwitz, et que, de ce point de vue là, comme Adorno, il demande ce qui est possible dans la pensée après Auschwitz. Mais il le fait sur un mode très particulier qui est de demander de quel monde spéculatif – pour employer mes termes à moi – on peut apercevoir que ce phénomène politique a une généalogie dans l'ordre de la pensée pure. Et ce qui est très intéressant, c'est qu'au fond il refuse les deux issues naturelles de ce débat dans lequel évidemment Heidegger est impliqué en tant que le grand philosophe qui s'est mis lui-même aux premières loges dans cette affaire. Lacoue-Labarthe refuse les deux solutions ordinaires. D'abord la solution qui consisterait à innocenter purement et simplement la philosophie spéculative de tout rapport, de toute relation immanente à cette barbarie. Cela reviendrait à déclarer que, y compris dans la personne de Heidegger, la philosophie est dégagée de tout engagement véritable dans ce qu'a été le phénomène nazi. On pourrait appeler cela l'esquive, car c'est une orientation qui esquive le défi fondamental que représente le fait que précisément il y a eu figure de proximité et d'adhésion, au moins temporaire. Lacoue-Labarthe refuse donc la solution de l'heideggérianisme pieux, celui qui en définitive tente par tous les moyens d'innocenter entièrement le dispositif spéculatif heideggérien de toute forme de compromission avec le national-socialisme. Cela dit, il refuse également ce que j'appellerais la solution démocratique, à savoir : le nazisme est une figure du Mal absolu et, pour autant qu'on est compromis avec cette figure, il faut assumer que cette compromission est elle-même insoluble. Il y a entre l'humanisme sous toutes ses formes, l'humanisme démocratique, et la barbarie en question une contradiction radicale. Sur ce point il y a une formule à vrai dire foudroyante de Lacoue-Labarthe, comme il en avait souvent, des formules qu'il jetait comme ça, pour lui-même, en attente de leur élucidation. Pour lui-même car cela ne relevait pas du goût de l'énigme, mais du goût de la densité problématique qui consiste à poser une figure de la pensée sans qu'on ait encore tout l'enveloppement de sa possibilité, à rendre en quelque sorte possible la pensée par une formule projetée en avant de la pensée elle-même. C'est la fameuse formule : « Le nazisme est un humanisme. » C'est-à-dire que le nazisme, par excellence, a prétendu fonder la politique sur une définition de ce qui est humain, sur une définition de ce qu'est l'homme. Et l'homme, une fois défini, a pour tâche difficile, ingrate mais nécessaire, d'éliminer le non-humain. C'est pour ça que c'était, en ce sens, un humanisme radical ; c'était rendre l'essence historiale de la politique conforme à une pensée de ce qu'est l'humain comme tel. Voilà pourquoi, aux yeux de Lacoue-Labarthe, la voie consistant à s'engager dans les propos démocratiques de l'humanisme ordinaire concernant le totalitarisme est une voie en impasse parce qu'elle ne voit pas qu'en définitive l'essence profonde du nazisme est précisément le maintien, « métaphysique », dirait-il, de la figure de l'homme comme figure en surplomb de la détermination politique.

Évidemment, une fois que vous écartez ces deux solutions, vous êtes devant le problème dans sa nudité, lequel se présente, pour Lacoue-Labarthe, sous la forme : si ce n'est ni l'un ni l'autre, alors d'où procède, en quel lieu ouvrir, la corrélation entre la généalogie spéculative et la barbarie politique ? La réponse est une réponse extrêmement complexe à vrai dire, qui a été anticipée par d'autres, notamment par Benjamin et en un certain sens par Brecht lui-même. La réponse se trouve du côté de la nature du lien entre la philosophie et l'art. C'est un déplacement assez complexe et inattendu. Mais c'est là que se dessine un horizon généalogique avec lequel la barbarie politique a la possibilité d'entrer en relation. C'est du côté du mode propre sur lequel la philosophie s'est appropriée sa condition artistique. Au fond, c'est dans l'élément d'une suture esthétisante de la philosophie que se crée l'élément possible d'une figure de la politique elle-même esthétisée, ou conçue sur le mode de l'œuvre d'art totale qui, en définitive, ne peut se réaliser que dans la figure de la barbarie. La chicane est assez complexe : pour Lacoue-Labarthe, il est impossible de comprendre la corrélation entre l'horizon spéculatif général et la barbarie singulière en restant dans un vis-à-vis de la politique et de la philosophie. Il y a un élément immanent constitutif qui est le rapport à l'art, à l'esthétique, dans la figure de ce qui rend possible philosophiquement l'esthétisation de la politique.

Tout ça constitue, je schématise naturellement, la première grande question de Lacoue-Labarthe et sa première hypothèse : la figure de la mimésis, c'est-à-dire la figure de l'art comme « imitation », au sens le plus large du terme, serait ce qui donne à voir la frappe du réel comme tel, ce qui rend possible que la politique, comme action, comme entreprise, comme sculpture de l'État, se réalise dans la forme où elle s'est réalisée. Autrement dit, le motif de la critique de l'imitation, qui remonte à Platon, auquel nous voici reconduits, est beaucoup plus radical pour Lacoue-Labarthe que Platon lui-même ne le croit. En effet Lacoue-Labarthe indique que chez Platon lui-même, dans la conception œuvrante de la Cité et de l'État, persiste en réalité quelque chose du paradigme esthétique et qu'ensuite toute la généalogie spéculative va être la lutte immanente contre ce paradigme, en le déployant, en le remaniant, en le maintenant, sans pour autant arriver à s'en débarrasser. Pour le dire très simplement, c'est l'idée que la tâche de la politique est de produire une œuvre. Et si elle a à produire une œuvre, ça veut dire qu'elle est dans l'élément du paradigme œuvrant comme tel, et que donc elle est dans une esthétisation qui absolutise son processus. Cela va avoir des répercussions non pas seulement dans les figures classiques de l'autorité de l'État ou de son caractère sacré, mais plus profondément dans la nature même de l'acte politique en tant que c'est l'acte de production d'une œuvre. Si vous voulez, c'est la politique comme configuration. Naturellement le cas le plus net c'est la politique comme configuration d'un peuple, ou comme configuration d'une communauté. Or cette configuration induit une clôture, imitative d'un paradigme supposé, qui dans sa réalisation ne peut être que d'essence criminelle.

Voilà le premier groupe des grandes considérations de Lacoue-Labarthe. Et si on veut en tirer quelque chose pour notre pensée on dira qu'il nous alerte sur le fait qu'il ne faut pas penser l'existence comme un résultat ou comme une œuvre. Parce qu'une œuvre c'est toujours quelque chose qui finalement se clôt dans la figure de sa configuration propre, de son résultat, de sa belle forme, de son immanence singulière. Et derrière toutes les questions particulières concernant Auschwitz, la barbarie politique, la généalogie spéculative, il y a en fin de compte une critique extraordinairement subtile et profonde de tout ce qui tourne autour de la conception de l'existence comme une œuvre. C'est là sans doute une conception dont la forme la plus contemporaine est l'idée que l'enjeu de la politique ce sont des formes de vie. Cette idée, l'horizon que Lacoue-Labarthe nous propose permet de la diagnostiquer comme une ultime forme de l'esthétisation de la politique, et donc du lien avec la grande généalogie spéculative de la barbarie. Par conséquent le problème c'est de passer d'une politique de la forme à une politique du processus, dans laquelle le caractère œuvrant, le résultat en forme d'œuvre et l'espèce de clôture qui en résulte, sont inessentiels. Voilà pour le premier versant. Vous voyez que ça touche à nos questions puisque ça touche à ce que c'est que s'orienter dans l'existence. Et la leçon c'est que s'orienter dans l'existence ce n'est pas s'orienter selon l'idée d'une forme, ce n'est pas inventer esthétiquement la forme de vie par où l'existence authentique peut passer, car bien entendu tout ça est lié à la thématique de l'« existence authentique ».

Le deuxième groupe de questions de Lacoue-Labarthe, qui m'intéresse également, c'est ce que devient dans cette affaire l'innocence du poème. Peut-on la sauver ? Ça, c'est la transposition d'une idée heideggérienne, une transposition, pas une répétition. Vous savez que Heidegger soutient que le poème, le dire poétique, est à certains égards en exception de la souveraineté dévastatrice de la métaphysique. Quelque chose du poème garde encore la corrélation fondatrice de l'étant avec son être propre et n'abandonne pas l'étant à sa destinée séparée. D'où la formule bien connue que « le poète est le berger de l'être », qui signifie que le poème est le gardien de ce qui peut subsister de vivant dans l'étant comme tel, du point de sa relation d'éclaircie avec l'être. Donc si le poète est le berger de l'être, il n'en est pas le penseur, il a l'innocence du berger justement : il est ce qui détient ou maintient la singularité historiale d'un rapport possible de l'étant à son être, au cœur même du nihilisme, au cœur même de l'abandon de tout étant par l'être même. Par conséquent il y a bien chez Heidegger l'idée d'une innocence relative du poème, et c'est pour ça qu'il a été en discussion radicale avec le poème tout au long de son œuvre. C'est ce que, dans sa grande charge anti-heideggérienne récente, Roger-Pol Droit pointait comme « l'importance exagérée » que Heidegger accordait au poème. C'est vrai qu'il accordait au poème une importance très exagérée, en tout cas pour Roger-Pol Droit ! Mais cette interlocution avec le poème était fondatrice de l'idée qu'il y a quelque part une réserve ; que le poème constitue une réserve pensante à l'abri partiellement de l'historialité générale de l'être lui-même, c'est-à-dire du devenir nihiliste où la pensée s'effondre. Le poème constitue, non pas une autre voie, mais un gardiennage, une réserve, une protection dans la langue de ce qui peut encore être protégé. Personnellement je pense que Lacoue-Labarthe cherche quelque chose de plus radical encore dans le poème. Il cherche à dire qu'il y a dans le poème quelque chose qui est, non pas simplement gardiennage de ce qui peut être protégé ou sauvé de l'authenticité de l'étant pensé selon son être, mais la production d'une intelligence du devenir de l'être même. Le poème est plus qu'un gardiennage, il est aussi une pensée. En vérité je ne sais pas si Lacoue-Labarthe dit exactement cela, car je n'ai pas tout relu pour ce soir, mais je l'interprète comme finalement menant à son terme l'indistinction du poète et du penseur, contrairement à la maintenance de cette distinction par Heidegger. Chez Heidegger le poète et le penseur sont en vis-à-vis, l'un est l'interprète de l'autre, le penseur étant l'interprète de ce qui, dans le poème, est simplement gardiennage. Je pense que Lacoue-Labarthe avait l'idée qu'en notre temps on devait en tout cas aller plus loin et abolir la distinction, à telle fin que la dimension proprement pensante du poème soit dégagée. Pour y parvenir il faut concevoir que l'histoire du poème n'est pas sa fermeture, ou sa forme, mais que c'est au contraire l'histoire de la possibilité immanente de son devenir prose. Ce qui représente non pas la dénaturation du poème, mais la possibilité que la généalogie poétique soit entièrement distincte de la généalogie spéculative. En effet, la généalogie spéculative, prisonnière de la figure du résultat ou de l'œuvre, trouve dans le poème une alternative ou une différence, parce qu'il est le devenir d'une pensée qui précisément, quoiqu'elle soit en un certain sens la plus formelle – le poème est le comble de la forme dans la langue – porte le devenir historique de sa propre résiliation dans la figure anonyme de la prose. Cette idée est très profonde et assez difficile mais je la crois extrêmement féconde, car le poème, précisément, parce qu'il puise dans l'infini de la langue selon des protocoles formels extraordinairement sévères et singuliers, est aussi celui qui peut dire comment, dans la langue, passe le générique ou le quelconque. Le poème est, destinalement, prose supérieure en tant que poème, parce qu'il est destiné à dire le commun de l'expérience. L'absolument commun. L'absolument générique. L'absolument prose de toute prose. C'est ça que le poème, par sa ressource singulière, peut dire. Et quand il dit cela, ça veut également dire qu'il est ce qui met en garde et destine la pensée à autre chose précisément que la barbarie. Le poème c'est la non-barbarie dans la langue. Mais ne nous y trompons pas, ce n'est pas en raison de sa puissance formelle, mais parce qu'il montre qu'il n'y a de puissance formelle véritable que pour autant qu'elle est destinée au dire du sort universel, du sort commun. C'est évidemment ce que moi, par de tout autres chemins, je pense, par exemple à propos de Samuel Beckett, qui est un prosateur, mais qui est aussi dans l'installation d'un rapport de la prose au poème. Et si aujourd'hui la poésie est si essentielle pour la philosophie, c'est parce qu'elle est le lieu où la pensée du résultat, de l'œuvre, se résilie de l'intérieur d'elle-même, par la puissance formelle en dire de l'anonymat et de l'existence nue. De l'existence comme telle, c'est-à-dire de l'existence qui précisément n'a pas besoin de la recherche de la forme pour exister mais qui est immédiatement ce qui rend justice à son être. Tel est l'enjeu du poème. En ce point aucune contradiction, mais au contraire une complémentarité dialectique immédiate entre la complexité formelle du poème, son choix de traiter la langue simultanément comme une infinité et comme le matériau d'une forme, et le fait que tout cela est en fin de compte destiné à ne rien séparer. À ne rien séparer, c'est-à-dire à ne pas configurer la séparation, mais au contraire à être dans l'ordre du générique ou de l'inséparé. Ainsi on pourrait dire que tout grand poème est un poème de l'inséparation, ce que, aux yeux de Lacoue-Labarthe, la grande généalogie spéculative, qui restait dans l'élément de la séparation, échouait à être.

Il y a une infinité d'autres choses dans Lacoue-Labarthe, parce qu'on y trouve des élaborations minutieuses de chacun des deux grands motifs, celui du rapport de la culpabilité et de la spéculation dans la généalogie contemporaine et celui de l'innocence du poème, mais vous voyez que leur complémentarité fait en même temps leur densité propre. En ce qui concerne le deuxième motif, il s'est soldé par deux interlocutions essentielles, d'abord avec Hölderlin, ensuite avec Celan. En ce qui concerne Hölderlin on pourrait presque définir le désir de Lacoue-Labarthe en disant qu'il était de l'arracher à Heidegger. Mais arracher Hölderlin à Heidegger c'était un désir difficile ; c'était presque comme séparer une étreinte, c'était comme extirper réellement Hölderlin des bras de Heidegger. C'était aussi s'arracher à la séduction de Heidegger qui s'exerçait sur Lacoue-Labarthe lui-même. C'est donc dans la tension de cet arrachement que s'est jouée la question d'une autre écoute de Hölderlin. Les textes de Lacoue-Labarthe sur la poésie, « La césure du spéculatif », ou la préface aux *Élégies* – relisez-les – sont tous des textes admirables, et en même temps l'inachèvement de la chose est constamment réaffirmé. Lacoue-Labarthe répète constamment qu'il n'est pas encore entièrement arrivé à arracher Hölderlin à Heidegger, mais qu'il sait que c'est ça qu'il faut faire, que c'est ça le devoir de la pensée. En fin de compte on avait là une épreuve bien définie : la pensée d'après la métaphysique, la pensée non métaphysique, et la pensée d'après Heidegger aussi, serait victorieuse quand elle ferait entendre réellement et vraiment Hölderlin délivré de l'exégèse heideggérienne. Et le geste de cette délivrance serait la véritable écoute de Hölderlin, et non pas directement la proposition d'un autre Hölderlin, car ce qui comptait c'était de défaire cette étreinte qui était l'émancipation spéculative elle-même.

Pour cela on pouvait s'aider de Paul Celan, l'autre interlocuteur. Et là c'était quasiment la question inverse, c'était, comment comprendre le lien paradoxal de Celan à Heidegger ? Il faut savoir qu'il y a un épisode littéralement mythique de la contemporanéité concernant le rapport entre philosophie et poésie, qui est la visite de Celan à Heidegger. Celan, après la guerre, après Auschwitz, est allé voir Heidegger. Et il a écrit un poème sur cette visite, dont le moins qu'on puisse dire c'est qu'il donne la leçon de cette rencontre dans la figure d'une considérable énigme. Cette énigme passionnait Lacoue-Labarthe et il a écrit un livre presque entièrement consacré à cela. Qu'est-ce qui s'est noué, ou dénoué là ? Quelle a été la relation du poète juif d'après Auschwitz à Heidegger, philosophe hanté ou tenté par le national-socialisme et qui prétendait réaliser l'appropriation authentique de la poésie ? Comme vous le voyez, la triangulation Hölderlin-Celan-Heidegger est en fin de compte constitutive d'une délivrance pour Lacoue-Labarthe. Il s'agissait de délivrer précisément la vraie voix du poème, de faire qu'on puisse entendre le poème dans son effectivité, c'est-à-dire dans une historialité qu'il ne partage pas avec la généalogie spéculative dans son ensemble.

Tout ça est d'une densité extrême couplée à un constant suspens : il y a en effet l'organisation d'un suspens particulier de la pensée par Lacoue-Labarthe, qui est probablement aussi le mode propre sur lequel il exerce la pensée. C'est typiquement une pensée au bord du vide. Non pas au bord du vide au sens d'un gouffre existentiel abyssal, c'est une pensée qui n'a pas d'autre sens que de se porter en un point où tout le monde voit qu'il y a quelque chose à franchir. Et le franchissement est indiqué comme un devoir. Et le travail continue. Lacoue-Labarthe est précisément quelqu'un qui n'a jamais arrêté la philosophie dans l'espace de l'œuvre. Il l'a défaite, il l'a désorientée lui-même.

Si bien que nous sommes un peu, que je suis un peu dans un double deuil : le deuil de Philippe Lacoue-Labarthe, disparu très tôt, il avait 66 ans ; et puis le deuil de ce que, dans sa pensée, à ses propres yeux, il n'avait pas encore pensé. Il y avait dans sa pensée, on le voit quand on le lit, quelque chose qui se donnait dans la modalité que ce n'était pas encore pensé. Ce n'était pas une quête infinie, c'était le point de conduite, d'orientation de la pensée vers le point où ce qu'il y a encore à penser est clarifié : quelque chose comme une grande éclaircie, sans être un résultat, l'éclaircie de ce qui demeure encore à penser. Lacoue-Labarthe était quelqu'un qui était sous l'impératif du « un pas de plus », ou du « continuer », de l'intérieur même de la pensée philosophique.

Voilà ce que je voulais dire sur cette disparition de quelqu'un qui comptait beaucoup, pour moi, et pour nous tous.

Nous revenons maintenant à notre affaire et à notre conclusion de la dernière fois. Je vous rappelle que nous nous étions interrogés sur ce que c'était que l'opinion, afin d'éclairer, à l'aide de ses aspects négatifs, ce que c'est qu'une orientation dans la pensée. Et, tout naturellement, comme il s'agissait de l'opinion, nous sommes remontés à Platon, pour constater que dans Platon « opinion » est pris dans une double opposition. D'abord une opposition au savoir, c'est la première, la plus classique, « opinion » est différent de « science », ce qui signifie que l'opinion ne requiert pas qu'on sache vraiment pourquoi on donne son assentiment ou pourquoi on manifeste son hostilité, elle l'accepte même. C'est bien ce qu'exprime la phrase « C'est mon opinion. » En ce sens l'opinion s'oppose au savoir. La critique traditionnelle de l'opinion consiste précisément à dire qu'elle est non instruite, qu'elle a besoin d'être éclairée, que donc elle doit être prise dans un champ de savoir si on veut la normer. Cette première critique s'accompagne toujours de la supposition que si l'opinion était éclairée il n'y aurait pas de conflits d'opinions. C'est en quelque sorte une critique unitaire qui revient en fait à dire que s'il y a des opinions différentes c'est qu'elles ne sont pas vraiment éclairées, qu'autrement elles seraient de bonnes opinions, car de bonne opinion, en fin de compte, il n'y en a qu'une. Mais cette critique est une critique faible car elle dissout virtuellement l'opinion dans le savoir ; elle défend l'idée sous-jacente que l'opinion instruite est une opinion qui ne se dispose plus comme opinion mais comme connaissance. Ainsi deux savoirs, à proprement parler, ne sont pas dans l'ordre véritable de la contradiction ; on soupçonnera toujours que l'un contient en lui-même une part, un reste obscur, d'opinion. Sur ce premier champ de discussion nous avions montré que Platon assume tout à fait la définition de l'opinion comme contraire à la science. C'est d'ailleurs quelque chose qui a cours, jusqu'à rejoindre une certaine version chez Althusser de sa théorie de l'idéologie, dans l'opposition de l'idéologie et de la science. En effet telle qu'on la trouve chez le premier Althusser, elle est au fond une mouture de ce qu'on vient de dire là : l'idéologie c'est le lieu de l'interpellation du sujet, le lieu de la formation des opinions et, finalement, la seule chose qui peut dissoudre cette configuration, c'est la science.

Nous avons vu ensuite que Platon ne s'en tenait pas là et qu'il construisait une opposition beaucoup plus radicale qui est l'opposition de l'opinion à la pensée, ou à la vérité. Dans ce cas l'opinion est critiquée non pas du fait qu'elle n'est pas un savoir, mais du fait qu'elle ignore l'orientation de pensée qui en réalité la rend possible. Ce n'est pas qu'elle ignore ceci ou cela, elle ignore son propre être, elle ignore l'orientation de pensée qui la fonde. Et cette pensée qui la fonde c'est une orientation – Platon le dit à sa manière –, c'est une assertion d'existence ; ce n'est pas la connaissance d'un objet. Ça se réduit toujours, à la fin des fins, à « ceci existe ». Or l'assertion d'existence est ce par quoi une orientation dans la pensée touche à l'être, y compris à son propre être. Nous avons là évidemment le noyau fondamental de la chose, qui fait que toute cette affaire de l'opinion s'inscrit finalement dans le rapport existence-être-orientation. J'en profite pour légitimer mon titre général : c'est en ce sens qu'une orientation dans la pensée est une orientation dans l'existence. Sauf que s'orienter dans la pensée requiert et enveloppe s'orienter dans l'existence, parce que le réel auquel touche une orientation dans la pensée, c'est d'affirmer une existence. Et en tant qu'elle est une assertion d'existence on peut dire qu'une orientation dans la pensée touche à l'être même.

À ce propos j'avais cité une formule essentielle tirée du *Phédon*, que je rappelle : « Cette existence (*ousia*) dont, tressant questions et réponses, nous rendons raison de son être. » C'est une définition de la philosophie et c'est une définition de la pensée. Car la pensée c'est rendre raison de l'être d'une existence. Et « tressant questions et réponses » c'est le dialogue qui est, pour Platon, le processus même de la pensée. De quoi est-il question dans un dialogue sinon de cette existence dont nous rendons raison de son être ? Donc *ousia*, l'existence, et *to einai*, l'être. Et entre l'existence et l'être, nous devons rendre raison de l'existence, selon son être, par questions et réponses. Finalement, la pensée, c'est ça. Qu'on choisisse de parler de problèmes et de solutions, de questions et de réponses, de constructions de concepts, ou de reprendre le « tressant questions et réponses » qui donne la forme dialogique fondamentale de Platon, on aura toujours « cette existence dont [quelle que soit l'activité de pensée] nous rendons raison de son être. » Car rendre raison de l'être d'une existence, telle est l'orientation fondamentale d'une pensée. Mais pour ce faire encore faut-il préalablement l'affirmer, cette existence. Parce qu'affirmer l'existence, c'est ce qui ouvre à la possibilité de rendre raison de son être, de rendre justice à son être, comme nous l'avons vu à travers divers exemples empruntés au champ notamment politique, mais également au champ amoureux, où c'est toujours d'une déclaration d'existence que s'infère la possibilité de rendre justice à un être.

Je propose de le dire ainsi, c'est une première formulation un peu plus éthique : rendre justice à l'être c'est construire une vérité, c'est-à-dire combler l'écart abyssal entre les multiplicités indifférentes et les vérités éternelles. C'est, rappelez-vous nos schémas, occuper l'espace, apparemment incomblable, entre l'indifférence absolue des multiplicités en tant que figures abstraites de l'être, et puis l'éternité des vérités. On dira plus généralement encore : rendre justice à l'être, c'est trouver le cadre dialectique (questions et réponses) dans lequel se déplie l'énoncé, l'assertion d'une existence. C'est ça rendre complètement justice à l'être, donc penser. Cela me permet de formuler, puisque nous rivalisons ici avec Descartes, ce qui sera la première maxime de notre morale provisoire. Je la donne sous la forme d'un impératif : « Tire les conséquences de cette existence dont, en l'affirmant, tu as orienté ta pensée. » Autrement dit, en affirmant une existence, tu as orienté ta pensée ; mais à partir de là il faut suivre l'orientation elle-même ; donc il faut tirer les conséquences de cette assertion, qui est une assertion d'existence. Ainsi vous déclarez que quelque chose existe. Et puis vous en tirez les conséquences parce que c'est là ce qui permet d'être immanent, interne, à l'orientation dans la pensée.

Reprenons mon exemple favori. La déclaration d'amour, c'est une assertion d'existence : quelque chose existe qui n'était pas là. Naturellement, tout le monde, du dehors, ne voit rien de particulier ; c'est pour ça que c'est une assertion d'existence. Mais pour ceux qui sont dans l'affaire, c'est une assertion d'existence au sens fort, ça existe autrement. Quelque chose est venu à exister dont la déclaration d'amour est l'assertion. Bien sûr, après, la maxime c'est qu'il faut en tirer les conséquences, ce qui veut dire qu'il faut exercer et pratiquer les conséquences, trouver le cadre dialectique de leur exercice. C'est pourquoi, comme nous l'avons vu chez Descartes, la première maxime est une maxime de la conséquence en même temps qu'une maxime d'existence. Parce que bien sûr l'orientation dans la pensée est soutenue axiomatiquement par la déclaration d'existence mais que, en même temps, ce sont les conséquences qui produisent son réel.

Parvenus à ce point où il s'agit d'existence, d'orientation et d'être, il est vrai qu'à notre tour il est possible d'entrer en interlocution avec Heidegger. Parce que, tout bien considéré, si quelqu'un a organisé sa pensée entre l'existence et l'être, entre *sein* et *da sein*, *Existenz-Dasein-Sein*, c'est bien lui. Et puisque nous avons franchi une première étape platonicienne, pourquoi ne pas en franchir une seconde, heideggérienne. Nous sommes là, pour parler comme Lacoue-Labarthe, aux deux extrémités de la généalogie spéculative. En effet, Heidegger est celui qui interroge le caractère central de la catégorie d'existence, celui qui se demande si, à partir de son importance dans le contemporain, il est possible de définir historialement ce que c'est qu'une orientation dans la pensée.

On peut se référer, de ce point de vue-là, à un texte que j'aime bien parce que ce n'est même pas un texte, ce sont des sortes de notes. Cela s'appelle « Projets pour l'histoire de l'Être en tant que métaphysique » et se trouve à la fin du tome II du *Nietzsche*, dans la traduction de Pierre Klossowski. Voilà, je le dis en passant, une constellation frappante : Nietzsche, Heidegger sur Nietzsche, traduit par Pierre Klossowski, en France, en 1971, en plein gauchisme, c'est une étrange mixture. Dans ce texte Heidegger se propose expressément d'écrire une histoire de l'être, mais surtout il se demande pourquoi la catégorie d'existence est devenue si importante à partir d'une certaine période dans l'histoire de la métaphysique. Pour lui l'assignation séparée de la catégorie d'existence commence dans l'histoire générale de la généalogie spéculative avec Schelling. Heidegger va faire une hypothèse générale qui est qu'« existence » désigne le « séparé de l'homme » dans une figure générale d'abandon de l'être. « Existence » va donc être la catégorie à travers laquelle la philosophie anthropologise l'être lui-même. Je cite Heidegger : « L'achèvement de la métaphysique [après Schelling on est dans la figure d'achèvement] installe l'étant dans l'abandon où le laisse l'être. » Ici cet étant privilégié va être l'homme : là où l'homme est délaissé par l'histoire de l'être lui-même, il est abandonné à lui-même du point de son être. Alors là où il y a ce délaissement essentiel, là où l'étant est installé dans l'abandon, alors ce qui vient est la catégorie d'existence, en tant que catégorie précisément séparée de celle de l'être. L'existence c'est par conséquent l'être en tant que séparé de l'être ; ou c'est l'être, dans la figure de l'étant abandonné par son être.

Que dire de cette hypothèse générale ? Si je la traduisais, plutôt que de la contredire, je dirais que dans un certain sens cette maxime est celle de ce que j'appelle le matérialisme démocratique. Parce que le matérialisme démocratique c'est précisément l'abandon de l'étant à la multiplicité indifférente ; c'est la maxime « il n'y a que des corps et des langages », ce qui signifie qu'il n'est plus question de combler l'écart entre la multiplicité indifférente et autre chose qu'elle-même. En vérité, ce qui tout d'un coup m'est apparu c'est que nous avions là la signification du grand mot d'ordre de « la fin des idéologies ». La fin des idéologies c'est tout simplement l'idée qu'il n'y a pas lieu de se soucier de combler l'écart entre les multiplicités indifférentes et quelque chose qui leur serait extérieur, ou qui serait hétérogène à leur pure existence. Du coup ça prend la forme qu'il n'y a pas de vérités. Après tout, pourquoi ne pas parler comme Heidegger et dire que là, dans cette figure, l'étant est abandonné à la pure et simple indifférence de la multiplicité ; il est en particulier installé dans l'idée que tout vaut tout. Pourquoi ? Parce que tout a un prix naturellement. En définitive il n'y a aucune différence d'essence puisque la différence entre les choses qui existent est une différence chiffrable, une différence monétaire. Tout est disposé devant le marché, devant l'équivalence générale, donc tout vaut son prix. Et si tout vaut son prix, cela veut dire que tout vaut tout, à savoir son prix. Il n'y a pas de différenciation qualitative, de sorte que vous n'êtes pas dans l'idée que quelque chose puisse relever la multiplicité indifférente.

Je pense donc qu'on peut dire que le matérialisme démocratique installe, selon son prix, l'étant dans l'abandon où le laisse la multiplicité indifférente. C'est là une hypothèse générale sur l'émergence, dans ce contexte, d'une certaine catégorie de l'existence. En effet, si c'est comme ça, alors ce qui compte c'est ma vie ; mais ma vie elle-même, pourquoi est-ce qu'elle compte ? Elle compte uniquement parce qu'elle est ma vie ; c'est-à-dire elle compte parce que je suis dans l'obligation de persévérer dans mon être. Il s'ensuit que, en tant que support de l'existence, en tant qu'il est « ce qui existe », en tant que corps (« il n'y a que des corps et des langages »), l'individu devient norme de lui-même, et même l'unique norme puisqu'il est abandonné à la multiplicité indifférente. Étant un atome de cette multiplicité il ne peut avoir d'autre norme que sa propre existence. Il faut alors reconnaître que la disjonction, ou l'écart incomblable entre l'existence et l'être, est une caractérisation particulière du contemporain, dans la figure de la séparation radicale de l'individu, et de son abandon au régime de l'indifférence de la multiplicité. Par conséquent, dans ce contexte, il est exclu que la maxime de Platon, « rendre raison de l'existence quant à son être », puisse fonctionner. Il n'y a pas lieu de rendre raison de l'existence quant à son être puisque « existence » en désigne précisément l'impossibilité. Ou encore : dès lors que la figure de l'existence est celle-là, s'avère le caractère incomblé et incomblable de l'écart entre être et existence.

On peut prendre l'hypothèse générale et la traduire. La conséquence que Heidegger introduit porte sur l'humanisme. Et l'humanisme, en tant que le privilège de l'étant humain comme tel, de l'humanité comme telle, ne se comprend que dans le contexte de cette hypothèse générale. Telle est bien la thèse de Heidegger : c'est seulement parce que l'achèvement de la métaphysique installe l'étant dans l'abandon où le laisse l'être que quelque chose comme l'humanisme est possible. Il le dira ainsi : « L'homme est le proprement existant » et « l'existence se détermine à partir de la manière humaine d'être ». Que l'on considère le délaissement ou l'abandon de l'étant par rapport à son être, ou bien l'abandon de l'individu à l'espace matérialiste démocratique où il est normé par lui-même en tant qu'unité de compte de la multiplicité indifférente, dans les deux cas on a effectivement, l'humanisme, dans la mesure où il n'y a pas d'autre figure de l'existence que cet abandon lui-même. En effet, l'homme, « le proprement existant », c'est celui qui sait qu'il n'est qu'un individu dans l'espace général de la multiplicité indifférente, et si « l'existence se détermine à partir de la manière humaine d'être » cela signifie que l'existence n'est rien d'autre que le constat de ce qui est est abandonné quant à son être, et par conséquent ne se propose que comme existence séparée. Ce serait notre premier point.

Mais on peut traduire cet énoncé autrement et dire, ce sera mon second point : si l'existence est normée par la figure de l'homme comme étant le proprement existant, alors il n'y a aucune vérité possible. En effet, la dimension propre de l'incorporation humaine à des vérités nouvelles est d'assumer leur inhumanité essentielle. L'inhumanité essentielle des vérités tient à ceci que précisément elles sont éternelles, c'est-à-dire qu'elles sont le mode propre sous lequel quelque chose est en outrepassement de la multiplicité indifférente de l'être. Et si quelque chose outrepasse la multiplicité indifférente de l'être, alors ce quelque chose n'est jamais réductible à la pure manière d'être humaine. Du coup on ne peut plus dire que « l'homme est le proprement existant » puisqu'il n'est plus vrai qu'existent seulement des corps et des langages, mais qu'il est également vrai qu'existent des vérités. Ainsi le mode d'existence des vérités n'est nullement réductible au mode d'existence de la manière proprement humaine d'être dans une situation mondaine particulière. Par conséquent la réduction de toute vérité universelle à la particularité, c'est-à-dire en réalité à son animation, est bien en effet le contexte humaniste tel qu'il est désigné ou défini par Heidegger, à savoir que « l'homme est le proprement existant ». Mais en disant cela vous dites que ce qui outrepasse la figure de l'homme n'a pas lieu d'être considéré comme proprement existant. Et, de ce fait même, naturellement, vous êtes dans le contexte général d'une irréductibilité de l'existence à son être.

Mon troisième point concerne ce que j'appellerais les anticipations. En effet, une fois qu'on a décrit cette situation, que va-t-il se passer selon Heidegger ? Que peut-on prévoir, anticiper ? La réponse est très intéressante parce que dans ce texte-là Heidegger définit la situation comme une situation d'indécision. C'est donc assez proche de la définition de la situation comme désorientation ; c'est-à-dire qu'il n'y a pas d'orientation historique, lisible ou pré-intelligible, dans la situation telle qu'elle est. Mais alors indécision entre quoi et quoi ? Dans le vocabulaire de Heidegger, ça donne : « Nous sommes à un moment extrême… » Et ce qu'il appelle « moment extrême », c'est ce qu'on vient de dire : nous sommes dans un moment extrême du délaissement, de l'abandon, de la séparation ; nous sommes dans le moment extrême où l'individu finalement se déclare le seul « proprement existant ». Il en résulte deux possibilités, c'est ça l'indécision. Il se peut, parce que c'est une situation extrême, qu'elle produise ce que Heidegger appelle « une éclaircie de l'initiale ». Ça, c'est la reformulation heideggérienne de la dialectique, elle consiste à dire que lorsqu'on est au comble de la détresse, c'est là que le salut est à l'ordre du jour. Ce qui est le pire est aussi ce qui sauve ; la détresse c'est le moment du retournement natal. Donc c'est uniquement dans l'expérience de l'approfondissement radical de la détresse et de l'abandon que la possibilité d'une éclaircie de l'initiale se rouvre. Mais Heidegger prend soin de dire que ce n'est qu'une possibilité. Elle n'est pas prédéterminée. Autrement dit, il n'y a pas sur ce point d'optimisme eschatologique de Heidegger. Puisqu'on est dans le comble de l'abandon, il y a une possibilité que le retournement se produise qui nous réaccorde à l'initiale et puisqu'on est dans l'extrême, la vérité de ce dont procède cet extrême peut éventuellement advenir. En revanche, deuxième possibilité, si ce n'est pas ça, alors ça va être ce qu'il appelle « la dévastation ». La dévastation, c'est, chez Heidegger, assez profond. La dévastation c'est une installation : vous vous installez dans la séparation. Ainsi la séparation peut parfaitement être purement et simplement une figure d'installation de l'étant dans le délaissement de son être. Et cette installation est la vraie figure de la dévastation ou de la destruction. C'est une hypothèse fermée sur un avenir totalement opaque et incalculable.

Comme vous le voyez, l'indécision se situe entre un retournement qui produirait une éclaircie de l'initiale – Heidegger l'appelle quelquefois « la venue » ou « le retour d'un dieu », peu importe la nomination – et d'autre part ce qu'il appelle « l'installation ». L'hypothèse de l'éclaircie dans l'initiale suppose évidemment une rupture avec l'humanisme : il faut abandonner l'idée de la souveraineté de l'essence humaine. Cependant, et ici je le cite : « À mesure que, à la limite du répit de l'indécision… » c'est donc bien l'idée que l'indécision nous accorde un répit quand même. L'indécision n'est pas encore l'installation. Autrement dit, la désorientation n'est pas encore la victoire installée de la volonté des opinions de forclore l'orientation – je traduis cela dans mon langage. Heidegger dit, comprenez bien que la décision, comme la désorientation, c'est la chance qui nous reste, ce n'est pas une installation, nous ne sommes pas installés dans l'appareillage du délaissement. Donc « À mesure que, à la limite du répit de l'indécision, la pensée s'avance à tâtons [...] vers une remémoration à l'intérieur de l'Être, il lui faut à la fois parcourir et laisser en dehors d'elle la souveraineté de l'essence humaine. » (p. 380) Voilà donc son diagnostic complet. La période est une période d'indécision ; elle est extrême et donc il y a une possibilité de l'éclaircie de l'initiale ; elle n'est cependant pas déterminée de façon immanente, et donc il y a une possibilité de pure et simple installation, d'opacité pure et simple de l'avenir ; et en tout cas, si on veut l'éclaircie de l'initiale, il faudra « poursuivre et laisser en dehors d'elle la souveraineté de l'essence humaine ».

Que dire de tout cela ? Au fond il est bien vrai que l'indécision se distingue de l'installation. Il est bien vrai que la désorientation n'est pas absolument la même chose que ce que j'appelle un monde atone, c'est-à-dire un monde dans lequel la possibilité même de l'événement est occultée, dans lequel la possibilité même d'une vérité est forclose, tant que le monde ne change pas. Un monde atone c'est un monde installé dans l'impraticable du vrai – je dis « impraticable » en référence à une formule de Celan, qui parle de « l'impraticable vrai ». Il est vrai qu'un monde désorienté n'est pas par essence un monde atone et Heidegger ne prononce pas l'impossibilité de tout corps subjectivable, l'impossibilité de toute vérité. Donc l'indécision et l'installation sont bien des données différentes : l'indécision est une situation de répit, c'est une installation inachevée. Il est vrai également que, entre installation et indécision, il y a la possibilité d'une éclaircie. Mais là commence à surgir une divergence parce que moi, je n'ai aucune raison particulière de penser que c'est une « éclaircie de l'initiale », de penser que ce à quoi serait éventuellement réouverte la situation indécise serait ce dont nous procédons, serait un inaugural ou un auroral de l'être lui-même. Par contre je serais d'accord avec l'idée que, dans le processus de ce que Heidegger appelle une « éclaircie », et qui est pour moi celui d'une vérité post-événementielle, doit se produire un abandon de l'humanisme, il va falloir assumer la détermination inhumaine des vérités.

Finalement on peut équilibrer la lecture du texte de Heidegger en disant : l'hypothèse générale est soutenable, les conséquences en sont admissibles, les anticipations formellement constituées. Mais ce qui ne va pas c'est l'idée qu'il s'agit nécessairement d'un retournement, c'est l'idée que, dans la situation où nous sommes, celle du monde contemporain, l'éclaircie sera nécessairement une « remémoration », car la phrase se poursuit par « la pensée s'avance à tâtons vers une remémoration à l'intérieur de l'être ». C'est cette injonction à la remémoration dont il faut sans doute se distancer car pour moi le rapport au passé c'est le rapport à un autre monde. Je ne pense pas qu'il y ait une historialité générale, je pense au contraire qu'il y a des séquences et des discontinuités. Donc il ne peut y avoir de remémoration à l'intérieur de l'histoire de l'être, parce qu'il n'y a pas d'histoire de l'être. Le rapport au passé est pour moi celui d'une résurrection. J'appelle résurrection le fait que l'être-là d'une vérité en cours, c'est-à-dire une situation de construction d'un corps subjectivable en cours, convoque une vérité issue d'un autre monde, une vérité qui a été créée, déployée dans un autre monde temporel, spatial. Cette convocation est une mise au présent de l'éternité de la vérité ; c'est-à-dire que l'être-là effectif d'une vérité dans un monde est capable de convoquer la vérité d'un autre monde, en tant que mise au présent de son éternité. Attention, il n'y a que l'éternité qui puisse être mise au présent, le passé, en tant que passé, ne peut pas être mis au présent ; ce qui, du passé, peut être mis au présent doit y avoir été éternel, sinon ça n'a aucun sens. Si donc vous mettez au présent quelque chose d'une vérité qui a été créée au passé dans un autre monde, c'est par le détour de son éternité. C'est ça que j'appelle « résurrection ». C'est comme lorsque les révolutionnaires convoquent des figures, ou des idées révolutionnaires du passé : ce n'est pas parce qu'elles sont passées qu'elles sont convocables, c'est parce qu'elles ont une valeur éternelle. Et vous pouvez les manier, les manipuler, les introduire, à condition d'être naturellement vous-même dans un processus entièrement original de la vérité politique en question.

Il s'agit là du débat très intéressant entre résurrection et remémoration. C'est à mon sens le débat le plus profond avec Heidegger, parce que, en fin de compte, sur le reste, on peut s'entendre. Au prix de quelques distorsions langagières : c'est bien vrai que dans le monde contemporain, « existence », c'est soumis à une loi de séparation et à une loi humaniste. D'abord, ce qui existe, c'est l'individu ; et ensuite, cet individu est sous le principe général des droits de l'homme – appelons ça ainsi – de l'humain de l'homme. Et il est vrai que les conséquences en sont une situation indécise du point de vue de l'être de l'existence. Par contre, cela soulève ensuite une discussion essentielle et fondamentale sur la distinction entre une vision remémorante qui convoque l'historialité de l'être pour retrouver la frappe de l'initiale, et l'orientation différente, que j'appelle résurrection, qui convoque la figure d'éternité de la vérité ancienne, dans le mouvement propre de la vérité au présent. C'est pourquoi je pense que chez Heidegger, parce qu'il y a une histoire de l'être, il y a constamment une espèce de face-à-face du présent et du passé, ou du présent et de l'origine. Le passé ne peut se présenter que comme origine, c'est ça le prix à payer pour toute vision historiale de l'être. En revanche, dans la disposition que je propose, qui encore une fois est sans interlocution avec Heidegger, le rapport du présent au passé n'est pas sous le signe de l'origine mais sous le signe de l'éternité. C'est un déplacement essentiel. C'est la convocation de l'éternité, dans la figure de présent dont elle est capable, qui institue véritablement un rapport à un autre monde, entre autres à un monde passé, mais à un autre monde en général.

On peut, de ce point de vue, entrer dans une discussion peut-être un peu plus technique. Je vous lis un passage, qui nous ramène vraiment à la question de l'existence et que vous pouvez entendre maintenant que vous avez tout ça bien présent comme horizon : le diagnostic général, les hypothèses d'anticipation, le désaccord sur remémoration et résurrection. Heidegger écrit « existence, en tant que caractère de l'être-là », c'est existence comme prédicat de l'apparaître, comme prédicat de l'être-là, c'est une donnée par laquelle l'être de la multiplicité indifférente est saisi dans son apparaître mondain, donc dans son être-là. Heidegger dit cela sur lui-même ; il précise que l'existence en tant que caractère de l'être-là (*Dasein*) c'est ce qu'il a dit dans *Sein und Zeit*. Donc, dans l'histoire de la catégorie d'existence, Heidegger se situe comme celui qui assume cette catégorie comme figure générale de l'être-là, du caractère de l'être-là. Et il en décrit la singularité : « Ici ne sont en jeu ni le concept de Kierkegaard ni celui de la philosophie de l'existence. » (p. 384). Il essaie donc de montrer que ce concept de l'existence, comme caractère de l'être-là, s'oppose à tout existentialisme ; c'est-à-dire à tout humanisme existentiel. Il continue : « L'existence y est bien plutôt conçue dans le retour à l'ek-statique de l'être-là, à partir de l'intention visant à interpréter l'être-là dans son rapport insigne à la vérité de l'être. » Comme on le voit, pour Heidegger lui-même, la catégorie d'existence, c'est d'être un caractère de l'être-là, visant à raccorder l'être-là à la vérité de l'être. À ses yeux le point capital c'est qu'il réintroduit « existence » comme une notion de l'inséparation, et non pas comme une notion de la séparation. L'existence, dans la figure du matérialisme démocratique où les individus sont des atomes de la multiplicité indifférente, c'est l'existence comme absolument séparée de tout ce qui pourrait faire vérité de l'être. Heidegger réclame pour lui-même une catégorie de l'existence comme caractère de l'être-là qui se fait à partir de l'intention visant à interpréter l'être-là dans son rapport à la vérité de l'être. Donc il restaure, il restitue « existence » dans l'élément de l'inséparé, c'est-à-dire dans l'élément dont Platon parlait dans le *Phédon*, à savoir que la destination de la pensée c'est de rendre justice à l'existence quant à son être. Heidegger prétend que lui, contre la dérive existentialiste contemporaine, a ramené l'existence dans la juridiction de la raison de l'être, ce qu'il formule ainsi : « Ce n'est qu'à cette question qu'est réservée l'application provisoire du concept d'existence. » Donc lui aussi fait une morale provisoire, une discipline provisoire du concept d'existence : on va quand même se servir du concept d'existence, parce que c'est le concept contemporain, mais on va le réordonner à la question de son être. « La question ne doit servir qu'à préparer une réduction de la métaphysique. Tout ceci, situé en dehors de la philosophie de l'existence et de l'existentialisme, demeure séparé par un abîme [...] du fond théologique de Kierkegaard. » (p. 384) Comme vous pouvez le constater, c'est un passage essentiel dans lequel il réaffirme les données constitutives de sa catégorie d'existence.

Quel est maintenant le bilan ? Eh bien, je dirais que c'est sans doute une tâche contemporaine essentielle de la philosophie de réintroduire la catégorie d'existence, en tant que catégorie fondamentalement contemporaine, dans l'élément de l'inséparé. Et que pour le faire, il faut penser l'existence comme une catégorie de l'être-là. Sur ce point l'accord avec Heidegger est tout à fait net : si vous réintroduisez convenablement l'existence comme une catégorie de l'être-là, alors vous avez quelque espoir de le réaccorder à la pensée de son être, c'est-à-dire finalement à la logique générale de l'existence des vérités. Cela dit, la discordance, je l'ai dit tout à l'heure, porte sur le rapport au passé, c'est la discordance entre remémoration et résurrection. Elle porte sur ce qui dans l'être-là nous réouvre à la pensée de son être, car la proposition de Heidegger c'est que, pour réouvrir l'existence à son être, il faut la penser selon son ouverture temporelle à l'être-même ; les dimensions extatiques de l'existant, du *Dasein*, sont en effet fondamentalement les dimensions de l'éclatement temporel ; et c'est dans l'éclatement temporel (*Être et Temps*), dans les ek-stases temporelles, que l'existence doit être réappropriée à la vérité de son être.

Vous voyez le lien : Heidegger pense que ce sont les extases temporelles qui sont constitutives du rapport de l'étant à la vérité de son être, parce qu'il se situe sur le fond d'une histoire de l'être, parce que tout ça est historial, que tout ça est le mode propre sur lequel l'être en réalité est le temps. Et l'existence est la forme ek-statique du temps, c'est-à-dire le point où le temps se donne dans le conflit complexe de ses dimensions passées, présentes et futures. Mais on est toujours dans ce rapport temporel, et donc finalement historial à la vérité de l'être, alors que la disposition que je propose n'est pas temporelle. Elle n'est pas temporelle pour la raison que la création temporelle post-événementielle, la création d'un temps, n'est pas le point fondamental de l'être-là. Le point fondamental de l'être-là est à mes yeux une donation topologique. Non pas une donation ek-statique. On pourrait dire que c'est une querelle esthétique, au sens de l'esthétique de Kant, c'est-à-dire, entre temps et espace, quel est le paradigme primordial ? Si on admet que la topologie au sens large est une théorie du lieu, et si on admet que les intensités de l'être-là sont de nature topologique, alors on dira que ce ne sont pas les ek-stases temporelles de l'existence qui l'ouvrent à son être mais bien les figures de sa localisation. Ça, c'est le deuxième conflit.

Récapitulons. Il est vrai que la catégorie d'existence est aujourd'hui, dans une orientation de pensée dominante et idéologisée, réduite à la figure de la séparation. Il est vrai qu'il s'agit de restituer la catégorie d'existence à la possibilité de sa vérité, à la possibilité de la vérité de son être. Il est vrai que cela suppose une rupture majeure avec l'humanisme sous toutes ses formes et instaure une nouvelle dimension du rapport au passé. Donc sur tous ces points, notre accord avec Heidegger comme penseur du contemporain est important Et on admettra la formule que je citais au début : Heidegger est le dernier philosophe universellement reconnaissable du XXe siècle.

Par contre il va y avoir deux points de discordance, majeurs dans leurs conséquences, et en particulier dans leurs conséquences politiques. Le premier c'est qu'il n'y a pas d'histoire de l'être, pas d'historialité générale de l'être, ce qui entraîne l'impossibilité d'une figure remémorative du salut, qui ne peut être ni un retournement, ni une remémoration. Le salut procède dans un monde et rend possible la résurrection des vérités du passé. Autrement dit, la création d'une possibilité de résurrection doit être absolument distinguée du processus historial d'une remémoration. Ce sont là deux orientations de pensée intra-philosophiques majeures. Et puis, à titre quasiment de conséquence, et dans un élément plus technique, on a le fait que, de même que résurrection s'oppose à remémoration, on peut dire que la topologie de l'existence s'oppose à son ek-stase, ou encore que la localisation s'oppose à la temporalisation, qu'elle subsume la temporalisation.

Notre maxime est donc : « Assume les conséquences de l'existence que tu as déclarée ; quand tu as déclaré cette existence, tu as orienté ta pensée, et ce faisant tu vas rendre justice à l'être de ce qui existe. » Et on précisera que rendre justice à l'être ce n'est pas se remémorer son histoire et que cela ne peut pas se présenter sous cette forme humanisée de la remémoration qu'est le devoir de mémoire. Ça, c'est Heidegger repassé au moulinet de l'humanisme. On ne peut pas réapproprier l'étant à son être par une remémoration. L'existence doit être déclarée. Et déclarer l'existence suppose une topologie : vous déclarez l'existence en un lieu, vous déclarez que ceci existe ici. Et vous déclarez une existence ici, en tant qu'ensuite vous vous orientez par les conséquences de cette déclaration. Sous cette condition, des résurrections du passé sont possibles.

Enfin, les conséquences de la déclaration d'existence en tant que localisation sont qu'elle va rendre justice à l'être dans la mesure où elle va légiférer sur l'existence en tant qu'elle assume les conséquences de sa déclaration. Ce faisant, il faudra accepter que ce qu'on aura ne soit pas une histoire, au sens de l'histoire monumentale, de l'histoire de l'origine. On ne pourra pas remonter à l'origine de l'Histoire, mais on pourra montrer que quelque chose de l'éternité peut exister au présent ; c'est cela que nous gagnerons. Cela revient à dire que nous expérimenterons, au sens de Spinoza, que nous sommes éternels. Nous sommes éternels parce que nous pouvons être les agents d'une résurrection de ce qui fut créé dans un autre monde. On ne peut pas espérer mieux.

Merci.

XXI

14 MARS 2007

Pour commencer, deux annonces. L'une concerne la journée d'amitié avec les étrangers du jeudi 22 mars ; j'en parlerai, à titre d'exemple, de l'intérieur de mon propos tout à l'heure.

Une autre, de caractère tout à fait différent, concerne le samedi 24 mars. Ce jour-là il y aura la projection du deuxième film du réalisateur israélien Udi Aloni. Udi Aloni, qui est un ami, avait fait un premier film, *Local Angel*, film tout à fait remarquable à mon sens sur la situation en Palestine, sur le conflit israélo-palestinien. Ce n'est pas un film militant pro-palestinien mais un film qui tente de saisir le lieu comme tel, dans les catégories très profondes et très particulières qui sont celles du réalisateur. En effet Udi est un citoyen israélien, il est né là-bas et son point de vue sur cette affaire est donc un point de vue absolument immanent. *Local Angel*, est un montage de documentaires, partiellement fictifs ; c'est un film d'une grande complexité, certainement un des meilleurs, sinon le meilleur qui ait été fait sur cette situation. Parce que c'est véritablement un film sur la situation, dans des paramètres extraordinairement complexes. Avec même une approche en partie théologique, pas au sens vulgaire du conflit des religions ou des bêtises de ce genre-là, mais au sens d'un encadrement philosophique de la situation.

Depuis il a fait un second film *Forgiveness*, donc *Pardon*, qui, lui, est une fiction mais toujours sur le lieu lui-même. Une fiction extraordinairement enchevêtrée et subtile, elle-même traversée par la dramaturgie du lieu, la Palestine, Israël. Et qui en montre les ramifications dans le monde entier, puisque toute une partie de la fiction concerne le rapport entre un fils et son père, le père étant un Juif d'origine allemande, et le fils s'étant engagé dans l'armée israélienne. Diverses péripéties font intervenir toutes sortes de personnages. Ce film est construit par strates de significations quand *Local Angel* était plus étalé, plus homogène. Mais toujours autour de la même question. Ce film a été déjà pas mal projeté dans le monde et je ne sais pas quelle version va être projetée ici. J'espère qu'elle sera sous-titrée en français ; moi je n'ai vu jusqu'à présent que des versions qui sont un tiers en anglais, un tiers en arabe, un tiers en hébreu. Il y a donc une question langagière très complexe. Ce film prend place dans le cadre du festival du film israélien. Après la projecction j'interviendrai dans un débat avec Udi Aloni. Quelque chose indique, c'est en tout cas le point de vue de Udi, qui connaît ce milieu mieux que moi, qu'il se pourrait que la situation soit conflictuelle, c'est-à-dire qu'une partie du public n'aime pas ce film. Ce n'est pas du tout pour vous dire que vous êtes obligés de venir dans l'idée *a priori* que vous l'aimerez, mais c'est pour vous donner aussi tous les paramètres de cette affaire. Ce film, qui est un film de fiction extrêmement sophistiqué et intéressant (avec des acteurs remarquables qui sont aussi bien des acteurs israéliens que palestiniens, car l'équipe de réalisation du film est absolument mixte), a déjà créé des incidents. En particulier, il avait d'abord été décidé par les organisateurs que ce film ferait l'ouverture du festival, mais l'ambassade d'Israël s'y est catégoriquement opposée. La projection a donc été déplacée. On est dans des histoires, comme toujours quand il s'agit de cette question. En tout cas, pour ma part, je compte bien intervenir sur ce film, que j'ai déjà vu trois fois, dans diverses circonstances, et que je trouve tout à fait remarquable et très différent de *Local Angel* puisqu'il s'agit d'une fiction subtile, dramatique et puissante quant à la situation dont elle traite.

Nous revenons maintenant à notre mouvement. Les dernières fois n'est-ce pas, nous avons élaboré le point suivant : l'impératif d'une morale provisoire pour le temps contemporain consiste à circuler de l'existence à l'être, selon une vérité possible ; et c'est dans cet écart entre existence et être, et selon les directions potentielles d'une vérité que se situe la question d'un impératif aujourd'hui. Plus spécifiquement la dernière fois, avec Heidegger, mais aussi contre lui, nous avions conclu qu'il ne s'agit pas de déclarer une interprétation de l'existence ou une vision du monde, mais toujours de déclarer une existence et la pensée tente de trouver son orientation selon les conséquences de cette déclaration. C'est finalement toujours d'*une* existence qu'il s'agit.

Nous avons dit que l'existence était une catégorie de l'apparaître, pas directement une catégorie ontologique, une catégorie de l'être. C'est donc une catégorie *logique*, ce qui veut dire qu'elle est solidaire de l'existence d'un monde. C'est une catégorie en quelque sorte mondaine, une catégorie de l'être-là. Exister, c'est toujours exister dans un monde, et donc relativement au transcendantal de ce monde. Et donc notre mouvement aujourd'hui consistera à traiter de l'impératif, qui est de déclarer une existence, selon le monde, ou quant au monde, toute déclaration d'existence étant située dans l'horizon transcendantal d'un monde. Du coup, tout impératif est aussi un impératif relié au monde comme tel. Je voudrais par conséquent interroger cette remontée possible de l'idée formelle qui dit qu'un impératif c'est toujours déclarer une existence, au mouvement de cet impératif relativement à ceci que, comme toute existence est située dans un monde, l'impératif enveloppe aussi nécessairement quelque chose qui concerne le monde lui-même. Autrement on reviendrait inévitablement à une confusion de l'existence et de l'être qui ne prendrait pas en compte, de l'intérieur même de la déclaration d'existence, une sorte de principe ou de jugement quant au monde. D'où la nécessité de reprendre la question de la relation exacte entre existence et monde, et de reclarifier, de repréciser, de réarticuler la théorie de l'existence. Déclarer une existence, d'accord, mais qu'est-ce qu'une existence ? Comment le monde est-il impliqué dans une existence ?

Ensuite je formulerai la maxime de la morale provisoire en direction du monde où procède l'existence. J'indique d'ailleurs que, dans les conditions du présent, cette maxime sera extrêmement simple, ce sera : « Il y a un monde. »

Pour commencer, le problème fondamental c'est évidemment de distinguer aussi clairement que possible l'être-en-tant-qu'être et l'existence, tâche qu'a assumée ce que, précisément, on a appelé l'existentialisme. Si nous sommes débiteurs de quelque chose concernant l'existentialisme, au sens un peu flou de cette école ou de ce mouvement de pensée, c'est précisément qu'il s'est attaché à montrer que l'existence était une catégorie distincte de la catégorie d'être. Et que donc le vrai couplage ce n'est pas « essence » et « existence », comme cela pouvait sembler être le cas dans la métaphysique classique, mais « existence » et « être ». La difficulté est que, dans la tradition existentialiste, ou phénoménologique à inclinaison existentielle, l'existence est quand même un type d'être. L'existence est distinguée de l'être, mais elle est aussi et en même temps pensée comme comprise ou incluse dans ce qu'on pourrait appeler « le destin de l'être ». Je prends deux exemples élémentaires : celui de Heidegger et celui de Sartre.

Dans le cas de Heidegger, le couple c'est bien *dasein-sein*, (être-là et être). Nous sommes effectivement très près de ce que je propose ici : on peut dire que la catégorie d'existence, comme *Dasein*, est une catégorie topologique, une catégorie de l'être-au-monde, c'est-à-dire qu'on va penser le monde comme lieu existentiel de ce qui est. Mais en réalité, à la fin des fins, pour Heidegger, ce nom topologique, cette localisation de l'être comme être-au-monde dans la figure existentielle du *Dasein*, est réabsorbée comme figure du destin de l'être lui-même. Le destin historial de l'être réabsorbe en quelque sorte sa propre scission immanente (en *sein-dasein*), sa propre topologie, sous les espèces de ce qu'on pourrait appeler la réalité transhumaine de l'homme, et l'homme, le *Dasein* humain, a une figure située qui est aussi un point de concentration du destin historial de l'être. Tandis que, assumant absolument que l'existence est en réalité la puissance du lieu de l'être, c'est-à-dire une localisation de la multiplicité, je vais tenter d'avancer que les catégories d'« être-là » et d'« existence » sont purement relationnelles, c'est-à-dire qu'elles n'ont pas de sens historial, de destination particulière ; elles ne sont pas liées à l'histoire d'une révélation de l'être à soi-même, ou quelque chose comme ça. En réalité la relation de l'être-là ou de l'existence à l'être, ou la différence entre existence et être, c'est simplement l'infime distance qui existe entre une multiplicité et elle-même, telle que dans un monde, à savoir la différence à soi d'une multiplicité et de la même multiplicité située ou localisée. C'est dans cette infime distance que se loge précisément l'existence comme telle, qui d'ailleurs n'est pas du tout une catégorie de la réalité humaine en tant que telle, mais une catégorie de n'importe quelle multiplicité. Donc elle n'a pas de configuration humaine : l'existence n'est pas un attribut du *Dasein*, en tant que *Dasein* de l'histoire de l'être au monde de l'homme, c'est une catégorie en quelque sorte générique qui concerne toute multiplicité, en tant que figure de l'être localisée. Alors que, dans la tradition heideggérienne, c'est un type d'être singulier qui réabsorbe l'existence elle-même.

Chez Sartre, l'existence c'est l'existence du pour-soi comme liberté pure, c'est-à-dire qu'en fin de compte l'existence est ce type d'être particulier qu'est le néant. L'être est le néant. Le néant est un type d'être, c'est en réalité cette figure parasitaire, si je puis dire, qui ronge l'être, en tant que précisément elle est la figure non-étante de l'être. Chez Sartre plus précisément on dira : l'existence c'est la néantisation, parce que comme figure de la liberté, elle est toujours une figure projective et active, mais la néantisation c'est précisément ce qui a son être hors de l'être-en-tant-qu'être. Et donc, là aussi, je pose que la distance inaugurale entre existence et être est réabsorbée dans un type d'être singulier, au lieu d'être strictement tenue dans la figure topologique de l'être-là, c'est-à-dire d'être strictement déductible des paramétrages de l'être-là d'une multiplicité dans un monde.

Pour reprendre synthétiquement tout ça, on va traiter trois questions. Première question : qu'est-ce que l'être comme tel ? L'être en amont de l'existence ? L'être tel qu'il est donné et pensable antérieurement à toute localisation singulière dans un monde ? La réponse sera, vous le savez : l'être c'est la multiplicité pure, la multiplicité indifférente, telle qu'elle se compose du vide, telle qu'elle n'est pas une multiplicité d'unités particulières, mais une multiplicité composée du rien qui la soutient, et telle qu'elle n'est pensable que mathématiquement.

Deuxièmement : qu'est-ce que l'être-là ? La réponse sera : l'être-là c'est la multiplicité inscrite dans un monde, c'est-à-dire inscrite dans un champ transcendantal sans sujet. Tout ça restera absolument a-subjectif, ou « non-corrélé », dirait Quentin Meillassoux ; il n'y a pas de liaison constituante à un sujet quelconque dans toute cette affaire ; ce n'est pas le *Dasein*, au sens du destin historial de l'homme comme figure de la pensée interne au destin de l'être, c'est tout simplement la multiplicité là, la multiplicité située sous la condition d'opérateurs transcendantaux sans sujet.

Enfin, troisième question : qu'est-ce que l'existence ? La réponse sera que l'existence est le degré d'identité d'un être à soi-même, c'est-à-dire le degré d'identité d'une multiplicité à soi-même, relativement à un monde dans lequel elle apparaît. C'est-à-dire que si une multiplicité est là, le fait qu'elle soit là permet de se demander à quel degré elle est effectivement là. Et donc ce degré selon lequel elle est effectivement là, selon lequel elle appartient plus ou moins à un monde déterminé, sera mesurable par le degré d'identité à soi-même de la multiplicité. Ainsi l'existence – et là on retrouve une idée assez ancienne mais renouvelée – c'est la variation ou la précarité du principe d'identité, c'est ceci que le principe d'identité n'est pas absolu. L'existence n'est rien d'autre que la vacillation du principe d'identité ; c'est-à-dire *A* est identique à *A*, dans une certaine mesure, mais dans une certaine mesure seulement. Et cette mesure selon laquelle *A* est identique à *A* est précisément l'existence.

Vous savez que depuis le début de la méditation là-dessus, y compris depuis la méditation classique, depuis Aristote et Platon, il y a toujours eu une corrélation entre la question de l'existence et la question de l'identité ; c'est-à-dire que ce qui existe est donné dans la singularité de son être. Et précisément l'existentialisme, comme forme terminale de cette méditation, a toujours consisté à dire que l'existence était irréductible à la généralité de l'être justement parce qu'elle était la singularité absolue ; qu'exister c'était à ce point être-là que c'était irréductible à toute généralité. Il est vrai qu'originairement il y a un lien entre les deux. Là on tente, au fond, de passer d'une identification ultime entre existence et identité (« j'existe, moi », « j'existe », « je suis, moi », « je suis identique à moi en tant que j'existe », « et j'exprime ma singularité existentielle en tant qu'identité à moi-même »), à une idée tout à fait différente : c'est que certes il y a une corrélation entre existence et identité, seulement ce n'est pas l'identité de l'existence et de l'identité, c'est au contraire la non-identité de l'existence et de l'identité, le fait que l'existence est toujours ce qui mesure un écart à soi-même dans le champ de l'apparaître mondain. Il se peut qu'il y ait absolue identité, ou identité maximale à soi-même, il se peut, mais ce n'est qu'une possibilité parmi d'autres. Et on ne définira pas l'existence par l'identité, on définira l'existence par la mesure de l'identité, c'est-à-dire par sa variabilité. Donc l'existence c'est en réalité, non pas l'absoluité, mais l'incertitude du principe d'identité.

Ce sont ces trois choses que je voudrais reprendre.

La première « Qu'est-ce que l'être comme tel ? », je n'y reviens pas, c'est la multiplicité pure, c'est la composition du vide, etc.

En revanche nous allons revenir sur la deuxième qui est centrale, c'est-à-dire « Qu'est-ce que l'être-là ? » Supposons donc que nous suivons le destin ou la figure d'une multiplicité pure, appelons ça « une chose », parce que finalement c'est un terme pré-objectif. La chose c'est l'indifférence de l'objet et nous voulons comprendre exactement ce que c'est que son apparaître, son être-là dans un monde déterminé. L'idée c'est que quand la chose est localisée dans un monde, et qu'on peut dire « la chose, le multiple, est là dans un monde », c'est parce que ce qui la compose, ses éléments sont inscrits dans une évaluation nouvelle de leurs identités. C'est là qu'on va avoir le nœud construit entre existence et identité. Dès la figure de l'être-là, on dira qu'une multiplicité est inscrite dans un monde parce que les composantes de cette multiplicité sont réévaluées quant à leur identité dans la figure du monde où cette multiplicité apparaît. La localisation dans un monde, c'est quand *x*, qui appartient à une multiplicité donnée, a un degré d'identité mesurable à un autre élément de la même multiplicité, *y*, et qu'on donnera sens en disant par exemple des choses comme : « *x* est le même que *y* », ou « *x* est un peu différent de *y* », ou « *x* n'est pas du tout identique à *y* », ou « *x* ressemble à *y* mais est en réalité très différent de lui ». Ontologiquement, c'est-à-dire en termes de multiplicité pure, cela n'existe pas. Parce qu'une multiplicité est soit identique, soit différente, il n'y a pas de tiers terme. Entrer dans la mondanité, c'est-à-dire dans l'être-là de l'inscription des multiplicités, c'est entrer dans la nuance de l'identité, c'est-à-dire que cela peut être plus ou moins identique. Et on peut dire que la caractéristique fondamentale d'un monde c'est de distribuer les degrés d'identité possibles sur toutes les multiplicités qui y apparaissent. Autrement dit, si quelque chose apparaît dans le monde, il va y avoir une distribution possible des identités élémentaires d'apparition dans le monde, qui vont constituer précisément la loi interne de ce monde. Un monde c'est donc une distribution d'intensités différentielles, donc ce qui précisément fait vaciller ou module les identités. On peut dire aussi : un monde c'est un système de modalisations de l'identité, c'est-à-dire quelque chose qui introduit dans l'identité (au-delà de son apparence binaire : c'est identique ou ce n'est pas identique) l'univers de la nuance et de la flexibilité.

Par conséquent, pour bien comprendre le régime de l'être-là dans un monde, on va avoir à considérer deux choses. Premièrement un système de degrés, un système d'évaluations possibles, mesurables, des degrés d'identités et de différences. Nous avons une structure élémentaire du monde qui autorise la comparaison des degrés d'identité. C'est ce qu'on appellera son transcendantal, j'ai repris délibérément ce mot, c'est une structure élémentaire qui rend possible la comparaison des degrés d'identité. Au fond un monde c'est un appareil à troubler l'identité. D'où la signification tout à fait particulière des énoncés, par exemple politiques, qui veulent restituer des identités sans troubles. C'est une discussion fondamentale aujourd'hui : qu'est-ce que c'est qu'une identité non troublée ? Et que doit être le monde pour que les identités ne soient pas troublées ? On voit bien que si vous voulez restituer des identités strictes, à tout le moins vous devez particulièrement rigidifier le transcendantal du monde, car sa fonction est précisément d'introduire la variabilité et le trouble dans la question des identités. Un monde c'est d'abord ça, une espèce de machine à perturber l'identité, à introduire des degrés, des nuances, à distribuer des évaluations ou des mesures d'identités différentielles. De façon plus abstraite on pourrait dire : un monde est une machine dialectique, au sens particulier où c'est quelque chose qui corrompt l'identité par la différence, dans la mesure où l'identité est mêlée de différence puisque les degrés d'identité introduisent des différences dans l'identité elle-même. Et pour employer un vocabulaire hégélien on dira finalement qu'un monde c'est une machination dialectique anti-identitaire. Cela n'empêche pas qu'il y a des mondes rigides puisque la machine elle-même peut être extrêmement variée ; il y a des machines très différentes, des mondes très différents. Mais dans le principe général de la mondanité ou de l'être-là, il s'agit d'introduire le trouble dans l'identité élémentaire des multiplicités qui, à partir du moment où elles sont là (et non pas simplement pensables dans leur pureté intrinsèque qui est la transparence mathématique), sont soumises à une machinerie qui introduit des différenciations élémentaires et perturbe le jeu originaire des identités. Cette machinerie c'est ce que j'appelle « le transcendantal du monde ». Finalement l'idée générale est assez simple, même si sa technique est un petit peu plus compliquée.

La deuxième composante d'un monde, c'est la relation entre les multiplicités qui sont là et cet appareil transcendantal. Il y a le transcendantal et puis il y a les multiplicités qui sont là dans le monde et qui sont exposées, de façon relationnelle, à cette perturbation. Et donc un monde, c'est à la fois l'être-là des multiplicités, et l'exposition de ces multiplicités à la perturbation de leurs identités internes ou de leurs identités élémentaires. Prenons un cas simple on dira : étant donné deux éléments *x* et *y*, ils vont être dans la disposition de possibilités identitaires qui vont aller de « ils sont absolument différents » à « ils sont absolument identiques », en passant par un système de degrés intermédiaires. Cela dépend naturellement du système des possibilités transcendantales, de la structure de distribution des intensités d'identité par l'appareil transcendantal du monde. Il y aura des mondes qui proposent des infinités de nuances différentes dans l'identité et des mondes plus rigides. Finalement, les mondes limites de la rigidité sont ceux qui reviennent aux catégories de l'être, c'est-à-dire qui n'admettent que deux multiples identitaires : ou l'identité, ou la différence. Et un exemple c'est justement le monde de la pensée ontologique, puisque dans la pensée ontologique on n'a que ces deux virtualités. Vous allez avoir un système de possibilités très ramifié quant à ce qu'est un monde, pour deux raisons différentes puisque vous avez ces deux composantes d'un monde : d'une part le transcendantal comme machine à perturber l'identité, d'autre part les multiplicités qui composent le réel d'être de ce monde, donc les choses qui sont là

La gamme des possibilités et énorme. Pourquoi ? Parce que vous avez d'abord la possibilité de très nombreuses structures d'ordre. Ainsi, les différentes manières de pouvoir comparer les identités, ou les différentes manières de structurer ces degrés, représentent déjà une multiplicité transcendantale exceptionnelle. Des structures d'ordre, il en existe une infinité d'infinités. D'autre part, naturellement, vous avez les différentes manières dont les multiplicités qui composent un monde sont corrélées au système transcendantal de distribution des intensités identitaires, qui composent à leur tour une multiplicité infinie de virtualités. Alors si vous combinez ces deux multiplicités infinies de virtualités, vous voyez que l'horizon possible des mondes, non seulement est multiple, mais est infiniment multiple, et qu'il y a tout lieu de penser qu'il existe une infinité de mondes non seulement distincts par leur composition de multiples, mais distincts par leur structure transcendantale.

Sur cet horizon nous pouvons introduire la troisième question, celle de l'existence. Celle-ci va se ramener à un cas particulier de l'action du transcendantal. Le transcendantal distribue des évaluations ou des degrés possibles à l'identité de deux éléments distincts, mais il distribue aussi des degrés d'un élément à lui-même. C'est tout simplement un cas particulier. De même que x est plus ou moins identique à y, de même x est plus ou moins identique à x. Là nous sommes dans la perturbation du principe d'identité dans son caractère formel, dans son caractère aristotélicien : il n'est pas vrai, dans l'être-là, que A soit absolument et obligatoirement identique à A. $\grave{A}$ est identique à A dans la mesure où il est absolument là dans le monde ; mais s'il y est obliquement, un peu, pas beaucoup, avec nuances, ça va se manifester par toute une gamme de différenciations dans l'identité à lui-même. Il est très important de mesurer qu'il y a un rapport entre le degré d'identité à soi-même et la fermeté ou la force de la présence dans le monde : plus quelque chose apparaît dans un monde dans une puissance de l'identité à lui-même, plus on a des raisons de dire qu'il apparaît réellement dans ce monde. Plus au contraire son identité est évasive et fuyante dans un monde déterminé, plus on dira qu'il apparaît faiblement dans ce monde. On va donc appeler « existence » le degré d'identité à soi-même d'une multiplicité qui apparaît dans un monde. C'est une définition très simple, et extraordinairement objective, structurale. Et comme l'existence est un degré d'identité à soi-même elle est aussi une intensité.

Que l'existence soit une intensité est une vieille idée, c'est-à-dire que « j'existe » certes mais qu'en réalité j'existe plus ou moins. La conviction où je suis de mon existence, la force affirmative de cette existence, est dépendante du mode propre sur lequel je me déploie dans le monde. Au fond c'est une idée assez intuitive, dont toutefois il faut tirer les conséquences quant à la définition de l'existence, parce que si vous rabattez l'existence sur le principe d'identité, vous ne pouvez plus comprendre ce que c'est que l'intensité de l'existence. C'est pourquoi je propose de prendre la chose tout à fait dans l'autre sens, selon des intuitions que l'on trouve déjà chez des gens comme Nietzsche, Kierkegaard, et même Rousseau. Je pose donc directement que l'existence est une intensité et sera définie par l'intensité de l'identité. On n'aura pas à se soucier de l'intensité de l'existence puisque c'est l'existence qui est une intensité, mais il y aura une variabilité possible de l'existence, puisqu'elle est coextensive à sa propre intensité. Vous ne pouvez pas différencier l'existence et l'intensité d'existence. Il y a identification des deux, ce qui, à certains égards, est un thème nietzschéen. Le vocabulaire nietzschéen est tout à fait différent, c'est le vocabulaire de la vie. Mais l'idée que l'existence est une intensité, que finalement l'intensité affirmative de l'exister, c'est l'exister lui-même, et non pas un attribut ou un prédicat de l'exister, c'est quelque chose qu'on peut trouver dans une tradition philosophique et spéculative de caractère existentiel au sens large du terme. Je vais donc soutenir que l'existence est identique à l'intensité de l'identité, et que, de ce fait même, toute existence se ramène à un degré transcendantal.

C'est évidemment écarter considérablement l'existence de l'être. Parce que l'être, lui, est multiplicité pure ; et en tant que multiplicité pure, il est collé à l'identité ; c'est-à-dire que l'être pur, il est ce qu'il est et il ne peut pas être autre que ce qu'il est. Du point de vue de l'ontologie, on proposera une ontologie parménidienne, ce que j'ai souvent dit ici même, c'est-à-dire : la multiplicité est ce qu'elle est, et pour autant que quelque chose de sa composition immanente lui est retirée, elle devient autre qu'elle n'est, c'est-à-dire une autre multiplicité. C'est donc une altération fondamentale. Derrière tout ça nous avons le fait que le transcendantal du monde ontologique n'a que deux possibilités : l'identité ou la différence ; c'est un monde classique. Tandis que dans ce que nous sommes en train de développer ici, on s'écarte absolument de cette coalescence de l'être et de l'identité, puisqu'au contraire on affirmera que l'existence c'est la virtualité infinie des degrés de l'identité ; c'est ce qui travaille ou corrompt l'identité du point de vue de l'être-là. Apparaître ou être-là dans un monde, c'est précisément ne plus être sous la juridiction du principe d'identité, mais être sous un principe d'existence qui est précisément par lui-même la corruption de l'identité.

Une fois cela admis, une fois admis que l'existence est par elle-même dans la figure d'un degré ou d'une intensité, on voit très bien ce que signifie l'adhérence à la notion de monde ; on voit que l'existence est une catégorie de l'apparaître, ou de l'être-là, que c'est une catégorie topologique, pas une catégorie onto-logique. Un point dont l'intuition est au fond assez difficile, pour la raison que j'ai dit au début, c'est que même dans la tradition existentialiste, ou phénoménologique, l'existence est pensée comme distincte de l'être, comme un type d'être intérieurement distinct de l'être lui-même : soit dans la figure du *Dasein* et du destin historial de la pensée humaine, soit dans la figure du néant, soit encore chez Kierkegaard dans la figure du choix pur, ou du choix radical. Dans tous les cas, la figure de l'existence, quoiqu'en effet distinguée ou arrachée à son destin d'être, reste tout de même registrée à l'être. Ici il en va tout autrement : l'existence est réellement une catégorie du monde, une catégorie de l'être-là. Et en particulier le même être, le même multiple, peut exister de façon absolument différente selon le monde dans lequel il est inscrit, ou selon lequel il accède à son être-là. Nous en avons déjà plusieurs fois fait la remarque : l'intensité d'existence d'une multiplicité est à ce point dépendante du monde qu'elle peut varier considérablement d'un monde à l'autre. Et dans notre propre vie, dans notre propre manière d'être, nous avons l'expérience de cela : nous savons que notre intensité d'existence n'est pas du tout la même selon les différentes configurations, ou les différents mondes dans lesquels nous la déployons. Ce n'est par exemple pas la même chose si on est dans le monde de l'amour, ou si l'on n'y est pas. C'est une expérience élémentaire finalement que l'existence, comme intensité, est soumise à la multiplicité des mondes et que la catégorie de l'existence est une catégorie entièrement liée au monde, une catégorie de l'être-là.

La question devient alors la suivante : si je dis qu'une maxime de l'action ou de l'existence, quelque chose qui nous oriente, est toujours dans la forme d'une déclaration d'existence, cela veut dire qu'à certains égards c'est aussi une déclaration sur le monde, puisqu'il y a une solidarité organique entre l'existence comme intensité et le monde, qui est précisément la distribution des intensités elles-mêmes. Et donc il faut bien concevoir que finalement toute déclaration d'existence qui consiste à proclamer qu'une existence déniée ou occultée doit être affirmée, prend position sur le monde. En quoi peut consister exactement, et en particulier aujourd'hui, une déclaration sur le monde ? Je vais prendre un exemple tout à fait abstrait et banal. Demandons-nous en quel sens une religion, le christianisme ou l'islam, peut inscrire les déclarations d'existence sur l'horizon du monde ? Eh bien, une religion a toujours pour essence de déclarer qu'il y a deux mondes. L'existence est entièrement déterminée du point de vue immanent par le destin de la variation de l'intensité qui est la sienne dans l'espace de l'existence de deux mondes distincts. Qu'on nomme ça « sensible » et « supra-sensible », « monde du fini » et « monde de l'infini », « monde de la finitude mortelle » et « monde paradisiaque », il y a deux mondes. On pourrait même se demander si on n'appelle pas « religion » le type d'assertions qui disposent au préalable deux mondes. Et les conséquences sont multiples. Par exemple, s'il y a deux mondes, on peut déclarer son existence en mourant. C'est pour ça que la figure du martyr a toujours été une figure apologétique majeure ; elle consiste simplement à dire « je peux affirmer l'existence en mourant parce qu'il y a deux mondes ». Sinon ça n'a évidemment aucun sens. Où en sommes-nous des assertions sur le monde aujourd'hui ? C'est d'autant plus important que, comme vous le savez, une bonne partie du discours étatique ou politique traditionnel consiste à nous expliquer que toute assertion d'existence est en effet relative au monde, c'est-à-dire que les contraintes du monde sont telles que les assertions d'existence sont elles-mêmes contraintes. Il est donc intéressant d'interroger l'état actuel de la question du rapport entre assertions d'existence et propositions sur le monde.

Comme vous le savez le capitalisme contemporain se vante d'être mondial. Pendant un temps, le fait qu'il soit mondial a été un élément de sa critique : c'était le cas quand Marx développait la théorie du marché mondial, car la critique de l'économie politique mettait en évidence, comme un trait nouveau et singulier, la mondialisation marchande. Aujourd'hui la qualité « mondiale » du capitalisme est au contraire vantée par lui-même comme un point d'aboutissement de son destin, on parle partout de « mondialisation », de « globalisation ». La thèse sur le monde, c'est qu'il y a un processus objectif de mondialisation de la situation. Comme vous le savez les ennemis de cette mondialisation-là disent qu'ils veulent « un autre monde » ; ils sont dans une figure d'alter-mondialisation. Ils veulent une mondialisation différenciée. Cela prouve que le monde aujourd'hui, n'est pas seulement le lieu de l'existence des corps, des discours, des vérités ou des sujets, mais aussi l'enjeu de la bataille idéologico-politique. C'est pour ça que nous sommes à un moment particulier de la question du rapport entre existence et monde, parce qu'il est question du monde quant aux assertions d'existence elles-mêmes.

La question est : quel monde ? Elle contient deux questions différentes, et ça depuis toujours. Il y a une question analytique ou descriptive, en gros : « Dans quel monde vivons-nous ? » ou « Quel est ou quels sont les mondes ? » Après la description des mondes vient la question normative : « Quel monde désirons-nous ? » « Dans quel monde voulons-nous précisément déclarer notre existence ? » Le lien entre ces deux questions, à savoir, comment passer du monde tel qu'il est au monde tel que nous voulons qu'il soit, peut être considéré comme une définition élémentaire de la politique, du point de vue des assertions quant au monde, lesquelles commandent ou constituent l'horizon des assertions d'existence. Alors l'altermondialisme, l'écologie, le développement durable, la défense des droits de l'homme, la démocratie, toutes ces pratiques définissent des politiques en ce sens-là, c'est-à-dire : de l'intérieur du monde tel qu'il est, qu'est-ce qu'il faut faire pour parvenir au monde tel que nous désirons qu'il soit ?

Tout ça est très clair en apparence, pour autant qu'on puisse dire aujourd'hui qu'un monde existe. Mais est-ce vraiment le cas ? L'ensemble de ces politiques le suppose implicitement, et même la plupart du temps explicitement ; il y a donc un accord possible sur le versant analytique des choses. Ensuite, de l'intérieur de ça on propose des dispositifs de mesure, de telle sorte que ce monde tel qu'il est s'oriente ainsi ou autrement. C'est ça que j'appellerais les politiques mondaines ordinaires. Mais y a-t-il vraiment un monde ? Personnellement, comme j'ai déjà eu l'occasion de le dire par d'autres entrées, je pense que non, c'est-à-dire qu'aujourd'hui, à l'échelle où nous nous situons, celle du point de vue du devenir historique de l'espèce humaine, il n'existe pas un monde. À tout le moins il en existe deux, voire plusieurs, et donc la question politique n'est pas comment bâtir le monde que nous désirons dans et contre le monde que nous n'aimons pas, car cela suppose que l'on partage au moins une thèse qui est la thèse de l'unité du monde. Or précisément il y a aujourd'hui une assertion d'existence qui porte sur le monde lui-même, et c'est là qu'il y a comme un retournement. Le monde est l'horizon des questions d'existence, mais nous en sommes au point où la question des assertions d'existence induit finalement la question de l'existence du monde lui-même. La question me semble être : comment faire exister *un* monde ? Un monde des sujets vivants, appelons-le comme ça. Car en réalité un tel monde n'existe pas : le monde qui existe, le monde de la mondialisation, je dis que c'est uniquement un monde des objets et des signes monétaires ; c'est un monde de la libre circulation des produits et des flux, lequel existe virtuellement de plus en plus. Ce monde du marché mondial c'est en fin de compte le monde prévu par Marx il y a longtemps. C'est un monde qui ne contient que des choses et des signes, ou si vous voulez, des marchandises et des flux financiers ; ou, dans sa version démocratique sublimée, uniquement des corps et des langages. Car il n'est pas vrai que dans ce monde unifié d'objets et de signes monétaires, des sujets humains existent librement. Pour commencer, les sujets humains, quels qu'ils soient, n'ont absolument pas le droit élémentaire de circuler et de s'installer où ils veulent, contrairement aux flux financiers qui eux ont ce droit. C'est là un point empirique dont les conséquences sont considérables transcendantalement, c'est-à-dire relativement à la question du monde et des assertions d'existence. Dans leur écrasante majorité, les femmes et les hommes du soi-disant monde, le monde des produits et des signes, n'ont nullement accès à ce monde, ils ne sont pas en état de le parcourir, ils ne sont pas en état d'y tracer le trajet de leur propre existence ; ils ne peuvent même pas y déclarer effectivement leur existence parce qu'ils sont sévèrement enfermés à l'extérieur.

Qu'est-ce que l'extérieur d'un monde défini par les objets et les signes ? Eh bien, ce sont les zones de l'espace où il y a très peu de marchandises et pas du tout de monnaie. Si le monde est défini par la circulation des objets et des signes, là où se raréfient, voire s'absentent les objets et les signes, on tend à être à l'extérieur, puisque l'identité du monde est définie par cette circulation. Et l'enfermement c'est très concret. Vous savez qu'aujourd'hui on est dans l'époque de la construction des murs. Partout dans ce monde on construit des murs. C'est une activité fondamentale du monde lui-même : voyez le mur qui sépare les Palestiniens et les Israéliens, le mur qui sépare les Mexicains des Américains, et le mur électrique qui sépare les Africains de l'Espagne. Il n'y a pas si longtemps, le maire d'une ville italienne, inspiré naturellement par cet état des choses et déclarant à sa manière les existences mondaines de ce monde, a proposé de construire un mur entre le centre de la ville et la banlieue. Bonne idée, comme ça on sera sûr qu'ils ne brûleront que leurs propres voitures ! Finalement, ces murs sont des murs pour que les pauvres restent enfermés chez eux. On fera passer ceux dont on a besoin au compte-gouttes. Par des trous dans le mur…

C'est intéressant cette histoire des murs comme guide de l'histoire des mondes. Depuis toujours on a construit des murs, partout. L'histoire des murs est la lisibilité de l'histoire des mondes après tout, depuis les forteresses, les châteaux, les murailles, les villes fortifiées… Maintenant ça continue, ça continue. Vous savez qu'il y a presque vingt ans que le mur de Berlin est tombé. À l'époque on a pris ça comme le symbole de l'unité du monde enfin retrouvée. Il y avait cinquante ans de séparation des mondes, avec deux mondes explicites : le monde socialiste et le monde capitaliste. Après on a dit « le monde totalitaire » et « le monde démocratique ». La chute du mur de Berlin c'était par conséquent le triomphe d'un monde unique, le monde de la démocratie. Or ce qu'on voit aujourd'hui, c'est que là où il y avait deux mondes idéologiquement assignés, qui revendiquaient chacun le fait qu'ils étaient deux, nous constatons aujourd'hui que le mur s'est seulement déplacé, il s'est tourné. C'est une réorientation du mur. Disons qu'il était entre l'Est socialiste et totalitaire et l'Ouest démocratique et capitaliste, et il est maintenant entre le Nord et le Sud, entre le Nord capitaliste riche et le Sud dévasté et pauvre. On le construit à toute allure et on l'électrifie de mieux en mieux.

À l'intérieur des pays eux-mêmes, la contradiction revendiquée, c'est-à-dire l'impact de la division des mondes dans l'intérieur de ces localisations propres, opposait, pour le marxisme le plus élémentaire, une classe ouvrière forte et organisée, à une bourgeoisie dominante qui contrôlait l'État. Aujourd'hui on a côte à côte les riches bénéficiaires du trafic mondial et un nombre considérable de parasites petits-bourgeois, et par ailleurs la masse énorme et grandissante des exclus. « Exclus » c'est le nom de tous ceux qui en réalité ne sont pas dans le vrai monde ; c'est-à-dire de ceux qui sont dehors, même s'ils sont dedans ; ils sont dehors-dedans. Et peut-être qu'on va construire un mur pour marquer un peu plus qu'ils sont dehors. On pourrait dire la même chose de l'histoire du monde. Jusque vers 1990, il y avait un mur idéologique, un « rideau de fer » politique comme on disait ; il y a maintenant un mur, grandissant et multiforme, interne et externe, qui sépare la jouissance des riches, et même celle des semi-riches, du désir des pauvres et des ultra-pauvres. Je pense que tout se passe comme si, pour qu'existe le monde unique des objets et des signes monétaires, il fallait séparer durement les corps vivants selon leur provenance et leurs ressources. Si le monde de la mondialisation est celui des objets et des signes, alors il faut séparer les corps vivants. C'est pour ça que je dirais et que je conclus que, aujourd'hui, il n'y a pas de monde. Parce que le monde unifié du capital a pour prix la violente division de l'existence humaine en deux régions séparées par des murs, des chiens policiers, des contrôles, des patrouilles navales, des barbelés et des expulsions. C'est notre histoire.

C'est pour cette raison que la question appelée d'un nom qui est très mauvais, la question de « l'immigration », la question des migrants, est devenue dans le monde entier une question fondamentale. C'est très frappant qu'elle soit même devenue une question américaine, alors que l'Amérique se présentait depuis des décennies comme la terre d'accueil et d'immigration par excellence. Et maintenant pour elle aussi c'est murs, contrôles, identifications. Tous ces étrangers qui arrivent, qui vivent et qui travaillent dans les pays riches, sont la preuve que la thèse de l'unité démocratique du monde est entièrement fausse. Ils en sont la preuve effective, la preuve installée ; la preuve vivante.

En effet, si la thèse de l'unité démocratique du monde était vraie, si, après la division du monde en deux zones idéologiques opposées, on était passé à l'unité démocratique du monde, nous devrions accueillir tous ces étrangers comme des gens du même monde que nous. Nous devrions les accueillir comme un voyageur qui fait halte près de votre maison, par un : « Bonjour, comment allez-vous ? Des nouvelles de chez vous ? » Or, nous le savons, ce n'est pas du tout ce qui se passe. Nous, malheureux habitants sédentaires des régions auxquelles il est arrivé la catastrophe d'être riches, massivement nous considérons que ces gens viennent dans notre monde à nous. Or s'ils viennent d'un autre monde, c'est bien qu'il y a un autre monde. Ils sont la preuve vivante que notre monde démocratique et développé n'est pas ce qu'il prétend être, à savoir le monde unique des sujets vivants, puisqu'existent chez nous des femmes et des hommes qui sont considérés comme venant d'un autre monde. La monnaie, elle, est partout la même. Elle ne connaît pas deux mondes, le dollar ou l'euro sont partout les mêmes, partout chez eux. Il n'y a même qu'eux qui sont partout chez eux. Or ces dollars ou ces euros que possède celui qui vient d'un autre monde, nous les acceptons volontiers. Mais lui ou elle, dans sa personne, dans sa provenance, dans sa façon d'exister, nous disons qu'il n'est pas de notre monde. Nous allons le contrôler, lui interdire le séjour et nous demander avec anxiété combien de ces gens venant d'un autre monde il y a chez nous. C'est là une question horrible, une question qui prépare inévitablement les persécutions, les interdictions et les expulsions en masse, sinon pire. Si l'unité du monde est celle des objets et signes monétaires, pour les corps vivants il n'y a pas d'unité du monde, il y a des zones, des murs, des voyages désespérés et des morts. C'est pourquoi la question politique transcendantale centrale aujourd'hui c'est celle du monde, de l'existence du monde.

Beaucoup vont dire : « Oui, c'est vrai, mais alors il faut élargir la démocratie, il n'y a qu'à étendre au monde entier la bonne forme du monde, celle qui existe dans les démocraties occidentales ou au Japon. C'est vrai, il faut un seul monde. C'est malheureux que ça ne soit pas le cas. Il n'y a qu'à étendre les vertus du vrai, du bon monde là où il y a le mauvais monde. » Cette vision est non seulement absurde, elle est comme nous le verrons de plus en plus, terrible. Car notre monde, démocratique, occidental, a pour base matérielle absolue, comme structure transcendantale, la circulation imposée des objets et des signes monétaires. C'est cela qui constitue son unité principielle. Et la conséquence fatale en est la séparation des corps vivants par, et en réalité pour, la défense acharnée des privilèges de la richesse grande ou moyenne. Du reste nous connaissons parfaitement la forme concrète de l'élargissement de la démocratie aujourd'hui : c'est la guerre, la guerre en Irak, en Afghanistan, en Somalie, en Afrique. Des guerres terribles pour élargir la démocratie au reste du monde. Entre parenthèses, puisqu'on est en période électorale, j'ai envie de dire que si, pour organiser des élections au loin, dans l'autre monde, il faut faire des guerres terribles, ça devrait nous amener à réfléchir non seulement sur la guerre mais aussi sur les élections, nous obliger à nous demander à quelle conception du monde, à quelle théorie de l'existence du monde est liée aujourd'hui la démocratie électorale. C'est une vraie question quand on voit que des guerres entières ne sont plus légitimées que par le fait d'y installer les élections. On voit ce que ça donne : la guerre telle qu'elle détruit le pays où on organise lesdites élections, pays qui disparaît dans la fièvre électorale.

On pourrait dire qu'après toute la démocratie électorale impose la loi du nombre. C'est une loi de compte. Ce n'est pas une prise de position la concernant directement, c'est un élément analytique qu'on perd souvent de vue. Ce n'est rien d'autre, exactement comme le monde unifié par la marchandise impose la loi monétaire comme loi du nombre, à savoir le prix des choses. Et alors, imposer par la guerre le nombre électoral, comme à Bagdad ou à Kaboul, voilà ce qu'on a sous les yeux tout de même. Ce qui nous ramène à notre problème, c'est-à-dire à ceci que si le monde est celui des objets et des signes, c'est un monde où tout est compté, où tout relève du compte. En politique aussi on doit compter, on doit sonder et puis compter. Et ceux qui ne comptent pas, ou ceux qui sont mal comptés, on leur imposera par la guerre nos lois comptables. Exactement comme on leur impose, et comme on leur a imposé de longue date, par la guerre, les prix des produits. Là c'est le prix du nombre.

Cela prouve à mon avis que le monde ainsi conçu n'existe pas, ou n'existe artificiellement que par la violence. Je crois par conséquent qu'il faut renverser le problème et affirmer, comme un axiome, comme un principe, l'existence du monde, l'existence d'*un seul* monde. Il faut dire cette phrase toute simple, qui paraît triviale mais qui, comme nous venons de le voir, ne l'est aucunement : « Il y a *un* monde des sujets vivants. » J'insiste sur le fait que cette phrase n'est pas une conclusion objective, parce que nous savons bien que sous la loi monétaire il n'y a pas un monde unique des sujets vivants. Il y a le mur qui sépare. Et il y a des gens venus d'un autre monde. On en est au point où, sur la question transcendantale, cette phrase « il y a un monde des sujets vivants » est en réalité performative. Ce n'est pas un constat, c'est une prescription ; nous décidons qu'il en est ainsi pour nous. Nous décidons que nous serons fidèles à cette phrase. Et il ne s'agit nullement de dire qu'on veut créer tel autre monde à l'intérieur du monde tel qu'il est, ce ne sont pas les politiques immanentes dont j'ai parlé, à savoir, prendre le monde comme il est et puis tenter de l'orienter dans une direction déterminée. Non, non ! C'est un principe, une décision affirmative, une prescription : il y a un monde des sujets vivants.

Le problème c'est de tirer les conséquences très dures et très difficiles de cette phrase toute simple. En particulier, pour en revenir à nos moutons, il faut tirer de cette assertion d'existence les assertions d'existence qu'elle entraîne. Première conséquence, fondamentale je crois pour tout le monde : elle concerne les gens d'origine étrangère qui vivent parmi nous. S'il y a un seul monde des sujets vivants, il s'ensuit que les gens d'origine étrangère qui vivent parmi nous sont du même monde que nous. De toute évidence ils ne peuvent pas venir d'un autre monde si prescriptivement il n'y a pas d'autre monde. Voilà. C'est très simple. Cet ouvrier africain, que j'aperçois, là, dans la cuisine du restaurant, le Marocain que je vois creuser un trou dans la rue, ou la femme voilée qui garde des enfants dans un jardin, tous ils sont du même monde que moi. C'est un point capital, qui n'a l'air de rien. Capital parce que c'est dans cette expérience effective, par cette déclaration, que nous renversons l'organisation transcendantale, l'idée dominante de l'unité du monde par les objets, puisqu'il s'agit de constituer la vacillation des identités d'une autre manière.

L'unité du monde c'est ainsi celle des corps vivants et actifs, ici et maintenant, et nous devons soutenir absolument l'épreuve de cette unité : ces gens qui sont là, différents de moi, sont *là* (au sens de l'être-là), c'est-à-dire qu'ils existent *là*. Ils sont différents de moi par la langue, le costume, la religion, la nourriture et l'éducation, et pourtant ils existent dans le même monde. Ils existent, avec leur degré d'existence propre, ils existent en tout cas *comme* moi. Il n'est pas possible de registrer une différence qualitative dans le principe de leur existence. Et puisqu'ils existent comme moi, je peux par exemple discuter avec eux, parce qu'on parle avec quelqu'un qui est du même monde. Il peut, comme partout, y avoir des accords et des désaccords, mais ceux-ci n'ont pas du tout le même sens quand on est sous l'hypothèse que les gens sont du même monde, ou quand on est sous l'hypothèse qu'ils viennent d'un autre monde. Ce n'est pas le même système d'accords ou de désaccords, ce n'est pas le même système de distribution des intensités. La condition absolue pour éviter cela c'est que ces gens existent exactement comme moi, ce qui veut dire dans le même monde.

Immédiatement vont s'élever quantité d'objections. L'objection principale étant celle dont tout le monde parle, à savoir la différence des cultures. Après tout, l'ensemble du monde, de notre monde c'est l'ensemble de ceux qui ont les mêmes valeurs que moi, l'ensemble de ceux pour qui les valeurs valent réellement. Sont du même monde que moi ceux qui sont démocrates, ceux qui respectent les femmes, ceux qui soutiennent les droits de l'homme, etc., pour ceux-là il y a un même monde. Mais pour ceux qui ont une culture opposée ou différente, ils ne sont pas vraiment démocrates, ils oppriment les femmes, ils ont des coutumes barbares. On finira par leur reconnaître le droit d'entrer dans notre monde (on n'est quand même pas des brutes) mais à la condition qu'ils apprennent nos valeurs et les partagent. Et là le grand mot c'est « intégration ».

C'est un mot dont la signification spéculative, ou théorique, ou philosophique, est très forte : « intégration » ça veut dire que pour entrer dans le monde qui est le nôtre, il faut qu'une éducation transforme leur principe d'existence, que ces gens existent de telle sorte qu'ils soient dans une conformité transcendantale à mon existence. Ils n'existent pas comme moi au départ, parce que précisément l'éducation transcendantale n'est pas une formalisation de l'existence du même type que la mienne. « Intégration » c'est donc exactement une assertion sur la relation entre existence et monde. C'est une certaine conception de la relation entre les deux : il faut que celui qui vient d'ailleurs s'intègre à notre monde ; c'est-à-dire que, pour que le monde de l'ouvrier africain et de nous autres (les maîtres de ce monde) soit le même, il faut qu'il devienne, lui, l'ouvrier africain, le même que nous, en un certain sens. S'il est du même monde, il est le même que nous, originairement, ou axiomatiquement. Mais si ce n'est pas le cas, s'il doit apprendre nos valeurs, alors ça veut dire qu'on maintient qu'il vient d'ailleurs et que, pour entrer dans notre monde, pour qu'il soit le même, il faut qu'il devienne le même ; il faut qu'il ait les mêmes pratiques, les mêmes valeurs. Vous savez qu'un des candidats à la présidence de notre république a dit, sous de nombreux applaudissements, que si des étrangers veulent rester en France, il faut qu'ils aiment la France, sinon qu'ils s'en aillent. À prendre ces énoncés au pied de la lettre, j'en ai conclu que je devais m'en aller, moi ; parce que la France de celui qui a dit cette phrase, je ne l'aime pas du tout, et je ne partage pas du tout ses valeurs. Donc je ne suis pas non plus « intégré ».

Il est clair que si vous posez des conditions pour que l'ouvrier africain soit du même monde que vous, vous allez ruiner et abandonner le principe « il y a un seul monde des sujets vivants ». Parce que, pour qu'il puisse y avoir des conditions au partage du monde, il faut naturellement supposer que quelqu'un d'autre puisse venir d'un autre monde. Donc vous avez déjà abdiqué sur le principe performatif du « il y a un seul monde des sujets vivants ». L'objection ultime, qui est d'un ordre un peu différent, c'est le fait qu'il y a quand même des lois dans un pays. Ça, on ne peut pas le nier. Peut-être qu'on pourra le dire une fois le communisme réalisé et dans la dissolution générale de l'État, mais on n'en demande pas tant pour l'instant. Bien sûr qu'il y a des lois, mais il faut bien voir – c'est fondamental aujourd'hui – qu'une confusion terrible est en train de s'instaurer entre deux choses : une loi et une condition. Or une loi n'est pas une condition. On ne s'intègre pas à une loi. Une loi vaut égalitairement pour tous, par définition. Et une loi ça ne fixe donc pas des conditions pour appartenir à un monde. Une loi c'est une règle provisoire qui existe dans une région du monde supposée unique, et Dieu merci, on ne demande pas d'aimer une loi, on demande uniquement de lui obéir. Le monde unique des sujets vivants, tel que nous le posons de façon axiomatique, peut bien avoir des lois, il ne peut pas avoir des conditions d'entrée ou d'existence en son sein. Il ne peut pas exiger que pour y vivre, il faille être comme ceux qui y sont déjà, parce que ça reviendrait à dire que ne sont à proprement parler de ce monde que ceux qui y sont déjà. Or c'est bien la thèse qui est implicitement soutenue. Encore moins peut-on exiger qu'ils soient comme une minorité de ceux qui y sont déjà, par exemple qu'ils soient strictement identiques au petit bourgeois blanc civilisé.

S'il y a un seul monde, il faut en tirer les conséquences : tous ceux qui y vivent existent comme moi, transcendentalement, tout en n'étant pas comme moi, bien sûr, parce que l'existence ça n'est pas l'être, précisément. Ils ne sont pas comme moi, ils sont différents, mais ils existent comme moi – vous voyez bien qu'il faut cette différence de l'existence et de l'être pour aller jusqu'au bout de la question. Le monde unique, c'est précisément le lieu où existe l'infinité des différences et il est le même parce que les vivants de ce monde sont différents quant à leur existence. Si au contraire on demande à ceux qui vivent dans le monde d'être les mêmes, c'est le monde qui se ferme et qui devient, en tant que monde, différent d'un autre monde. C'est très intéressant : si vous décrétez qu'il y a des conditions pour être le même que vous dans le monde, vous décrétez du même coup que ce monde, le vôtre, est différent d'un autre monde. Ce qui prépare les séparations, les murs, les contrôles, le mépris, les morts et finalement la guerre.

Tout cela conduirait à des spéculations sur les identités qu'on peut résumer ainsi : le monde est peuplé d'identités, mais ces identités sont soumises au principe d'existence qui est précisément leur variabilité. Si vous admettez qu'il y a un seul monde, vous allez admettre du même coup que toute identité est susceptible d'être inscrite dans des distributions d'intensités différentes. Et vous n'êtes donc pas en état de catégoriser les identités. Les identités vont être dans des devenirs flexibles, qui, si on regarde de près, composent toujours deux choses. Une identité comporte d'abord une dimension affirmative et créatrice, qui est le développement immanent au monde de son invariance. Ce premier aspect, c'est le désir que mon devenir reste intérieur au même, c'est-à-dire qu'il y ait une figure du même à l'intérieur de laquelle mon devenir puisse s'inscrire. Finalement c'est un peu comme quand Nietzsche dit : « Deviens qui tu es » ; il s'agit du développement immanent de l'identité dans une nouvelle situation. Elle comporte ensuite une dimension négative ou défensive, qui consiste à séparer son identité de l'altérité, c'est-à-dire à séparer, à distinguer mon identité de ce qui est son autre.

Pour prendre un exemple tout à fait élémentaire. S'il y a un seul monde l'ouvrier marocain dont je parlais tout à l'heure n'est nullement tenu d'abandonner ce qui fait son identité individuelle, familiale ou collective. S'il y a un seul monde, il a, comme tout un chacun, des traits identitaires différenciés ! Ce qu'il va faire, inéluctablement, c'est approprier cela peu à peu, de façon créatrice, au lieu où il se trouve, comme le fait en réalité n'importe qui. C'est-à-dire qu'il va inventer ce qu'il est – c'est pour ça que je citais Nietzsche – à savoir un ouvrier marocain à Aulnay-sous-bois. Il va inventer ça, qui n'existait pas antérieurement à sa propre existence, et il va exister dans cette figure particulière d'être un ouvrier marocain à Aulnay-sous-bois, dans l'espace général du monde unique dont il est une existence. Il va en fait se créer lui-même comme mouvement subjectif. Il va passer du paysan marocain du nord du Maroc qu'il était, à l'ouvrier installé en banlieue parisienne. Il va approprier cette figure nouvelle de l'existence par ce que je crois qu'on peut appeler une dilatation de l'identité, telle qu'elle va intégrer les déplacements possibles dans le monde unique. Telle est la première dimension de l'identité, celle que j'appelle sa dimension créatrice, dans l'horizon de l'unicité du monde. Et il est absolument injuste, et en même temps redoutable, d'exiger de lui qu'il fasse ça sous la forme d'une cassure intime, d'un bris subjectif, d'une rupture intérieure.

C'est redoutable parce que l'autre façon d'affirmer son identité est négative, c'est vrai. Elle consiste à défendre, quelquefois avec acharnement, que « je ne suis pas l'autre ». On pourrait la définir comme le refus de l'intégration. Or, étant donné ce que je pense de l'intégration, ce refus est une nécessité. C'est souvent indispensable l'identité négative. En particulier quand les gouvernements ou une opinion réactionnaire exigent de vous une intégration autoritaire. Si tel est le cas vous êtes fondé à ne pas l'accepter. Et cette partie négative de l'identité qui va consister tout simplement à refuser ce qu'on exige de vous, à savoir une cassure intime, va rendre impossible la dilatation de l'identité. Du coup cet ouvrier marocain, ou ses enfants, vont affirmer avec force que leurs traditions et leurs usages ne sont pas ceux du petit-bourgeois européen et ils vont éventuellement renforcer en eux des traits identitaires, religieux ou coutumiers, ils vont s'opposer fantasmatiquement au monde occidental dont ils n'acceptent pas la supériorité.

Je voulais montrer par là que dans l'identité, conçue comme principe d'existence, et une fois que vous vous rappelez que « existence » et « identité » sont précisément distinctes et dans un jeu dialectique complexe, il y a dans l'identité un double usage de la différence. Un usage affirmatif, c'est-à-dire le même se maintient dans sa propre puissance différenciante et dans ce cas c'est une création de ce que j'appelle la dilatation de l'identité dans le transcendantal du monde unique. Et un usage négatif : le même se défend contre sa corruption forcée et autoritaire par l'autre, il veut préserver ce qu'on peut appeler sa pureté. On pourrait dire que toute identité, constituée transcendentalement comme existence, est toujours le jeu dialectique d'un mouvement de création et d'un mouvement de purification, et ce, quelle que soit l'identité concernée.

Voilà qui nous permet de nous acheminer vers une intelligence du rapport entre les identités, les formes d'existences identitaires, et le grand principe « il n'y a qu'un seul monde ». Au fond l'idée générale est simple : si on soutient axiomatiquement, principiellement, l'unité du monde des sujets vivants, alors les identités feront prévaloir la création sur la purification, la dilatation de l'identité sur les formules défensives. Quand c'est le contraire qui se produit, c'est parce qu'en réalité il n'est pas assumé prescriptivement qu'il y a un seul monde, mais constamment signifié qu'il y en a deux, et que des gens viennent d'ailleurs. C'est toujours dans ces conditions-là qu'on voit se constituer le primat de la purification sur la création. C'est la raison pour laquelle la politique des murs, des persécutions, des contrôles et des expulsions est un désastre. Un grave désastre, dont nous n'avons pas encore fini d'explorer les conséquences effrayantes. Elle est un désastre parce qu'elle crée deux mondes et que, en affirmant dans son développement propre qu'il y a deux mondes, elle en arrive à nier l'existence de l'humanité, et à préparer des guerres infinies. Elle pourrit même la situation à l'intérieur même de nos sociétés. Car les Marocains, les Maliens, les Sénégalais et tous les autres, ils viendront quand même, et en grand nombre. Et la persécution renforcera chez eux le processus de purification, c'est-à-dire qu'en face des gouvernements occidentaux qui exigent l'intégration autoritaire immédiate, il est certain que nous aurons affaire à de jeunes islamistes prêts au martyre pour la pureté de la foi. Et le contre-effet de cela sera transformer nos sociétés en sociétés répressives et policières. C'est largement en route et ça continuera.

Le seul moyen de lutter contre ce processus, c'est la déclaration axiomatique qu'il y a un seul monde en soutenant que les conséquences internes à cet axiome sont forcément des actions politiques qui créent l'ouverture de l'aspect créateur des identités. Ainsi il y a eu un appel à faire du jeudi 22 mars une journée d'amitié avec les étrangers. « Amitié », ici, c'est un mot à la fois politique et transcendantal, car un « ami », c'est quelqu'un qui existe en égalité avec vous dans le même monde que vous. Déclarer son amitié, c'est déclarer prioritairement cela. Ce jour-là, les uns et les autres, les nationaux et les étrangers qui vivent ici, vont précisément ouvrir des identités à leur dilatation créatrice, ils vont dire les différentes façons d'être dans le même monde. C'est un processus d'échange des identités en tant qu'existences, une justice rendue aux existences, de telle sorte que l'identité n'y fait pas obstacle mais est au contraire le médium de leur affirmation. C'est pourquoi je vous invite à faire une exploration transcendantale de la question de l'existence le 22 mars à 15 heures, place de la Bataille de Stalingrad. Nous aurons là une situation expérimentale philosophique sur les questions qui nous ont occupés aujourd'hui, à savoir en fin de compte la relation du principe d'existence au principe de la déclaration sur le monde.

Je profite des cinq minutes qui nous restent pour résumer tout cela en quatre points :

Premièrement, nous posons que le monde du capitalisme déchaîné est un faux monde ; c'est-à-dire qu'il ne reconnaît que l'unité des produits et des signes, et donc rejette la majorité de l'humanité dans un autre monde dévalué, dont il se sépare par des murailles et par la guerre. En ce sens, aujourd'hui, il n'y a pas *un* monde, du point de vue, si je puis dire, de l'objectivité.

Deuxièmement, affirmer « il y a un monde » est un principe d'action, un impératif politique. Ce principe c'est celui de l'égalité des existences en tous lieux de ce monde unique.

Troisièmement, le principe de l'existence d'un seul monde ne contredit pas le jeu infini des identités et des différences, il entraîne seulement que les identités subordonnent leur dimension négative à leur dimension affirmative, subordonnent l'opposition aux autres au développement immanent du même.

Quatrièmement, en ce qui concerne l'existence, dans nos pays, de centaines de milliers d'étrangers, il y a trois objectifs conjoints qui sont : s'opposer à l'intégration persécutoire, limiter la purification réactive, et développer, ou dilater l'identité créatrice. Je pense que l'articulation de ces trois objectifs définit ce qu'on peut appeler aujourd'hui « une politique », « une politique quant au monde », « une politique de l'existence quant au monde »

Je suis convaincu que c'est là un axe majeur et qu'il y a un lien intime entre la politique et la question des étrangers. Pour moi la question des étrangers c'est la pierre de touche des politiques. Comme toujours il y a là-dessus un texte étonnant de Platon sur lequel j'aimerais conclure. C'est un texte que j'aime beaucoup citer. Il se trouve à la fin du Livre IX de *La République*. Les jeunes interlocuteurs de Socrate, Adimante, Glaucon, qui ont écouté tout ça bouche bée lui disent en gros : « Ce que tu nous as raconté, là, Socrate, c'est absolument formidable, on a applaudi des deux mains, on a dit oui, oui, tout du long, mais c'est absolument impossible, on ne va jamais réaliser cette affaire-là. » Et Socrate répond : « Oui, dans la cité où l'on est né, c'est peut-être impossible ; mais ce sera peut-être possible dans une cité étrangère. » Comme si toute politique vraie supposait un élément d'expatriation, d'exil, d'étrangeté. On peut se souvenir de ça quand on va amicalement faire de la politique avec des étudiants étrangers, des ouvriers étrangers, des jeunes des banlieues. Si Socrate a raison, le fait qu'ils soient étrangers ou que leur culture soit différente n'est pas un obstacle. Au contraire. Sous l'hypothèse du monde unique, la réalisation d'une politique vraie suppose, dans sa possibilité même, ceux qui viennent d'un autre lieu du monde. Non pas d'un autre monde, mais d'un autre lieu du monde.

Au début des années 1980, un Premier ministre socialiste français déclarait : « Les immigrés sont un problème. » Il avait même ajouté : « C'est la preuve que Le Pen pose les vrais problèmes, mais il propose de mauvaises solutions. » Sous l'horizon de la question du monde unique, nous pouvons renverser ce verdict et dire : « Les étrangers sont une chance. » Une chance radicale, pas simplement empirique ou secondaire, mais comme le dit Platon, une chance qui touche à l'essence même de la politique vraie possible.

Finalement, la masse des ouvriers étrangers, de leurs enfants, de leurs deuxième, troisième ou quatrième génération, de quoi témoigne-t-elle dans nos vieux pays tout de même un peu fatigués ? Ça témoigne de la jeunesse du monde après tout, de son étendue, de son infinie variété, et pas d'absurdes histoires de clôtures, de cultures et d'intégration. C'est avec cette jeunesse que s'invente la politique à venir. Exactement comme Socrate dit qu'il faut un élément d'étrangeté pour que ça marche. La vérité, c'est toujours quelque chose qui passe dans des figures d'étrangeté. Et pas dans des figures d'unité ou d'identités fixes. C'est la variabilité de l'existence qui est le milieu naturel dans tous les ordres de la pensée. Si nous n'avons pas cette idée en tête, nous sombrerons dans l'appariement de la consommation nihiliste et de l'ordre policier. Parce que c'est ça la dualité constitutive du monde qu'on nous promet : la consommation nihiliste et l'ordre policier, lesquels vont parfaitement ensemble.

Si l'existence c'est précisément l'écart d'identité de l'identité, si c'est la différence de l'identité, que les étrangers nous apprennent au moins à devenir un tout petit peu étrangers à nous-mêmes. À ne plus être complètement prisonniers de cette longue histoire, occidentale et blanche. Sachons-le, cette histoire s'achève, et s'achèvera, de toute façon. Nous sommes dans son achèvement immanent, puisque nous sommes en train de discuter, partout, pour savoir combien il y a d'étrangers chez nous, s'il en faut plus, ou moins. Ça prouve bien que nous sommes convaincus que, en tout cas, l'histoire occidentale et blanche est terminée. Et si l'on veut absolument la perpétuer elle ne nous apportera que la stérilité et la guerre.

Je pense que, sous l'hypothèse qu'il y a un seul monde de l'existence et de l'identité, la relation doit conduire à saluer l'étrangeté comme telle, c'est-à-dire l'existence telle qu'elle est par nous-mêmes réévaluée. Parce que c'est ça l'étrangeté : c'est la réévaluation de l'existence. Et on peut dire que, ainsi conçue dans l'élément de l'étrangeté, toute politique véritable (à travers sa topologie nouvelle, à travers ses figures nouvelles de la distribution des intensités), est comme une espèce de matin d'existence. Et plutôt que de remâcher la défensive de la longue histoire en train de s'achever, saluons ce matin tout de même. Saluons ce matin. L'étrangeté, c'est vraiment le matin de l'existence, en politique comme ailleurs.

Merci.

XXII

25 AVRIL 2007

Avec un opportunisme flagrant, je vais quand même commencer par parler du vote. La pression de l'opinion publique finalement, on est contraint d'y céder quelquefois ! Et je vais en parler toutefois aussi abstraitement que possible.

Je commencerai par un rappel : j'ai prononcé et publié, sur la question du vote, un texte que vous trouvez dans *Circonstances I*, et qui était titré « Sur l'élection présidentielle d'avril-mai 2002 ». Dans ce texte sur la précédente élection présidentielle, on trouve naturellement toute une série de choses réappropriables à l'élection d'aujourd'hui. On y trouve en particulier des considérations théoriques sur le vote, ou plus précisément sur le rapport entre le vote et ce que j'appelle dans ce texte des « émotions », au sens du XVIIIe siècle, c'est-à-dire des émotions collectives, ou des affects publics. J'essaie d'instruire la signification exacte d'un moment où le vote provoque ou s'inscrit dans l'évidence d'un affect public, très fort. En avril-mai 2002, il s'agissait naturellement de l'affect qui a saisi l'opinion au vu de ce que Le Pen était présent au second tour. C'était un affect anti-Le Pen, anti-Front national. Et déjà je disais que ce type d'affect est fondamentalement de l'ordre de la peur. J'interrogeais ce lien très particulier entre la procédure électorale, qui est une procédure constitutionnelle, juridique et étatique, et cet affect collectif de la peur. Ou, comme il arrive quelquefois, de l'enthousiasme. Pour cela il faudrait analyser la signification des manifestations qui ont suivi l'élection de 1981, où les gens sont descendus dans la rue au cri de « On a gagné ! » Là ce n'était pas la peur, c'était la satisfaction.

Et comme ils avaient gagné, ils ont vu… Mais ça, c'est une autre question.

Cet affect collectif de peur a une grande tradition, qui n'est pas du tout limitée à la question des élections puisqu'un épisode de la Révolution française elle-même s'appelle « la Grande Peur » et a été, en un certain sens, la modalité subjective de la présence de l'affect révolutionnaire dans les campagnes. C'est quelque chose qui a saisi une masse de ruraux et à l'occasion de quoi ils ont pris l'initiative de se révolter contre les châtelains. Mais l'affect n'en était pas moins au départ celui de la peur : la peur d'un complot, la peur d'un égorgement général, la peur de la répression. C'est donc une donnée particulière de l'histoire que cette question des affects de peur, violents ou modérés, avec évidemment toute une échelle, toute une graduation ; c'est une chose qui est attestée historiquement. En 2002, il est évident que la séquence de la peur a été la peur de Le Pen et j'ai analysé dans le détail à quoi elle était corrélée. En fait, elle est provoquée, non pas tant par le score de Le Pen que par le fait qu'il est venu à une place où il n'aurait pas dû venir ; c'est-à-dire qu'il était au second tour alors qu'il n'était pas programmé pour y être. S'il avait eu autant de voix mais avait été troisième, il n'y aurait pas eu d'affect. Ça, c'est la fonction particulière des places dans ce type d'émotions collectives.

Où en est-on aujourd'hui ? Je pense que cette élection est dominée par un enchevêtrement contradictoire de deux peurs. Ce qui en fait d'ailleurs une conjoncture particulièrement négative. La première, évidente, c'est la peur peut-on dire générique, la peur réactionnaire ou conservatrice générique, qui est la peur du peuple, des étrangers, des gens différents, des jeunes des banlieues, des islamistes, la peur de son ombre qui, en définitive, soutient massivement le vote pour Sarkozy. Ce vote ne peut pas vraiment être le vote pour des propositions particulières, puisqu'il en a fait de toutes sortes, dans tous les sens, sans aucun souci de cohérence. Et il avait parfaitement raison vu que l'affect qui le soutient est un affect négatif, un affect de peur fondamentale devant la situation du pays. Mais comme toujours la situation du pays est dérivée vers une série de boucs émissaires fantasmatiques qui, en définitive, coïncident grosso modo avec la masse des pauvres. Cette peur crée un désir d'avoir comme maître un flic agité, c'est une peur indistincte, qui est en réalité une peur de classe, une peur conservatrice sous sa forme dégradée, au sens où elle n'est même pas la forme de la représentation claire d'un ordre, mais constitue une rétraction sur une vision absolument policière du comportement étatique.

On a vu immédiatement pointer le système des conséquences de cette disposition, car les extensions possibles du côté des différences ont pointé leur nez, y compris dans l'assertion absolument américaine selon laquelle les pédophiles seraient le résultat de conséquences génétiques. Je signale au passage qu'il y a beau temps, y compris en France, que cette histoire de pédophilie est un symptôme important de la situation subjective, développé peu à peu par le procès d'Outreau et d'innombrables autres affaires. De ce point de vue les déclarations de Sarkozy ne sont que la pointe de l'iceberg. Il y a là un symptôme concernant la relation de la population, à la fois à l'enfance et à la sexualité, corrélée là à tort ou à raison, et qui indique toujours les infrastructures les plus basses et les plus abjectes de ce type de peur ou de suspicion. Et là le flic agité a lui aussi donné son opinion sur le sujet, opinion d'ailleurs tout à fait attendue. On sait que déjà des rapports divers et variés ont été prodigués sur le fait que les délinquants, il fallait les détecter dès l'âge de trois ans, à la maternelle, et les soigner par des moyens thérapeutiques appropriés. Alors on soignera aussi, si l'on peut, les pédophiles dès l'âge de six mois. Autant les soigner quand ils sont enfants. Ça s'impose !

Cette peur massive – que j'appelle « réactionnaire générique » – de l'ennemi intérieur sous toutes les formes qu'il peut revêtir, concerne tout particulièrement les formes de l'altérité populaire, crée ce désir d'avoir pour maître un flic agité, celui qu'une amie à moi appelle « l'aboyeur de Neuilly », et qui promet à chacun de le protéger. Ça a été son maître mot le soir même des élections : « Je vais tous vous protéger ! » Comme il ne va tout de même pas protéger ceux contre qui il nous protège, quand il dit « je vais tous vous protéger », ça veut dire « je vais faire une police rigoureuse contre les adversaires de toutes catégories. » Il promet donc à chacun de le protéger contre la canaille, ou la racaille, selon une promesse extraordinairement ancienne dans la vie étatique et politique, celle de résumer l'État dans la figure de la police. Et c'est le système des effets de cette peur primordiale qui indique que le pays est malade, qu'il n'a pas de dynamique propre, de projet, de vision de lui-même, qu'il est strictement plié dans le désir de la conservation de ce qu'il y a. Et dans la mesure où cette conservation ne se manifeste pas vraiment, il faut dériver l'insatisfaction et la transformer en une peur, monnayable, la peur de ce qui est intérieurement étranger.

Ça, c'est la première peur. Elle se cristallise dans l'importance, indubitable, considérable, du vote pour Sarkozy. Surtout que si on y ajoute quand même le vote pour Le Pen, ça fait vraiment beaucoup de monde, presque la moitié de la population de ce pays. Il faut donc voir que l'extension de ce phénomène de peur immanente est considérable ! Le problème c'est que ce qui lui fait face, et c'est là que la situation devient risquée et périlleuse, n'est pas une affirmation claire, au contraire, c'est une autre peur. C'est la peur, précisément, que la première peur provoque l'arrivée du type de maître qu'elle désire, à savoir celle du flic agité. Autrement dit, ce qui fait face à la première peur générique est une peur seconde, celle qu'éprouvent de larges fractions de la population parmi les intellectuels, les salariés, les jeunes, à voir venir au pouvoir le maître que la première peur suscite. Le contenu de ce qui fait face à Sarkozy est en réalité la peur de Sarkozy et comme on le sait, en politique la peur n'est pas forcément bonne conseillère. Je vais donc m'attarder un peu sur cette dialectique que j'appellerais la dialectique des deux peurs : la peur première et la peur seconde.

Il faut noter que, massivement – et ça, c'est un signe de maladie – ni les uns ni les autres n'ont la moindre vision positive tenable. La peur se présente dans sa négativité effective. Cela a donné d'ailleurs des calculs savants du genre : « Comme j'avais peur de ce candidat-là, il faut que je vote pour un autre que le mien parce que celui-ci est plus apte à barrer la route à celui dont j'ai peur. » On m'a ainsi raconté l'histoire d'un partisan du Front national qui votait pour Ségolène Royal, en supputant que si c'était Bayrou, Bayrou barrerait Sarkozy ; et comme lui, en tant que Front national, il souhaitait Sarkozy, pour avoir Sarkozy, il votait Royal. C'était bien vu finalement ! Dans ce type de billard compliqué tout le monde connaît des gens qui ont voté Bayrou parce qu'ils pensaient qu'il était plus apte à barrer la route à Sarkozy que Royal. Notre intellectuel du Front national ajoutait un tour de plus.

Tout cela montre bien que ni les uns ni les autres n'ont une vision positive. Finalement, au regard de l'existence aujourd'hui massive d'une pauvreté irréductible, de la prolétarisation inéluctable de paysans venus d'Afrique ou d'ailleurs, de la féroce persécution où on les tient, ainsi que des effets du libéralisme déchaîné, les gens qui sont terrorisés par tout ça et qui de ce fait vont voter Sarkozy n'ont pas d'autre idée que de se cramponner à leur maigre bien et d'appeler la police. Ils n'ont par la moindre idée de transformation de la situation qui ferait que l'objet de cette peur, c'est-à-dire de leur grand motif, l'« insécurité » (puisque tel est leur langage), pourrait changer quelque chose sur le fond. Ce qu'ils pensent, c'est qu'il faut créer des barrières, des défenses, des polices, des chiens de garde tels que le peu qu'ils ont soit préservé. Notez bien que l'écrasante majorité n'a pas grand-chose naturellement ; ceux qui ont beaucoup peuvent même se payer le luxe d'être plus libéraux, ce n'est pas un problème. Mais ces terrorisés-là n'ont aucune idée positive. À vrai dire, les autres non plus. En effet, au regard de l'existence massive des terrorisés sarkozystes, les autres (là je parle en termes de masses, je ne parle pas en termes de particularités ou d'exceptions), n'ont pas non plus, qu'on le sache, levé le petit doigt pour promouvoir une alliance politique fondamentale avec ceux qui sont l'enjeu de cette peur, c'est-à-dire les masses prolétarisées. Ils n'ont pas cherché l'alliance avec les ouvriers étrangers et tous ceux qui sont en réalité précarisés par la situation de ce pays ; ils n'ont pas donné à cette alliance une figure quelconque. Donc ils n'ont rien fait contre cette peur. Et en vérité ils ne proposent rien contre cette peur, sinon la peur de cette peur, avec l'espoir d'engranger les bénéfices de la peur de cette peur.

Enfin, chose très frappante pour les deux camps – là je parle des politiciens – à proprement parler le monde n'existe pas. Des deux côtés le discours a été d'une étroitesse quant à la vision de la situation réelle du monde, qui fait en tout cas que l'axiome dont nous avons parlé la dernière fois, « il y a un monde et non pas deux ou plusieurs », ils sont bien d'accord pour ne pas le manier. Au point que sur des questions aussi périlleuses et brûlantes que la situation en Palestine, les préparatifs de guerre contre l'Iran, l'engagement des troupes françaises en Afghanistan, le consensus est total. Personne n'a fait de cela l'objet ou l'enjeu d'une discussion générale, alors que, bien évidemment, toute une part de l'avenir, y compris de l'avenir des peurs, dépend de ces facteurs.

L'indice subjectif manifeste de cette négativité omniprésente et de l'incapacité affirmative à traiter la peur dans son objet, sans viser simplement à l'instrumenter et à l'utiliser, qu'il s'agisse de la peur primitive et générique ou de la peur seconde, c'est – lacanisons un peu – le clivage du sujet électoral. Le vote a été massif, si massif qu'on pourrait observer qu'il a fonctionné comme une forme légèrement surmoïque, véritablement comme un impératif, alors que, dans le même temps, l'indécision était massive. Cette corrélation montre qu'il était massif, mais pas du tout parce que la conviction était massive ou parce qu'il y avait clarté, visibilité, et adhésion fondamentale à un des partenaires de cette histoire. C'est ça que j'appelle « le clivage ». Il y a un clivage entre d'un côté l'impératif du vote, massif, surmoïque, et, de l'autre, la conviction affirmative. Il n'y a aucune connexion claire entre l'un et l'autre. Certes il faut aller voter, mais pour qui ? Ça, c'est ce qu'aucune positivité ne désigne. De sorte que ce sont bien sûr les peurs qui vont s'infiltrer en lieu et place de la conviction défaillante.

Du coup, si l'on pense que la politique c'est, sous une forme ou sous une autre, l'action collective au long cours, plus ou moins organisée et conforme à quelques principes, visant à développer dans la situation réelle les conséquences d'une nouvelle possibilité refoulée par l'état dominant des choses – je choisis cette définition provisoire minimalement acceptable – il faut conclure que le vote est essentiellement une pratique non politique. C'est une pratique apolitique parce que, étant de l'ordre de l'affect et de la négativité, elle est de ce fait même sans principe, ce qui ressort des opportunités tactiques compliquées dont je parlais tout à l'heure. L'évidence du clivage entre le caractère impératif du vote et l'incertitude totale de toute conviction affirmative le montre parfaitement. De sorte que ce qui se manifeste est un affect négatif qui, comme tout affect négatif, a le plus grand mal, à trouver dans les acteurs qui se présentent son symbole ou sa figure, une figure politiquement pertinente.

De ce point de vue, la peur seconde est, en un certain sens, encore plus éloignée du réel que la peur générique première. Parce que la peur générique première est réactive par rapport à un certain nombre de phénomènes réels. Certes l'affect est totalement réactionnaire, réactif, voire peut devenir criminel, mais c'est au regard et à proximité d'une certaine forme de réel. Tandis que la peur des effets de la peur, comme tout ce qui est second, s'éloigne d'un cran du réel, ou plus exactement fait comme si le réel c'était, non pas ce qui provoque la peur, mais les effets de la peur. Car c'est bien ce qui se passe : la peur seconde est dans les effets de la peur première, sous le nom, en la circonstance, de la peur de Sarkozy. Finalement la peur générique constitue le fond de la peur de la peur. Et en vérité si on y regarde de près, beaucoup des gens qui ont peur de la peur partagent nombre des motifs de la peur générique première, comme le prouvent les campagnes contre l'islamisme et le consensus – que personne ne rompt –, autour de la complicité de l'État français dans la guerre contre le terrorisme.

Pour résumer, nous avons la situation suivante. Cette élection se présente comme une cristallisation de la peur générique réactionnaire et de la peur des effets de cette peur, dans un éloignement grandissant du réel, et cela confirme ce que j'ai soutenu ici même longuement l'année dernière, à savoir que la négativité de gauche a cette faiblesse toute particulière d'être, en un certain sens, dans un partage du réel avec ce à quoi elle s'oppose. J'entends par là que d'abord c'est le même affect, qui est l'affect de peur, même si au lieu d'être la peur du jeune banlieusard, c'est la peur de Sarkozy ; qu'ensuite le contenu est tout aussi désert ; enfin que l'élément général dans lequel ce contenu se développe est en définitive lui-même dominé par la peur générique.

Que se passe-t-il quand le régime général est celui d'une peur de la peur ainsi décrochée du réel, qui en même temps pour autant qu'elle y a rapport, baigne, elle aussi, dans la peur générique ? Comment va-t-elle se fixer, se symboliser ? Eh bien, elle va se fixer sur le vague. Royal, c'est cela : les parages du vague où toute réalité se dissout, c'est-à-dire une disposition fantomatique. C'est pourquoi celle-ci peut accueillir, recueillir ou symboliser la négativité elle-même, en tant que négativité vide, c'est-à-dire en tant que peur de la peur. Si en effet votre motif ultime d'action aujourd'hui c'est la peur qu'il y ait Sarkozy, Royal est pertinente. Après tout c'est un conseil électoral que je vous donne ! On aurait alors le théorème suivant : toute chaîne de peur conduit au néant ce qui est une autre définition possible de Royal !

Toute chaîne de peur conduit au néant, au néant dont le vote est l'opération, opération très significativement illustrée cette fois-ci. Certes cela ne signifie pas que le vote ne soit pas nécessaire, c'est une autre question. Mais au moins peut-on s'y adonner en sachant ce qu'il est. Car cette opération conduite sous la peur de la peur aboutit en dernier ressort à quelque chose d'absolument indistinct, dont on ne sait ni ce que c'est, ni, encore moins, ce que ça sera. Mais si cette opération n'est pas politique, que peut-elle bien être ? Je pense qu'il faut soutenir que là, on a pour une fois la visibilité de ce que c'est qu'une opération de l'État, par comparaison avec ce que serait une opération véritablement politique. À terme, le clivage électoral entre la massivité du vote et la massivité de son indétermination est intéressant, voire positif car juste en dessous, on trouve le clivage entre politique et État, ou plus exactement entre ce que c'est qu'une véritable opération politique et ce que c'est qu'une simple opération de l'État.

Tout compte fait, qu'est-ce que cette élection présidentielle ? Je la définirais comme l'incorporation à l'État de la peur, puisque l'État va en quelque sorte résulter de la peur. Or cette incorporation de la peur à l'État constitue finalement le substrat de sa propre séparation, de sa propre indépendance. C'est la peur qui va valider l'État, quel que soit le résultat de cette élection. Comme vous pouvez le constater dans l'analyse que je vous propose, la légitimité du résultat confère une légitimité toute particulière à l'État parce que, dans la mesure où son seul mandat est d'être légitimé par la peur cela lui donne autorité d'agir de façon séparée et indépendante. Autrement dit dès lors que l'État est chargé de la peur et qu'il a été investi par la peur, mandat lui est donné de librement faire peur, parce que la seule chose qu'on lui demande c'est de faire peur à la peur. Telle est désormais sa fonction.

La dialectique ultime – laquelle n'est pas forcément encore à l'ordre du jour, mais on peut prendre un panorama historique plus vaste – me paraît être celle de la peur et de la terreur, c'est-à-dire que, virtuellement, et à des degrés très divers, un État qui est légitimé par la peur est habilité à être terroriste, puisque son mandat c'est de faire peur à la peur. Alors y a-t-il une terreur contemporaine ? On connaît les grands État terroristes, l'État stalinien, l'État nazi, etc., les dictatures de tous ordres... Et on peut se demander s'il y a une terreur démocratique ? Telle est la question à l'ordre du jour. Pour l'instant la terreur contemporaine est rampante, par nécessité. Mais si le mandat donné à l'État, si l'opération étatique est celle de l'incorporation de la peur comme substrat de la séparation de l'État, alors la mission qui lui est conférée dans ce contexte va être de trouver les formes démocratiques d'une terreur d'État. De surcroît, d'une terreur à hauteur de la technique. La technique moderne permet en effet une terreur à la fois plus rampante et plus omniprésente que les bonnes vieilles méthodes archaïques et préindustrielles de la terreur ancienne. Je dirais donc que nous sommes dans un horizon étatique de terreur virtuelle, s'il se confirme – ça va dépendre des circonstances – que le vote se limite à une opération étatique d'incorporation de la peur, sous sa forme primitive ou sous sa forme seconde. Encore une fois, l'horizon de tout cela dépend des circonstances. Il se peut que des formes organisées ou inorganisées, cohérentes ou émeutières, d'intervention dans la situation viennent dérégler le simple principe étatique. C'est là-dessus que ça va se jouer. Si ça se passe dans la simple opération étatique, nous aurons nécessairement cette virtualité. En revanche, si se produisent des perturbations importantes qui, comme toutes les perturbations véritables, ne sont pas prévisibles, il se peut que nous ayons un devenir autre, à savoir quelque chose de collectivement affirmatif venant en quelque manière contraindre, du dehors et autrement, le mécanisme de la peur de la peur. La dose d'affirmation possible, d'affirmation collective injectée dans la situation est la seule chose qui puisse éventuellement en modifier l'issue, certainement pas la procédure électorale réduite à elle-même, c'est-à-dire la procédure étatique.

Je reviens donc à ma question sur l'horizon possible de tout cela. Ce qu'il faut bien comprendre c'est que la vérité de tout cela c'est la guerre, car la conjoncture n'est aucunement une conjoncture de paix. Ce n'est pas résumable dans les guerres qui ont lieu, lesquelles sont fort nombreuses et engagent progressivement des parts de plus en plus significatives des appareils militaires occidentaux. C'est partiellement explicite, partiellement caché. Il faut savoir que les appareils militaires occidentaux sont engagés de façon toujours plus importante dans un nombre de théâtres d'opérations de plus en plus considérable et qu'ils ont beau essayer de trouver des supplétifs – comme les Éthiopiens à Mogadiscio – les supplétifs ne suffisent pas, ils n'ont pas toujours complètement envie de faire la guerre des autres, ça se comprend, et ils ne la mènent pas avec toute l'ardeur nécessaire. Plus fondamentalement, l'horizon c'est la guerre parce que la maintenance de l'ordre existant en a besoin. La simple maintenance de cet ordre est guerrière. Comme la séquence précédente l'a montré et comme la séquence suivante le confirmera. Parce que l'ordre mondial actuel est quoi qu'on en dise absolument pathologique. Pathologique en raison des disparités inimaginables, des types de vie sans commune mesure selon que vous êtes à un endroit ou à un autre, même à l'intérieur des mêmes sociétés. Ces disparités et ces hétérogénéités d'une violence incroyable ne se maintiennent que par la force. Et donc la guerre est la vérité mondiale de la démocratie aujourd'hui.

Bien entendu, toute une partie de la logique, y compris électorale, consiste à faire croire aux gens que la guerre est ailleurs et que, par ces guerres, on les protège, eux, de la guerre. Pour parler comme Sarkozy, la violence grandissante se présente comme une violence « qui protège les gens » de la guerre elle-même. De manière interne, c'est pareil : le traitement policier est censé protéger les braves gens des horreurs qui les menacent. Il en résulte une logique générale qui est une violence guerrière telle qu'elle va ravager des secteurs entiers de la planète dans des conditions abominables, tout en assurant à certaines populations qu'elles seront mises sous protection, ou en exception, de ces déchaînements. De ces abominations on dira de plus en plus souvent aux gens des choses comme : « Rendez-vous bien compte que, vous, on vous protège, vous n'êtes pas à Bagdad, vous avez bien de la veine. » C'est en effet le minimum de satisfaction qu'on puisse éprouver. Mais la dialectique de la chose n'en demeure pas moins l'horizon fondamental de la détermination étatique. Le point clé c'est qu'il y a aujourd'hui une dialectique de la peur et de la guerre, qui fait que l'on fait la guerre aussi pour que les gens aient peur de la guerre, puisque cette guerre est présentée comme une guerre destinée à les protéger de la guerre. Vous ne pouvez pas leur faire croire qu'il est intéressant de les protéger de la guerre par des guerres considérables autrement qu'en créant chez eux la peur de la guerre. Et donc on a l'horizon de la guerre et la peur de la guerre comme motif. La guerre étant d'ailleurs aussi bien externe qu'interne. Alors on va protéger les gens de la guerre interne et externe par la guerre et cette dialectique de la peur et de la guerre est fondamentale.

En France une conjoncture tout à fait particulière fait que le terrain est malheureusement favorable pour ce genre d'opérations, je veux parler du pétainisme. En effet, le pétainisme a été l'idée qu'on allait protéger les Français de la guerre mondiale. Ils allaient sans doute être un peu occupés par les Allemands, il allait falloir livrer quelques milliers de Juifs, fusiller quelques résistants, mais globalement on serait à l'écart de la guerre mondiale. Naturellement, pour que cette opération réussisse, il fallait que les gens aient suffisamment peur de la guerre. Il faut dire que cette suffisante peur de la guerre leur venait de la guerre de 1914-1918, qui avait été une boucherie si abominable que, à simplement en maintenir un peu le souvenir, on organisait assez facilement chez les gens une peur décisive de la guerre. « Pétainisme » c'est le nom de beaucoup de choses, mais c'est aussi le nom d'une politique d'État qui prépare des répressions et des trahisons innommables au nom de la peur de la guerre. Il faut reconnaître aussi que certes le pétainisme a été vaincu par les circonstances générales de la guerre, mais que malheureusement il a en partie réussi puisque les Français ont traversé la guerre assez tranquillement, car ils n'ont tout de même pas rien connu de comparable à ce qui est arrivé aux Russes, ou même aux Anglais.

Il ne faut donc pas prendre cette politique, qui est la réponse étatique à une peur créée artificiellement, comme une politique par elle-même vouée à l'échec. C'est une politique d'État, praticable, aussi longtemps que, précisément, c'est l'affect négatif qui constitue la masse fondamentale de l'opinion. Voilà pourquoi nous devons être très vigilants et faire en sorte que la logique de la peur ne soit pas la logique unique, c'est-à-dire qu'il n'y ait pas simplement l'opération étatique de confrontation sur l'horizon de la guerre de la peur et de la peur de la peur, avec à la base une mentalité finalement assez largement partagée, du genre : « Somme toute, si nous pouvons conserver à peu près le degré de tranquillité dans lequel nous sommes, ça ne sera déjà pas si mal. » Cette subjectivité-là est la subjectivité du pétainisme de masse. Bien entendu dans l'état-major pétainiste il y avait des gens qui avaient d'autres intentions : il y avait des fascistes véritables, il y avait des gens qui étaient favorables à l'Allemagne. Mais la masse des gens qui, jusqu'en 1945 applaudissaient Pétain dans les rues par centaines de milliers, c'étaient des gens qui savaient gré à Pétain de les avoir au fond mis dans la marge de l'histoire.

Je suis frappé de voir qu'aujourd'hui nous avons peur, et peur de la peur, avec une indétermination affirmative complète quant à la structure étatique du conflit. Par ailleurs nous avons un horizon de guerre dont personne ne parle, qui n'entre pas en jeu dans la discussion, et qui cependant est la motivation fondamentale de tout, parce que les politiques font comme s'il était possible de parler aux gens, sur un horizon en réalité de guerre, comme si on allait les en protéger complètement. Et le mélange des deux fait que nous avons une ambiance, une possibilité pétainiste, par analogie, comme toujours ; les circonstances ne sont pas les mêmes mais analogiquement nous avons la possibilité d'un pétainisme de masse qui est autre chose que le fascisme. Parce que le fascisme, le vrai fascisme, lui, est conquérant ; il est affirmatif : il est fascisme de « l'espace vital », de « la race supérieure ». On n'a absolument rien de ça aujourd'hui. On a cette singularité française qui est d'avoir toutes les abominations du fascisme sans le fascisme : le pétainisme c'est ça, c'est la délation partout, l'innommable policier, rien que pour essayer de rester tranquille, d'être dans la marge de l'historicité. Et qui aujourd'hui nous promet autre chose ? Personne, et c'est normal puisque l'opposition, elle aussi, est au régime de la peur. La directive c'est de déployer autant que faire se peut l'alliance des sans-peur, puisqu'on est dans la mode des « sans » ; les sans-papiers, les sans-logis, etc. Eh bien moi je dirais les sans-peur. L'alliance des sans-peur, si nous pouvons.

Encore à propos de la guerre, qui est aujourd'hui un mot qui change de sens : ce n'est plus forcément la guerre classique entre des états militarisés. C'est une espèce d'ambiance générale, de violence extraordinaire, avec des zones dont on déclare qu'elles seront, par la guerre elle-même, protégées de la guerre. C'est une configuration tout à fait particulière. Et je pense à deux maximes de Mao qui disait : « Sur la guerre nous devons dire deux choses :

premièrement, nous n'aimons pas la guerre ; deuxièmement, nous n'en avons pas peur. » C'est très frappant ce « nous n'en avons pas peur ». Ça ne veut pas dire qu'on aime la guerre ou qu'on veut la guerre, mais qu'on ne va pas se laisser organiser subjectivement dans la relation à la guerre par la peur de la guerre, lorsque c'est aujourd'hui le jeu fondamental de l'État. Dans la deuxième maxime Mao ajoutait : « Finalement, ce qu'il faut, c'est rejeter ses illusions et se préparer à la lutte ». Les illusions, c'est quoi ? Eh bien, c'est s'imaginer qu'on pourrait faire minimalement confiance à la peur pour avoir moins peur qu'on a peur.

Encore une fois je ne prends ici aucune position électorale particulière. Mais la maxime subjective est beaucoup plus importante que ce qu'on va faire après. La maxime subjective consisterait à dire : si malgré tout nous arrivons à cristalliser dans le vague qui lui convient la peur de la peur, nous serons protégés de la peur primitive. Ça, je pense que c'est un mauvais calcul. C'est l'illusion proprement dite. Et il ne faudra pas longtemps pour qu'elle soit dissipée. Donc on peut marginalement faire ce qu'on veut, mais en tout cas il faut rejeter ces illusions et se préparer à la lutte. En particulier, rejeter l'illusion de la peur de la peur pourrait être le moteur de quelque chose qui nous extirperait de la situation pétainiste, puisque précisément la subjectivité fondamentale de la situation pétainiste c'est la peur.

Rejeter ses illusions… Voilà qui nous ramène à notre sujet. L'État est en fait le producteur d'une illusion spécifique, celle qu'il proposerait un véritable choix politique. Il fait passer la désorientation constitutive de la situation par le filtre illusoire d'un choix, alors que la substance ultime de ce choix n'a rien à voir avec la politique, puisque c'est le choix entre la peur et la peur de la peur. L'illusion, c'est de voir là un choix véritable, il faut en avoir conscience, y compris quand on choisit entre l'un et l'autre. Il faut donc au moins faire ce choix dans l'élément subjectif que ce n'est pas un choix. Un choix politique authentique c'est quand le réel se décide, ou se décline, dans la forme d'un nouveau possible. Et là il n'y en a pas. Il s'agit en fait de donner forme au clivage subjectif entre impératif et indétermination, « je dois voter » mais franchement « je ne sais pas pour qui », ou « si je vote pour celui-là c'est uniquement par peur de l'autre ». On peut voter oui ou non, ce n'est pas la question. Le point important c'est de savoir que c'est une illusion. Et, comme le dit Mao, il faut « rejeter l'illusion ». Mais rejeter l'illusion ne veut pas dire que vous n'êtes pas dedans, cela veut dire que vous vous orientez ailleurs. Même si, sur cette scène illusoire, vous avez des raisons empiriques et tactiques de procéder ainsi ou autrement, en tant que vous avez affaire à un choix qui vous oriente, il se fera ailleurs que dans l'élément de cette scène illusoire.

Pour récapituler rapidement. Dans une situation qui, sur l'horizon de la guerre généralise une subjectivité pétainiste, c'est-à-dire une subjectivité dans laquelle la question d'être protégé de sa propre peur devient le seul élément subjectif prétendument politique, il est clair que la figure du vote est l'illusion spécifique où tout se cristallise. Donc, quelle que soit l'attitude qu'on prend par rapport à cette illusion dans laquelle on baigne de toute façon, en raison de sa potentialité déstructurante, il faut rejeter cette illusion, au sens où il faut savoir que c'est ailleurs qu'on s'oriente, ce qui, dans la phrase de Mao, signifie « se préparer à la lutte ».

Une partie de ce qu'on va dire dans les deux dernières séances va être la recherche de la figure abstraite de tout cela ; c'est-à-dire d'une figure qui serait recevable dans tous les types de procédures de vérités, et sur laquelle le vote d'aujourd'hui nous aura instruits. Parce qu'il est très instructif. Le point le plus instructif, à mon avis, c'est le clivage électoral. Il est très frappant parce qu'il indique bien, dans la situation elle-même, que l'opération étatique et l'opération politique sont présentes dans les subjectivités comme disjointes. C'est probablement la première fois que le vote est à ce point un impératif formel. Pour vous dire à quel point il est puissant, je vous avouerai que je l'ai moi-même ressenti un tout petit peu. Il m'a vaguement touché ! Et là je me suis dit : voilà une expérience fondamentale, ça prouve qu'on a là vraiment une figure surmoïque considérable. Et ça, il faut le prendre en compte, c'est du réel aussi. La distinction entre le vote d'un côté, formellement très impératif, et de l'autre l'évidente indétermination de son contenu, l'absence de toute substance affirmative, le fait que la négativité y domine, font qu'il est évident que, au mieux, je ne peux légitimer ce que je fais que par la peur elle-même ou par la peur de la peur, mais absolument par rien d'autre. Le contraste entre l'opération politique et l'opération étatique indique très précisément la non-unité de plan entre ce qu'est une conviction politique et ce qu'est un impératif étatique. Là on a vraiment une exposition, une leçon de choses, sur la disjonction entre les deux. Du coup on voit très bien que sur l'horizon de la peur il nous est enjoint de faire quelque chose pour que les effets du pétainisme ne ravagent pas ce pays plus qu'il ne l'est déjà.

Ce qui m'intéresse, c'est donc de trouver, au-delà de tout ça, en travaillant tous ensemble, la figure abstraite de la relation très compliquée entre différents termes. Je les énumère. Il y a d'abord le réel d'un monde, c'est-à-dire la situation, et la question de comment on nomme ce réel. Aujourd'hui moi je dirais que le réel du monde contemporain, c'est la guerre au sens où je l'ai dit. Vient ensuite la question de la maxime qui oriente. Quelle est la maxime générale qui a puissance d'orientation ? Je pense vraiment que la maxime fondamentale aujourd'hui c'est « il y a un seul monde », maxime dont j'ai démontré que loin d'être analytique ou descriptive, elle était absolument impérative, prescriptive. Tout impératif subordonné, tout traitement particulier d'une situation est en conséquence une partie concrète de la maxime. Après le réel et la maxime qui oriente, viennent l'illusion et le rejet de l'illusion. Là je dirais que l'illusion c'est celle que c'est l'État qui construit le choix politique. On peut l'appeler l'illusion du vote parce qu'ici on vote. Mais, beaucoup plus généralement, c'est l'idée que c'est l'État qui fournit lui-même la forme et les échéances du choix politique. Il y a des situations où ça peut être vrai, mais dans la nôtre ça ne l'est pas, parce qu'on voit bien que l'État, dans le cas présent, ne structure que des affects négatifs. Le rejet de l'illusion consiste donc à savoir que l'on ne peut pas s'orienter dans cette figure de choix, qu'elle est elle-même désorientée.

Il s'agirait de généraliser tout cela : l'articulation entre le réel d'un monde, la maxime qui oriente, l'illusion et son rejet. Si l'on veut absolument structurer ça dans les catégories de Lacan on obtient : réel, symbolique et imaginaire. Et à partir là on peut avoir un processus d'incorporation – une orientation effective, qui construit quelque chose dans le réel – et le devenir-sujet, qui finalement enveloppe l'ensemble des termes. Si l'on récapitule ça comme leçon abstraite et formelle de cette conjoncture particulière, on dira : on est dans un horizon de guerre ; l'illusion spécifique à notre situation, c'est le pétainisme comme illusion étatique de la protection guerrière contre la guerre, c'est-à-dire la guerre contre le peuple comme protection contre la guerre générale ; la maxime qui oriente c'est « il y a un seul monde » avec ses déclinaisons successives dans la situation ; le processus d'incorporation c'est la possibilité de bâtir une orientation collective dont l'origine n'est pas toujours calculable. Peut-être que nous aurons quelques émeutes pour nous inspirer. Et puis le devenir-sujet enveloppe tout ça. Telles sont les leçons immédiates que je voulais prodiguer concernant ce que m'a inspiré ce premier tour des élections.

Pour passer maintenant à une étape un peu plus conceptuelle, mais qui restera quand même près de l'expérience, je voulais vous proposer la lecture et le commentaire d'un texte qui est la partie finale de l'extraordinaire court roman de Stephen Crane, *La Conquête du courage*. Notre relais entre la triste conjoncture électorale et les vérités éternelles passera par ce texte.

Quelques mots sur Stephen Crane pour ceux qui ne le connaissent pas. C'est un écrivain américain, né dans le New-Jersey en 1871, et le roman dont le texte est extrait a été publié en 1895. Stephen Crane avait 24 ans quand il a publié ce livre qui a été un assez grand succès. Ensuite il a mené une vie de journaliste aventurier comme sont capables d'en produire assez typiquement les Américains. Ainsi John Reed et ces journalistes qui vont dans le cœur des situations et en témoignent avec une particulière loyauté. C'est là un talent américain, il faut le reconnaître ; il faut reconnaître les talents américains… quand ils existent. Et Stephen Crane avait cet *ethos*. Il a suivi par exemple pour les journaux la guerre gréco-turque de 1897, et puis la révolte de Cuba contre l'Espagne. Il a attrapé toutes sortes de maladies, la malaria, la fièvre jaune, et finalement il est mort de tuberculose en juin 1900. Il n'avait pas encore 29 ans. Son œuvre, qui se situe entre 20 et 29 ans, comporte des récits d'enquête, des articles de journaux, le roman *La Conquête du courage*, des nouvelles tout à fait extraordinaires, je vous signale en particulier *Le Bateau ouvert* et *L'Hôtel bleu*.

Stephen Crane est un écrivain tout à fait important parce qu'il n'est pas simplement un jeune écrivain talentueux, il a en réalité inventé une narration neuve. Sa langue semble à la fois pressante et claire, elle suscite un accrochage immédiat, elle a une espèce de rapidité singulière, et le paradoxe c'est que, dans le détail, elle est en réalité extrêmement compliquée. Elle est très difficile à traduire car elle comporte des choses assez difficiles à faire passer de l'anglais en français, en particulier des changements de rythmes internes à la phrase tout à fait extravagants, tout à fait stupéfiants, tout à fait novateurs. Sous son apparence de clarté continue, elle organise des changements rythmiques et syntaxiques à l'intérieur même de l'énonciation qui sont particulièrement remarquables. De même il y a une combinaison entre un anonymat des personnages, un côté générique. Ainsi le héros est souvent appelé « le jeune homme », « le garçon ». Il y a un côté presque soustrait au nom propre, un côté anonyme du héros, qui me touche particulièrement, cependant, et peut-être même à cause de ça, Stephen Crane arrive à faire que le destin de ce type de héros, pourtant extraordinairement anonyme dans son devenir, nous concerne très vigoureusement et très fortement. Il y a dans la prose de Crane un suspens subjectif très fort, obtenu par des moyens formels nouveaux. Il y a ainsi un mélange de simplicité et d'intensité : une simplicité apparente, obtenue par des moyens extrêmement complexes, qui porte une intensité d'investigation et d'expérience tout à fait intense.

À ce titre Stephen Crane est à l'origine d'une grande partie du roman américain du xxe siècle, et en particulier, il est absolument évident qu'il est le fondateur de la tradition qui conduit à Hemingway, puisque dans Hemingway on trouve le même complexe de simplicité apparente extrême, obtenue en fait comme résultat d'un travail prosodique extraordinairement détaillé. Au fond on pourrait dire que Stephen Crane c'est le Rimbaud américain de la prose, y compris par l'intensité proxime entre l'expérience immédiate qui est la sienne, et sa transcription artistique à la fois novatrice, complexe, et en même temps d'une parfaite clarté, d'une clarté au sens de la clarté de la lumière.

La Conquête du courage, c'est le récit de la métamorphose subjective d'un jeune homme pendant la guerre de Sécession. Nous sommes ici en écho avec quelque chose que nous avons traité, qui est la figure du soldat. Nous continuons cette prospection parce que ce jeune homme qui devient soldat dans le contexte de la guerre de Sécession va supporter une sorte de phénoménologie de l'esprit, c'est-à-dire un devenir de séquences subjectives, en transformations rapides, et cette phénoménologie, dans le roman, est déplacée de figure en figure à travers le rapport entre l'anonymat du héros et la situation qui est une situation de guerre civile. Vous savez sans doute que la guerre de Sécession n'est pas une petite affaire locale, c'est au contraire la première grande guerre moderne, une guerre qui, à sa manière, a anticipé ce qu'allaient être les grandes guerres continentales du début du xxe siècle : huit cent mille morts, une sauvagerie extraordinaire, des moyens matériels considérables. C'est aussi, par conséquent, le lieu de la figure du soldat. Un des lieux d'expérimentation, de création, de constitution de la figure du soldat, avec cette férocité supplémentaire que c'est une guerre civile. Et comme on le sait, les guerres civiles sont toujours plus effroyables encore que les guerres étrangères.

Pour ce jeune homme saisi par la guerre c'est, dans un premier temps, le sentiment d'une désorientation essentielle : c'est-à-dire que se repérer dans le chaos de la violence et du déchaînement, le déstabilise, le désubjective, l'installe dans une espèce de désarroi quasi ontologique, et toute l'histoire du livre est la découverte que, au cœur de la désorientation guerrière, de cette sauvagerie informe à certains égards, dont il fait l'expérience séquence après séquence, on peut trouver une possibilité affirmative. C'est naturellement ça qui nous intéresse. C'est ce qui est appelé « la conquête du courage » qui n'est pas simplement qu'il avait peur et qu'il n'a plus peur, c'est beaucoup plus que cela, bien que ce soit cela aussi. Mais à l'intérieur de la désorientation sauvage de la guerre civile, qui est aussi une dévastation de l'espace, de la nature, qui est plus que simplement l'affrontement des hommes, qui est enfin comme la création d'un chaos terrestre, le sujet peut s'incorporer finalement à l'émergence d'une possibilité affirmative et aller ainsi au-delà de lui-même, au-delà de l'animal qu'il a été tout particulièrement dans ce chaos, pour finalement se restituer comme sujet.

Je vous lis les derniers paragraphes de *La conquête du Courage*.

> Peu à peu, cependant, il réunit assez de force pour repousser au loin la hantise de sa défaillance. Ses yeux lui semblèrent, enfin, s'ouvrir différemment sur ses visions. Il se découvrit le pouvoir de contempler d'un regard de juge la camelote criarde de ses idées de naguère et sa joie fut grande de savoir qu'il les méprisait.
>
> Cette conviction s'accompagna de quelque assurance. Il se sentit un aplomb calme, sans fausse assertion de soi, mais nourri d'un sang généreux et vivifiant. Il sut qu'il ne tremblerait plus au geste de ses guides lui désignant une voie, quelle qu'elle dût être. Il était allé toucher du doigt la grande Mort. Désormais, il était un homme : il avait conquis le courage.
>
> Il advint donc qu'au sortir de la région de sang et de colère son âme changea. Il s'en retournait hors des labours fumants encore, pour pénétrer dans un tranquille champ de trèfle et c'étaient les labours fumants qui n'existaient plus. Les cicatrices se fanent comme les fleurs.
>
> Il plut. La procession lasse des soldats s'émietta au long des routes, découragée et murmurante, avançant, se traînant avec effort dans la boue liquide et brune sous un ciel bas et misérable. Néanmoins le jeune homme souriait, car il voyait que le monde était un monde à

sa taille, bien qu'à d'autres il apparût fait de jurons et de béquilles. Il s'était purgé du rouge écoeurement de la mêlée. Le sombre cauchemar s'envolait derrière lui, dans le passé. Certes, il avait été un animal, une bête endolorie et trempée de sueurs, sous le souffle brûlant de l'angoisse de la bataille. Il se tournait maintenant, avec un désir d'amant, vers l'image des ciels paisibles, des verdoyantes prairies, des frais ruisseaux, vers une existence de paix éternelle et douce...

Par-delà le fleuve, un rayon d'or perça la cohorte des lourds nuages de pluie.

Je ne vais pas ce soir faire l'exhaustive interprétation de ce passage. Je me contenterai juste de deux ou trois ponctuations, en liaison avec ce que j'ai dit avant.

« S'ouvrir différemment sur ses visions », c'est une expression essentielle ; c'est-à-dire il ne s'agit pas que ses yeux voient autre chose, mais il s'agit qu'ils s'ouvrent différemment. Il s'agit d'une transformation du regard qu'il porte sur « ses idées de naguère » : c'est ce qu'il nous faut faire aussi aujourd'hui, à savoir ce que j'ai appelé « rejeter les illusions ». Quant à « la camelote criarde des idées de naguère », ce n'est pas mal en effet de savoir que nous les méprisons. Mais ce que je voudrais ponctuer, c'est le quatrième paragraphe, le grand paragraphe final. Parce qu'on pourrait le lire comme ça : « La procession lasse [...] [des électeurs] s'émietta au long des routes, découragée et murmurante, avançant, se traînant avec effort dans la boue liquide et brune sous un ciel bas et misérable. » Ce sont bien les virtuels soldats du pétainisme que nous cherchons à ne pas être. « Néanmoins le jeune homme souriait », pourquoi, c'est ça la question. Il sourit parce qu'il voit que ce monde, illusion comprise, est « un monde à sa taille » ; c'est ça qui a changé. Parce que quand vous savez que le monde est un monde à votre taille, vous n'avez pas peur. La conquête du courage ce n'est pas passer de la peur à la non-peur, c'est passer d'un monde qui est un chaos de faux choix, dans lequel on ne peut que traîner une vie misérable, à un monde qui est le même, mais vu de telle façon qu'il est un monde à votre taille, c'est-à-dire un monde où, en tout cas, il y a la possibilité de faire quelque chose.

Et de faire quelque chose qui soit inscrit dans le monde en tant que monde à votre taille. C'est bien vrai que, à beaucoup d'entre nous, et à moi aussi souvent, le monde apparaît « fait de jurons et de béquilles ». Seulement quand vous pensez ça il n'y a aucun sens à dire qu'il est à votre taille. Pourquoi mettre à sa taille des jurons et des béquilles ? Donc il n'y a pas d'autre ressource que de se protéger, en tant que peur native, de ce monde lui-même. Et c'est pour ça qu'à ce moment-là on se traîne misérablement sous le « ciel bas ».

Par conséquent je dirais que la métamorphose essentielle c'est de ne pas être un animal du monde. Fût-ce un animal électoral. Au fond on peut être un électeur, mais on n'est pas obligé d'être un animal électoral, on n'est pas contraint d'être conduit à l'abattoir étatique par la peur. Et si on n'y est pas contraint, alors on peut toujours habiter le monde comme un monde à notre taille. J'ai dit la dernière fois que, pour habiter le monde comme un monde à notre taille, encore fallait-il penser qu'il y avait un monde – ça c'est la maxime qui oriente. Et sous cette maxime il est possible en effet de n'être pas découragé et murmurant, de ne pas se traîner avec effort, mais de sourire et de se tourner vers autre chose. Ce passage est fondamental : il se tourne « avec un désir d'amant, vers l'image des ciels paisibles » : ce n'est pas parce qu'il choisit, dans un monde dévasté, de se tourner vers une illusion, il ne se console pas imaginairement de la boue dans laquelle se traînent les soldats par l'image « des ciels paisibles, [...] des frais ruisseaux » d'une « existence de paix éternelle et douce... » Non ! Il se tourne réellement vers ce type d'existence parce que le monde étant à sa taille, il sait qu'il ne l'habite plus comme un animal. Et que donc sa vision fait partie du monde lui-même. Sa vision est ce qui va désormais l'orienter, en tant que possibilité nouvelle de ce monde. Au cœur même de ce monde dévasté, où tous se traînent misérablement, il est possible de se tourner vers la possibilité immanente, quoiqu'antérieurement invisible, dont ce monde est porteur, à partir du moment où on a conquis le courage. Et conquérir le courage, ça veut dire : n'être plus un animal du monde.

Voilà pour aujourd'hui.

XXIII

16 MAI 2007

Nous voici arrivés à l'avant-dernière séance de cette année. Et nous partirons du sacre de notre nouveau président. Je ne dis pas que nous sommes réunis pour cela. Le sentiment que j'ai, si je considère ceux qu'anime un minimum de vraie pensée, de conviction, de mémoire historique, est celui qu'ils sont dans une subjectivité légèrement dépressive, comme si, malgré tout, ils avaient reçu un coup, un coup attendu certes, mais un coup quand même.

Je commencerai donc par une tentative d'analyse de ce sentiment que là il s'est passé quelque chose. Entre nous, ce n'est pas parce qu'un président est élu qu'il se passe quelque chose. Donc s'il s'est passé quelque chose c'est dans un autre registre que celui de la stricte succession électorale. Ce qui ouvre à une première méditation sur la notion de ce que c'est qu'être frappé par un coup, avoir ce sentiment un peu étourdi, un peu aveugle, un peu incertain et en même temps un peu dépressif. On dit souvent que les coups les plus terribles sont ceux qui sont inattendus : la catastrophe subite, la mort qu'on ne prévoyait pas. Mais il y a tout de même quelque chose de particulièrement pénible dans les coups attendus. Vous savez c'est comme quand on se dit : « Voilà, si je fais ça, cet autre, tel que je le connais, il va faire ça. » Eh bien, c'est souvent très déplaisant de voir qu'il le fait, réellement. On préférerait l'exception, inattendue. Or là il y a la structure d'un coup attendu. Contrairement à ce qui s'est passé souvent, celui qui est en tête dans les sondages, qui faisait la course en tête depuis le début, est resté en tête. C'est comme une course de chevaux dans laquelle il y a un cheval qui part premier et qui finalement arrive premier. C'est très attendu tout de même, mais c'est un peu déprimant. Surtout si on a un minimum le sens du pari, de la rupture.

Quelle est la nature de ce coup ? Je voudrais commencer par là. J'avais proposé, la dernière fois, une analyse du contexte préélectoral, avant que la décision numérique ait été prise, en disant que la situation était celle d'un conflit entre deux peurs : une peur primitive, et une peur dérivée. Que la peur primitive, c'était la peur de cette population, que quelque chose arrive qui la précipiterait dans le déclin. N'oublions pas que de nombreux théoriciens lui racontent tous les jours qu'elle est déjà sur le déclin, qu'il faut se redresser vite fait. Il y a donc une peur effective greffée sur les boucs émissaires traditionnels (et d'autres un peu nouveaux) : les étrangers, les pauvres, les pays auxquels on ne veut pas ressembler, etc. Et voilà que cette peur primitive rassemblée qui, longtemps emblématisée dans le vieux discours du Front national, s'est trouvé une articulation nouvelle. Le premier point c'est cette articulation, au niveau de l'État, de la peur primitive et de la volonté de remonter la pente, au regard de cette pulsion. J'avais dit qu'il y avait une peur seconde, la peur de ce que cette peur primitive allait donner comme résultat. Maintenant le conflit entre la peur primitive et la peur dérivée s'est soldé par la victoire de la peur primitive, ce qui somme toute ne manque pas de logique : quitte à avoir peur, autant avoir peur d'autre chose que de la peur.

Donc la peur première l'a emporté, c'est la première composante, à mon avis, du coup porté. Pour employer une métaphore, je dirais qu'on est dans une logique de pulsion, au sens où il y a, dans le succès du vote pour Sarkozy, un élément numérique pulsionnel, qui d'ailleurs se voyait très bien dans les images de ce succès. Il y a quelque chose comme un excès pulsionnel dont l'arrière-plan est évidemment cette peur primitive dont on estime que ce personnage va la conjurer. Moi, si j'avais peur, je ne penserais pas du tout que ce type de personnage va la conjurer. Mais le fait est que c'est comme ça que ça fonctionne. Quant à ceux qui étaient dans la peur de la peur, et qui ont été servis, ils sont effectivement dans le dépressif face à cette pulsion générale négative qui a constitué l'horizon des choses, et à laquelle ils sont purement et simplement renvoyés. Ce qui s'est passé, en tant que prévisible, en tant qu'attendu, les a renvoyés précisément à la structure pulsionnelle inaugurale dans laquelle ils se trouvaient.

Le deuxième élément est, je crois, un élément nostalgique, c'est-à-dire qu'un vieux monde s'écroule. Et ce vieux monde c'est au fond tout simplement celui de la gauche et de la droite. Je dirais même que nous assistons à un effondrement du vieux monde de la gauche. Il était déjà très malade. Mais là c'est comme si, en quelque manière, on lui avait quand même donné le coup de grâce. Dans les années soixante Sartre disait déjà que « la gauche est un cadavre tombé à la renverse et qui pue », c'était agressif, mais c'était il y a quarante ans. Grosso modo ça ne s'est pas beaucoup arrangé. Cette fois une des composantes du coup est que l'espace symbolique de la chose est atteint, car ce qui est en jeu dans cet affrontement c'est non seulement l'affrontement réel majorité-opposition, mais quelque chose de sa configuration symbolique. C'est une longue histoire. Tout a commencé probablement au commencement de l'effondrement du Parti communiste, donc dès les années soixante et peut-être même encore avant. Bien entendu, avec l'effondrement de l'URSS, suivi de sa dissolution progressive, cela se donne, à l'échelle du monde, dans la figure en quelque manière organique de la disposition idéologique de tout ça. Mais c'est en tout cas une marque, un coup frappé sur ce vieux monde symbolique qui structurait la vie politique et dans lequel la thématique de la gauche, de la possibilité de la victoire de la gauche, de ses constantes recompositions, du débat interne qui la mobilisait, constituaient au fond la familiarité électorale et c'est cette familiarité qui est atteinte, qui est quelque peu défaite. C'est l'aboutissement d'un long processus.

Évidemment, à partir du moment où un vieux monde symbolique est atteint de cette manière, on retombe dans ce qui est notre thème principal, à savoir la désorientation. Il y a en effet une fonction désorientante du coup frappé, qui résulte tout simplement de ce qu'il a frappé les paramètres du repérage lui-même. La désorientation on en parlait bien avant, c'est notre thème ici depuis plusieurs années, mais je crois que ce qui caractérise cette élection, c'est qu'elle révèle finalement le caractère obsolète des repérages habituels qui constituaient le thème ou le mythe de l'orientation. Ce que cette élection manifeste, ce qu'elle met en scène, c'est que la désorientation va jusqu'au point où le système même de l'orientation est symboliquement défait ou atteint. Un symptôme de cette situation est constitué par les transfuges. C'est le phénomène des rats, qui courent partout. Les navires sont abandonnés de tous côtés, des consultations très étranges se déroulent dans la coulisse. On assiste à des retournements spectaculaires, on voit des gens qu'on croyait être des représentants peut-être un peu droitiers ou un peu corrompus, mais enfin des représentants quand même de la gauche, s'embaucher chez le vainqueur. C'est un signe de la dissolution des repères, et donc par conséquent de la désorientation parvenue à un stade nouveau, en quelque manière plus symbolisé.

À terme la logique sous-jacente devrait être la logique du parti unique. C'est d'ailleurs ça que notre président à en tête : si on parvenait à rassembler tout le monde sous sa houlette ça serait très bien, on aurait le parti unique. Mon collègue philosophe slovène, Slavoj Zizek, a dit quelque part que ce qu'on n'avait pas compris, lorsqu'on a monté la scène de l'opposition du stalinisme et de la démocratie parlementaire, c'était que le stalinisme était l'avenir de la démocratie parlementaire. Certes il est difficile de se représenter notre président dans ce rôle, je veux dire de le comparer au Géorgien, dans un genre plus sautillant, plus clientéliste, moins compact, moins caché d'une certaine manière, pourtant on pourrait lui faire jouer ce rôle aussi, de grand bâtisseur de notre parti unique. Il suffirait que les ralliés, les transfuges et les rats qui détestent les navires en perdition, constituent petit à petit un flot. Cela ne se produira sans doute pas empiriquement mais c'est déjà là symboliquement, à travers un certain nombre de personnalités qui représentent cette posture, cette possibilité. Vous avez sans doute remarqué que le vainqueur a insisté sur le fait qu'il était maintenant le président de nous tous. Moi je ne le lui avais pas demandé, c'est lui qui le dit ! Tout ça compose, après l'étage pulsionnel, l'étage nostalgique. Je pense en effet que cette sorte d'asthénie consécutive à l'enregistrement du coup qui nous a été asséné par cette élection, est dans son contenu pour une grande part une nostalgie du vieux monde, de ses repérages traditionnels et de ses balises d'orientation subjective.

La troisième composante est évidemment une composante d'impuissance, c'est-à-dire une mise en scène, une subjectivation de l'impuissance. Ce n'est pas qu'ait surgi une impuissance objective, nouvelle ou particulière, à vrai dire on n'est pas plus impuissant qu'avant, mais il y en a une représentation plus consciente. Elle est avérée cette fois comme dimension intrinsèque de la démocratie électorale au sens où se manifeste là à quel point elle est un lieu où la règle est l'impuissance, j'entends naturellement pour ceux qui se gouvernent sur le principe, ou sur l'Idée. Apparaît bien là à quel point ce n'est pas un espace de choix réel, mais quelque chose qui enregistre, comme un sismographe passif, des dispositions qui sont tout à fait étrangères au vouloir, qui n'ont rien à voir avec la représentation clarifiée qu'une volonté peut avoir des objectifs qu'elle poursuit. Il est très frappant de voir que les commentateurs ont immédiatement souligné, comme un élément décisif de ce scrutin, l'abondance de la participation. Ils ne se sont pas contentés de dire que les gens avaient beaucoup voté, ils ont célébré cela comme la « grande victoire de la démocratie ! » Mais supposons que, dans un autre contexte, à une autre époque – je prends cette comparaison parce qu'elle est bouffonne et usée –, une masse de gens aient voté pour Hitler (ce qui est arrivé d'ailleurs). Ce serait là « une grande victoire de la démocratie » en un sens assez particulier. Parce que si c'est ça, ça veut dire que la démocratie est strictement indifférente à tout contenu, qu'elle ne représente rien d'autre que sa propre forme mise en scène dans l'élément numérique. En fin de compte la vraie question, savoir ce que les gens sont allés faire là, est escamotée. Pour moi, j'ai eu l'occasion de vous le dire, cette abondance du vote participe de la dépression générale, parce qu'on ne peut même pas dire que c'est parce que toute une série de gens ne sont pas allés voter qu'on a ce qu'on a. Non, non, ils sont allés voter, et on a ce qu'on a. Et donc il faut l'enregistrer comme ça, il n'y a pas de réserve, nous n'avons pas un stock énorme de gens qui ont dû comprendre la situation. Non, ils y sont allés, et ils ont eu ce qu'ils voulaient, majoritairement.

C'est d'ailleurs ce que tous les politiciens, unanimes, se sont empressés de raconter ; ils ont tous proclamé qu'ils respectaient évidemment le suffrage universel. Moi, je dois vous dire que je ne respecte absolument pas le suffrage universel. Tout dépend de ce qu'il fait ! Le suffrage universel serait-il la seule chose qu'on aurait à respecter, indépendamment de ce qu'il produit ? Dans aucun autre domaine de l'action, ou du jugement sur les actions, on ne considère qu'une chose est valide, absolument indépendamment de ce qu'elle produit. Le suffrage universel a produit quantité d'abominations dans l'histoire, donc en lui-même il n'a aucune innocence. L'encenser parce que les gens sont allés voter, indépendamment de savoir ce que ça a donné, le respecter, respecter sa décision dans une indifférence complète à son contenu, est quelque chose qui participe de la dépression générale. En effet, si en plus on ne peut même plus contester le résultat, si on est obligé de le respecter, vous vous rendez compte !

En réalité, ce qu'on pressent là, c'est que le suffrage universel est un instrument de répression, au moins autant qu'un instrument d'expression. Il faut toujours le raccorder à des exemples précis. Comme on le constate, rien ne produit davantage la satisfaction des puissants et des oppresseurs que d'installer des élections partout. Et notre président n'a pas manqué de dire que pour ce qui était de la grève, on allait voir ce qu'on allait voir ! Ça allait être terriblement électoral la grève, il faudrait une majorité absolue, à bulletins secrets. On retrouve là cette disposition répressive de l'élection. Certains en ont été marqués de façon toute particulière : il faut quand même se souvenir de mai 1968. Il y avait des millions de grévistes, des manifestations tous les jours, une alliance sans précédent entre des jeunes dans des trajets différents, un élément de nouveauté massive, vraiment massive, on voyait des drapeaux rouges chez les habitants des beaux quartiers, bref une extravagance considérable. Or il a suffi que les gens au pouvoir parviennent à organiser des élections, et on a eu la chambre la plus réactionnaire qu'on ait jamais eue, une chambre bleu horizon. Dans ce cas l'élection a été le recours essentiel pour la dissolution et l'écrasement du mouvement. Alors ça, il ne faut pas l'oublier. Je ne dis pas que l'essence complète des élections soit répressive, mais leur dimension répressive est évidente. Il n'est pas étonnant que ça provoque effectivement un sentiment agrandi d'impuissance car, si en effet l'espace de la décision étatique est celui-là, alors on ne voit plus très bien, en tout cas pour le moment, quelles peuvent être les voies de passage pour, disons, une politique d'émancipation.

Je dirais finalement : le coup porté est un mélange de pulsion négative, de nostalgie historique et d'impuissance. Voilà comment je l'analyse. D'où le sentiment qui domine pour l'instant, d'asthénie et d'écrasement, comme c'est finalement normal, pour les raisons que je viens de dire.

C'est le moment de s'appuyer sur une maxime de Lacan, et même sur la définition qu'il donne de la cure. Après tout, si nous sommes tous déprimés, la cure s'impose. Lacan disait que l'enjeu d'une cure psychanalytique c'est « d'élever l'impuissance à l'impossible ». Voilà qui est pour l'instant mystérieux. Nous sommes dans un dispositif, dans un syndrome dont l'élément dépressif fondamental est l'impuissance avérée, celle qui se montre, qui est organisée et symbolisée. Pourtant nous pouvons élever l'impuissance à l'impossible. Cela veut dire beaucoup de choses, entre autres trouver des figures de symbolisation ; mais ça veut dire, en fait, trouver le point réel sur lequel tenir coûte que coûte. C'est-à-dire n'être plus dans le filet vague de l'impuissance et de la nostalgie historique mais trouver, construire, un point réel dont nous savons que nous allons le tenir, en tant que c'est un point naturellement ininscriptible dans la loi de la situation. Un point qui serait inscriptible dans la loi de la situation va tomber dans le syndrome général, être lui-même atteint par le coup porté. Mais si vous avez un point, un seul, qui est tel qu'il est ininscriptible dans la loi de la situation, vous déclarez vous-mêmes que vous allez tenir sur ce point, alors en effet, vous êtes en état d'élever l'impuissance à l'impossible. Ce pour la raison toute simple qu'un point ininscriptible dans la loi de la situation est évidemment un point représenté par cette situation comme impossible, et énoncé comme tel. De là que si vous tenez ce point vous êtes nécessairement dans la tenue des conséquences d'un point symbolisé généralement comme impossible. Et en déclarant que vous allez le tenir quoi qu'il arrive vous vous constituez vous-mêmes en exception de la dépression. Bien entendu toute la question est ce que veut dire « tenir un point », à supposer qu'on le trouve et qu'on puisse s'y incorporer. Eh bien, tenir un point de ce genre, c'est toujours dans l'ordre des conséquences que ça se joue : c'est être dans la subjectivité qui va en organiser les conséquences pratiquement telles qu'on les découvre à partir du point. On va donc construire une autre durée, distincte de celle dans laquelle on a été acculé par la symbolisation étatique générale. Telle serait la maxime abstraite.

Bien sûr, dans une situation où il n'est pas simple de se dire, ce qui est à peu près le discours ambiant général : « Eh bien, on va attendre le prochain tour », c'est très dur. C'est pour ça que tout le monde est déprimé quand même. Le prochain tour… Quand ? Comment ? C'est aussi pour ça qu'il y a tant de rats, parce que le prochain tour, pour eux, c'est très loin. On vieillit, on est un peu ridé, on ne va quand même pas attendre encore cinq ans pour être ministre. Dans ces circonstances le rat s'éclaire, par le fait que, lui, il ne veut pas mariner dans l'impuissance, et encore moins dans l'impossible ! « Tout le possible, tout de suite » dit le rat, c'est sa philosophie spontanée… Et on pourrait après tout définir celui qui joue de la flûte comme « l'Homme aux rats », c'est le nom que je lui donne aujourd'hui. L'Homme aux rats, c'est lui qui a gagné. Le rat c'est un symptôme très important qui désigne celui qui a besoin de se précipiter dans la durée qu'on lui offre. Ce qui revient précisément à ne pas être du tout en état de construire une autre durée. Élever l'impuissance à l'impossible, ça a à voir avec la philosophie de la cure, ça veut dire trouver des symbolisations, doser l'angoisse, pour finalement découvrir le point réel sur lequel tenir coûte que coûte, c'est-à-dire en fait le point du sujet. Et ce point doit être tel que l'on puisse y indexer une durée différente. On va construire un temps autre que celui qui par ailleurs nous est dicté, un temps impossible mais qui sera notre temps réel.

Voilà qui m'amène à faire une parenthèse concernant mai 1968. Elle est très intéressante la déclaration de notre président sur mai 1968. Parce que dire que l'échéance actuelle peut être désignée comme la possibilité « d'en finir une fois pour toutes avec mai 1968 », c'est une déclaration très saisissante, à vrai dire obscure. Là quelque chose de profond a été dit. Pour commencer, entre nous, on avait le sentiment qu'on en avait fini avec mai 1968 depuis longtemps. Alors qu'a-t-il en tête, lui, l'Homme aux rats, pour considérer que l'objectif fondamental est d'en finir avec mai 1968, quarante ans après ? Quarante ans après c'est encore là pour lui ? Ça, c'est une bonne nouvelle ! Mao Tse Toung avait l'habitude de dire que « l'œil du paysan voit juste ». Eh bien, là l'œil de l'Homme aux rats voit juste ! Si réellement mai 1968 c'est la grande question de la conjoncture, et si c'est avec ça qu'il faut en finir une fois pour toutes, c'est donc que c'est très présent, très vigoureux, très fort. Merci monsieur, on n'avait pas vu ça !

Essayons d'interpréter maintenant ce que ça veut dire. Pourquoi mai 1968 ? Lui dit par exemple que « c'est le moment où on a cessé de se représenter clairement la distinction entre le bien et le mal ». Voilà une vision nietzschéenne de mai 1968. Or ce n'était pas du tout par-delà le bien et le mal mai 1968. Au contraire, ça disait : « Le mal c'est l'ensemble des gens qui ressemblent à l'Homme aux rats, et le bien c'est les ouvriers, les jeunes, le peuple. » C'était donc une division très forte du bien et du mal dans le champ politique. Mais ce n'est pas ça qu'il dit. Ça, c'est de la propagande moralisante sur « le pays en crise morale ». On reviendra sur le rôle de la morale dans cette affaire, parce que là nous avons affaire à des discours de pétainistes véritablement, et il faudra les analyser de près, structuralement, philosophiquement.

Donc qu'est-ce qui est visé dans mai 1968 ? Lorsque Marx dit en 1848 : « Un spectre hante l'Europe… » il faut reconnaître qu'il avançait une assertion risquée. On n'avait pas tellement l'impression en 1848 que le communisme était un spectre terrible qui menaçait l'ordre des choses. C'était une anticipation assez formidable. Alors quand l'Homme aux rats dit que mai 1968 est le spectre qui nous hante, nous réactionnaires, mais avec lequel on a l'impression qu'on va pouvoir en finir, que veut-il dire exactement ? Eh bien, je crois qu'il veut dire que nous devons éradiquer définitivement toute idée qu'on peut tenir un point réel hors de la loi de l'État. Parce que, en fin de compte, mai 1968, cette histoire de bien, de mal, de désordre, on peut la ramener à un point unique qui est que là, en tout cas, des gens ont dit qu'il fallait tenir un point réel et qu'ils ont, autant que faire se peut, tenté de le tenir jusqu'au bout. On peut discuter après sur ce que c'était que ce point, si c'était le bon point, le mauvais point. C'est une autre discussion entre nous. Ce qui est sûr c'était que quelque chose se déployait, se dépliait dans des séquences successives qui ont duré plusieurs années, en réalité jusque vers 1973 ou 1974. Quelque chose qui se dépliait dans un ordre qui était précisément l'ordre du point réel tenu, dans une sorte d'indifférence véritable à la loi étatique de la situation, telle qu'elle était par ailleurs prodiguée.

Un élément de cette élection c'est la conviction de toute une série de ceux qui arrivent maintenant au pouvoir et de ceux qui les suivent qu'on a une chance d'éradiquer ce point-là, c'est-à-dire de faire en sorte que cette subjectivité soit, au sens strict, hors la loi. Prenez « hors la loi » au sens fort, pas simplement au sens où la loi serait policièrement persécutée, ce qui ne manquera pas d'arriver, mais où elle serait en quelque manière de l'ordre de l'irreprésentable absolu. Ce qui revient à dire que faire quelque chose qui ne soit pas précisément de l'ordre ou de la temporalité de ce qui nous est proposé, va devenir hors la loi au sens le plus total ou le plus complet du terme. Ce point une fois éradiqué, surgit effectivement la tentation de la soumission, parce qu'il est en réalité le seul qui soit en dialectique authentique avec la pulsion de soumission. Bien sûr, s'il n'y a pas de point réel, la seule issue est la soumission la plus abjecte à la réalité. Là j'utiliserais vraiment la dialectique lacanienne du réel et de la réalité. Si rien ne vient trouer la réalité, si rien n'est en exception d'elle, si aucun point n'est isolable que vous puissiez tenir pour votre propre compte, coûte que coûte, alors il n'y a que la réalité et ses lois, et donc il n'y a que la soumission à cette réalité, c'est-à-dire à ce que Lacan appelait « le service des biens. »

Par conséquent, la violence contre mai 1968, aux applaudissements d'un certain nombre d'anciens soixante-huitards, qui étaient déjà présents dans la salle et qui menaient grand tapage pour leur propre hara-kiri, est une violence qui concerne en réalité l'hégémonie sans réserve du service des biens. Or, comme nous le savons, le service des biens, dans une structure comme la nôtre, c'est le service de ceux qui ont des biens. La fameuse escapade de l'Homme aux rats dans un yacht, pour fêter son triomphe, après le Fouquet's (ensuite il est revenu pour jouer de la flûte et voir les gens arriver), n'est ni une faute, ni un impair ou un pas de côté, comme on a tenté de nous la présenter, non, il est tout simplement allé voir ses commanditaires, il est allé voir les parrains. Et surtout il a déclaré devant tout le monde que c'était comme ça, que le service des biens c'est normal, c'est la seule règle, la seule loi. Or quiconque n'a pas un point réel au nom duquel il parle, dans l'universalité de sa propre dimension, n'a rien à répondre à cela. Le service des biens, si c'est la loi, c'est la loi. Pourquoi ne pas se servir ? L'Homme aux rats a expressément montré qu'il se servait, et que c'était comme ça. Quant à ceux qui ne sont pas en état de le faire, et qui sont nombreux, tant pis pour eux. Parce qu'ils n'avaient qu'à pas accepter le service des biens comme règle et comme maxime de la situation dans son ensemble.

Première conclusion : la cure consistant à élever l'impuissance à l'impossible, revient tout de même, opération compliquée, à faire choix d'un point tel qu'il soit votre point, et dont vous direz, contre l'hégémonie du service des biens, que vous le tiendrez coûte que coûte. Vous me demanderez, un point, mais quel point ? Je répondrai : n'importe lequel, pourvu qu'il fasse fonction d'appui pour la construction d'une autre durée. Je vais d'ailleurs vous en proposer une dizaine. N'y voyez surtout pas un programme, vous vous en fabriquerez tant que vous voulez à partir de là. J'en choisis dont on a parlé ici.

Tenir le point qu'il n'y a qu'un seul monde. Imaginez que vous êtes dans la prospection, là où vous êtes, dans votre identité propre, avec ceux que vous connaissez, dans l'idée que vous allez tenir ce point-là, quelles que soient les circonstances. Eh bien, vous verrez que vous allez déplier des conséquences considérables et que vous allez trouver des tas de choses à faire. Je peux vous garantir que ça construira une durée qui ne sera pas celle qu'on nous promet. C'est un vaste point celui-là, c'est en quelque sorte le point des points. Et on peut lui trouver de toutes petites conséquences, infiniment précises, sur telle situation dans le monde. Un exemple parmi d'autres : s'il y a un seul monde, que se passe-t-il à Haïti ? Car Haïti est dans mon monde, je suis un contemporain, moi, de Haïti, je suis du même monde que Haïti…

Un deuxième point : les ouvriers de provenance étrangère. Grande cible, grands discours, grande thématique de tout le monde : « Il faut contrôler l'immigration, renvoyer les gens chez eux ; il faut qu'ils apprennent le français trois ans à l'avance, etc. » On peut ajouter, regroupement familial interdit, élèves scolarisés chassés. Eh bien on dira : moi mon point c'est que les ouvriers de provenance étrangère doivent être reconnus par l'État comme de libres sujets, et même, en forçant un peu la dose, que non seulement on ne doit pas les persécuter mais qu'on devrait les honorer comme tels. Ensuite on peut se mettre en quête de l'ensemble des procédures visant à faire que non seulement ils s'organisent pour être considérés comme de libres sujets, mais aussi qu'ils soient honorés comme tels. Car, entre nous soit dit, il y a quand même beaucoup plus de raisons de les honorer que d'honorer l'Homme aux rats. Il faut aussi faire montre d'une capacité, comme aurait dit Nietzsche, à la transvaluation des valeurs. Il y a des moments où il faut savoir affirmer la chose retournée, affirmer que ceux qui sont persécutés, stigmatisés, il se pourrait bien que ce soit ceux qui ont principalement à être considérés et honorés. N'oublions pas après tout que ça a été à certains égards le geste fondamental de Marx. Il a dit en effet, que les ouvriers qui n'avaient rien étaient considérés comme des classes dangereuses, et qu'il allait, lui, œuvrer pour qu'ils soient en réalité le moteur de l'histoire à venir et les constructeurs, les bâtisseurs d'une société de justice authentique. Quelle que soit l'échelle à laquelle on se trouve, on peut aussi faire ça, c'est-à-dire on peut renverser les verdicts.

Troisième point, complètement disparate : soutenir que l'art comme création vaut mieux, ou est supérieur, à la culture comme consommation. On va avoir aussi quantité de lieux pour affirmer la validité et la pertinence de ce point.

Dans le même ordre d'idées, je proposerais ensuite : soutenir que la science, qui est intrinsèquement gratuite, l'emporte absolument sur la technique, même, et surtout profitable. S'organiser et lutter sur ce point a une grande pertinence dans le monde contemporain. L'affirmation de la validité universelle et générique de l'invention scientifique, le fait qu'elle ne soit pas commensurable à la profitabilité technique, c'est un point qui doit être réaffirmé, surtout aujourd'hui. Vous connaissez sans doute les déclarations de notre président sur la littérature ancienne. La littérature ancienne, est ici paradigmatique de tout, cela peut valoir pour l'art ou la science. Parce qu'il a dit : « Vous pouvez faire si vous voulez des études de littérature ancienne, mais vous n'allez quand même pas demander au contribuable de vous les payer, d'ailleurs nous allons surtout faire aller l'argent des contribuables à l'informatique et à l'économie ; et la littérature ancienne, tintin ! » C'est une des innombrables déclarations de ce personnage, qui doit être prise au pied de la lettre car cela signifie tout simplement que ce qui n'a pas de profitabilité n'a pas de raison d'être et que s'il reste quelques hurluberlus qui continuent à être attachés à ce genre de choses, ils n'ont qu'à se débrouiller tous seuls. Le thème selon lequel ce qui a valeur n'est pas du tout homogène à ce qui a valeur marchande va devenir capital. C'est une manière de dire qu'il est tout à fait important que ce qui a valeur universelle soit restitué à sa place première. Exactement comme le fait d'honorer les ouvriers qui, au terme de péripéties incroyables, dans des conditions effrayantes, en parlant quatre langues, sont venus exécuter ici des travaux que personne n'a envie de faire. On pourrait au moins les honorer, puisque ce sont eux qui nettoient par terre, qui font la vaisselle dans les restaurants, qui creusent des trous dans les rues. Là c'est pareil : la question de ce qui se donne dans la gratuité essentielle de l'activité pensante humaine doit être honorée comme telle, et doit être soutenue contre la norme de la technicité profitable.

Je prends le point suivant du côté idéologique, abstrait. Il s'agit en toutes circonstances d'examiner la situation du point de vue d'une maxime égalitaire. Voilà qui est appropriable à n'importe quel moment de l'existence, à n'importe quelle situation, petite, grande, limitée, personnelle, collective. Vous pouvez toujours vous demander quel sens vous attribuez à telle ou telle situation du moment que vous l'examinez à la lumière du principe que fondamentalement les sujets sont égaux. Et quelles en sont les conséquences quant à votre lien à cette situation. Voilà.

Je poursuis. Tout malade doit être soigné le mieux possible compte tenu de l'état de la médecine et ce, sans condition d'aucune sorte. Ce qui entre parenthèses était déjà dit dans le très vieux texte qu'est le serment d'Hippocrate. C'est une maxime grecque, qui aujourd'hui est complètement bafouée : il faut d'abord considérer l'état de l'économie, les crédits de l'hôpital, la hiérarchie des services, la provenance du malade, s'il est noir ou blanc, etc. Après quoi on prendra une décision rationnelle. Il sera peut-être mort entre temps mais ce n'est pas grave : la raison d'abord.

Je dirais aussi qu'il faut soutenir (c'est le point sept, pour autant que je sache) que l'amour a besoin d'être constitué comme un point qu'on soutient avec vigueur car il est menacé de toutes parts. Il est menacé, si je puis dire sur sa droite, par sa destination contractuelle. Et sur sa gauche par la pornographie commerciale.

L'amour, d'un côté, c'est le contrat entre deux personnes qui pèsent soigneusement les avantages et les inconvénients de leur appariement : ça, c'est le côté démocratique des choses. Et puis de l'autre côté, malgré tout, il est pris dans un bourbier sexuel et pornographique légèrement obscur et indéchiffrable. Or on peut tenir l'amour comme un point qui n'est réductible ni à l'un ni à l'autre, parce qu'il est le processus d'une vérité sur la dialectique du Deux.

Mon huitième point est également très vaste, mais on peut lui trouver des assignations locales. Il consiste à soutenir qu'une politique d'émancipation, même fragmentaire, est supérieure à toute gestion. J'entends par là que les idées qui supportent les actions d'une politique qui se fait au nom de l'émancipation de l'humanité, fût-ce localement, doivent être absolument considérées comme supérieures aux nécessités gestionnaires. Surtout quand cette gestion, selon les deux arguments au nom desquels elle est avancée ou dressée contre le point d'impossible de toute politique d'émancipation, se présente comme rationnelle et moderne,

Et puis un dernier point, tout petit, mais qui permet une action immédiate : un journal qui appartient à de riches managers n'a pas à être lu par quelqu'un qui n'est ni l'un ni l'autre. Ça c'est applicable sans délai ! Alors regardez à qui sont vraiment les journaux, y compris les journaux télévisés… S'ils appartiennent à des gens du CAC 40, qui, en plus, sont des gens qui prennent Sarkozy sur leur yacht, qu'ils le fassent circuler entre eux leur journal !

C'était là une sorte de descriptif anarchique. Mais subjectivement ça me ramène à la question du courage. Parce que cette cure, cette élévation de l'impuissance à l'impossible, c'est subjectivement la question du courage. Dans le *Séminaire*, Livre I, il y a un passage que j'ai toujours beaucoup aimé, où Lacan se demande si la cure analytique ne devrait pas se terminer comme dans les dialogues de Platon, par de grandes discussions sur la justice et le courage. Et il pose la question : notre pratique, qui consiste à élever l'impuissance à l'impossible, ne devrait-elle pas se terminer finalement par ce type de discussions dialectiques ? Vous voyez que le courage est convoqué là dans une connexion à ce processus d'élévation de l'impuissance à l'impossible. Mais alors quelle définition du courage est-ce que cela suppose ? Finalement, c'est quoi le courage ?

Lisez sur ce point le merveilleux dialogue de Platon, le *Lachès*, qui est le dialogue consacré expressément au courage. Dans le *Lachès* on cherche une définition du courage et on interroge bien sûr un général, lequel répond, comme on pouvait s'y attendre : « Eh bien, le courage, c'est quand je vois l'ennemi et que je lui cours sus. » Après ça on discute un peu car c'est peut-être légèrement plus compliqué. Moi j'appellerais courage… Je vais lui conserver son statut de vertu : nous sommes dans le cadre d'une morale provisoire, il peut donc bien y avoir des vertus. Soyons donc vertueux ! Je pense qu'on peut appeler « courage » la vertu qui se manifeste par l'endurance dans l'impossible. C'est pourquoi ça a à voir avec l'élévation de l'impuissance à l'impossible. Ce n'est pas simplement expérimenter l'impossible, ce qui après tout peut être de l'héroïsme, un moment d'héroïsme. On pourrait dire en effet que l'héroïsme, c'est quand on fait face à l'impossible. C'est pourquoi il a toujours été représenté comme une posture, éventuellement sublime, parce que c'est le moment où l'on se tourne vers l'impossible, c'est-à-dire vers le réel requis, et qu'on lui fait face. J'appellerais courage quelque chose de distinct de l'héroïsme, parce qu'une vertu n'est pas quelque chose qu'on a déjà, c'est quelque chose qui se construit. C'est pour ça que je parle d'endurance dans l'impossible, sans égards aux lois du monde et sans égards aux opinions qui supportent ces lois. Le courage comme vertu se trouve particulièrement lié à la construction d'une autre durée. Ce qui demande du courage, c'est de se tenir dans une durée différente de la durée imposée par la loi du monde. Et vous voyez bien que le courage intervient ici au moment où, pour se sortir de la figure de l'impuissance, on sait qu'il va falloir une durée propre. Une durée propre qui ne se laissera pas convoquer subjectivement par les réquisitions du monde. Et c'est bien de courage qu'il s'agit dans notre situation post-électorale, eu égard à ce qui s'est passé et qui se déploie dans un premier temps comme dépression. Mais attention, ce courage ne saurait être le courage au sens où certains l'envisagent, comme le courage de recommencer. Le courage de recommencer n'est pas un courage véritable. C'est là un point très subtil si on l'examine dans sa dialectique complète : tout courage est quand même envoyé par un héroïsme, c'est-à-dire qu'il faut d'abord se tourner vers le point, le saisir, le construire.

Il y a donc bien un élément héroïque, lequel peut être tout petit. On ne va pas dire qu'il faut un héroïsme grandiose, offrir par exemple sa poitrine aux balles ! Cependant il faut accepter de se tourner vers l'impossible. C'est un retournement, probablement d'ailleurs ce que Platon appelle une « conversion ». La conversion au sens de Platon, ce n'est rien d'autre que ce retournement vers le réel, qui est héroïque au sens où il s'inscrit comme rupture dans le tissu d'impuissance de la réalité. En ce sens il n'y a pas de courage qui soit la réinstallation dans la répétition. Le courage n'est jamais le courage de recommencer comme avant, fût-ce avec des améliorations. Je dis ça parce que j'ai été frappé par le grand titre du magazine *Marianne* après l'élection, c'était « N'ayez pas peur. » C'était un titre légitime, à sa manière : d'abord parce qu'il énonçait la peur comme élément générique de la situation, ensuite parce qu'il appelait au courage finalement, ne pas avoir peur c'est quand même ça. Sauf que le contenu était tout autre chose, c'était finalement, indéfiniment la même proposition. En gros : « Puisqu'on a pris une tarte, on va pouvoir refaire la bonne gauche, la vraie. Il va falloir commencer par liquider les idées libertaires. » Donc finalement mai 1968 aussi. Laissons de côté le détail de la discussion. Mais l'idée c'était tout de même que le courage en question c'était « Ne lâchons pas. » Or l'essence du courage, ce n'est pas de ne pas lâcher. Ce n'est pas se buter sur la chose, au sens où, d'accord, vous avez pris une grande baffe mais vous restez sur place. Ce n'est pas ça le courage. Le courage au sens où je l'entends se situe dans la dimension consécutive à une conversion minimalement héroïque qui fait que vous vous tournez ailleurs, vers un point qui, d'une certaine manière, n'était pas là, n'était pas vraiment le vôtre : vous avez fait une découverte et vous changez de terrain. Ça c'est héroïque, parce qu'il faut abandonner quelque chose, cisailler les opinions et renoncer, sans nostalgie, à tout un dispositif du vieux monde auquel on était habitué… Et dire : « Je prends ce point. »

Le retournement héroïque consiste à saisir le point, mais le courage c'est de le tenir, c'est la construction de la durée. D'une durée qui n'est pas réductible à l'idée que cette fois on a perdu mais que la prochaine fois on va gagner, « au prix de réformes, transformations, rénovations du Parti socialiste, etc. », ce qui a toujours été ce qu'on a dit. Mais ça, c'est vraiment de l'ordre du recommencement absolu. Même si ça se présente comme novateur et courageux, c'est gouverné par la nostalgie : « On va retrouver ce qu'on avait perdu », « On va reconstruire ce qui a été défait. » J'y insiste : dans ces conditions, le courage dont nous avons besoin aujourd'hui est toujours local, c'est-à-dire qu'il commence en un point. Pour tout le monde. Ce n'est pas forcément le même point, mais il commence en un point. Et quand quelque chose commence en un point, il faut accepter de ne pas aussitôt le mesurer à la situation globale. Si vous commencez en un point, vous commencez en un point. Et vous construisez une durée qui s'origine d'un point. Vous n'êtes pas dans la confrontation immédiate de cette localisation avec la situation globale. Parce qu'il faut bien voir que le coup reçu, lui, est global. Il est d'ailleurs indistinct. On ne sait pas encore quels sont ses ingrédients, quelles sont ses localisations prioritaires, où ça va se passer. Il y a un sentiment global d'impuissance et de coup reçu. Contre ça il n'y a rien à faire. Dans le global, vous n'avez aucune espèce de cure possible de cette impuissance. Cela reviendra inévitablement à retourner aux anciennes catégories, à tenter de les restaurer, de les rechaper et donc à préparer sans véritable courage la réitération du vieil appareillage.

C'est une grande loi de la morale provisoire : lorsqu'on reçoit un coup global, le courage qui y répond est local. C'est en un point que vous allez reconstruire la possibilité de survivre à cette dépression du coup reçu, de ne pas perdre votre âme, si je puis dire. On pourrait donner une autre définition du courage et de ses effets et dire : le courage oriente localement dans la désorientation globale. Je décrirais ainsi la situation actuelle : il y a une désorientation globale qui a été finalement symbolisée – on en parlait depuis longtemps mais là elle est ressentie – et la nécessité est de s'orienter localement, point par point, de telle sorte que soit reconstitué le courage. On peut dire aussi, et c'est une parenthèse qui reprend des catégories de la dernière fois, que la désorientation à laquelle nous sommes confrontés, par sa globalité, son historicité, son intelligibilité aussi, mérite de remonter jusqu'à son transcendantal pétainiste. Entendons-nous bien : je ne suis pas en train de dire que ça répète Pétain, ce serait absurde. Mais le transcendantal, c'est-à-dire le mode de constitution historique et national singulier de cette affaire mérite d'être nommé « pétainisme ». Et ce pour éviter de le qualifier trop vite de fasciste, d'antidémocratique, ou de choses de ce genre. C'est plus précis que ça, et c'est plus de chez nous.

Le pétainisme, je voudrais y revenir de façon un petit peu analytique et précise. Je pense que « pétainisme » pourrait être le nom, en France, des formes étatisées et catastrophiques de la désorientation. J'en donne une définition conceptuelle stricte : il est une désorientation majeure, car il a ceci de particulier qu'il se présente comme événement « étatisé », qui se passe au niveau central, au niveau de l'État. Il y a de ce point de vue une tradition nationale bien antérieure à Pétain. Le pétainisme commence en réalité en France avec la Restauration de 1815, où un gouvernement contre-révolutionnaire se réinstalle, dans les fourgons de l'étranger, avec l'acquiescement des émigrés et des classes renversées. Ensuite on va en trouver beaucoup d'autres exemples dans des figures qui sont toujours des figures semi-catastrophiques, dans lesquelles une désorientation majeure travaille, comme par exemple un gouvernement national installé par l'étranger, ou un gouvernement des riches et des oligarques qui se présente comme le réparateur d'une grande crise morale, ou encore un aventurier, homme de main des grands capitalistes qui se présente comme le sauveur de l'énergie nationale. C'est une désorientation majeure qui se nomme selon une figure ramassée, concentrée, que j'appelle la figure « catastrophique » et qui se donne en outre comme le contraire de ce qu'elle est.

Quelques repères formels. Premièrement, dans ce type de situation, la capitulation et la servilité se présentent comme rupture, révolution et régénération. Il est tout à fait significatif que notre président ait fait campagne sur le motif de la rupture. On a appris tout à la fin avec quoi il s'agissait de rompre : c'était avec mai 1968. Ce n'était pas clair au début. La « régénération » désigne le fait qu'il va surmonter la crise morale de la France, la remettre au travail. Ça c'est quand même formidable ! Donc c'est une rupture, une régénération, une révolution, dont le contenu est en fait la capitulation sans conditions devant les exigences des puissants de ce monde, la servilité à l'égard des Américains. C'est donc une politique de la courbette ininterrompue. Tel est le premier élément symptomal de ce que j'appelle le type pétainiste de la désorientation. On en a ici la forme mineure, parce que, naturellement, la matrice c'est Pétain en personne. Je rappelle que Pétain avait appelé sa politique « la Révolution nationale ». Lui il y est allé carrément ! On avait capitulé, on était occupé par les Allemands, on avait négocié avec eux dans des conditions absolument honteuses, on était donc dans le comble de la servilité, et c'était l'entreprise de Révolution nationale et de régénération. Pour trouver plus désorientant il faut se lever de bonne heure ! C'est là une figure dont je crois qu'elle nous est propre car je n'en vois pas tellement d'équivalents dans les autres nations. Et ce n'est certes pas un motif de fierté patriotique majeur, il faut bien le dire.

Le deuxième point, tout aussi intéressant et dont on a la forme mineure, c'est qu'il y a un abaissement national (auquel bien sûr on va remédier immédiatement), imputable à une crise morale : le bien et le mal, le travail, la famille, la patrie, tout ça est en crise, c'est terrible, et on va restaurer tout ça. Par conséquent le redressement ne suppose d'aucune façon l'énergie ou la mobilisation politique des gens, dont on va au contraire se garder le plus soigneusement qu'on pourra. Comme c'est toujours le cas, la morale vient là à sa place, c'est-à-dire en réalité à la place de la politique. On va en appeler au « redressement moral », terminologie parfaitement pétainiste aussi. D'une certaine manière cela permet de dire que, politiquement, l'État est chargé de tout, forcément puisque les gens, eux, sont en état de crise morale. Il faut donc, et c'est la didactique de notre président, « redonner confiance », et « récompenser le mérite ». Cette dialectique de la morale et de la politique est pétainiste dans son essence. D'ailleurs c'est la faute des gens s'ils sont plongés dans un déficit moral. C'est la faute à mai 1968, auquel les gens s'obstinent à croire, et dont l'Homme aux rats se propose de les déprendre. Vu la situation déplorable du pays et des gens l'État va être chargé de l'ensemble des opérations de régénération et de rupture, ce qui est toujours un énoncé qui permet de donner les mains libres au gouvernement. C'est sa destination fondamentale. Car, comment réparer la crise morale ? Ce qu'il y a de sûr c'est qu'il faut prendre des mesures énergiques, et ça les mesures énergiques, on va les prendre. Cette corrélation dialectique de la morale et de la politique est un point tout à fait central.

Troisièmement, un point de méthodologie pétainiste typique c'est que l'exemple du redressement vient de l'étranger : « Les étrangers font mieux que nous, ils sont déjà redressés depuis longtemps. » Dans le cas de Pétain, c'était : les fascistes sont paradigmatiques, l'Allemagne s'est redressée, l'Italie s'est redressée, l'Espagne s'est redressée. Faut voir comment ! Quant à nous, il faut qu'à l'exemple de ces grands modèles on fasse pareil. Cette référence constante à l'exemple étranger comme matrice du redressement était absolument obsédante dans le discours électoral. Et ça, c'est parce que, d'une certaine manière, il y a une logique politique du modèle. On doit modeler la situation de façon à sortir la société de sa terrible crise morale par l'application d'un modèle. Or cette figure du modèle, sur laquelle mon ami Lacoue-Labarthe a dit des choses remarquables, cette esthétique du modèle, dont on a évidemment là des versions misérables mais qui n'en ont pas moins leur logique propre, traite la situation dans la figure d'une reconfiguration. D'une reconfiguration absolument passive, qui n'en appelle nullement à l'énergie de ses acteurs.

Un élément descriptivement très important de la propagande pétainiste consiste à dire qu'à l'origine de la crise morale, se situe un événement néfaste. Dans le cas du pétainisme, c'est clair, c'était le Front populaire qui avait eu lieu quatre ans auparavant et avait flanqué une trouille mémorable – à mon avis largement injustifiée, mais peu importe – aux possédants de ce pays. Ils en tremblaient encore et préféraient de loin les Allemands, les nazis, et n'importe qui au Front populaire. Ils ont donc prétendu que le Front populaire avait été l'origine et le symbole d'une grave crise morale, qui exigeait une révolution nationale. Transposons : mai 1968 est responsable d'une grave crise morale qui nécessite également une reconfiguration (sur le modèle de Bush ou de Blair) de notre malheureux pays en voie de désintégration accélérée. Cette articulation est très importante, parce qu'elle donne l'historicité de la chose. Il y a ainsi un élément d'historicité essentiel qui consiste à lier deux événements : l'événement négatif, généralement de structure ouvrière et populaire, et l'événement positif, de structure étatique et militaire, dans le cas de Pétain. Le second consistant en un redressement de la crise morale induite par le premier. On nous propose donc une lisibilité de l'histoire : notre nouveau président installe la légitimité de son gouvernement, sous une arche historique assez grande tout de même, quarante ans d'histoire depuis mai 1968. Il se représente lui-même, et se fait représenter comme un acteur historique de première importance, puisqu'il est celui qui, enfin, prend la mesure du redressement nécessaire, par rapport à l'événement néfaste inaugural.

Enfin il y a un élément sourdement racialiste qui est que nous ne sommes pas une race inférieure. Cela prend évidemment une forme, ouverte dans le pétainisme, masquée dans la situation actuelle, mais il y a manifestement une réitération de la thématique la France « qui n'a de leçon à recevoir de personne », ce qui, soit dit en passant, semble contredire l'affirmation selon laquelle il faut savoir apprendre de modèles étrangers. En tout cas, dans la voie racialiste, le discours présidentiel va très loin. Ainsi : « Ceux qui sont misérables chez eux, doivent y rester, parce que nous, nous avons nos propres tâches, nos propres valeurs, notre propre destinée et notre propre essence, et c'est à cela que nous dévouerons notre politique. » Cette charge simultanément anti-étrangers et anti-pauvres désigne, avec une remarquable violence, la venue en France de prolétaires nomades.

Je récapitule les traits qui m'amènent à parler de « pétainisme » en un sens transcendantal. Vous avez ainsi la négation explicite du contenu réel de ce qui se passe : révolution là où il y a réaction noire ; crise morale comme responsabilisation du peuple et libération des activités de l'État, événement néfaste donc historicité donnée par l'événement négatif originaire, fonction paradigmatique et configurante de l'étranger, et différentes variantes de la supériorité de notre civilisation, nous permettant d'affirmer que nous sommes quand même une civilisation bien supérieure à ce qu'on peut voir dans d'autres régions du monde.

Tout cela pour couvrir quoi ? Une guerre insidieuse contre le peuple, particulièrement contre ses couches les plus exposées, les plus pauvres, la servilité à l'extérieur, et la protection des fortunes. Ce programme réel tient en trois points :

« Que le peuple se tienne tranquille, à sa place, parce que chacun mérite la place qu'il a. » L'apologie du mérite ce n'est rien d'autre. C'est le premier point, avec beaucoup de constructions policières autour.

La servilité à l'extérieur. J'ai trouvé magnifique l'air solennel adopté pour dire : « Les Américains sont nos amis, nos grands, nos chers amis. » Mais enfin on va leur parler comme on fait avec des amis, on va leur parler librement, on va leur dire : – là tout le monde attendait « vous faites quand même en Irak des choses abominables », mais on a eu : « il faudrait tout de même respecter la couche d'ozone ». Le pas de côté qui énonçait ou annonçait la servilité à l'extérieur était flagrant.

Et l'alpha et l'oméga : la protection des fortunes évidemment.

On pourrait être tenté par la formule suivante : si « pétainisme » est une façon de désigner historiquement le transcendantal réactif de notre pays, finalement, tout courage est le courage de ne pas être pétainiste. Ce serait la définition la plus restreinte, qui a été, après tout, la définition du courage de la Résistance elle-même, en 1940, 1941, 1942… En effet, dans la mesure où le pétainisme a toujours eu une dimension de masse – il ne s'agissait pas d'une petite clique mais d'une subjectivité générale – le choix d'entrer dans la Résistance, était évidemment le choix du point réel. Mais cette définition est sans doute quand même trop négative. Elle est peut-être trop du côté, justement, de la négativité résistante, trop commandée par la situation elle-même. « Résistance » est sans doute un mot qu'il faut dé-dialectiser, ou en tout cas dont il faut retirer la prévalence négative : « je résiste à », donc je suis conditionné ou structuré par le contenu de ce à quoi je résiste. Il vaudrait probablement mieux dire, de façon après tout plus limitée, que le courage ne consiste pas à ne pas être pétainiste en général, mais à tenir un point qui soit, lui, absolument hétérogène au pétainisme.

Les caractérisations du pétainisme que j'ai données nous fournissent un petit guide d'investigation. Premièrement : comme la capitulation et la servilité se présentent comme rupture, révolution et régénération il faut tenir un point qui, précisément, soit un point de rupture effective, un point qui n'est d'aucune manière praticable comme le masque de la continuité. Le test va être que tout point doit se présenter comme un vrai commencement. Je l'ai dit tout à l'heure : un retournement inaugural va constituer le point. Deuxièmement : puisque l'abaissement est imputé à un déficit moral la question de tenir un point n'a rien à voir avec la moralité. Tenir un point c'est une discipline des conséquences. Et dans cette discipline il n'est question ni de crise morale, ni de régénération, il est question d'exister comme sujet dans un corrélat à un point réel qui évite de basculer ou de se dissoudre dans la réalité. Troisièmement : il y a un événement « néfaste » à l'origine de la crise et de son redressement. Je crois qu'il est ici tout à fait intéressant, au moins à titre d'allégorie personnelle, de soutenir fermement tel ou tel événement « faste ». Que chacun ait l'événement créateur faste dont il se réclame, c'est-à-dire que la discipline immanente subjective ne soit pas celle qui prétend réparer les conséquences d'un événement néfaste, mais celle qui affirme être créativement fidèle à un événement « faste », mai 1968 par exemple, ou tout autre de la vie personnelle ou de la vie collective. Le courage est toujours un courage dont les emblèmes sont affirmatifs. Il faut absolument se méfier de quelqu'un dont le drapeau est celui de la décadence, et qui se présente comme celui qui va la réparer : ses intentions ne sont pas pures. Après tout, si quelqu'un prétend être dans l'élément de l'affirmation, de la création et du devenir créateur, il doit plutôt présenter ce qui a déjà eu cette dimension-là. En conséquence je suis pour les drapeaux ornés des allégories de l'événement « faste ». Quatrièmement : l'exemple du redressement qui vient de l'étranger a été un des plus tristes aspects de cette campagne électorale, d'autant que les deux protagonistes se réclamaient de Blair. « Blair » c'est le blaireau. Cela me rappelle une expression chinoise que j'aime beaucoup pour parler de deux personnes qui sont complices, les Chinois disent : « Oui, ces deux-là, ce sont des blaireaux de la même colline. » C'est la ressource du lexique chinois. Eh bien, là, Blair et Bush étaient assurément des blaireaux de la même colline.

Sur le dernier point, nous retrouvons en réalité ce dont nous sommes partis, c'est-à-dire « Il y a un seul monde. » Oui, il y a un seul monde, et donc pas de civilisation supérieure.

Ce n'est pas encore aujourd'hui que nous reviendrons sur le texte de Stephen Crane ; ce sera pour la prochaine fois. Auparavant je voudrais terminer en situant ce que je viens de vous dire dans un horizon plus vaste, c'est-à-dire dans une vision hégélienne, une fresque hégélienne de l'histoire mondiale récente qui nous intéresse.

Je l'introduirais ainsi : je pense que, depuis la Révolution française et son écho progressivement universel, et depuis les développements les plus radicalement égalitaires de cette révolution (Babeuf, etc.), nous savons – quand je dis « nous », c'est l'humanité générique, il n'y a pas de « nous » à proprement parler, c'est un savoir disponible –, nous savons que le communisme est la bonne hypothèse.

Que veut dire ici « communisme » ? C'est « communisme » dans son sens générique, détaché naturellement des partis communistes, de ceci ou de cela. Le communisme dans son sens générique, ça veut dire des choses précises, ça veut dire que le dispositif des classes peut être surmonté. Que par conséquent le pouvoir oligarchique de ceux qui détiennent la puissance et la richesse n'est pas inéluctable, qu'il peut trouver sa fin. Et que l'organisation de la société, avec un État séparé, un appareil policier, militaire, séparé de la société civile, n'est pas non plus inéluctable. « Communisme », dans son sens générique, ne désigne que cet ensemble-là. C'est naturellement une hypothèse, une hypothèse ayant valeur d'« idée régulatrice », pour parler comme Kant. Une hypothèse à l'intérieur de laquelle peuvent s'inscrire des séquences politiques tout à fait diversifiées et même tout à fait contradictoires. Mais c'est une hypothèse en quelque manière inaugurale pour notre historicité, parce qu'elle ouvre véritablement le XIXe siècle, c'est-à-dire la modernité politique. Elle met fin aux structures traditionnelles des anciens régimes, comme on les appelle. Donc quelque chose est ouvert là. Et je propose de dire que ce qui est ouvert là assume aussi bien l'ordre de la prescription idéalisante que l'ordre du principe même.

Le communisme est la bonne hypothèse, à savoir qu'on peut s'installer dans cette hypothèse, quelles que soient les déclinaisons ou les variations qu'elle subit dans des contextes qui, évidemment, sont incomparables. Il y a un texte où Sartre dit : « Si en vérité l'hypothèse communiste n'est pas la bonne hypothèse, c'est-à-dire s'il faut renoncer, je ne dis pas à la chose elle-même, parce que ça n'a pas de sens, mais à l'hypothèse, alors ça veut dire que l'humanité n'est pas une chose en soi très différente des fourmis, ou des termites. » Ce que Sartre entend par là c'est que si cette hypothèse générique, ouverte il n'y a pas si longtemps que cela, est fausse, et qu'il faille en finir une fois pour toutes avec mai 1968 comme on en a fini avec le communisme qui s'est effondré en Union Soviétique, avec le Parti communiste qui s'est peu à peu misérablement défait, etc., eh bien, il faut abandonner l'hypothèse elle-même. Parce que mai 1968 c'était une invention hypothétique : personne ne savait ce que c'était, ni ce que ça faisait, ni où ça allait ; simplement, on se situait *dans* cette hypothèse. Et alors, abandonner l'hypothèse elle-même veut dire qu'une société humaine est une société de gens qui poursuivent leurs intérêts, et puis c'est tout. Que c'est ça l'alpha et l'oméga de la construction sociale étatique et politique. Et que donc les riches poursuivent des intérêts de riches, tandis que les pauvres voudraient bien être riches. Que c'est comme ça que ça se passe et que ça sera toujours comme ça.

Par conséquent, quand je dis que le communisme est la bonne hypothèse, ça signifie qu'on maintient en vie l'hypothèse qu'il n'est pas inéluctable que ce soit toujours comme ça ; qu'il n'y a pas une nécessité immanente d'une nature humaine prédéterminée qui ferait que nous ne sommes pas beaucoup autre chose que des animaux qui vivent en groupe. Ça, c'est le premier point.

À partir de ce point se dessine une fresque historique particulière, qu'on peut récapituler ainsi : il y a eu deux grandes séquences de tentative d'effectuation de l'hypothèse. Deux périodes assez distinctes. Il y a eu en gros la période qui va de la Révolution française à la Commune de Paris. Cette période qui inclut également des quantités de phénomènes dans toutes sortes de pays du monde, on peut dire qu'elle lie le mouvement populaire et une thématique de l'insurrection. Autrement dit, elle organise le mouvement populaire, qui évidemment existe dans ses formes multiples : manifestations, mouvements, grèves, soulèvements paysans, jacqueries, autour de la thématique d'un renversement. Ce renversement est évidemment un renversement insurrectionnel qu'on appelle « la révolution » : c'est dire que l'ordre ancien va être abattu par une combinaison de sa propre corruption, de son propre effondrement interne, avec la pression éventuellement armée du mouvement populaire. Cette séquence est une séquence où apparaît aussi la dimension de mouvement ouvrier c'est-à-dire où, à la vieille catégorie des paysans et du petit peuple, s'adjoint la catégorie d'« ouvrier ». Cette première séquence je pense qu'elle se clôt par l'échec de la Commune de Paris, son échec radical. La Commune de Paris est la forme suprême de cette combinaison de mouvement ouvrier et d'insurrection. À ce titre elle possède une vitalité remarquable, puisque le pouvoir est pris pendant deux mois, mais elle montre aussi son incapacité organique à se maintenir.

La deuxième séquence, va de 1917, la Révolution russe, à 1967-1968, la Révolution culturelle en Chine. La première séquence c'est quatre-vingts ans, la deuxième, une cinquantaine d'années. Cette deuxième séquence n'est plus dominée par la corrélation du mouvement populaire et de l'insurrection, mais, à travers nombre d'aventures, par la thématique du Parti, c'est-à-dire par une figure de l'organisation victorieuse. Vous savez que le point de vue précis de Lénine était qu'il fallait réunir les moyens de la victoire, que le problème n'était plus que le mouvement populaire existe et se lance dans des entreprises insurrectionnelles, le problème était que cela puisse être victorieux. Cette question de la victoire s'est concentrée dans la question de l'organisation, c'est-à-dire finalement : la discipline, comme la seule arme de ceux qui n'ont rien. Du coup, la question fondamentale est la question de l'organisation. Nous avons donc une longue séquence structurée, souterrainement ou explicitement, par la question du Parti.

Ainsi la première séquence est sous le signe du mouvement et la deuxième sous le signe de l'organisation. Ensuite, avec les ultimes soubresauts des États socialistes, ou dits socialistes, cette deuxième séquence s'achève ; elle est saturée. Elle a donné ce qu'elle pouvait donner. Attention, j'insiste sur ce point, nous sommes en train de traiter problème par problème l'hypothèse inaugurale, l'hypothèse sur laquelle on tient. On a traité, pendant la première séquence, la question de l'existence affirmée, répétée et tenace, d'un mouvement politique populaire. On a tenu, dans la deuxième séquence, l'existence obstinée, pertinente, d'une organisation populaire, d'une organisation politique éventuellement apte à s'emparer du pouvoir. Vous remarquerez qu'entre la première séquence et la deuxième séquence, il y a *grosso modo* une séquence de quarante ans d'impérialisme triomphant : entre la répression de la Commune de Paris et 1917, avec la guerre de 14, on a vraiment l'apogée de l'impérialisme européen, qui occupe la planète entière, dévaste des régions immenses, se subordonne les populations majoritaires du monde. C'est pour ça que je parle de « séquences », séquences séparées par des intervalles dans lesquels, malgré tout, ce qui l'emporte, ce n'est pas du tout l'hypothèse elle-même ; c'est au contraire ce qu'on peut appeler la contre-hypothèse, c'est-à-dire la volonté de déclarer que l'hypothèse est intenable et qu'il faut y renoncer.

Où en sommes-nous ? Eh bien, je pense que si l'on admet que la deuxième séquence s'est achevée autour des années 1960-70, nous avons derrière nous une quarantaine d'années d'une période qui est plutôt une période de stabilisation réactive. Et donc il faut inscrire là-dedans ce qui se passe maintenant, et en France ; c'est-à-dire la réapparition de concrétions du pétainisme transcendantal. Au fond ce n'est pas un phénomène aberrant ou discordant, c'est une cristallisation locale du fait que nous sommes dans une période intervallaire, comme il y en a déjà eu une fort longue à la fin du XIXe siècle. Nous savons que lorsque c'est comme ça, ce qui va s'ouvrir est une troisième séquence, qui ne sera pas la continuation ou la répétition de la seconde. Cela signifie que notre problème n'est ni le problème du mouvement populaire, ni à proprement parler le problème du Parti populaire. Notre problème stratégique, pour qu'il y ait réellement cette troisième séquence, est autre chose.

Cette autre chose, moi, je ne vais pas vous dire ce que c'est, parce que bien entendu je ne le sais pas vraiment. Mais la direction générale me paraît perceptible. Je pense que ce dont il s'agit c'est d'un nouveau rapport entre le mouvement politique réel et l'idéologie, c'est-à-dire une nouvelle manière, pour l'hypothèse communiste générique, d'habiter, ou d'animer, ou d'être présente dans l'intériorité des mouvements, étant entendu que les mouvements cumuleront, d'une manière ou d'une autre, leur principe d'existence (qui est celui de la première séquence) et leur principe de discipline (qui est celui de la deuxième séquence). Mais si ce n'est ni mouvement, ni discipline, c'est nécessairement quelque chose comme un nouveau rapport entre les deux, très difficile à se représenter, précisément parce qu'il est nouveau. Nouveau rapport du subjectif et de l'objectif, nouveau rapport matérialisant l'hypothèse et attestant du mode propre sur lequel la pensée est présente dans la figure de la séquence politique.

En particulier et je terminerai sur ce point, je crois que ça ne peut pas être dans la figure d'une étape. Finalement, la première séquence, la séquence de constitution existentielle du mouvement populaire, ouvrier, dans la figure finalement mythique du renversement pur, d'une insurrection qui réglait les problèmes, on peut considérer qu'elle a mis à l'ordre du jour l'existence du mouvement, mais on voit bien que quand on passe dans la deuxième séquence on a autre chose, un autre mode de présentation de l'hypothèse. Je dirais ceci : l'hypothèse communiste, au XIXe siècle, a été travaillée par la question de son existence purement et simplement. « Un spectre hante l'Europe », c'était ça la formulation, ça voulait dire « l'hypothèse communiste est là ». Donc ça a été la question de l'existence de l'hypothèse. Et puis la deuxième séquence, la séquence du Parti révolutionnaire, de la discipline, de la militarisation, de la guerre, tout ça a été la séquence de représentation de la victoire de l'hypothèse. Mais cette victoire est en même temps toujours restée sur le mode insurrectionnel ; on n'a pas modifié l'idée d'un renversement, on a gardé la catégorie de « révolution » dans le sens du renversement. Donc c'était l'idée de la victoire de la première séquence. On peut dire que la seconde séquence a été la thématique de la victoire de l'hypothèse dans les paramètres d'existence de cette hypothèse, qui était celle du XIXe siècle.

Ce qui, à mon avis, est à l'ordre du jour aujourd'hui – c'est pour ça que c'est si compliqué, si errant, si expérimental – c'est l'existence de l'hypothèse sur un autre mode que son mode originaire. L'hypothèse communiste reste la bonne hypothèse, je n'en vois aucune autre. Si cette hypothèse doit être abandonnée, ce n'est pas la peine de faire quoi que ce soit ; que chacun s'occupe de ses affaires et puis c'est tout. S'il faut malgré tout abandonner cette hypothèse, à la fin des fins, il est bien vrai que l'Homme aux rats aura raison quand il dit précisément qu'il faut l'abandonner. Parce que lui, c'est ça qu'il dit ; c'est dans ce sens qu'il parle de mai 1968. Mais s'il faut la garder, c'est sûr que ça n'est pas dans la formulation de la victoire de sa forme d'existence ancienne. Ce qui est à l'ordre du jour, c'est un nouveau mode d'existence de l'hypothèse. Mais nouveau en quoi ? Nouveau par le type d'expérimentation politique auquel cette hypothèse donne lieu, et qui ne peut plus se résoudre dans la combinaison mouvement-insurrection, ni dans la construction d'une organisation disciplinée puissante.

C'est bien pour ça que je pense que nous sommes dans une phase d'exercice local. L'exercice local du courage, pour reprendre mon expression vertueuse, c'est une expérimentation locale de cette nouvelle modalité que je formulerais comme suit. Si l'on veut soutenir aujourd'hui l'hypothèse stratégique du communisme dans l'expérimentation locale qu'est-ce qui nous permet tout simplement de maintenir un point dans sa durée propre et dans sa consistance singulière ? C'est là que la matrice, ou le maintien de l'hypothèse va apparaître comme étant aussi la transformation de son existence. Cela explique pourquoi j'ai souvent le sentiment que beaucoup de choses nous ramènent au XIXe, qu'à certains égards nous sommes plus proches de toute une série de situations du XIXe siècle que de la grande histoire des révolutions du XXe siècle. Le XXe siècle, j'ai écrit dessus ; peut-être qu'il faudra que j'écrive un jour le XIXe siècle pour éclairer tout ça. Mais on est plus proche du XIXe. On a affaire à des capitalistes absolument cyniques, on est de plus en plus dans l'idée qu'il n'y a que la richesse qui compte, que de toute façon les pauvres c'est de leur faute, etc. Marx a dit : « Les gouvernements sont les fondés de pouvoir du capital. » C'était une anticipation géniale ! Parce que les fondés de pouvoir du capital, on les voit à l'œuvre ; ils sont là de façon explicite et visible. On voit réapparaître toutes sortes de phénomènes de type XIXe : des zones de misère extraordinairement profondes, une coupure radicale entre une fraction du peuple et puis les classes intermédiaires, et puis la dissolution complète de la séparation du pouvoir politique dans le service des biens. Et une des proximités supplémentaires qu'il faut ajouter, c'est que ce n'est pas de la victoire de l'hypothèse qu'il est question aujourd'hui, tout le monde le sait bien, mais des conditions de son existence, ce qui était le problème du XIXe : faire exister l'hypothèse. Du coup notre tâche, au terme de ce bilan, c'est comment, dans des expérimentations particulières, pouvons-nous nous assurer d'un nouveau mode d'existence de l'hypothèse communiste ?

Merci à vous.

XXIV

13 JUIN 2007

Comme nous voilà parvenus au terme de cette année nous allons consacrer le cours de ce soir à une sorte de récapitulation. Auparavant je voudrais vous présenter deux échéances, l'une sans doute un peu longuement parce qu'elle entre dans la récapitulation, et l'autre pour introduire au séminaire de l'année prochaine. Suite à quoi on verra la récapitulation proprement dite.

La première chose concerne une journée organisée par le Centre international d'étude de la philosophie française contemporaine, qui en un certain sens anticipe un peu un projet que nous avons pour l'année prochaine, qui sera de faire une sorte de cycle pour établir aujourd'hui un bilan des années soixante, puisque l'année prochaine c'est quand même le quarantième anniversaire de mai 1968. Bien que l'Homme aux rats ait déclaré qu'il fallait « en finir une fois pour toutes avec mai 1968 », pour ce qui nous concerne, nous n'avons pas l'intention d'en finir. Mais plutôt qu'une commémoration de mai 1968, ce qui nous intéresse c'est davantage l'intensité intellectuelle des années qui ont immédiatement précédé, c'est-à-dire ce qu'on peut appeler « le moment philosophique des années soixante », celui qui a caractérisé, avec la concentration que vous connaissez bien, Lacan, Althusser, Foucault, le tout premier Deleuze, etc. Cela prendra sans doute la forme de journées mensuelles qui traiteront chacune un aspect de ce moment philosophique des années soixante : par exemple les mutations dans la pensée politique, les rapports de la philosophie et de la psychanalyse, l'émergence de la doctrine structuraliste, etc. Ce samedi 16, à 10 heures cela donnera lieu à une première anticipation parce que ça porte sur le rapport cinéma et philosophie, mais sous l'angle de la Nouvelle vague, donc sous l'angle de l'apparition du cinéma de Godard, de Truffaut, qui somme toute est contemporain de tout cela. Cela s'appelle « La Nouvelle vague dans l'œil du philosophe », et cela se passera ici, Salle Jules Ferry. Il y aura des gens des *Cahiers du cinéma* et des gens du Centre ; c'est vraiment une discussion entre critiques de cinéma et philosophes sur cette question de l'évaluation rétrospective de l'intérêt en pensée de la Nouvelle vague.

Ensuite, le lundi 18, il y aura une journée d'un tout autre type, plus articulée à des éléments essentiels de mon propre travail. C'est une journée consacrée à un énoncé mathématico-logique qui s'appelle « le lemme de Yoneda ». Je voudrais quand même introduire un petit peu la chose pour vous persuader que cette affaire du lemme de Yoneda est une affaire philosophiquement tout à fait importante, significative, même si les aspects techniques, qui existent, peuvent impressionner, mais demeurent en réalité assez limités.

Le lemme de Yoneda fait partie, formellement, de la branche de la logique, ou des mathématiques, qui s'appelle « la théorie des catégories », et c'est un énoncé qui porte sur certaines caractéristiques des relations formelles possibles entre une catégorie quelconque et la théorie des ensembles. On admet qu'une catégorie quelconque est quelque chose comme, de façon très générale, un univers logique, un univers abstrait, dans lequel on se donne des objets et des relations. Inutile de faire ici de la technique. Nous admettons que c'est ça une catégorie, c'est-à-dire la présentation formelle d'un possible univers pour la pensée logique d'un objet quelconque, et si on considère que la théorie des ensembles est l'ontologie proprement dite, c'est-à-dire qu'elle est en définitive la théorie rationnelle des multiplicités quelconques, on peut dire que le lemme de Yoneda exprime, sous une forme extraordinairement générale, des caractéristiques fondamentales de la relation entre logique et théorie du multiple.

Ce qui est intéressant dans ce lemme, c'est qu'il exprime le fait que la relation entre une catégorie quelconque (un univers quelconque) et la théorie des multiplicités comme telle (la théorie des ensembles) obéit finalement à des contraintes, ou possède une singularité qui la distingue d'une relation indifférente entre deux catégories quelconques. On peut dire ainsi qu'il porte sur la relation entre ce qu'on pourrait appeler « un site logique », c'est-à-dire un lieu de pensée opératoire de la relation quelconque, une représentation abstraite de la théorie des relations, et d'autre part une théorie rationnelle des multiplicités.

C'est là un résultat à démontrer, un résultat intra-mathématique dont je ne vous donne pas la forme précise pour l'instant : elle sera expliquée et commentée lors de la journée sur le lemme, mais vous pouvez en percevoir l'extraordinaire importance puisque, si on le transcrit brutalement dans mon langage propre, on peut dire que le lemme de Yoneda porte sur la relation entre les structures logiques en général et l'ontologie comme telle. C'est donc un énoncé logico-ontologique, qui indique que la relation entre la théorie des multiplicités et les univers logiques possibles est une relation soumise à des contraintes singulières. On peut aussi l'interpréter comme le fait que, dès lors qu'on entre en relation avec la théorie des multiplicités, les liaisons entre la logique et cette théorie ne sont pas quelconques. C'est un peu comme si vous aviez, là je généralise beaucoup, un résultat formel qui indique le type de contrainte, ou de pesée, que l'ontologique exerce sur la logique. Vous voyez qu'il s'agit d'un résultat qui, d'un certain point de vue, rappelle des propositions d'Aristote dans le Livre Γ de la *Métaphysique*. Parce que le Livre Γ de la *Métaphysique* est un livre dans lequel Aristote tente d'expliquer que la théorie de « l'être-en-tant-qu'être » – il est le premier à proposer l'expression en question –, c'est-à-dire la théorie ontologique proprement dite, exerce des contraintes particulières sur la logique, qui font qu'il y a des principes logiques, le principe de non-contradiction, le principe d'identité, le principe du tiers exclu qui, d'une certaine façon, expriment dans l'univers rationnel la pesée propre de la question ontologique elle-même. Vous avez ainsi un long parcours sur une question philosophique en réalité majeure, qui est la question des liens intrinsèques entre ontologie et logique, dans le sens de la pesée, ou du système contraignant, que représente une forme ontologique au regard de l'univers logique dans lequel on va la penser, dans lequel on va tenter d'en exprimer la rationalité. À sa manière le lemme de Yoneda traite cette question de façon technique. De là son importance.

Je vais être un peu plus détaillé parce qu'on peut considérer que la question philosophique contemporaine majeure est la question du multiple car elle s'enracine dans un phénomène historial ou historique qui a lui-même une longue histoire et qu'on pourrait appeler « la défection de l'Un ». Il s'agit en fait de l'absentement de l'Un comme tel de l'espace général de la pensée de l'être, dont la variante la plus immédiate est évidemment la défection du dieu de la métaphysique, c'est-à-dire de ce que Heidegger a appelé « l'onto-théologie ». L'onto-théologie désigne précisément l'emprise, sur la question de l'être, de la question de l'Un et c'est le schéma de la métaphysique classique. La contemporanéité, en la matière, est définie par la défection de cette emprise, autrement nommée « mort de Dieu », mais ce n'est qu'un autre nom pour la même chose, lequel signifie que le multiple est libéré de l'emprise de l'Un, du point de vue de sa détermination intrinsèque. Ce moment peut être interprété de deux façons différentes, qui à mon avis définissent probablement l'espace polémique, ou l'espace conflictuel de la philosophie contemporaine.

Dans une tradition qui remonte au moins à Kant, on peut l'interpréter de façon critique, c'est-à-dire affirmer que dès lors que le multiple est soustrait à l'emprise de l'Un, il devient, dans son être, inaccessible : la détermination ontologique ou en-soi de l'être-multiple nous échappe dès lors qu'elle n'est plus transitive, ou éclaircie par la souveraineté de l'Un. Ça, c'est l'ouverture de la tradition critique qui aborde l'émancipation du multiple de façon finalement négative et qui enregistre que, dès lors que la déliaison du multiple s'affirme dans son essence même, alors il n'y a plus d'accès rationnel ou cognitif véritable au réel du multiple. C'est une tradition critique, au sens de Kant, dont vous trouvez, dans le dispositif contemporain, de nombreuses variantes : positivistes, sceptiques, mais également déconstructionnistes. En un certain sens, tout un pan de la pensée de Derrida reste rattaché à cette dimension critique, à savoir la conviction que l'on ne peut pas venir à bout de la dissémination, car la dissémination (ou la différence) comme telle ne se laisse pas appréhender dans le champ de la rationalité précisément parce qu'elle est déliée de l'Un. Selon cette thèse il n'y a de compréhension rationnelle de la multiplicité comme telle, ou de ce qui apparaît comme tel, que sous la condition de la souveraineté de l'Un, d'où que de son abandon résulte quelque chose de définitivement énigmatique qui surgit du côté du multiple. Cette première interprétation, qui est une tradition très forte et très présente, considère au fond que la défection de l'Un se paie d'une énigme de l'être.

L'autre façon d'interpréter cette défection de l'Un, ou cette émancipation de la multiplicité, consiste au contraire à dire que la rationalité nouvelle est affirmation de l'intelligibilité du multiple comme tel, c'est-à-dire qu'il faut en finir avec le négatif qui frappait de toujours le multiple, puisqu'il était soumis à la souveraineté de l'Un, en finir avec ce lien entre négativité et multiplicité. Il faut donc, dans l'élément de la défection de l'Un, procéder à l'affirmation du multiple. C'est un geste nietzschéen dans sa provenance historique première, qui est l'idée que la mort de Dieu c'est précisément l'élément historique dans lequel enfin le multiple peut être affirmé, l'affirmation du multiple le libérant de sa perception toujours négative quand il était enchaîné aux pouvoirs de l'Un.

Cela dit, à l'intérieur de la deuxième tendance – tendance post-nietzschéenne, mais aussi après tout, comme Deleuze et beaucoup d'autres l'affirment, post-spinoziste – celle qui déclare affirmer le multiple selon sa multiplicité elle-même, subsiste un problème fondamental, qui lui aussi fait différence, ou divergence, à savoir que, à supposer qu'on affirme la multiplicité comme telle, c'est-à-dire que l'élément même de la pensée soit cette affirmation, c'est-à-dire que la pensée s'inaugure ou commence en acceptant l'affirmation pure du multiple, comment éviter une installation de la pensée dans l'élément du chaos ? En d'autres termes, comment la pensée va-t-elle faire pour affirmer le multiple sans se perdre, se disséminer, se briser, s'épuiser dans l'affirmation du multiple ? La question est de savoir comment affirmer la multiplicité dans un élément de rationalité tel qu'on puisse à la fois concevoir la puissance de la multiplicité sauvage, c'est-à-dire la multiplicité qui n'a pas de compte immédiat à rendre au pouvoir de l'Un, et en même temps affirmer l'intelligibilité de la légalité du monde, c'est-à-dire le fait que quelque chose consiste tout de même dans l'expérience, que l'expérience n'est pas dans l'épreuve constante du chaos. C'est le problème fondamental de cette deuxième tendance. Vous pouvez voir tout de suite comment et Deleuze, et Foucault, et Lacan, et moi-même, nous répondons en définitive à cette question. Avec des dichotomies du type « l'être et l'événement », « le virtuel et l'actuel », « le réel et le symbolique », qui sont toutes destinées si on regarde de près, à proposer une solution à ce problème, c'est-à-dire à libérer la multiplicité sans dissoudre la pensée dans le chaos, sans la rendre elle-même chaotique. Autrement dit, à maintenir une pensée conjointe de la puissance disséminée de la multiplicité et de la consistance du monde : les choses, dans leur être, sont multiplicités sans-un, et néanmoins quelque chose de l'expérience consiste, sans être pour autant constitué par un sujet transcendantal au sens idéaliste du terme.

Vous voyez le caractère décisif de ce problème sur lequel la discussion philosophique générale se poursuit, de même que le travail des solutions possibles. On peut tenter de le formuler de la façon suivante : quel est le rapport entre relation et objet ? Admettons qu'on appelle « objets » les différentes variantes de la stabilité ou de la consistance mondaine, et plus généralement « objet » ou « objectivité », la donation d'une stabilité minimale de l'expérience mondaine ou, si vous voulez, la forme non chaotique de la donation du « il y a ». Appelons « relation » ce qui au contraire circule entre les objets, de telle sorte que c'est aussi ce qui les défait, ce qui les contrarie, ce qui les annule.

On admet donc provisoirement, que, découpant dans le « il y a » de la multiplicité, on appelle « objet » le principe de stabilité et « relation » le principe de variation ou de mouvement. Deleuze, par exemple, n'hésite pas à affirmer que l'être est relation tandis que l'objet est une forme dérivée, une stabilité secondaire qui finalement relève toujours d'un processus achevé d'actualisation. Comme on le voit, cette question du rapport entre dimension chaotique de la multiplicité sauvage et stabilité régionale de l'expérience du monde peut se dire selon la question du rapport entre objet et relation.

Pour revenir au lemme de Yoneda, celui-ci soutient quelque chose de tout à fait remarquable qui est que, à certains égards, objet et relation, de l'intérieur d'une théorie logique du multiple, sont deux modes d'existence ou d'expression de la même chose. Cela revient à dire qu'objet et relation peuvent, dans le rapport entre théorie des multiplicités pures et théorie des catégories, être pensés comme dans un rapport de dualité, lequel n'est pas un rapport de séparation ou de contradiction, mais en un certain sens la même variation pensable dans deux figures expressives distinctes. Ce n'est pas non plus exactement une perspective, c'est réellement la même chose, mais qui se donne dans une figure plus objective ou plus relationnelle. Ainsi la figure relationnelle va être donnée dans une catégorie logique quelconque, et la figure plus objective, dans la théorie des ensembles, dans la théorie du multiple. Nous revenons donc à notre point de départ. Ce que le lemme de Yoneda va signifier, c'est que cette relation entre la catégorie logique quelconque et la théorie du multiple exprime que relation et objet peuvent se transcrire l'un dans l'autre, qu'il y a une expressivité objective de la relation, mais aussi une possibilité dissolutive de l'objet dans la relation. En d'autres termes, la relation consiste dans l'objectivité, et l'objectivité se dissémine dans la relation, mais de façon telle que, en définitive, il y a une équivalence de ces deux figures frétillantes. Au cœur, il va y avoir ceci que la relation va pouvoir être exprimée par une multiplicité. Du coup les relations ne vont pas seulement être des relations entre multiplicités, mais des relations entre univers logiques et univers de multiplicités peuvent s'exprimer ou se représenter elles-mêmes sous la forme objective d'une multiplicité.

Tout cela est extraordinairement important. On pourrait montrer immédiatement comment c'est une question décisive, non seulement sous sa forme abstraite que je décris ici, mais dans la totalité des univers de l'expérience et des problèmes qui nous sont posés de manière contemporaine. La question de savoir si l'univers mobile, dissolutif, des relations peut néanmoins s'exprimer sous la forme d'une multiplicité provisoirement stable est un problème fondamental : c'est en politique celui de l'organisation, dans la pratique artistique, celui de l'œuvre. Dans tous les cas vous voyez bien que c'est la question de savoir comment l'élément relationnel, la multiplicité dans sa forme dissolutive et sauvage, peut s'exprimer sous la forme d'une multiplicité effective.

Le lemme de Yoneda, à sa manière à lui, transite dans ce type de problème. C'est pourquoi je vous invite vivement à venir en entendre causer lundi prochain. On a mélangé philosophie et mathématiques, de façon explicite. On a également mélangé philosophes et mathématiciens, en prenant quand même plutôt des philosophes qui ont un vague goût pour ce genre de choses, et en prenant aussi des mathématiciens qui ont un goût prononcé pour la philosophie. Et on va construire quelque chose autour de ce lemme de Yoneda.

Mon troisième point concerne l'année prochaine. L'an prochain, le séminaire s'appellera « Pour aujourd'hui : Platon ! » C'est donc un séminaire sur Platon. Sur Platon à ma sauce. Je vous lis sa présentation, puisqu'elle est officiellement écrite.

> J'ai proposé ces trois dernières années une doctrine du temps présent, définie comme désorientation dans la pensée, soit ce qui dévalue l'existence en ne la rapportant qu'à des maximes d'intérêt dont la conséquence est la ruine de l'Idée. Il a donc fallu aussi bien revenir, à partir des catégories mises en jeu dans *Logiques des mondes*, sur la distinction de l'être et de l'existence, comme sur l'émergence événementielle des vérités, leur labeur subjectif et leur éternité singulière. J'ai également avancé les prémices d'une morale provisoire pour

temps désorientés. Je rappelle trois principes de cette « morale ». Premièrement : gouverne-toi non selon ce qui existe, mais selon ce qui inexiste. Deuxièmement : tire les conséquences de cette existence dont en l'affirmant tu as orienté ta pensée. Et troisièmement : tiens un point de vérité, sans considérer un seul instant l'opinion dominante, mais au contraire en tant qu'il fait exception.

Je voudrais, l'année prochaine, déployer les références philosophiques sous-jacentes à ce que ce nouveau régime d'affirmation et d'orientation nous impose de penser. Pour ne céder ni à la fatuité démocratico-militaire de l'Occident, ni aux variantes du nihilisme, terroristes ou consuméristes, lesquelles variantes sont finalement identiques, ne réalisant l'une et l'autre qu'une butée subjective sur le cadavre des dieux.

Ça, je le commente un tout petit peu : je pense que, comme on en trouve d'ailleurs des anticipations comme toujours un peu désorganisées mais puissantes chez Nietzsche, les variantes du nihilisme contemporain sont l'une comme l'autre des butées, des chocs, des interruptions sur ce que j'appelle « le cadavre des dieux », ou « la défection de l'Un », c'est la même chose. En réalité, il m'apparaît de ce point de vue-là que le consumérisme occidental, c'est-à-dire la loi subjective de la comparution devant le marché d'un côté, et de l'autre le terrorisme absolutisé, sont en définitive philosophiquement ou historialement identiques. Ils se font face à face dans une identité constitutive qui reste encombrée du cadavre des dieux morts. C'est du reste la raison pour laquelle ce sont deux puissances de mort, qui, en définitive, n'ont pas d'autre issue à leur pulsion propre que la perspective de la guerre.

Notre guide sera Platon du point de vue, je le rappelle, des références philosophiques sous-jacentes à ce régime d'affirmation et d'orientation. C'est de lui en effet, parmi les philosophes classiques, que nous avons prioritairement besoin aujourd'hui, pour une raison précise : il a donné l'envoi à la conviction que nous gouverner dans le monde (ou si vous voulez nous orienter dans le monde), suppose que quelque accès à l'absolu nous soit ouvert. Non parce qu'un dieu

> vérace nous surplombe (ce qui est l'hypothèse de Descartes), ni parce que nous sommes nous-mêmes les agents du devenir-sujet de l'absolu (ce qui est l'hypothèse de Hegel, et finalement de Heidegger), mais parce que le sensible lui-même, qui nous tisse, ce sensible *participe* au-delà de la corporéité individuelle et de la rhétorique collective, de la construction des vérités éternelles.

Comme vous voyez, la thèse c'est que si on se réfère à Platon, c'est pour une raison évidemment déterminée qui est que l'orientation suppose en dernier ressort que nous ayons quelque accès à l'absolu, c'est-à-dire que tout ne soit pas plongé dans la relativité générale de l'existence des corps et des langages, que nous ne soyons pas voués à ce que j'ai appelé « le matérialisme démocratique ». Donc quelque accès à l'absolu nous est ouvert, mais ce n'est pas au sens où l'Un nous surplombe, où la loi de l'Un, sous la forme du dieu vérace est à l'œuvre dans le multiple lui-même et ce n'est pas non plus parce que le devenir de la multiplicité est finalement l'absolu lui-même, dans la figure de la totalité accomplie ou du sujet du savoir absolu.

Le Platon que je présenterai l'année prochaine, en liaison étroite avec tout ce que nous avons déjà dit, c'est un Platon qui a en quelque sorte dit que nous avions besoin d'un accès à l'absolu, mais qui l'a pensé comme « participation ». Ce motif dont vous savez qu'il est assez énigmatique sera central. Il signifie que, en définitive, l'accès à l'absolu nous est ouvert dans le sensible lui-même. Je vous rappelle que le platonisme vulgaire c'est la séparation entre sensible et intelligible, ce qui est absolument inexact puisque l'essence du platonisme, l'essence de sa difficulté, c'est de considérer que le sensible participe à l'intelligible. C'est donc le motif de cette participation qui est organique et central, et non pas du tout la séparation. La séparation n'a aucun intérêt, elle ne conduit qu'à la théologie. Ce qui est essentiel, c'est de concevoir que le sensible lui-même, tel qu'il tisse notre expérience, est dans une relation de participation à la constitution des vérités éternelles. Et que cela engage, suppose, le corps individuel et les organisations collectives, mais ne s'y réduit pas.

Je continue ma lecture :

> Ce motif de la participation dont on sait qu'il fait énigme, nous le reprendrons de telle sorte qu'il nous permette d'aller au-delà des contraintes de ce que j'ai appelé « le matérialisme démocratique », soit l'affirmation qu'il n'existe que des individus et des communautés avec, entre eux, entre elles, la négociation de quelques contrats, contrats dont nos modernes chiens de garde prétendent nous faire espérer qu'ils soient équitables.

La vision générale c'est qu'il y a des corps, des communautés, des contrats, et notre espérance est que ces contrats peuvent être équitables. Il y a toute une conception qui oppose « équité » et « égalité » ; l'équité étant précisément la norme contractuelle entre les figures d'existence des corps singuliers et des collectivités culturelles. En réalité cette équité n'offre au philosophe que l'intérêt de constater qu'elle se réalise toujours comme injustice intolérable ; c'est-à-dire que l'être effectif de la réalisation de l'équité c'est l'injustice intolérable et constamment augmentée, ce qui, à mon sens, est un diagnostic d'impasse de la doctrine du matérialisme démocratique lui-même, à savoir qu'on ne peut tirer une norme d'une situation dans laquelle on assume qu'il n'y a que des corps et des langages ; « équité » au fond, a nommé cela ; comme d'ailleurs « droits de l'homme ». Tout cela, c'est l'idée selon laquelle, dans l'élément du matérialisme démocratique, c'est-à-dire sous la thèse qu'il n'y a que des corps et des langages, ou que des individus et des communautés, on peut proposer des normes effectives. Je pense que le constat se doit de clarifier progressivement que, dans l'expérience même de l'historicité des situations, cela n'est pas réalisable. Car le type de conviction afférent au matérialisme démocratique impose de plus en plus l'affirmation cynique qu'il n'y a pas de norme autre que la puissance. Et c'est ce que nous verrons de plus en plus dans la période qui s'ouvre. « Équité » est le nom fallacieux de la pseudo-norme dont on diffère d'ailleurs constamment la réalisation, dans l'élément de l'impossibilité organique d'une norme véritable.

En réalité le processus n'est pas un processus normatif, c'est un processus de désorientation, « désorientation » désignant précisément ici ce qui se passe au point de l'impossibilité de la norme ou du principe.

Aussi la conclusion c'est qu'il faut soutenir, qu'outre les corps et les langages qui naturellement existent, et même en un certain sens existent seuls en effet, il y a des vérités : c'est là qu'on trouve le point platonicien, à savoir que corps et langages, individus et communautés, peuvent participer dans le temps à l'élaboration combattante de ces vérités, qu'ils peuvent donc participer à l'élaboration de l'éternité elle-même, si on admet que « vérités » est un autre nom pour « absolu » ou « accès à l'absolu ». C'est ce que Platon n'a cessé de tenter de faire entendre aux sourds ; raison pour laquelle, l'année prochaine, nous nous tournerons vers lui. Ce programme général accompagnera des tentatives nouvelles de traductions et de commentaires de Platon : nous serons aussi dans le texte, en même temps que naturellement nous le ferons jouer dans la monstration et dans l'analyse du temps présent.

Cela étant dit, je voudrais, pour le temps qui nous reste, récapituler, enfin donner une espèce de synthèse des points que je considère les plus importants parmi ceux qui ont été discutés cette année. Je vous propose une récapitulation en cinq points. Encore une fois on va retraverser, mais de façon un petit peu variée, des thèmes que nous avons déjà développés.

Le premier point c'est le point analytique, qui pose la caractérisation du temps présent comme un temps désorienté : le temps, considéré comme temps subjectif et épocal, est un temps de désorientation. Je voudrais lier cela à une thèse générale, à savoir que toute politique d'oppression, et en particulier toute séquence réactionnaire, s'accompagne d'une pratique idéologique de la désorientation. C'est là un élément structural des politiques réactives dans le cadre desquelles on trouve une opération spécifique fondamentale très importante, qui consiste à rendre illisible la séquence antérieure. À titre d'exemple je vous signale que j'ai écrit sur ce point un article, « Qu'est-ce qu'un thermidorien ? », qui a été repris dans l'*Abrégé de métapolitique*. Dans cet article, sur la base de citations précises du personnel thermidorien, Boissy d'Anglas, etc., je montre qu'un objectif fondamental des gens de Thermidor a été de rendre illisible la séquence robespierriste. Pas seulement de la condamner mais de la rendre indéchiffrable. Ce n'est pas la même chose de dire « c'était une horreur épouvantable », que d'empêcher quiconque d'y accéder du point de vue de l'intelligibilité. Un élément constitutif de la désorientation, c'est toujours de tenter de rendre illisible la séquence antérieure, c'est-à-dire la séquence orientée, « orientée » ne voulant pas forcément dire que tout était formidable, ce n'est pas parce qu'il y a une orientation qu'elle vole de succès en succès, et que le monde est radieux. Mais ce n'est pas la même chose d'être dans une situation de désorientation ou dans une situation orientée, même si cette orientation est discutée dans ses figures propres, empiriques ou historiques. Or cette orientation il est absolument nécessaire, dans les périodes réactives, de la rendre rétroactivement illisible, c'est-à-dire de la transformer en une pathologie. En effet, on interdit ainsi d'y trouver les principes de sa continuation ou de sa rectification, voire de sa transformation radicale. Cette opacité est un facteur très important d'impuissance ; parce que vous pouvez condamner quelque chose qui est parfaitement déchiffrable, ou lisible, qui n'est pas une pathologie mais qui est une entreprise. Par contre, lorsque la chose est manifestement une pathologie, on se dit qu'il n'y a rien à en tirer pour l'orientation elle-même. Et ce faisant on retire des ressources essentielles au processus de l'orientation.

C'est la raison pour laquelle il est nécessaire, même si c'est souvent difficile, de conserver de la séquence antérieure la conviction que c'est une séquence d'orientation lisible, ce qui encore une fois est distinct de toute valorisation intrinsèque, car cela signifie que, quels qu'aient été ses aboutissements, elle demeure en tant qu'orientation dans la lisibilité. Sur ce point il y a des précédents. Ainsi il y a eu sous la IIIe République une discussion de ce genre, à propos de la Révolution française : il s'agissait de savoir si finalement la Révolution était, dans son entier, déchiffrable ou lisible comme processus politique. Évidemment toute une partie de l'opinion modérée et à demi réactive, qui considérait que la Révolution avait eu lieu et qu'il ne fallait pas y revenir, l'arrêtait en 1792 et en exceptait la séquence terroriste. Il faut bien reconnaître que cette tendance a été combattue à l'époque, par Jaurès et par les socialistes évidemment, mais elle a été aussi combattue par Clemenceau. C'est d'ailleurs Clemenceau qui a eu la phrase fameuse : « La Révolution française forme un bloc. » Il voulait dire par là qu'on ne pouvait pas assumer l'élément de cette séquence politique sans, d'une certaine façon, déclarer qu'elle était intégralement lisible du point de vue du présent. Encore une fois ça ne voulait pas dire qu'on en approuvait toutes les articulations et toutes les séquences, mais que, quels qu'aient été les éléments gravement négatifs qu'on pouvait imputer à tel ou tel segment de la Révolution, il était essentiel de maintenir la thèse de sa lisibilité politique intégrale au présent. Entre parenthèses on a constaté le même phénomène lors de la commémoration de la Révolution française sous Mitterrand : on est allé jusqu'à la Déclaration des droits de l'homme mais après personne n'est allé regarder ce qui s'était passé, parce que c'était tout de même plus compliqué.

En ce qui me concerne je serais tenté de dire : finalement le communisme est un bloc. Encore une fois je le dis au sens de la lisibilité organique de cette expérience politique et à distance de toute idée de sa répétition ou de sa valorisation, mais contre la thèse qu'il s'agit d'une pathologie opaque. Je le dis parce que cela fait partie de la contradiction autour du thème de l'orientation, car un des mécanismes d'imposition du thème de la désorientation, c'est précisément la thèse de la pathologie illisible.

Dans le cadre de cette question du temps désorienté et de l'orientation le deuxième point c'est de se demander quel est le contexte ou l'élément générique d'une orientation véritable. Je soutiendrais que c'est la grande et fondamentale nouveauté, ouverte en fin de compte par la Révolution française ou par le XIXe siècle, à savoir ce que je propose de nommer

« l'hypothèse communiste ». Cette hypothèse a été scellée par Marx en 1848, lorsqu'il a écrit le *Manifeste du parti communiste.* Pourquoi s'agit-il d'un texte canonique si fondamental, qu'il le demeure clandestinement ? C'est parce qu'il a prononcé l'hypothèse comme étant en fait l'hypothèse générique de l'historicité contemporaine : « Un spectre hante l'Europe. » Là il s'agissait de l'Europe mais en réalité on a vu que c'était planétaire : l'historicité contemporaine est sous l'hypothèse communiste. C'est par conséquent une question fondamentale de savoir si on maintient cela ou pas. Cela décide assez fondamentalement des questions d'orientation.

Que veut-on dire en parlant d'« hypothèse communiste » ? Soyons clair, parce que là aussi la désorientation rend illisible cette hypothèse par des procédés variés, et notamment en en éliminant le contenu effectif. Je pense qu'on peut ramener « l'hypothèse communiste », comme élément générique de l'historicité contemporaine, à trois principes, à trois assertions, ou à trois axiomes :

1. L'idée égalitaire. L'hypothèse communiste ce n'est pas simplement l'assertion de l'égalité comme norme, bien que ce soit cela aussi, mais c'est l'idée que le principe égalitaire est praticable, que l'égalité peut être maxime d'action, et non pas seulement principe idéal, abstrait et inaccessible. Il faut bien voir que c'est un principe qui fonctionne contre l'idée réactive, mais dominante, d'une nature humaine vouée à l'inégalité. Parce que, largement, ce qu'on a appelé un temps « l'idéologie bourgeoise », c'est essentiellement l'idée que la nature de la pratique humaine est vouée à l'inégalité. Donc l'hypothèse communiste, c'est d'abord un principe qui dit que la maxime égalitaire est praticable. On ne dit pas à quelle échéance, ni même, à proprement parler, qu'elle peut être réalisable absolument – faire ce genre d'objections c'est tenter de réduire le communisme à une utopie maladive – on dit qu'elle est praticable, c'est-à-dire qu'elle peut être un principe de l'action collective.

2. L'existence d'un État coercitif séparé n'est pas nécessaire. Ça, c'est la formule qui a été appelée un temps le « dépérissement

de l'État », mais qui peut être généralisée sous la forme : l'existence de l'État comme figure séparée et coercitive est une réalité indubitable, mais elle n'est pas intrinsèquement nécessaire, car il n'est pas vrai que l'organisation collective requiert absolument l'existence d'un appareil coercitif séparé. C'est là un principe qui signifie essentiellement que l'action politique n'est pas normée par la question du pouvoir d'État : l'action politique est polymorphe, elle rend compte naturellement de la question du pouvoir d'État, mais elle n'est pas normée par cette question : il y a eu des sociétés sans État et il peut y avoir à nouveau des sociétés sans État, c'est une question d'historicité singulière et de détermination politique.

3. L'organisation de la spécialisation des tâches n'est pas non plus nécessaire ; c'est-à-dire que la polymorphie créatrice peut être la règle. C'est la grande idée de Marx, le travailleur polymorphe. Le fait qu'il y ait une division organique du travail et que tout le monde soit assigné à une position sociale définie et invariable, Marx annonce que ce n'est pas une nécessité intrinsèque de l'organisation collective.

On appellera « hypothèse communiste » le total de ces trois principes. J'insiste sur le fait que ce ne sont pas des descriptions d'états, ce n'est pas un programme, ce sont des principes, donc des maximes d'orientation. Mon deuxième point consiste donc à dire que la formulation de ces maximes d'orientation a été la grande innovation historico-intellectuelle du XIXe siècle, contre les sociétés d'ordre, les sociétés de classes, etc. Et il n'y a aucune raison légitime de revenir dessus. Telle est ma conviction. Et les arguments de réalité ne sont pas des arguments pertinents contre les principes. Nous assumons donc que toute orientation politico-historique, se fait dans l'élément de cette hypothèse, c'est-à-dire dans l'élément de ces trois principes. Ce qui ne veut pas dire qu'elle s'y réduise. On dira que son horizon historique général est dans la configuration de ces trois principes : l'axiome égalitaire, la non-nécessité de l'État séparé et la polymorphie créatrice comme fonction de la production collective.

La troisième chose que je voulais rappeler, c'est que je proposais une histoire périodisée de cette hypothèse, c'est-à-dire de son travail historique. J'y reviens brièvement. Il y a une préhistoire de l'hypothèse qui gravite autour de la Révolution française et des premiers révolutionnaires égalitaristes, en particulier Babeuf et ses amis. Après quoi nous avons entre 1848 et 1871, ce que j'appellerais la séquence de la première installation de l'hypothèse, séquence qui va, pour prendre des repères concrets, du *Manifeste communiste* de Marx jusqu'à l'écrasement de la Commune de Paris et qui voit l'installation de l'hypothèse comme horizon principiel de l'action émancipatrice. Cette installation se fait dans un contexte qui est d'une part la naissance, la construction des États nationaux bourgeois modernes, et d'autre part la figure internationale des insurrections ouvrières. Dès le début on a quelque chose comme une figure nationale de l'étatique séparé, en même temps que quelque chose comme une figure internationale de l'insurrection, qui va se maintenir tout du long. Il faudrait quand même rappeler que parmi les principaux dirigeants de la Commune de Paris, il y avait des Polonais, ce n'était donc pas simplement la figure abstraite de l'organisation internationale, c'était réellement que, à la figure nationale de l'organisation du pouvoir dans sa forme bourgeoise moderne s'opposait une figure de l'insurrection ouvrière qui avait naturellement une territorialité, mais qui était dans son essence même une figure internationale.

Suit, entre 1871 et 1917, une séquence où domine la réaction impériale, avec en même temps tout un travail théorique, intellectuel, politique, d'organisation, tendant à résoudre le problème de la séquence précédente. Et ça, c'est le rythme que je vous propose pour penser notre temps présent : nous avons des séquences qui sont des séquences affirmatives, ou constructives, ou historiquement orientées, et puis des séquences intervallaires où dominent les forces réactives et où, d'une certaine manière, c'est la figure de l'intellectualité problématique qui domine, c'est-à-dire la recherche des problèmes non résolus de la séquence affirmative précédente. Il est clair par exemple qu'entre 1871 et 1917 la question est de savoir ce que c'est qu'une insurrection ouvrière victorieuse. En effet, il y a eu dans la première séquence, une série d'insurrections ouvrières internationales qui se sont opposées au pouvoir mais qui ont été constamment écrasées. Du coup on va trouver des gens pour dire que ça ne peut pas exister, qu'il faut donc se rallier au processus électoral et parlementaire et faire un parti ouvrier installé dans l'État bourgeois et dans sa règle naturelle. Et il y en a d'autres pour qui c'est simplement qu'on n'a pas résolu le problème d'une centralisation, ou d'une organisation effective de l'insurrection. Cela donne lieu à un vaste débat, caractéristique en un certain sens des périodes intervallaires où l'on se demande pourquoi la séquence antérieure a dû être close, c'est-à-dire sur quels problèmes elle a buté, rendant possible le triomphe des forces réactives.

Entre 1917 et, en gros, 1976, c'est-à-dire entre la Révolution bolchevique et la fin de la Révolution chinoise, on a de nouveau une séquence que j'appellerais une séquence d'effectuation de l'hypothèse, mais sur la base de la solution du problème de la séquence précédente, à savoir : l'insurrection victorieuse est possible, elle a été réalisée en Russie, mais d'autres formes de prise du pouvoir sont également possibles, comme la guerre révolutionnaire en Chine. L'insurrection ou la guerre révolutionnaire, plutôt paysanne, sont ainsi des méthodes effectives de réalisation ou d'incarnation de l'hypothèse au niveau du pouvoir d'État.

Enfin, entre 1976 et aujourd'hui, et pour un temps que je ne peux déterminer, nous avons ce que j'appelle une deuxième restauration, c'est-à-dire une deuxième séquence à l'intérieur de laquelle les forces réactives l'emportent à échelle globale. Ça ne veut pas dire qu'il n'y a pas d'expérimentations locales intéressantes, mais il y a une domination consensuelle de la figure réactive. Il y a même, peut-être pour la première fois sous cette forme, une tentative radicale de déclarer le caractère intenable de l'hypothèse elle-même. J'avais insisté la dernière fois sur ce point et j'y réinsiste. Ce n'est pas la même chose de déclarer qu'une hypothèse est fausse ou impraticable, ou de déclarer que, en tant qu'hypothèse, elle est elle-même déjà pathologique et obsolète.

Je dirais donc que, depuis la fin du XXe siècle, nous sommes dans une séquence où les forces réactives tentent non seulement de combattre l'hypothèse, mais de la déraciner, ce qui n'est pas du tout la même chose. En vérité elle est largement déracinée, c'est-à-dire qu'il y a effectivement un doute très fort et très répandu sur la validité même de l'hypothèse communiste comme telle, et qu'il y a conjointement une pragmatique capitaliste installée.

Par conséquent le temps actuel, du point de vue de l'hypothèse, je le caractérise comme devant être consacré à des travaux préliminaires pour la réinstallation de l'hypothèse, étant entendu que si elle a pu être partiellement déracinée c'est bien parce que les problèmes de la séquence précédente n'ont pas été résolus. Nous sommes donc dans une période où il s'agit de réinstaller l'hypothèse contre son déracinement réactif, en s'appuyant à la fois sur des travaux intellectuels de grande envergure et des expérimentations locales de pratiques politiques de type nouveau, ce qui vaut d'ailleurs pour tous les ordres des procédures de vérité. Même si les points d'application immédiats sont de caractère historique et politique je suis là en train de définir un horizon historique pour la pensée en général.

C'était mon troisième point et je le conclurai en disant que la figure actuelle de ce temps nous propose un type de désorientation original qui n'est pas la même désorientation que dans la séquence entre 1871 et 1917 ; les désorientations ne se ressemblent pas. Le caractère nouveau de la désorientation contemporaine c'est qu'elle n'est pas ce qui oppose une orientation différente à l'orientation émancipatrice. Nous sommes dans un temps où, à travers le déracinement de l'hypothèse, on tente de déraciner l'existence même de l'orientation, c'est-à-dire d'installer la désorientation comme loi du réel lui-même et de disqualifier véritablement non seulement l'hypothèse communiste, qui est déjà extrêmement malade, mais de disqualifier toute orientation. La propagande consiste à dire que la désorientation est la seule chose qui soit compatible avec la liberté ; c'est-à-dire que la liberté, dans son essence, est désorientée, ou même qu'elle est désorientation.

C'est pourquoi nous sommes amenés quand même à une grande suspicion à l'égard de la catégorie de liberté. Non pas qu'on puisse s'en passer ; il est évident que ce peuvent être les préliminaires à la réinstallation d'une notion nouvelle de la liberté. Mais, dans son maniement actuel sous la forme matérialiste démocratique, il faut bien voir que la catégorie de liberté est essentiellement liée à la promotion de la désorientation. C'est en réalité la liberté de l'animal individuel dans la figure qui le cheville à ses intérêts réactifs qui est choyée, protégée. Et on voit bien que, petit à petit, on insinue, puis on déclare, puis on installe que toute figure d'orientation est ennemie de cette liberté-là ; ce qui d'ailleurs est vrai. Ce qui est vrai, parce que la figure de l'orientation est une figure de la liberté comme discipline, sous une forme ou sous une autre. J'ai beaucoup insisté sur ce thème : ceux qui n'ont rien ne peuvent être dans le procès collectif de l'émancipation que dans la figure d'une discipline minimale. Et donc il est bien vrai que si la liberté est la liberté de l'animal humain intéressé, alors elle n'est compatible qu'avec la désorientation.

En conséquence, la réinstallation de l'hypothèse émancipatrice, dont la figure historique est la figure communiste (je n'en connais pas d'autre), à supposer que ce soit ça le sens profond de la séquence actuelle, c'est nécessairement aussi combattre la désorientation au présent, c'est-à-dire manifester quand même une suspicion éclairée sur les maniements contemporains de la catégorie de liberté. Et puisque mon quatrième point est l'existence d'une morale provisoire, vous vous doutez que cette morale provisoire ne sera pas comme telle une morale de la liberté.

J'en viens donc à mon quatrième point récapitulatif. Que veut dire morale provisoire pour temps désorientés ? Eh bien, ça veut dire tenir minimalement une figure subjective consistante, alors même que l'hypothèse générique est très affaiblie. Notre problème c'est qu'on ne peut pas se soutenir de l'hypothèse générique du communisme comme garantie de la consistance subjective, parce qu'elle est beaucoup trop affaiblie pour ça. Nous sommes donc livrés à la désorientation dans une figure qui suppose des actions locales, et une morale provisoire qui permette de tenir une consistance minimale sans l'appui de l'hypothèse générique sous sa forme installée. Comme vous le constatez, nous sommes un peu dans une circularité, que nous éprouvons d'ailleurs tous dans notre expérience : il faut sortir de la situation qui est extrêmement pénible, mais pour en sortir il faudrait avoir des moyens qui sont justement extérieurs à la situation. De fait on est toujours plus ou moins pris dans une circularité de cet ordre dans la mesure où, pour réinstaller l'hypothèse de l'émancipation, on ne peut naturellement pas compter sur le fait qu'elle est installée. Et il ne faut pas faire comme si elle l'était, c'est-à-dire comme si on était dans la période ou dans la séquence précédente. Non, l'hypothèse n'est pas réellement installée sous la forme novatrice qu'elle doit revêtir inéluctablement.

Il en résulte que « morale provisoire » – c'est d'ailleurs très proche du sens que Descartes lui donnait – ça veut dire tenir une consistance subjective dans des conditions qui ne sont pas celles de l'existence acquise de ce qu'on pourrait appeler une orientation générale. Là je choisis simplement dans ce que j'ai déjà dit. D'abord il faut tenir un point : tenir un point, en dernier ressort, c'est toujours déclarer une existence, c'est ça qu'on a tramé pendant l'essentiel de l'année. C'est déclarer une existence là où le monde tel qu'il est déclare que ça n'existe pas, que ça inexiste, ou que ce n'est pas comme ça. Donc tenir une existence, déclarer une existence et être fidèle aux conséquences de cette déclaration. Tenir un point c'est toujours ça.

Vous me direz : oui, mais qu'est-ce qui inexiste ? Au fond, il y a une définition assez générale que je vous propose : ce qui inexiste, dans le monde tel qu'il est, est toujours la marque immanente, dans notre monde local, de ceci qu'il y a un seul monde. Je continue à penser que c'est ça la maxime fondamentale, la maxime suprême de la morale provisoire : « Il y a un seul monde. » Nous sommes donc contemporains et nous avons de l'amitié pour tous ceux de ce monde-là, nous sommes du même monde, voilà tout. Et finalement ce qui est déclaré ne pas exister par la loi dominante du monde, c'est toujours quelque chose qui en réalité est une marque, dans notre situation locale, de ce fait qu'il y a un seul monde. D'où par exemple le caractère crucial de la question des étrangers. Question cruciale parce que, évidemment, la grande majorité de ces étrangers sont simplement le marquage, dans notre situation, de ceci qu'il y a un seul monde. Et qu'il est déclaré par la situation dominante que ce n'est pas vrai, qu'il y a plusieurs mondes, un bon monde et un mauvais. Or la marque immanente du fait qu'il y a un seul monde c'est tout simplement que ces gens-là sont ici, avec nous, parmi nous, et qu'ils sont la marque, en dépit de toutes les barricades, défenses, douanes et polices, de ce fait qu'il n'y a qu'un seul monde. Alors qu'en réalité on les déclare ne pas exister.

Un petit commentaire sur ce point : c'est très important la constitution d'un Ministère de l'immigration et de l'identité nationale. Parce qu'en réalité c'est le ministère de la séparation. C'est exactement ce dont on est en train de parler : les gens qui sont supposés ne pas être de notre monde vont disposer d'un ministère à eux. Autrement dit, à l'intérieur même de l'État, on va constituer une section étatique singulière, destinée à traiter le cas des gens qui sont à l'intérieur de notre situation le marquage du fait qu'il y a un seul monde. Car ce qui est toujours soutenu c'est qu'il y a en tout cas au moins deux mondes, celui des riches et celui des pauvres. On va donc s'occuper d'eux par un État dans l'État, parce que si vous regardez bien, ce ministère cumule des compétences qui autrefois étaient dispersées entre cinq ministères différents. C'est une concentration des pouvoirs considérable à l'intérieur d'un ministère singulier. En outre ledit ministère va pratiquement disposer d'une police propre, puisque c'est lui qui va diriger la police des frontières ou des aéroports. Ainsi il est pratiquement assuré que ce ministère va devenir un ministère spécialisé, en résonance avec le Ministère des affaires juives qui a existé sous Pétain. Là, ce sera plutôt le Ministère des affaires africaines. C'est matériellement comme ça, ce n'est pas une rêverie idéologique. On a en fait un ministère des deux mondes, un ministère qui traite, dans notre monde, des gens considérés comme n'étant pas de notre monde. Vous voyez bien que la maxime « Il y a un seul monde » va donner lieu à des points à tenir qui vont finalement être la déclaration qu'existent des gens qui sont de notre monde et qui néanmoins sont traités comme n'existant pas du point de notre monde. Et la meilleure preuve, c'est qu'ils ont un ministère spécial pour eux. Ça, c'était le premier point : déclarer cette existence, en tenir les conséquences, du point de ce qui inexiste.

Second commentaire, qui n'est que le traitement du premier. J'avais repris la formule de Lacan, « élever l'impuissance à l'impossible » ; c'est-à-dire, là où on a le sentiment de l'impuissance, affirmer ou tenir le point comme point réel, c'est-à-dire comme point impossible, comme point déclaré impossible par le monde dominant, et le traiter fidèlement (au sens où je l'entends), le traiter concrètement comme possibilité. Élever l'impuissance globale à l'impossible local, tenir le point d'impossibilité local de telle façon que les conséquences en soient praticables, alors même qu'on est dans la subjectivité de l'impuissance globale. Voilà pour le quatrième point.

Le cinquième et dernier point, c'était affirmer que la vertu primordiale, dans ce genre de séquence, c'est le courage. C'est vraiment un traité des vertus, n'est-ce pas ? Ce n'est pas toujours le cas, car les vertus dominantes changent. Il n'est, par exemple, pas toujours vrai que la vertu principale soit le courage. Ça peut à un moment donné être l'abnégation, ça peut être la patience, ça peut être beaucoup de choses. Lorsque vous êtes dans la figure que Mao appelait la figure de la guerre prolongée, on peut dire que la patience est la vertu principale, c'est-à-dire que savoir que ça va être long impose d'organiser la temporalité en conséquence. Là je pense que, peut-être, ça va être long aussi. J'avais proposé comme définition du courage que le courage c'est l'endurance de l'impossible, c'est-à-dire la capacité à tenir le point, en tant que point d'exception, en tant que point qui n'a pas à rendre raison de sa possibilité. C'est là une méthodologie très importante. Il faut un point de vue d'ensemble puisqu'il faut l'assertion qu'il y a un seul monde. Or le courage est une vertu locale. C'est toujours la vertu de l'endurance du point comme tel, du traitement du point d'impossibilité tel qu'on le tient. Au fond vous ne pouvez pas tenir un point déclaré impossible si vous l'immergez aussitôt dans la totalité, parce qu'à ce moment-là vous allez le faire retomber dans l'impuissance. Ainsi la morale provisoire est toujours une morale du lieu, une morale de la particularité locale sur l'horizon d'un principe. Ce qui a en charge l'ensemble, c'est le principe « Il y a un seul monde » ou finalement, encore plus généralement, l'hypothèse communiste sous sa forme abstraite. Voilà qui assume, qui prend en charge la totalité. Mais le point à tenir, c'est-à-dire le lieu du courage, lui, n'est pris en charge inauguralement que comme point d'impossibilité local, traité selon ses conséquences.

C'est pourquoi le titre de Stephen Crane, *La Conquête du courage*, conquérir le courage, nous est une maxime. En vérité, ce que nous avons à conquérir, c'est le courage, au sens où je le dis. Parce que les temps ne sont pas à la déploration, bien qu'ils soient déplorables. La déploration c'est la figure subjective de l'impuissance, elle n'élève pas l'impuissance à l'impossible, car elle est simplement l'installation subjective dans l'impuissance comme telle. Or conquérir le courage c'est précisément ça l'élévation de l'impuissance à l'impossible, c'est accepter de saisir, et d'être saisi en même temps, par un point local déclaré impossible, qu'on va traiter comme ce qu'il faut tenir à tout prix. Et là je vous avais montré qu'il y en a beaucoup dans des ordres tout à fait différents, et que la maxime vertueuse contemporaine, c'est l'endurance de l'impossible.

Il faut également se dire qu'être attaqué par l'ennemi est une bonne chose et pas une mauvaise. Ce qui n'est pas toujours si facile que ça, mais qui va de pair avec la conquête du courage. Je terminerai là-dessus pour aujourd'hui et pour cette année, en ponctuant quelques passages de Stephen Crane, *La Conquête du courage*, en vous le relisant une dernière fois. C'est l'extrême fin du roman : nous sommes dans un moment où le jeune homme anonyme qui est le héros du livre a été dans la mêlée du combat, de la guerre et de l'atrocité de la guerre, et où précisément il fait l'épreuve d'une subjectivité impuissante, d'une subjectivité défaillante. Stephen Crane tente de saisir le moment où il va conquérir le courage. Je reprends les choses, phrase après phrase.

« Peu à peu, cependant, il réunit assez de force pour repousser au loin la hantise de sa défaillance. »

Ce qui est important ici, c'est de voir que l'ennemi, ce n'est pas tant la défaillance que sa hantise. La hantise de la défaillance c'est l'anticipation de l'impuissance, et c'est d'ailleurs la maladie mortelle de tout combat. Avant même de saisir le point que vous devez saisir, vous avez déjà mille raisons de vous convaincre que vous êtes impuissant. Et il y a toujours mille raisons puisque, effectivement, la situation est justement la situation d'impuissance. Le héros a repoussé au loin la hantise de sa défaillance.

« Ses yeux lui semblèrent, enfin, s'ouvrir différemment sur ses visions. »

Nous avions déjà commenté cela : la saisie d'un point, c'est toujours une modification du regard, c'est une autre manière de voir ce qu'on voit, on le voyait dans le contexte de l'impuissance, et on va le voir dans le contexte de l'impossible, on va le voir comme point réel. Et donc, effectivement, on va regarder autrement. On ne va pas regarder autre chose, on va regarder autrement la même chose.

« Il se découvrit le pouvoir de contempler d'un regard de juge la camelote criarde de ses idées de naguère et sa joie fut grande de savoir qu'il les méprisait. »

Un élément constitutif de la conquête du courage, c'est largement la conquête du mépris des idées qu'on avait la veille. En particulier les idées qui ne sont rien d'autre que l'intériorisation des idées dominantes : la camelote criarde des idées de naguère c'est la camelote criarde de celui qui espérait la victoire du Parti socialiste !

« Cette conviction s'accompagna de quelque assurance. Il se sentit un aplomb calme, sans fausse assertion de soi, mais nourri d'un sang généreux et vivifiant. »

« Conviction », le mot est essentiel… Tous les mots sont intéressants : « aplomb », face à la situation du point de vue de la tenue d'un point, une espèce de verticalité nouvelle si vous voulez ; un « calme », ça c'est fondamental, l'hystérie déplorative est éliminée ; pas de « fausse assertion de soi », c'est-à-dire que ça ne s'accompagne pas de mégalomanie, ou de la conviction qu'on est devenu formidable ; « nourri d'un sang généreux et vivifiant », une vitalité nouvelle, une vitalité qui est une vitalité d'un autre ordre.

« Il sut qu'il ne tremblerait plus au geste de ses guides lui désignant une voie, quelle qu'elle dût être. Il était allé toucher du doigt la grande Mort. Désormais, il était un homme : il avait conquis le courage. »

On sent là qu'il ne va plus trembler lorsqu'il sera confronté effectivement au problème de l'orientation. Lorsqu'une voie, un chemin sera dessiné, il ne va pas être pris du tremblement de la désorientation.

« Il advint donc qu'au sortir de la région de sang et de colère son âme changea. Il s'en retournait hors des labours fumants encore, pour pénétrer dans un tranquille champ de trèfle et c'étaient les labours fumants qui n'existaient plus. »

« La région de sang et de colère » c'est la figure de désorientation et de défaillance dans laquelle la guerre a plongé le héros anonyme. Mais la tenue du point, la possibilité de l'orientation, le mépris des idées de la veille, c'est une modification subjective. La conquête du courage se situe dans la modalité de la conversion. De la conversion dont nous aurons à parler l'année prochaine, puisque la conversion est le grand motif platonicien concernant les effets subjectifs de la philosophie. « Les labours fumants… n'existaient plus. » Ce point est très important : lorsque vous traitez un point d'impossible, quelque chose de ce qui existait antérieurement cesse d'exister, quelque chose de ce qui était la loi du monde est oblitéré.

« Les cicatrices se fanent comme les fleurs. »

Nous en resterons là : cela veut dire que ce qui vous marquait au fer du vieux monde peut disparaître ; il ne faut jamais croire que le marquage par le vieux monde est irréversible. Jamais croire que quelque chose est installé de telle façon que nous n'y puissions rien. Bien sûr nous sommes marqués, notre corps est la cicatrice de l'histoire, mais cette cicatrice peut se fermer, elle peut se faner. Et nous pouvons par conséquent être installés dans la conviction que, localement au moins, et dans l'élément d'une morale provisoire, nous sommes en train de réinstaller l'hypothèse de l'émancipation. C'est à quoi en tout cas nous travaillons ici.

Merci.

Remerciements

Ces trois années de séminaire ont été enregistrées et transcrites par Philippe Gossart. Je le remercie de cet énorme travail qui nous permet aujourd'hui de disposer de ce séminaire.

Bibliographie

AÏGUI, G., « Wallenberg à Budapest », « Août : Nietzsche à Turin » dans *Poètes d'aujourd'hui*, traduit par Léon Robel, Seghers, 1994.

—, *Toujours plus loin dans les neiges,* traduit par Léon Robel, Éditions Obsidiane, Sens, 2005.

BELHAJ KACEM M., *Événement et répétition*, Tristram, Auch, 2004.

—, *L'Affect*, Tristram, Auch, 2004.

CELAN, P., *La Rose de personne*, José Corti, Paris, 2002.

CHAR, R., *Œuvres Complètes*, Gallimard, Bibliothèque de la Pléiade, Paris, 1983.

CRANE, S., *La Conquête du courage*, 1895.

DESCARTES, R., *Lettres au père Mersenne*, dans *Œuvres Complètes VIII : Correspondance 1, 2*, Gallimard, coll. « Tel », 2013.

—, *Discours de la méthode*, dans *Œuvres complètes III*, Gallimard, coll. « Tel », Paris, 2009.

—, *Sixième réponse aux objections*, dans *Œuvres complètes IV*, t. 1, Gallimard, coll. « Tel », Paris, 2018.

—, *Le Monde, L'Homme*, Seuil, Paris, 1996.

GROSJEAN, J., *Élégie*, Gallimard, Paris, 1967.

—, *Clausewitz*, Gallimard, Paris, 1972.

—, *Darius*, Gallimard, Paris, 1983.

—, *Pilate*, Gallimard, Paris, 1984.

GUYOTAT, P., *Tombeau pour cinq cent mille soldats*, Gallimard, Paris, 1967.

HAZAN, É., *L'Invention de Paris*, Seuil, Paris, 2002.

—, *LQR*, Raisons d'agir, 2006.

HEGEL, G. W. F., *Phénoménologie de l'esprit*, 1807.

HEIDEGGER, M., « Projets pour l'histoire de l'être en tant que métaphysique », dans *Nietzsche*, traduit par Pierre Klossowski, Gallimard, Paris, 1971.

HOPKINS, G. M., « Le Soldat », dans *Grandeur de Dieu et autres poèmes*, traduit par Jean Mambrino, Éditions Nous, Caen, 1999.

KANT, E., *Que signifie s'orienter dans la pensée ?*, 1786.

KLEMPERER, V., *LTI, la langue du IIIe Reich*, Albin Michel, Paris, 1996.

LACOUE-LABARTHE, P., « La césure du spéculatif », dans *L'Imitation des modernes*, Éditions Galilée, 1986.

LAUTMAN, A., « Nouvelles recherches sur la structure dialectique des mathématiques », dans *Les Mathématiques, les idées et le réel physique*, Vrin, Paris, 2006.

MAO, T., *Écrits militaires*, Éditions en langues étrangères, 1968.

—, *Servir le peuple*, 1944.

MARX, K., *Manuscrits de 1844*, Éditions Sociales, Paris, 1962.

—, *Manifeste Communiste*, dans *Œuvres*, t. I : *Économie*, Gallimard, Bibliothèque de la Pléiade, Paris, 1963.

PASOLINI, P. P., « Les Cendres de Gramsci », « Poésies en forme de rose », dans *Poésies 1943-1970*, Gallimard, Paris, 1990.

RIMBAUD, A., *Lettre à Izambard*, 1871.

—, *Une saison en enfer*, 1873.

SAINT-JOHN PERSE (Alexis Leger dit), *Exil*, Gallimard, Paris, 1945.

SARTRE, J.-P., *Esquisse d'une théorie des émotions*, Hermann, Paris, 1965.

SPINOZA, B., *L'Éthique*, 1677.

STEVENS, W., « Esthétique du mal », dans *Transport to Summer*, Alfred A. Knopf, New York, 1951, traduit par Christian Calliyannis dans *Europe*, n° 854-855, juillet 2000.

—, « L'immense poésie de la guerre », « Soliloque dernier de l'amant intérieur », dans *Descriptions sans domicile*, traduit par Bernard Noël, Éditions Unes, 1989.

Index des noms de personnes

Adorno, Théodore, 135, 578
Aïgui, Guennadi, 8, 379, 381-382, 389, 397-398, 407, 409-412
Alcibiade, 563-565
Aloni, Udi, 603-604
Althusser, Luis, 11-12, 245, 264, 587, 689
Archimède, 328, 330, 333
Arendt, Hannah, 569
Aristote, 25, 46, 243, 543, 608, 691

Babeuf, Gracchus, 681, 705
Banks, Russel, 515-518, 520-523
Baudelaire, Charles, 142, 145, 382
Bayrou, François, 639
Beckett, Samuel, 583
Belhaj Kacem, Mehdi, 76-77
Bergson, Henri, 17, 574
Berlioz, Hector, 333
Blair, Tony, 678, 681
Boissy d'Anglas (de), François-Antoine, 701
Bonaparte, Napoléon, 53, 300-301, 413
Bowles, Paul, 300
Bush, George W., 45, 54-56, 69, 84, 352, 477, 678, 681

Calliclès, 83, 85-87, 91
Cantor, Georg, 199, 204, 484
Cassin, Barbara, 89
Celan, Paul, 119-120, 380-381, 397, 410, 584-585, 595
Chaplin, Charlie, 289
Char, René, 9, 11, 24-25, 31-37, 39-40, 64, 67-70, 72-73, 79-80, 82, 90, 100-103, 105, 208, 211-213, 215-216, 220, 297-298, 303
Chirac, Jacques, 84, 89, 107-108, 165-166, 259, 347, 497
Cixous, Hélène, 20
Claudel, Philippe, 411
Clausewitz (von), Carl, 413-414
Cohen, Paul, 156-158
Comte, Auguste, 106, 290
Corneille, Pierre, 484
Crane, Stephen, 8, 651-653, 681, 712-713

Danton, Georges Jacques, 89
De Gaulle, Charles, 33, 164
Debord, Guy, 101
Debussy, Claude, 476
Deleuze, Gilles, 11-12, 47, 50, 52, 61, 76, 78, 83, 119, 293,

303, 307, 353, 356, 373, 380, 404, 422, 567, 569, 689, 693-695
Derrida, Jacques, 11-13, 17-22, 43, 142, 219, 310, 368, 548, 577, 693
Descartes, René, 24-26, 39, 58, 244, 249-250, 286, 293, 359, 446, 452, 482-486, 488-489, 495, 524, 547, 553, 568, 574, 589, 698, 709
Dickens, Charles, 289
Droit, Roger-Pol, 582
Duroux, Yves, 373

Foucault, Michel, 11-12, 61, 152, 166, 576, 689, 694
Fukuyama, Francis, 44, 134, 340

Galilée, 486
Genet, Jean, 20, 109
Glucksmann, André, 351
Godard, Jean-Luc, 121, 690
Gödel, Kurt, 153-156
Gorgias, 83, 85-86, 91
Gracq, Julien, 243
Gramsci, Antonio, 119, 130, 339
Grosjean, Jean, 407, 411-414, 416-417
Guyotat, Pierre, 217-218, 242

Hazan, Éric, 254, 299, 346-347, 351-352
Hébert, Jacques-René, 89
Hegel, Georg Wilhelm Friedrich, 20, 23, 50, 65-66, 86, 113-114, 135, 175-176, 179-181, 203, 221, 232, 368, 426, 446, 452, 538, 544, 554, 698
Heidegger, Martin, 13, 19, 573-578, 581-582, 584-585, 589-601, 605-606, 692, 698
Hemingway, Ernest, 653
Héraclite, 44
Hilberg, Raoul, 150
Hippocrate, 30, 670
Hitchcock, Alfred, 289
Hollande, François, 89
Hugo, Victor, 289, 502

Jacobi, Charles Gustave Jacob, 463-465, 478
James, Cyril Lionel Robert, 300
Jaurès, Jean, 480, 702

Kant, Emmanuel, 73, 135, 234, 362-363, 387, 463-470, 473, 488, 519, 540, 600, 682, 692-693
Kerry, John, 45, 49, 54-57
Kierkegaard, Søren, 364-365, 408, 474, 598-599, 614-615
Klemperer, Viktor, 346-347
Klossowski, Pierre, 590
Kurosawa, Akira, 289

Lacan, Jacques, 11-12, 20, 148, 223, 323, 407-408, 426, 469, 485, 564-565, 576, 651, 663, 667, 671, 689, 694, 711
Lacoue-Labarthe, Philippe, 573-582, 584-586, 590, 677
Le Pen, Jean-Marie, 107-108, 168, 388, 632, 635-636, 638
Lénine, Vladimir Illitch, 476, 554, 684
Lévi-Strauss, Claude, 11
Lévy, Guy, 373

Lyotard, Jean-François, 11-12, 391, 576

Mallarmé, Stéphane, 281, 399, 408
Malraux, André, 101, 252, 432, 528-529
Mambrino, Jean, 503
Manley Hopkins, Gerard, 502-503, 507, 509-511
Mao Tse Toung, 102, 191, 343, 528-529, 546, 554, 647-649, 665, 711
Marx, Karl, 16, 50, 65, 67-68, 111, 156-158, 182, 185, 264-266, 291, 331, 394, 428, 439, 453, 464, 548-549, 617-618, 666, 669, 687, 703-705
Meillassoux, Quentin, 249, 608
Mendelssohn, Félix, 463, 465-466
Meslan, père, 25-26, 58
Michelet, Jules, 329
Mitterrand, François, 107, 177, 702

Nancy, Jean-Luc, 19, 577
Nicolas, François, 373
Nietzsche, Friedrich, 70, 73, 77, 89, 95, 130, 158, 179, 267, 381-382, 408-411, 421, 439, 460, 590, 614, 628, 669, 697
Noël, Bernard, 76, 455

Parménide, 44, 150, 355, 419, 535, 537-538, 544, 557
Pascal, Blaise, 444
Pasolini, Pier Paolo, 105, 117-122, 124, 126-132, 136-139, 142-144, 148-149, 174, 196, 209, 220, 338-341, 379-381, 438
Pétain, Philippe, 389, 647, 675-678, 710
Picasso, Pablo, 326, 329-330
Platon, 29-30, 81-87, 91-92, 94, 106, 115, 133, 150, 195, 246, 286, 327, 363, 383, 439, 441, 443-447, 452, 483, 535, 539, 553-556, 558-566, 568-572, 580, 586-588, 592, 598, 608, 631-632, 671-673, 696-698, 700
Prodicos, 84-85
Protagoras, 83, 91
Proust, Marcel, 400

Raffarin, Jean-Pierre, 176
Rimbaud, Arthur, 35, 103, 118, 141-145, 151, 178, 271, 322, 653
Robel, Léon, 381-382, 410
Robespierre (de), Maximilien, 51, 89
Rocard, Michel, 72
Roudinesco, Élisabeth, 20, 373
Rousseau, Jean-Jacques, 39, 206, 408, 614

Saint-John Perse, Alexis Leger dit, 116
Saint-Just (de), Louis-Antoine, 31
Sarkozy, Nicolas, 7-8, 48, 89, 177, 197, 235, 288, 389, 469, 636-639, 641-642, 645, 658, 671
Sartre, Jean-Paul, 11-12, 75, 575, 606-607, 659, 682
Schelling (von), Friedrich Willhelm Joseph, 590
Schoenberg, Arnold, 476
Spartacus, 430, 432-433

Spinoza, Baruch, 237, 246, 272, 367, 373, 601
Staline, Joseph, 186, 351, 528
Stevens, Wallace, 8, 381, 455-461, 502-505, 508, 510-511, 513
Sun-Tse, 343

Tolstoï, Léon, 289

Villepin (de), Dominique, 197
Virgile, 333
Vitez, Antoine, 177, 382
Vodoz, Isabelle, 373
Voltaire, François-Marie Arouet dit, 278

Wagner, Whilhelm Richard, 373, 476

Zizek, Slavoj, 373, 660

Le Séminaire

Ordre chronologique

1983-1984	L'Un. Descartes, Platon, Kant.
1984-1985	L'Infini. Aristote, Spinoza, Hegel.
1985, 4e trim.	L'être 1. Figure ontologique : Parménide.
1986, 1er trim.	L'être 2. Figure théologique : Malebranche.
1986-1987	L'être 3. Figure du retrait : Heidegger.
1987-1988	Vérité et Sujet.
1988-1989	Beckett et Mallarmé.
1989-1990	Platon : La République.
1990-1991	Théorie du Mal, théorie de l'amour.
1991-1992	L'essence de la politique.
1992-1993	L'antiphilosophie 1. Nietzsche.
1993-1994	L'antiphilosophie 2. Wittgenstein.
1994-1995	L'antiphilosophie 3. Lacan.
1995-1996	L'antiphilosophie 4. Saint Paul.
1996-1998	Théorie axiomatique du sujet.
1998-2001	Le xxe siècle.
2001-2004	Images du temps présent : qu'est-ce que vivre ?
2004-2007	S'orienter dans la pensée, s'orienter dans l'existence.
2007-2010	Pour aujourd'hui : Platon !
2010-2012	Que signifie « changer le monde » ?
2012-2017	L'immanence des vérités.

Table des matières

À propos du séminaire de 2004-2007 consacré à « s'orienter dans la pensée, s'orienter dans l'existence » 7

I. 20 OCTOBRE 2004 11
II. 23 NOVEMBRE 2004 43
III. 15 DÉCEMBRE 2004 75
IV. 16 FÉVRIER 2005 105
V. 6 AVRIL 2005 133
VI. 18 MAI 2005 161
VII. 15 JUIN 2005 189
VIII. 19 OCTOBRE 2005 217
IX. 30 NOVEMBRE 2005 253
X. 14 DÉCEMBRE 2005 283
XI. 11 JANVIER 2006 315
XII. 15 MARS 2006 343
XIII. 26 AVRIL 2006 373
XIV. 31 MAI 2006 407
XV. 14 JUIN 2006 437
XVI. 25 OCTOBRE 2006 463
XVII. 29 NOVEMBRE 2006 491
XVIII. 13 DÉCEMBRE 2006 515
XIX. 24 JANVIER 2007 547
XX. 14 FÉVRIER 2007 573
XXI. 14 MARS 2007 603

XXII. 25 AVRIL 2007 635
XXIII. 16 MAI 2007 657
XXIV. 13 JUIN 2007 689

Remerciements 717
Bibliographie 719
Index des noms de personnes 721

DU MÊME AUTEUR

PHILOSOPHIE

Le Concept de modèle, Maspero, Paris, 1969 ; réed. Fayard, Paris, 2007.
Théorie du sujet, Le Seuil, Paris, 1982.
Peut-on penser la politique ?, Le Seuil, Paris, 1985.
L'être et l'événement, Le Seuil, Paris, 1988.
Manifeste pour la philosophie, Le Seuil, Paris, 1989.
Le Nombre et les nombres, Le Seuil, Paris, 1990.
Conditions, Le Seuil, Paris, 1992.
L'Éthique, Hatier, Paris, 1993 ; rééd. Nous, Caen, 2003.
Deleuze, « la clameur de l'être », Hachette Litteratures, Paris, 1997 ; rééd. Pluriel, 2013.
Saint Paul, la fondation de l'universalisme, PUF, Paris, 1997 ; rééd. Quadrige, 2015.
Court traité d'ontologie transitoire, Le Seuil, Paris, 1998.
Petit manuel d'inesthétique, Le Seuil, Paris, 1998.
Abrégé de métapolitique, Le Seuil, Paris, 1998.
Le Siècle, Le Seuil, Paris, 2005.
Logiques des mondes, Le Seuil, Paris, 2006.
Petit panthéon portatif, La fabrique, Paris, 2008.
Second manifeste pour la philosophie, Fayard, Paris, 2009.
L'antiphilosophie de Wittgenstein, Nous, Caen, 2009.
Le fini et l'infini, Bayard, Montrouge, 2010.
Il n'y a pas de rapport sexuel. Deux leçons sur « L'Étourdit » de Lacan (collab. B. Cassin), Fayard, Paris, 2010.
Heidegger. Le nazisme, les femmes, la philosophie (collab. B. Cassin), Fayard, Paris, 2010.
La Philosophie et l'événement : entretiens avec Fabien Tarby, Germina, Meaux, 2010.
La Relation énigmatique entre politique et philosophie, Germina, Meaux, 2011.
Entretiens. 1981-1999, Nous, Caen, 2011.
La République de Platon, Fayard, Paris, 2012 ; rééd. Pluriel, 2014.
Jacques Lacan, passé, présent : dialogue avec Élisabeth Roudinesco, Le Seuil, Paris, 2012.

L'Aventure de la philosophie française depuis les années 1960, La fabrique, Paris, 2012.
Pornographie du temps présent, Fayard, Paris, 2013.
Métaphysique du bonheur réel, PUF, Paris, 2015.
À la recherche du réel perdu, Fayard, Paris, 2015.
La Vraie Vie, Fayard, Paris, 2016.
De la fin. Conversations (collab. G. Tusa), Mimesis, Milan, 2017.
La Tradition allemande dans la philosophie (collab. J.-L. Nancy), Lignes, Paris, 2017.
L'Immanence des vérités, Fayard, Paris, 2018.
Homme, femme, philosophie (collab. B. Cassin), Fayard, Paris, 2019.

LE SÉMINAIRE

Le Séminaire. Lacan. L'antiphilosophie 3, 1994-1995, Fayard, Paris, 2013.
Le Séminaire. Malebranche. L'être 2. Figure théologique, 1986, Fayard, Paris, 2013.
Le Séminaire. Images du temps présent, 2001-2004, Fayard, Paris, 2014.
Le Séminaire. Parménide, L'être 1. Figure ontologique, 1985-1986, Fayard, Paris, 2014.
Le Séminaire. Heidegger. L'être 3. Figure du retrait, 1986-1987, Fayard, Paris, 2015.
Le Séminaire. Nietzsche. L'antiphilosophie 1, 1992-1993, Fayard, Paris, 2015.
Le Séminaire. L'Un. Descartes, Platon, Kant, 1983-1984, Fayard, Paris, 2016.
Le Séminaire. L'Infini. Aristote, Spinoza, Hegel, 1984-1985, Fayard, Paris, 2016.
Le Séminaire. Que signifie « changer le monde » ?, 2010-2012, Fayard, Paris, 2017.
Le Séminaire. Vérité et sujet, 1987-1988, Fayard, Paris, 2018.
Le Séminaire. Théorie du mal, théorie de l'amour, 1990-1991, Fayard, Paris, 2018.
Le Séminaire. L'essence de la politique, 1991-1992, Fayard, Paris, 2018.
Le Séminaire. Théorie axiomatique du sujet, 1996-1998, Fayard, Paris, 2019.
Le Séminaire. Pour aujourd'hui : Platon !, 2007-2010, Fayard, Paris, 2019.

ESSAIS CRITIQUES

Rhapsodie pour le théâtre, Imprimerie nationale, Paris, 1990 ; réed. PUF, Paris, 2014.

Beckett, l'increvable désir, Hachette Litteratures, Paris, 1995 ; réed. Pluriel, 2006.

Éloge de l'amour (collab. N. Truong), Flammarion, Paris, 2009.

Cinéma, Nova Éditions, Paris, 2010.

Cinq leçons sur le cas Wagner, Nous, Caen, 2010.

Éloge du théâtre (collab. N. Truong), Flammarion, Paris, 2013.

Éloge des mathématiques (collab. G. Haeri), Flammarion, Paris, 2015.

Que pense le poème ?, Nous, Paris, 2016.

Sur « Le ciel du centaure » de Hugo Santiago (collab. A. Garcia-Duttmann, J.-L. Nancy), Nous, Paris, 2016.

LITTÉRATURE ET THÉÂTRE

Almagestes, prose, Le Seuil, Paris, 1964.

Portulans, roman, Le Seuil, Paris, 1967.

L'Écharpe rouge, roman opera, Maspero, Paris, 1979.

Ahmed le subtil, farce, Actes Sud, Arles, 1994.

Ahmed philosophe, suivi de *Ahmed se fâche*, theatre, Actes Sud, Arles, 1995.

Les Citrouilles, comedie, Actes Sud, Arles, 1996.

Calme bloc ici-bas, roman, POL, Paris, 1997.

La Tétralogie d'Ahmed, Actes Sud, Arles, 2010, 2015.

Le Second Procès de Socrate, Actes Sud, Arles, 2015.

Le Noir, Autrement, Paris, 2015.

La République de Platon suivi de L'Incident d'Antioche, Fayard, Paris, 2016.

La philosophie, le théâtre, la vraie vie, Éditions universitaires d'Avignon, Avignon, 2016.

Mallarmé, le théâtre, la tribu (collab. P. Lacoue-Labarthe, J. Rancière), Bourgois, Paris, 2017.

Ahmed revient, Actes Sud, Paris, 2018.

ESSAIS POLITIQUES

Théorie de la contradiction, Maspero, Paris, 1975.

De l'idéologie (collab. F. Balmes), Maspero, Paris, 1976.

Le Noyau rationnel de la dialectique hégélienne (collab. L. Mossot et J. Bellassen), Maspero, Paris, 1977.
D'un désastre obscur, L'Aube, La Tour-d'Aigues, 1991, rééd. 2012.
Circonstances 1. Kosovo, 11 septembre, Chirac-Le Pen, Leo Scheer, Paris, 2003.
Circonstances 2. Irak, foulard, Allemagne-France, Leo Scheer, Paris, 2004.
Circonstances 3. Portées du mot « juif », Leo Scheer, Paris, 2005.
Circonstances 4. De quoi Sarkozy est-il le nom ?, Lignes, Paris, 2007.
Circonstances 5. L'hypothèse communiste, Lignes, Paris, 2009.
Circonstances 6. Le réveil de l'Histoire, Lignes, Paris, 2011.
Circonstances 7. Sarkozy, pire que prévu. Les autres, prévoir le pire, Lignes, Paris, 2012.
Circonstances 8. Un parcours grec, Lignes, Paris, 2016.
Démocratie, dans quel état ? (en collab.), La fabrique, Paris, 2009.
L'Explication : conversation avec Aude Lancelin et A. Finkielkraut, Lignes, Paris, 2010.
L'Idée du communisme, 1 (en collab.), Lignes, Paris, 2010.
L'Idée du communisme, 2 (en collab.), Lignes, Paris, 2011.
L'Antisémitisme partout. Aujourd'hui en France (collab. É. Hazan), La fabrique, Paris, 2011.
Les Années rouges, Prairies ordinaires, Paris, 2012.
Controverse : dialogue avec Jean-Claude Milner sur la philosophie et la politique de notre temps (collab. Ph. Petit), Le Seuil, Paris, 2012.
Entretien platonicien (collab. M. Kakogianni), Lignes, Paris, 2015.
Quel communisme ? (collab. P. Engelmann), Bayard, Montrouge, 2015.
Notre mal vient de plus loin. Penser les tueries du 13 novembre, Fayard, Paris, 2016.
Qu'est-ce que j'entends par marxisme ?, Éditions sociales, Paris, 2016.
Éloge de la politique (collab. A. Lancelin), Flammarion, Paris, 2017.
On a raison de se révolter, Fayard, Paris, 2018.
Petrograd, Shanghai. Les deux révolutions du XXe siècle, La fabrique, Paris, 2018.
Méfiez-vous des blancs, habitants du rivage, Fayard, Paris, 2019.
Trump, PUF, Paris, 2020.

Tombeau d'Olivier, Fayard, Paris, 2020.

Mise en pages PCA
44400 Rezé

Fayard s'engage pour
l'environnement en réduisant
l'empreinte carbone de ses livres.
Celle de cet exemplaire est de :
2,700 kg éq. CO_2
Rendez-vous sur
www.fayard-durable.fr

PAPIER À BASE DE
FIBRES CERTIFIÉES

Imprimé en France par Dupli-Print
2 rue Descartes – 95330 Domont
en octobre 2020

10-8902-2/01
N° d'impression : 2020100139